主编◇陈文新

本卷主编◇陈文新

# 中国文学编年史

明中期卷

盧中南

# 总　序

　　纪传体、编年体是中国传统史书的两种主要体裁，而编年体的写作远较纪传体薄弱。《四库全书总目》卷四七史部编年类小序已明确指出这一事实："司马迁改编年为纪传，荀悦又改纪传为编年。刘知幾深通史法，而《史通》分叙六家，统归二体，则编年、纪传均正史也。其不列为正史者，以班、马旧裁，历朝继作。编年一体，则或有或无，不能使时代相续。故姑置焉，无他义也。"① 与古代历史著作的这种体裁格局相似，在 20 世纪的中国文学史写作中，也是纪传体一枝独秀，不仅在数量上已多到难以屈指，各大专院校所用的教材也通常是纪传体，这类著作的核心部分是作家传记（包括作家的创作经历和创作成就）。编年类的著作，则虽有陆侃如、傅璇琮、曹道衡、刘跃进等学者做了卓有成效的工作，但就总体而言，仍有大量空白，尤其是宋、元、明、清、现、当代部分，历时一千余年，文献浩繁，而相关成果甚少。这样一种状况，自然是不能令人满意的。这套十八卷的《中国文学编年史》的编纂出版，即旨在一定程度地改变这种状况。

　　文学史是在一定的空间和时间中展开的。纪传体的空间意识和时间意识以若干个焦点（作家）为坐标，对文学史流程的把握注重大体判断。其优势在于，常能略其玄黄而取其隽逸，对时代风会的描述言简意赅，达到以少许胜多许的境界。若干重要的文学史术语如"建安风骨"、"盛唐气象"、"大历诗风"等，就是这种学术智慧的凝

――――――――――

　　①　永瑢等撰：《四库全书总目》，第 418 页，北京，中华书局，1965。

结。但是，由于风会之说仅能言其大概，"个别"和"例外"（即使是非常重要的"个别"和"例外"）往往被忽略，不免留下遗憾。一些跨时代的作家，如李煜、刘基、张岱等人，在文学史中的时代归属与其代表作的实际创作年代也常有不吻合的情形。例如，李煜被视为南唐作家，而他最好的词写在宋初；刘基被视为明代作家，而他最好的诗、文写在元末；张岱被视为明代作家，而其代表作多写于清初。比上述情形更具普遍性的，还有下述事实：我们讲罗贯中的《三国志通俗演义》，往往以毛宗岗修订本为例；我们讲施耐庵的《水浒传》，往往以百回繁本为例；我们讲兰陵笑笑生的《金瓶梅》，往往以崇祯本为例。这就出现了两方面的问题：第一，我们讲的并不是作家的原著；第二，我们忽略了读者的接受情形。这类涉及风会与例外、作家时代归属与作品实际创作、传播与接受两方面的问题，以纪传体来解决，由于受到体例的限制，往往力不从心，采用编年体，解决起来就方便多了：不难依次排列，以展开具体而丰富多彩的历史流程。

与纪传体相比，编年史在展现文学历程的复杂性、多元性方面获得了极大的自由，但在时代风会的描述和大局的判断上，则远不如纪传体来得明快和简洁。作为尝试，我们在体例的设计、史料的确认和选择方面采用了若干与一般编年史不同的做法，以期在充分发挥编年史长处的同时，又能尽量弥补其短处。我们的尝试主要在三个方面：其一，关于时间段的设计。编年史通常以年为基本单位，年下辖月，月下辖日。这种向下的时间序列，可以有效发挥编年史的长处。我们在采用这一时间序列的同时，另外设计了一个向上的时间序列，即：以年为基本单位，年上设阶段，阶段上设时代。这种向上的时间序列，旨在克服一般编年史的不足。具体做法是：阶段与章相对应，时代与卷相对应，分别设立引言和绪论，以重点揭示文学发展的阶段性特征和时代特征（现当代文学因时间周期较短，拟省略阶段，不设引言）。其二，历史人物的活动包括"言"和"行"两个方面，"行"（人物活动、生平）往往得到足够重视，"言"则通常被忽略。而我们认为，在文学史进程中，"言"的重要性可以与"行"相提并论，特殊情况下，其重要性甚至超过"行"。比如，我们考察初唐的文学，不读陈子昂的诗论，对初唐的文学史进程就不可能有真正的了解；我们考察嘉靖年间的文学，不读唐宋派、后七子的文论，对这一时期的文学景观就不可能有准确的把握。鉴于这一事实，若干作品序跋、友朋信函等，由于透露了重要的文学流变信息，我们也酌情收入。其三，较之政治、经济、军事史料，思想文化活动是我们更加关注的对象。中国文学进程是在中国历史的背景下展开的，与政治、经济、军事、思想文化等均有显著联系，而与思想文化的联系往往更为内在，更具有全局性。考虑到这一点，我们有意加强了下述三方面材料的收录：重要文化政策；对知识阶层有显著影响的文化生活（如结社、讲学、重大文化工程的进展、相关艺术活动等）；思想文化经典的撰写、出版和评论。这样处理，目的是用编年的方式将中国文学进程及与之密切相关的中国思想文化变迁一并展现在读者面前。

　　《中国文学编年史》是一个基础性的重大学术工程，文献的广泛调查和准确使用是做好编纂工作的首要前提。《四库全书》、《续修四库全书》、《四库存目丛书》、《四库禁毁书丛刊》、《丛书集成》、《笔记小说大观》等是我们经常使用的典籍，近人和今人整理出版的别集、总集，大量年谱（如徐朔方《晚明曲家年谱》），以及文、史、哲方面的编年史，均在参考范围之内，限于体例，未能一一注明，谨此一并致谢。在使用上述文献的过程中，我们采取的是一种如履薄冰、如临深渊的谨慎态度。这是因为，相当一部分典籍是由我们第一次标点，这一工作的难度是不言而喻的。即使是前人已经整理的典籍，我们也并不直接采用，而是根据自己的理解再整理一次。这样做当然增加了工作量，但确有许多好处，若干错误就是在这一过程中得到纠正的，有些错误的纠正涉及基本事实的澄清。比如，张大复《皇明昆山人物传》卷八记梁辰鱼晚年情形，有云："（梁氏）当除夕遇大雪，既寝不寐。忽令侍者遍邀诸年少，载酒放歌，绕城一匝而后就睡。曰：'天为我辈雨玉，可令俗人蹴踏之耶？'时年已七十矣。亡何，中恶，语不甚了。有老奴李用者，颇省其说，尚有注记。得岁七十有三。"一位学者将"中恶，语不甚了"标点为"中恶语，不甚了"，并就此推论说："梁辰鱼七十岁时遭遇暧昧不明的事件。""《皇明昆山人物传》的上述记载本意是为贤者讳，事实上倒很可能为统治者隐盖了迫害异己文人的一件罪行。"这就不免弄错了事实。"中恶"即突然患急病，正所谓"老健春寒秋后热"，老年人得急病是常见的情形。而"中恶语"的表述，明显不符合古人的语言习惯。再如，陈田《明诗纪事》将正德时期的傅汝舟与明末的傅汝舟混为一人，将两人的生平搅在一起，其按语云："丁戊山人诗初矜独造，晚遁荒诞，择其入格者录之，亦是幽弦孤调。山人享大年，具异才，谈佛谈仙，亦作北里中艳语。初与郑少谷游，晚乃与茅止生、卓去病、张文寺、文太青倡和，支离怪

3

诞，无所不有。少谷集中无是也。论者乃专谓山人刻意学少谷，何哉？"《明诗纪事》近三百万言，卓有建树，是研究明诗的必备案头书。但关于傅汝舟，陈田的确弄错了。郑善夫（1485—1523）号少谷，以学杜著称，学郑少谷的是正德年间的傅汝舟；文翔凤号太青，万历三十八年（1610）进士，与文太青等唱和的是明末的傅汝舟。两个傅汝舟之间相距约百年，陈田想当然地将二者合为一人，说他"享大年"，又说他前期学郑少谷，后期学竟陵派，曲意弥缝，令人哑然失笑。其他种种，如部分文学家辞典对作家生卒年的误注，若干点校本的断句错误等，我们都在力所能及的范围内做了纠正。提到这些情况，不是想证明我们的水平有多高，而意在告诉读者：我们的工作态度是认真的，有志于为读者提供一部值得信赖的编年史著述。

《中国文学编年史》的编纂得到了北京大学、武汉大学、南京大学、中国人民大学、中国社会科学院、中国艺术研究院、中华书局、陕西师范大学、西北师范大学、华中师范大学、山东师范大学、山东曲阜师范大学、中南民族大学、中南财经政法大学等单位专家和领导，尤其是武汉大学领导的支持；湖南省新闻出版局、湖南出版投资控股集团及湖南人民出版社鼎力支持编年史的编纂出版，所有这些，我们将永远铭记在心。

陈文新

2006 年 7 月 23 日于武汉大学

# 凡　例

一、《中国文学编年史》以编年形式演述中国文学发展历程，凡十八卷：第一卷周秦、第二卷汉魏、第三卷两晋南北朝、第四卷隋唐五代（上）、第五卷隋唐五代（中）、第六卷隋唐五代（下）、第七卷宋辽金（上）、第八卷宋辽金（中）、第九卷宋辽金（下）、第十卷元代、第十一卷明前期、第十二卷明中期、第十三卷明末清初、第十四卷清前中期（上）、第十五卷清前中期（下）、第十六卷晚清、第十七卷现代、第十八卷当代。

二、编年史各卷据文学发展的不同阶段划分为若干章（如无必要，或不分章）。章的标目方式是："××章　××年至××年，共××年"。关于某一阶段文学的总体评论放在该章的首年之前，如明前期卷"第一章　洪武元年至建文四年，共35年"，在章目下，"洪武元年"之前，单列明前期卷"引言"一目。关于某一时代文学的综合论述，放在卷首。如元代卷，在第一章前，单列元代文学"绪论"。

三、编年史各卷所收录内容的构架大体统一，重点包括七个方面：1. 重要文化政策；2. 对文学发展有显著影响的文化生活（如结社、讲学、重大文化工程的进展、相关艺术活动等）；3. 作家交往（唱和、社团活动等）；4. 作家生平事迹；5. 重要作品的创作、出版和评论；6. 争鸣（团体之间、个人之间在重要问题上的论辩等）；7. 其他。

四、叙事以纲带目，即在征引相关文献之前有一句或数句概述。如，先总叙一句"俞宪编《盛明百家诗》成书"，再征引相关序跋、著录、评议。前者为纲，后者为目，纲、目配合，旨在完整地呈现文学史事实。少量见于常用工具书的重要史实，或不必展开的文学史事实，则列纲而略目，以省篇幅。

五、公历纪年年初与中国传统纪年年末不属同一年份，如公元1899年元月1日至12月31日对应于光绪二十四年戊戌十一月二十七日至光绪二十五年己亥十一月二十九日，而不对应于光绪二十五年己亥正月初一至十二月三十日。我们采用变通的处理方法，以公历纪年，而以农历纪月，比如，凡光绪二十五年己亥正月至十二月之内的内容均置于公元1899年下。作家生卒年，仍据公历标注，其他以此类推。现、当代文学部分，纪年、纪月均据公历。

六、同一年内之文学史实，按月份先后顺序排列。月份不详而仅知季度的，春季置于三月之后，夏季置于六月之后，其他以此类推。季度、月份均不详者，另设"本年"目统之。

七、一部分重要文学史实，年月不详而仅知大体时段者，在年号之末另设"××年间"目统之，如嘉靖四十五年之后另设"嘉靖年间"一目。

八、引用序跋，一般采用"作者＋篇名"的方式，如"臧懋循《唐诗所序》"。引用序跋之外的诗文等作品，一般采用"集名＋卷次＋篇名"的方式，如"《有学集》卷三一《隐湖毛君墓志铭》"，采用"作者＋篇名"的方式，如"钱谦益《隐湖毛君墓志铭》"。无篇名者则省略，如"《艺苑卮言》卷三"。某作者集中所收为他人别集所作的序跋，亦采用这一方式，如"《太函集》卷二二《弇州山人四部稿序》"。引用正史，一般采用"正史名＋本传或××传"的方式，"如《明史》本传"或"《明史》李攀龙传"，不标卷次。引用《四库全书总目提要》，或用全称，或简称"四库提要"，只标明卷次。如"四库提要卷一五三"。引用地方志，标明纂修年代，如"光绪《乌程县志》卷三一"。据类书转引时，注明原出处，如"《太平广记》卷二〇《阴隐客》（出《博异志》）"。引用报刊，注明年月日或卷次。

九、作者小传一般置于生年。有些作家，虽生年在上一卷，但在上一卷无文学活动，其小传酌情移入本卷首次出现时。如杨士奇，元亡时才4岁，其小传置于明前期卷，出生时只交代："杨士奇（1365—1444）生"，不列小传。现、当代作者，因传记资料常见，相关作家小传酌情收录。

十、对于某一作家的总体评论和重要著录一般置于卒年。某作者卒年在下一卷，但在下一卷无重要文学活动，主要评论材料酌情置于本卷。如易顺鼎（1858—1920），其评论材料集中于晚清卷，不入现代卷。

十一、作家代表作一般不录原文，但收录重要评论材料，并酌情说明相关选本收录情形。

十二、需要补充交待而占用篇幅较大的文学史事实，设少量"附录"。对若干需要辨证的史实，设按语加以说明。以提供文献线索为主，不详加征引。

# 目　录

第二章　明世宗嘉靖二十八年至
明穆宗隆庆六年（1549—1572）共 24 年

## 第三章　明神宗万历元年至<br>万历二十八年（1573—1600）共 28 年

# 绪 论

　　李维桢《邓使君诗序》：盖高庙起淮甸，都金陵，于时诗道之兴，自南服始。高、杨、张、徐诸君子，吴越产也。闽则有十才子应之。文庙起燕甸，一再传，遂定都焉。诗道之兴，在北为盛。何、李、边、薛诸君子，皆关河齐鲁产也。闽则有郑善夫应之。世庙起郢甸，享国最久，制礼作乐，功冠本朝。诗道之盛，复自北而南。于时七子辈强半南人，而闽未有应者。乃今则汝高其人哉！国初诗纤秾绮缛，犹有元之结习，变者务为和平典畅，而其流失之猥鄙。弘、正之际，变者务为钜丽雄深，而其流失之粗厉。嘉、隆之代，变者始一归于正，名家大家，具有唐人之美，而盛衰之机实相倚伏。（《大泌山房集》卷十九）

　　邹迪光《王友上诗集序》：我明布衣盛称诗，乃自孙太白一元、谢茂秦榛、卢次楩（当作楩）柟、王（黄）淳父姬水、余（俞）仲蔚允文、沈嘉则明臣六七君子而外，不数数也……今吾友上诗，不知其于六七君子何如？大要不剽袭，不辏集，不时自迁改，不篇自矛盾，总之，春容尔雅，宣朗邕达，而自成其为诗，有过于今之布衣者。（《调象庵稿》卷二十七）

　　袁宏道《叙姜陆二公同适稿》：苏郡文物，甲于一时。至弘、正间，才艺代出，斌斌称极盛，词林当天下之五。厥后昌谷少变吴歈，元美兄弟继作，高自标誉，务为大声壮语，吴中绮靡之习，因之一变。而剽窃成风，万口一响，诗道寝弱。至于今市贾佣儿，争为讴吟，递相临摹，见人有一语出格，或句法事实非所曾见者，则极诋之为野路诗。其实一字不观，双眼如漆，眼前几则烂熟故实，雷同翻复，殊可厌秽。故余往在吴，济南一派，极其呵斥，而所赏识，皆吴中前辈诗篇，后生不甚推重者。高季迪而上无论，有以事功名而诗文清警者，姚少师、徐武功是也。铸词命意，随所欲言，宁弱无缚者，吴文定、王文恪是也。气高才逸，不就羁绁，诗旷而文者，洞庭蔡羽是也。有为王、李所摈弃，而识见议论卓有可观，一时文人望之不见其崖际者，武进唐荆川是也。文词虽不甚奥古，然自辟户牖，亦能言所欲言者，昆山归震川是也。半趋时，半学古，立意造词，时出己见者，黄五岳、皇甫百泉是也。画苑书法，精绝一时，诗文之长因之而掩者，沈石田、唐伯虎、祝希哲、文微仲是也。其它不知名，诗文可观者甚多。大抵庆、历以前，吴中作诗者，人各为诗；人各为诗，故其病止于靡弱，而不害其为可传。庆、历以后，吴中作诗者，共为一诗；共为一诗，此诗家奴仆也，其可传与否，吾不得而知也。（《袁宏道集笺校》卷十八）

梅守箕《涉江诗序》：明之称诗者众矣，由成、弘前而论，不胜靡焉，惟虑其不似古也；论正、嘉而后，人人务振跃之，惟虑其似古也；隆、万以来，纷然自为跳（逃）逸，乃似古而益不似古也。此何以故？以其非诗人而为诗人也。……盖昔之靡者，沿于习也；其振跃之者，工于拟也；其自为跳（逃）逸者，益之以多闻旁搜而已也。自其为汉魏人而似之，则轻议六朝，自其为初盛唐而似之，则轻议中晚，是何诗道之捷乎？于是无不朔操觚而望即以名家者，此无它，非诗人而为诗人故也。（《国立中央图书馆善本序跋集录》）

费元禄《明文选序》：我国家稽古崇文，德泽之深唐虞，制度之法周官，更仆未易数。而文章之选有唐宋元未易及者。高皇帝神武天授，生目不知书，渡江以后，睿藻焕发。仁宗在东宫已好欧氏之文，圣学最为渊博。宣宗神敏，每遇试南宫，自草程序。历圣在宥，风励弥至，以故公卿大夫韦布缝掖咸自濯濯洗发，致意于古作者，思自媚于明时，而最达者亡过宋文宪、杨文贞、李文正、王文成。文宪机轴自出，敷腴朗邕。文贞出欧阳，体贵台阁。文正秾于杨，简于宋，而法与学不足。文成超逸，一搦管辄自斐然，而辞达为宗，不取工匠。嗣此则王祎、胡翰、方希古、解大绅、丘文庄、吴文定、祝允明之流，翩翩翼鸣，更相彪炳。总之格不及古，搜不入深，室不出韩柳欧苏曾王，堂不窥班杨左马，优于才而惮于结撰云尔。更孝庙而后，北地崛起，披榛芜，斩荆棘，遂辟大雅之途。而信阳继起，康德涵、崔子钟、陆浚明、王晋江之徒，羽翼流派。至世庙而历下登坛，金声玉振，佐以元美、子相、子与、明卿、公实，鞭弭左右，驰骋中原。而新安搜剔诸子，原本六经，后先相望，超韩柳欧苏曾王之乘，而埒左马班杨之业。天地开辟，日月重朗，讵不嫩哉。大抵创业之初，沿习未尽，中兴之后，黼黻有基。由质而文，则文而彬郁。由创则北地为政，而信阳、晋江为配。由中兴则历下为政，而江左、新安为配。或类有同方，或体有各至，构之百家之前，衍之《国语》、西京之后，其斯一当衡石焉。盖元美有言曰：国初之业，濂溪为冠，乌伤称辅。台阁之体，东里辟源，长沙导流。先秦之则，北地反正，历下极深，新安见裁。理学之逃，阳明造基，晋江、毗陵藻棁。六朝之华，昌谷示委，勉之扬澜。大要尽之矣。（《甲秀园集》卷二十五）

许学夷《诗源辩体》卷三十四：先进后进，趋尚不同，大都皆由矫枉之过。成化以还，诗歌颇为率易，献吉、仲默、昌谷矫之，为杜为唐，彬彬盛矣。下逮于鳞，古仿汉魏，律法初唐，愈工愈精。然终不能无疑者，乃于古诗、乐府悉力拟之，靡有遗什，律诗多杂长语，二十篇而外，不奈雷同。于是中郎继起，恣意相敌，凡稍为近古者，靡不掊击，海内翕然宗之，诗道至此为大厄矣。黄锡余谓："世有于鳞，必有中郎。"亦甚有见也。

《曲品》卷上：陆采（天池），江都人。张凤翼（灵墟），长洲人。顾大典（道行），吴江人。梁辰鱼（伯龙），昆山人。郑若庸（虚舟），昆山人。梅鼎祚（禹金），宣城人。卜世臣（蓝水，一字大荒），秀水人。叶宪祖（桐柏），余姚人。……此八君者，或为山人先达，或为先辈诸生。绮思灵心，各擅风流之致；寄悰赋感，共标游戏

之奇。如张，如郑，尤所服膺；如卜，如叶，素相友善。允为上之中。（《中国古典戏曲论著集成》）

李雯《皇明诗选序》：洪、永之初，草昧云雷，灵台偃革，艺林未薙，而精英澄湛之风，已魄已兆。时则有季迪、伯温唱之，而袁、杨诸公和之。皆飙然特起，才颖初见，虽腾踔甫惊，而流风不竞，俚者犹元，腐者犹宋。至于弘、正之间，北地、信阳，起而扫荒芜，追正始，其于风人之旨，以为有大禹决百川、周公驱猛兽之功，一时并兴之彦，蜚声腾实，或咢或歌，此前七子之所以扬丕基也。然而二氏分流，各有疆畛，劲者乐李之雄高，秀者亲何之明婉，盖才流竞爽，而风调不合者，又三四十年。然后济南、娄东出，而通两家之邮，息异同之论。运材博而构会精，譬荆棘之既除，又益之以涂茨，此后七子之所以扬盛烈也。自是而后，雅音渐远，曼声并作，本宁、元瑞之侪，既夷其樊圃，而公安、竟陵诸家，又实之以萧艾蓬蒿焉。神、熹之际，天下无诗者盖五六十年矣。（《皇明诗选》卷首）

贺熙龄《重刻梨云馆本袁中郎集叙》：有明一代，作者林立，自李献吉、何仲默倡为复古之说，李于鳞、王元美嗣起，谓"文必秦、汉，诗必盛唐"，英词壮气，凌厉无前，其弊也模拟过甚，真意渐漓，而一时靡然景仰附从，犹如斗之有勺，山之有岱也。独公安袁中郎先生不相推奉，而矫之以清新宕逸之辞，其时风气一变。虽其后亦时有胜有不胜，而先生之沉识定力，不苟随俗波靡以取悦当世，可不谓豪杰之士欤！……顾余窃思，当王、李焰炽之时，归震川亦昌言排之，而矫之以欧、曾之文，嗣是言文者首震川，而言诗者则宗公安，迄今震川之学传之者众，而公安之绪渐微，岂有幸有不幸欤？抑将有待而然欤？（《袁宏道集笺校》附录）

黄宗羲《明文案序》下：有明文章正宗，盖未尝一日而亡也。自宋、方后，东里、春雨继之，一时庙堂之上，皆质有其文，景泰、天顺稍衰，成、弘之际，西涯雄长于北，匏庵、震泽发明于南，从之者多有师承。正德间，余姚之醇正、南城之精练掩绝前作。至嘉靖而昆山、毗陵、晋江者起，讲究不遗余力，大洲、浚谷相与犄角，号为极盛。万历以后又稍衰，然江夏、福清、秣陵、荆石，未尝失先民之矩矱也。崇祯时，昆山之遗泽未泯，娄子柔、唐叔达、钱牧斋、顾仲恭、张元长皆能拾其坠绪，江右艾千子、徐巨源、闽中曾弗人、李元仲亦卓荦一方，石斋以理数润泽其间，计一代之制作，有所至不至，要以学力为浅深，其大旨罔有不同，顾无俟于更弦易辙也。自空同出，突如以起衰救弊为己任，汝南何大复友而应之，其说大行。夫唐承徐庾之汩没，故昌黎以六经之文变之，宋承西昆之陷溺，故庐陵以昌黎之文变之，当空同之时，韩欧之道如日中天，人方企仰之不暇，而空同矫为秦汉之说，凭陵韩欧，是以旁出唐子，窜居正统，适以衰之弊之也。其后王、李嗣兴，持论益甚，招徕天下，靡然而为黄茅白苇之习，曰：古文之法亡于韩，又曰：不读唐以后书。则古今之书去其三之二矣。又曰：视古修辞，宁失诸理。六经所言惟理，抑亦可以尽去乎？百年人士染公超之雾而死者，大概便其不学耳。虽然，今之言四子者，目为一途，其实不然。空同沿袭《左》《史》，袭《史》者断续伤气，袭《左》者方板伤格；弇州之袭《史》，似有分类套括，逢题填写；大复习气最寡，惜乎未竟其学；沧溟孤行，则孙樵、刘蜕之舆台耳。四子所造不同途，其好为议论则一，姑借大言以吊诡，奈何世之耳目易欺也。鄞人君房、纬真学四子之学者也，君房之学成，其文遂无一首可观，纬真自歉无深湛之思，学之不成，而纬真之文泛滥中尚有可裁，由是言之，四子枉天下之才亦已多矣。嗟乎！唐宋之文自晦而明，明代之文自明而晦，宋因王氏而坏犹可言也，明因何李而坏不可言也。

《静志居诗话》卷二十一：明三百年诗凡屡变，洪、永诸家称极盛，微嫌尚沿元习。迨"宣德十子"一变而为晚唐，成化诸公再变而为宋，弘、正间，三变而为盛唐，嘉靖初，八才子四变而为初唐，皇甫兄弟五变而为中唐，至七才子已六变矣。久之，公安七变而为杨、陆，所趋卑下，竟陵八变而枯槁幽冥，风雅扫地矣。独闽、粤风气，始终不易，闽自十才子后，惟少谷小变，而高、傅之外，寥寥寡和。若曹能始、谢在杭、徐惟和辈，犹然十才子调也。粤自五先生后，惟兰汀小变，而欧桢伯、黎维敬、区用孺辈，犹是五先生之调也。

朱彝尊《词综发凡》：明初作手，若杨孟载、高季迪、刘伯温辈，皆温雅芊丽，咀宫含商。李昌祺、王达善、瞿宗吉之流，亦能接武。至钱唐马浩澜，以词名东南，陈言秽语，俗气熏入骨髓，殆不可医。周白川、夏公谨诸老，间有硬语。杨用修、王元美则强作解事，均与乐章未谐。然三百年中，岂无合作？当遍搜文集，发其幽光，编为二集，继是编之后。

宋荦《漫堂说诗》：明初四家，称高启、杨基、张羽、徐贲，而高为之冠。成、弘间，李东阳雄张坛坫；迨李梦阳出，而诗学大振，何景明和之，边贡、徐祯卿羽翼之，亦称四杰，又与王廷相、康海、王九思称七子；正、嘉间，又有高叔嗣、薛蕙、皇甫氏兄弟稍变其体；嘉、隆间李攀龙出，王世贞和之，吴国伦、徐中行、宗臣、谢榛、梁有誉羽翼之，称后七子；此后诗派总杂，一变于袁宏道、钟惺、谭元春，再变于陈子龙；本朝初又变于钱谦益。其流别大概如此。（《清诗话》）

田同之《西圃诗说》：有明之诗，洪武初高季迪、袁可潜一变元风，首开大雅，卓乎冠矣！二公而下，又有林子羽、刘子高、孙炎、孙蕡、黄元之、杨孟载辈羽翼之。永乐之末至成化之初，则微乎藐矣！弘治间，文明中天，古学焕日，艺苑则李怀麓、张沧洲为赤帜，而和之者多失于流易；山林则陈白沙、庄定山称白眉，而识者皆以为旁门。至李、何二子一出，变而学杜，壮乎伟矣！然正变云扰而剽袭雷同，比兴渐微而风骚稍远。迨嘉靖初，稍稍厌弃，更为六朝之调，蔚乎盛矣！而纤艳不逞，阐缓无当，作非神解，传同耳食，又不免物议于后矣。岂非时代为之哉！万历以来，公安袁氏兄弟欲矫嘉靖七子之弊，意主白、苏，降而杨、郑，其词其志，未大有害也。竟陵钟氏、谭氏从而甚之，专以僻涩诡谲是尚，斯害有不可言者。于时秦有文天瑞，越有王季重，闽有蔡敬夫，争相效尤，变而益下，可谓风雅之劫运矣！（《清诗话续编》）

方苞《钦定四书文凡例》：明人制义，体凡屡变：自洪永至化治百余年中，皆恪遵传注，谨守绳墨，尺寸不逾。至正嘉，作者始能以古文为时文，融液经史，使题之义蕴，隐显曲畅，为明文之极盛。隆万间，兼讲机法，务为灵变，虽巧密有加，而气体茶然。至启祯诸家，则穷思毕精，务为奇特，包络载籍，刻雕物情，凡胸中所欲言者，皆借题以发之。凡此数种，亦各有所长，各有所蔽。化治以前，亦有直写传注，寥寥数语，及对比改换字面而意义无别者。正嘉而后，亦有规模虽具，精义无存，及剽袭语录，肤廓平衍者。隆万亦有轻剽促隘，无实理真气者。启祯名家之桀特者，思力所造，途径所开，或为前辈所不能到，其余侪弃规矩以为奇，剽剥经子以为古奥，雕琢字句以为工雅，而圣经贤传本义转为所蔽矣。

《钦定启祯四书文》卷九评黄淳耀《强恕而行》二句：嘉靖以前人，一题必尽其义理之实，无有以挑拨了事者，况此等理窟中之荡平正乎？仁恕源流，推行实际，必如此勘透，才见作手。陈、章理题，文多深微而简括；黄则切实而周详，故品格少逊。然陈、章天分绝人，黄则人功可造；陈、章志在传世，黄则犹近科举之学。兹编于化、治惟取理法，正、嘉则兼较义蕴气格，隆、万略存结构，而启、祯则以金、陈、章、黄为宗，所录多与四家体制相近者，余亦各收其所长，不拘一律。俾览者高下在心，各以性之所近、力之所能而自执焉。

沈德潜《明诗别裁集序》：宋诗近腐，元诗近纤，明诗其复古也。而二百七十余年中，又有升降盛衰之别。尝取有明一代诗论之。洪武之初，刘伯温之高格，并以高季迪、袁景文诸人，各逞才情，连镳并轸，然犹存元季之余风，未极隆时之正轨。永乐以还，体崇台阁，骫骳不振。弘、正之间，献吉、仲默，力追雅音；庭实、昌谷，左右骖靳。古风未坠。余如杨用修之才华，薛君采之雅正，高子业之冲淡，俱称斐然。于鳞、元美，益以茂秦，接踵曩哲。虽其间规格有余，未能变化，识者咎其鲜自得之趣焉。然取其菁英，彬彬乎大雅之章也。自是而后，正声渐远，繁响竞作。公安袁氏，竟陵钟氏、谭氏，比之自郐无讥。盖诗教衰而国祚亦为之移矣。此升降盛衰之大略也。编明诗者，陈黄门卧子《皇明诗选》，正德以前殊能持择，嘉靖以下形体徒存。尚书钱牧斋《列朝诗选》，于青邱、茶陵外，若北地、信阳、济南、娄东，概为指斥，且藏其所长，录其所短，以资排击。而于二百七十余年中，独推程孟阳一人。而孟阳之诗，纤词浮语，只堪争胜于陈仲醇诸家。此犹舍丹砂而珍溲勃，贵筝琶而贱清琴，不必大匠国工，始知其诬妄也。国朝朱太史竹垞《明诗综》，所收三千四百余家，泯门户之见，存是非之公，比之牧斋，用心判别。然备一代之掌故，匪示六义之指归，良楛正闰，杂出错陈，学者将问道以亲风雅，其何道之由？余与周子钦莱夙有同心，慨焉决择，合群公选本暨前贤名稿别而裁之，于洪、永之诗删其轻靡，于弘、正、嘉、隆之诗汰其形似，万历、天启以下遂寥寥焉。而胜国遗老，广为搜罗，比宋逸民《谷音》之选，得诗十二卷，凡一千一十余篇，皆深造浑厚，和平渊雅，合于言志永言之旨，而雷同沿袭，浮艳淫靡，凡无当于美刺者，屏焉。有明之诗，诚见其陵宋轹元而上追前古也。至杨廉夫、倪元镇诸公，归诸元人，钱牧斋、吴梅村诸公，归诸国朝人，编诗之中，微具国史之义。其他前后七子，或存或删，理学诸子，古文名家，与夫党锢殉国诸贤，有及有不及。因诗存人，不因人存诗也。寡闻单见，挂漏良多，尚期博雅君子豪启未逮。乾隆三年秋七月望日，长洲沈德潜题于灵岩山居。（《明诗别裁集》卷首）

蒋重光《明诗别裁集序》：归愚沈先生选《明诗别裁集》成，共一十二卷。起国初诸臣，青田、青邱两雄并峙，开风尚也。永乐以还，体尚台阁，所收从略，防肤浮也。成、弘之代，茶陵振兴，绍先启后，标引导也。北地、信阳，羲娥经纬，边、徐辅协，左右骖靳，纪极盛也。升庵挺生，云兴春丽，叔嗣别操，冰襟雪抱，志特立也。弇州雄阔，济南矜贵，茂秦斗拔，除芜就洁，表绳武也。隆、万以后，或奏蛙声，或漂鬼国，严删薙也。云间卓立，渐臻壶奥，识复古也。板荡变操，各写幽噫，茹芝采菊，初心靡悔，存余响也。始端宗旨，继审规格，终流神韵，三长具备，乃登卷帙。视从前明诗之选，备一朝掌故者，殊厥旨焉。先生向有《古诗源》、《唐诗别裁》问世，兹编风旨，除纤去滥，简严和厚，可续唐音，而宋金元诗尚俟采茸云。乾隆己未秋七月望日，古吴蒋重光题于赋琴楼。（同上）

《四库全书总目》卷一九三集部总集类存目三：《明诗综》一百卷，国朝朱彝尊编。……明之诗派，始终三变。洪武开国之初，人心浑朴，一洗元季之绮靡，作者各抒所长，无门户异同之见。永乐以迄弘治，沿三杨台阁之体，务以春容和雅，歌咏太平。其弊也冗沓肤廓，万喙一音，形模徒具，兴象不存。是以正德、嘉靖、隆庆之间，李梦阳、何景明等崛起于前，李攀龙、王世贞等奋发于后，以复古之说，递相唱和，导天下无读唐以后书。天下响应，文体一新。七子之名，遂竟夺长沙之坛坫，渐久而摹拟剽窃，百弊俱生，厌故趋新，别开蹊径。万历以后，公安倡纤诡之音，竟陵标幽冷之趣，幺弦侧调，嘈囋争鸣。佻巧荡乎人心，哀思关乎国运，而明社亦于是乎屋矣。大抵二百七十年中，主盟者递相盛衰，偏袒者互相左右，诸家选本，亦遂皆坚持畛域，各尊所闻。至钱谦益《列朝诗集》出，以记丑言伪之才，济以党同伐异之见，逞其恩怨，颠倒是非，黑白混淆，无复公论。彝尊因众情之弗协，乃编纂此书，以纠其谬。每人皆略叙始末，不横牵他事，巧肆讥弹。里贯之下，各备载诸家评论，而以所作《静志居诗话》分附于后。虽隆万以后，所收未免稍繁，然世远者篇章易佚，时近者部帙多存，当亦随所见闻，不尽出于标榜。其所评品，亦颇持平。于旧人私憎私爱之谈，往往多所匡正。六七十年以来，谦益之书久已渐灭无遗。而彝尊此编，独为诗家所传诵。亦人心彝秉之公，有不知其然而然者矣。

《四库全书总目》卷一七九集部别集类存目六：《袁中郎集》四十卷。袁宏道撰。……盖明自三杨倡台阁之体，递相摹仿，日就庸肤。李梦阳、何景明起而变之，李攀龙、王世贞继而和之。前后七子，遂以仿汉摹唐，转移一代之风气。迨其末流，渐成伪体。涂泽字句，钩棘篇章，万喙一音，陈因生厌。于是公安三袁又乘其弊而排抵之。三袁者，一庶子宗道，一吏部郎中道，一即宏道也。其诗文变板重为轻巧，变粉饰为本色，致天下耳目于一新，又复靡然而从之。然七子犹根于学问，三袁则惟恃聪明。学七子者不过赝古，学三袁者乃至矜其小慧，破律而坏度。名为救七子之弊，而弊又甚焉。

又卷一八九集部总集类四：《唐宋元名表》四卷。明胡松编。……《明史》松本传称，松幼嗜学，尝辑《古名臣章奏》。今未见其本。是编乃松督学山西时选为士子程式之书。虽所录皆各集所有，无奇秘未睹之篇，而去取极为不苟。前有自序曰："是学也，昉于汉、魏、六朝，盛于隋、唐，而极于宋。其体不能尽，然其意同于宣上德而达下情，明己志而述物则。其后相沿日下，竞趋新巧，争尚衍博，往往贪用事而晦其意，务属词而灭其质。盖四六之本意失之远矣。"其言颇为明切。自明代二场用表，而表遂变为时文。久而伪体杂出，或参以长联。如王世贞所作一联，多至十余句，如四书文之二小比。或参以五七言诗句，以为源出徐、庾及王、骆。不知徐、庾、王、骆用之于赋。赋为古诗之流，其体相近。若以诗入文，岂复成格。至于全用成句，每生硬而权桠。间杂俗语，多鄙俚而率易。冠冕堂皇之调，剽袭者陈肤。饾饤割裂之词，小才者纤巧。其弊尤不胜言。松选此编，挽颓波而归之雅，亦可谓有功于骈体者矣。

又：《文编》六十四卷。明唐顺之编。……是编所录虽皆习诵之文，而标举脉络，批导窾会，使后人得以窥见开阖顺逆、经纬错综之妙。而神明变化，以蕲至于古。学秦、汉者当于唐、宋求门径，学唐、宋者固当以此编为门径矣。自正、嘉之后，北地、信阳声价，奔走一世。太仓、历下，流派弥长。而日久论定，言古文终以顺之及归有光、王慎中三家为归。岂非以学七子者画虎不成反类狗，学三家者刻鹄不成尚类鹜耶？

《筱园诗话》卷二：明代诗人，如林子羽、贝清江、边华亭［泉］、高苏门、杨梦山之流，虽附庸风雅，皆秀拔不俗，自有所得。谢在杭、区海若、公文介之属，亦庸中之矫矫者，均有可观。若康海、梁有誉、吴国伦、胡元瑞等等，则庸俗可厌，不足数矣。布衣山人中，如孙太初、王百谷、陈仲儒［醇］辈，徒有虚名，无可取者。程孟阳七律七绝，佳者饶有风调神韵，得力于中、晚唐人，特瑕多瑜少，如沙中检金，时可一遇。牧斋激赏溢美，太逾分量，竟谓李茶陵后一人，扬之以抑七子，则诞妄已甚，宜招后人之訾议也。汤若士为词曲所掩，沈石田、文衡山、李长蘅为画所掩，其诗皆有可观，颇多佳句，但非专门，故佳作止于秀逸，气格不大，力量不厚耳。然犹属雅音，非如唐子畏、祝枝山辈，随笔任意，堕落野狐禅也。武臣如郭定襄诗，才力纵横，直可分诗家一席，不止为明代武将之冠。古今名将武臣能诗者，均不及定襄远甚，戚、刘二将军，拜下风矣。公安袁中郎昆季，竟陵钟伯敬、谭友夏，皆攻七子，变风气，自成门径，然论诗入魔，人人知之，勿庸赘论。徐青藤一时才人，一时狂士，画品甚高，另开生面；诗文佳者皆有英气生趣，劣者恣野特甚，实非正宗，不足列入家数，然超出沈嘉则、黄省曾诸人之上，不啻倍之。末年诗人，惟陈卧子雄丽有骨，国变后诗尤哀壮，足殿一代矣。（《清诗话续编》）

鲁九皋《诗学源流考》：明代诗家，最为总杂。开国之初，青田刘文成以名世之英，出经纶之余，形于歌咏。当其未遇，已见知于道园虞氏，道园称其"发感慨于性情之正，存忧患于敦厚之言，体制音韵，无愧盛唐"。次则吴中四杰高季迪启、杨孟载基、张来仪羽、徐幼文贲，并有倡始之功。而是时刘子高崧起于江右，孙仲衍蕡起于岭南，林子羽鸿起于闽中，又有张志道以宁、袁景文凯相继而作，可谓一时之盛。第旧体初变，扫除未尽，就中求其庄雅纯净诸体皆备者，其海叟乎？青丘才力虽大，歌行而外，他体不无元习；孟阳而下，抑又芜已。永乐以还，崇尚台阁，迄化、治之间，茶陵李东阳出而振之，俗尚一变。但其新乐府，于铁崖之外，又出一格，虽若奇创，终非正轨。嗣是空同李氏、大复何氏大声一呼，海内响应，又得徐昌谷祯卿、边华泉贡为之辅翼，称弘治四杰。继又益以康海、王九思、王廷相三人为七子，是为"前七子"。是时诗学之盛，几几比于开元、天宝，而李、何声价，当时亦不啻李、杜。七子之后，则有祥符高子业叔嗣，以深微妙婉之思，发温柔敦厚之旨，粹然一出于正。继之以皇甫子浚冲、子安涍、子循汸、子约濂兄弟，并溯源于建安及潘、左、鲍、谢诸家，不失五言正音。此外如薛君采蕙、华鸿山察、杨梦山巍，虽才力或减数子，时有出入，亦其次也。嘉靖之初，李、何之风少熄，而王元美氏、李于鳞氏复扬余烬，与四溟山人谢榛及梁有誉、宗臣、徐中行、吴国伦结社为"后七子",以振兴风雅为己任。当结社之始,称诗选格,并取定于四溟。其后议论不合,于鳞乃遗书绝交,而元美别定五子,遂削其名。又有"后五子"、"广五子"、"续五子"、"末五子",广至四十子,而四溟终不与。其实余子皆无足称,而七子之中,亦惟王、李、谢而已。前后七子,议论略同,其所宗法,皆在少陵以上,建安而下,唐以后书则置焉。其见非不甚善,特斤斤规仿,过于局促,神理不存。王、李之视李、何,抑又甚焉,故钱牧斋《历朝诗选》极力摈之。然而当诗教榛芜之日,其催(摧)陷廓清之功,亦何可少!至如昌谷徐氏选择精融,纯乎唐音,皇甫兄弟独见推奖,王敬美亦携与高按察并称,谓"更千百年,李、何尚有废兴,二家必无绝响",论斯允矣。即四溟今体,工力深厚,不愧能手,又何可以"七子"而讥之也?自是以后,诗学日坏,隆、万之际,公安袁氏,继以竟陵钟氏、谭氏,《诗归》一出,海内翕然宗之,而三汉、六朝、四唐之风荡然矣。其间非无卓然不惑,如归季思子慕、高景逸攀龙、李伯远应征、区海目大相、谢在杭肇淛、曹能始学佺诸君子者,力持风气,然淫哇之教,浸人心术,论诗之害,未有烈于斯时者也。及陈卧子子龙奋臂大呼,少一转变,论者犹以其不离"七子"面目为憾。然大雅举止,与侏儒之拜舞何如也?至岭南屈翁山大均,五言直接太白,而陈元孝恭尹辅之,而有明一代之诗,至此终焉。(《清诗话续编》)

王昶《明词综序》:国初朱竹垞太史集三唐五代宋金元之词,汰其芜杂,简其精粹,成《词综》三十六卷,汪氏晋贤刻之,为后世言词者之准则。予尚以其不及明词为憾。盖明初词人,犹沿虞伯生、张仲举之旧,不乖于风雅。及永乐以后,南宋诸名家词,皆不显于世,惟《花间》、《草堂》诸集盛行。至杨用修、王元美诸公,小令、中调,颇有可取,而长调则均杂于里俗矣。然一代之词,亦有不可尽废者。故御选《历代诗余》,撷取者一百六十余家。予友桐乡汪康古又谓竹垞太史于明词,曾选有数卷,未及刊行,今其本尚存汪氏,频访之而不得。嘉庆庚申,遇汪小海于武林,则太史未刻之本在焉。于是即其所有,合以生平所搜辑,得三百八十家,共成十二卷,汇而镌之,以附《词综》之后。选择大旨,亦悉以南宋名家为宗,庶成太史之志云尔。

吴衡照《莲子居词话》卷三《明词不振》:金、元工于小令、套数而词亡。论词于明,并不逮金、元,遑言两宋哉。盖明词无专门名家,一二才人如杨用修、王元美、汤义仍辈,皆以传奇手为之,宜乎词之不振也。其患在好尽,而字面往往混入曲子。昔张玉田论两宋人字面,多从李贺、温岐诗来,若近俗近巧,诗余之品何在焉。又好为之尽,去两宋酝藉之旨远矣。(《词话丛编》)

陈廷焯《白雨斋词话》卷三:有明三百年中,习倚声者,不乏其人;然以沉郁顿挫四字绳之,竟无一篇满人意者,真不可解。(人民文学出版社本)

《白雨斋词话》卷三:词至于明,而词亡矣。伯温、季迪,已失古意。降至升庵辈,句琢字炼,枝枝叶叶为之,益难语于大雅。自马浩澜、施阆仙辈出,淫词秽语,无足置喙。明末陈人中,能以秾艳之笔,传凄婉之神,在明代便算高手。然视国初诸老,已难同日而语,更何论唐宋哉。(同上)

李慈铭《越缦堂读书记》:南雷之文,浩瀚可喜,而才情烂漫,无复持择,故往往不脱明末习气,流入小说家言。其论文主于随地流出,而谓方言语录,皆可入文。于明文痛贬前后七子，以宋潜溪、方正学、杨东里、解春雨、李西涯、王震泽、王新建、唐荆川、王遵岩、归震川、郭江夏、钱虞山诸家为大宗，赵大洲、赵浚谷、徐天池、桑民怿、刘子素、卢次楩、吾惟可（谨）、汤若士、倪鸿宝、黄石斋、尹宣子（民兴）、李寒支、曾弗人诸家为别子。其极推者潜溪、新建、大洲、天池四家，极贬者空同、弇洲（州），而谓大复习气最寡，沧溟尚可附庸于孙樵、刘蜕，于二袁钟谭则颇节取其长。于艾千子虽称之，而谓其传者当在论文诸书，他文摹仿欧阳，生吞活剥，亦犹摹仿《史》《汉》之习气。又谓其理学未尝深思，而墨守时文见解，批驳先儒，引后生小子不学而狂妄，其罪为大。于虞山虽许以正宗，而病其不能入情。谓荆川、大洲文皆得之新建。则其宗旨大略可见。至以天池之芜俗而称为嘉靖间大作手，胜于震川，殊不可解。故所选颇泛滥驳杂，多非雅音。以先生学识之高，精力之富，而鉴裁斯事，尚多溷淆，文章正法，固非易知者也。书中颇多范左南太守评语，字迹草率，中有及守柳州时语，盖是晚年所为。其评多致不满之辞，而议论亦未确实。同治戊辰（1868）七月二十三日。

李慈铭《越缦堂诗话》卷上：谢在杭谓明诗远胜于宋。又谓宋人尚实学而明人多剽窃，故究竟不及宋。语固矛盾。然予谓明诗实过于宋。季迪惜不永年，倘逞其所至，岂仅及东坡哉！中叶之空同、大复，末季之大樽、松圆，皆宋人所未有。宋人自苏、黄、陆三家外，绝无能自立者。明人若青田、西涯、子业、君采、昌谷、子安、子循、沧溟、弇州、梦山、茂秦、子相、石仓、牧斋，皆卓然成家。即孟载之风华，亦高于昆体。中郎之隽趣，尚永于江湖。后代平情，无难取断，贵远贱近，徒以自欺。至于国朝，实鲜作者。（民国十四年商务印书馆本）

陈衍《石遗室诗话》卷十八：自来文人好标榜，诗人为多，明之诗人尤其多。以诗也者易能难精，而门径多歧，又不能别黑白而定一尊，于是不求其实，惟务其名，树职志，立门户，是丹非素入主出奴矣。明太祖时，吴则有北郭十子，为高启、杨基、张羽、徐贲、余尧臣、王行、宋克、吕敏、陈则、释道衍；越则有会稽二肃，为唐肃、谢肃；粤则有南园五子，为孙贲、黄哲、王佐、李德、赵介；闽则有十子，为林鸿、王恭、王偁、高廷礼、陈亮、郑定、王褒、唐泰、周玄、黄玄。景帝时有景泰十才子，为刘溥、汤胤绩、苏平、苏正、沈愚、晏铎、王淮、邹亮、蒋主忠、王贞庆。孝宗时有前七子，为李梦阳、何景明、徐祯卿、边贡、王廷相、康海、王九思。七子中去王廷相，加朱应登、顾璘、陈沂、郑善夫，号十子。世宗时有嘉靖八才子，为李开先、王慎中、唐顺之、陈束、赵时春、任瀚、熊过、吕高；有后七子，为李攀龙、王世贞、谢榛、梁有誉、宗臣、徐中行、吴国伦。后五子为张九一、张嘉胤、汪道昆、余曰德、魏裳；广五子为卢柟、欧大任、俞允文、李先芳、吴维岳；续五子为黎民表、王道行、石星、赵用贤、朱多煃；末五子为屠隆、胡应麟、李维桢、吴旦、李时行。而梁有誉、欧大任、黎民表、吴旦、李时行，又为南园后五先生。神宗时有嘉定四先生，为程嘉燧、李流芳、娄坚、唐时升；又有公安派，则袁宗道、袁宏道、袁中道；竟陵派为钟惺、谭元春。然此百十人中，没世有称者不过三四十人，其余虽有名亦无称者，不过占志乘中数行地位而已。（辽宁教育出版社排印本）

# 第一章
## 明武宗正德十六年至明世宗嘉靖二十七年（1521—1548）共28年

### ·引 言·

　　杨慎《诗品》：唐子元荐与予书论本朝之诗：洪武初，高季迪、袁可潜一变元风，首开大雅，卓乎冠矣。二公而下，又有林子羽、刘子高、孙炎、孙蕡、黄玄之、杨孟载辈羽翼之。好高论者曰：沿习元体，其失也瞀。又曰：国初无诗，其失也聋。一代之文，曷可诬哉！永乐之末至成化之初，则微乎魃矣。弘治间，文明中天，古学焕日，艺苑则李怀麓、张沧洲为赤帜，而和之者多失于流易；山林则陈白沙、庄定山称白眉，而识者皆以为旁门。至李、何二子一出，变而学杜，壮乎伟矣！然正变云扰而剽袭雷同，比兴渐微而风骚稍远，唐子应德箴其偏焉。嘉靖初，稍稍厌弃，更为六朝之调、初唐之体，蔚乎盛矣！而纤艳不逞，阐缓无当，作非神解，传同耳食，陈子约之议其后焉。张子愈光，滇之诗人也，以二子之论为的，故著之。（乾隆刊本《升庵外集》卷七十）

　　何良俊《四友斋丛说》卷二十六：我朝文章，在弘治、正德间可谓极盛，李空同、何大复、康浒西、边华泉、徐昌谷一时共相推毂，倡复古道；而南京王南原、顾东桥、宝应朱凌溪则其流亚也，然诸人犹以吴音少之。稍后则有亳州薛西原蕙、祥符高子业叔嗣、广西戴时亮钦、沁水常明卿伦、河南左中川国玑、关中马西玄汝骥诸人。薛西原规模大复，时出入初唐，而过于精洁，失其本色，便觉太枯；高子业是学中唐者，故愈淡而愈见其工耳；马西玄极重戴时亮，二公皆工初唐故也；左国玑、常明卿宗李翰林，皆翩翩欲度骅骝前者也。他如王庸之教、李川甫濂，则空同门人；樊少南鹏、戴仲鹖冠、孟望之洋，则大复门人。譬之孔门，其田子方、荀卿之流欤！（中华书局本）

　　胡应麟《诗薮》续编卷二《国朝下》：嘉靖初，为初唐者，唐应德、袁永之、屠文升、王汝化、任少海、陈约之、田叔禾等；为中唐者，皇甫子安、华子潜、吴纯叔、陈鸣野、施子羽、蔡子木等，俱有集行世。就中古诗冲淡，当首子潜；律体精华，必推应德。（上海古籍出版社本）

　　又：同时为杜者，王允宁、孙仲可；为六朝者，黄勉之、张愈光。允宁于文矫健，勉之于学博洽，皆胜其诗。（同上）

又：自北地宗师老杜，信阳和之，海岱名流，驰赴云合。而诸公质力，高下强弱不齐，或强才以就格，或困格而附才。故弘、正自二三名世外，五七言律，往往剽袭陈言，规模变调，粗疏涩拗，殊寡成章。嘉靖诸子见谓不情，改创初唐，斐然溢目，而矜持太甚，雕缋满前，气象既殊，风神咸乏。既复自相厌弃，变而大历，又变而元和，风会所趋，建安、开、宝之调，不绝如线。王、李再兴，扩而大之，一时诸子，天才竞爽，近体之工，欲无前古，盛矣。（同上）

王士禛《古夫于亭杂录》卷五《海岱诗社》：吾乡六郡，青州冠盖最盛。明嘉靖、万历间，官至尚书者八九人。而世宗时，林下诸老为海岱诗社，倡和尤盛，其人则冯间山、黄海亭、石来山、刘山泉、范泉、杨滍谷、陈东渚，而即墨蓝北山亦以侨居与焉。倡和诗凡十二卷，无刊本。余近访得钞本，诗各体皆入格，非浪作者。间山名裕，即四冯之父，（惟健、惟敏、惟重、惟讷。）文敏琦之曾祖。山泉、范泉，则文和珝之孙也。此集惜不行于世，乃钞而藏之。其后大司空龙渊钟公晚年里居，复举真率之会，多至三十人，而诗歌倡和不及前矣。（《海岱社诗》即文敏公所选）

《明史·文苑三》：王慎中……十八举嘉靖五年进士……寻改礼部祠祭司。时四方名士唐顺之、陈束、李开先、赵时春、任瀚、熊过、屠应埈、华察、陆铨、江以达、曾忭辈，咸在部曹。慎中与之讲习，学大进。十二年，诏简部郎为翰林，众首拟慎中。大学士张孚敬欲一见，辞不赴，乃稍移吏部，为考功员外郎，进验封郎中。忌者谮之孚敬，因覆议真人张衍庆请封疏，谪常州通判。……进河南参政。侍郎王杲奉命振荒，以其事委慎中，还朝，荐慎中可重用。会二十年大计，吏部注慎中不及。而大学士夏言先尝为礼部尚书，慎中其属吏也，与相忤，遂内批不谨，落其职。慎中为文，初主秦、汉，谓东京下无可取。已悟欧、曾作文之法，乃尽焚旧作，一意师仿，尤得力于曾巩。顺之初不服，久亦变而从之。壮年废弃，益肆力古文，演迤详赡，卓然成家，与顺之齐名，天下称之曰王、唐，又曰晋江、毘陵。家居，问业者踵至。……李攀龙、王世贞后起，力排之，卒不能掩。攀龙，慎中提学山东时所赏拔者也。慎中初号遵岩居士，后号南江。

《说诗晬语》卷下：五言非用修所长，过于秾丽，转落凡近也。同时有薛君采（蕙），稍后有高子业（叔嗣），并以冲淡为宗，五言古风，独饶高韵。后华子潜（察）希韦、柳之风，四皇甫（冲、涍、汸、濂）仰三谢之体，虽未穿溟滓，而氛垢已离，正、嘉之际称尔雅云。（上海古籍出版社本）

《四库全书总目》卷一八九集部总集类四：《海岱会集》十二卷，明石存礼、蓝田、冯裕、刘澄甫、陈经、黄卿、刘渊甫、杨应奎八人唱和之诗也。存礼字敬夫，号来山，益都人。弘治庚戌进士。官至知府。田有《北泉集》，已著录。裕字伯顺，号间山，临朐人。正德戊辰进士。官至按察司副使。澄甫字子静，号山泉，寿光人。正德戊辰进士。官至布政司参议。经字伯常，号东渚，益都人。正德甲戌进士。官至兵部尚书。卿字时庸，号海亭，益都人。正德戊辰进士。官至布政司参政。渊甫字子深，号范泉。澄甫之弟。正德戊午举人。应奎字文焕，号滍谷，益都人。官至知府。嘉靖乙未、丙申间，经以礼部侍郎丁忧里居。田除名闲住。渊甫未仕。存礼等五人并致仕。乃结诗社于北郭禅林。后编辑所作成帙，冠以社约、同社姓氏及长至日、五月五日、九月九日、上巳日、七月七日会集序五篇。其诗凡古乐府二卷，五言古诗二卷，七言古诗二卷，五言律诗三卷，五言排律一卷，七言律诗一卷，五言绝句一卷，七言绝句一卷，计诗七百四十九首。其编辑名氏原本未载。惟卷首万历己亥魏允贞序，称友人冯用韫以《海岱会集》自远寄至。据王士禛《古夫于亭杂录》，盖冯裕曾孙琦所选也。八人皆不以诗名，而其诗皆清雅可观，无三杨台阁之习，亦无七子摹拟之弊。故王士禛称其各体皆入格，非苟作者。观其社约中有不许将会内诗词传播，违者有罚一条。盖山间林下，自适性情，不复以文坛名誉为事，故不随风气为转移。而八人皆闲散之身，自吟咏外，别无余事。故互相推敲，自少疵颣。其斐然可诵，良亦有由矣。

《明诗纪事》戊签序：有明诗流，吴下擅于青丘，越中倡于犁眉，八闽工于膳部，东粤盛于西庵，西江妙于子高，各有轨辙，不相沿袭。自茶陵崛起，笼罩才俊，然当时倡和，袭其体者，不过门生执友十数辈而已。暨前后七子出，趋尘蹑景，万喙一声。其间独照之匠，若荆川、遵岩、震川，变秦、汉为欧、曾，易诘屈聱牙为字顺文从，允矣君子，展也大成已。至升庵、子业诸公，藻艳撷乎齐、梁，简质得自魏、晋，冲淡趋于陶、韦，沉雅参之杜、韩，灭灶再炊，异军特起。余于戊集，采辑十数名家，直取胸情，（划）绝畦町，冀与海内词客共究斯旨也。光绪戊申仲夏，黔灵山樵陈田。

《明诗纪事》戊签卷一《杨慎》陈田按：升庵诗，早岁醉心六朝，艳情丽曲，可谓绝世才华。晚乃渐入老苍，有少陵、谪仙格调，亦间入东坡、涪翁一派。前后七子执盟骚坛，海内附和，翕翕成风。余采升庵、苏门、君采、稚钦、鸿山、梦山、子安、少玄数君子诗，次于李、何之后，王、李之前，别为一集，以见豪杰能自树立者，类不随风会为转移也。

又卷九《李开先》陈田按：嘉靖八子王道思、唐应德之文，自是一代杰出。诗则道思体颇清俊，尚不足与边、徐角胜，何况李、何。陈约之善论诗，而所作殊不称其言。伯华诗尤颓放，颇称好事，藏书画极富，自负赏鉴。

又《唐顺之》陈田按：嘉靖初学初唐者，如薛君采、皇甫子安，七古诗便不能佳，无论余子。盖其调圆转流利，须择题而施。惟何大复《明月篇》最为杰出，以其才自度越寻常也。五律一体，人握隋珠，君采、子安兄弟、高苏门、袁永之、唐应德、陈约之辈，不可胜数。应德古文自是明一代大家。诗学初唐，律体自有佳篇。厥后谈兵讲学，不复能唱《渭城》，潦倒颓放。弇州、卧子之论具在，不必为之讳也。

又卷十六《许应元》陈田按：嘉靖初，薛君采、陈约之辈，倡初唐之体，一时七古颇少劲健之篇。碕堂《杨参军歌》声调颇壮，惜集中此例不可多得耳。五律亦流动自然。《诗综》仅录二篇，不足尽所长也。

## 公元 1521 年（武宗正德十六年　辛巳）

### 二月

**徐渭（1521—1593）生**。徐渭《自为墓志》：徐渭，"初字文清，改文长。生正德辛巳二月四日，夔州府同知讳鏓庶子也。"徐渭《畸谱》："渭生观桥大乘庵东，时正德十六年，年为辛巳，二月，月为辛卯，四日，日为丁亥，时为甲辰。是年五月望，渭生百日矣，先考卒。"山阴人。十余岁仿扬雄《解嘲》作《释毁》，长师同里季本。为诸生，有盛名。总督胡宗宪招致幕府，与歙余寅、鄞沈明臣同管书记，以侃直见礼。及宗宪下狱，因惧祸发狂。击杀继妻，论死系狱，里人张元忭力救得免。著有《徐文长集》、《徐文长佚稿》等。据陶望龄《徐文长传》、袁宏道《徐文长传》等。

## 三月

**武宗崩，年三十有一。**武宗名厚照，葬康陵。在位宠信宦官，盘游无度。时人对此颇多吟咏，亦文学史一大景观也。《明诗纪事》丁签卷二录徐祯卿《拟古宫词》六首，陈田按语云："昌谷《拟古宫词》，为康陵作也。康陵始宠刘瑾，继嬖江彬、钱宁，花毡豹房，盘游无度。九门黄店，中禁团营。威武自号将军，塞门或称家里。辙周天下，遂并驾于穆王；我梦江都，不独歌于隋帝。杂史所陈，更仆难数。虽荒于临御，而藻艳词章。今采当时诗歌，备列于此。李梦阳《圣节闻驾出塞》云：'千官北首望龙旂，万国车书集凤闱。八骏穆王秋色远，几时亲拥白狼归？'何景明《诸将入朝歌》云：'河北诸军尽有名，云中骁骑本轻生。金装白马翩翩出，不见长安子弟兵。''阙下千官侍凤楼，苑中天子建龙游。豹房虎圈先班赏，武帐前边赐姓侯。'边贡《云中曲》云：'六军歌舞健长征，五色云随九𫐆旌。传语胡儿休近塞，太平天子驻平城。'又《迎銮曲》云：'石头城如银虎踞，金陵山似玉龙蟠。休讶六军停跸久，本来江左是长安。''自采民风问老农，微行不遣近官从。那知天子关天象，到处云成五色龙。''弓如满月向江开，箭插寒潮卷浪迴。水上鼋鼍莫深避，我皇元为射蛟来。''潮落江门烟水秋，云帆八月过扬州。两京驰道三千里，夹岸垂杨接御沟。'王廷相《行边诗》云：'长风吹雪暗胡天，冻合胡儿饮马泉。汉帝如今新好武，左贤营部莫临边。''绛帻绯袍云满衣，紫骝衔辔疾如飞。三年榆塞无烽火，学会唐王大打围。'薛蕙《皇帝行幸南京歌》云：'天风吹动翠云裘，坐看楼船下石头。江左重瞻天子气，金陵长作帝王州。''燕姬玉袖抱箜篌，马上长随翠辇游。春来照影秦淮水，爱杀江南云母舟。''淮水南边是狭邪，蛾眉临水折江花。日暮龙舟泊何处？玉床抛在五侯家。''三月金陵莺乱啼，江边桃叶映春堤。不是行宫淹北土，金陵花月使人迷。'黄佐《凯歌词》云：'孝陵松柏贴青霄，凤辇龙旗久寂寥。百岁遗黎应感叹，神孙英武似先朝。''锦鞯白马出新河，簇队吴娃善凯歌。谱得《升平》新乐府，内家休按旧云和。'朱应登《皇帝南巡歌》云：'京观高筑石头城，大旆双悬日月明。西内旧夸提督府，南都今有外家营。'《拟古宫中行乐词》云：'嗛蛾度曲谱《凉州》，转盼承恩并紫骝。佳丽不须燕赵产，才人新上大长秋。'《拟古巡幸词》云：'张湾漷县总离宫，夜宿民间似禁中。莫遣逸熊攀槛入，曾闻复道与天通。'郑善夫《羽猎谣》云：'君王自拥鹔鹴裘，猎骑翩翩尽贵游。归来锡宴传封拜，狗监鸡坊十二侯。'《燕京》诗云：'绯衣紫甲入东华，羯鼓铙歌散御花。边士尽骑天厩马，燕姬翻泣五云车。'顾璘《武皇南巡旧京歌》云：'白发梨园老乐师，锦胸花帽对弹丝。行宫只奏《中和》调，解厌南朝《玉树》词。''六代繁华何足夸，而今四海共为家。暂看吴苑环城水，终忆燕台夹路花。'游潜《都下春游》云：'台殿玲珑隔彩霞，御沟晴日乱鸣蛙。楼前走马无人问，小袖黄衫外四家。'《大驾南游》云：'趋陪日日四家军，走马飞鹰策上勋。虎豹丝弹《胡旋舞》，夜深张宴斗鹌鹑。'杨慎《南狩曲》云：'入塞旌旗尽鲁家，临关鼓吹拥皇华。西迎汉使千金橐，北送胡姬百两车。''法驾旋归隔岁年，倾城奔走遍华颠。教坊新奏《回銮曲》，光禄先开下马筵。'韩邦靖《圣上西巡歌》云：'宫车七月度居庸，天子巡边御六龙。胡虏远藏三万里，却鸣金鼓下云中。''圣皇神武自天成，游击边威旧有名。一骑独驰三百里，日斜同上广洋城。'顿锐《西巡曲》云：'龙颜日表映龙城，青海湾西太白明。前阵鼓旂凌夜雪，后车弦管变冬晴。'孙继芳《北征还朝凯歌》云：'牙旗宝盖耀星文，椅鹿牵羊总百群。二十四通催羯鼓，帐前齐贺大将军。'王讴《塞上》云：'角弓羽箭射黄羊，胡马年来猎上党。可惜总戎非卫霍，徒令威武自君王。'王世贞《正德宫词》云：'蜀马分弸对打毬，纤腰贴地浣青袖。金盘银碗从渠爱，谁敢争先第一筹？''仙韶别院奏新声，不按唐山曲里名。《青鸐》《白翎》俱入破，十三弦底似雷鸣。''金鳌桥畔柳丝长，舴艋舱头有柘黄。六院少儿初病酒，御前亲自过鱼汤。''窄衫盘凤称身裁，玉靶雕弓月样开。红粉别依回鹘队，君王新自虎城来。''夜半毬灯出未央，俄传鞭锋向平阳。六宫处处秋如水，不独长门玉漏长。'"徐祯卿（1479—1511）字昌谷，一字昌国，吴县人。弘治乙丑进士，除大理寺左寺副，降国子博士。《四库全书总目》著录其《剪胜野闻》一卷、《迪功集》六卷，附《谈艺录》一卷。李梦阳（1473—1529）字献吉，庆阳人，徙扶沟。弘治癸丑进士。官至江西提学副使。事迹具《明史·文苑传》。《四库全书总目》著录其《空同子》一卷、《空同集》六十六卷。何景明（1483—1521）字仲默，信阳人。弘治壬戌进士。官至陕西提学副使。事迹具《明史·文苑传》。《四库全书总目》著录其《雍大记》三十六卷、《大复论》一卷、《大复集》三十八卷。边贡（1476—1532）字廷实，号华泉，历城人。弘治丙辰进士。官至南京户部尚书。事迹具《明史·文苑传》。《四库全书总目》著录其《华泉集》十四卷、《华泉集选》四卷。王廷相（1474—1544）字子衡，仪封人。弘治壬戌进士。官至兵部尚书。事迹具《明史》本传。《四库全书总目》著录其《慎言》十三卷、《雅述》二卷、《王氏家藏集》六十八卷。薛蕙（1489—1541）字君采，亳州人。弘治甲戌进士。官至吏部考功司郎中。事迹具《明史》本传。《四库全书总目》著录其《西原遗书》二卷、《约言》（无卷数）、《考功集》十卷。黄佐（1490—1566）字才伯，号泰泉，香山人。正德辛巳进士。官至少詹事。事迹具《明史·文苑传》。《四库全书总目》著录其《泰泉乡礼》七卷、《乐典》三十六卷、《革除遗事节本》六卷、《广州人物传》二十四卷、《嘉靖广西通志》六十卷、《翰林记》二十卷、《南雍志》二十四卷、《庸言》十二卷、《泰泉集》十卷、《六艺流别》二十卷。朱应登（1477—1526）字升之，宝应人。弘治己未进士。官至云南布政司参政。弘治七子之一。《明史·文苑传》附见顾璘传中。《四库全书总目》著录其《凌溪集》十八卷。郑善夫（1485—1523）字继之，闽县人。弘治乙丑进士。官至南京吏部验封司郎中。事迹具《明史·文苑传》。《四库全书总目》著录其《经世要谈》一卷、《郑少谷集》二十五卷。顾璘（1476—1545）字华玉，吴县人。弘治丙辰进士。官至刑部尚书。事迹具《明史·文苑传》。《四库全书总目》著录其《国宝新编》一卷、《近言》一卷、《浮湘集》四卷、《山中集》四卷、《凭几集》五卷、续集二卷、《息园存稿》诗十四卷、文九卷、《缓恸集》一卷。游潜字用之，丰城人。弘治辛酉举人。官云南宾州知州。《四库全书总目》著录其《博物志补》二卷、《梦蕉诗话》二卷。杨慎（1488—1562）字用修，号升庵，新都人。正德辛未状元，授翰林院修撰。以谏大礼，谪戍滇中。事迹具《明史》本传。韩邦靖（1488—1523）字汝庆，号五泉，朝邑人。正德戊辰进士。官至工部员外郎。事迹附见《明史》韩邦奇传。《四库全书总目》著录其《朝邑县志》二卷、《韩五泉诗集》四卷、附录二卷。顿锐字叔养，涿州人。正德辛未进士。官代府右长史。《四库全书总目》著录其《鸥汀长古集》二卷、《前集》二卷、《别集》二卷、《续集》一卷、《渔啸集》二卷、《顿诗》一卷，提要曰：“锐少负诗名，当时称涿郡有才一石，锐得其八斗。晚年卜居怀玉山，吟咏自适。其五言古诗，气韵清拔，颇为入格。七言古诗，跌荡自喜，而少翦裁。近体专尚音节，数篇以外，意境多同。盖变化之功犹未至也。”孙继芳字世其，华容人。正德辛未进士。官至云南提学副使。有《石矶集》。王讴（约1491—1526）字舜夫，号彭衙山人，白水人。正德丁丑进士。官至山西按察佥事。有《彭衙集》。

**武宗无子，遗诏兴献王长子朱厚熜嗣位。**《弇山堂别集》卷九十七《中官考八》："十六年丙寅，上崩于豹房。先一夕，上大渐，惟太监陈敬、苏进二人在左右，乃谓之曰：'朕疾殆不可为矣。尔等与张锐可召司礼监官来，以朕意达皇太后，天下事重，其与内阁辅臣议处之。前此事，皆由朕而误，非汝众人所能与也。'俄而上崩。敬、进奔告慈寿皇太后，乃移殡于大内。是日传遗旨，谕内外文武群臣曰：'朕疾弥留，储嗣未建，朕皇考亲弟兴献王长子年已长成，贤明仁孝，伦序当立。已遵奉《祖训》兄终弟及之文，告于宗庙，请于慈寿皇太后，即日遣官迎取来京，嗣皇帝位，奉祀宗庙，君临天下。'又传慈寿皇太后懿旨谕群臣曰：'皇帝寝疾弥留，已迎取兴献王长子来京嗣皇帝位，一应事务，俱待嗣君至日处分。'于是司礼等监太监谷大用、韦霖、张锦，内阁大学士梁储，定国公徐光祚，驸马都尉崔元，礼部尚书毛澄，奉金符以行。初，司礼监官以太后命至内阁，与大学士杨廷和等议所当立者，既定，入白太后取旨，廷和等候于左顺门。顷之，吏部尚书王琼排挞门入，厉声曰：'此岂小事，而我九卿，顾不预闻耶！'众不答，琼意乃沮。"郑晓《今言》卷一："（武宗）十六年三月崩于豹房。四月癸卯，今皇帝入继大统，诏改明年为嘉靖元年。"《弇山堂别集》卷三十一《帝系》："世宗肃皇帝讳厚熜，睿宗第二子。正德二年八月初十日生于兴府，母曰献皇后蒋氏。十六年三月十五日以兴世子奉迎入继大统，四月二十二日即皇帝位，改元嘉靖。四十五年十二月十四日崩于乾清宫，寿六十。隆庆元年正月二十日上尊谥曰钦天履道英毅圣神宣文广武洪仁大孝肃皇帝，庙号世宗，三月十七日葬永陵。"

## 四月

**世宗自兴邸入京，拒用皇太子即位礼。其独断独行作风，已见一斑。**《万历野获编》卷二《世宗入绍礼》："世宗从兴邸入缵，初至京城外，驻跸行殿，礼部具议如皇太子即位礼。上谓长史袁宗皋曰：'遗诏以吾嗣皇帝位，非皇子也。'辅臣杨廷和等请由东安门入居文华殿，以待劝进，上不许。辅臣辈不得已，乃以慈寿皇太后令旨，内外臣民即于行殿上笺行三劝进礼，盖上继统不继嗣之说，早已定于圣心，张、桂等建白，不过默窥其机耳。是年九月，章圣太后自安陆至京，礼部具议从崇文门进东华门，上不允。命再议，由正阳左门进大明东门，上又不从。令再议，而诸臣又执前说。上乃亲定其仪，从正阳中门直入，以至他门及大内皆然。此旨已下，大臣等不敢复违。乃礼部具奉迎圣门凤轿仪仗，请用王妃礼如故事。中旨批出，竟命治母后驾仪以往。此时仪注已俱云圣母，又何待嘉靖三年之称本生皇太后，与夫七年之直称圣母皇太后而始定耶？诸臣纷纷哭谏伏阙者，徒自取僇谴耳。然事君则当如此矣。"江盈科《皇明十六种小传》卷三《世宗登极》："上自兴邸即皇帝位，改元嘉靖。先是司礼监太监韦霖、寿宁侯张鹤龄、驸马都尉崔元、大学士梁储、尚书毛澄赍诏命金符趋安陆迎上，上拜受，辞兴献王陵及圣母，涕泣呜咽，别圣母，曰：'儿此行入主天下，好为之，毋负祖宗之托。'上拜受教，启行，所过止贡献，戒骚扰，民大喜。及驾次良乡，礼部员外杨应奎进仪注，上览毕无言。至京城外，御行殿，杨廷和等朝毕，请上由东安门入居文华殿，上笺劝进，择日登极，上曰：'我所至日，百神效灵，吉莫大焉，安事择？'遂由大明门入。日中登极，当时闻且见者莫不曰：'圣天子独断独行，不惑群疑，不牵阴阳，度超凡品万万。'四十五年精明之治，于此已露其机矣。"按，世宗即位，一时朝政，兴奋点有二。一为惩处蛊惑武宗之群小，如江彬伏诛，李琮、神周、钱宁等弃市是也，事在今年五月；一为世宗尊其所生，追尊兴献王为兴献帝、追尊王妃蒋氏为兴献后是也，事在今年十月。嘉靖朝之议礼，即由世宗尊其所生而引发。详情可参孟森《明史讲义》第二编第四章，本书从略。

**世宗践祚，前因谏武宗南巡被谪者悉复官，独王廷陈以诖吏议不与。王廷陈，字稚钦，号梦泽子，黄冈人。**皇甫汸《梦泽集序》："《梦泽集》者，齐安王君之作也。君名廷陈，字稚钦，号梦泽子，因以名集云。……今上嗣位，湛思汪涉，虚纳曲贷，诸子稍稍晋复，君独诖网摈弃。颜子婴祸尤烈，至使患同党禁，而荣异汇征，去均坠渊，而进乖薪积，世共惜之。"《列朝诗集小传》丙集："嘉靖初元，搜访遗佚，顾华玉抚楚，以稚钦及随州颜木应诏，不果用，赐缣帛，老于家。"《明史·文苑传》："王廷陈，字稚钦，黄冈人。父济，吏部郎中。廷陈颖慧绝人，幼好弄，父挞之，辄大呼曰：'大人奈何虐天下名士！'正德十二年成进士，选庶吉士，益恃才放恣。故事，两学士为馆师，体严重，廷陈伺其退食，独上树杪，大声叫呼。两学士无如之何，佯弗闻之。武宗下诏南巡，与同馆舒芬等七人将疏谏，馆师石珤力止之。廷陈赋《乌母谣》，大书于壁以刺，珤及执政皆不悦。已而疏上，帝怒，罚跪五日，杖于庭。时已改吏科给事中，乃出为裕州知州。廷陈不习为吏，又失职怨望，簿牒堆案，漫不省视。夏日裸跣坐堂皇，见飞鸟集庭树，辄止讼者，取弹弹之。上官行部，不出迎。已而布政使陈凤梧及巡按御史喻茂坚先后至，廷陈以凤梧座主，特出迓。凤梧好谓曰：'子候我固善，御史即来，候之当倍谨。'廷陈许诺。及茂坚至，衔其素骄蹇，有意裁抑之，以小过榜州吏。廷陈为跪请，茂坚故益甚。廷陈大骂曰：'陈公误我。'直上堂搏茂坚，悉呼吏卒出，锁其门，禁绝供亿，且将具奏。茂坚大窘，凤梧为解，乃夜驰去。寻上疏劾之，适裕人被案者逸出，奏廷陈不法事，收捕系狱，削籍归。世宗践祚，前直谏被谪者悉复官，独廷陈以诖吏议不与。"

**世宗入继大统，诏京职为民者予冠带，康海（1475—1540）仍高卧不起。李开先**

《对山康修撰传》："辛巳，今上入继大统，诏京职为民者予冠带，有司有具冠带送之者，则谢以：'原冠带乃敬皇所赐，被群小构害褫去，更复何用！'"

## 五月

本月始举行廷试。或称是榜进士为庚辰科，盖未详史实之故。《弇山堂别集》卷八十二《科试考二》："十五年庚辰，命礼部左侍郎翰林院学士石珤、翰林院侍讲学士李廷相为考试官，取中张治等，时武庙狩南京，及秋而退。辛巳夏五月，上登极始试之，赐杨维聪、陆钶、费懋中进士及第，选进士廖道南、江汝璧、詹瀚、郑一鹏、童承叙（1495—1542）、黄佐（1490—1566）、赵廷瑞、张衮、杜柟、葛鸿、张治（1488—1550）、张衮、王同祖（1497—？）、李结、伦以谅、卢涣、王用宾、陈讲、李默、李春芳、吴文之、董中言、丁汝夔凡二十五人为庶吉士，命掌詹事府尚书兼学士刘春、侍讲学士刘龙教习。"杨慎为殿试受卷官，时年三十四岁。张凤翀字岐山，宁州人，本科进士。《明诗纪事》戊签卷十四录其《书怀十首》之三，陈田按："岐山自注云：'正德十五年，予备数甲榜。时宁藩不轨，上南征，驻跸南京。予辈俟廷对京师一年有余，同列拈杜句"感时花溅泪，恨别鸟惊心"为韵，因赋短章。'考此年为庚辰，越岁廷对为辛巳，凡州县志多称此榜进士为庚辰者，皆未详此时事也。"张治字文邦，号龙湖，茶陵州人。正德庚辰会元。吕本《太中太保礼部尚书兼文渊阁大学士赠少保谥文隐张公墓志铭》："按状，公讳治，字文邦，湖广长沙茶陵州人也。……及郓张文定督学试之，见其文，愕曰：'兹非刘、李匹亚邪？'盖指茶先辈坦斋、西涯二先生云。旋举于乡。遭侍郎公之丧，守制。毅皇帝十五年，遂举南宫第一人。先是，州有龙化湖，沦衋幽彻，殊佳胜，公尝憩而乐之，因寓号，今学者称为龙湖先生。茶长老数言：故有'龙湖圻，榜元出'之谶。公计偕北上，湖忽暵涸龟裂，果符应。公生斯地，非偶矣。是年，驾南狩。明年，今上即位，始第进士，入翰林为庶吉士。"官至礼部尚书兼文渊阁大学士。有《龙湖文集》。

杨维聪等进士及第。同榜进士有黄佐（1490—1566）、廖道南（1494—1547）、伦以谅（？—？）、马敫（？—？）、邵经邦（1490—？）、吴檄（1491—？）、浦瑾（？—？）等。张璁亦是榜进士。《明史·选举志》："（正德）十五年庚辰，武宗南巡，未及廷试。次年，世宗即位，五月御西角门策之，擢杨维聪第一。而张璁即是榜进士也，六七年间，当国用事，权侔人主矣。"《静志居诗话》卷十一《张孚敬》："张孚敬（1475—1539），初名璁，字秉用，永嘉人。正德辛巳进士，上疏言大礼，除南京刑部主事，再上疏，超擢翰林学士，升礼部尚书，兼文渊阁大学士，历少师，兼太子太师，吏部尚书，华盖殿大学士。卒，赠太师。谥文忠。有《宝纶楼和御制诗》、《萝峰集》。萝峰不由史馆起家，特授学士。又以议礼，为持名教者所轻。以是嫉词林特甚，尤恶诗人文人，八才子无得免者。比诸夏、严，更觉深刻。"夏，谓夏言，严，谓严嵩。八才子，谓嘉靖八才子。八才子之称始于嘉靖十年以后。

周祚（1480—？）举进士，出为来安县令。时周祚与廖道南、童承叙、黄佐、陆钶等皆以词学名。孙宜《周氏集序》："《周氏集》者，山阴周天保著也。正德辛巳，天保举进士，与蒲圻廖鸣吾、沔阳童士畴、岭 南黄才伯、关中何伯直、四明陆举之、今尚书瓯令李公时言，皆以词学名。未几鸣吾辈选为庶吉士，而天保出补来安令，改给事中，已弃其官去，慕空同李子之学，驰书讯质，李重其文，答许之，而天保以是名益显，集凡若干集云。"周祚字天保，其致书李梦阳，事在 1523 年。

陆钶廷对擢一甲第二。此鄞县陆钶，非昆山陆钶。著有《少石集》。《静志居诗话》卷十一："昆山陆鼎仪、鄞县陆举之，其名同。赐进士第二人同。一从史馆出为太常，一从史馆出为外台，适相合也。鼎仪盛有诗名，诗却平平。举之不以诗名，而诗似胜于鼎仪。其督学山东也，见山东旧无通志，而曰：'周公、孔子，百世之师也。六经，斯文之祖也。泰山，五岳之宗也。此一方文献，而天下古今之事备焉。志，奚可废也。'乃编辑成书。河山十二，得公数言，而增色矣。"乾隆《鄞县志·人物》："陆钶（1495—?），字举之，铨弟。正德十五年会试中式，明年廷对擢一甲第二，拜翰林编修。读书中秘，益锐志问学，砥砺名节。以争大礼廷杖。预修《武皇实录》成，进修撰。议礼者秉枢，修宿憾，遂出为湖广按察金事，迁江西参议，职司粮储。能厘革宿弊，酌诸郡之赢缩，验物产之登耗，而损益上下之。又迁山东提学副使，所至敦尚孝弟，分别义利，才俊而行笃者引之，雕虫靡丽者黜抑之，士习为之丕变。山东旧无《通志》，则喟然叹曰：'海岱，山川之宗也；圣贤，人物之望也；六经，文章之祖也；惟兹一方之志，而天下古今之事备焉。吾当殚兹役矣。'逾年志成。上疏乞骸骨，不报，遂卒。钶为文奥衍宏畅，诗温醇婉蓄，有晋唐之风。"著有《少石集》十三卷。《四库全书总目》卷一七六别集类存目三著录《少石集》十三卷，提要曰："是集诗五卷，文七卷，杂著一卷。前有张时彻序，称其华不近浮，质不近俚，而惜其志之未艾。盖具体而未成家者，故序有微词云。"

## 七月

吏部考察，给事中齐之鸾（1483—1534）谪崇德县丞。夏言《送蓉川之崇德诗》小序云："蓉川齐子以清才粹学，久著声谏垣，比在先朝，抗颜极论，屡批逆鳞，数蹈虎尾，幸不罹于祸。乃今遭逢圣明，首以奉职无效，谪丞下邑，士论惜焉。矧小子辱忝僚末，顾能已于怀耶？绸缪靡宣，贡诗五解。……正德十六年辛巳秋七月既望贵溪桂洲山人夏言识。"周京《蓉川先生小传》："先生名之鸾，字瑞卿，姓齐氏，蓉川其别号也。……丁卯，提学陈玉筹先生首选应试，中应天府乡贡，明年试南宫未利，卒业南雍，大为大司成许公石公称许，越辛未复上京师，朝美（蓉川父）与之偕，中会试，刻程文行天下。桐城中会试先此曾未有刻程文者，有之实自瑞卿始。廷试赐进士出身，选翰林院庶吉士，入读中秘书，桐城中进士先此曾未有入翰林为庶吉士者，有之亦自瑞卿始。无何朝美以疾卒于京邸，扶榇南葬，服阕拜刑科给事中，三载绩成，敕赠朝美如其官，母封太孺人，妻封孺人。转吏科右给事中，随转兵科左给事中，扈从南征纪功。先是，当武皇用兵征讨北边，储位久虚，车驾屡外幸，权贵多乞恩转升，大坏祖宗武选之法，封驳奏论无虚日，屡请回銮建储，伏阙谏止南巡，攻发铨司诸弊，及至纪功，又大忤贵倖与用事大臣，论事又多不合。今皇帝入继大统未几，例当考察，因谪嘉兴之崇德丞。"汪宫锡《送蓉川齐公之崇德序》述七月吏部考察事尤详。

## 八月

何景明（1483—1521）卒。李梦阳、何景明、徐祯卿、边贡、康海、王九思、王廷相七人并称前七子或弘德七子。樊鹏《中顺大夫陕西提学副使何大复先生行状》："先生生成化十九年八月六日，卒正德十六年八月五日，年三十有九。"李开先《何大复传》："大复何氏，名景明，字仲默。四世祖避红巾乱，由罗田移家信阳。父信，母李氏，以成化丙午生大复于里第。六岁即能属警对，吐奇语。八岁，文思如泉出山下，涓涓不竭。貌癯而秀，性敏而灵。十二随父宦会宁驿，临洮李太守闻其奇，招置门下，延师授《春秋》，数月即善说《春秋》。……及举进士，在弘治壬戌科，去乡试四五年，而年犹未冠也。舆论谓：'今选庶吉士，必在首列。'而当国者方恶能诗之人，以为虽作到李、杜，亦不过一醉汉耳。选授中书舍人。是时空同方以诗文雄压都会，乃卒遇而响应之，改白坡而号大复，弃时尚而修古辞，犹夫唐荆川之值王遵岩，如江河将决，一彻其防，而沛然莫之能御。唐、王诗祖初唐，而文兼宋体，一切豪憨方俊，冒套撞搪，悉薄视之不屑焉。而大复之作，流布函夏，始刻长安，久而在处有之，但识字者，即心慕其人而口诵其辞。或与边华泉及空同称为海内三才，或与安阳崔后渠称为中州二俊，或与关中诸公并吴下徐迪功称为弘德七子。……生平耻干谒，轻仕进，积九年，始带衔吏部员外郎，寻升陕西提学副使……以勤劳得疾，呕血不已，至家六日而殁，年止三十九，囊余三十金，而书有数千卷，时则正德十六年八月五日也。"王世贞《何大复集序》："敬皇帝朝，化休而融昌，异时诸先生业文章，显甚重矣，学士大夫固欣然称说，耳相慕也，而独北地李子以非心所好，谢去之。亡何，而又有信阳何子者。何子虽稍晚出，其材质敏秀瑰丽，各以长相当。然而李子得何子，为益雄也。鄙人之言，何知仁义，向利则德。是二君子抉草莽，倡微言，非有父兄师友之素，而夺天下已向之利，而自为德。於乎难哉！去其始可一甲子，诗而亡举大历下者，文亡举东京下者，即谁力也？……《易》言之，有亲则可久。李得助而久，何子之功李子伟矣夫，二子之功天下则伟矣夫。"（《弇州四部稿》卷六十四）许学夷《诗源辩体》后集纂要卷二："世之论李何者，莫不谓献吉效颦，仲默舍筏，此似晓不晓。献吉五言古粗率不纯，即汉、魏、六朝、李、杜靡所不有，而相肖者无几，信为效颦；若歌行，虽学子美，而驰骋纵横实有过之，又未可以言效颦也。仲默五七言古信多舍筏，于国朝诸子不足当其下驷；而七言律，则元瑞所谓'温雅和平、动合规矩'者也。盖献吉山斗一代，实在歌行；而仲默冠冕诸公，实在七言律耳。或选何歌行篇什与李相等，选李七言律篇什与何相等，是全不知诗者。"《静志居诗话》卷十《何景明》："弘、正间，作者倡复古学，同调六七人，李、何实为之长。李以秀朗推何，何以伟丽目李。其后互相抵牾，何诮李'揣鞴振铎'，李诮何'抟沙弄泥'。譬之针砭，不中腧穴，徒哓哓耳。两君皆负才傲物，何稍和易，以是人多附之。薛君采诗云：'俊逸终怜何大复，粗豪不解李空同。'自此诗出，而抑李申何者，日渐多矣。初唐四子体，今人弃之，若土苴矣。然其音节宛转，从六朝乐府中来，初学者正不可不知也。仲默《明月篇》，拟议颇工，未堕恶道。子美诗云：'王杨卢骆当时体，轻薄为文哂未休。尔曹身与名俱灭，不废江河万古流。'其论诗之旨若此。然则初唐，亦岂可尽废乎？"《四库全书总目》著录何景明《雍大记》三十六卷、《大复论》一卷、《大复集》三十八卷。《大复集》提要曰："是集凡赋三卷、诗二十六卷、文九卷，传志、行状之属附录于末。王廷相、康海、唐龙、王世贞各为之序。正、嘉之间，景明与李梦阳俱倡为复古之学，天下翕然从之，文体一变。然二人天分各殊，取径稍异。故集中与梦阳论诗诸书，反复诘难，断断然两不相下。平心而论，摹拟蹊径，二人之所短略同。至梦阳雄迈之气与景明谐雅之音亦各有所长。正不妨离之双美，不必更分左右袒也。景明于七言古体深崇四杰转韵之格，见所作《明月篇》序中。王士禛《论诗绝句》有曰：'接迹风人《明月篇》，何郎妙悟本从天。王杨卢骆当时体，莫逐刀圭误后贤。'乃颇不以景明为然。其实七言肇自汉氏，率乏长篇。魏文帝《燕歌行》以后，始自为音节。鲍照《行路难》始别成变调。继而作者，实不多逢。至永明以还，蝉联换韵，宛转抑扬，规模始就。故初唐以至长庆，多从其格。即杜甫诸歌行，鱼龙百变，不可端倪，而《洗兵马》、《高都护》、《骢马行》等篇，亦不废此一体。士禛所论，以防浮艳涂饰之弊则可。必以景明之论足误后人，则不免于惩羹而吹齑矣。"《明诗纪事》丁签卷一录何景明诗五首，陈田按："大复骨清神秀，龙凤之姿。如虬髯公见太原公子，令人气夺。与空同固是劲敌。"

## 十二月

**广东提学副使魏校发布谕民文告，"不许造唱淫曲"。**归有光编《庄渠先生遗书》卷九《公移》："钦差提督学校广东等处提刑按察司副使魏为兴社学以正风俗事。……一、倡优隶卒之家，子弟不许妄送社学。……一、为父兄者，有宴会，如元宵俗节，皆不许用淫乐琵琶、三弦、喉官、番笛等音，以导子弟未萌之欲，致乖政教。府县官各行禁革，违者治罪；其习琴瑟笙箫古乐器听。一、不许造唱淫曲，搬演历代帝王，讪谤古今，违者拿问。……正德十六年十二月。"魏校今年起为广东提学副使。魏校任内另有关于禁书之谕民文告，时间不详，亦一并附录于此："为风化事。当职巡历南雄，考按图志，采访民风，略举所当禁革者，条具于后：……一、书铺当禁之书：一曰时文，蠹坏学者心术；二曰曲本，诲人以淫；三曰佛经，四曰道经，扇惑人心。先已通行禁革，委官宜责取各铺并地方总小甲邻佑结状，如再发卖前项书籍，重治以罪，再不许开书铺；仍大书告示，张挂关隘去处，不许从外省贩卖前项书籍，私入广东境内，不时差官盘验，以诘奸弊。……"

## 本年

**李梦阳为林俊诗集作序。**林俊（1452—1527），字待用，莆田人。梦阳《林公诗序》云："李子读莆田林公之诗，喟然而叹曰：嗟乎，予于是知诗之观人也。石峰陈子曰：夫邪也不端言乎？弱不健言乎？躁不冲言乎？怨不平言乎？显不隐言乎？人乌乎观也？李子曰：是之谓言也，而非所谓诗也。夫诗者，人之鉴也。夫人动之志，必著之言，言斯永，永斯声，声斯律；律和而应，声永而节，言弗睽志，发之以章，而后诗生焉，故曰：诗者非徒言者也。是故端言者未必端心，健言者未必健气，平言者未必平调，冲言者未必冲思，隐言者未必隐情。谛情探调，研思察气，以是观心，无廋人矣。"（《空同集》卷五十）时林俊在刑部尚书任。

**刑部尚书林俊疏荐鲁铎**（1461—1527），**不起。**《列朝诗集小传》丙集："铎，字振之，景陵人。弘治十五年进士第一人，改翰林庶吉士，为李长沙所重。以编修使安南，历国子监司业、祭酒，请告家居。嘉靖初，刑部尚书林俊疏荐，请如孝宗朝用谢铎故事，推卿佐者五，皆不起。赠礼部侍郎，谥恪。振之沉潜问学，杜门敛迹，焚香危坐，日夜读书。屡起屡归，执持名节，为翰苑师儒之官，诚无愧焉。有《莲北》、《使交》、《东厢》诸集。"参见《静志居诗话》卷九。《四库全书总目》卷一七六集部别集类存目三著录鲁铎《鲁文恪存集》十卷。《明诗纪事》丁签卷九录鲁铎诗七首，陈田按："文恪清节名德，为六馆师范。诗存朴质而时有风趣，譬之老树著花，亦饶姿致。"

**王守仁始标举良知之教。其学术凡三变而至此。**《明儒学案》卷十《姚江学案》：阳明之学，"始泛滥于词章，继而遍读考亭之书，循序格物，顾物理吾心终判为二，无所得入。于是出入于佛、老者久之。及至居夷处困，动心忍性，因念圣人处此更有何道？忽悟格物致知之旨，圣人之道，吾性自足，不假外求。其学凡三变而始得其门。自此以后，尽去枝叶，一意本原，以默坐澄心为学的……江右以后，专提'致良知'三字，默不假坐，心不待澄，不习不虑，出之自有天则……居越以后，所操益熟，所得益化……是学成之后又有此三变也。"

**常伦**（1492—1525）**补寿州判官。常伦，字明卿，有《常评事集》。**《国朝献征录》所收佚名《大理寺右评事常君墓志铭》："晋之才子曰常君，讳伦，字明卿，其先曲沃人，后徙居泽州之沁水。曾祖曰瑜，授马营仓大使，以子轼官赠大理寺左评事。祖曰昙，赠文林郎陕西道监察御史。父曰赐，举进士，历监察御史至陕西按察司副使，母张氏，封孺人。弘治五年十一月十一日生明卿。明卿生而风神秀异，警敏绝人，五六岁能诵书赋诗为奇语，惊其大人。于时学士大夫，见者奇之。正德五年庚午年十九矣，举于乡，得亚元。明年辛未，与予举进士，同观礼部政，授大理寺右评事，才高气豪不自检，然开口言笑，有晋人之风。尝宴集于所亲，酒酣，议论风起，屈其座人。人有忌其才者，假封事短之，乙亥（1515）夏遂以考京官例得外补。明卿告病归，卧于端氏别业。丁丑（1517）冬丁副使公忧，既服阕又二年辛巳（1521），为今上嗣统之初，补寿州判官，有能声。"迁知宁羌州，未上，卒，年三十四。有《常评事集》。

**左春坊中允景旸**（1476—1524）**以母忧去职。景旸字伯时，金陵人。**焦竑《景中允传》："中允姓景名旸，字伯时，金陵人。少产扬之真州，寻迁居金陵。……正德戊辰举进士第二人，授翰林院编修。时逆瑾乱政，挟势凌轹朝士，见者靡不重足屏气，其不为阿者，中允及何瑭、崔铣、吕柟也。……久之为讲官，当进讲，必越宿斋沐，觊有所感悟。九年迁国子司业，以资当进侍读……而南改左中允，管南京国子监司业事。时南方士竞便利，中允于请托一切谢不行，士习稍正。……辛巳以母忧去位。"

**顾璘**（约1488—约1548）**由南京兵部武库郎中谪知许州。时顾璘与其兄顾璘并称**

**江东双玉**。陈舜仁《河南宪副顾横泾先生璘小传》："先生清介端毅人也。仲兄东桥，文章事业，一时名流之冠。先生韶年崛起，一往便诣，时称江东双玉云。先生姓顾氏，讳璘，字英玉，先世苏之吴县人。……年十八补弟子员……正德甲戌举进士，授南京工部主事，旋改兵部。……庚辰（1520）升南京武选郎，奉旨查冗员，魏国公子徐某亦在例中。某颇修名誉，为之请者甚众，乔公亦欲庇之，先生执不从。所亲或规之，先生徐曰：'乃天子诏顾不重邪？'自是当路者不悦。明年谪知许州。"

**童承叙**（1495—1542）与张治、廖道南并称楚中三才。陈文烛《内方童先生传》："先生讳承叙，字士畴，沔阳人也。始祖自随徙沔，而沔南有内方山，因号内方山人，海内学士大夫称内方先生云。""以《诗经》举乡试第二，两公（李濂、张邦奇）尚恨先生不第一也。明年庚辰中会试。值肃皇帝继统（1521），选翰林院庶吉士，与茶陵张公治、蒲圻廖公道南号楚三才，而先生尤俊逸不群，试辄冠同馆，而同馆敬服，人人自以为不如也。方杨文忠公廷和、杨文襄公一清后先入相，雅重先生。后永嘉张公孚敬议礼登相，援引新进，馆阁之士附之如蚁，结之如蜮，嘤沓背憎，汲汲如狂，而先生闭门守玄，意澹如也。"授编修，进侍讲，历中允司经局洗马，国子司业，左春坊左庶子。有《内方集》。

**陈铎卒于本年或稍后**。陈铎、王磐、冯惟敏、薛论道并为明代四大散曲作家。陈铎（约1488—约1521），字大声，号秋碧，下邳（今江苏睢宁）人，家居南京。著有《秋碧乐府》、《滑稽余韵》等。据庄一拂《明清散曲作家汇考》。陈霆《渚山堂词话》卷二："江东陈铎大声尝和《草堂诗余》，几及其半，辄复刊布江湖间。论者谓其以一人心力，而欲追袭群贤之华妙，徒负不自量之讥。盖前辈和唐音者，胥以此故为大力所不许。大声复冒此禁，何也？然以其酷拟前人，故其篇中亦时有佳句。四言如'娇云送马，高林回鸟，远波低雁。'五言如'飞梦去江干，又添驴背寒。''饥鸟啄琼树，寒波净银塘。''香浮残雪动，影弄寒蟾小。'六言如'长日余花（钞本误作光）自落，无风弱柳还摇。''杨柳依（原作倚，从钞本）风清瘦，花枝照水分明。''明月为谁圆缺，浮云随意阴晴。'七言如'花蕊暗随蜂作蜜，溪云还伴鹤归巢。''欲将离恨付春江，春江又恐东流去。''千里青山劳望眼，行人更比青山远。''秋水无痕涵上下，浮云有意遮西北。'散句如'东风路。多少小燕闲庭，乱莺芳树。''绿云尽逐东风散，惟有花阴层叠。''九十韶光自不容，何必憎风雨。''暮山高下暮云平。行人不渡，只有断桥横。''清溪流水，斜桥淡月，不减山阴好。''春城晚，霏霏满湖烟雨。断肠无奈，落花飞絮。'凡此颇婉约清丽。使其用为己调，当必擅声一时。而以之追步古作，遂蹈村妇斗美毛施之失。盖不善用其长者也。"况周颐《蕙风词话》卷五："陈大声词，全明不能有二。《坐隐先生草堂余意》，甲辰春半塘假去，即付手民，盖亦契赏之至。写样甫竟，半塘自扬之苏，婴疾遽殁。元书及样本并失去，不复可求。其词境约略在余心目中，兼《乐章》之敷腴，《清真》之沉着，《漱玉》之绵丽。南渡作者，非上驷未易方驾。明词往往为人指摘，一陈先生掩百瑕而有余。是书失传，明词之不幸，半塘之隐恫矣。大声名铎，别号七一居士，下邳人，家上元，睢宁伯陈文曾孙。正德间，袭济州卫指挥。有《秋碧轩集》五卷、《香月亭集》（卷数未详）、《秋碧乐府》二卷、《梨云寄傲词》、《草堂余意》各一卷。（余所得巨帙逾百叶，卷数不复记忆。）并见

《千顷堂书目》。大声精研宫律，人称'乐王'。又善谑，尝居京师，戏仿月令云云；见顾起元《客座赘语》。又有《四时曲与徐髯仙联句》。"又续编卷二："明陈大声（铎）《草堂余意》具澹、厚二字之妙，足与两宋名家颉颃。""陈大声《草堂余意》不可复得，甚恨事也。大声一字秋碧，精研宫律，当时有'乐王'之目。又善谑，尝居京师戏仿《月令》二月云：'是月也，壁虱出，沟中臭气上腾，妓靴化为鞋。'见顾起元《客座赘语》。又有《四时曲》，秋碧与徐髯仙联句。"

**章懋（1436—1521）卒。章懋以耿介拔俗见称。**章懋字德懋，别号暗然子，兰溪人。成化丙戌会试第一。改庶吉士，授编修。会上元内宴，命作鳌山灯诗，不奉诏，且以疏谏，黜为临武知县。弘治、正德间，累官南京礼部尚书，致仕。事迹具《明史》本传。《四库全书总目》卷九三子部儒家类三著录《枫山语录》一卷，提要曰："是编卷帙不多，分为五类，曰学术，曰政治，曰艺文，曰人物，曰拾遗。其学术、政治虽人人习见之理，而明白醇正，不失为儒者之言。艺文诸条，持论亦极平允，不似讲学家动以载道为词。其评骘人物，于陈献章独有微词。则懋之学主笃实，而献章或入玄虚也。然献章出处之间，稍有遗议，而懋人品高洁，始终负一代重望。则笃实鲜失之明验矣。又谓胡居仁不适于用，似亦有见。惟推尊吴与弼太过，则颇有所不可解耳。"又卷一七一集部别集类二四著录《枫山集》四卷、附录一卷，提要曰："懋初在词垣，以直谏著名。今集中第一篇即其原疏。考元夕张灯，未为失德，词臣赓韵，亦有前规。而反复力争，近乎伊川之谏折柳，未免矫激太过。然其意要不失于持正，故君子犹有取焉。至其平生清节，矫矫过人，可谓耿介拔俗之操。其讲学恪守前贤弗逾尺寸，不屑为浮夸表暴之谈。在明代诸儒，尤为淳实。《明史》本传称，或讽之为文章，则对曰：此小技耳，予弗暇。有劝以著述者，曰：先儒之言至矣，芟其繁可也。盖其旨惟在身体力行，而于语言文字之间非所留意。故生平所作，止于如此。然所存皆辞意醇正，有和平温厚之风。盖道德之腴，发为词章，固非蜡貌栀言者所可比尔。"

**徐霖离北京南归。其词曲雅俗杂陈，为明武宗所喜。**徐霖（1462—1538），字子仁，号髯仙，华亭（今属上海）人。自号九峰道人。《列朝诗集小传》丙集："霖字子仁，其先姑苏人，徙金陵。七岁能诗，九岁能大书，操笔成体，善画松竹、花草、蕉石。长而跅弛自放，谢去学官弟子，精研六书。尝得篆法于异人，李长沙（李东阳）见之曰：'此周伯琦之流，吾不及也。'筑快园于城东，极游观声伎之乐。善制小令，填南北词，皆入律，棋酒之暇，命伶童侍女，被其新声，都人竞传而歌之。武宗南巡（1519），伶人臧贤进其词翰，召见行宫，试除夕诗百韵，及应制词曲，皆立就，雅俗杂陈，语多谲谏，上屡称善。尝午夜乘月幸其家，夫妇苍黄出拜，上命置酒，家无供具，以蔬笋鲑菜进御，上大喜，为之引满酣畅而去。已而数幸其家，御晚静阁垂钓，得一金鱼，宦官争买之，上大笑，失足落池中，衮衣沾湿。快园中有宸幸堂、浴龙池，纪其遇也。赐飞鱼服，扈从还京。每夜宿御榻前，与上同卧起。将授官禁近，固辞，会上宾而罢。归里二十余年乃卒，年七十有七。"

**王济授横州通判，摄知州事。时年四十八岁。**王济（1474—1540），字伯雨，号雨舟，浙江桐乡人。刘麟《雨舟王公墓志铭》云："年逾壮，谒铨曹，授广西横州判官。横，岭南瘴疠地，去乡几八千里，君怡然受之。会横缺守，州政多弛，盗且作。君视篆，得其习俗利弊。召横人集议，议定乃因革之。凡所设施，咸与横宜。横俗丕变，盗亦潜弭，州以无事。君退食之暇，植湘竹盈庭，吟咏其下。"

**刘麟**（1474—1561）、**陈恪以人品高洁为世宗所知**。朱凤翔《刘清惠公全集序》："当世庙初，旌别大僚，御屏所书冰清玉洁者二人，一为尚书刘清惠公麟，一为大理卿陈公恪。陈归安人，世称矩斋先生是已，刘豫章人，先从安仁徙建业，慕吾湖山水清远，复卜居吾邑东山之坦上，因号坦翁云。不佞凤翔少时闻诸先达，公杜门绝轨，台使监司守令之车辙盈间，不得一见，惟佳时胜日，与高士吴甘泉、孙太初诸公，扁舟往来菰芦间，人望之若神仙。已复睹公家所藏神楼图，知公居万山中，欲构一楼而不可得，文太史徵明绘是图以赠，一时名公歌咏盈幅。已复读公所撰岘山浮碧亭碑记，文最尔雅，其所传尺牍书法，人间重如珙璧。"《列朝诗集小传》丙集："麟字元瑞，安仁人。以武功籍隶南京。弘治丙辰进士。正德中，除刑部主事，历郎中，知绍兴府，有异政。刘瑾修郎署时旧隙，废为编氓，悦吴兴风土，遂徙家焉。瑾诛，起知西安，历官参政按察使，谢病归。嘉靖初，起太仆卿副都御史，引疾，得请。再起大理卿、刑部侍郎，寻升工部尚书，遣近珰织造苏杭，执奏忤旨，勒令解职。年八十八，赠太子太保，谥清惠。元瑞举进士，与顾华玉、徐昌谷号江东三才子。晚自称坦上翁，与孙一元、张寰、吴琮、陆昆辈，作湖南雅社。建安李尚书尝访之于岘山，了无宿具，以乳羊博市沽，风雨萧萧，欣然达夜。好楼居而力不能构，文徵仲作神楼图以遗之。杨用修、朱子价皆作《神楼曲》。"杨慎字用修，朱曰藩字子价。

**秦金转户部左侍郎。秦金为李东阳弟子。曾结碧山诗社，与邵宝诸公唱和**。《弇山堂别集》卷五十五《卿贰表》"户部左右侍郎"："秦金，直隶无锡人。进士，（正德）十五年任右，十六年转左。"俞宪《盛明百家诗存后编·秦端敏公集》："端敏秦公凤山先生名金（1467—1544），字国声，弘治癸丑进士。扬历三朝，尝官两京五部尚书，归赐舆廪，有年卒。""先生西涯李公之门人，筮仕户曹，与杭世卿兄弟及杨名父、王阳明辈八人结吟会于京师，时称才子。及为河南学宪，名益著。平生诗文多不存，今止得其诗集十卷，采而刻之。"《明诗纪事》丁签卷六录秦金诗一首，引《碧山吟社志》云："弘、正间，社会既辍之后，司徒凤山秦公归自留都，邀二泉邵公、心泉吕公、惠岩顾公、松阁顾公、藕塘秦公、石村陈山人结诗会山中，亦以碧山名社，然止就诸公之别墅，如二泉精舍、凤谷行窝、惠岩小筑，次第举会，盖亦慕修敬之风，而一寄意焉。"《四库全书总目》卷五三史部杂史类存目二著录秦金《安楚录》十卷。

**梁辰鱼今年三岁**。据徐朔方《梁辰鱼年谱》。梁辰鱼（1519—1591），字伯龙，号少白、仇池外史，昆山人。以例贡为太学生。光绪《昆新两县续修合志》卷三十："泉州同知纮曾孙。父介世，字石重，平阳训导。……不屑就诸生试，勉游太学，竟亦弗就。营华屋招来四方奇杰之彦。嘉靖间，七子皆折节与之交。尚书王世贞、大将军戚继光特造其庐，辰鱼于楼船箫鼓中，仰天歌啸，旁若无人。千里之外，玉帛狗马，名香珍玩，多集其庭。而击剑扛鼎之徒，骚人墨客、羽衣草衲之士，无不以辰鱼为归。……尤喜度曲，得魏良辅之传，转喉发音，声出金石。其风流豪举，论者谓与元之顾仲瑛相仿佛云。"著有《远游稿》、《浣纱记》、《江东白苎词》等。参见《列朝诗集小传》。

## 公元 1522 年（世宗嘉靖元年　壬午）

### 正月

改元嘉靖。初拟绍治为号，而世宗不用，隐含继统不继嗣之意。唐寅《嘉靖改元元旦作》："世运循环世复新，物情熙皞物咸亨。一人正位山河定，万国朝元日月明。黄道中天华阙迥，紫微垂象泰阶平。区区蜂蚁诚欢喜，鼓腹歌谣尽此生。"《万历野获编》卷一《年号》："世宗入缵，初拟绍治为号，而上不用。此未必薄弘治为不足绍，而继统不继嗣之意已蓄于隐微，特辅臣不及窥其端耳。况嘉靖二字，王守仁已先示于所勒文矣，谶应之说，良不可诬。"朱常淓《改元考》一卷，即成于本年。

### 二月

世宗传制遣文武大臣代祀宇内群神暨宗藩先王。《戒庵老人漫笔》卷二："世宗改元嘉靖之春二月辛丑晨，御奉天殿，传制遣文武大臣代祀宇内群神暨宗藩先王，而辽若湘府则以属吾邑毅斋刘公乾。后九年秋，毅斋长子甫学，余与亚也，出誊黄御制祭文，诩幸观焉，谨录之，以见典故云。'维嘉靖元年，岁次壬午，四月丁丑朔，初七日癸未，皇帝遣尚宝司卿刘乾致祭于七世叔祖辽简王、六世叔祖辽肃王、五世叔祖辽靖王、四世叔祖辽惠王、三世叔祖辽王曰："惟予嗣统之初，茂惇九族，缅怀厚德，实切于衷。谨遣廷臣，奉将香币，敬伸祭告。伏冀鉴知，尚享。""维嘉靖元年，岁次壬午，四月丁丑朔，初九日乙酉，皇帝遣尚宝卿刘乾致祭于世叔祖湘献王曰（同前）'。"

命翰林修撰杨慎（1488—1559）代祀江渎及蜀藩诸陵寝，著《江祀记》。李调元《升庵先生年谱》："壬午二月，命公代祀江渎及蜀藩诸陵寝，著《江祀记》。与给事熊公浃、御史简公霄游浣花溪，载酒赋诗，有'烟霞谁作主，鱼鸟自相亲。斗酒千金会，扁州两玉人'之句。十二月，北上复命。"按，此时杨慎已以博学见称。《明书》卷一四七："杨慎字用修，号升庵，四川新都人。……慎孝友性植，颖敏过人，家学相承，益以赅博。凡宇宙名物、经史百家，下至稗官小说、医卜技能、草木虫鱼，靡不究心多识，阐其理趣而订其讹谬。正德间，武宗阅《文献通考》天文，星名有'注张'……中使下问，钦天监及翰馆中皆莫知为何星也。慎曰：'注张，柳星也。'历引《周礼》、《史记》、《汉书》以复。又湖广土官水尽源通塔平长官司进贡，同官疑为三地名，于'长官司'上添一'三'字。慎曰：'此六字地名也。'取《大明官制》证之。嘉靖初，给事中张翀上言时政，'论学术不正'一条有'裔宇鬼琐'之语。上闻之内阁，慎适在馆中，即取《荀子·非十二子》篇以复。大学士蒋冕喜曰：'用修之博，何减古之苏颂乎？'"

### 三月

上兴献王尊谥曰兴献帝，上兴献王妃蒋氏尊号曰兴国太后。《弇山堂别集》卷三十一《帝号追崇》："睿宗献皇帝讳祐，宪宗第四子。成化十二年七月初二日孝惠太后邵氏生。二十三年七月十一日册封为兴王,弘治七年九月十八日之国湖广安陆州。(今承天府)正德十四年六月十七日薨,谥曰献,寿四十四,葬纯德山。嘉靖元年世宗即位,三月二十一日上尊谥曰兴献帝。修葺陵寝,号显陵。二年七月二十一日加上尊谥曰恭穆献皇帝,七年六月初十日加上尊谥曰恭睿渊仁宽穆纯圣献皇帝,十七年九月二十一日加上尊谥曰知天守道洪德渊仁宽穆纯圣恭俭敬文献皇帝,庙号睿宗","献皇后姓蒋氏,赠玉田伯劻之女,弘治五年正月二十日册为兴王妃。嘉靖元年世宗即位,三月二十一日上尊号曰兴国太后,三年四月十六日加上尊号曰章圣皇太后,七年七月十二日加上尊号曰章圣慈仁皇太后,十五年闰十二月初七日加上尊号曰章圣慈仁康静贞寿皇太后。十七年十二月初四日崩,二十七日上尊谥曰孝慈贞顺仁敬诚一安天诞圣献皇后。十八年七月二十五日合葬显陵。(祔太庙)"

## 八月

**董玘等任乡试主考。**《弇山堂别集》卷八十二《科试考二》:"嘉靖壬午,命左春坊右谕德兼翰林院侍读温仁和、翰林院侍读穆孔晖主顺天试。命右春坊右谕德兼翰林院侍读董玘、翰林院侍读翟銮主应天试。"

**江西秋试,录取举人一百九十名。**《戒庵老人漫笔》卷一《江西两科并取》:"正德十四年己卯科,江西以宁藩之乱,缺乡试,嘉靖元年壬午科,并取一百九十人。"

**徐阶(1503—1583)中举。既报捷,后仍就塾肆业不辍。**光绪《重修华亭县志·杂志》:"徐文贞二十岁领乡荐,时尚为沈水南弟子。既报捷,后仍就塾肆业不辍。"徐阶字子升,松江华亭人。嘉靖癸未(1523)赐进士第三,授翰林编修,抗疏论孔子庙制,斥为延平府推官,稍迁浙江、江西提学副使,入为司经局洗马,历升礼部尚书,入直无逸殿,寻入东阁办事,累官少师、吏部尚书、建极殿大学士。赠太师,谥文贞。有《少湖集》。

**赵时春(1509—1567)年十四,举陕西乡试。**周鉴《明御史中丞浚谷赵公行实》:"公讳时春,字景仁,号浚谷。浚谷者,平凉东南隅水名也。……年十四,以儒士进试于督学,渔石唐公(唐龙),一日而遍三场,题下,辄援笔报成,一若凤构。唐公击节叹赏。每试属邑诸生,则命公与偕,偕则必先成,第高等。尝留馔与论政学,大耸唐公听,称誉不容口。乃劝之应举。公以搜检非宾贤礼为辞。唐公曰:'此以待作伪者耳。汝真儒也,复何嫌?'及撤棘,擢第三《诗》魁,乃嘉靖壬午也。"赵时春为丙戌(1526)进士,官至右佥都御史,巡抚山西。有《浚谷集》。唐龙(1477—1546),字虞佐,号渔石,兰溪人。正德戊辰(1508)进士,官至刑部尚书太子太保,谥文襄。有《渔石集》、《关中稿》。

## 九月

**听选监生何渊继张璁上言,力请追考兴献王且加帝号。横恣求荣,时人恶之。**《万历野获编》卷二《世室》:"世宗登极后,张、桂议更兴献王尊号,是时附和者尚少,且兴献王亦既安祀于观德殿矣。嘉靖元年九月,听选监生何渊继璁上言,力请追考兴

**17**

献王且加帝号，立世室于京师，不宜远在安陆。上是其言，命会议，无一人应者。时廷臣憎之，选陕西平凉县主簿以去。屡为上官笞挞，自诉乞改京职，乃拜光禄珍羞署丞。时嘉靖四年之春，则献皇帝称考久矣。渊至京又上疏，请立世室祀献考于太庙。下礼部议。时席书为尚书，正大礼贵人也，力言其不可。上不允，令会多官详议以闻。时张、桂并为学士，各抗章力阻，乞罢会议，亦不见从。至礼部再议，廷臣俱有异词。上又命复议，张、桂等又争之，疏仅报闻。命席书又会文武大臣科道议，无一人以为可者。上命内臣传示，必欲祔庙而后已。席书上密疏劝止。乃令止议世室。于是何渊复上祢庙正议，上亦下之礼部。礼臣乃会议立庙京师，别为祭享，亦无不可，且引汉宋故事为证。上亲定其名为世庙。命于太庙左右，择日兴工。时礼臣疏中有云：待献王服尽之日与孝宗一同祔庙。上乃又遣内臣谕旨更议，部复以为此宜俟百年，圣君贤相自定之。上又不悦，令别议，部乃议请于世庙另建一室为祧庙。上不从，云既别立庙，则与太庙不同，以后子孙世世奉祀不迁。事遂定。而议礼诸臣，如黄宗明、黄绾，皆疏乞速正何渊谬议之罪。止报闻而已。比庙工兴，何渊又疏以新庙神路迂远，宜别开路与太庙同门。于是群议谓改别路当坏垣伐木，震惊宗庙。上大怒责对状，于是张、桂等又疏诤之，亦如初议。上乃命拆神宫监对房通路。盖渊之横恣求荣如此，张、桂等亦厌恨之矣。渊以《大礼集议》书成，升上林右监臣。其年十二月，渊又上疏，奏以席书格其世室诸疏，请将以前后疏，增入重修续编。上又下之礼部。时席书目疾不能出，乃上疏乞召王守臣及议礼臣方献夫等增修，其何渊章奏，纰缪不可采。上又谕席书，将续修事理，直对以闻。书不得已，奏请将世庙事编次为上下二卷。上允之，命张、桂诸人为纂修官。六年渊又进《大礼续奏》一部，并疏己倡议立庙之功数千万言。上命付史官。既而《明伦大典》成，渊已升太仆寺丞，又上疏谓大典中，寿安皇太后今进为太皇太后矣，请改在昔之误称，庶为全礼全书。上以已经进呈不许，且云毋得再扰。上亦厌恶之矣。渊犹不悟。十八年二月，上言璁等没其太庙世室之说，私汇其书为五卷进之，且讦璁引汉哀别庙之谬。上怒甚，谪为湖广永州卫经历。盖晓晓狂渎者凡八年而始逐。天下快之。"赵翼《廿二史札记》卷三十一《大礼之议》："孝宗崩，子武宗立。武宗崩，无子，而孝宗弟兴献王有子，伦序当立，大学士杨廷和以遗诏迎立之，是为世宗。世宗即位，诏议追崇所生。廷和检汉定陶王、宋濮王故事，授尚书毛澄曰：'是可为据。'澄大会文武百官议，请帝称孝宗曰皇考，改称兴献王为皇叔父兴献大王，妃为皇叔母兴献王妃，自称侄皇帝。议三上三却。进士张璁独疏谓，宜别立圣考庙于京师，圣母则母以子贵，尊与父同。帝大喜，于是连驳礼官议。廷臣不得已，请尊孝宗为皇考，兴献王为本生皇考兴献帝，兴国太妃为本生皇太后。已而桂萼疏上，谓宜称孝宗曰皇伯考，兴献帝为皇考，别立庙大内，正兴国太后之礼，定称圣母。张璁又疏继之，并谓宜去本生之称。帝是之，而廷臣伏阙哭争。帝大怒，杖谪者数十人。于是席书等议，孝宗皇伯也，宜称皇伯考。昭圣皇太后伯母也，宜称皇伯母。兴献帝父也，宜称皇考。章圣皇太后母也，宜称圣母。武宗仍称皇兄，庄肃皇后宜称皇嫂。乃诏告天下，尊称遂定。今案诸臣之疏固各有说，谓宜考孝宗者，杨廷和、毛澄、汪俊及满朝诸臣也。廷和疏曰：'《礼》谓所后者为父，而以所生者为伯叔父母，此古今不易之典也。'毛澄疏曰：'汉成帝立定陶王为皇太子，立楚孝王孙景为定陶王，奉共王后，共王者皇太子本生父也，师丹以为恩义备至。宋濮安懿王之子入继仁宗，是为英宗，司马光谓濮王宜尊以高官大爵，称皇伯而不名。乃立濮王国庙，以宗朴为濮国公，奉濮王祀。程颐之言曰，为人后者谓所后为父母，而谓所生为伯叔父母，此人之大伦也。然所生之义至尊，宜别立殊称曰皇伯叔父某国大王，则正统明，而所生亦尊矣。'此考孝宗之说，援引汉哀帝、宋英宗二案为据，举朝宗之者也。张璁、桂萼等则谓，哀帝、英宗由成帝、仁宗预立为嗣，养之宫中，其为人后之义甚明。今武宗无嗣，大臣以陛下伦序当立而迎立之，与预养在宫中者不同。是陛下乃继统，非继嗣。统与嗣非必父死子继也，汉文帝则以弟继，宣帝则以兄孙继，何必夺此父子之情，建彼父子之号也。已而璁、萼又疏言，今日之礼不在皇与不皇，惟在考与不考。而方献夫、席书等亦宗其说，疏言：'为人后者，父尝立之为子，子尝事之为父也。今孝宗本有武宗矣，未尝以陛下为子也。陛下于孝宗，未尝为子也。且武宗君天下十六年，今不忍孝宗之无后，独忍武宗之无后。陛下生于孝宗崩后二年，乃不继武宗之大统，超越十有六年上考孝宗，天伦大义固已乖舛矣。'此考兴献帝之说，璁、萼、献夫、书等之所执也。究而论之，廷和等援引汉哀、宋英二案，固本先儒成说。然世宗之立，与汉哀、宋英二君预立为储君者不同，第以伦序当立，奉祖训兄终弟及之文，入继大统。若谓继统必继嗣，则宜称武宗为父矣。以武宗从兄不可称父，遂欲抹煞武宗一代，而使之考未尝为父之孝宗，其理本窒碍而不通。故璁论一出，杨一清即谓此论不可易也。《明史》于毛澄等列传既详其援引古义之疏，张璁等传又详载其继统非继嗣之疏，使阅者各见其是，自有折衷。而于澄等传赞谓，诸臣徒见先儒成说可据，而忘乎世宗之与汉哀、宋英不同，争之愈力，失之愈深，真属平允至当之论，可为万世法矣。""进士张璁独疏"，时在正德十六年七月；"方献夫、席书等亦宗其说"，时在嘉靖三年正月。

## 本年

　　董玘（1483—1546）倡议修订《孝宗实录》，士论惬然。焦竑《玉堂丛语》卷四《纂修》："嘉靖初，董文玉同修《武宗实录》，因言：'昔武宗即位，纂修《孝宗实录》，时大学士焦芳依附逆瑾，变乱国是，报复恩怨。又肆其不逞之心，以欺后世，其于叙传，即意所比，必曲为掩护，凡所嫉，辄过为丑诋。又时自称述，甚至矫诬敬皇而不顾。凡此类，皆用其私人暗写，同在纂修者或不及见。伏望将《孝宗实录》一并发出，逐一校勘，出芳一人之私者，悉改正之，庶敬皇知人之哲，不为所诬，而诸臣难明之节，得以自雪，传之无穷，可据以为信矣。不然，后世安知此为芳之私笔也哉？'疏上，士论惬然。其诸经筵陈奏议礼，亦多类此。"董玘字文玉，浙江会稽人，弘治十八年进士。

　　司礼监刊刻《三国志通俗演义》，凡二十四卷二百四十则。题"晋平阳侯陈寿史传"，"后学罗本贯中编次"。首弘治甲寅庸愚子序，次修髯子引。庸愚子系蒋大器别号，金华人。嘉靖元年刊本是现存《三国演义》的最早版本，庸愚子序是现存最早的评论《三国演义》的序文。

**王济《连环记》传奇或作于本年。** 据徐朔方《晚明曲家年谱》。剧情与毛本《三国演义》第八回《王司徒巧使连环计　董太师大闹凤仪亭》相近，而于王允特多好语，当与作者意在讴歌祖德有关。

**《耳抄秘录》或成书于本年。所纪皆明代杂事，均为委巷之谈。**《四库全书总目》卷一四四子部小说家类存目二著录《耳抄秘录》一卷，提要曰："旧本题上元壬午南赡部洲二十八年林之东无名氏撰述。考书所纪，其人当在嘉靖时。壬午即嘉靖元年，而称二十八年。其词诡诞，未之详也。所纪皆明代杂事，然无一非委巷之谈。如谓明成祖发刘基之墓，得一朱匣，中有贺永乐元年登极表；元顺帝为明所败，匿于古寺而死，即以寺梁为棺；宁王为许逊后身；邱浚为虾蟆精；凡孔氏袭衍圣公者，其相必口露双齿如孔子；明太祖以公主嫁朝鲜国世子；刘基对明太祖称白胡子变红胡子；明孝宗为牟尼佛降生，故年号上下二字皆取牟字字头。其鄙俚荒唐，殆不足与辨。至于以危素为姓魏，以于谦为姓余，殆市井略识字人妄听之而妄记之，不知何以得传至今也。"

**朝鲜国请颁赐吕柟、马理文章。其为外国敬慕如此。**《关学编·泾野吕先生传》："世庙即位，诏起（吕柟）原官。时朝鲜国奏称：'状元吕柟、主事马理为中国人才第一，朝廷宜加厚遇。仍乞颁赐其文，使本国为式。'其为外国敬慕如此。"

**韩士奇刊行元许衡《鲁斋心法》。** 据四库提要。许衡字平仲，河内人。官至集贤殿大学士，兼国子祭酒。谥文正。事迹具《元史》本传。

**崔铣《彰德府志》成书。** 据四库提要。

**胡缵宗《嘉靖安庆府志》成书。时胡缵宗在安庆知府任。**《四库全书总目》卷七三史部地理类存目二著录《嘉靖安庆府志》三十卷，提要曰："明胡缵宗撰。缵宗字世甫，自号鸟鼠山人，泰安人。正德戊辰进士。官至左副都御史巡抚河南。事迹附见《明史》刘讱传。是编乃嘉靖元年缵宗为安庆知府时所作。为记二，表二，志十二，传十二，不分细目。其门人王汉序之曰：今郡县志分门立类，提要标目，为类书之体，而非史之例。是志一循古文，无复分门立类之规规也。然第四卷已作职官表，第七卷又作职官志，则于例亦颇不纯。又顾炎武《日知录》曰：胡缵宗作《安庆府志》，于正德中刘七事大书曰：七年闰五月，贼七来寇江境。而分注于贼七之下曰：姓刘氏。举以示人，无不笑之。不知近日之学为秦汉文章者，皆贼七之类也。是亦好古之过矣。"按，"泰安"当作秦安。

**孙宜（约1507—约1556）得许宗鲁（1490—1559）赏识，许为"楚才"。** 陈文烛《洞庭渔人传》："洞庭渔人者，楚华容人也，姓孙，名宜，字仲可，一字仲子，家洞庭湖上，自号渔人，海内多称渔人云。生有异质，颖记殊绝。年五岁，随父副使继芳公入京师，过兴隆寺，见群儿讲艺，即低回不能去。而副使公与信阳何仲默善，得遍交诸名流，如亳州薛公（君）采、闽中郑善夫、西蜀杨用修，见渔人诗赋，大奇之，每一面试，万言立就，往往嘉叹以去。又同邑周子贤、黄冈王稚钦、随州颜惟乔复延誉于公卿间，以为张衡、王勃复生也。嘉靖壬午，关中许伯诚来试楚学，得渔人卷，叹曰：'楚才楚才！'时渔人方少俊，诸生莫及也。戊子（1528）举于乡，屡试礼部不第，然诗文日益有名。"许宗鲁字伯诚，一字东侯，陕西咸宁人。正德丁丑（1517）进士，选庶吉士，改云南道御史。历湖广按察佥事、霸州副使、太仆少卿、大理少卿，以金都御史巡抚保定，进副都御史巡抚辽东。有《少华》、《陵下》、《辽海》、《归田》等集五十二卷。

　　**朝廷定制，令公、侯、伯未经任事、年三十以下者，送国子监读书。**《明史·选举志》："太祖虑武臣子弟但习武事，鲜知问学，命大都督府选入国学，其在凤阳者即肄业于中都。命韩国公李善长等考定教官、生员高下，分列班次，曹国公李文忠领监事以绳核之。嗣后勋臣子弟多入监读书。嘉靖元年令公、侯、伯未经任事、年三十以下者，送监读书，寻令已任者亦送监，而年少勋戚争以入学为荣矣。"

　　**薛蕙（1489—1541）由吏部文选司主事升验封司员外。**薛蕙十二即以能诗名，与何景明为莫逆之交。王廷《吏部考功郎中西原薛先生行状》："先生姓薛氏，讳蕙，字君采，西原其号也。晚年又自号大宁居士云。其先河南偃师人，国初有讳彬者，先生高祖也。以从军隶武平卫，因家于亳。……七岁习举子业，即能举子业。十二即以能诗名，《题邻舍三教图》曰：'斯道有三教，圣心无二天。阴阳动静机，活泼一圈圆。试问一归何处，此理玄之又玄。'识者已占其不凡矣。十五补郡学弟子员，十八应乡试不偶归，于时大中丞浚川王公适判亳州，一见亟称之曰：'天下奇才，可继何李！'盖是时信阳何子仲默、庆阳李子献吉并驰声艺苑，天下学士大夫多宗之云。自是穷探载籍，采撷英华，程古摛词，名声大振，传于京国，人迟其至。乃正德癸酉（1513）领南畿乡荐，偕计入京，时仲默犹为中书舍人，即乘夜造之，雅相钦挹，遂成莫逆之交，一时名公竞为卜邻，投刺纳交者踵相蹑也。明年甲戌（1514）登进士第，授刑部贵州司主事，寻以疾在告。丙子（1516）起于家，复除刑部福建司主事，直本科，凡诸司章疏，率经手笔，既敏于文，而又引切法比，省中咸伏其能。十四年己卯（1519），值武庙南巡，抗疏力谏，祸叵测，处之甚裕，不为动。顷之调吏部验封司主事。嘉靖元年壬午（1522），今上继统，录用儒硕，布列有位，彬彬皆才德之士。先生在部，一以扬贤俊拔淹滞为己任，而曹无滥吏，门无私谒，人尤称之。乃又自文选司主事升验封司员外。"王廷相（1474—1544）号浚川，前七子之一。李梦阳字献吉，何景明字仲默。

　　**都穆（1459—1525）以巡抚李充嗣荐进阶中宪大夫。**都穆以笃学见称于时人。崇祯《吴县志·人物》："都穆字玄敬，南濠人。七岁能诗，不习章句，杜门笃学二十余年，环堵萧然，无意进取。巡抚都御史何鉴谒吴文定公，见穆词章，惊异，强之应举。弘治乙卯，以儒士领乡荐。己未（1499）登进士，授工部主事，以外艰归。复除工部分理。……寻改南京武库，再迁工部员外郎，进礼部主客，职主客诸夷入贡使者，充馆。……未几上疏乞休。吏部尚书杨一清重其学行，复请加太仆寺少卿致仕。……会修《武宗实录》，命采事于苏，知府徐赞敦请即承天寺为纂修局。事毕，巡抚李充嗣继以三吴水利通志请穆雠校，居于寺者久之，知府胡缵宗扁曰'南濠书院'。嘉靖壬午，以充嗣荐，进阶中宪大夫。"都穆乞休时五十四岁，今年六十四岁。

　　**戴冠由广东乌石驿丞起户部员外，半道升延平知府，明年改苏州，数月拜山东按察司提学副使，未履任而感疾，积久不愈。**樊鹏《山东按察司提学副使戴君冠墓志铭》："君戴氏，讳冠，字仲鹖，号邃谷，先世江西吉水人。……长从吾师何子于京师，苦学至困疾，辄益弗懈。……数年尽得何子之道。尝读其文曰：'彼有善不善。'何子称曰：'戴生妙悟，诸生弗如也。'由是名声籍甚。正德丁卯（1507）举河南，戊辰（1508）登进士第，授户部主事。主事三年，忧国用之不足，而见冗食之众也，于是上疏……疏上大忤，贬广东乌石驿丞，是为正德十年（1515）焉。石居七年，种蔬自给，益肆于学。……嘉靖改元，起户部员外，半道升延平知府。延平几一年，适当入觐，君弗治行，一日肩舆出城，隶人问何之，曰：'直从北路归尔。'一郡大惊。其廉直如此。寻改苏州，数月拜山东按察司副使提学，未履任，遭长史公之丧，服阕而感风病，积久不愈。"《静志居诗话》卷十："戴冠字仲鹖，信阳人。一云吉水人。正德戊辰进士，授户部主事，以建言贬广东乌石驿丞，起户部员外，出知延平府，改苏州，终山东提学副使。有《邃谷集》。仲鹖与仲默同乡里，诗亦同调，谓之具体可尔。或言其五言律胜于仲默，岂笃论乎？《立春日舟中》云：'作客尚无地，他乡空复春。舟中儿女大，天末岁时新。乐事喧殊俗，穷愁缚远人。椒盘怀故里，肠断白头亲。'"《四库全书总目》卷一七六集部别集类存目三著录《邃谷集》十二卷，提要曰："明戴冠撰。按明有两戴冠。其一长洲人，有《礼记集说辨疑》，已著录。此戴冠字仲鹖，信阳人。正德戊辰进士。官至山东提学副使。事迹具《明史》本传。或混为一人，非也。冠受业于乡人何景明，诗亦似之。然景明诗虽风姿俊逸，而酝酿犹深。冠才学皆逊于师，而徒守其格调，殆所谓时女步春，终伤婉弱者矣。"《明诗纪事》戊签卷十录戴冠诗五首，陈田按："仲鹖诗宗何大复，天才虽逊，工力亦深。"

**蒋山卿**（1486—1542）**复工部主事职，寻改刑部。正德己卯，蒋山卿因谏武宗南巡谪南京前府都事。**欧大任《广陵十先生传》："蒋山卿字子云，仪真人，以进士授工部主事。正德己卯（1519），武庙南狩，与同官林大辂、何遵伏阙上疏……由是天威震怒，几毙杖下，谪南京前府都事。嘉靖改元，诏复，令改刑部，历员外郎郎中，出为河南知府，改浔州，再改南宁。时思田土官岑猛倡乱，有诏令抚臣帅师讨之。山卿督饷调度有方，师得宿饱，尚有余巨万。……举最进广西参政，总督都御史林富雅知其才，方倚为边镇之重，而山卿以谗言罢矣。……归田惟徜徉诗酒，校雠文艺，所著有《南泠集》、《休园集》。"蒋山卿为正德甲戌（1514）进士，据其《诗集自序》，时年二十九岁。其生年据此推定。

**秦金任南京礼部尚书，二年迁户部。王守仁丁忧。**其父卒于今年二月。**席书任南京兵部右侍郎。周伦任右佥都御史。**据王世贞《弇山堂别集》。

**刘效祖**（1522—1589）**生。**刘效祖字仲修，号念庵，原籍山东滨州，寄籍北京。嘉靖二十九年（1550）进士，官至固原兵备副使。散曲尤为人所称。著有《四镇三关志》、《春秋稿》、《塞上言》、《盛时宣威时行乐》、《灯市谣》、《长门词》、《闲中一笑》等。

## 公元 1523 年（世宗嘉靖二年　癸未）

### 二月

**李舜臣**（1499—1559）**被取为今年会元。**李开先《大中大夫太仆寺卿愚谷李公合葬墓志铭》："愚谷名舜臣，字懋钦，一字梦虞，号愚谷。"乐安人。"进增广及廪生，一在丙子，一在戊寅，而督学则江都赵公、贵溪江公也。明年己卯，举乡试。庚辰，会试不第。辛巳，父赴饶州，丁内艰，乃往迎父于饶。壬午，入太学。一日，众友会文赴迟，止作二篇，雄奇无与比者，友咸以大魁元期之。癸未会试，蒋敬所、石熊峰为主考，分考则永嘉叶成规，得愚公卷，惊叹以为词雄气厚，学博才高，不露锋锷，超出笔墨畦径之外，若不拘北卷，作会元自当服天下人矣！遂上之二公，二公持示高陵吕泾野、泰和王改斋，王极称赏，吕以王言为是，令中书声音洪亮者，诵一卷，其一乃姚明山，众遂定愚谷第一，试录刻其策论，不窜易一字。是榜号称得人，而魁元尤多名士。……廷试二甲第一，原拟上甲，以策冒落字添补失格移下。是秋，除授户部湖广司主事。"历任江西提学金事、南国子司业、尚宝卿等官，官终太仆寺卿。有《愚谷集》十卷、《易卦辱言》一卷。

二月会试，主司发策有焚书禁学之议，阴诋阳明，吕柟力辨而解救之，欧阳德等阐发师训无所阿。阳明学说不为执政者所喜，此其一例。《关学编·泾野吕先生传》："癸未，（吕柟）分校礼闱，取李舜臣辈，悉名士。时阳明先生讲学东南，当路某深嫉之，主试者以道学发策，有焚书禁学之议，先生力辨而扶救之，得不行。场中一士子对策，欲将今宗陆辨朱者诛其人，火其书，极肆诋毁，甚合问目意，且经书、论、表俱可，同事者欲取之。先生曰：'观此人今日迎合主司，他日必迎合权势。'同事者深以为然，遂置之。"《明史·儒林传》："欧阳德，字崇一，泰和人。甫冠举乡试。之赣州，从王守仁学。不应会试者再。嘉靖二年策问阴诋守仁，德与魏良弼等直发师训无所阿，竟登第。"今年主考官为大学士蒋冕。《明诗纪事》戊签卷十录吕柟诗一首，陈田按语云："泾野及第后，以忤刘瑾引疾去。厥后康对山以救李空同谒刘瑾牵连放斥，泾野与对山浒西唱和，相得甚欢，能谅其心故也。讲学与阳明良知不合。时阳明倡学东南，当路者嫉之。癸未会试，主司发策有焚书禁学之议。泾野力辨而解救之，得不行。此皆盛德事，可以愧讲学攻击者。"康海号对山。吕柟（1479—1542）字仲木，号泾野，高陵人。正德戊辰第一人及第，授修撰。以议礼下诏狱，谪解州判官。改南宗人府经历，就迁吏部郎中，历尚宝卿、太常少卿，诏拜国子祭酒，擢南礼部侍郎。隆庆初赠礼部尚书，谥文简。有《泾野集》三十六卷。阳明指王守仁。王守仁（1472—1528）字伯安，余姚人。弘治己未进士，授刑部主事。改兵部，以忤刘瑾杖阙下，谪贵州龙场驿丞。起南刑部主事，改吏部，历员外、郎中，迁南太仆少卿。进鸿胪卿，拜左金都御史巡抚南赣，进右副都御史，论平宸濠功，擢南兵部尚书，封新建伯。赠侯，谥文成，从祀孔子庙庭。有《阳明全书》三十八卷。

## 三月

姚涞等进士及第。徐阶（1503—1583）举进士第三人。《弇山堂别集》卷八十二《科试考二》："二年癸未，命少傅太子太傅户部尚书谨身殿大学士蒋冕、掌詹事府吏部尚书翰林院学士石珤为考试官，取中李舜臣等。廷试，赐姚涞、王教、徐阶（1503—1583）进士及第。"朱彝尊《静志居诗话》卷十一《姚涞》云："姚涞，字维东，慈溪人。嘉靖癸未，赐进士第一。历官翰林院侍讲、学士。有《明山存稿》。文徵仲待诏翰林，相传为学士及杨方城所窘，昌言于众曰：'吾衙门非画院，乃容画匠处此？'何元朗《丛说》述之，而曰：'二人只会中状元，更无余物。衡山长在天地间，今世岂更有道着姚涞、杨维聪者邪？'闻者以为快心之论。然学士尝与孙太初、薛君采、高子业相唱和，且闻山东李中麓富于藏书，特遣其子就学。即徵仲去官日，躬送至张家湾赋十诗送别，比之巍巍嵩、华。至其赠行序，略云：'自唐承隋敝，设科第以笼天下士，爵禄予夺，足以低昂其人。于是天下风靡，士无可称之节者，几八百余年。然犹幸而有独行之士，时出其间，以抗于世，而天下之人亦罔不高之。求之唐则元鲁山，于宋得孙明复，二子岂有高第显位为可夸哉？徒以其矫世不涅之操，好古自信之志，足以风励天下。而一时名流，皆乐为之称誉焉耳。今之世，如二子者，诚难其人。吾于衡山先生，窃以二子比之。而衡山之所造，则又有出于二子之所未纯者。先生明经术以为根本，采诗赋以为英华，秉道谊以为坛宇，立风节以为藩垣。盖尝闻之，却吏民之赙，以崇孝也。麾宁藩之聘，以保忠也。绝猗顿之游，以励廉也。谢金张之馈，以敦介也。不慑于台鼎之议，以遂其刚毅也。不恩于轺轩之招，以植其坚贞也。此数者，足以当君子之论，而先生未始以为异也。声震江表，流闻于天子之庭，先生亦乌得而逃哉！曩者先生之贡于春官也，朝廷录其贤，拔而官之翰苑，儒者共指以为荣，而先生不色喜。官仅三载，年仅五十余，先生遽以南归为念。吾每谬言留之，而先生持益坚，三疏乞归，竟得请以去。先生其有悟于达人之指邪？嗟夫！先生尝试于乡矣。有司以失先生为耻，而先生之名益高。尝官于朝矣。铨曹以不能留先生为恨，而先生之节益重。荣出于科目之外，贵加乎爵禄之上。尉罗之所不能取，絷维之所不能縻，樊笼之所不能收，弹射之所不能惊。翩然高翔，如凤凰之过疏圃，饮淄濑，回蒙汜，下视泰山之鸱，啄腐鼠以相嚇者，何不侔之甚也。传所谓：'难进而易退，易禄而难畜'者，其先生之徒与？自大道既漓，好恶立于一乡，而不可达于天下之广。毁誉徇于一时，而不可合于万世之公。故吾之论先生，直以鲁山、明复为喻，而使世之观先生者，不当以三吴之士求之也。'绎其词，倾倒为何如者。而谓学士有是言邪？金华吴少君诗：'说谎定推何太史。'然则元朗乃好为诳语者，奈愚山氏信何氏之说，遂不录学士诗，未免偏于听矣。"因江苏巡抚李充嗣之荐，文徵明今年四月以岁贡入京，授翰林待诏。1526年告归。愚山指钱谦益。

**同榜进士有潘恩**（1496—1582）、**郑晓**（1499—1566）、**张时彻**（1500—1577）、**吴鹏**（1500—1579）、**屠大山**（1500—1579）、**李舜臣**（1499—1559）、**陆铨**（？—1542）、**顾梦圭**（1500—1558）、**高叔嗣**（1501—1537）、**韦商臣**（？—？）、**朱渭**（1486—1552）、**狄冲、王激、柯维骐**（1497—1574）等。《静志居诗话》等有小传。

**王激与张时彻定交。**二人均为嘉靖癸未进士。张时彻《王鹤山集叙》："鹤山王公者，永嘉王氏子扬氏也。少负奇质，于书无所不读。方头未角也，而骈骛艺林，傲睨宇内，学士先生已心下矣。正德丁卯发解有司，已乃五诎春官，众咸异之。嘉靖癸未始举进士，诸阁部元僚以至俊髦新进，咸动色相庆曰：'王子其遇乎！'时余甫弱冠，未有闻也。一日公骑马过之曰：'子知所以来乎？激平生无泛交，若殷近夫、朱守忠、许台仲、高汝白、应邦升，则所尝与出肺腑者也。自余盖指不多屈矣。今众中望见吾子，非碌碌者，特来定交耳。'余逊谢不敢当。自是数相过从，翼所未至而恤其私，即雷陈不啻也。"王激字子扬，世居永嘉之华盖乡，至王激始徙郡中康乐坊。张璁（孚敬）之甥。历任吉水知县、吏部文选主事、考功郎中、国子祭酒等官。有《鹤山集》。张时彻（1500—1577），字惟（唯）静，号东沙，鄞县人。与王激均为嘉靖癸未进士。历任南兵部主事、礼部郎中、南刑部侍郎、兵部尚书等官。有《芝园集》、《芝园别集》、《芝园外集》等。

**高叔嗣（1501—1537）举进士二甲十七名，李梦阳犹惜其不为状元。**高仲嗣《明嘉议大夫湖广提刑按察司按察使弟叔嗣行状》："叔嗣字子业。……生十六著《申情赋》一首，几万言。……是年秋试，乃以文奇不中式。生十八年而文始中式云。此正德己卯年也。今皇帝龙兴，而嘉靖癸未举进士二甲十七名云。当是时，空同子讲学大梁墟中，喟然叹曰：'高某奚不为状元耶？高某才万人敌也。始吾举进士甲第亦与此人同，然亦无如造物者何也。'君始为工部营缮主事，调吏部稽勋，调考功，升稽勋员外郎中，乃论事颇与时人忤，遂病归。"李梦阳号空同子。

## 春

**邹守益（字谦之）从王守仁问学。守益有《东廓集》，皆阐发心性之语。**《阳明传习录》下："癸未春，邹谦之来越问学，居数日，先生送别于浮峰。是夕与希渊诸友移舟宿延寿寺，秉烛夜坐，先生慨怅不已，曰：'江涛烟柳，故人倏在百里外矣！'一友问曰：'先生何念谦之之深也？'先生曰：'曾子所谓，以能问于不能，以多问于寡，有若无，实若虚，犯而不校。若谦之者，良近之矣。'""先生"即王守仁。邹守益（1491—1560）字谦之，安福人，正德辛未进士，官至南京国子监祭酒。隆庆初，追谥文庄。事迹具《明史·儒林传》。《四库全书总目》卷一七六集部别集类存目三著录《东廓集》十二卷，提要曰："守益传王守仁之学，诗文皆阐发心性之语。其门人陈辰始编录所作为《东廓初稿》。东廓，山名，守益讲学处也。"

## 四月

**唐寅作《画牛扇》自跋，以"力大如牛服小童"自喻遭村氓横逆之辱。**跋云："此启南先生旧本，余过其庐，见之壁上。自题云：'力大如牛服小童，见渠何敢逞英雄？从来万物都有制，且自妆呆作耳聋。'待诏文先生题曰：'此启南幼时作也。家居相城，村野荒滨，人多横逆，因作此自慰。'归而抚其意，形颇似之。写于箑头，以待厥然者赠之，甚可。时嘉靖三年四月也。晋川唐寅。"

**文徵明（1470—1559）至京，授翰林待诏，杨慎、黄佑礼敬有加。**文嘉《先君行略》："巡抚李公充嗣露章荐公，督学欲越次贡之，公曰：'吾平生规守，岂既老而自弃耶？'督学亦不能强，竟以壬午贡上。癸未四月至京师，甫十八日，吏部为复前奏，有旨授公翰林院待诏。翰林诸公见公推与太甚，或以为过。及见公，咸共推服。而新都杨公慎、岭南黄公佐，爱敬尤至。故事，翰林以人之先后为坐次，公年既长，其中又有为公后辈者，遂以齿让公。公竟上坐，众亦不以为忤。"王世贞《文先生传》："文先生者，初名璧，字徵明，寻以字行。更字徵仲。其先蜀人也，徙庐陵，再徙衡，为衡

人。至元有俊卿者，以都元帅佩金虎符，镇武昌。次子定聪，为散骑舍人。定聪次子惠，为吴赘遂为吴人。……尚书李公充嗣抚吴中，荐先生于朝，而先生亦自以诸生久，次当贡至京，吏部试而贤之，特为请超授翰林待诏。翰林杨先生慎、黄先生佐、吏部薛君蕙名能博精，负一世才，以得下上先生为幸。大司寇林公俊尤重之，间日，辄为具召先生，曰：'坐何可无此君也！'"

## 七月

　　**河南省刻《战国策》成，李梦阳作序，略述此"畔经离道之书"价值所在。**梦阳《刻战国策序》云："嘉靖二年秋七月，河南省刻其《战国策》成。或问：《战国策》畔经离道之书也，然而天下传焉，后世述焉，何也？李子曰：《策》有四尚，尚一足传，传斯述矣，况四乎？四者何也？录往者迹其事，考世者证其变，攻文者模其辞，好谋者袭其智。"（《空同集》卷五十）

## 八月

　　**兵科给事中许相卿（1479—1557）以朝政乖舛，上疏自免归。**许闻造《礼科给事中许公相卿行述》："谏议（指许相卿）年十六，受诗鄞人张先生福。正德二年举于乡，十二年成进士，造归。十六年（1521）给事兵科。明年嘉靖元年壬午，谏议抗疏论政令不当者数事。其一曰：……继曰：'臣闻故兵部尚书于谦再造社稷，官其子冕为锦衣千户。今兵部尚书王守仁克平汀赣，官其子宪为锦衣百户。顷者钦准荫授太监张钦义子李贤为锦衣世袭指挥，一时腾物议，乖旧章，累新政，有必不可者。部臣彭泽、科臣许复礼相继言之，而陛下必欲私之，是忠勋大臣之子，曾不若近倖中人之奴也。天下徇国死事之臣，其谁不解体哉！'三曰：……四曰：……居岁余，章亡虑数十上，语伉直多类此。明年秋八月，自免归。"许相卿字伯台，海宁人。正德丁丑进士，官兵科给事中，补礼科，致仕。有《云村集》。

## 秋

　　**舒芬（1484—1527）除父服，复翰林修撰之职。舒芬号梓溪，丁丑状元。**薛应旂《舒修撰传》："修撰舒先生名芬，字国裳，江西南昌进贤人也。其先世居浙之东阳，元大德初有名文英者，始徙进贤之梓溪。……甫成童，入郡学，尝作《赤雁赋》，郡守奇其才，谓当魁天下。进贤有石人滩，相传谓滩合则状元出，人遂以石滩称先生，盖期之也，先生逊避，别号梓溪。……正德丁卯举江西乡试，明年入南太学，誉望籍籍，祭酒司业以至六馆师生，罔不起敬。丁丑举礼闱，入对大廷，赐状元及第，授翰林修撰。尝谓古礼乐久废，恒游心于周礼钟律，无益诗文，一切谢去。戊寅（1518）春，权倖江彬等蛊惑武宗，劝之游豫，议以三月壬子警道，东巡祀岱宗，历徐扬，抵金陵，下姑苏，复沂江浮汉登太和太岳，且遍中土繁丽诸处。将相大臣多怂诿之，都下人情洶洶危惧。先生乃约诸同志上疏乞留……先生以疏首，杖特甚，神色不异，唯口呼高庙之灵，冀以感动上心。杖毕几毙，裹疮卧院中，掌院者惧祸，使人标出之。先生屹不为动，曰：'吾官于此，当死于此。'既而复苏，谪为福建市舶副提举。……辛巳（1521），今上即位，诏起先生，适宅父忧。嘉靖癸未（1523）秋服除，复修撰。"有《梓溪文抄》。

## 十二月

**初二日，唐寅（1470—1524）以病卒。（卒年据公历标注）** 祝允明《唐子畏墓志并铭》："唐氏世吴人，居吴趋里。子畏母邱氏，以成化六年二月初四日生子畏。岁舍庚寅，名之曰寅，初字伯虎，更子畏。卒嘉靖癸未十二月二日，得年五十四。……子畏罹祸后，归好佛氏，自号六如，取四句偈旨。""子畏为文，或丽或澹，或精或乏无常态，不肯为锻炼功。奇思常多，而不尽用。其诗初喜秾丽，既又仿白氏，务达情性；而语终璀璨，佳者多与古合。尝乞梦仙游九鲤神，梦惠之墨一担，盖终以文业传焉。"王世贞《吴中往哲像赞》："唐六如先生寅，字子畏，一字伯虎，吴县之吴趋里人。以诸生举乡试第一，当赴会试，而有所同载者以贿主司得题事，株累罢为吏，谢弗就。先生材高，少嗜声色，既坐废，见以为不复收，益放浪名教外。尝一赴宁王宸濠聘，度有反形，乃阳为清狂不慧以免。卒年五十四。先生之始为诗，奇丽自喜，晚节稍放，格谐俚俗，冀托于风人之指，其合者犹能令人解颐。画品高甚，在五代北宋间。今像颇质而野，顾犹袭太学衣裾，若重戴者，可悲也。"何良俊《四友斋丛说》卷二十六："唐六如尝作《怅怅词》。其词曰：怅怅莫怪少年时，百丈游丝易惹牵。何岁逢春不惆怅，何处逢情不可怜。杜曲梨花杯上雪，灞陵芳草梦中烟。前程两袖黄金泪，公案三生白骨禅。老去思量应不悔，衲衣持钵院门前。此诗才情富丽，亦何必减六朝人耶？"王世懋《艺圃撷余》："生平闭目摇手，不道《长庆集》。如吾吴唐伯虎，则尤《长庆》之下乘也。阎秀卿刻其《怅怅》、《拥鼻》二诗，余每见之，辄恨恨悲歌不已。词人云：'何物是情浓？'少年辈酷爱情诗，如此情少年那得解。"江盈科《雪涛诗评·采逸》："姑苏唐寅，字伯虎，发解南畿，旋被诟削籍，放浪丹青山水间，以此自娱，亦以自阔。尝题所画小景云：'不炼金丹不坐禅，不为商贾不耕田。兴来只写江山卖，免受人间作业钱。'又题一钓翁画云：'直插渔竿斜击艇，夜深月上当竿顶。老渔烂醉唤不醒，满船霜印蓑衣影。'此等语皆大有天趣，而选刻伯虎诗者都删之，盖以绳尺求伯虎耳。晋人有云：'索能言人不得，索解人亦不得。'诚然。"《静志居诗话》卷九《唐寅》："唐寅字伯虎，一字子畏，吴县人。弘治戊午举南京乡试第一，坐事下狱，放归。有《六如居士集》。六如沦落明时，恒卖画为活。故其诗云：'领解皇都第一名，猖披归卧旧茅衡。立锥莫笑无余地，万里江山笔下生。'又云：'青山白发老痴顽，笔砚生涯苦食艰。湖上水田人不要，谁来买我画中山。'诵之悽然，足以悲矣。然于画颇自矜贵，不苟作，而诗则纵笔疾书，都不经意，以此任达，几于游戏。此袁永之辑其集，仅存少年之作，实未足以尽其长。余于集外，从画卷录其留题绝句八首，饶有风致，未至如乞儿唱《莲花落》也。"《明史·文苑二》："唐寅，字伯虎，一字子畏。性颖利，与里狂生张灵纵酒，不事诸生业。祝允明规之，乃闭户浃岁。举弘治十一年乡试第一。

座主梁储奇其文，还朝示学士程敏政，敏政亦奇之。未几，敏政总裁会试，江阴富人徐经贿其家僮，得试题。事露，言者劾敏政，语连寅，下诏狱，谪为吏。寅耻不就，归家益放浪。宁王宸濠厚币聘之，寅察其有异志，佯狂使酒，露其丑秽。宸濠不能堪，放还。筑室桃花坞，与客日般饮其中，年五十四而卒。寅诗文，初尚才情，晚年颓然自放，谓后人知我不在此，论者伤之。吴中自枝山辈以放诞不羁为世所指目，而文才轻艳，倾动流辈，传说者增益而附丽之，往往出名教外。"《明诗纪事》录唐寅诗九首，陈田按语云："子畏诗才烂漫，好为俚句，选家陶汰太过，并其有才情者不录，此君真面不见。子畏领解后，以事下狱，可谓不幸。康熙间宋牧仲抚吴，得嘉靖中苏州太守胡缵宗题唐解元墓碑，为之重修墓道，缭以短垣，前筑丙舍。因子畏生平尝自标置为江左第一风流才子，遂榜为才子亭，尤西堂有文纪之。嘉庆辛酉，子畏族裔仲冕来知吴县，重茸桃花庵，遍征名辈题咏，连篇累牍，子畏身后庶不落寞已。"

### 本年

**陶辅**（1441—1523 后）作《花影集引》。《花影集》，传奇小说集，陶辅撰。引云："予昔壮年，尝得瞿宗吉先生《剪灯新话》、昌祺李先生《剪灯余话》、辅之赵先生《效颦集》，读而玩之。其间有褒善贬恶者，有托此喻彼者，有假名寓意者，有舞文为戏者，有放情肆欲者。大率三先生之作，一则信笔弄文，一则精巧竞前，一则持正去诞。虽三家造理之不同，而各有所见，然皆吐心葩，结精蕴，香色温眩，鬼幻百出，非浅学者所能至也。予不自揣，遂较三家得失之端，约繁补略，共为三十篇，题曰《花影集》，亦自以为得意之作也。是后数年，得暇求学，方知圣贤旨意，深以前作为非，掷而不睹者三四十载。"陶辅字廷弼，号夕川老人，又号安理斋、海萍道人，凤阳人。以祖先军功，荫为应天卫指挥。后辞官，寄情于山水。著有《花影集》、《桑榆漫志》等。据此引，则《花影集》主体部分完成于弘治初年（1488—1505），时值社会舆论抨击"剪灯"二话，故"掷而不睹者三四十年"。嘉靖二年，陶辅以八十三岁高龄，欲将《花影集》公之于世，或与社会环境已较为宽松有关。《花影集》凡四卷二十篇，《百川书志》史类著录。日本早稻田大学图书馆藏有高丽翻刻本。其跋语云："尹斯文溪于嘉靖丙午（二十五年，1546）奉使中朝，购得此集。"据此，《花影集》在嘉靖年间即已传入朝鲜。

**边贡**（1476—1532）由南京太常寺少卿晋南京太仆寺卿，自是在南京任职近十年之久。乾隆《历城县志》卷四〇："世宗即位，即家起为南京太常寺少卿。嘉靖二年晋南京太仆寺卿。七年转刑部右侍郎，拜户部尚书，皆在南京。"

**许宗鲁**（1490—1559）由云南道御史升湖广提学佥事。乔世宁《都察院右副都御史许公宗鲁墓志铭》："公名宗鲁，字东侯，号少华，咸宁人也。……正德丁丑举进士，选翰林庶吉士，己卯授云南道御史，嘉靖壬午按宣大，癸未升佥事湖广提学，三年升副使兵备霸州，丁亥复改湖广提学，己丑升太仆少卿，壬辰升大理少卿，未几升佥都御史巡抚保定，自保定归十七年，而当庚戌之冬，复佥都御史驻昌平，已又升副都御史巡抚辽东，壬子乃致仕归。"有《少华》、《陵下》、《辽海》、《归田》等集。

世宗诏修《武宗实录》。拟征王九思（1468—1551）为《武宗实录》纂修官，或言于朝曰：王九思之《杜甫游春》杂剧，李林甫系影射李东阳，杨国忠系影射杨廷和，坐此未被起用。李开先《渼陂王检讨传》："嘉靖初年，将征之纂修实录，而同罢吏部者，摘取《游春记》中所具人姓名，毁于当路……坐此竟已之。翁闻之，乃作小词自嘲，殊无尤人之意。"

张琦作《白斋竹里集》自序。该集为张琦归田后所刻续集。《四库全书总目》卷一七六集部别集类存目三著录《白斋竹里集》七卷，提要曰："明张琦撰。琦字君玉，鄞县人。弘治己未进士。官至兴化府知府，加布政使参政，致仕。是集前有嘉靖癸未自序，称守莆阳日，既梓平生所作；积数年，又得若干首，有相知君子赞予续梓之。文稿力绵不能尽刻，姑芟撮数十篇附诗之后。是琦尚有前集行世。此则归田后所刻续集也。琦当何、李盛时，别以独造为宗，自开蹊径。王世贞《艺苑卮言》谓其如夜蛙鸣露，自极声致，然不脱于泥土。盖其用意虽苦，炼骨未轻。有意生新，未免圭角太露。散体则纵笔所如，如遗稽行实一篇，至以案牍语入文，尤非体裁也。"《明诗纪事》丁签卷四录张琦诗十三首，陈田按："白斋诗如饮苦酒，食谏果，森森自有正味在。李、何盛行时，不能无此一体。"

郑善夫（1485—1523）卒。郑善夫字继之，闽县人。弘治乙丑进士。官至南京吏部验封司郎中。事迹具《列朝诗集小传》丙集《明史·文苑传》。王世懋《艺圃撷余》："闽人家能占毕，而不甚工诗。国初林鸿、高廷礼、唐泰辈，皆称能诗，号闽南十才子。然出杨、徐下远甚，无论季迪。其后气骨峻峻，差堪旗鼓中原者，仅一郑善夫耳。其诗虽多摹杜，犹是边、徐、薛、王之亚。林尚书贞恒修《福志》，志善夫云：'时非天宝，地靡拾遗，殆无病而呻吟'云。至以林钺、傅汝舟相伯仲。又云：'钺与善夫颇为乡论所訾。'过矣。闽人三百年来，仅得一善夫，诗即瑕，当为掩。善夫虽无奇节，不至作文人无行，殆非实录也。友人陈玉叔谓数语却中善夫之病。余谓以入诗品，则为雅谈，入传记，则伤厚道。玉叔大以为然。林公余早年知己，独此一段不敢傅会，此非特为善夫，亦为七闽文人吐气也。"陈文烛字玉叔。谢肇淛《郑继之诗序》："自《三百篇》之降也，浸淫至于胜国，盖正始无遗音云。国初作者尚沿余习，至弘、正之际，然后琢雕破瓠，力返茅靡。时则二三君子之功为多，而吾郡郑继之先生其一也。……当时与北地、金昌诸君子执鞭弭周旋，海内翕然向风。要其终身所至，于少陵氏可谓具体而微矣。……嗟乎！自绘事盛而情性远，七子兴而大雅衰，里中耳食之辈，往往喜远交而近攻。盖先生没且百年，而论今日始定。悠悠黄河，宁复可清？而况夫其以下驵走者也。掩卷卒业，但有三叹。"（《小草斋文集》卷四）《静志居诗话》卷十《郑善夫》：郑善夫，字继之，"有《少谷山人集》。继之在弘、正间，不袭李、何余论，别开生面，好盘硬语，往往气过其辞。虽源出杜陵，实有类山谷者。集中感时之作，可观可怨，颇不尤人。其论诗五言云：'大哉杜少陵，苦心良在斯。末流但叫噪，古意漫莫知。凤鸟空中鸣，众禽反见嗤。'盖有独立不迁之概焉。当时孙、郑并称，孙非郑敌。朱、郑并称，朱亦非郑匹也。"孙指孙一元，朱指朱应登。《明史·文苑二》："郑善夫，字继之，闽县人。弘治十八年进士。连遭内外艰，正德六年始为户部主事，榷税浒墅，以清操闻。时刘瑾虽诛，嬖幸用事。善夫愤之，乃告归，筑草堂

29

金龟峰下，为迟清亭，读书其中，曰：'俟天下之清也。'寡交游，日晏未炊，欣然自得。起礼部主事，进员外郎。武宗将南巡，偕同列切谏，杖于廷，罚跪五日。善夫更为疏草，置怀中，属其仆曰：'死即上之。'幸不死，叹曰：'时事若此，尚可靦颜就列哉！'乞归未得，明年力请，乃得归。嘉靖改元，用荐起南京刑部郎中，未上，改吏部。行抵建宁，便道游武夷、九曲，风雪绝粮，得病卒，年三十有九。善夫敦行谊，婚嫁七弟妹，赀悉推予之，葬母党二十二人。所交尽名士，与孙一元、殷云霄、方豪尤友善。作诗力摹少陵。"乾隆《历城县志》卷四："明自永乐后，辞尚纤弱，（边）贡与李梦阳、何景明、徐正［祯］卿起而振之，号'弘治四杰'。又益以康海、王九思、王廷相为'七才子'。去廷相，以朱应登、顾璘、陈沂、郑善夫为'十才子'。"《四库全书总目》著录郑善夫《经世要谈》一卷、《郑少谷集》二十五卷。《郑少谷集》提要曰："其诗规模杜甫，多忧时感事之作。林贞恒《福州志》病其时非天宝，地无拾遗，为无病而呻吟。然武宗时阉竖内讧，盗贼外作，诗人蒿目，未可谓之无因。王世懋《艺圃撷余》曰：闽人家能占毕，而不能工诗。国初林鸿、高廷礼、唐泰辈皆称能诗，号闽南十才子。然出杨、徐下远甚，无论季迪。其后气骨崚嶒，差堪旗鼓中原者，仅一郑善夫耳。其诗虽多摹杜，犹是边、徐、薛、王之亚云云。斯言持其平矣。善夫论诗五言云：大哉杜少陵，苦心良在斯。末流但叫噪，古意漫莫知。凤鸟空中鸣，众禽反见嗤。观其抒论，知其不谐于俗也。"又，《四库全书总目》卷一七八集部别集类存目五著录傅汝舟《傅山人集》三卷，提要曰："汝舟本名舟，字木虚，号丁戊山人，一曰磊老，侯官人。晚慕仙家服食之术，舍乡井遨游山水。其诗刻意学郑善夫，喜为荒诞诡谲之语。王世贞比之言法华作风语，凡多圣少。然奇崛处亦颇能独造，特旁门曲径，不入正宗耳。"此一傅汝舟，略晚于郑善夫，主要活跃于正德、嘉靖年间。姑系此。晚明另有一傅汝舟。《明诗纪事》丁签卷十六混二人为一，误。

**韩邦靖**（1488—1523）卒。康海《韩汝庆集序》："汝庆韩邦靖，朝邑人也。与其兄汝节同举正德戊辰进士。予与鄠杜王敬夫纳交焉，私以为文武之业、康济之器，兹实其人。乃后十余年，汝庆以山西参议卒于家。"序署"嘉靖丁酉春三月七日丙戌"。《列朝诗集小传》丙集："邦靖，字汝庆……汝庆生三岁，能哦诗百余首，十四举乡试，二十一与汝节同举正德三年进士，为工部都水司员外郎。乾清宫灾，诏求直言，汝庆上言朝政不修，盘游无度，狎近群憸，闭塞谏诤，百度乖违，闾阎流散，危乱之形已成，社稷之忧方大。上震怒，系锦衣狱，夺官为民。家居八年，起为山西布政司左参议。嘉靖二年，年三十六，以病自劾，归。归四月而卒。""汝节奇伟倜傥，谭理学，负经济，海内称苑洛先生，以地震死。汝庆才藻烂发，风节凛然，关中至今称二韩子。汝节为汝庆立传，而谓其友樊恕夫曰：'世安有司马迁、关汉卿之辈，能为吾写吾思弟痛弟之情乎？'王敬夫曰：'五泉子古歌词，浸淫唐初，逼汉魏；七言绝句诗，类少陵。朝邑志，其文章之宏丽者。'"《静志居诗话》卷十《韩邦靖》："五泉心慕手追，乃在大复。比于西原、南泠不足，方之孟有涯、李嵩渚，似胜一筹。《闻雁》云：'鸣雁萧萧下，寒灯故故明。角声传细雨，云色度高城。兄弟无书信，乾坤有甲兵。秋风归未得，见尔不胜情。'《中秋同仲默望月》云：'令节他乡酒，关山独夜情。看花秋露下，望月海云生。碧汉通查近，朱楼隔水明。南飞有乌鹊，作意向人鸣。'"韩邦奇字汝节，邦靖之兄。俞宪曾编韩邦靖《韩参议集》入《盛明百家诗》。《四库全书总目》集部别集类存目三著录韩邦靖《韩五泉诗集》四卷、附录一卷，提要曰："是集乃其兄邦奇所编，以志传二卷附录于后。邦靖兄弟负重名，时有关中二韩之目。而诗则不出当日之风气。王九思云：五泉子七言绝句诗，绝类少陵。古歌词浸淫唐初，逼汉魏矣。标榜之词，未免溢美。朱彝尊《静志居诗话》曰：五泉心摹手追，乃在大复。比于西原、南泠不足，方之孟有涯、李嵩渚似胜一筹。斯为平允之论矣。"有康海"嘉靖丁酉（1537）春三月七日丙戌序"。韩邦靖另有《朝邑县志》二卷，《四库全书总目》史部地理类一著录，提要曰："邦靖字汝庆，号五泉，朝邑人。正德戊辰进士。官至工部员外郎。事迹附见《明史·韩邦奇传》。是书成于正德乙卯。上卷四篇，曰总志，曰风俗，曰物产，曰田赋。下卷三篇，曰名宦，曰人物，曰杂记。上卷仅七页，下卷仅十七页。古今志乘之简，无有过于是书者。而宏纲细目，包括略备。盖他志多夸饰风土，而此志能提其要，故文省而事不漏也。然叙次点缀，若有余闲，宽然无局促束缚之迹。自明以来，关中舆记，惟康海《武功县志》与此志最为有名。论者谓《武功志》体例谨严，源出《汉书》。此志笔墨疏宕，源出《史记》。然后来志乘，多以康氏为宗，而此志莫能继轨。盖所谓不可无一，不容有二者也。前有邦靖自序，又有康海序，末有吕柟后序，及朝邑知县陵川王道跋。并文格高洁，与志适相配云。"《明诗纪事》丁签卷十六录韩邦靖诗六首，陈田按语云："五泉子七古摹初唐，极富才情；五言亦窥盛唐格律。惟早伤萎折，未见其止。"

**周祚**（1480—?）**致函李梦阳，以申其向慕之怀。李梦阳复函，题为《答周子书》。**孙宜《周氏集序》云："《周氏集》者，山阴周天保著也。正德辛巳，天保举进士，与蒲圻廖鸣吾、沔阳童士畴、岭南黄才伯、关中何伯直、四明陆举之、今尚书瓯宁李公时言，皆以词学名。未几鸣吾辈选为庶吉士，而天保出补来安令，改给事中，已弃其官去，慕空同李子之学，驰书讯质，李重其文，答许之，而天保以是名益显。集凡若干卷云。……嘉靖三十三年十二月五日，华容洞庭渔父孙宜仲可撰。"《列朝诗集小传》丙集："祚，字天保，山阴人。正德辛巳进士，历官给事中，移疾归。遂不起。当时李空同崛起河洛，东南士大夫多心非其学，天保自越中走使千里致书，称弟子。南方之士，北学于空同者，越则天保，吴则黄省曾也。"《静志居诗话》卷十一《周祚》："给事中同怀兄弟四人，皆取甲第。而能不恋热官，远师北地，游心风雅。即其不以门望骄人，可以停浇激薄矣。集（《定斋集》）四卷，玄孙工部郎襄绪刊行之。"《明诗纪事》戊签卷十四录周祚诗三首。

**高第编《蓉溪书屋续集》。该集为金爵等人之唱和诗集。**《四库全书总目》卷一九二集部总集类存目二著录《蓉溪书屋集》四卷、续集五卷，提要曰："正集，明方豪编。续集，高第编。豪有《断碑集》，已著录。第，绵州人。正德甲戌进士。初，绵州左都御史金爵居州城东三里，所居有水，迤逦而南入于涪江。水上多植芙蓉，因以名溪。颇擅林壑之胜。爵以按察使罢归时，尝构屋数楹，徜徉其间，名之曰蓉溪书屋。后复起掌宪，思之不置。于是礼部尚书刘春、乔宇等皆有赋咏，以纪其胜。士大夫闻而和者甚多。正德十四年，因属豪裒集成书，凡作者七十八人。至嘉靖二年，继和者益众，复属第编为续集，凡作者七十一人。爵字舜举。成化己丑进士。官至刑部尚书。

其父良贵，以进士累官左参政。子皋，以进士为翰林。暐亦以进士为主事。三世通显，交游甚盛，故一时题赠至盈八九卷云。"方豪字思道，开化人。正德戊辰（1508）进士。官至湖广按察司副使。《明史·文苑传》附载郑善夫传中。

杨一清（1454—1530）今年七十，沈龄（约1470—1523后）撰《还带记》传奇为之祝寿。据徐朔方《晚明曲家年谱》。沈龄字寿卿，一字符寿，自号练塘渔者，安亭（今属上海）人。褚人获《坚瓠甲集》卷二《祝寿》云："《还带》，嘉定沈练塘所作以寿杨一清者也。曲中有'昔掌天曹，今为地主'等语，杨大喜之。又贵溪杨集分教扬州，画葡萄一幅，题诗云：'万斛骊珠带雨鲜，摘来浸酒荐春筵。枝头剩有千千颗，一颗期公寿一年。'杨亦大喜。"《裴度香山还带记》上下卷，凡四十一出，第七出《乞带救父》，邹尚书唱《锦堂月》有"昔掌天曹，今为地主"之句。见《古本戏曲丛刊》初集。《弇山堂别集》卷四十五《内阁辅臣年表》："杨一清字应宁，寓直隶京口，云南安宁人。由成化壬辰进士，正德十年以少傅、武英殿学入，十一年致仕，嘉靖四年复入，八年以少师、华盖殿学闲住，卒，年七十八。"

舒芬撰《东观录》。此其所著《梓溪内集》之一。《四库全书总目》卷六四史部传记类存目六著录《东观录》一卷，提要曰："明舒芬撰。芬有《周易笺》，已著录。此其所著《梓溪内集》之一也。芬于嘉靖二年被召复官，道出济宁，谒阙里孔林，修释菜礼。因录所撰《谒庙记》及《阙里形胜图》、《夫子宫墙图》，及《释菜礼仪》、《士相见礼仪》，并附问答五章，与伍余福联句三十韵，汇为一帙。"舒芬，字国裳，进贤人。正德丁丑进士第一，授翰林院修撰。以谏南巡廷杖，谪福建盐课司副提举。嘉靖初复职，又以争议大礼廷杖。寻遭母忧归卒。万历间追谥文节。事迹具《明史》本传。《周易笺》，《四库全书总目》卷六作《易问笺》。

秦金任户部尚书。罗钦顺由南京吏部尚书改礼部尚书，未任丁忧，六年再起，不赴。席书任礼部尚书，六年致仕。邹文盛任南京都察院右都御史，掌院事。何孟春调南京工部左侍郎。据王世贞《弇山堂别集》。

## 公元1524年（世宗嘉靖三年，甲申）

### 二月

慈圣皇太后诞辰，有旨免朝贺。朱淛（1486—1552）、马明衡以建言遭廷杖，放归。柯维骐《监察御史朱淛传》："朱淛字必东，号损岩，塘下人，正德丙子乡试第一，嘉靖癸未登进士，选授监察御史，甫阅月，遇昭圣皇太后寿辰，有旨免朝贺。淛上疏言：'皇太后亲挈神器以授陛下，母子至情，天日在监，若免朝贺，则无以慰母心而隆孝治。'淛盖阴辟议礼者不考孝宗之说也。同邑御史马明衡亦上疏，概与淛同。世宗震怒，差官校捽二人至内廷，命中贵诘以：'免贺乃皇太后意，如何辄敢讪上？'遂俱下诏狱。既而镇抚司请旨，世宗召辅臣蒋冕曰：'此曹以不孝诬朕，法当反坐论死。'冕膝行泣护曰：'淛等愚昧固可罪，然中心实匪他。陛下方隆尧舜之治，不可有杀谏臣名。'世宗怒稍霁，曰：'饶死充军。'冕又泣乞末减，乃定各为民。……家居三十年，巡按累荐不报。淛与明衡出处虽同，然淛家贫尤难堪，所著文词无穷郁怨尤语，其养深矣。卒年六十七。"马明衡字子莘，莆田人，少卿思聪子。正德甲戌进士，除太常博士，迁监察御史，以建言廷杖，削籍。其《初春即事》诗云："疏谬自甘明主弃，孤狂宁受世人怜？"可以见其志矣。《四库全书总目》卷一七二集部别集类二五著录朱淛《天马山房遗稿》八卷。

**大礼议复起。编修王相等十八人杖死，丰熙、杨慎、王元正等谪戍。**《明史》何孟春传："世宗即位，迁南京兵部右侍郎，半道召为吏部右侍郎。……先是，'大礼'议起。孟春在云南闻之，上疏言：'臣阅邸报，见进士屈儒奏中请尊圣父为"皇叔考兴献大王"，圣母为"皇叔母兴献大王妃"。得旨下部，知犹未奉俞命也。臣惟前世帝王，自旁支入奉大统，推尊本生，得失之迹具载史册。宣帝不敢加号于史皇孙，光武不敢加号于南顿君，晋元帝不敢加号于恭王，抑情守礼，宋司马光所谓当时归美，后世颂圣者也。哀、安、桓、灵乃追尊其父祖，犯义侵礼。司马光所谓取讥当时，见非后世者也。《仪礼·丧服》"为人后者"《传》曰："何以三年也？受重者，必以尊服服之。""为人后者，为其父母报"，《传》曰："何以期也？不二斩也"，"重大宗者，降其小宗也"。夫父母，天下莫隆焉。至继大宗则杀其服，而移于所后之亲，盖名之不可以二也。为人后者为之子，不敢复顾私亲。圣人制礼，尊无二上，若恭敬之心分于彼，则不得专于此故也。今者廷臣详议，事犹未决，岂非皇叔考之称有未当者乎？抑臣愚亦不能无疑。《礼》，生曰父母，死曰考妣，有世父母、叔父母之文，而无世叔考、世叔妣之说。今欲称兴献王为皇叔考，古典何据？宋英宗时有请加濮王皇伯考者，宋敏求力斥其谬。然则皇叔考之称，岂可加于兴献王乎？即称皇叔父，于义亦未安也。经书称伯父、叔父皆生时相呼，及其既殁，从无通亲属冠于爵位之上者。然则皇叔父之称，其可复加先朝已谥之亲王乎？臣伏睹前诏，陛下称先皇帝为皇兄，诚于献王称皇叔，如宋王珪、司马光所云，亦已惬矣。而议者或不然，何也？天下者，太祖之天下也。自太祖传至孝宗，孝宗传之先皇帝，特简陛下，授之大业。献王虽陛下天性至亲，然而所以光临九重，富有四海，子子孙孙万世南面者，皆先皇帝之德，孝宗之所贻也。臣故愿以汉宣、光武、晋元三帝为法，若非古之名，不正之号，非臣所愿于陛下也。'及孟春官吏部，则已尊本生父母为兴献帝、兴国太后，继又改称本生皇考恭穆献皇帝、本生圣母章圣皇太后。孟春三上疏乞从初诏，皆不省。于是帝益入张璁、桂萼等言，复欲去本生二字。璁方盛气，列上礼官欺妄十三事，且斥为朋党。孟春偕九卿秦金等具疏，略曰：'伊尹谓"有言逆于心，必求诸道。有言逊于志，必求诸非道。"迩者，大礼之议，邪正不同。若诸臣匡拂，累千万言，此所谓逆于心之言也，陛下亦尝求诸道否乎？一二小人，敢托将顺之说，招徕罢闲不学无耻之徒，荧惑圣听，此所谓逊于志之言也，陛下亦尝求诸非道否乎？何彼言之易行，而此言之难入也。'遂发十三难以辨折璁，疏入留中。其时詹事、翰林、给事、御史及六部诸司、大理、行人诸臣各具疏争，并留中不下，群情益汹汹。会朝方罢，孟春倡言于众曰：'宪宗朝，百官哭文华门，争慈懿皇太后葬礼，宪宗从之，此国朝故事也。'修撰杨慎曰：'国家养士百五十年，仗节死义，正在今日。'编修王元正、给事中张翀等遂遮留群臣于金水桥南，谓今日有不力争者，必共击之。孟春、金献民、徐文华复相号召。于是九卿则尚书献民及秦金、赵鉴、赵璜、俞琳，侍郎孟春及朱希周、刘玉，都御史王时中、张润，寺卿汪举、潘希曾、张九叙、吴祺，通政张瓒、陈沾，少卿徐文华及张缙、苏民、金瓒，府丞张仲贤，通政参议葛祎，寺丞袁宗儒，凡二十有三人；翰林则掌詹事府侍郎贾咏，学士丰熙，侍讲张璧，修撰舒芬、杨维聪、姚涞、张衍庆，编修许成名、刘栋、张潮、崔桐、叶桂章、王三锡、余承勋、陆钎、王相、应良、王思，检讨金皋、林时及慎、元正，凡二十有二人；给事中则张翀、刘济、安磐、张汉卿、张原、谢蕡、毛玉、曹怀、张嵩、王瑝、张㮸、郑一鹏、黄重、李锡、赵汉、陈时明、郑自璧、裴绍宗、韩楷、黄臣、胡纳，凡二十有一人；御史则王时柯、余翱、叶奇、郑本公、杨枢、刘颖、祁杲、杜民表、杨瑞、张英、刘谦亨、许中、陈克宅、谭缵、刘翀、张录、郭希愈、萧一中、张恂、倪宗岳、王璜、沈教、钟卿密、胡琼、张濂、何鳌、张曰韬、蓝田、张鹏翰、林有孚，凡三十人；诸司郎官，吏部则郎中余宽、党承志、刘天民、员外郎马理、徐一鸣、刘勋，主事应大猷、李舜臣、马冕、彭泽、张鸥，司务洪伊，凡十有二人；户部则郎中黄待显、唐升、贾继之、杨易、杨淮、胡宗明、栗登、党以平、何岩、马朝卿，员外郎申良、郑漳、顾可久、娄志德，主事徐嵩、张庠、高奎、安玺、王尚志、朱藻、黄一道、陈儒、陈腾鸾、高登、程旦、尹嗣忠、郭日休、李录、周诏、戴亢、缪宗周、丘其仁、俎琚、张希尹，司务金中夫，检校丁律，凡三十有六人；礼部则郎中余才、汪必东、张穗、张怀，员外郎翁磐、李文中、张濂，主事张镗、丰坊、仵瑜、丁汝夔、臧应奎，凡十有二人；兵部则郎中陶滋、贺缙、姚汝皋、刘淑相、万潮，员外郎刘漳、杨仪、王德明，主事汪溱、黄嘉宾、李春芳、卢襄、华钥、郑晓、刘一正、郭持平、余祯、陈赏，司务李可登、刘从学，凡二十人；刑部则郎中相世芳、张峨、詹潮、胡琏、范录、陈力、张大轮、叶应骢、白辙、许路，员外郎戴钦、张俭、刘士奇，主事祁敕、赵廷松、熊宇、何鳌、杨濂、刘仕、萧樟、顾铎、王国光、汪嘉会、殷承叙、陆铨、钱铎、方一兰，凡二十有七人；工部则郎中赵儒、叶宽、张子衷、汪登、刘玑、江珊，员外郎金廷瑞、范镪、庞淳，主事伍余福、张凤来、张羽、车纯、蒋琪、郑骝，凡十有五人；大理之属则寺正毋德纯、蒋同仁，寺副王暐、刘道，评事陈大纲、钟云瑞、王光济、张徽、王天民、郑重、杜鸾，凡十有一人；俱跪伏左顺门。帝命司礼中官谕退，众皆曰：‘必得俞旨乃敢退。’自辰至午，凡再传谕，犹跪伏不起。帝大怒，遣锦衣先执为首者。于是丰熙、张翀、余翱、余宽、黄待显、陶滋、相世芳、毋德纯八人，并系诏狱。杨慎、王元正乃撼门大哭，众皆哭，声震阙廷。帝益怒，命收系五品以下官若干人，而令孟春等待罪。翼日，编修王相等十八人俱杖死，熙等及慎、元正俱谪戍。”自是衣冠丧气，桂萼、张璁等势益张。何孟春（1474—1536）字子元，椒州人。赵贤《何文简公文集序》：“初肃皇帝议尊亲礼，廷臣争咈之，是时犹持两端，会一二郎□奏自留都人，称旨，于是尽斥□咈议者，郴州何公以吏侍屏南工，削籍，终其身锢不复用。”“盖公殁后二十余年，庄皇帝既临天下，继志恤录，用妥幽瑑，论者以为天之既定，暨贤南历洞庭之野，凭轼郴州，礼其庐而讯其嗣人，泯然乌有，则□谓报施善人者疑犹未□，因念古称三不朽，子孙不与焉。”郭崇嗣《何文简公集后序》：“世宗登极，诏廷臣议礼，公以吏部左侍郎抗疏力净，为群臣倡，议不合，改南工，竟以是坐废，中外慕公风节，辄争相推毂云。”今年二月，罢华盖殿学士杨廷和。三月，罢礼部尚书汪俊，以席书代之。四月，追尊兴献帝曰本生皇考恭穆献皇帝，上兴国太后尊号曰本生皇母章圣皇太后。五月,罢谨身殿大学士蒋冕。六月,特命张璁、桂萼为翰林学士,方献夫为侍讲学士。七月,编修王相等十八人杖死。九月,更定大礼,称孝宗为皇伯考,昭圣皇太后为皇伯母,献皇帝为皇考,章圣皇太后为圣母,尊称自是遂定。

## 三月

**康海**（1475—1540）编定散曲集《沜东乐府》。康海字对山,号沜西山人、沜东渔父。康浩《沜东乐府题记》:"右乐府二卷,家兄沜翁旧作也。好事者求录踵至,因刻之以传焉。嘉靖甲申春三月丁卯弟浩谨识。"康浩,康海从弟。

**王鏊**（1456—1524）卒。王鏊在明代以举业擅名。邵宝《大明光禄大夫柱国少傅兼太子太傅户部尚书武英殿大学士致仕赠太傅谥文恪王公墓志铭》:"嘉靖三年三月十一日,少傅王公卒于吴城里第,于是公致仕归十五年矣。……公卒时,距其生景泰七年八月十七日,寿六十九。""文徵明《太傅王文恪公传》:"公名鏊,字济之,世称守溪先生,吴洞庭山人也。""甲午遂以第一人荐。明年试礼部,复第一。廷试以第一甲第三人及第。"授编修,历侍讲、谕德、少詹,兼侍讲学士,擢吏部侍郎,入阁参预机务。进户部尚书,文渊阁大学士,加少傅,兼太子太傅。"于是公闲居十有六年,年七十有五矣。嘉靖三年甲申三月十一日,以疾卒于家,讣闻,上为辍视朝一日,追赠太傅,谥文恪。""好学专精,不为事夺,少工举子文,既连捷魁选,文名一日传天下,程文四出,士争传录以为式。公叹曰:'是足为吾学耶?'及官翰林,遂肆力群经,下逮子史百家之言,莫不贯总。"王守仁《太傅王文恪公传》:"无锡邵尚书国贤,与公婿徐学士子容,皆文名冠一时。其称公之文,规模昌黎以及秦汉,纯而不流于弱,奇而不涉于怪,雄伟俊杰,体裁截然,振起一代之衰。得法于孟子,论辩多古人未发。诗萧散清逸,有王岑风格。书法清劲自成,得晋唐笔意。天下皆以为知言。阳明子曰:王公所深造,世或未之能尽也。然而言之亦难矣。著其性善之说,以微见其概,使后世之求公者以是观之。"《明史》本传:"鏊博学有识鉴,文章尔雅,议论明畅。晚著《性善论》一篇,王守仁见之曰:'王公深造,世未能尽也。'少善制举义,后数典乡试,程文魁一代。取士尚经术,险诡者一切屏去。弘、正间,文体为一变。"《四库全书总目》著录王鏊《史余》一卷、《姑苏志》六十卷、《震泽编》八卷、《震泽长语》二卷、《震泽集》三十六卷、《春秋词命》三卷,《震泽集》提要曰:"鏊以制义名一代。虽乡塾童稚,才能诵读八比,即无不知有王守溪者。然其古文亦湛深经术,典雅遒洁,有唐、宋遗风。盖有明盛时,虽为时文者亦必研索六籍,泛览百氏,以培其根柢,而穷其波澜。鏊困顿名场,老乃得遇。其泽于古者已深,故时文工而古文亦工也。史称鏊上言欲仿前代制科,如博学鸿词之类,以收异才。六年一举。尤异者,授以清要之职。有官者加秩。数年之后,士类濯磨,必以通经学古为高,脱去谫闻之陋。时不能用。又称鏊取士尚经术,险诡者一切屏去。弘、正间文体为之一变,则鏊之所学可知矣。集中《尊号议》、《昭穆对》,大旨与张璁、桂萼相合,故霍韬为其集序,极为推挹,至比于孔门之游、夏,未免朋党之私。然其谓鏊早学于苏,晚学于韩,折衷于

程、朱，则固公论也。其《河源考》一篇，能不信笃什所言，似为有见。而杂引佛典道书以驳昆仑之说，则考证殊为疏舛。此由明代幅员至嘉峪关而止，辎车不到之地，徒执故籍以推测之，其影响揣摩，固亦不足怪矣。"《明诗纪事》丙签卷十录王鏊诗十二首，陈田按语云："文恪以文章名一世，集中七言律绝，格调风致，竟尔不凡。"

　　**谢承举**（1461—1524）卒。顾璘《赠承德郎南京刑部浙江司主事野全谢先生同继室赠安人汤氏合葬墓志铭》："公姓谢氏，初名璿，字文卿，一字子象。梦神授其名曰承举，遂行焉。"上元人。"公生于天顺辛巳十月二十有八日，卒于嘉靖甲申三月十有七日，春秋六十有四。""每应举，率用古文字作经义，累十举不第，乃掷笔于地，曰：'吾本不乐为此，奈何效老骥踯躅车下邪！且鹓鸾其仪者立朝，鹿豕其性者居野，吾乃今知既往之误也。'退耕国门之南，自号野全子。乡人称曰野全先生，又以其美须髯行九，称曰髯九翁。所著有《采毫录》、《东村稿》、《西游录》、《在客稿》、《日得录》、《广陵杂录》、《湘中漫录》总若干卷。""国朝诗至成化弘治间再变，维时少师西涯李公主清婉，尚才情，吏部郎中定山庄公主浑雄，徵君白沙陈公主沉雅，并尚理致，名各震海内。吾金陵有二才子，曰谢氏子象、徐氏子仁，凌踔词苑，陶冶其模廓。谢得其雄，徐得其婉，名亦不细。初，谢公八岁善诗，客命赋《暮秋》，援笔立就，至'紫塞风寒雁叫霜'，客惊叹，呼为奇童。稍长，从工部郎中吴公元玉学，见其诗曰：'深林下马苍苔滑，野寺入门秋爽多。'击节鉴赏，谓'虽长宿不易逮'。自是日就深博。吏部侍郎柴墟储公静夫为南考功，作檀园诗社，引与诸文士联句，往往出奇绝众。器局隽朗，才情绮丽，负气自好，不与俗伍。与达人高士论古今，商文艺，据案高谈，如倒囊楮。或酒酣，引纸命辞，常屈一座。兄弟四人各善诗画，风流清迈，时拟谢庭诸郎。公侯贵人往候，与之分庭抗礼，藐不加意。"《明史·艺文志》著录《谢承举（一名璿）诗集》十五卷。《明诗纪事》丁签卷十五录谢承举诗六首，陈田按："盛仲交合史痴翁、金赤松诗为《江南二隐稿》。子象诗品当在二人之上，痴翁、赤松自以书画重耳。"

## 春

　　**寿州判官常伦**（1492—1525）因获咎于上官，弃官归。旋升宁羌知州，未履任而落职。《国朝献征录》所收佚名《大理寺右评事常君墓志铭》："嘉靖元年（1522）冬，山东盗起，流劫河南，犯凤阳，明卿率民兵御之，保其境。三年甲申春，以事获咎于上官，乃弃官归。亡数日，有报升知宁羌州，竟未履任，落职家居。"常伦字明卿。

　　**董沄拜王守仁为师**，时董已68岁。董沄早年以诗闻江湖间，至是弃诗而讲学。董沄（1458—1534），字复宗，别号萝石，海盐人。有《从吾道人诗稿》。王守仁《从吾道人记（乙酉）》云："海宁董萝石者，年六十有八矣，以能诗闻江湖间，与其乡之业诗者十数辈为诗社，旦夕操纸吟鸣，相与求句字之工，至废寝食、遗生业，时俗共非笑之，不顾，以为是天下之至乐矣。嘉靖甲申春，萝石来游会稽，闻阳明子方与其徒讲学山中，以杖肩其瓢笠诗卷来访。入门长揖上坐。阳明子异其气貌，且年老矣，礼敬之。又询知其为董萝石也，与之语连日夜。萝石辞弥谦，礼弥下，不觉其席之弥侧也。退谓阳明子徒何生秦曰：'吾见世之儒者，支离琐屑，修饰边幅，为偶人之状，其下者贪饕争夺于富贵利欲之场，而尝不屑其所为，以为世岂真有所谓圣贤之学乎，直假道于是以求济其私耳。故遂笃志于诗而放浪于山水。今吾闻夫子良知之说，而忽若大寐之得醒，然后知吾向之所为，日夜敝精劳力者，其与世之营营利禄之徒，特清浊之分，而其间不能以寸也。幸哉！吾非至于夫子之门，则几于虚此生矣。吾将北面夫子而终身焉，得无既老而有所不可乎？'秦起拜贺曰：'先生之年则老矣，先生之志何壮哉！'入以请于阳明子。阳明子喟然叹曰：'有是哉！吾未或见此翁也。虽然齿长于我矣，师友一也。苟吾言之见信，奚必北面而后为礼乎！'萝石闻之曰：'夫子殆以予诚之未积欤！'辞归两月，弃其瓢笠，持一缣而来，谓秦曰：'此吾老妻之所织也。吾之诚积若兹缕矣，夫子其许我乎？'秦入以请。……阳明子固辞不获，则许之以师友之间，与之探禹穴，登炉峰，陟秦望，寻兰亭之遗迹，徜徉于云门、若耶、鉴湖、剡曲。萝石日有所闻，益充然有得，欣然乐而忘归也。其乡党之子弟亲友与其平日之为社者，或笑而非，或为诗而招之返，且曰：'翁老矣，何乃自苦若是耶！'萝石笑曰：'吾方幸逃于苦海，方知悯若之自苦也。顾以吾为苦耶？吾方扬鬐于渤澥而振羽于云霄之上，安能复投网罟而入樊笼乎？去矣！吾将从吾之所好。'遂自号曰从吾道人。"

## 四月

吕柟自劾疏上，出为山西解州判官。名为自劾，实意在指斥张、桂。马汝骥《通议大夫南京礼部右侍郎泾野吕公柟行状》："甲申四月，奉旨修省，以十有三事自劾。疏上，出山西解州判官。"《明史·儒林传》："大礼议兴，（吕柟）与张、桂忤。以十三事自陈，中以大礼未定，诐言日进，引为己罪。上怒，下诏狱，谪解州判官，摄行州事。""甲申四月"，薛应旂《泾野先生传》叙此事作"嘉靖甲申夏五月"。今年六月，以张璁、桂萼为翰林学士，方献夫为侍讲学士。张、桂同为南京主事，以议礼骤贵。

## 七月

杨慎以议礼忤世宗，谪戍永昌。挟怨诸人欲害之于途，杨慎谨备之。李调元《升庵先生年谱》："甲申七月，两上议大礼疏。嗣复跪门哭谏，中元日下狱，十七日廷杖之，二十七日复杖之，毙而复苏，谪戍云南永昌卫。时同时死者、配者、黜者、左迁者一百八人。挽舟由潞河而南，值先年被革挟怨诸人，募恶少随以伺害，公知而备之，至临清始散去。时公年三十七。"

## 十月

胡缵宗（1480—1560）编其戊辰（1508）至辛巳（1521）年间诗文为《辛巳集》，徐中孚刊行，邵宝作序。序云："《辛巳集》若干卷，苏州守胡君世甫之所著也。盖戊辰至辛巳凡十有四年。君自翰林出佐嘉定州，转守潼川州，召为南京户部员外郎，进郎中，改南京吏部郎中，擢守安庆，凡七徙厥官，五易厥地，而苏州未与焉。总之，今名，纪其时也。其门人太学生，江阴徐中孚请而梓之。……君名缵宗，别号可泉，世甫其字，陕之天水人。嘉靖甲申冬十月四日，无锡邵宝序。"胡缵宗，正德戊辰进士，时在苏州太守任。《辛巳集》另有归仁序，作序时间不详。都穆《可泉辛巳集后序》署"嘉靖四年岁次乙酉六月朔旦，姑苏都穆序"。

**邹守益**（1491—1562）**以议大礼谪广德通判，往来宛陵，贡安国、戚衮、梅守德等以之游。** 罗洪先《明故南京国子监祭酒致仕东廓邹公墓志铭》："先生名守益，字谦之，号东廓，姓邹氏。邹之先自永丰徙安福，至克修居彻源里，始以儒起家。……辛未（1511）乡试，阳明公为同考官，赏识之，遂置第一。廷试及第第三人，授翰林院编修，而佥事（守益父邹贤）遂解官。逾年，先生亦告归。自少举业有声，比归，授经山房无异也。一日谈《论语》、《中庸》，讶曰：'程朱补传而先格致，《中庸》乃言慎独，何耶？'积疑莫释。己卯（1519）就问于阳明公，论辨反复，幡然悟曰：'道在是矣。'自是奉言无所违。宸濠反（1519），从义起兵。今上登极（1521），录旧臣，先生始出。癸未（1523）如越，既别，怅然不已。门人问之，公曰：'曾子羡友，所谓以能问不能，彼几之矣。'既复职，与经筵，加文林郎，于是赠佥事奉政大夫，母进宜人，封妻孺人。大礼议起，偕同官上疏，不报。甲申复疏，忤旨下诏狱，与吕柟撰柟联事，未几谪广德州判官。"乾隆《江南通志·人物志·流寓》："邹守益字谦之，安福人。嘉靖初以编修议大礼，谪判广德，往来宛陵。时贡安国、戚衮、梅守德等从之游，讲学之风，遂冠江左。"有《东廓集》等。

**康海、张治道编选何景明文集，康海、唐龙作序。时何景明去世已三年。** 康海《大复集序》云："十六年秋，仲默既卒，又三年，予次第其文为若干卷，首赋，次诗，次文，皆随体区裁，因制列卷，题曰《何仲默集》，录存家笥，以待后来。读其文，思考其世，可以知乎言所指矣。仲默才高而意宏，德纯而识远，荣辱毁誉一无所动于中，予别有传记，兹不载。方予定次仲默集，时值张子时济过予，所见与予甚同，因更与定之如此集云。嘉靖三年二月甲子，武功友生康海序。"唐序署"嘉靖三年三月既望"。

**十日，耿定向**（1524—1596）**生。**耿定向字在伦，麻城人。嘉靖丙辰进士。官至户部尚书，总督仓场。谥恭简。事迹具《明史》本传。著有《耿天台文集》、《硕辅宝鉴要览》等。据焦竑《澹园集》卷三十三《天台耿先生行状》。

## 十一月

**张含作《甲申仲冬》诗。**《明诗评选》卷六收入此诗，评曰："出入有敛纵之才。"《列朝诗集小传》丙集："含，字愈光，永昌人。父志淳，南京户部右侍郎，举乡试不第，遂不谒选，年八十余乃卒。愈光少与杨用修同学，丙寅除夕，以二诗遗用修，文忠公极称之，谓当以诗名世。尝师事李献吉，友何仲默，然其平生知契，白首唱酬者，用修一人而已。愈光诗行世者，有《禺山诗选》、《禺山七言律抄》，皆用修手自评骘云。"《静志居诗话》卷十一《张含》："张含字愈光，永昌卫人。正德丁卯（1507），中云南乡试。有《禺山诗选》。禺山虽北学于献吉，然诗不尽出其流派，而一以用修为归。观其襞积字句，乏自运之神，方之用修，远不逮也。《寄升庵》云：'公子思归几岁华，王孙芳草遍天涯。楼头艳曲包明月，海口新铅蔡少霞。光禄塞遥空递雁，上林枝好只栖鸦。梦中记得相寻处，东寺钟残北寺斜。'"杨慎字用修。《四库全书总目》卷一七六集部别集类存目三著录《禹山集》一卷《诗集》四卷，提要曰："明张含撰。含字愈光，永昌卫人。正德丁卯举人。其学出于李梦阳。又与杨慎最契。故诗文皆慎所评定。慎序有曰：张子自少不喜为时文举子语，见宋人厌弃之犹腻也。其为文必《弓》、《左》，字必苍、雅。其推挹甚至。然其病正坐于此。故襞积字句，乏镕铸运化之功。明人别有雕镂堆砌一派，含其先声欤？盖慎在云南，无可共语。得一好奇之士，遂为空谷足音，不觉誉之过当。且慎名既重，闻者咸推波助澜，而赝古之文又足以骇俗目，含遂盛为文士所称。实则涂饰之学，与其师同一病源，各现变证也。"《明诗纪事》戊签卷八录张含诗十一首，陈田按语云："升庵谪滇，滇人杨给事士云、王金事廷表、胡副使廷禄、李荆州元阳、唐金事锜、张举人含，与升庵游。同时吴高河懋品题为'杨门六学士'。六人中以士云及含为杰出。含集中诗与升庵者弥望皆是。升庵序《禹山集》，所谓'于困穷节义之交，万言不竭'者是也。升庵赠含诗云：'迢迢禹氏山，珠璧交晶英。两美必相合，谁言容易并？'《怀禹山》云：'一刻一折扎，一日一款襟。'《禹山歌》云：'张子生长禹山野，苍鬓开口爱风雅。翩翩欲度正始前，栖栖不肯开元下。平生眼中人，谁为爱才者？申台何大复，梁园李空同。结交折行辈，声价腾烟鸿。'《寿张禹山歌》云：'寿君十载前，合樽促席在连然。寿君十载后，问月停云遥举酒。'《暇日检海内交游》诗云：'高河长句禹山律，怀我好音三百篇。'《海内绝句》云：'张含秀句满天下。'二人襟契不浅，诗格亦略相似，惟才远不逮升庵耳。"

## 本年

南京国子监祭酒崔铣上疏求去，且劾张璁、桂萼。张璁、桂萼于今年任翰林学士。《明史·儒林传》："崔铣，字子钟，安阳人。"弘治十八年进士。"世宗即位，擢南京国子监祭酒。嘉靖三年集议大礼，久不决。大学士蒋冕、尚书汪俊俱以执法去位，其他摈斥杖戍者相望，而张璁、桂萼等骤贵显用事。铣上疏求去，且劾璁、萼等曰：'臣究观议者，其文则欧阳修之唾余，其情则承望意向，求胜无已。悍者危法以激怒，柔者甘言以动听。非有元功硕德，而遽以官赏之，得毋使侥幸之徒踵接至与？臣闻天子得四海欢心以事其亲，未闻仅得一二人之心者也。赏之，适自章其私昵而已。夫守道为忠，忠则逆旨；希旨为邪，邪则畔道。今忠者日疏，而邪者日富。一邪乱邦，况可使富哉！'帝览之不悦，令铣致仕。"

胡侍（1492—1553）因议礼不合世宗意，由鸿胪右少卿谪补山西潞州判官。许宗鲁《鸿胪寺右少卿胡公侍墓志铭》："公姓胡氏，讳侍，字承之，别号蒙溪，应天府溧阳县人。国初讳士真者，明医术，坐累谪戍陕宁夏卫，历四世皆为宁夏人。司马公卒，赐葬陕西咸宁县韦曲，得守冢墓，遂为韦曲里人。公少治书为县学生，正德癸酉（1513）举乡试。丁丑（1517）举进士。戊寅（1518）授刑部云南司主事。辛巳（1521）晋广东司员外郎。嘉靖壬午（1522）晋鸿胪寺右少卿。甲申（1524）谪补山西潞州同知。乙酉（1525）下诏狱，事白，夺秩为民。戊戌（1538）诏复其官。""所著有《蒙溪集》三卷，续集一卷，《墅谈》二卷，《真珠船》二卷，《清凉经》一卷，传之于世。"《列朝诗集小传》丙集："嘉靖初，追尊献帝，议者力辩两考之非，承之上言：'祖训：兄终弟及，盖严嫡庶，防觊觎尔。鲁婴齐不受命归父，又病己不受命昭帝，何以受命为哉？唐睿宗不当兄中宗，宋太宗不当兄艺祖，以其为君也。不当称兄，则不当称伯，明矣。'上怒其狂率，出为潞州判官。"

**考功司郎中薛蕙**（1489—1541）**因得罪张璁，有旨奉勘回籍。**王廷《吏部考功司郎中西原薛先生行状》："明年癸未（1523）为会试同考官，其所识拔，悉一时英彦。又明年甲申（1524），升考功司郎中。时太宰白岩乔公以考功甄别之司，责大且繁，择先生任之，甚倚重焉。会议献皇帝称号，朝堂如讼，先生乃稽参坟典，称述古今，撰《为人后解》、《为人后辨》，凡数万言，入奏下诏狱。时部院诸司，亦各具疏伏阙哭以闻，上震怒，杖谴有差，先生独以先系狱不与，诏令复职。然竟以是忤权贵，权贵人常欲得而甘心也。而给事中某者，故附权贵人，果阴使诬奏，有旨奉勘回籍。"罢归历十八年之久，直至去世。又唐顺之《吏部郎中薛西原墓志铭》："嘉靖中先生在吏部，历考功司郎中而罢归十八年，辛丑正月九日，以病卒于家，年五十有三。其罢也，坐论大礼。先生自为刑部，时值武庙南狩，抗疏谏，祸叵测，先生晏然。后大礼之议起，乃撰《为人后解》、《为人后辨》，奏入下狱。已而复其官，然已为权贵人所不释矣。已而竟主给事中某构先生罪，先生上书讼，坐是罢。"所谓"权贵人"，盖指张璁。

**王激出知吉水。时贷金以佐张时彻之不足。**罗洪先《中宪大夫国子监祭酒鹤山王公激墓志铭》："鹤山王先生举嘉靖癸未进士之明年，出知吉水。吉水剧邑也，精于吏者咸病其冗，乃先生临之，殊不经意，日出公庭数刻，发遣公移，了争讼几事，已复操笔为文辞，亦数刻立就，忘其身之在公庭也。暇日与诸生雠校经义，或对客谈古今诗律得失何在，杂以谑笑，听者忘疲。其说经义，不甚规规求合时调，即在公庭，亦不喜为时调束缚。……如是者三年一日也。"张时彻《王鹤山集叙》："而公乃出令吉水，谓余曰：'余仕且有禄，而子犹困窭，奈何？'则为贷金于潘亨甫氏以佐炊爨，又尽捐衣服器用畀之，曰：'为不足君所，非以相溷也。'已余守南礼曹，数以尺牍相劳苦，且曰：'潘金已偿，可无念也。'"

**陈讲撰《马政志》。安国刊行《吴中水利通志》。**据四库提要。

**董玘、方献夫、霍韬任讲读学士。廖纪任吏部尚书。李时任礼部右侍郎。湛若水任南京国子祭酒。**据王世贞《弇山堂别集》。

**景旸**（1476—1524）**病卒于真州。**焦竑《景中允传》："中允姓景名旸，字伯时，金陵人。……辛巳以母忧去位。甲申服除北上，行至真州病卒。"顾璘《景伯时旸行略》："辛巳太孺人以疾卒。终丧北上，道舟止仪真，家人病疫，公染疾竟卒，春秋四十有九。……为文多宗迁固，诗效唐人格律，书法晋，尤妙于篆，有《前溪稿》若干卷。"欧大任《广陵十先生传·景旸》："嘉靖甲申，母丧服阕，将赴京，以病疫卒。旸为文多法两汉，诗主盛唐，与乡人蒋山卿、江都赵鹤、宝应朱应登并有声艺林，号江北四子。姑苏顾璘《国宝新编》编弘、德间名士李梦阳等十二人，旸其一也。所撰有《前溪集》行于世。"朱彝尊《静志居诗话》卷十："景旸，字伯时，仪征人。侨居南京。正德戊辰赐进士第二，仕至南京春坊，中允，掌国子司业事。有《前溪集》。《前溪集》久遂失传，从卢子明《广陵诗选》录得二首。其与陈玉泉论诗云：'辞取达意，若惟以摹拟为工，尺尺寸寸，按古人之迹，务求肖似，何以达吾意乎？'盖亦矫北地之弊者。"顾璘《国宝新编》有叙赞。《明诗纪事》戊签卷十录景旸诗一首。

  **吴国伦**（1524—1593）生。吴国伦字明卿，兴国人。嘉靖二十九年进士，授中书舍人，擢兵科给事中。杨继盛死，倡众赙送，忤严嵩，以他故谪官。嵩败，起建宁同知，累迁河南左参政，罢归，声名藉甚。求名之士，不东走太仓（王世贞），则西走兴国（吴国伦）。万历时，世贞既没，国伦犹无恙，年八十余乃卒，在七子中最为老寿。有《甔甀洞正续稿》。据冯梦祯《吴明卿先生传》、钱谦益《列朝诗集小传》等。

## 公元 1525 年（世宗嘉靖四年 乙酉）

### 正月

  **杨慎抵达谪戍地云南。所撰《滇程记》当成书于今年。**李调元《升庵先生年谱》："乙酉正月至云南，病驰万里，羸惫特甚。栖栖旅中，方就医药，而巡抚台州黄公衷促且甚，公力疾冒险抵永昌，几不起。巡抚郭公楠、清戎江公良材极为存护，卜馆云峰，居之。且上疏乞宥议礼诸臣，而郭亦被诏下狱为民。"

  **杨慎作《乙酉元日新添馆中喜晴》。"江花与江草，异国看春生"为诗中警句。**《明诗评选》卷五："元声逸响。此与'秦时明月'一首，升庵集中最上乘，亦三百年来最上乘也。重处皆轻，丽处皆切。"《明人诗钞正集》卷七："结语幽情绵邈，又乌撒喜晴，结云：'江花与江草，异国看春生。'用意愈婉愈悲。"

### 夏

  **李玉英**（1511—?）**上疏讼冤，其继母焦氏论斩。**《静志居诗话》卷二十三："李玉英，锦衣卫人。正德中，锦衣卫千户顺天李雄西征阵没，遗孤五人，子二：曰承祖，曰亚奴；女三：曰桂英，曰玉英，曰桃英。诸子皆前妻所产，惟亚奴后妻焦氏生，焦欲图亲儿继袭，雄死，令承祖往战场寻父骸骨，觊其陷于非命，而承祖竟抱骨以归。焦乃鸩死承祖，支解而埋之。又以桂英鬻豪家为婢。玉英颇知典籍，年十六，伶仃穷迫，作《送春诗》云：'柴门寂寂锁残春，满地榆钱不疗贫。云鬓霞裳伴泥土，野花何似一愁人。'又作《别燕诗》云：'新巢泥满旧巢欹，泥满疏帘欲掩迟。愁对呢喃终一别，画堂依旧主人非。'焦指诗词，谓有外通等情，俾舅焦榕执送锦衣卫，诬以奸淫不孝，拟凌迟。嘉靖四年夏，差太监审录罪囚，凡有事枉人冤，许行陈奏。于是玉英具本托其妹桃英赍奏讼冤，疏略云：'臣年十二，遇皇上嗣位，遍选才人，府尹以臣应选，礼部悯臣孤弱，未谙侍御，发臣宁家。臣年十六，伶仃无倚，是以滥形吟咏，感诸身心，寄诸笔札，盖有不得已而为言者。奈何母恩虽广，勿察臣衷，但玩诗词，以为外通，拿送锦衣卫，本官诬臣奸淫不孝，拟剐罪。臣在狱日久，有欺臣孤弱，而兴不良之心者，臣抚膺大恸，狱中莫不惊惶。臣素不才，邻里何无纠举，乃以数句之诗，寻风捉影，陷臣死罪，臣之死固无憾，十岁之弟，毒药鸩死，支解埋弃，果何罪乎？

臣母之罪,臣不敢言,《凯风》有诗,臣当自责。陛下俯察臣情,将臣诗句付有司委勘,有无淫奸实情,推详臣母之心,尽在不言之表,则臣亡父母之灵,亦可慰于地下矣。'有旨令三法司会勘,焦氏论斩,玉英著锦衣卫选良才作配焉。按玉英二诗,本无关涉,而缇帅乃坐以极刑。由是推之,冤狱难以悉数矣。"李玉英之疏,详见《戒庵老人漫笔》卷三《女辩继母诬陷疏》。《名媛诗归》卷二八、《国色天香》卷六亦记玉英事。

## 六月

**《武宗实录》修成,诸与事者各有赏赉。**《弇山堂别集》卷七十六《赏赉考上》:"嘉靖四年,修武庙实录成,赐监修、太傅、定国公徐光祚,总裁、少保、太子太保、吏部尚书、谨身殿大学士费宏,吏部尚书、文渊阁大学士石珤,与续总裁、礼部尚书、东阁大学士贾咏,续副总裁、礼部右侍郎兼翰林院学士吴鹏,俱赏同弘治。"陈沂进翰林院侍讲。

## 八月

**张禄辑成《词林摘艳》,作自序。**序署"时嘉靖乙酉仲秋上吉东吴张禄谨识"。此书系在《盛世新声》基础上编成,凡十卷,收元、明两代散曲小令、散套及剧套各数百篇。张禄字天爵,号友竹山人、蒲东山人,江苏吴江人。生平不详。

**翟銮、徐缙等为乡试主考。**《弇山堂别集》卷八十二《科试考二》:"四年乙酉,命翰林院学士翟銮、左春坊左赞善谢丕主顺天试。命(中缺十四字)主应天试。"按,今年应天乡试主考为徐缙(1489—1545)。崇祯《吴县志·人物》:"徐缙字子容,西洞庭崦下人,姿干瑰玮,警敏异常,幼即日记数千言,出语惊人。王文恪鏊(1450—1524)有女灵慧,通经史,钟爱之,择俪难其人,见缙,试以联偶,曰:'此吾婿也。'遂许焉。因授以读书之要,挈游都门,令受《易》于靳文僖贵从。先世留守戍籍,补顺天学生,举弘治戊午乡试。丁父忧。乙丑登进士,选庶吉士,读书中秘,博综今古,授编修。及奉命册封辽藩,悉却赠遗,王愈加礼敬。辛未同考会试,得人独盛。乙亥进侍读。嘉靖乙酉典应天乡试。缙约束诸同事毋拘臆说,及遍阅弃卷,诸名士咸罗得之。与会稽董圮(1483—1546)、上海陆深(1477—1544)、南海湛若水(1466—1560)并辔扬镳,上自秦汉,下及唐宋之书,靡不涉猎。寻擢少詹事兼学士,迁礼部右侍郎。"再改吏部右,转左,摄尚书事。

**许谷(1504—1586)中举。**时年二十二岁。《客座赘语》卷二《前辈乡绅武弁》:"嘉靖乙酉,许石城先生举于乡,往谒乡绅御史何公钺,公待茶不命坐,立饮而退,不以为倨也。辛卯(1531),殷秋溟先生举于乡,谒卫之掌印指挥朱某,朱待之礼几如何公,不以为侮也。王少治先生为锦衣卫人,居林下,卫有镇抚王某向先生贷银数十金,先生如数应之,不以为贪也。今日财通句读,甫列黉校,前辈长者固已伛偻下之。至武弁之管卫所篆者,在衿裾视之,直以供唾涕而备践踏矣。呜呼,古今之不相同,一至此哉!"许谷,字仲贻,号石城,上元人。乙未(1535)进士。除户部主事。改礼部、吏部，历员外、郎中，迁南太常少卿，谪浙江运副。迁江西提学佥事，进南尚宝卿。著有《省中稿》、《二台稿》、《归田稿》等。

**袁褧**（1502—1547）年二十四，举应天乡试第一名。王世贞《吴中往哲像赞》："袁胥台先生褧，字永之，吴县人。生五年即知书，七岁赋诗，有奇语，十五试应天，即驰声场屋间。又九岁而举乡试第一。"嘉靖丙戌进士，选庶吉士，官至广西提学佥事。"所著文集二十卷，《皇明献实》二十卷，《吴中先贤传》十卷，《世纬》及《岁时记》、《周礼直解》又若干卷。"

**陈留张元学编李梦阳诗成集，名《弘德集》，梦阳自为序，倡论"真诗乃在民间"。**序云："曹县盖有王叔武云，其言曰：'夫诗者，天地自然之音也。今途咢而巷讴，劳呻而康吟，一唱而群和者，其真也，斯之谓风也。'孔子曰：'礼失而求之野。'今真诗乃在民间，而文人学子顾往往为韵言，谓之诗。……诗有六义，比兴要焉。夫文人学子比兴寡而直率多，何也？出于情寡而工于词多也。夫途巷蠢蠢之夫固无文也；乃其讴也，咢也，呻也，吟也，行咶而坐歌，食咄而寤嗟，此倡而彼和，无不有此比焉兴焉，无非其情焉，斯足以观义矣。故曰：'诗者，天地自然之音也。……'李子于是怃然失，已洒然醒也。于是发唐近体诸篇，而为李、杜歌行。王子曰：'斯驰骋之技也。'李子于是为六朝诗。王子曰：'斯绮丽之余也。'于是为晋、魏。曰：'比辞而属义，斯谓有意。'于是为赋、骚。曰：'异其意而袭其言，斯谓有蹊。'于是为琴操、古歌诗。曰：'似矣，然糟粕也。'于是为四言，入风出雅。曰：'近之矣，然无所用之矣，子其休矣。'"此序原载嘉靖本《弘德集》卷首，收入《空同集》时，题为《诗集自序》，文字略有增删。按，李梦阳对民歌时调极为喜爱。李开先《词谑》："有学诗文于李空同者，自旁郡而之汴省。空同教以：'若似得传唱《锁南枝》，则诗文无以加矣。'请问其详。空同告以：'不能悉记也，只在街市上闲行，必有唱之者。'越数日，果闻之，喜跃如获重宝，即至空同处谢曰：'诚如尊教。'何大复继至汴省，亦酷爱之，曰：'时调中状元也。如十五国风，出诸里巷妇女之口者，情词婉曲，有非后世诗人墨客，操觚染翰，刻骨流血所能及者，以其真也。'每唱一遍，则进一杯酒，终席唱数十遍，酒数亦如之，更不及他词而散。……词录于后，以俟识者鉴裁。'傻酸角，我的哥，和块黄泥儿捏咱两个。捏一个儿你，捏一个儿我。捏的来一似活托，捏的来同床上歇卧。将泥人儿摔碎，着水儿重和过。再捏一个你，再捏一个我。哥哥身上也有妹妹，妹妹身上也有哥哥。'"《万历野获编》卷二十五《时尚小令》："元人小令，行于燕赵。后浸淫日盛，自宣、正至成、弘后，中原又行《锁南枝》、《傍妆台》、《山坡羊》之属。李空同先生初自庆阳徙居汴梁，闻之，以为可继国风之后。何大复继至，亦酷爱之。今所传《泥捏人》及《鞋打卦》、《熬髢髻》三阕，为三牌名之冠，故不虚也。自兹以后，又有《要孩儿》、《驻云飞》、《醉太平》诸曲，然不如三曲之盛。"

## 九月

**都穆**（1459—1525）卒。都穆以酷爱读书为时人所称。王世贞《吴中往哲像赞》："都南濠先生穆，字玄敬，由丹阳徙为吴县人。……卒之日，家唯藏书数十卷。所著有

《南濠诗略》、《文跋》、《诗话》、《宾话》、《玉壶冰》、《听雨纪谈》、《周易考异》、《史外类抄》、《金薤琳琅》，学士大夫争购而藏之，以为帐中秘。"顾璘《国宝新编·都穆叙赞》云："都穆字玄敬，苏州人。仕至太仆少卿。清修博学，网罗旧闻，考订疑义，多所著述。好游山水，虽居官曹，奉使命，有间即临赏名胜，骋其素怀。所得必撰一记，辑成巨帙。又广录古金石遗文为《金薤琳琅集》。斋居萧然，乐奉宾客，衔杯道古，以永终日。不植生产，或至屡空，辄笑曰：'天地之间，当不令都生馁死。'日晏如也。文简古有法，诗虽过尔冲泊，竟非俗具。"崇祯《吴县志·人物》：都穆字玄敬，"乙酉卒，年六十七。"《静志居诗话》卷九《都穆》："都穆字元敬，吴县人。弘治己未进士，授工部主事，历礼部郎中，乞休，加太仆少卿，致仕。有《南濠诗略》。祝希哲《九朝野纪》，徐昌谷《剪胜野闻》，往往纪载非实。惟都少卿《南濠文跋》、《西使记》、《金薤琳琅》、《听雨纪谈》，事必稽核，盖笃学之士也。相传，吴中有娶妇者，夜大风雨，灭烛，遍乞火无应者。众皆曰：'南濠都少卿家，当有读书灯在。'叩其门，果得火。斋居乏食，笑曰：'天壤间，当不令都生馁死。'生平风节如是。诗无足录，存豹一斑。"《四库全书总目》著录都穆《壬午功臣爵赏录》一卷、《壬午功臣别录》一卷、《使西日记》一卷、《金薤琳琅》二十卷、《吴下冢墓遗文》三卷、《寓意编》一卷、《都氏铁网珊瑚》二十卷、《谈纂》二卷、《南濠居士诗话》一卷。《明诗纪事》丁签卷八录都穆诗一首，陈田按语云："玄敬博雅，纂述旧闻，多裨考证。诗话一卷，不甚当家，而邵二云题后：'南濠旧话新传得，吴下风流楚地闻。我是闲官忙里过，湖山回首遽思君。'亦许其网罗旧闻之勤耳。"

**宗臣**（1525—1560）生。宗臣字子相，扬州兴化人。嘉靖二十九年进士，除刑部主事，调考功，谢病归。复起故官，历稽勋员外郎。严嵩恶之，出为福建参议。倭薄城，与主者共击退之，迁提学副使，以劳瘁卒于官，士民皆哭。有《方城集》。据王世贞《明中宪大夫福建提刑按察司提学副使方城宗君墓志铭》、《故福建按察司副使宗君子相祠碑》、钱谦益《列朝诗集小传》等。

## 十二月

**王溱作《祭常明卿文》。**常伦字明卿，所作《和王玉溪过韩信岭》诗见称于王世贞。文云："维嘉靖四年岁次乙酉十二月乙酉朔越十有二日丙申，平阳府知府年生王溱谨以牲醴庶羞之奠致祭于故大理寺右评事常明卿先生之灵……"常伦（1492—1525）字明卿，山西沁水人。生于弘治五年十一月十一日。正德五年举于乡，正德六年中进士，除大理寺评事，谪寿州判官，迁知宁羌州，未上，卒年三十四。有《常评事集》四卷。《艺苑卮言》卷六："常明卿多力善射，虽为文法吏，时韎韦跗注两鞬，骑而驰于郊。诸彻侯子弟从侠少年饮，常前突据上坐。起角射，咸不及。问稍知为常评事，敬之，奉大白为寿。常引满沾醉，竟驰去弗顾。又时过倡家宿，至日高春徐起，或参会不及，长吏诃之，傲然曰：'故贱时过从胡姬饮，不欲居薄耳。'竟用考调判寿州。庭署御史，以法罢归。益纵酒自放。居恒从歌伎酒间度新声，悲壮艳丽，称其为人。又好彭老御内术，自谓得之，神仙可立致。一日省墓，从外舅滕洗马饮，大醉，衣红腰双刀，驰马尘绝，从者不及。前渡水，马顾见水中影，惊蹶堕水，刃出于腹，溃肠死。年仅三十四。平阳守王溱其故人，为收葬之。常有诗吊韩信曰：'汉代称灵武，将军第一人。祸奇缘蹶足，功大不谋身。带砺山河在，丹青祠庙新。长陵一抔土，寂寞亦三秦。'至今为中原豪侠之冠。"所云"吊韩信"诗，题为《和王玉溪过韩信岭》，《明人诗钞续集》卷七以为"可与骆原忠《题韩信庙》七律一章并美"。《四库全书总目》卷一七六集部别集类存目三著录《常评事集》一卷，提要曰："是集赋五首，乐府二十一首，各体诗百余首，传赞等杂著数篇附之。王世贞谓其诗如沙苑儿驹，骄嘶自赏，未谐步骤。陈子龙则谓其气骨高朗，颇能自运。今观是编，合二人之论，乃为定评。国朝王士祯《分甘余话》云：明诗人有早慧而年不得四十者，如陈后冈、董中峰与明卿之属。汗血方新，而筋骨未就，秀而不实，殊可惜也。"

**汪道昆（1526—1593）生。（生年据公历标注）**据汪无竞《江左汪司马年谱》，汪道昆生于今年十二月二十七日（公历次年一月九日）汪道昆，字伯玉，号南溟，歙人。嘉靖丁未进士，知义乌县。历福建兵备副使、右金都御史、兵部左侍郎等职。著有《太函集》、《南溟副墨》等。参见《列朝诗集小传》、康熙《徽州府志》、嘉庆《义乌县志》等。

**席书编《大礼集议》成，所录不外张璁、桂萼等附和时局之说。加席书太子太保，张璁进詹事兼翰林学士。**《四库全书总目》卷八三史部政书类存目一著录《大礼集议》五卷，提要曰："明席书编。书，遂宁人。弘治庚戌进士。官至武英殿大学士。谥文襄。事迹具《明史》本传。嘉靖初，书为南京兵部侍郎，大礼议起，书揣知帝意方向张璁、桂萼，乃上书力主其说。帝大喜。时汪俊代毛澄为礼部尚书，犹坚执如澄议。及俊以力争建庙去位，帝特旨用书代之。此编即其为礼部尚书时所编刻以进者也。初，侍读学士方献夫请刊《大礼奏议》二卷，后吏部侍郎胡世宁复续增一卷。至庙议已定，书乃取原编定为奏议一卷，会议一卷，续议一卷，复增庙议一卷，末又附诸臣私议一卷。私议者，议而未奏者也。然皆不外璁、萼等附和时局之说耳。"

## 本年

**胡侍下诏狱，原因不详。事白，夺秩为民。戊戌（1538）诏复其官。**《列朝诗集小传》丙集："乙酉下诏狱，除名为民。戊戌，有诏追复。承之初以不附濮议谪官，厥后下狱，不知所坐。许伯诚志其墓，骈语填塞，无所考焉。"胡侍字承之，去年谪补潞州判官。许宗鲁字伯诚，所作《鸿胪寺右少卿胡公侍墓志铭》，于胡侍下狱事云："无何崇祀议兴，嚣言讼聚，公乃橘性不化，荼苦遂罹。贾谊少年，自速长沙之责；子牟忠悃，常勤魏阙之怀。方内咎以图新，忽外尤而作戾。纷驰锦贝，组织无端，载锢圜陛，控白何所。公惟究心义画，诵言臣罪当诛。绝念邹书，仰恃皇明有赫。"真所谓"骈语填塞"也。

**邹守益读夏良胜诗文集《南归录》，并作跋。**邹守益《夏东洲南归录跋》云："嘉靖甲申，予与泾野吕仲木以议礼下狱，狱中有所倡和，东洲夏于中过而读之，因出正德己卯（1519）狱中诸作以相示。予读之，数日始毕卷，因书其后。"夏良胜字于中，南城人。正德戊辰进士，授刑部主事。改吏部，迁员外郎，谏南巡，予杖夺职。嘉靖初起故官，进郎中，迁南太常少卿，未赴，转给事中，谪茶陵知州，以在郎中时议礼，黜为民。再下狱论杖，谪戍辽东三万卫。隆庆初，赠太常卿。有《东洲稿》二十卷。《南归录》作于1519、1520年间。曾汉《南归录序》云："（正德）十二年（1517），东洲夏子服且阕，未行，或请曰：先生其有待乎？曰：是何言也！学古入官，吾何敢忘吾君？寻有诏，趣诸赐告者诣阙下，明年（1518）春遂行。于是天子方北狩，色忧意恻，往往见于文。未几，诏西征，朝野惶惑，入疏谏，不听。又明年（1519）诏南巡，民劳卒疲，舟车待登，宗藩伺窥，讹言沸腾。东洲子奋曰：此复不言，何以为臣？遂奏曰：臣良胜谨言，功忽于垂成，倖不可再恃，方今东南之祸，不独江淮，西北之忧，近在辇毂，矧庙祀之閟位，不可以久虚，圣母之孝养，不可以恒旷，宫壸之孕祥，不可以不早图，机务之繁重，不可以尽委。……疏入，天子震怒，群小者从而挤之，诏系狱辞问。时谏者百数十人，东洲子与舒太史国裳、黄武选部伯实倡其议，遂自考功员外郎放归南城。及淮阴，宁藩变果作，从建阳取道以归。然自草疏迄于是，卓焉不乱，又往往见于文。其门人辑其稿而传之，题曰《南归录》，诸凡为南归作者皆附焉。……正德十五年二月望，友人金溪曾汉序。"夏良胜另有《东洲初稿》，成于《南归录》前，有舒芬序，署"正德十四年六月下弦日"；万潮跋，署"正德岁己卯重九日"。《四库全书总目》卷一七一集部别集类二四著录夏良胜《东洲初稿》十四卷，提要曰："《明史》本传称良胜除名以后，辑其部中章奏，名曰《铨司存稿》，凡议礼诸疏俱在。今已不传。此其诗文集也。前七卷为杂文，第八卷为诗，第九卷为考定皇极指掌诸图，第十卷为天文便览，自十一卷以下皆题曰《仕止随录》，十一、十二两卷杂录南巡下狱疏奏诗文，及同时诸人投赠申救之作，十三、十四两卷杂录家居诗文。自十三卷以前皆题门人滇池罗江编。十四卷则题门人钟陵江治续编。《明史·艺文志》载《东洲稿》十二卷、诗八卷，与此本卷帙互异。然此本题曰《初稿》，刻于正德十五年。其嘉靖以后诸作，咸未之及。史所载者，殆其全集之卷数欤？良胜两以直谏谪，风节凛然。其诗文无意求工，而皆岳岳有直气。虽不以辞藻著名，要非雕章绘句之士所可同日语也。"《明诗纪事》戊签卷十录夏良胜诗一首。

邵经邦（1490—?）作《弘艺录》自序。《弘艺录》，邵经邦所撰诗文集。《四库全书总目》卷一七六集部别集类存目三著录《弘艺录》三十二卷，提要曰："明邵经邦撰。经邦字仲德，仁和人。正德辛巳进士。官至刑部员外郎。以论劾张孚敬下狱谪戍。事迹具《明史》本传。经邦以讲学自任。尝采古今论学语，发明其旨为《弘道录》。又删掇诸史为《弘简录》。所著诗文，则别为此录。经邦自作志铭所云'三弘'集成，瞽开聋鸣者是也。考其自作小传，称榷税荆州时衰所著为《弘艺录》。故卷首自序题嘉靖四年乙酉。而集中所载，并及于暮年绝笔。则又后人续编，非其手定之本矣。经邦上武宗疏及中兴保治、日食建言诸疏，皆慷慨激烈，足以见其志节。其他诗文则类皆抒写胸臆，不屑屑以研炼为工。卷首《艺苑玄机》七十三条，专明作诗之法。以严羽诗有别才非关学之说为不然。且谓清庙缉熙，莫非至理所寓，未可不谓之诗。人惟狃于习俗，谓与经生不同，故往往粘皮带骨。观其持论，其宗旨概可知也。"

费宷《嘉靖广信府志》定稿。据四库提要。

林应龙《适情录》成书。《四库全书总目》卷一一四子部艺术类存目著录《适情录》二十卷，提要曰："明林应龙编。应龙字翔之，永嘉人。尝充礼部儒士。是书成于嘉靖乙酉。前八卷载日本僧虚中所传弈谱三百八十四图。第九卷以下为外篇。《补遗图说》则应龙所搜辑也。"

周伦任南京都察院右佥都御史。严嵩任国子祭酒。据王世贞《弇山堂别集》。

广西土司李寰、卢四、赵楷等煽乱，副使翁万达以计讨平之，而未蒙迁擢。尹耕因作《南泰纪略》一卷以纪其事。该书《四库全书总目》卷三史部杂史类存目三著录。参见《明史》张经、翁万达及土司列传。

杨廉（1452—1525）卒。杨廉为月湖诗派代表诗人，所作多涉理路。《静志居诗话》卷八《杨廉》："杨廉字方震，丰城人。成化丁未进士，累官南京礼部尚书，赠太子少保。卒，谥文恪。有《月湖集》。月湖诗派，本白沙、定山。其言曰：'近代之诗，大抵只守唐人矩矱，不敢违越一步。惟陈公甫、庄孔旸独出新格。予好公甫诗，既选注之；好孔旸诗，又选注之。'其论绝句云：'于宋得濂洛关闽之作，于元得刘静修，于国朝得陈公甫、庄孔旸，因类成一帙，名曰《风雅源流》。'其师心若是。然其七言长篇，颇具排奡之力，五律亦以朴胜，不尽类陈、庄二公。"《四库全书总目》卷一七五集部别集类存目二著录杨廉《月湖集》四十八卷，提要曰：杨廉"事迹具《明史·儒林传》。是编凡分六集。以所作岁月核之，《月湖净稿》十九卷，《续稿》二卷，《遗稿》一卷，当在前。《月湖四稿》十卷，《五稿》七卷，《六稿》七卷，当在后。原本次序颠倒，盖编次偶误也。廉以气节称，而其父崇尝从吴与弼游，因亦喜讲学。请颁薛瑄《读书录》于同朝，请跻周、程、张、朱于汉、唐诸儒上，皆其所奏。故其诗多涉理路，其文亦概似语录云"。《明诗纪事》丙签卷九录其《题画》诗一首。诗云："山高径路微，林深茅屋小。读《易》者何人，焚香坐清晓。"

## 公元 1526 年（世宗嘉靖五年　丙戌）

### 二月

道士邵元节被命为真人。嘉靖中方技授官之滥，此为一证。赵翼《廿二史札记》卷三十四《成化嘉靖中方技授官之滥》："其后嘉靖中，又有方技滥官之秕政。道士邵元节，以祷祠有验，封为清微妙济守静修真凝元演范志默秉诚致一真人，统辖朝天、显灵、灵济三宫，总领道教，锡金、玉、象牙印各一，班二品，紫衣玉带，以校尉四十人供洒扫。寻又赐阐教辅国玉印，进礼部尚书，给一品服。荫其孙启南为太常丞，进少卿；曾孙时雍为太常博士。其徒陈善道亦封清微阐教崇真卫道高士。又有陶仲文，以符水治鬼，封神霄保国弘烈宣教振法通真忠孝秉一真人，累进礼部尚书、少保、少傅、少师，明代一人兼三孤者，惟仲文一人而已。寻又封恭诚伯，岁禄千二百石。荫其子世同为太常丞，世恩为尚宝丞，婿吴浚、从孙良辅为太常博士。其他段朝用、龚可佩、蓝道行、王金、胡大顺、蓝田玉、罗万象之属，亦皆以符呪烧炼扶鸾之术，竞致荣显。甚至顾可学官浙江参议，亦以炼秋石得幸，超拜工、礼二部尚书。盛端明官副都御史，亦以通晓药术，拜工、礼二部尚书。朱隆禧官顺天府丞，亦以长生秘术，加礼部侍郎。（以上诸官，皆食俸而不治事。）则不惟方士藉以干进，即士大夫亦以希荣邀宠矣。（皆《佞幸传》）是嘉靖时之优待方技，较成化更甚。其故何也？盖宪宗徒侈心好异，兼留意房中秘术，故所昵多而尚非诚心崇奉。世宗则专求长生，是以信之笃而护之深，与汉武之宠文成、栾大遂同一辙，臣下有谏者必坐以重罪，后遂从风而靡，献白兔、白鹿、白雁、五色龟、灵芝、仙桃者，几遍天下。贻讥有识，取笑后世，皆贪生之一念中之也。"

**赵时春**（1509—1567）**年十八，为今年会元。其文以汪洋浩瀚见长。**周鉴《明御史丞浚谷赵公行实》："公讳时春，字景仁，号浚谷。浚谷者，平凉东南隅水名也。"年十四举陕西乡试。"丙戌乃举礼部第一人，年才十八耳。其文义汪洋浩瀚，气雄千古，学士大夫争重之。馆阁诸公深以国士器之。改翰林院庶吉士，尽读中秘书，文士储书者咸借览。"徐阶《明故巡抚山西都察院右佥都御史浚谷赵公墓志铭》："年十四举陕西乡试，十八试礼部，褎然为举首。当是时，海内伺其有所制作，争传诵之，而公则习骑射，谈甲兵，日以边备之不修为大戚。"选庶吉士，改兵部主事，以建言下狱。寻补翰林编修，又以上疏，放归。会边警，起领民兵，自副使超拜右佥都御史，巡抚山西。有《浚谷集》。

## 三月

**龚用卿等进士及第。**《弇山堂别集》卷八十二《科试考二》："五年丙戌，命太子太保礼部尚书武英殿大学士贾泳、詹事府詹事兼翰林院学士董玘为考试官，取中赵时春等。廷试，赐龚用卿、杨维杰、欧阳衢及第。先是，举人廷试，纳卷之日，弥封官以会试首列数卷潜送内阁，以备一甲之选，或内阁密觇状头仪貌及平日有声者；阅卷官出自东阁，归宿私第。是岁礼部尚书席书疏其弊，乞弥封官不得与送读卷官退朝，直宿礼部。诏曰：'可。著为令。'改进士袁袠、陆粲（1494—1551）、赵时春（1509—1567）、林云同、金潞、张鳌、连矿、詹淑、华察（1497—1574）、屠应埈（1502—1546）、毛渠、王宣、王嘉宾、邝忭、郭秉聪、张渠、余棐、江以潮、杨恂、李元阳、王格（1502—1595）、张铎为庶吉士。明年十月，诏以庶吉士为部属科道等官，而陆居首，仅得给事，其次部属，又次御史，其江以潮、杨恂为评事，李元阳以下为知县。盖大学士张璁等意也。"李选《侍御中溪李元阳行状》："先生讳元阳（1497—1580），字仁甫，世居点苍山十八溪之中，因号中溪。其先浙之钱塘人，祖讳顺者，仕元为大理路主事，爱恋山水，遂家焉。……嘉靖壬午中云贵乡试第二，丙戌成进士，初授翰林院庶吉士，寻以议礼忤权臣，出补分宜。"与唐顺之、屠应埈等并称十才子。

**同榜进士有陆埰、吕希周、石文睿、江以达、闻人铨、田汝成（约1503—1563后）、樊鹏、袁袠（1502—1547）、范言、王慎中（1509—1559）、苏祐等。**《明史·文苑传》载："王慎中，字道思，晋江人。四岁能诵诗，十八举嘉靖五年进士，授户部主事，寻改礼部祠祭司。时四方名士唐顺之、陈束、李开先、赵时春、任瀚、熊过、屠应埈、华察、陆铨、江以达、曾忭辈，咸在部曹。慎中与之讲习，学大进。"

**王畿、钱德洪以当国者压制阳明心学，不与廷试而归。王、钱皆受业于阳明。**《徐渭集》补编《畸编·师类》："王先生畿，正德己卯十四年举人，不赴会试，至嘉靖丙戌五年，会试中进士，不廷试，至嘉靖十一年壬辰，始廷试。"《明史·儒林传》载："钱德洪，名宽，字德洪，后以字行，改字洪甫，余姚人。王守仁自尚书归里，德洪偕数十人共学焉。四方士踵至，德洪与王畿先为疏通其大旨，而后卒业于守仁。嘉靖五年举会试，径归。""王畿，字汝中，山阴人。弱冠举于乡，跌宕自喜。后受业王守仁，闻其言，无底滞，守仁大喜。嘉靖五年举进士，与钱德洪并不就廷对归。"《明儒学案》卷十二载：王畿欲不赴嘉靖五年会试，"文成（王守仁）曰：'吾非以一第为子荣也，顾吾之学，疑信者半，子之京师，可以发明耳。'先生乃行，中是年会试。时当国者不说学，先生谓钱绪山（德洪）曰：'此岂吾与子仕之时也？'皆不廷试而归。"

**金大车**（1493—1536）**下第归，偕许谷、陈凤、谢少南等读书于南京清溪之上。**许谷《刻金子有诗集后语》："余少与金子有（大车）、谢应午（少南）、陈羽伯（凤）诸君，读书于清溪之上，时称为莫逆交。乃子有摇笔成章，顷刻盈纸，豪荡奔逸，各中程度，未尝不叹其受材之灵异如此。"《列朝诗集小传》丁集上："大车字子有，其先西域默伽国人也。太祖时，以归义授鸿胪卿，赐姓启宇，遂为金陵人。……嘉靖乙酉（1525），举于乡，下第归，偕陈羽伯、许仲贻及弟子坤，从游于顾华玉，华玉慎许可，极爱重。"顾璘字华玉。金大车凡五应进士试不第。

**许谷**（1504—1586）**应进士试不第，卒业南雍。**姜宝《前中顺大夫南太常少卿石城许公墓志铭》："公讳谷，字仲贻，石城其号也。"上元人。"年十九以儒士应壬午（1522）乡试，为京兆寇公某、学使萧公某所知。次科为嘉靖乙酉（1525），京兆王公某、学使卢公某并首取，应试举于乡，即予先从父同举之年也。明年丙戌下第，卒业南雍。时尚书顾公璘（1476—1545）以古文名，公从之游，得其文之法。侍郎吕公柟（1479—1542）讲伊洛之学于留都，公又从之游，得其学之宗旨。既而又取友于远近，同里则善金子大车、陈子凤，同年则善袁子袠、陆子粲、王子谷祥、皇甫子汸、屠子应埈，资众长以进学而为文，学日博，文亦日工。"许谷为乙未（1535）进士。有《省中稿》、《二台稿》、《归田稿》等。

## 六月

**张治道作《嘉靖丙戌六月五日京兆驿观进贡狮子歌》。**《明诗纪事》戊签卷十二收入。张治道（1487—1556）字孟独，一字时济，长安人。正德甲戌（1514）进士，授长垣知县。迁刑部主事。有《太微》前后集。

**世宗召大学士费宏、杨一清、石珤、贾咏入见，各作一诗相勖。时世宗颇好吟咏。杨一清于今年五月复入阁。**杨一清《宸翰录》卷一《御制五言古诗》："嘉靖五年六月十三日，朝罢，宣内阁诸臣至谨身殿左平台。上先召大学士费宏等三人至前，各手赐诗一首，宣谕：'卿等前日恭和朕制诗章，朕亦偶成一诗以赐卿等，其用心辅导。'臣宏等致词谢，命赐酒馔出。乃召臣一清至前，手赐五言古诗一章，宣谕：'卿去年提督边方，劳勤昭著，特兹召还。朕作一诗以赐卿，卿其用心供职。'臣奉职叩头谢曰：'臣本老病无用之人，荷蒙陛下召还内阁，分当委身报国。今又蒙赐诗面谕，不胜感戴，凡事岂敢不竭尽心力。'上命赐酒馔出。次日，上表谢恩。臣一清顿首谨记。"余继登《典故继闻》卷十七："世庙于万机之暇，留心篇章，嘉靖五年六月御平台，召大学士费宏、杨一清、石珤、贾咏入见，各作一诗相勖。赐宏诗云：'睠兹忠良副倚赖，舜皋仿佛康哉赓。朕缵大服履昌运，天休滋至卿其承。沃心辅德期匪懈，未让前贤专令名。'赐珤诗云：'黄阁古政府，辅导须才良。卿以廷荐入，性资特刚方。在木类松柏，在玉如珪璋。可否每献替，忠实无他肠。'赐咏诗云：'卿本中州俊，简在登台衡。君臣际良难，所贵德业并。朕固亮卿志，夙夜怀忠贞。《卷阿》有遗响，终听凤凰鸣。'赐一清诗云：'迩年西陲扰，起卿督边方。宽朕西顾忧，威名满华羌。予承祖宗绪，志欲宣重光。卿展平生猷，佑朕张皇纲。'"《弇山堂别集》卷四十五《内阁辅臣年表》："贾咏字鸣和，河南临颍人。由弘治丙辰进士，嘉靖四年以礼书、文渊阁学入，六年以少保、武英殿学致仕，卒，年八十三。"《四库全书总目》卷一九三集部总集类存目二著录费宏编《宸章集录》一卷，提要云："此书乃嘉靖五年六月十三日，世宗御平台，召宏及大学士杨一清、石珤、贾咏入见，各赐御制诗。宏得七言古诗一章，一清、珤、咏各得五言古诗一首。宏等疏谢，并依原韵和进，帝复赐以批答。宏因集为一帙，梓而传之。《明史》宏本传称，帝尝御平台，特赐御制七言诗一章，命辑倡和诗集，署其衔曰内阁掌参机务辅导首臣。其见尊礼，前此未有。张璁、桂萼滋害宏宠，萼言诗文小技，不足劳圣心。且使宏得凭宠灵，凌压朝士。帝置不省云云。然则此书乃承世宗之命所编也。"

**《恭穆献皇帝实录》奉世宗命纂成。献皇帝，即世宗之父兴献王。**《弇山堂别集》卷七十六《赏赉考上》："嘉靖五年，修献皇帝实录成，赐监修、太师、定国公徐光祚及礼部尚书席书，总裁、少师、太子太师、吏部尚书、谨身殿大学士费宏，少师、太子太傅、吏部尚书、武英殿大学士杨一清，太子太保、吏部尚书、武英殿大学士石珤，太子太保、礼部尚书、武英殿大学士贾咏，如前。按录成之后，例有迁官，其监修、总裁加秩，则始自正统五年，前固无之。"又卷九十《中官考一》："五年六月，大学士费宏等言：'皇考实录成，其于圣谟睿德，纪载颇为详实，然臣等不敢自以为功也。盖累朝实录，皆有章奏可据，若今献皇帝三十余年之事，臣等所赖以考据者，则有司礼监太监张佐、黄英、戴永编实录一册，载献帝睿制序文及各年章奏为详，功当首论。后又得司礼监太监杨保、陈清、锦衣正千户翟裕、陆松所纂修之助，功当并论，伏惟上裁。'上从其言，命荫佐等各弟侄一人，以酬其劳，佐指挥金事，黄英、戴永俱正千户，杨保百户，陈清总旗，俱锦衣卫世袭。翟裕、陆松俱升指挥金事。时佐、英、永已用扈驾功赐荫，心不自安，上疏辞，上嘉其诚恳，许之。仍令原荫指挥使张琦于锦衣卫堂上管事，指挥同知黄寿升指挥使，金事戴仁升指挥同知。"

**文徵明致仕归，自是优游林下三十余年。**黄佐《将仕佐郎翰林院待诏衡山文公墓志》："丙戌孟冬，与公同辞朝。"文嘉《先君行略》："先是罗峰张公为温州所拔士，公亦与交。及张将柄用，遂渐远之。公于早朝未尝一日不往。偶跌伤左臂，始注门籍月余。时议礼不合者，言多讦直，于是上怒，悉杖之于朝，往往有至死者。公幸以病不与，乃叹曰：'吾束发为文，期有所树立，竟不得一第。今亦何能强颜久居此耶？况无所事事，而日食太官，吾心真不安也。'遂谢归。方上疏时，或言：'公居官已三年，若一考满，当得恩泽，或可进阶。'公笑而不答，竟不考满而归，时丙戌冬也。属河冻舟胶，不可行，乃与泰泉黄公同守冻潞河。有欲疏留公者，公令人谢之曰：'吾已去国，而偶滞于此；若疏入，是我犹有所觊觎矣，何君不知故人如此？'留者遂止。或劝公从陆路遄往归，公曰：'吾非以斥逐去国，行立均耳，何必穷日之力而后为快哉？'明春冰解，遂与泰泉方舟而下。到家，筑室于舍东，名玉磬山房。树两桐于庭，日徘徊啸咏其中，人望之若神仙焉。于是四方求请者纷至，公亦随以应之，未尝厌倦。惟诸王府以币交者，绝不与通；及豪贵人所请，多不能副其望。曰：'吾老归林下，聊自适耳，岂能供人耳目玩哉！'盖如是者三十余年，年九十而卒。"王世贞《文先生传》："先生为待诏，可二年，修国史，侍经筵。岁时上尊饩币，所以慰赐甚厚。然居恒邑邑不自得，上疏乞归，寝不报。又一年，当满考，先生逡巡弗肯往，再上疏乞归，又不报。亚相张公者，温州公所取士也，用议礼骤贵，风先生主之，先生辞。而上相杨公以召入，先生独后。杨公亟谓曰：'生不知而父之与我友耶？而后见我？'先生毅然曰：'先君子弃不肖三十余年，而以一字及者，不肖弗敢忘也，故不知相公之与先君子友也。'竟立弗肯谢。杨公怅然久之，曰：'老悖甚，愧见生，幸宽我。'至是，杨公与张公谋欲迁先生，而先生愈迫欲归，至三上疏，得致仕。御史郑洛请留先生为翰林重，朝论龊之。先生归，杜门不复与世事，以翰墨自娱。诸造请户外屦常满，然先生所与从请，独书生，故人子属，为姻党而窭者，虽强之竟日，不倦。其他即郡国守相连车骑，富商贾人珍宝填溢于里门外，不能博先生一赫蹏。而先生所最慎者藩邸，其所绝不肯还往者中贵人，曰：'此国家法也。'"上相杨公指杨一清。

## 十一月

**王世贞**（1526—1590）**生**。钱大昕《弇州山人年谱》："明世宗嘉靖五年丙戌十一月五日公生。"王世贞字元美，忬子。年十九，登嘉靖二十六年进士，授刑部主事，屡迁员外郎中。奸人阎姓者犯法，匿锦衣都督陆炳家，世贞搜得之。炳介执政以请，卒不许。吏部两推提学，皆不用，用为青州兵备副使。父忬系狱，世贞解官奔赴，与弟世懋日蒲伏嵩门，涕泣求贷。嵩阴持忬狱，而时为谩语以宽之，忬竟死。兄弟持丧归，蔬食三年，不入内寝。既除服，犹却冠带，苴履葛巾，不赴宴会，近十年。隆庆初，兄弟既伏阙讼父冤，言官荐起之，世贞坚不出，以入事应，诏不允。起大名副使，迁浙江右参政、山西按察使。母忧归，服除，补湖广，旋改广西右布政，入为太仆卿。万历二年九月，以右副都御史抚治郧阳，数条奏屯田戍守兵食事。宜有奸僧，伪称乐平王次子，奉高皇帝御容金牒行游天下。世贞曰："宗藩不得出城，而诬张如此，必伪也。"捕讯之，服辜。张居正柄国，以世贞同年生，有意引之，世贞不甚亲附。所部荆州地震，引京房占，谓臣道太盛，坤维不宁，居正妇弟辱江陵令，世贞论奏不少贷。居正积不能堪。会迁南京大理卿，为给事中杨节所劾，即取旨罢之。后起应天府尹，复被劾罢。居正殁，起南京刑部右侍郎，辞疾不赴。万历十三年，起南京兵部右侍郎，以积俸得考满荫子，擢南京刑部尚书。移疾归，卒于家。世贞好为诗古文辞，始与谢榛、李攀龙、宗臣、梁有誉、吴国伦、徐中行辈结诗社，绍述李、何复古之学。其持论"文必西汉，诗必盛唐，大历以后书勿读"，名出数子上。顾盛推攀龙。攀龙殁，独操文柄者二十年，海内宗之。祀乡贤。世贞三子：长士骐，字冏伯，万历十年乡试第一，十七年成进士，授兵部主事，改礼部。据康熙《苏州府志》、康熙《青州府志》、《列朝诗集小传》等。

**刘玉作《志怪》诗。怪者，反常之事也。**诗云："纪岁丁丙戌，夏四月廿六。靖浪之民家，黄犉身孕犊。一项而二首，各具口耳目。五月十四日丙申，金坛农妇生怪人。头方四角面青而六眼，高额凹鼻獠牙鸟喙如山精。手足一节具一爪，堕地鬼叫连三声。欻然起走击乃毙，创见此怪吁可惊。七月望仍丙申日，异牛又产南阳邑。二首相同项亦分，心肺虽分身尾一。闻之嗟嗟稽古书，无乃世降生形殊。反身修德天可格，祥桑枯死安无虞。"刘玉生平，略见《列朝诗集小传》丙集："玉，字咸栗，万安人。弘治丙辰进士，授监察御史。正德初，抗论刘瑾八党罢归。瑾诛，起河南佥事、福建副使，升南京佥都御史。以舟师援安庆有功。世宗即位，留掌都察院。明年，以刑部侍郎闲住，赠尚书，谥端敏〔毅〕。罗钦顺志其墓，谓博通载籍，尤长于天文、地理，凡军谋、师律、仪章、法制，皆详究其本末。杨慎选定其集，凡三卷。"《静志居诗话》卷九："执斋当宸濠之变，正理江防，驰檄师中，与乔庄简犄角，克固疆圉，其功有足录者。诗颇娟秀绝尘，比于庄简似过之。《送行》云：'日日都门送别离，道傍杨柳已无枝。西飞白日东流水，不放行人住少时。'《百舌》云：'百舌鸟，何佻巧。啼遍上林音枭枭。雌鸠唤雨雄鸠晴，鹪鸪欲住鹊欲行。一鸟一舌尚难定，尔有百舌能无争。人生言出虑祸人，一言之失驷不及。三寸舌在中祸机，喑尔百舌无是非。'"《明史·艺文志》著录刘玉《执斋集》二十卷。

**董沄（1458—1534）以六十九岁高龄从王守仁越中守岁。**《明儒学案·浙中王门学案四·布衣董萝石先生沄》："董沄字复宗，海盐人。……丙戌岁尽雨雪，先生襆被而出，家人止之不可，与阳明守岁于书舍。"《静志居诗话》卷九："萝石闻阳明讲学，瓢笠渡江从之，时年六十有八，年长于阳明云。明年，从其师越中守岁，风雪夜赋诗，所云'六十九年今夜除'者是也。阳明和韵云：'况有故人千里至，不知今夜一年除。'复为序其事云：'道人今年已七十，往来湖山之间，去住萧然，曾不知有家室。其子谷贤而孝，谓道人老矣，出辄长跪请留。道人笑曰：'尔之爱我也以姑息，吾方友天下善士，以与古圣贤为徒。天地且逆旅，奚必一亩之宫，而后为吾舍邪？'集有《山居吟》云：'青山绕湖茅结庐，饥餐渴饮事无余，是非欲付樵与渔。'洒达者之言也。"董沄号萝石，王守仁号阳明子。

## 十二月

**祝允明（1460—1527）卒。**（卒年据公历标注）陆粲《祝先生墓志铭》："先生殁以嘉靖丙戌冬十有二月十七日。""春秋六十有七。""先生讳允明，字希哲，苏之长洲人也。……岁壬子举于乡。……自是连试礼部不第。当道奇其才，会修史，将名荐之弗果。初仕兴宁令……稍迁通判应天府，亡何乞归。又五年卒。"参见《艺苑卮言》卷六、《列朝诗集小传》丙集、《明史》文苑传等。俞宪《盛明百家诗·祝枝山集》云：

"祝枝山诗赋。研缀古雅，构运沉郁，时有新声，终称逸调。大致学力所到，而得于天者尤多，亦似其草书也。"《静志居诗话》卷九《祝允明》："祝允明字希哲，长洲人。弘治壬子举人，除兴宁知县，迁应天府通判。有《祝氏集略》，又有《金缕》、《醉红》、《窥帘》、《畅哉》、《掷果》、《拂弦》、《玉期》等集。六如居士画，枝指生书，允称绝品。至于诗，逊昌谷三十筹。然如'莫食汨罗鱼，肠中有灵均'，'小山侵竹尾，细水护松根'，'麦响家家碓，茶提处处筐'，'人家低似岸，湖水远于天'，置之《叹叹集》中，正自难辨。"王士禛《香祖笔记》卷一云："明文士如桑悦、祝允明，皆肆口横议，略无忌惮。悦对丘文庄言，举天下文章，惟悦，其次祝允明。世但嗤其妄人耳。允明作《罪知录》，历诋韩、欧、苏、曾六家之文，深文周内，不遗余力。谓韩伤易而近儇，形粗而情霸，其气轻，其口夸，其发疏躁；欧阳如人毕生持丧，终身不被衮绣；东坡更作儇浮，的为利口，哗犷之气，肆溢舌表，使人奔迸狂颠而不息；曾、王既脱衣裳，并除爪发，譬之兽啮腊骨；至于老泉、颍滨、秦、黄、晁、张，则谓不足尽及；惟柳如冕裳佩玉，犹先王之法服。乃其大旨，则在主六代之比偶故实，吁，亦鄙而倍矣。论唐诗人，则尊太白为冠，而力斥子美，谓其以村野为苍古，椎鲁为典雅，粗犷为豪雄，而总评之曰外道，李则《凤凰台》一篇亦推绝唱。狂悖至于如此，醉人骂坐，令人掩耳不欲闻。论诗余则专祖太白、飞卿，稍许欧、晏、周、柳，以为缀旒，谓东坡木强疏脱，少游、鲁直特市廛小家之子。略举大端如右，所谓无忌惮者，不足置辨也。"《四库全书总目》著录祝允明《苏材小纂》六卷、《祝子罪知》七卷、《浮物》一卷、《读书笔记》一卷、《野记》四卷、《志怪录》五卷、《怀星堂集》三十卷。《祝子罪知》提要曰："是编乃论古之言。其举例有五，曰举，曰刺，曰说，曰演，曰系。举曰是是，刺曰非非，说曰原是非之故，演曰布反复之情，系曰述古作以证斯文。一卷至三卷皆论人。四卷论诗文。五卷、六卷论佛老。七卷论神、鬼、妖、怪。其说好为创解。如谓汤、武非圣人；伊尹为不臣；孟子非贤人；武庚为孝子；管、蔡为忠臣；庄周为亚孔子一人；严光为奸鄙；时苗、羊续为奸贪；谢安为大雅君子，终弈折屐非矫情；邓攸为子不孝，为父不慈，人之兽也；王珪、魏徵为不臣；徐敬业为忠孝；李白百俊千英万夫之望；种放为鄙夫；韩愈、陆贽、王旦、欧阳修、赵鼎、赵汝愚为匿非。论文则谓韩、柳、欧、苏不得称四大家。论诗则谓诗死于宋。论佛老为不可灭。皆剿袭前人之说，而变本加厉。王宏撰《山志》曰：祝枝山，狂士也。著《祝子罪知录》，其举刺予夺，言人之所不敢言。刻而戾，僻而肆。盖学禅之弊。乃知屠隆、李贽之徒，其议论亦有所自，非一日矣。圣人在上，火其书可矣。其说当矣。"《怀星堂集》提要曰："《明史·艺文志》载《祝氏集略》三十卷，《怀星堂集》三十卷，《小集》七卷。本传称其诗文集六十卷。朱彝尊《静志居诗话》载《祝氏集略》外，又有《金缕》、《醉红》、《窥帘》、《畅哉》、《掷果》、《拂弦》、《玉期》等集。今行于世者惟《祝氏集略》及此集，凡诗八卷、杂文三十二卷。允明与同郡唐寅并以任诞为世指目。寅以画名，允明以书名，文章均其余事。寅诗颓唐浅率，老益潦倒。袁褧所辑《六如居士集》，王世贞《艺苑卮言》以乞儿唱莲花落诋之。顾璘《国宝新编》称允明学务师古，吐词命意，迥绝俗界。效齐梁月露之体，高者凌徐、庾，下亦不失皮、陆。其推挹诚为过当。然允明诗取材颇富，造语颇妍，下撷晚唐，上薄六代，往往得其一体。其文亦萧洒自如，不甚倚门傍户。虽无江山万里之观，而一丘一壑，时复有致。才人之作，亦不妨存备一格矣。"《明诗纪事》丁签卷十二录其诗五首，陈田按语云："枝指生言情之作颇有丽藻，不尽合辙。"

**朱应登**（1477—1527）卒。（卒年据公历标注）其诗文以李梦阳为宗。李梦阳《凌溪先生墓志铭》云："嘉靖五年十二月乙丑，中奉大夫云南左参政凌溪先生卒于家。……凌溪生成化十三年正月己未，得年五十。""凌溪先生姓朱氏，名应登，字升之，扬之宝应人也。生而荦奇，童时即解声律，谙词章，十五尽通经史百家言。……年二十举进士，时顾华玉璘、刘元瑞麟、徐昌谷祯卿号江东三才，凌溪乃与并奋，竞骋吴楚之间，欻为俊国，一时笃古之士，争慕响臻，乐与之交，而执政者顾不之喜，恶抑之。北人朴，耻乏蘁敽，以经学自文，曰：'后生不务实，即诗到李杜，亦酒徒耳。'而柄文者承弊袭常，方工雕浮靡丽之词，取媚时眼。见凌溪等古文词，愈恶抑之，曰：'是卖平天冠者。'于是凡号称文学士，率不获列于清衔。"（《皇明文范》卷四十九）参见顾璘《国宝新编》等。《静志居诗话》卷十《朱应登》："朱应登，字升之，宝应人。弘治己未进士，除南京户部主事，迁知延平府，以副使提学陕西，调云南，寻升布政司右参政。有《凌溪集》。李、何并兴，李目空诸子，自三秦而外，得其门者盖寡。心摹手追，凌溪一人而已。其《口占绝句》云：'文章康李传新体，驱逐唐儒驾马迁。'盖其文亦宗北地者。祝希哲赠诗云：'《大韶》张宫悬，九变尽美善。'陈鲁南诗云：'摛毫扬美词，肆意逐高云。'李献吉诗云：'疏越发潜响，烂若湍锦舒。'徐昌谷诗云：'神飙清管发，逸兴白云俱。'其为名流所赏如此。"《四库全书总目》卷一七六集部别集类存目三著录《凌溪集》十八卷，提要曰："明朱应登撰。应登字升之，宝应人。弘治己未进士，官至云南布政司参政。弘治七子之一也。《明史·文苑传》附见顾璘传中。是集凡赋二卷，诗十卷，文五卷，附录碑文、传铭、诗文一卷。……其生平惟以北地为宗，故诗文格调相近。然沉着顿挫处，则才力不及梦阳。顾璘为作碑文，称其诗上准风雅，下采沈、宋，磅礴蕴藉，郁兴一代之体。未免谀墓之辞矣。"《明诗纪事》丁签卷三录其诗七首，陈田按语云："升之俪名十子，究其才品，在子衡之下，康、王之上。"

## 本年

张邦奇为倪复《钟律通考》作序。毛凤韶《浦江志略》成书。据四库提要。

山西佥事李濂（1489—1566 后）以大计免归，年才三十有八。自是里居，长达四十余年。《明史·文苑传》："李濂，字川父，祥符人。举正德八年乡试第一，明年成进士。授沔阳知州，稍迁宁波同知，擢山西佥事。嘉靖五年以大计免归，年才三十有八。濂少负俊才，时从侠少年联骑出城，搏兽射雉，酒酣悲歌，慨然慕信陵君、侯生之为人。一日作《理情赋》，友人左国玑持以示李梦阳，梦阳大嗟赏，访之吹台，濂自此声驰河、洛间。既罢归，益肆力于学，遂以古文名于时。初受知梦阳，后不屑附和。里居四十余年，著述甚富。"有《嵩渚集》一百卷。

**韩文**（1441—1526）卒。《静志居诗话》卷八《韩文》："韩文字贯道，洪洞人。

成化丙戌进士，累官太子太保，户部尚书，赠太傅，谥忠定。有《质庵存稿》。忠定公余即事吟咏，集中十九皆七言近体，取自怡悦而已。"

**苏州知府胡缵宗（1480—1560）刊行张凤翔（1472—1501）诗集。** 据李梦阳《张光世传》。

**戴钦（？—1526）卒。戴钦为明中叶粤西诗家翘楚。** 戴钦字时亮，马平人。正德甲戌进士，授刑部主事。进员外，以谏大礼受杖。《四库全书总目》卷一七六集部别集类存目二著录戴钦《鹿原存稿》九卷，提要曰："其集刻于闽者八卷，曰《玉溪存稿》。刻于滇者二卷，曰《戴秋官集》。此则其侄希颜所合辑，凡文二卷，诗七卷。钦与何景明、李濂、薛蕙等同时友善。所作颇刻意摹古，然不越北地之余派。"《明诗纪事》戊签卷十二录戴钦诗二首，陈田按语云："《广西志》及《粤西文载》均云时亮以受杖死。余检《明史》，当时以谏大礼受杖死者十七人，无时亮名。又时亮侄希颜跋《鹿原集》云丙戌时亮卒于京邸。考受杖在嘉靖甲申七月，至丙戌已隔二年，则非杖死明矣。时亮诗音节浏亮，粤西诗家在明中叶，此为翘楚。"

**郑作（1480—1526）别李梦阳南归，殁于舟中。** 郑作，字宜述，号方山子，歙人。有《方山子集》。李梦阳《方山子集序》："郑生名作，字宜述，号方山子。……嘉靖五年，郑生年四十七岁，病痰咳，不恢于游，将返舟归方山绎旧业，读书岩穴松桂间。空同子送之郊，三叠歌赠焉。"《列朝诗集小传》丙集：方山子"别空同南归，殁于丰沛舟中"。"方山初见空同，空同规其诗率易，乃沉思苦吟，不复放笔涂抹。诗数千百篇，空同选得二百余，序而传之。然方山诗如'寒灯坐愈亲'、'寒叶动秋声'之类，空同集中正未易有此佳句也。"《静志居诗话》卷十一："宜述游汴，际空同诗名未大盛时，北面称弟子，以是空同深爱之。何大复所云'老郑空同客'也。其诗经空同选择，序而传之，且为作《方山精舍记》。又赠诗云：'近时好事最者谁？徽州郑生差爱我。'今观其诗，颇俊利，远胜五岳山人。《闻雁》云：'秋日江南去，春风塞北归。只愁罗网密，敢恋稻粱肥。独往寒天远，高飞旧侣稀。游人夜不寐，感尔泪沾衣。'《客中闻四弟消息》云：'昨遇梁园使，孤城舍弟居。干戈长在目，烽火不通书。汝计犹长铗，吾心已敝庐。两乡千里隔，相望各霑裾。'《除夕》云：'除夕愁难破，还家梦转频。十年江海客，孤馆别离人。残漏听还尽，寒灯坐愈亲。梅花满南国，谁寄一枝春。'"《千顷堂书目》著录郑作《方山子集》二卷。郑作，歙人。李梦阳号空同子。

**王讴（1491—1526）卒。**《静志居诗话》卷十一《王讴》："王讴，字舜夫，白水人。正德丁丑进士，除工部主事，迁刑部员外，出为按察佥事。有《彭衙集》。舜夫诗多至千六百篇，譬田甫田，种豆成萁，若苗有莠，当属关中下农。《夜行》一篇，其污莱之嘉谷乎？其辞曰：'夜行如在旦，残月清林光。云气集深涧，露华生早凉。白沙郁浩浩，翠壁凝苍苍。寂历松柏径，经过花草香。鸡声互村落，曙色动柴桑。即事况多感，离心含永伤。'"《明诗纪事》戊签卷十三录王讴诗十三首，陈田按语云："舜夫诗集存诗太多，芜蔓不薅；时有俊篇，不愧名家。竹垞嗤为关中下农，无乃唐突。"《王彭衙诗》有颜木序，署"嘉靖甲午（1534）腊日"，"汉东颜木"；有陈嘉言跋，署嘉靖乙未（1535）元日，里人九峻陈嘉言谨跋"。颜序云："王子戊（1518）逮丙（1526）才九年，所作近六百篇。"则王讴现存诗均作于正德戊寅至嘉靖丙戌间。

**张璁转兵部左侍郎**。据王世贞《弇山堂别集》。

**潘府**（1554—1526）**卒**。《明史·儒林传》载："潘府，字孔修，上虞人。成化末进士。……时王守仁讲学其乡，相去不百里，颇有异同。"

## 公元 1527 年（世宗嘉靖六年　丁亥）

### 二月

**罢大学士费宏、石珤，谢迁复入阁。杨言为费宏、石珤、杨廷和辩诬**。据孟森《明史讲义》第二编第四章。《明诗纪事》戊签卷十四《杨言》陈田按："嘉靖六年，锦衣百户王邦奇言哈密事，请诛杨廷和、彭泽，下部议未复。邦奇复诬大学士费宏、石珤阴庇廷和，词连廷和子主事惇等，将兴大狱。惟仁抗疏曰：'先帝晏驾，江彬手握边军四万，图为不轨。廷和密谋行诛，俄顷事定，迎立圣主，此社稷之勋也。纵使有罪，犹当十世宥之。今既以奸人言罢其官，戍其长子慎矣。乃又听邦奇之诬，而尽逮其乡里亲戚，诬为蜀党。何意圣明之朝，忽有此事。'书奏，帝震怒，并收系惟仁，亲鞫于午门，备极五毒，折其一指。惟仁有诗云：'云何捐臂指，率尔忤雷霆。'纪其事也。"杨言，字惟仁。正德辛巳进士，除行人。官至湖广参议。时杨廷和致仕家居。

**邵宝**（1460—1527）**卒。邵宝为李东阳弟子，当李、何势盛，而守其师法不变**。杨一清《明故资善大夫南京礼部尚书赠太子少保谥文庄邵公神道碑铭》云："邵公讳宝，字国贤者，予友西涯李文正公之门人也。予以西涯故，获好于公，久乃益习。晚年予谢政，公归侍养，镇常郡相比，岁时通问讯不绝。然制于踪迹，不及见。去年嘉靖丁亥，予在朝，忽得守臣报，则公亡矣。公世居无锡，近慧山，传称天下第二泉也，因号泉斋，又曰二泉，学者称为二泉先生。文正公成化庚子主考南畿，得公文，以诧于予曰：'吾得天下士。'举甲辰进士。出知河南许州。……公生天顺庚辰，卒于嘉靖丁亥二月辛未，寿六十有八。讣闻，赠太子少保，赐谥文庄，谕祭营葬。""文辞典重，刊落华藻，一归于纯厚。诗歌出入唐杜间，乐府有汉魏遗意。所著《学史》、《简端》二录，为都宪吴公献臣录进，他如《定性书说》、《漕政举要录》、《容春堂》、《勿药》诸集，各若干卷，藏于家。"《列朝诗集小传》丙集载："公举南畿，受知于西涯，及为户部郎，始受业西涯之门，西涯以衣钵门生期之。越三十年，以侍郎予告，西涯作《信难》一篇以贻之，以欧公之知子瞻及子瞻之服欧公者为比，盖西涯之绝笔也。西涯既殁，李、何之焰大张，而公独守其师法，确然而不变，盖公之信西涯与其所自信者深矣。竟陵钟伯敬尝语予曰：'空同出，天下无真诗，真诗惟邵二泉耳。'余与孟阳亟赏其言。"《四库全书总目》著录邵宝《左觿》一卷、《简端录》十二卷、《大儒奏议》六卷、《慧山记》三卷、《学史》十三卷、《容春堂集》二十卷、《后集》十四卷、《续集》十八卷、《别集》九卷，《容春堂集》提要曰："宝举乡试，出李东阳之门。故其诗文矩度，皆宗法东阳。东阳于其诗文亦极推奖。当宝以侍郎予告归，东阳作《信难》一篇以赠，称其集出入经史，搜罗传记，该括情事，摹写景物，以极其所欲言，而无冗字长语、辛苦不怡之色。若欲进之于古人。且以欧阳修之知苏轼为比。其心之相契如此。然东阳所见只有《前集》，其《后集》、《续集》、《别集》则宝后所续编，东阳弗及睹也。今统观四集，其文边幅少狭，而高简有法，要无愧于醇正之目。《明史·儒林传》称其学以洛、闽为的，尝曰吾愿为真士大夫，不愿为假道学。其文典重和雅，以李东阳为宗。而原本经术，粹然一出于正。殆非虚美。其诗清和澹泊，尤能抒写性灵。顾元庆《夷白斋诗话》极称其《乞归终养，上疏不允》一篇，谓其感动激发，最为海内传诵，盖其真挚不可及云。"邵宝是成化甲辰（1484）进士，官至南京礼部尚书。同榜进士有乔宇（1457—1524）、王云凤（1465—1517）、储巏（1457—1513）、杨循吉（1458—1546）等。

## 三月

**舒芬**（1484—1527）卒。薛应旂《舒修撰传》："修撰舒先生名芬，字国裳，江西南昌进贤人也。其先世居浙之东阳，元大德初有名文英者，始徙进贤之梓溪。""进贤有石人滩，相传谓滩合则状元出，人遂以石滩称先生，盖期之也，先生逊避，别号梓溪。""丁亥春三月疾作，十有四日卒。距生成化甲辰三月十有二日，年四十四岁。所著《梓溪集》若干卷，词严义正，如其为人。编辑《周礼》定本，则尤其所注意也。"其生平事实，另有孙琛《翰林院修撰舒公行实》可供参考。《明史·艺文志》著录舒芬《易问笺》一卷、《书论》一卷、《周礼定本》十三卷、《士相见仪》一卷、《内外集》十八卷。《四库全书总目》著录其著述五种，与《明史·艺文志》有所出入。《静志居诗话》卷十《舒芬》云："诗颇涉理学语，五言如'江花迎载酒，沙鸟避归航'，'菊黄三径冷，岩翠一松存'；七言如'水入桦楞流去响，风吹鱼网过来腥'，'思家我亦愁千里，为客谁能耐十年'，'红粉满楼初入赵，青山百里尚围燕'，'芳草有情生夜雨，夭桃如梦绕春山'，'未如庄子舟藏壑，欲买谢公墩结庐'，'高树闲云轻获鹤，小桥新水浅通鱼'，'芹香华屋来元鸟，树暗青山隐杜鹃'，'谁为剪残今夜韭，独怜开尽故园花'，皆嫣然有致。"《明文授读》卷二一引黄宗羲语："梓溪不欲以词章名世，而识力高华，文有光芒不可掩处。"《明诗纪事》戊签卷十三录舒芬诗一首。舒芬是正德丁丑（1517）状元，同榜进士有夏言（1482—1548）、蔡经（？—1555）、张岳（1492—1552）、许宗鲁（1490—1559）、戴鳌、胡侍（1492—1553）、王渐逵（1498—1559）、曹嘉、王廷陈、江晖、马汝骥（1493—1543）、王讴（1491—1526）、汪应轸、陈良谟（1482—1572）、许相卿（1479—1557）、杨士云（1477—1554）等。官至翰林修撰。

**清明节，丰坊在王济宝砚楼观祝枝山等人书法并题诗。**乾隆《乌青镇志·著述》："丰坊《长信宫词》、《梦槎行》、《宛在亭歌》、《雪酒歌》等诗并跋。（石刻）跋云：'丁亥清明节，在雨舟别驾宝砚楼观祝枝山、蔡林屋、文衡山等书，雨舟因出此纸，命录鄙作。笔砚精良，诚一快事。第词札陋劣，将为褚知白羞，况欲步武诸君耶？可愧可愧，上巳日鄞丰坊。'文嘉曰：'此卷为乌镇王雨舟所书，词既古雅，书尤精妙，笔法自晋唐而来，无今人一笔态度。'（《国朝书法》）"王济（？—1540），字伯雨，号雨舟。丰坊，字存礼，鄞县人。嘉靖癸未（1523）进士，除礼部主事。以吏议免官。家居，坐法窜吴中，改名道生，字人翁。有《南禺集》。《列朝诗集小传》丁集上："存礼高才博学，下笔数千言立就，于十三经皆别为训诂，钩新索异，每托名古本或外国

57

本，今所传石经、大学、子贡诗传，皆其伪撰也。家藏古碑刻甚富，临摹乱真，为人撰定法书，以真易赝，不可穷诘。为人狂诞傲僻，纵口徇意，所至人畏而恶之。尝要邑子沈嘉则具盛馔，结忘年交，相得甚欢。或间之曰：'是尝姗笑公诗。'即大怒，设醮上章，诅之上帝，所诅凡三等：一等皆公卿大夫有仇隙者，二等则布衣文士，嘉则为首，三等鼠、蝇、蚊、蚤、虱。其狂易可笑，皆此类也。张司马时彻序其集曰：'公质禀灵奇，才彰卓诡，论事则谈锋横出，摛词则藻撰立成。士林拟之凤毛，艺苑方诸逸驷。然而性不谐俗，行或鳌中。片语合意，辄出肺肝相啗；睚眦蒙嗔，即援戈予相刺。亦或誉嫫母为婵娟，斥兰茎为荠菜。旁若无人，罕所顾忌。知者以为激诡，而不知者以为穷奇也。由是雌黄间作，转相诋諆，出有争席之夫，居无式闾之敬。鹑衣蓝缕，湿突不炊。僮奴绝粒而逋亡，宾客过门而不入。顾领茕独，以终其身，不亦悲夫！'存礼负俗多累，蒙谤下流，司马持论，瑕瑜不掩，使后人犹有抚卷叹惜者，存礼可以无憾于九京矣。"《静志居诗话》卷十二："南禺释褐后，从其父学士熙谏大礼，受杖阙下。人方谓学士有子矣。逮父卒戍所，乃言非父本意，忽走京师上书：'请追崇兴献王，宜称宗人太庙。'永陵用其言，而不录其人也。归益狂诞，恃才傲物，作伪欺人。撰《子贡诗传》、《申培诗说》、《鲁诗世学》、《古书世学》、《石经大学》，窜易经文，别裁异议。一时若泰和郭氏，京山李氏，澄海唐氏，多惑之，而不知本邪说也。芝园一序，可当声罪檄，而怜才美意，实寓其中。此等人，第作犬豕相遇可耳。诗不必存，录而论列之，期以祛后人之惑也。"《明诗纪事》丁签卷十一录丰坊诗六首，陈田按："南禺工书，于时人中惟文徵仲、祝枝山、陆子渊稍见许可，而于马一龙、沈恺、王逢元、陈鹤、杨珂、沈仁皆痛诋丑拟，不遗余力，其评沈仕书，云'如夏四倚主'。夏四乃时相贵溪干仆，一时气焰张甚。其滑稽玩世类此。余谓南禺以议礼背父，附和时局，悖甚。然于永陵，君也，以视当时之趋承贵溪、分宜者，不稍愈乎！诗亦激宕凌厉，写其牢骚不平之气。才人不得志，大抵类此，不足怪也。"

## 五月

**杨一清《论王守仁为人如何奏对》或作于五月。时南京兵部尚书王守仁兼左都御史，总制两广、江西、湖广军务。**《奏对》云："臣某谨题。钦承圣谕：'欲知王守仁为人何如。'臣切惟守仁学问最博，文才最富。正德初年，为刑部主事，首上书论劾刘谨（瑾）过恶，午门前打三十，几死。降贵州龙场驿驿丞，在烟瘴地面三年，幸而不死。刘谨（瑾）诛后，叙迁庐陵知县，入为吏部主事，历员外郎、郎中。迁南京太仆少卿、鸿胪卿，再迁都御史，提督江西南赣等处军务。领兵征勦洞贼，积年巨寇，悉皆殄平。宸濠之变，与吉安知府伍文定首创大义举讨贼，遂破南昌而入，据守其城。宸濠在江上，闻义兵起，急还江西。守仁命伍文定等领义兵迎拒，连战于鄱阳湖，大破之，遂执宸濠，地方大定，远近人心始安。是时，朝命未下，独先勤王，武宗亲征至保定而捷报已至矣。论功行赏封拜事宜。杨廷和忌其功高名高，不令入朝，乃升南京兵部尚书。丁忧服阕，诰券已降，犹未谢恩。但其学术近偏，好行古道，服古衣冠，门人弟子高自称许，故人亦多毁之者。其精忠大节，终不可泯也。近日，皇上起用两广，最惬公论。但人望未满，以为如此人者，不宜置之远方。若待田州夷患宁息，地方稍安，遇有兵部尚书员缺，召而用之，则威望足以服人，谋略可以济险，陛下可以无三边之虑矣。伏乞圣鉴。"

## 七月

张佳胤（1527—1588）生。刘黄裳《明光禄大夫太子太保兵部尚书赠少保居来张公行状》："少保姓张，讳佳胤，字肖甫，别号居来。""公生嘉靖六年丁亥七月五日，卒万历十六年戊子闰六月十六日，享年六十有二。"铜梁人。嘉靖庚戌进士，除滑县知县。擢户部主事，改兵部，迁礼部郎中。谪陈州同知，迁蒲州知府。历河南、云南佥事、广西参议、大名兵备副使、陕西参政、山西按察使，超迁右佥都御史，巡抚应天。调南鸿胪卿，就迁光禄卿，进右副都御史，巡抚保定。改陕西，未赴，改宣府，召拜兵部侍郎，寻兼佥都御史，巡抚浙江。加右都御史，拜兵部尚书，寻兼右副都御史，总督蓟辽保定，加太子少保、太子太保。谥襄敏。有《居来山房集》六十五卷。据王世贞《光禄大夫太子太保兵部尚书少保居来张公墓志铭》、刘黄裳《明光禄大夫太子太保兵部尚书赠少保居来张公行状》。

## 九月

王守仁将征思田，临行，与其门人钱德洪、王畿论四句教。是日，德洪畿俱有所悟。《阳明传习录》下："丁亥年九月，先生起复，征思田。将命行时，德洪与汝中论学。汝中举先生教言：'无善无恶是心之体，有善有恶是意之动，知善知恶是良知，为善去恶是格物。'德洪曰：'此意如何？'汝中曰：'此恐未是究竟话头。若说心体是无善无恶，意亦是无善无恶的意，知亦是无善无恶的知，物亦是无善无恶的物矣。若说意有善恶，毕竟心体还有善恶在。'德洪曰：'心体是天命之性，原是无善无恶的。'但人有习性，意念上见有善恶在。格、致、诚、正、修，此正是复那性体功夫。若原无善恶，功夫亦不消说矣。'是夕侍坐天泉桥，各举请正。先生曰：'我今将行，正要你们来讲破此意。二君之见，正好相资为用，不可各执一边。我这里接人，原有此二种。利根之人，直从本原上悟入，人心本体原是明莹无滞的，原是个未发之中。利根之人，一悟本体，即是功夫，人己内外，一齐俱透了。其次不免有习性在，本体受蔽，故且教在意念上实落为善去恶，功夫熟后，渣滓去得尽时，本体亦明净了。汝中之见，是我这里接利根人的；德洪之见，是我这里为其次立法的。二君相取为用，则中人上下皆可引入于道。若各执一边，眼前便有失人，便于道体各有未尽。'既而曰：'已后与朋友讲学，切不可失了我宗旨。无善无恶是心之体，有善有恶是意之动，知善知恶是良知，为善去恶是格物。只依我这话头随人指点，自没病痛，此原是彻上彻下功夫。利根之人，世亦难过。本体功夫一悟尽透，此颜子、明道所不敢承当，岂可轻易望人？人有习心，不教他在良知上实用为善去恶功夫，只去悬空想个病体，一切事为俱不着实，不过养成一个虚寂。此个病痛不是小小，不可不早说破。'是日德洪、汝中俱有省。"钱德洪（1496—1574）本名宽，字德洪，后以字行，改字洪甫，余姚人。嘉靖壬辰进士。官至刑部郎中。事迹具《明史·儒林传》。《四库全书总目》著录钱德洪《平濠记》一卷、《绪山会语》二十五卷。《绪山会语》提要曰："《明史·儒林传》称四方士从王守仁学者，皆德洪与王畿先为疏通其大旨，而后卒业于守仁。事守仁四十年，尝刻《阳明文录》。故称王氏学者以钱、王为首。又称德洪彻悟不及畿，畿持循亦不如德洪。然畿竟入于禅，而德洪犹不失儒者矩矱。"王畿（1498—1583）字汝中，号龙溪，山阴人。嘉靖壬辰进士。官至兵部武选司郎中。事迹具《明史·儒林传》。《四库全书总目》著录王畿《龙溪全集》二十卷、《龙溪语录》八卷。《龙溪全集》提要曰："畿传王守仁良知之学，而渐失其本旨。如谓虚寂微密是千圣相传之秘，从此悟入，乃范围三教之宗。又谓佛氏所说，本是吾儒大路。是不止阳儒而阴释矣。故史称其杂以禅机，亦不自讳。史文载畿尝言学当致知见性而已。应事有小过，不足累。故在官不免干请，以不谨斥。盖王学末流之恣肆，实自畿始。《明史》虽收入《儒林传》，而称士人之浮诞不逞者率自名龙溪弟子云云。深著其弊，盖有由也。"

## 秋

**上谕禁革一切斋醮。**此一上谕适与十余年后嘉靖帝之大兴斋醮形成对照。《万历野获编》补遗卷一《禁革斋醮》："嘉靖六年秋，时届圣诞，上谕辅臣曰：'朕思每年初度，一应该衙门援例请建斋祈寿。夫人君欲寿，非事斋醮能致。果能敬天，凡戕身伐命事，一切致谨，必得长生。今将内二经厂、外二寺，凡遇景命初度，一应斋事，悉行禁止。所谓省一分有一分益。止存朝天宫一醮，以仿春祈秋报，庶见崇正之意。'上此谕洞达天人之际，杜革淫祀，可谓至严。又十许年，而斋醮事兴，移跸西苑，躬尚玄修，自旱涝兵戎，以至吉凶典礼，先则叩玄坛，后则谢玄恩。若报捷，又云仰仗玄威。如此几三十年。视六年圣谕，遂若两截矣。"

## 十月

**李贽**（1527—1602）**生。**李贽号卓吾，又号秃翁，温陵人。由甲科历仕姚安太守，弃官后依耿定向兄弟讲学，至麻城，喜龙湖风景，止焉。梅克生、周柳塘、邱长孺、周友山、僧无念、道一皆与之游。性卞急而洁，日惟读书洒扫，与人交，非其所好，对坐终日不语。其在龙湖所辑书曰《初潭》、《史纲》、《藏书》、《焚书》、《因果录》等，凡手录及所评点不下数百种。会冯应京为楚金事，毁龙湖寺，置诸从游者法。贽再往白门，与太史焦竑寻访旧盟，南都士靡然向之。北通判马经纶以御史谪籍，延贽抵舍，执弟子礼，由是大江南北及燕蓟人士，无不倾动。语稍彻禁中，谏垣张问达遂以妖人劾，有旨逮系，妄传论死，贽曰："我年七十六矣，安能抑抑求生乎？"引薙发刀自刭死。而命下，止解还原籍。马经纶收葬于通州北门外。焦竑铭其石曰："李卓吾先生墓。"据曹贞吉《李温陵传》、汪可受《卓吾老子墓碑》等。

## 本年

李福达之狱盖即起于本年。此狱甚为复杂，且与议礼事相缠绕。详见孟森《明史讲义》第二编第四章第二节。

张璁深恨诸翰林，会侍读汪佃讲《洪范》不称旨，诸翰林俱遭改官、罢黜。汪佃字友之，弋阳人。正德丁丑（1517）进士，改庶吉士，授编修。迁侍读，以讲《书》不称旨，谪宁国通判。起礼部郎中，迁太常少卿。有《东篱稿》十卷。《明诗纪事》戊签卷十三录汪佃诗一首，陈田按语云："史称张璁初拜学士，诸翰林耻之，不与并列。璁深恨，及侍读汪佃讲《洪范》不称旨，帝令补外。璁乃请自讲读以下，量才外补，改官及罢黜者二十二人。诸庶吉士皆除部属及知县，由是翰苑为空。余检《嘉靖实录》，与史合。《实录》云：'帝以侍读汪钿讲书迟钝，外调，改宁国通判。'查夏重《西江志》、曾宾谷《江西诗征》云：'佃以编修议礼不合，出为松江同知。'非其实也。《诗综》亦不详佃仕履，因特著之。"今年十月，张璁由兵部侍郎升礼部尚书兼文渊阁大学士，预机务。张璁后改名孚敬。

吴县黄省曾（1490—1540）致书李梦阳，极致推崇之意。黄省曾号五岳山人，稍后之陈文烛亦号五岳山人。《列朝诗集小传》丙集载："省曾，字勉之，吴县人。六龄好缃素古文，解通尔雅。弱冠，与其兄鲁曾，散金购书，覃精艺苑。先达王济之、杨君谦，皆为延誉。负笈南都，游乔白岩司马之门。嘉靖辛卯，以《春秋》魁乡榜，固已为宿名之士矣。累举不第，交游益广。王新建（王守仁）讲道于越，参预讲堂，作《会稽问道录》。湛元明（湛若水）振铎成均，则又学于元明，名王、湛两家之学；李献吉以诗雄于河洛，则又北面称弟子，再拜奉书，而受学焉。献吉就医京口，勉之鼓枻往候，拜受其全集以归。吴中前辈，沿习元末国初风尚，枕藉诗书，以唉名干谒为耻。献吉唱为古学，吴人厌其剿袭，颇相訾謷。勉之倾心北学，游光扬声。……有《五岳山人集》。"

顾琈（约1488—约1548）由山东按察佥事升河南按察副使，旋罢归，退居二十余年卒。陈舜仁《河南宪副顾横泾先生琈小传》：先生1521年谪知许州。"在许二年，察廉升温州府同知，再升山东按察佥事，奉敕整饬沂州等处兵备。沂故多盗，先生行保甲法，一方遂宁。嘉靖丁亥升河南按察副使，奉敕整饬信阳州等处兵备，治类许而风裁益峻。汝南有巨猾，交结势要，而阴把郡县吏，请嘱无敢违者。先生廉知其状，捕置于法。与部使者论事有不可，辄封还移文，同官咸骇愕，先生曰：'朝廷置按察为外台，枉法媚人，吾不为也。'信阳旧有田若干顷，租皆归私橐，前后兵备者以为常，先生叹曰：'为官自有常禄，此何名也?'尽贮之公廨。适前兵备为按察使，阴慊先生，遂媒糵其短于部使者，竟罢归。""归时年甫四十，囊橐罄然，无担石之储，先生亦不屑意。坐卧一小楼，颜曰'寒松'，日读书其中。……以故退居二十余年，里中罕识其面。"顾琈退居时清贫之状，详见《四友斋丛说》卷十、钱谦益《寒松斋词翰卷赞》。

吕柟由解州判官转南京吏部考功郎中，此后近九年时间均任职于南都。《关学编·泾野吕先生传》："丁亥，转南吏部考功郎中。……为考功，躬亲吏牍。少司马王浚川荐其性行淳笃，学问渊粹，迁南尚宝卿。往太常宴乐甚亵，先生悉革之。乙未，迁国子监祭酒。先生在南都几九载，海内学者大集。初讲于柳湾精舍，既讲于鹫峰东所，后又讲于太常南所，风动江南，环向而听者前后几千余人。闽中林颖、浙中王健以谒

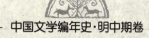

选行，中途闻先生风遂止，乃买舟泛江从之游。上党仇栏不远数千里复来受学。先生犹日请益于甘泉湛先生，日切琢于邹东廓、穆玄庵、顾东桥诸君子。时东廓亦由广德移南，盖相得甚欢云。"吕柟于"良知说"始终持有异议。故《明史·儒林传》云："柟受业渭南薛敬之，接河东薛瑄之传，学以穷理实践为主。官南都，与湛若水、邹守益共主讲席。……时天下言学者，不归王守仁，则归湛若水，独守程、朱不变者，惟柟与罗钦顺云。"

**俞允文**（1513—1579）戏作《马鞍山赋》，人争称之。时俞年方十五。顾章志《明处士俞仲蔚先生行状》："君姓俞氏，初名允执，更名允文，仲蔚其字也，世为昆山人。……君稍长即游心文艺，然雅不好举子业，唯喜读古文辞，及临摹法书，作为歌诗，极力模拟古人，动以晋魏为法，大历以下弗论也。间出惊人语，即为人传诵。尝戏作《马鞍山赋》，人争称之。"王世贞《俞仲蔚先生墓志铭》："先生虽从师受经生业，顾好为古文辞，多读六季以前书，至十五而为《马鞍山赋》，搜剔山事靡挂漏，而辞雅驯，绝不作时人语，其名固籍籍矣。"早弃诸生，以处士终。有《真逸集》等。

**郑若庸剧作《玉玦记》作于今年或稍后。**据徐朔方《晚明曲家年谱》。郑若庸（约1510—1589），字中伯（一作仲伯），号虚舟山人，昆山人，一说吴县人。早岁以诗名。赵康王闻其名，走币聘之。有《蛣蜣集》。《玉玦记》以妓女生活为题材，杂采《李娃传》前一部分情节和王魁负桂英故事而成。王骥德《曲律》卷二《论韵》第七云："南曲自《玉玦记》出，而宫调之饬，与押韵之严，始为反正之祖。乃词隐大扬其澜，世之赴的以趋者比比矣。"《论家数》第十四又云："近郑若庸《玉玦记》作，而益工修词，质几尽掩。"《静志居诗话》卷十四载："中伯曳裾王门，妙擅乐府，尝填《玉玦词》以讪院妓，一时白门杨柳，少年无系马者。群伎患之，乃醵金数百行薛生近兖，作《绣襦记》以雪之，秦淮花月，顿复旧观。承平胜事，虽小堪传。今之秋兔寒鸦，想象昔年之酒旗歌扇，良足艳也。《秋涉》诗云：'苍山崔巍照秋渚，红树离离夕阳渡。行人涉水更看山，马足凌兢来复去。云际人家望欲迷，松关萝径隔烟扉。山僧卧稳西岩寺，时有钟声落翠微。'"薛近兖字百昌，江苏武进人。万历进士，历官浙江、河南布政使，以清介绝俗闻。著有《绣襦记》传奇等。《曲话》卷二："《绣襦记》传奇、《曲江池》杂剧，皆郑元和、李亚仙事也。元和之父曰郑公弼，为洛阳府尹；《绣襦记》作郑儋，为常州刺史；各不相符。《曲江》之张千，即《绣襦》之来兴。《曲江》以元和授官县令，不肯遽认其父；《绣襦》则谓以状元出参成都军事，父子萍逢。两剧虽属冰炭，要于曲义无关。惟亚仙刺目劝学一事，《绣襦》极意写出，《曲江》概不叙入，似乎疏密判然。第杂剧限于四折，且正名以'李亚仙花酒曲江池'为题，似此闲笔，亦可无庸烦缕也。"

**杨廷和作《三录》自序。**据四库提要。时杨廷和致仕闲居。

**王廷相作《慎言》自序。**时王廷相在都察院右副都御史任。《四库全书总目》卷九六子部儒家类存目二著录《慎言》十三卷，提要曰："明王廷相撰。廷相字子衡，仪封人。弘治壬戌进士。官至兵部尚书。事迹具《明史》本传。是编前有嘉靖丁亥自序，称仰观俯察，验幽核明，有会于心，即记于册。二十余年，言积数万，类分为十三篇，附诸集以藏于家。又论诸儒之失有曰：拟议过贪，则援取必广。性灵弗神，则诠择失精。由是旁涉九流，淫及纬术，卒使牵合附会之妄，以迷乎圣人中庸之轨云云。持论大抵不轨于正。然以拟议过贪诋诸儒，故罕考群言。以性灵弗神诋诸儒，故多凭臆见。甚至并五行分属四时，亦以为必无之理，则愈辨而愈偾矣。本传称廷相博学好议论，以经术称。于星历、舆图、乐律、河图、洛书及周、程、张、朱之书皆有所论驳，然其说多乖僻。良得其实云。"

**由礼部尚书改任吏部尚书，未上致仕。桂萼任吏部尚书，八年入阁。邹文盛任户部尚书。方献夫、徐缙任礼部右侍郎。许赞任刑部右侍郎。周伦迁兵部右侍郎。据王世贞《弇山堂别集》。**

**王激由吉水知县内召为吏部文选司主事。**罗洪先《中宪大夫国子监祭酒鹤山王公激墓志铭》："已而内召，私语某曰：'吾舅柄用，外间方且藉藉，吾可以身为口实乎？'某力赞其决。盖先生为张文忠公孚敬之甥，年且相亚，又交好也。丁亥（1527）擢吏部文选主事，戊子（1528）出典广东乡试，庚寅（1530）擢考功郎中，郎中满考，擢南京通政司右通政。"张孚敬即张璁，以议大礼逢迎嘉靖帝得宠。

**林俊（1452—1527）卒。**一说其生卒年为 1453—1528。《静志居诗话》卷八《林俊》："林俊，字待用，莆田人。成化戊戌进士，授刑部主事，历员外，下狱谪姚州判官，复官南京刑部员外，擢云南按察副使，进按察使，调湖广，转广东右布政使，以佥都御史，巡抚江西，改四川，升右都御史，工部尚书。改刑部，加太子太保。卒，谥贞肃。有《见素西征集》。《中山狼》小说，乃东田马中锡所作，今载其集中。世传以詈献吉者，数其负德涵也。考之康、李，未尝隙末，黄才伯有《读见素救空同奏疏》诗云：'怜才不是云庄老，愁杀中山猎后狼。'然则当日所詈，乃负见素耳。"《四库全书总目》著录林俊《见素文集》二十八卷、《奏疏》七卷、《续集》十二卷、《西征集》（无卷数），《见素文集》提要曰："明林俊撰。俊字待用，号见素，莆田人。成化戊戌进士。官至刑部尚书。谥贞肃。事迹具《明史》本传。俊始以纠权珰远谪。及抚江右，则抗逆藩。抚西蜀，则平巨寇。为弘、正间名臣。晚年再起，断断持正，卒以不附合张璁、桂萼，致殁后削籍，葬以士礼，尤见后凋之节。所著诗文，张诩序谓俊致仕之时手编成集者五十余卷。此本文二十八卷，奏疏七卷，续集诗文十二卷，兼及其起废以后所作，并附以遗书四首，与诩序不符。盖已出后人裒辑，非俊自编之原本也。俊为文，体裁不一。大都奇崛博奥，不沿袭台阁之派。其诗多学山谷、后山两家，颇多隐涩之词，而气味颇能远俗。奏议分《两曹》、《外台》、《内台》、《西征》、《起辅》、《新政》、《秋台》六稿，无不委曲详尽，通达事机。平生经略，此足见其大凡矣。又按王凤灵《续集》序，称俊原有诗集十四卷。此本无之。别有《西征集》，凡诗歌二百二篇，跋二篇，赋一篇，书二十二篇，祭文二十四篇，序四篇，记五篇。亦不以诗为一集。观其孙则祖跋，称重梓是书而诗集尚缺。是当时本未同刊，故流传颇鲜。今仍其原第著录云。"《明诗纪事》丙签卷七录林俊诗六首，陈田按："尚书诗晦涩者不必言，时遇疏豁者，如绝壑疏林，别有风景。"

**张凤翼（1527—1613）生。**据《万历野获编》卷九《元旦诗》，"申文定（时行）相公与王伯谷同里同庚"，又据卷二十三《山人》："张伯起孝廉长王伯谷八岁。"王伯谷（稚登）生于 1535 年七月。张凤翼生年据此推定。张凤翼字伯起，长洲人。与弟献翼、燕翼并有才名，吴人语曰："前有四皇，后有三张。"凤翼，嘉靖甲子举人。著有《处实堂集》。献翼字幼于，刻意为歌诗，好《易》，十年中笺注凡二易。于是三张之名，献翼尤籍甚。燕翼字叔贻，亦有文名。与凤翼同举于乡，早卒。据《三续疑年录》、康熙《苏州府志》、道光《苏州府志》、《列朝诗集小传》等。

**梁储**（1451—1527）卒。《四库全书总目》卷一七一集部别集类二四著录《郁洲遗稿》十卷，提要曰："明梁储撰。储字叔厚，号厚斋，晚号郁洲，广东顺德人。成化戊戌进士。官至华盖殿大学士。谥文康。事迹具《明史》本传。是集其子次挹所编。初名《郁洲集》，香山黄佐为之序。后其孙孜官中书舍人，从内阁录其奏疏，补入集中，厘为十卷，故名曰《郁洲遗稿》。即此本也。储历事三朝，当武宗末造，正杌陧不宁之时，乃能岳岳怀方，弥缝匡救。集中所载奏疏，如武宗自封镇国公，则上疏力阻。许给秦王关中闲田为牧地，则草敕时为危言以动听。事遂得寝。又力请回銮，疏至八九上。无非惓惓忠爱之忱。虽辞乏华腴，而义存规谏，亦可云古之遗直矣。胡维霖《墨池浪语》乃引杨慎之言，谓《明通纪》一书乃储弟梁亿所撰。故以不草威武大将军敕归之于储，其实写威武大将军敕者储也。内阁有敕书稿簿，缀撰文者姓名，何可诬云云。其说独异。然稿簿果存，不应终明之世无一人见而言之。《明史》本传亦无明文。置之不论可也。至于集中诗文，寥寥无几，体格亦不甚高。黄佐序称其生平著作多不存稿，盖非其注意之所在云。"

**方良永**（1461—1527）卒。《四库全书总目》卷一七一集部别集类二四著录《方简肃文集》十卷，提要曰："明方良永撰。良永字寿卿，莆田人。弘治庚戌进士。官至右副都御史，抚治郧阳。告归再起，巡抚应天。中途疾作，乞致仕。旋除南京刑部尚书。永良已先卒。谥简肃。事迹具《明史》本传。是集为河南按察使郑茂所编，隆庆庚午其孙山东布政使攸续刊之。良永当正德时历仕岩疆，皆著丰采。乞休后廷推屡及，辄以养亲辞。今诸疏具在集中，进退颇为不苟。其文信笔挥洒，虽不刻意求工，而和平坦易，不事钩棘。视后来摹拟涂饰之习，转为本色。其论劾朱宁一疏，慷慨壮烈，犹有牵裾折槛之风。又常预决宁王宸濠反谋。濠败后，贻书王守仁，与论定乱大计，及其生平言学，则云近世学者，出天入神，超悟独到，专以心学为言，皆附于象山，其妄如此。即所为象山者似矣，而中实未然，毋亦优孟之为孙叔敖欤？其语皆隐刺守仁，可谓卓然不阿其所好者矣。"

**高濂**（约1527—约1603）生于今年或稍前。据徐朔方《晚明曲家年谱》。高濂字深甫，号瑞南，一作瑞南居士。钱塘人。著有《遵生八笺》和《玉簪记》、《节孝记》等传奇。

## 公元1528年（世宗嘉靖七年 戊子）

正月

**杨一清作《辅臣赞和诗集后序》**。时杨一清在大学士任。《万历野获编》卷二《御制元夕诗》："世宗初政，每于万几之暇喜为诗，时命大学士费弘（宏）、杨一清更定。或御制诗成，令二辅臣属和以进，一时传为盛事。而张璁等用事，自愧不能诗，遂露章攻弘，诮其以小技希恩。上虽不诘责，而所出圣制渐希矣。上常命一清拟赋上元诗进呈，有'爱看冰轮清似镜'之句。上以为似中秋，改云'爱看金莲明似月'，一清疏谢，以为曲尽情景，不问而知为元宵矣。圣资超快，殆非臣下所及。信乎非一清所及也。惜为璁辈所挠。使天纵多能，不遑穷神知化耳。"《四库全书总目》卷一九二集部总集类存目二著录《辅臣赞和诗集》一卷，提要曰："案此集乃嘉靖六年除夕，世宗作五言律诗一首，以示阁臣。于是大学士杨一清、谢迁、张璁、翟銮等并和韵录进。帝汇书成帙，御制序冠其端。且命一清为之后序。世宗序题七年正月四日。一清后序则正月六日所上也。"《明诗纪事》丙签卷九《费宏》陈田按："世宗朝，先以议礼，次以斋醮，君子小人，迭为消长，然其初政，如费文宪、杨文襄、石文隐辈，未尝不倾心延接，君赓臣和。史称帝御平台赐宏御制七言一章，命辑倡和诗集，署宏衔曰'内阁掌参机务辅导首臣'。叹其尊礼，前此未有。余检《宸章辑录》，帝赐文宪诗云：'每从古训寻治理，歌咏研磨陶性情。诗成朕意或未惬，中侍传宣出紫清。'赐文隐诗云：'才兼文与武，内外资安攘。宽朕西顾忧，遂使吾民康。'赐文隐诗云：'卿以延荐入，性资特刚方。在木类松柏，在玉如珪璋。可否每献替，忠实无他肠。'张璁、桂萼以议礼贵，忌宏宠，萼言'诗文小技，不足劳圣心，且使宏得凭宠灵，凌压朝士'。未几，宏、珫皆去，一清被倾陷，发愤疽发背死，而珫致仕，后卒，且得下谥矣。"

## 二月

杨一清等监修《大礼全书》成，更名《明伦大典》，世宗作序，颁示天下。张璁进少傅兼太子太傅、礼部尚书谨身殿大学士，桂萼加少保兼太子太傅。霍韬、方献夫等皆进官。且追论前议礼诸臣罪，削杨廷和籍，蒋冕、毛纪、毛澄、汪俊、乔宇、林俊皆夺职，斥何孟春、夏良胜为民。据孟森《明史讲义》第二编第四章。《戒庵老人漫笔》卷二《十可笑》："张、桂当路，有书十可笑帖于朝者，推究拷杀数人。'一可笑，一个皇城两个庙。二可笑，□□□□□□□。三可笑，□□□□□□□。四可笑，四个主事都抬轿。五可笑，侍郎打得尚书叫。（颜颐寿）六可笑，翰林院官尽外调。七可笑，郎中员外改科道。八可笑，驸马唤个现世报。（谓谢某寡发）九可笑，□□□□□□□。十可笑，□□□□□□□。'"《万历野获编》卷三十《陆澄六辨》："刑部主事陆澄，王文成高足弟子。世宗初，文成封伯，宰执忌之，御史程启光、给事毛玉等承风旨，劾文成学术之邪，澄上疏为六辨以折之。文成作书止之，谓彼议论非有所私，本出先儒绪论，而吾侪之言骤异于昔，反若凿空杜撰，宜其非笑。其他语气甚平。澄又疏诋考兴献之非，投劾归，赴补得礼部。时张、桂新用事，复疏诵璁、萼正论，云以其事质之师王守仁，谓父子天伦不可夺，礼臣之言未必是，张、桂之言未必非。恨初议之不经，而忱悔无及。疏下吏部，尚书桂萼谓澄事君不欺，宜听自新。上优诏褒答。未几，《明伦大典》成，中载澄初疏甚详。上大怒，责其悖逆奸巧，谪广东高州府通判，旋升广东佥事，尚以颂礼得超擢云。文成之附大礼不可知，然其高弟如方献夫、席书、霍韬、黄绾辈，皆大礼贵人，文成无一言非之，意澄言亦不妄。"又卷二十六《优人讽时事》："嘉靖初年，议大礼，议孔庙，议分郊，制作纷纷。时郭武定家优人于一贵戚家打院本，作一青衿告饥于阙里，宣尼拒之曰：'近日我所享笾豆，尚被减削，何暇为汝口食谋？汝须诉之本朝祖宗。'乃入太庙，先谒敬皇帝，曰：'朕已改考为伯，烝尝失所，况汝穷措大，受馁固其宜也。盍控之上苍，庶有感格。'儒生又叩通明殿而陈词，天帝曰：'我老夫妇二人尚遭化傀，饗飧先后不获共歆，下方寒峻且休矣。'盖皆举时事嘲弄也。一座皆惊散。武定故助议礼者，闻之大怒，痛治其优，有死者。"

**张治**（1488—1550）**以参与纂修《明伦大典》，由翰林院编修升左春坊赞善**。吕本《大中太保礼部尚书兼文渊阁大学士赠少保谥文隐张公墓志铭》：张治正德辛巳进士，"入翰林为庶吉士。居一岁，念谭淑人春秋高，力引疾告归，屏交息营，充养盛。五年，起授翰林编修。七年，纂修《大典》成，擢左春坊左赞善。"《明诗纪事》戊签卷十四录其诗十首，陈田按语云："文毅当议大礼时，附和张、桂，与编修孙承恩、廖道南、王用宾俱与纂修《明伦大典》之列。未满考，擢赞善。《龙湖集》中颂萝峰阁老诗，备极推崇。厥后廷推阁臣，世宗持之十日，以南史部尚书召入，殆犹忆议大礼功耶？五七言律体，特饶清音。《诗综》专录七绝，殆未见龙湖全集欤？"张治谥文毅。张璁号萝峰。

### 三月

**伍余福为胡缵宗**（1480—1560）**《鸟鼠山人小集》作序**。序署"嘉靖戊子春三月"。

### 五月

**世宗御制五言古诗一首，群臣属和。后集为《翊学诗》**。世宗《［御制］听经筵官讲大学衍义》五言古诗序云："朕近日欲令讲官翻阅《五经》、《四书》及《通鉴》，以其关于君德治道，直解其义，以资朕所未闻。内阁辅臣奏，谓经书微奥，《通鉴》浩繁，一日万机，恐难于领会，请以《大学衍义》进讲。朕允其奏，特于五月十三日始，命经筵日讲官轮次进讲，以开朕学。盖此书纲举目张，治乱兴亡，罔不该括。朕勉循是言，为修己治人之则，岂不大有裨益哉？呜呼！真西山作此书于宋，若今之以此书致君者，非卿等其谁能乎？朕不敏，匪徒知之，实欲行之。尚赖卿等竭诚协恭，辅导朕躬，则《衍义》之功不在真氏而在卿等也。听讲之余，感而赋此云。"《四库全书总目》卷一九二集部总集类存目二著录《翊学诗》一卷，提要曰："案此集乃嘉靖七年五月，经筵官进讲《大学衍义》，世宗因制五言古诗一章，并序以赐阁臣。大学士杨一清、贾咏、翟銮等奉表谢，并和以进。既而谢迁、张璁相继入阁，亦令和进。命集为一册，以翊学为名。《明史》艺文志作一卷，与此本同。"

### 六月

**南大吉作《常评事集序》，时常伦**（1492—1525）**已去世三年**。序署"嘉靖戊子夏六月癸亥，瑞泉南大吉撰"。一元《常评事集跋》亦作于今年。

## 七月

陈德文为方豪诗集作叙，题为《方诗叙》。序署"嘉靖戊子秋七月己卯，吉人陈德文拜手题"。方豪字思道，开化人。正德戊辰进士。官至湖广按察司副使。《明史·文苑传》附载郑善夫传中。《四库全书总目》著录方豪《断碑集》一卷、《棠陵集》八卷、《蓉溪书屋集》四卷。《棠陵集》提要曰："是集前后六卷为文，后二卷为诗。豪与郑善夫友善，集中有祭郑继之文，叙交情极笃挚。而诗则不及善夫远甚。"《明诗纪事》戊签卷十录方豪诗三首，陈田按："思道颇有旧誉。王浚川《少谷子歌》云：'彼时才杰游帝旁，信阳之何棠陵方。大梁翩翩李川甫，吏部薛生尤擅场。'今观其诗，无论何、薛，即方之川甫，亦非其伦。"王廷相号浚川。郑善夫号少谷。信阳何，何景明也。棠陵方，方豪也。李濂字川甫。薛生，薛蕙也。

## 八月

方鹏（1470—?）、韩邦奇（1479—1555）等为乡试主考。《弇山堂别集》卷八十二《科试考二》："七年戊子，命左春坊左庶子兼修撰方鹏、右春坊右庶子兼修撰韩邦奇主顺天试。命司经局洗马张潮主应天试。""是岁，诸省乡试，用科部等官二人主试。"

武库员外郎陆铨（?—1542）任福建乡试考官。戴鲸《广东右布政使陆公铨行状》："公讳铨，字选之，别号石溪。……正德丙子领乡荐，嘉靖癸未（1523）以《易》魁礼闱，廷试第二甲，除刑部山西司主事。时大礼议起，公奋笔署名，疏入廷杖，几绝而复苏。寻推长十三司章疏，法比精密，敷奏详明，若绳沈藩之不法，议哈密之情罪，皆举朝所不能决者，直以片辞折之而已。既而改武选，疏革武弁之弊尤多。戊子升武库员外郎。是年当乡试，天子创制，出内臣司外文柄，公奉命往福建，得隽为多。"陆铨官至广东右布政使，有《石溪集》。《明史·文苑》、乾隆《鄞县志》、同治《鄞县志》等有传。

陆粲以工科给事中为浙江乡试主考。《明诗纪事》卷十六《陆粲》陈田按："世传胡孝思为苏州太守试士，赏拔王履吉为第一，子余少后。及子余衡文浙江，孝思适为参政。公燕日，相对忸怩。余检《子余集》致天水胡公书，情致不浅，或世误传也。子余以劾张、桂谪吾黔都镇驿丞。驿舍废，僦居平越，与郡人士讲学，自是有掇科目者。子余诗长于古体，存诗不多，咸自精美。以世多赏其文，故为所掩耳。"陆粲，字子余，一字浚明。

皇甫冲（1490—1558）中举。皇甫冲系皇甫录长子，与弟涍、汸、濂等并有盛名，称四皇甫。皇甫汸《华阳长公行状》："公讳冲，字子浚，中宪公之元子也。……戊子果与仲氏并膺荐，而声称籍盛。屡试春官不第。"《明人诗钞正集》卷八："冲字子浚，长洲人。父录顺庆太守，以博雅推重于世。生四子，冲、涍、汸、濂并有盛名，称四皇甫。冲举嘉靖七年乡试。三弟以次成进士，而冲犹上公车，蹭蹬二十余年而卒。"乾

隆《江南通志·人物志·文苑》："皇甫冲字子浚，弟涍字子安，汸字子循，濂字子约，长洲人。弘治癸丑进士、顺庆知府录之子也。冲嘉靖戊子举人。博综群籍，留心事务，口好剧谈。所撰《绪言》及《申法》等书，凡数十万言，皆不传。涍中嘉靖壬辰（1532）进士，除工部主事，以才望改春坊，遭忌左迁，累官浙江按察佥事。其诗特工五言。汸嘉靖乙丑（1529）进士，累官云南按察佥事。其诗追溯魏晋，含咀六朝，旁搜李唐，自成一家。濂嘉靖甲辰（1544）进士，除工部主事，迁兴化府同知。诗意玄词雅，律细调清，长于造景，务在幽绝。四甫之诗，声调仿佛相似，吴中风雅，于斯为盛。"

**冯惟健中举。惟健为冯裕长子，与其弟惟敏、惟讷并以才名称于齐鲁间。**《列朝诗集小传》丁集上："惟健字汝强，临朐人。副使裕之子也。裕字伯顺，以戍籍生于辽东，受学于医闾贺钦。正德初，举进士，仕为贵州按察副使。生四子：惟健，嘉靖戊子举人，未仕而卒；惟敏，亦乡举；而惟重、惟讷，同年进士。兄弟四人，三人皆有集，以才名称于齐鲁间，独惟重无闻焉，而宗伯文敏公琦，则惟重之孙也。鲁王孙观㷀，撰《海岳灵秀集》，论三冯之才，则首推汝强云。"冯惟重（1504—1539）字汝威，惟健弟。嘉靖戊戌（1538）进士，官行人。有《大行集》。冯惟敏（1510—1590）字汝行，惟重弟。嘉靖丁酉（1537）举人，除涞水知县。改镇江教授，迁保定通判。有《海浮山堂诗稿》、《石门集》。冯惟讷（1513—1572）字汝言，惟敏弟。嘉靖戊戌（1538）进士，除宜兴知县。改魏县，历蒲州知州、扬州同知，改松江。征授南户部员外，进郎中，改兵部，出为陕西佥事，历河南参议、浙江副使、山西参政、按察使、陕西布政使，改江西，加光禄卿致仕。有《光禄集》十卷。

**孙宜（1507—1556）中举。孙宜，字仲可，华容人。有《洞庭渔人集》五十卷。**陈文烛《洞庭渔人传》云："洞庭渔人者，楚华容人也，姓孙，名宜，字仲可，一字仲子，家洞庭湖上，自号渔人，海内多称渔人云。生有异质，颖记殊绝。年五岁，随父副使继芳公入京师，过兴隆寺，见群儿讲艺，即低回不能去。而副使公与信阳何仲默善，得遍交诸名流，如亳州薛公采、闽中郑善夫、西蜀杨用修，见渔人诗赋，大奇之，每一面试，万言立就，往往嘉叹以去。又同邑周子贤、黄冈王稚钦、随州颜惟乔复延誉于公卿间，以为张衡、王勃复生也。嘉靖壬午，关中许伯诚来视楚学，得渔人卷，叹曰：'楚才楚才！'时渔人方少俊，诸生莫及也。戊子举于乡，屡试礼部不第，然诗文日益有名。辛丑遭副使公丧，哀几损目，得神人秘方始愈。年三十有八，遂绝意世故，时往来洞庭烟水间，且曰：'屈平放逐，始赋《离骚》，马迁被刑，斯成《史记》。我今穷愁，当著书藏名山耳，何仆仆自苦也？'乃赋《七游》，著《遁言》十七篇，语多垂训者。又以明兴文体至弘、德之际，北地李献吉力于复古，渔人私心慕焉。又习闻何先生论，是以文章命意修词，尔雅不群，有《史》、《汉》之风。至诗律法杜甫，长歌在唐初四子间，尤号雄放，莫可窥际。古体多宗梁、齐，盖袭然大家云。"

**翰林修撰韩邦奇主试顺天，以录序引用经语差误左迁南太仆寺丞。**《弇山堂别集》卷八十二《科试考二》："御史周易言：录文裁改圣经，且失体。邦奇降南京太仆寺丞，罚夺俸四月。"《明儒学案·三原学案·恭简韩苑洛先生邦奇》："韩邦奇字汝节，号苑洛，陕之朝邑人。正德戊辰进士。授吏部考功主事，转员外郎。"调文选，谪平阳通判，甲戌迁浙江按察佥事，为中官诬奏，逮系夺官，起山东参议，乞休，起山西左参政，分守大同，致仕去。"戊子，起四川提学副使，改右春坊右庶子，兼翰林修撰。其秋主试顺天，以录序引用经语差误，左迁南太仆寺丞，再疏归。"所云"引用经语差误"，焦竑《玉堂丛语》卷六《科试》所载较详："张、桂执政，黜翰林二十余人改别官，杨邃庵一清遂得乘间引所厚入院。时戊子顺天乡试，韩邦奇汝节、方鹏时举俱以按察司副使改春坊庶子，兼修撰，主试事。韩前序引经'元首起哉，股肱喜哉'。又曰'帝光天之下，万邦黎献，共惟帝臣'。倒节其语。提学御史周易因劾韩，经语本'股肱喜哉，元首起哉'，'帝光之下'，至于'海宇苍生'，而韩引云云，亦误书海隅为海宇。内批掾其失，两谪之，四方相传为笑。然周劾虽当，实因韩序不载其名而发。"《玉堂丛语》所云"张、桂执政，黜翰林二十余人改别官"事，明人多所记载。沈德符《万历野获编》卷十《翰林一时外补》："霍兀崖初拜少詹事，即上言用人之法，谓翰林不当拘定内转，宜自内阁以下，而史局俱出补外，其外僚不论举贡，亦当入为史官，如太祖初制。其说亦可采。但时非开创，一旦更张，人所不习，故太宰廖纪，力言其窒碍，上亦有随时酌行之旨，盖世宗亦心知霍说之难行耳。比张萝峰入阁，因侍读汪钿讲书，不惬上旨，令吏部调外。张因密揭并他史臣不称者，改他官。首撰杨石淙附会其说而推广之，上遂允行，既调汪府通判，而中允杨维聪、侍讲崔桐等二十余人，俱易外吏以去，京师十可笑中所云'翰林个个都外调'者是也。盖霍、张俱起他曹，故痛抑词林至此。杨丹徒自谓附张得计，未几亦为张逐矣。此玉堂一时厄运，特假手于两权臣耳。"杨石淙、杨丹徒均指杨一清（1454—1530）。

## 十月

**戚继光**（1528—1587）生。继光字元敬，登州卫人。世袭指挥佥事，用荐备倭山东。改浙江参将，赴援福建，进署都督佥事，擢福建副总兵官，晋都督同知。召为神机营副将，出总理蓟州、昌平、保定三镇练兵事，旋改为总兵官。叙福建功，晋右都督，寻以功进左都督，加太子太保，晋少保，改镇广东，罢归。谥武毅。据戚祚国汇纂《戚少保年谱耆编》。

## 闰十月

**石珤**（1465—1528）卒。杨一清《大明故光禄大夫少保兼太子太保吏部尚书武英殿大学士致仕谥文隐石公神道碑铭》云："明年戊子，而公亡矣，闰十月二十二日也。""公生成化乙酉，得年六十有四。""公讳珤，字邦彦，姓石氏，熊峰其别号也。系出真定之藁城。""屡典文衡，以平正简要取士，力去浮夸险怪之说，文体为之一变。自为文亦称是。诗歌冲淡沉着，成一家言。文正公曰：邦彦诗词皆中矩度，而七言古诗尤超脱凡近，众所不及。博极群书，而根于理性，意会心契，有己所独得之妙。世有非考亭之学者，公力诋之曰：微考亭，吾辈莫适为学，非之亦何所见，第好名耳。"《明史·石珤传》："自珤及杨廷和、蒋冕、毛纪以强谏罢政，迄嘉靖季，密勿大臣无进逆耳之言者矣。珤加官，自太子太保至少保。七年冬卒，谥文隐。隆庆初，改谥文介。"

《列朝诗集小传》丙集、《静志居诗话》卷八有传。

## 十一月

**王守仁**（1472—1528）**卒**。《弇山堂别集》卷三十八《永乐以后功臣公侯伯年表》："新建伯王守仁，浙江余姚人。正德十六年为南京兵部尚书，以论平宁王功封，奉天翊运推诚宣力守正文臣、特进、光禄大夫、柱国，岁禄一千石，世袭。寻总帅南征，嘉靖八年薨，停世袭。隆庆三年子正亿嗣，万历四年薨。子承勋嗣。"江盈科《雪涛诗评·采逸》云："王阳明先生诗，已入理学派头，不在诗人之列。曾记其《咏傀儡》一诗云：'到处逢人是戏场，何须傀儡夜登堂？浮华过眼三更促，名利牵人一线长。稚子自应相诧说，矮人亦复浪悲伤。本来面目还谁识？且向灯前学楚狂。'如此咏物，不着色相，非高手不能。"（《江盈科集》）钱谦益《列朝诗集小传》丙集云："先生在郎署，与李空同诸人游，刻意为词章。居夷以后，讲道有得，遂不复措意工拙，然其俊爽之气，往往涌出于行墨之间。荆川之门人，专取其晚年诗，以为极则，则可哂也。王元美《书王文成集后》云：'伯安之为诗，少年有意求工，而为才所使，不能深造而衷于法；晚年尽举而归之道，而尚为少年意象所牵率，不能浑融而出于自然。其自负若两得，而吾以为几于两堕也。'以世眼观之，公甫何敢望伯安；以法眼观之，伯安瞠乎后矣。"《明儒学案·姚江学案·文成王阳明先生守仁》："至南安，门人周积侍疾，问遗言，先生曰：'此心光明，亦复何言？'顷之而逝，七年戊子十一月二十九日也，年五十七。"《静志居诗话》卷九有王守仁小传。方苞《鹿忠节公祠堂记》云："余尝谓：自阳明氏作，程、朱相传之统绪，几为所夺。然窃怪亲及其门者，多猖狂无忌，而自明之季以至于今，燕南、河北、关西之学者，能自竖立，而以志节事功振拔于一时，大抵闻阳明氏之风而兴起者也。昔孔子以学之不讲为忧，盖匪是则无以自治其身心，而迁夺于外物。阳明氏所自别于程、朱者，特从入之径途耳；至忠孝之大原，与自持其身心而不敢苟者，则岂有二哉？方其志节事功，赫然震动乎宇宙，一时急名誉者多依托焉以自炫，故末流之失，重累所师承。迨其身既殁，世既远，则依托以为名者无所取之矣。凡读其书，慕其志节事功而兴起者，乃病俗学之陋，而诚以治其身心者也。故其所成就，皆卓然不类于恒人。"诸家议论有别，着眼点有别是原因之一。《四库全书总目》著录王守仁《阳明乡约法》一卷、《阳明保甲法》一卷、《王文成全书》三十八卷、《阳明要书》八卷、附录五卷、《阳明全集》二十卷、《传习录》一卷、《语录》一卷。

**刑部左侍郎刘玉作阳明祭文，以言简而意尽著称**。《静志居诗话》卷九："刘玉字咸栗，万安人。弘治丙辰（1496）进士，除知辉县，入为御史，历南京左金都御史，董江防。后至刑部左侍郎。有《执斋集》。康陵南巡，将临靳文僖丧，词臣撰祭文，均不称旨。御制文云：'朕居东宫，先生为傅；朕登大宝，先生为辅；朕今南游，先生已矣。呜呼哀哉！'当时代言之臣，咸敛手叹息。嘉靖中，王新建没，执斋侍郎作祭文云：'呜呼，公之才拔乎其萃；呜呼，公之学出乎其类；呜呼，公之功畴克似之？呜呼，公之寿竟止于斯！'亦可谓言简而意尽矣。"

杨一清《论方献夫代任吏部何如奏对》或作于十一月。《奏对》云："臣某谨奏。今早，钦蒙圣谕云：'今日，朕以去岁卿奏，以尊可同事，朕已许于朝觐事毕行已。其吏部重任，须用一堪之者，献夫何如？又王守仁窃负儒名，实无方正之学。至于江西之事，彼甚不忠，观其胜负以为背向。彼见我皇兄亲征，知宸濠必为所擒，故乃同文定举事，实文定当功之首，但守仁其时官在上耳！且如擒宸濠于南直隶地方，却去原地杀人，至今孰不知其纵恣。前日两广之处，见彼蛮寇固防，却屈为招抚，损我威武甚矣。至于八寨而纵戮之。以此看来，势之固而有备者，则不问其为罪之首从轻重，一于抚之，否则乘而杀戮，自云奇功，是人心而否哉？况崇事禅学，好尚诡异，尤非圣门之士，是可问乎？弗问乎？卿等何坚于庇护，可独密言之，勿以近日攻密谕为非而忌。钦此。'……伏承谕及王守仁事。所其放言自肆，诋毁先儒，号召门生传习，附和学术，可恶。及兵无节制，奏捷夸张，掩袭寨夷，恩威倒置，数语尽之矣。功罪不相掩，功疑惟重，皆吏部会本中语。其欲不夺其爵，止终本身，亦该部会官所处，臣等未敢加重。然欲出榜禁约伊之邪说，其罪状固已昭然于天下。……谨具奏闻。上报曰：'昨得卿奏，所以朕知悉。……守仁嘉靖当革，但有我皇兄黄榜之谕，系先朝之信，今姑存之，身后恤典尽行革了乃可。……'"

## 冬

李梦阳以手订全集寄黄省曾。王廷相以为李梦阳已超越杜甫。黄省曾《李空同先生文集序》云："省曾乐志衡门，修辞海曲，山川间之，音通道契，故先生于戊子之冬，以手编全集寄我姑苏。"王廷相《李空同集序》云："唐杜子美，词人之雄也，元稹称其薄风雅，吞曹刘，掩颜谢，兼昔人之所独专。今其集具在，虽云大家，要自成己格耳。乃若风雅曹刘颜谢之调，有无哉？固知元氏子溢言矣。其视空同规冶古始，无所不极，当何以云。"黄省曾（1490—1540）字勉之，吴人，嘉靖辛卯（1531）举人。有《五岳山人集》三十八卷。

钱德洪、王畿偕赴廷试，途中闻守仁讣，奔丧至贵溪。钱德洪《阳明先生全录叙说》："戊子年冬，先生时在两广，闻谢病归，将下梅岭，德洪与王畿乃自钱塘逆流而迎，至龙游闻讣，遂趋广信，讣告同门，约以襄事后遣人哀录遗言，明日又进贵溪，扶丧还玉山。"《明史·儒林传》："钱德洪，名宽，字德洪，后以字行，改字洪甫，余姚人。王守仁自尚书归里，德洪偕数十人共学焉。四方士踵至，德洪与王畿先为疏其大旨，而后卒业于守仁。嘉靖五年举会试，径归。七年冬，偕畿赴廷试，闻守仁讣，乃奔丧至贵溪。议丧服，德洪曰：'某有亲在，麻衣布绖弗敢有加焉。'畿曰：'我无亲。'遂服斩衰。丧归，德洪与畿筑室于场，以终心丧。十一年始成进士。"

聂豹设位哭莫阳明，自是始称门生。《弇山堂别集》卷三十《史乘考误十一》："《聂贞襄豹行状》谓：公丙戌谒阳明王先生于余姚，遂执弟子礼。非也。公与阳明先生虽讲学数日，往返质问，然不肯执弟子礼。至阳明殁，而始为位哭，称门生。故当时有生称师，殁称友者，黄公绾也，生称友，殁称师者，公也。"

### 本年

顾清（1460—1528）卒。顾清字士廉，华亭人。弘治癸丑进士。官至南京礼部尚书。事迹具《明史》本传。《列朝诗集小传》丙集云："公于诗清新婉丽，深得长沙衣钵。正、嘉之际，独存正始之音。今人以其不为何、李辈所推，不复过而问焉。斯所谓耳食者也。"参见《静志居诗话》卷九《顾清》、《明诗纪事》丙签卷一。《四库全书总目》著录顾清《松江府志》三十二卷、《东江家藏集》四十二卷。《东江家藏集》提要曰："是集凡《山中稿》四卷为初集，乃未仕时作。《北游稿》二十九卷为中集，乃既仕后作。《归来稿》九卷为后集，乃致仕后作。皆清晚年所自编，故体例颇为精审。又有《留都稿》四卷、《存稿》十卷，为其子孙所续辑，今已不能传矣。清学端行谨，砥砺名节。当正德时，谏疏凡十数上。嘉靖初，力请停遣旗校。于时政皆有所献替。其诗清新婉丽，天趣盎然。文章简练醇雅，自娴法律。当时何、李崛兴，文体将变，清独为守先民之矩矱。虽波澜气焰未能极似奇伟丽之观，要不谓之正声不可也。在茶陵一派之中，亦挺然翘楚矣。"

魏校为太常寺少卿。据王世贞《弇山堂别集》。按，归有光今年与魏孺人成婚，孺人即光禄寺典簿魏庠之女、太常卿魏校从女。

顾璘起为江西按察使，未行，升浙江右布政使。文徵明《故资善大夫南京刑部尚书顾公墓志铭》："公以应天府学生领弘治乙卯乡荐。明年丙辰举进士，乙未授广平县知县。壬戌征入，为南京吏部验封司主事，进稽勋郎中。正德己酉，升河南开封府知府。癸酉谪授广西全州知州。丙子起知浙江合州府，升浙江布政使司左参政。嘉靖改元，册立中宫，礼成，奉表入贺，道升山西按察使。以亲老辞，不允，寻以病免。戊子，起为江西按察使，未行，升浙江右布政使，转左布政使。庚寅，召为都察院右副都御史，巡抚山西。上疏乞终养，忤旨，落都御史，以布政使致仕。"

徐祯卿《迪功集》重刊本问世。据徐缙《迪功集跋》。

张璁撰《保和冠服图》。据四库提要。

南京礼部侍郎湛若水进《格物通》一百卷。据四库提要。湛若水字元明，增城人。弘治乙丑进士。历官南京吏、礼、兵三部尚书。事迹具《明史·儒林传》。

蒋瑶重刊桂萼《经世民事录》。据四库提要。

何瑭任户部右侍郎。严嵩任礼部左侍郎。王廷相转兵部左侍郎。唐龙以左佥都御史总督漕运兼巡抚凤阳等处都御史。唐龙，浙江兰溪人。陆深任国子监祭酒。张邦奇任南京国子监祭酒。据王世贞《弇山堂别集》。

## 公元 1529 年（世宗嘉靖八年 己丑）

### 正月

翰林院侍讲学士廖道南（1494—1547）应制撰灯诗十五首以进。《明诗纪事》戊签卷十四录廖道南诗一首，陈田按："学士在世宗朝，颇蒙优眷。纂修《明伦大典》成，进侍读。在经筵讲《洪范》称旨。其说具载《实录》。嘉靖八年元夕，应制撰灯诗十五首以进。又撰《泰神殿礼成感雪赋》、《圜丘载祀庆成九章》、《圣主光图阳翠岭赋》、

《南巡江汉赋》、《景云征烈四颂》，皆邀睿赏。自徽州赐环，帝亲洒《钟粹宫词》命和，赐金绮有差。生平著述甚富，撰《楚纪》六十卷，续黄泰泉《翰林记》为《殿阁词林记》二十四卷，《玄素子集》五十六卷。诗句襞字辏，不称其名。"

## 二月

吏部尚书桂萼兼武英殿大学士，预机务。其《舆图记叙》即今年所上。据《弇山堂别集》、四库提要。桂萼字子实，安仁人。正德辛未进士。嘉靖初以议礼骤贵，官至吏部尚书，武英殿大学士。谥文襄。事迹具《明史》本传。

霍韬（1487—1540）任会试主考，拔唐顺之为第一名。李开先《荆川唐都御史传》：顺之"戊子乡试第六名，己丑会试第一名，廷试二甲第一名，御批其策，'条论精详'，海内传以为荣。会试卷，见者以为前后无比，气平理明，而气附乎理，意深辞雅，而意包乎辞。学者无长幼远近，悉宗其体。如圆不能加于规，方不能加于矩矣。选作庶吉士，一二大臣不相能，遂即罢之。主者犹以二甲前三名制策曾经御览，欲各授以检讨，唐子力请同罢，一事而有去留非体，始进即能恬退如此。试政吏部，选除兵部主事。"焦竑《玉堂丛语》卷五《义概》："霍韬己丑主考会试，帘内外弊铲革殆尽，文体为之一变。杨少师博、葛尚书守礼、程尚书文德、唐都宪顺之、罗修撰洪先、杨编修名、杨御史爵并表表，皆公所录士也。公谆谕诸士，不可以门生座主结私恩而忘大义。超俗之见，时所仅闻。"霍韬字渭先，号兀厓、渭厓，广东南海人。正德九年状元。历任兵部主事、南礼部尚书。谥文敏。有《渭厓集》。又《玉堂丛语》卷五《器量》："嘉靖己丑，邃庵杨公为首相，上倚注甚切。时议礼诸公，受知于上，相继登枢要。尚书霍文敏公韬时为詹事，忌公尤切，特疏劾公，上大怒，削秩赐罢。文敏犹欲根蔓公门下士，一网打尽。有太学生孙育，公之乡人，受恩最久，百凡家盅，公保护如子弟。公在相位，援育入文华殿从事，以书写劳，例得京职。时亦以公党与，恐遭斥逐，乃录公居官事数十条，呈于文敏，以求自解。不意数月后以暴疾卒于京，其子奉枢还，公犹易服吊其丧。其子跪泣曰：'人子固不敢言亲过，但悖德者不祥，吾父负公而死，天也，愿公无吊。'公笑曰：'尔父岂负我者？我为人所陷，波及汝父，汝父欲保全身家，万不得已，姑借我以免祸耳。吾独不能谅之，是我又负汝父矣。'人皆服公雅量。"杨一清号邃庵。

## 三月

蔡羽作《林屋集自序》。蔡羽自视甚高，传为笑柄。蔡羽（？—1541），字九逵，吴人。以太学生除南翰林孔目。有《林屋集》二十卷、《南馆集》十三卷。《列朝诗集小传》丙集云："羽，字九逵，吴县人。居洞庭之西山，故称林屋山人。又称左虚子。其学邃于《易》，为程文以应有司，阅四十年不售，以太学生赴选调，天官卿雅知其名，曰：'此吾少日所闻《易》蔡生耶？'奏授南京翰林院孔目，居二年，致仕归，卒于家。吾吴文章之盛，自昔为东南称首，成、弘之间，吴文定、王文恪遂持海内文柄，同时杨君谦、都玄敬、祝希哲，仕不大显，而文章奕奕在人。九逵稍后出，自视甚高，自信甚笃。为文法先秦、两汉。洞庭诸记，欲与子厚争长，其隐然自负之意，殆不肯以瓣香属某氏。而同时诸公，与之齐名，如文徵仲者，虽雅相推许，窃自谓莫己若也。早岁诗，微尚纤缛，既而涤除靡曼，一归雅驯，晚更沉着，时出奇丽，见者谓虽长吉不过，则大悔恨，曰：'吾诗求出魏晋上，今乃为李贺耶？'其高自标表，不肯屈抑如此。居尝论诗，谓少陵不足法，闻者疑，或笑之。当是时，李献吉以学杜雄压海内，窜窃剽贼，靡然成风，九逵不欲讼言攻之，而借口于少陵，少陵且不足法，则捋扯割剥之徒，更于何地生活？此其立言之微指也。不然，则九逵一妄男子，狂易中风者耳，岂特蚍蜉撼大树而已哉！吴中诗文一派，前辈师承，确有指授。正、嘉之间，倾心北学者，袁永之（褒）、黄勉之（省曾）也。王履吉初学于九逵，其后游边、顾之间，骎骎改辕而北，其信心守古，确不可拔者，九逵一人而已。"《明诗纪事》丁签卷十二录蔡羽诗九首，陈田按："羽妄自矜诩，解经薄古人，谈诗文则卑韩、杜，如周望所云，抑何可笑！竹垞谓羽集诗赋八百余首，文二百余首，恒河之沙，钩金安在？诋之亦过。余为采掇精华，亦是六朝人佳制。"参见《艺苑卮言》、《国雅品》、《静志居诗话》。袁褒（1502—1547）字永之。黄省曾（1490—1540）字勉之。王宠（1494—1533）字履吉。

**罗洪先**（1504—1564）**等进士及第。**《弇山堂别集》卷八十二《科试考二》："八年己丑，命少傅太子太傅吏部尚书谨身殿大学士张孚敬、詹事府詹事翰林院学士霍韬为考试官，皆大礼贵人也，张距登进士八年耳。初变文格，以简劲为主，其程式文仅三百言云。取中唐顺之（1507—1560）等。廷试，赐罗洪先、程文德、杨名及第。先是，大学士杨一清等以洪先、文德、名及唐顺之、陈束、任瀚六卷进览，上一一品题，首卷各御批，于洪先曰：'学正有见，言谠而意必忠，宜擢之首者。'于文德曰：'探本之论。'于名曰：'能守圣学，以为此知要之说。'于顺之曰：'条论精详殆尽。'于束曰：'仁智之用，著之吾心，此不易之说。'于瀚曰：'勉吾敬一之为主，忠哉。'六策以有御批刻录中。是岁大学士杨一清考庶吉士，以唐顺之、任瀚、陈束（1508—1540）三名为上御批取首列，而卢淮、诸邦宪、汪大受、郭宗皋、蔡云程、杨祐、汪文渊、王表、曹忭、王谷祥、熊过、安如山、郑大同、李实、孙光辉、吴子孝（1496—1563）次之。居数日，有旨：'迩年以来，每为大臣徇私选取，市恩立党，唐顺之等一体除用。有才行卓异学问优正者，吏部举奏，收之翰林，以备擢用。'"徐阶《明故左春坊左赞善兼翰林院修撰赠奉议大夫光禄寺少卿谥文恭念庵罗公墓志铭》："公讳洪先，字达夫，念庵其号。厥初豫章人，三徙而居吉水。"嘉靖己丑举进士第一，"授翰林院修撰。壬辰（1532）以病痊起，充经筵展书官。己亥召拜赞善，充经筵讲官。凡三立朝，皆不逾岁而归。"江盈科《雪涛谐史》："罗念庵中状元后，不觉常有喜色。其夫人问曰：'状元几年一个？'曰：'三年一个。'夫人曰：'若如此，也不靠你一个，何故喜久之？'念庵自语人曰：'某十年胸中，遣状元二字不脱。'此见念庵不欺人处。而国家科名，即豪杰不能不膻嗜，亦可见矣。"罗洪先，字达夫，号念庵，吉水人。《明史·儒林传》则谓：罗洪先"嘉靖八年进士第一，授修撰，即请告归。外舅太仆卿曾直喜曰：'幸吾婿成大名。'洪先曰：'儒者事业有大于此者。此三年一人，安足喜也。'"

**同榜进士有李开先**（1502—1568）**、吕高**（1505—1557）**、杨爵、林恕、杨祐、沈**

谧、周显宗、张意等。李开先《江峰吕提学传》："人言遇丑科则才盛，如乙丑、丁丑、己丑，谓之三丑，而己丑多性气，士所以傲视权臣，谏白大疏，举行难事，因而摧折，少有崇品高位者。以今三十余年观之，不亦信然矣乎！"皇甫汸《徐文敏公集序》云："昔余先子中宪公尝谓汸曰：'我明制科，遇丑辄得文士。乙丑，吾乡翰林徐公其选也。汝尝从公游，又为公所取士，亦由己丑擢第，将弗图绍厥美欤？汝其勖之！'夫文关气运，讵虚语哉！……逾一纪而为丁丑（1517），舒芬榜也，时则江子晖、颜子木、王子廷陈、许子宗鲁，彬彬盛矣。又一纪而为己丑（1529），罗洪先榜也，时则唐子顺之（1507—1560）、陈子束、任子瀚、熊子过、李子开先，不能悉数。"序署"隆庆二年冬十月既望，司勋氏门生皇甫汸顿首谨书"。徐缙（1489—1545）谧文敏。《明史·文苑传》载："王慎中，字道思，晋江人。四岁能诵诗，十八举嘉靖五年进士，授户部主事，寻改礼部祠祭司。时四方名士唐顺之、陈束、李开先、赵时春、任瀚、熊过、屠应埈、华察、陆铨、江以达、曾忭辈，咸在部曹。慎中与之讲习，学大进。"

今年停庶吉士之选。盖张璁恶杨一清、唐顺之等，故出此策。《明史·选举志》："嘉靖八年己丑，帝亲阅廷试卷，手批一甲罗洪先、杨名、欧阳德，二甲唐顺之、束、瀚及胡经等共二十八人为庶吉士，疏其名上，请命官教习。忽降谕云：'吉士之选，祖宗旧制诚善。迩来大臣徇私选取，市恩立党，于国无益，自今不必选留。唐顺之等一切除授，吏、礼二部及翰林院会议以闻。'尚书方献夫等遂阿旨谓顺之等不必留，并限翰林之额，侍读、侍讲、修撰各三员，编修、检讨各六员。著为令。盖顺之等出张璁、霍韬门，而以大礼之议为非，不肯趋附，璁心恶之。璁又方欲中一清，故以立党之说进，而故事由此废。"

己丑散馆，陆粲、袁袠、屠应埈等因忤张璁、桂萼，俱遭贬斥。王世贞《吴中往哲像赞》："陆贞山先生粲，字子余，一字浚明，生而朗秀，长身玉立，美须髯。自其诸生时，则已为王文恪所赏识，曰：'是子也，材非吾翰林所能有也。'而久之乃举乡试，魁其经，明年会试，复魁其经，以进士改翰林庶吉士，凡七试皆居首。当是时，新贵人张、桂长翰林，先生耻为之僚，约诸庶吉士毋得往见，张、桂衔之，中于上，谓皆故相费公宏桃李。以故当散馆，公仍第一，而仅得工科给事中。"王慎中《岩居稿序》："《岩居稿》者，吾同年无锡鸿山华君子潜罢翰林家居所著诗也。丙戌赐第，当今上图治之始，方招延茂异，思与翊赞鸿猷、黼黻大业之意甚盛，于是选其隽彦，养之馆中，得二十人，盖其慎也。子潜与姑苏陆浚明（粲）、袁永之（袠）、檇李屠文升（应埈）在选中，尤以才名最于同馆，皆吴人也。会大臣异意，正邪相轧之机未决，朝议靡所定，馆中所养并除他官，无复留者。"华察（1497—1574）字子潜。王世贞《翰林院侍读学士鸿山华公寿藏记》："学士公名察字子潜。""先帝之元年（1522），举应天乡试，明年（1523）会试不第归，而其学益邃，遂再举进士高等，以选入翰林为庶吉士。吴中诸庶吉士陆君粲、屠君应埈、袁君袠俱卓荦雄奇才，公出而与之角，时时相甲乙，隆然声起矣。顾自讳不欲以艺文进，间则与陆君谈摧世故，引经义，慷慨相责厉，有古烈士风，而久之以业成，当授官史局，有所不悦于新贵人，出补户部主事。"屠文升（1502—1546）名应埈，出补刑部主事。徐阶《明故右春坊右谕德兼翰林院侍读浙山屠公墓碑铭》："公讳应埈，字文升，别号浙山"，"嘉靖乙酉举应天乡试第二，明年举进士，改翰林庶吉士。当是时，宰相有骤起用事者，嗛诸翰林不附己，奏出三十余人。已又怒诸吉士曰：'是固尝遭我于道不避骑。'尽奏出为部寺属，而公得刑部主事。方宰相之出诸翰林也，予以服除新起，得不在遣中。尝过视诸吉士，或不能无少愠，公独怡然也。""宰相"谓张璁也。《万历野获编》卷十《庶常授知县》："嘉靖五年丙戌散馆，尽授科道部属，而李元扬等四人授知县，则以张萝峰密疏，谓皆故相费宏所植私人，不足作养。八年己丑吉士，虽皆萝峰所取门生，然以会元唐顺之等皆不附座师，故尽斥为主事，仅得二给事中、一御史，又二知州、一推官。此柄臣弄权，窃威福以钳劫后进，非上意，亦非诸士退让也。"

## 五月

南京刑部郎中齐之鸾（1483—1534）改陕西宁夏金事，其入夏诸诗，结集为《入夏录》。汪居安《廉宪蓉川齐公行状》："公讳之鸾，字瑞卿，号蓉川。先世居桐为著族。……正德丁卯中应天乡试高第，时公年二十有五，人犹迟之。……辛未春会试南宫，今致仕东阁白楼吴公得公卷，大喜荐之，主考靳公亦重其文，欲取公第三，会同列有异议，竟置公十七，然在本房尚为第一卷。后与庶吉士之选，时以为得人。……忧居三年，学益宏博。岁癸酉（1513）七月十九日服阕，至部授刑科给事中。……历吏科右兵科左，在言路八年……会当路者不悦，左迁公为崇德丞……升长兴令……寻升青州同知。闻太孺人之讣，即日就道，居丧执礼如前。服阕转南京刑部侍郎。己丑五月改陕西宁夏金事，上蓬子疏。"其《入夏录》编成于明年七月，有张嘉谟《蓉川入夏录前序》，署"嘉靖岁舍庚寅秋七月上旬之吉夏人城南居士张嘉谟序"；有管律《蓉川入夏录后序》，署"嘉靖庚寅秋七月上浣之吉芸庄管律书于双梧亭之南轩"；有王官《读入夏录跋后》，署"嘉靖九年七月之吉汉延王官拜书"。张嘉谟前序云："一日得先生自南来途次及关中入夏塞所咏律诗古风绝句排律长篇及蓬献一疏，名曰《入夏录》，盖他录居多，此特夏耳。读之终日不倦。诗如：'赵宋智穷疆宇蹙，范韩师老鬓毛斑。'又如：'春远尚闻莺舌在，花稀应念蝶魂劳。'歌如：'但使烝藜岁饱食，何惜万山苍翠为薪樵。'皆警拔有心句也，不能遍揭。疏如'可忧者三可惜者四'、重根本、节财用、忧边疆、息朋党、重宰辅、宥谏臣、裁冗滥、抑倖位、销天变，可谓达天人之理，识治乱之源。"管律后序云："《入夏录》乃其诗也。诗固文之精，一切感物动衷，形之以言，又非作意摹拟之者。通判任子芸庵，日侍先生于行台，得其稿，将锓之梓，预以示律。律诵之，其辞也雅蔚，其旨也渊深，昔人谓文之肖于其人也，信哉！……至于附录一疏，直道辅世，敢言厥难，则休声硕誉，流行无既，而汲黯、魏徵、唐介之贤，又不能专于前矣，岂特文辞足以鸣其盛也哉！"

## 六月

杨廷和（1459—1529）卒。杨慎被允奔丧，十一月还滇。据李调元所撰杨慎年谱。

## 八月

工科给事中陆粲上疏劾张璁、桂萼，下狱，谪贵州都匀驿丞。事见《明史·陆粲传》。《陆子余集》卷五收有《劾张、桂诸臣疏》。王世贞《吴中往哲像赞》"陆贞山先生粲"："时张与桂俱继相，拟杨公（杨一清）后，先生遂露章劾其奸，上为之罢二相，一时朝廷肃然望治。而上寻入霍詹事韬语，谓先生缘杨公指，于是首召张，而杨公不自安，更请去，而先生更下诏狱以谪矣。先生之自都镇驿丞迁永新令，有善政。"张璁、桂萼因陆粲之疏被罢。

## 九月

张璁复入阁。嗣后张璁改名张孚敬。《弇山堂别集》卷三十《史乘考误十一》："《桂文襄萼志》云：戊子春加太子太傅，是年夏加少保。盖误也。文襄在吏部，张文忠为内阁，俱加太子太保，文忠辞宫职，加少保。后《明伦大典》成，文忠遂加少傅、太子太傅、谨身殿大学士，而文襄加少保太子太傅，官职遂殊，嫌隙稍起矣。盖自侍郎以前，张皆在桂下也。"按，张璁、桂萼于今年八月被罢。十月，复召桂萼入阁。

李梦阳（1472—1529）病卒。崔铣《江西按察司副使空同李君墓志铭》："空同子以成化壬辰十二月七日生，嘉靖己丑九月二十有九日卒，享年五十八。""所著诗文集若干卷，《空同子》八篇。""弘治中，空同子兴，陋痿文之习，慨然奋复古之志，自唐而后无师焉。已汝南何景明友而应之。空同子之雄厚，仲默之逸健，学者尊为宗匠。又咸激厉风节，敢上直谏，安于冗散，鄙忽骤贵。空同子方雅简默，稍饰廉棱，仲默恬淡温孙，不露才美云。空同子讳梦阳，字献吉，庆阳人，徙大梁，甫冠举弘治癸丑进士，授户部主事，再迁至郎中。才敏气雄，簿书外日招集名流为文会，酬倡讲评，遂成风致。"（《皇明文范》卷五十）李开先《李空同传》："孟阳，今改孟为梦，原字天赐，今改献吉，而取号空同，爰自素屏改焉，皆由俗入雅，可见文学随时渐进，非可一蹴能之者也。……至弘治戊午，为进士者六年，始除户部主事，寻迁员外郎。……正德改元，进郎中。……庚午，瑾诛，起升江西提学副使。……所著诗文，刻于晋者名《空同集》，二十一卷，刻于赵者名《弘德集》，三十二集。全集一刻姑苏，一刻凤阳，俱六十三卷。是外仍有《叙拘集》、《结肠集》、《嘉靖集》、《晞阳子集》、《空同集》八篇。予为诸生日，慕其名，己丑第进士，即托举主王中川致书，时空同已病，枕上得书叹息，以为世亦有同心如此者，俟病愈复书，至九月念又九日，不起矣。享年五十八，作诗模拟杜子美，而寿算复与之同。"许学夷《诗源辩体》后集纂要卷二："献吉五言律，入录者仅十之一，然于初唐、子美，得其神髓，惜不免有玷缺者。元美刻意慕杜，兼爱初唐，实未有一语也。""献吉七言律，入录者益少，然气格苍古，本乎自然，非矫强可到。若全集，则有生句、稚句、庸句、鄙句，其卤莽率意、近于学究者有之。国朝诸公论诗多贵耳贱目，惟元美庶为有见，至论献吉七言律，亦贵耳贱目矣。""献吉五七言律、绝，于朝廷、郊庙、边塞诸作则工，于山林、田野、闲适诸诗则拙。盖才性各有所宜。若李杜，则无不兼善矣。七言绝《帝京篇》、《郊祀歌》等，气格本乎李杜，惜未尽工。""歌行本于《离骚》。献吉熟于《骚》，其歌行妙处皆得于《骚》。于鳞于《骚》学实疏，故歌行无一可采。献吉歌行入录者，纡回隐约，有余不尽。短篇严紧精炼，不杂一常语，此国朝诸公所无。长篇体虽纵横而意实浑涵，实兼李杜所长；其不及李杜者，则累语累字为多，而全集益见苍莽也。《汉京篇》、《杨花篇》、《去妇词》专学初唐，附见本体之后。"《静志居诗话》卷十《李梦阳》："成弘间，诗道傍落，杂而多端，台阁诸公，白草黄茅，纷芜靡蔓，其可披沙而拣金者，李文正、杨文襄也。理学诸公，'击壤''打油'，筋斗样子，其可识曲而听真者，陈白沙也。北地一呼，豪杰四应，信阳角之，迪功骑之，律以高廷礼《诗品》，浚川、华泉、东桥等为之羽翼，梦泽、西原等为之接武。正变则有少谷、太初，傍流则有子畏，霞蔚云蒸，忽焉丕变，呜呼盛哉！献吉五古，源本陈王、谢客，初不以杜为师，所云杜体者，乃其摹仿之作，中多生吞语，偶附集中，非得意诗也。至效卢、骆、张、王诸体，特游戏耳。惟七古及近体，专仿少陵，七绝则学供奉。盖多师以为师者。其谓：'唐以后书不必读，唐以后事不必使。'此英雄欺人之言。如'江湖陆务观'、'司马今年相宋朝'、'秦相何缘怨岳飞'等句，非唐以后事乎？"《明史·文苑传》："梦阳才思雄鸷，卓然以复古自命。弘治时，宰相李东阳主文柄，天下翕然宗之，梦阳独讥其萎弱。倡言文必秦、汉，诗必盛唐，非是者弗道。与何景明、徐祯卿、边贡、朱应登、顾璘、陈沂、郑善夫、康海、王九思等号十才子，又与景明、祯卿、贡、海、九思、王廷相号七才子，皆卑视一世，而梦阳尤甚。吴人黄省曾、越人周祚，千里致书，愿为弟子。迨嘉靖朝，李攀龙、王世贞出，复奉以为宗。天下推李、何、王、李为四大家，无不争效其体。华州王维桢以为七言律自杜甫以后，善用顿挫倒插之法，惟梦阳一人。而后有讥梦阳诗文者，则谓其模拟剽窃，得史迁、少陵之似；而失其真云。"沈德潜《说诗晬语》卷下："李献吉雄浑悲壮，鼓荡飞扬；何仲默秀朗俊逸，回翔驰骤。同是宪章少陵，而所造各异，骎骎乎一代之盛矣。钱牧斋信口掎摭，谓其摹拟剽贼，同于婴儿学语。至谓读书种子，从此断绝。此为门户起见，后人勿矮人看场可也。两人学少陵，实有过于求肖处。录其所长，指其所短，庶足服北地、信阳之心。""徐昌谷大不及李，高不及何，而情朗清润，骨相嶔崎，自能独尊吴体。边庭实、王子衡，同羽翼李、何，而地位少下。康对山涉笔肤庸，一往易尽。七子之名，不必存也。"《四库全书总目》著录李梦阳《空同子》一卷、《空同集》六十六卷。《空同子》提要曰："梦阳字献吉，庆阳人，徙扶沟。弘治癸丑进士。官至江西提学副使。事迹具《明史·文苑传》。其书分《化理篇》二、《物理篇》一、《治道篇》一、《论学篇》二、《事势篇》一、《异道篇》一。凡六目、八篇，已编入《空同集》中。此本乃后人摘出别行。梦阳文摹拟秦汉，多艰深诘屈之语，为后人所诋訾。此书亦仿扬雄《法言》之体。其发明义理，乃颇有可采，不似其他作赝古。"《空同集》提要曰："梦阳为户部郎中时，疏劾刘瑾，遭祸几危，气节震动一世。又倡言复古，使天下毋读唐以后书。持论甚高，足以竦当代之耳目。故学者翕然从之，文体一变。厥后摹拟剽贼，日就窠臼。论者追原本始，归狱梦阳，其受诟厉亦最深。考明自洪武以来，运当开国，多昌明博大之音。成化以后，安享太平，多台阁雍容之作。愈久愈弊，陈陈相因，遂至啴缓冗沓，千篇一律。梦阳振起痿痹，使天下复知有古书，不可谓之无功。而盛气矜心，矫枉过直。《因树屋书影》载其'黄河水绕汉宫墙'一诗，以落句有郭汾阳字，涉用唐事，恐贻口实，遂删除其稿不入集中。其坚立门户，至于如此。同时若何景明、薛蕙皆梦阳倡和之人。景明论诗诸书，既龂龂往复，蕙亦有'俊逸终怜何大复，粗豪不解李空同'句，则气类之中已有异议，不待后来之排击矣。平心而论，其诗才力富健，实足以笼罩一时。而古体必汉魏，近体必盛唐，句拟字摹，食古不化，亦往往有之。所谓武库之兵，利钝杂陈者也。其文则故作聱牙，以艰深文其浅易。明人与其诗并重，未免怵于盛名，今并录而存之，使瑕瑜不掩。且以著风会转变之由，与门户纷竞之始焉。"《明诗纪事》丁签卷一录李梦阳诗十首，陈田按："空同志壮才雄，目短一世，好掊击人，而受人掊击亦甚。然究一时才杰，亦不能出其右也。成、弘之间，茶陵首执文柄，海内才俊，尽归陶铸。空同出而异军特起，台阁坛坫，移于郎署。"

## 十二月

**刘黄裳**（1530—1595）**生。**（生年据公历标注）李维桢《兵部郎中刘公墓志铭》："公生嘉靖己丑十有二月二十有七日，卒万历乙未正月二十有八日，年六十有七。"《列朝诗集小传》丁集下："黄裳字玄子，光州人。万历丙戌进士，授刑部主事，改兵部员外郎。倭犯朝鲜，有兴复属国之师，以知兵见推择，赞画宋司马军事，迁郎中。兵罢，请告归里而卒。""有《藏征馆集》行世。"《明史》附见《刘绘传》。

## 本年

**归有光长女出生。因念及其母周氏养育之劳，作《先妣事略》。**归有光时年二十三岁。《先妣事略》云："先妣周孺人，弘治元年二月十一日生。……正德八年五月二十三日，孺人卒。……孺人死十一年，大姊归王三接，孺人所许聘者也。十二年，有光补学官弟子，十六年而有妇，孺人所聘者也。期而抱女，抚爱之。益念孺人。中夜与其妇泣，追惟一二，仿佛如昨，余则茫然矣。世乃有无母之人！天乎，痛哉！"正德八年，即1513年。归有光（1507—1571）字熙甫，又字开甫，早年自号项脊生，晚年号震川，苏州府昆山县（今属江苏）人。十九岁以第一名补苏州府学生员。六赴乡试，于34岁中举。九上春官，将近60岁时考中进士。历任长兴县令、顺德府通判、南京太仆寺丞。有《震川先生集》等。王锡爵有《明太仆寺寺丞归公墓志铭》。

**世宗阅宋儒著《南剑州尤溪县学明堂记》，有述一篇。杨一清建议略作修改。**《弇山堂别集》卷二十七《史乘考误八》："史于嘉靖六年正月内记：上阅宋儒著《南剑州尤溪县学明堂记》，有述一篇，云：'今世降理微，人欲炽盛，无怪彼之附和。但可惜者，师生兄弟朋友，或一气而分，或交以为友，亦有不同焉。少师杨一清为乔宇之师，宇受学于一清有年矣，一旦被势利所逼，而师之言不从矣。桂华为少保桂萼之兄，则弟不亲矣。湛若水为尚书方献夫之友，则友而疏矣。吁，信势利夺人之速，可垂世戒。'辅臣杨一清因言：'宇不听臣言，若水背献夫，论诚然。若桂华能持正论，且闻萼之学多自其兄发之，未必尽非也。'上报曰：'朕阅《大典》，有得而述，因叹兄弟邪正异途，桂华、桂萼之如此，方鹏、方凤之如彼，吁嗟之余，扬抑不平。近日多事，未暇检读，依卿言，朕将原稿更之。'按，方鹏在南吏部时，尝一言忤张璁议礼，而凤则同台疏劾璁、萼等，故云尔。然六年正月内，桂萼尚为詹事，不当称少保，方献夫尚为少詹事，不当称尚书。又其时《大典》尚未完，当是七年终八年初蕚、献夫加官后御札，不应置于此月也。"杨一清于今年九月以不附张璁致仕。

**俞允文**（1513—1579）**补郡诸生，时年十七。**顾章志《明处士俞仲蔚先生行状》："君姓俞氏，初名允执，更名允文，仲蔚其字也，世为昆山人。……年十七，奉黄夫人命以《易》学出试，郡别驾李公浙由郎署左迁，颇以才自负，见君之作，以神龙天马目之，若柳仪部之称《毛颖传》者。寻荐于督学侍御张公衮，补郡庠弟子员。……邑中有吴中英先生，高才博学，善奖掖后进，有郭有道之风。见君集有'黄莺飞过山庭暮，欲语不语颜色苦'之句，大加称赏，遂忘年而友之，奇文疑义，相与辨析，往往至于达曙。同里张通参石川先生，喜吟咏，广交游，雅与君善。尝偕谒文太史衡山，出赵松雪马图令君题赋文，亟加许重。张公结社湖南，社中有尚书南坦刘公、箬溪顾公，皆海内缙绅冠冕，一见君即重其器度。及席上赋诗，又独屈其坐人，皆推以为上客。由是诸公互为延誉，人间渐知有仲蔚矣。"王世贞《俞仲蔚先生墓志铭》："又二载补郡诸生。是时邑之耆俊若张纳言寰、吴贡士中英咸推先生为忘年交。而归太仆有光行相近，名能经术，先生以古文辞与角，颇目为甲乙社云。"

**同安儒生李如玉诣阙上所著《周礼会要》十五卷，得旨嘉奖，赐冠带。**据《明史·儒林传》。

**蔡存远以其父蔡清所著《易经》、《四书蒙引》进于朝，诏为刊布。**据《明史·儒林传》。

**杨循吉《吴邑志》成书。**据四库提要。杨循吉字君谦，吴县人。成化甲辰进士。官礼部主事。《明史·文苑传》附见徐祯卿传中。

**朱廷立撰《盐政志》。**据四库提要。

**方献夫任吏部尚书，寻予告。**据《弇山堂别集》。

**刑部尚书周伦**（1463—1542）**以忤张璁改南。**据文徵明《周康僖公传》。

**吏部移文促薛蕙赴考功郎中任，薛蕙以张璁势焰正盛，不复就。**王廷《吏部考功郎中西原薛先生行状》："丁亥丁母夫人忧。己丑除服，其诬勘事亦明，吏部复称文促起之。时权贵人势焰正盛，先生曰：'斯尚可俯首以就汤镬哉！'遂绝意仕进，不复就，而权贵人亦卒不可得而甘心也。可谓明哲保身矣。"诬勘事见1524年。"权贵人"指张璁。又唐顺之《吏部郎中薛西原墓志铭》："所构事解，吏部数移文促先生赴官，时权贵人且张甚，曰：'是可褰裳而蹈渊也哉！'竟屡荐不复起。先生貌癯气清，行己素峻洁。其才虽高，然坦易洞朗，破去崖岸，豪杰皆慕与之交。其庸众亦无所忌者，独以一二权贵人故，至一斥不复用。先生方且艺圃灌花，澹如也。"

**许赞任刑部尚书。何瑭、湛若水任礼部右侍郎。何瑭升南京都察院右都御史，未任致仕。边贡任南京刑部左侍郎。唐龙任都察院右副都御史。魏校任国子监祭酒，本年致仕。**据王世贞《弇山堂别集》。

## 公元1530年（世宗嘉靖九年　庚寅）

正月

杨慎乞回原籍为父亲服丧，不许。据李调元所撰年谱。

## 四月

周廷用（1482—1534）《八厓集》刊行，邹文盛作序。序署"嘉靖九年四月廿八日，太子太保户部尚书屠陵邹文盛时鸣甫撰"。另有张时彻、陆钺二序，撰序时间不详。周廷用字子贤，华容人。正德辛未进士。官至江西按察使。

杨一清革职闲住，旋卒，谥文襄。杨一清诗颇为朱彝尊推重。《弇山堂别集》卷一百《中官考十一》："嘉靖九年，革原任大学士杨一清职闲住。一清往在陕西，与镇守太监张永同事相善，永之废而复用也，一清有力焉。及永殁，复为作志，而永弟容乞恩得升锦衣卫指挥金事，兄富为副千户。后富责永家人朱继宗侵没资产，继宗因讦奏永勘事江西时，盗宸濠库金二千两，以其半馈一清，转升容等官职。容随具疏辩，诏下法司推鞫。廉得永存日，馈一清生日贺礼金百两，及容求文所遗银二百两，无盗宸濠金事。拟容违例乞升，赎徒革职，一清请自圣裁。奉上诏，革容职，而贯一清罪，所受金帛，令所司追收入官。既而给事中赵廷瑞等复以为言。乃夺职令闲住。"《静志居诗话》卷八《杨一清》："杨一清字应宁，云南安宁州人。成化壬辰进士，授中书舍人，升山西提学金事，迁陕西副使，召为太常卿，拜左副都御史，巡抚陕西，历户部尚书，入直内阁，进少师，兼太子太师，吏部尚书，华盖殿大学士。卒，赠太保，谥文襄。遂庵古诗，原本韩、苏，近体一以陈简斋、陆放翁为师。献吉送昌谷诗云：'吾师崛起杨与李，力挽元化回千钧。'初意杨非李敌，不过为师同耳。及观《石淙集》，实有高出李者，乃知文士以千秋自命，类不轻许人也。"

## 六月

刻《大明集礼》成，世宗亲制序文。《大明集礼》，徐一夔等奉敕编撰。《四库全书总目》卷八三史部政书类二著录《明集礼》五十三卷，提要曰："明徐一夔、梁寅、刘于、周于谅、胡行简、刘宗弼、童彝、蔡琛、腾公瑛、曾鲁同奉敕撰。考《明典汇》载，洪武二年八月，诏儒臣修纂礼书。三年九月书成，名《大明集礼》。其书以吉、凶、军、宾、嘉、冠服、车辂、仪仗、卤簿、字学、乐为纲。所列子目，吉礼十四，曰祀天，曰祀地，曰宗庙，曰社稷，曰朝日，曰夕月，曰先农，曰太岁、风、云、雷、雨师，曰岳、镇、海、渎、天下山川、城隍，曰旗纛，曰马祖、先牧、社马步，曰祭厉，曰祀典神，曰三皇、孔子。嘉礼五，曰朝会，曰册封，曰冠礼，曰婚，曰乡饮酒。宾礼二，曰朝贡，曰遣使。军礼三，曰亲征，曰遣将，曰大射。凶礼二，曰吊赙，曰丧仪。又冠服、车辂、仪仗、卤簿、字学各一。乐三，曰钟律，曰雅乐，曰俗乐。《明史·艺文志》及《昭代典则》均作五十卷。今书乃五十三卷。考《明典汇》，载嘉靖八年礼部尚书李时请刊《大明集礼》，九年六月梓成。礼部言，是书旧无善录，故多残阙。臣等以次诠补，因为传注。乞令使臣纂入，以成全书云云。则所称五十卷者，或洪武原本。而今所存五十三卷，乃嘉靖中刊本，取诸臣传注及所诠补者纂入原书，故多三卷耳。如明礼志载洪武三年圜丘从祀，益以风、云、雷、雨。而是书卷一总序曰：

国朝圜丘从祀，惟以大明、夜明、星辰、太岁。又所载圜丘从祀坛位，及牲币尊罍，均止及大明、夜明、星辰、太岁，不及风、云、雷、雨。是益祀风、雨从祀圜丘在十一月。而是书成于九月，故未及纂入。实有明据。而卷一序神位版，乃曰风伯之神、云师之神、雷师之神、雨师之神，并赤质金字。不应一卷之内，自相矛盾若此。则其为增入可知。又《明史》礼志载洪武元年冬至祀昊天上帝仪注，无先朝告诸神祇及祖庙之文。至洪武四年，始创此制。而是书仪注则有之。知亦嘉靖诸臣诠补纂入者矣。序为世宗御制，题为嘉靖九年六月望日。而《世宗实录》载九年六月庚午，刻《大明集礼》成，上亲制序文。是月己未朔，则庚午乃十二日，与《实录》小有异同。疑十二日进书，望日制序，记载者并书于进书日也。"

## 七月

　　张嘉谟、管律、王官分别为齐之鸾《入夏录》作前序、后序和跋后。据序、跋题署。张嘉谟前序曰："一日得先生自南来途次及关中入夏塞所咏律诗古风绝句排律长篇及蓬献一书，名曰《入夏录》，盖他录居多，此特夏耳。"《列朝诗集小传》丙集："之鸾（1483—1534），字瑞芝，桐城人。……瑞芝早负时名，谏垣多所论列，在宁夏尝上蓬献疏，剀切为时所称。"《明史》有传。

## 九月

　　诏求精晓音律如宋之胡瑗、李照者，夏言以张鹗应诏。鹗至，即请定元声、复古乐。《世宗实录》卷一一七："（九月）乙卯。……上厘正郊典，谓当考定雅乐，疏请，令吏部及科道，求精晓音律如宋之胡瑗、李照者，吏科都给事中夏言遂以致仕甘肃行太仆丞张鹗应诏。上令吏部趣召之。鹗至，即请定元声、复古乐。"鹗又奏原太常寺乐官沈君敬不通音律，世宗令法司逮问。

## 十一月

　　更正孔子祀典，定孔子谥号曰至圣先师孔子。每岁春秋开讲前一日，皇帝服皮弁拜跪，行释奠礼。世宗《正孔子祀典说》即撰于本年。据四库提要。

## 本年

　　王慎中改官礼曹，更得肆力于文事。与华察、屠应埈等交往颇密。李开先《遵岩王参政传》："改官礼曹，更得一意文事，交游如众称八才子外，更有今大司马李克斋、给谏曾前川、提学江午坡、学士华鸿山、屠渐山，相与切磋琢磨，各成其学。上方重祭兴文，制礼作乐，四郊改建，百役奔驰，仲子正是祠祭之司而清官之选，督工考典，以副尚书之倚托，而极职事之规画。"

　　王磐（约1470—1530）卒。陈铎、王磐、冯惟敏、薛论道等并为明代散曲大家。《四库全书总目》卷一〇二子部农家类存目著录《野菜谱》一卷，提要曰："旧本题高邮王磐鸿渐撰。磐，明正德、嘉靖间人，尝诵咏老人灯诗以讥李东阳者，非元之王磐也。前有存白山人序，不著年月姓名。辨其私印，微似李宫二字，不知为何许人。所记野菜凡六十种，题下有注，注后系以诗歌，又各绘图于其下。其诗歌多寓规戒，似谣似谚，颇古质可诵。然所收录，不及鲍山书之赅博也。"著有《西楼乐府》。《朝天子·咏喇叭》为世所称。

许诰疏进其父所著《平番始末》于朝，诏付史馆。该书述用兵始末及西番情事颇详。据四库提要。

徐渭举业文字得山阴知县刘昺赏识。据徐渭《畸谱》。

汪机纂辑《痘证理辨》。据四库提要。

延平黄焯刻《玉机微义》五十卷于永州。《玉机微义》，徐用诚撰，刘纯续增。二人皆明初人。该书《四库全书总目》卷一〇四子部医家类二著录。

陆深撰《停骖录》。书凡一卷，杂录诗话、文评、朝章、国典，于经义亦间有考证。《四库全书总目》卷一二七子部杂家类存目四著录《停骖录》一卷、《续录》三卷，提要曰："明陆深撰。是编乃其罢山西提学金事南归时所作。前录成于嘉靖九年，续录成于十二年。杂录诗话、文评、朝章、国典，于经义亦间有考证。《续录》中所载《孟子》'为长者折枝'当解作肢体之肢，亦足以备一说。又谓《论语》'诗书执礼'，'执'疑是'艺'之误，则太创见矣。"陆深字子渊，号俨山，上海人。弘治乙丑进士。官至詹事府詹事，兼翰林院学士。卒谥文裕。事迹具《明史·文苑传》。

湛若水、张邦奇任南京吏部右侍郎。林文俊任南京国子监祭酒。据王世贞《弇山堂别集》。

## 公元 1531 年（世宗嘉靖十年　辛卯）

### 正月

桂萼致仕。归，卒于家。《万历野获编》补遗卷二《儒生保辅臣》："嘉靖九年八月，桂萼被给事中陆粲弹章，与张璁同罢，以尚书致仕。未几璁即召还，而萼仍家居。史馆儒士蔡圻，揣知上意，上疏颂萼功，请召之。上即俞其言，赐萼敕奖谕，敦促上道矣。至十二月萼未至。听选监生钱潮等，又上疏请遣使趣大学士萼还朝，与璁共辅政，时去岁终禁封三日耳。上怒，谓大臣进退，断自朝廷，乃敢狂率奏扰。且倡自蔡圻，并圻下法司逮讯。时人快之。时萼尚在家，宜即坚辞。未几赴阙，然已与张隙，不得行，意邑邑，岁余仍致仕去，遂死。盖在得患失，兼而有之。蔡、钱二生，何足责也。"按，陆粲劾张、桂在嘉靖八年。

### 二月

陆粲《春秋胡氏传辨疑》成书。是书抉摘说经之弊，颇能洞中症结。《四库全书总目》卷二八经部春秋类三著录《春秋胡氏传辨疑》二卷，提要曰："明陆粲撰。前有自序，谓胡氏说经，或失于过求，词不厌烦而圣人之意愈晦，故著此以辨论之。大旨主于信经而不信例。其言曰：不以正大之情观《春秋》，而曲生意义，将焉所不至矣。又

83

曰：昔之君子有言《春秋》无达例。如以例言，则有时而穷。惟其有时而穷，故求其说而不得，从而为之辞。又曰：《春秋》褒善贬恶，不易之法。今用此说以诛人，又忽用此说以赏人，使后世求之而莫识其意，是直舞文吏所为，而谓圣人为之乎？其抉摘说经之弊，皆洞中症结。其例皆先列胡传于前，而以己说纠正于后。……凡六十余条，大抵明白正大，足以破繁文曲说之弊。自元延祐二年立胡传于学官，明永乐纂修《大全》，相沿而不改。世儒遂相沿墨守，莫敢异同。惟粲及袁仁始显攻其失。其后若俞汝言、焦袁熹、张自超等，踵以论辨，乃推阐无余。虽卷帙不多，其有功于《春秋》，固不鲜也。"陆粲自序署："嘉靖辛卯春二月朔日吴郡陆粲题于黎峨寓庐。"

### 春

李开先以户部主事饷边西夏。往返途中，过访康海、王九思。作《塞上曲》一百首，又集古人塞上诗为一编。李开先《渼陂王检讨传》云："予尝饷军西夏，路出乾州，偶遇康对山，坐谈即许以国士，当夜作一正宫长套词赠之，传播长安以及鄠县。而张太微、胡蒙溪又交口称誉，以为自来会晤过客，无如予者。康又相约事竣游武功以及鄠、杜，见渼陂翁。翁闻之，朝暮北望，不见音尘，意料或不来矣。忽一日造其门，惊讶以为从天降也。握手庆幸，有如旧交，谈倦则各出所作互相评定，半夜而寐，或彻夜不寐者凡五、六夜，而赓和之作，约有一小册。"（《闲居集》之十）雍正《陕西通志》九八："李开先奉使银夏，访康德涵、王敬夫于武功鄠杜之间，赋诗度曲，引满称寿，二公恨相见晚。作《塞上曲》一百首，又通集古人塞上诗为一编。"

### 六月

王廷相为何大复《何氏集》作序。序署"嘉靖十年六月初伏日，仪封王廷相子衡撰"。

### 七月

《雍熙乐府》刊行，王言作序。据考，该书为郭勋所编。凡二十卷，收金、元、明三代杂剧、传奇、诸宫调等一千余套，南北曲小令近二千首，按宫调编排。是嘉靖以前最大规模的曲文选集。

陆粲自贵州晋京，便道归家。今年陆粲自贵州都匀驿丞量移江西永新知县。据徐朔方所撰年谱。

### 八月

席书等任乡试主考。《弇山堂别集》卷八十二《科试考二》："嘉靖十年辛卯，命翰林院侍读学士吴惠、右春坊右赞善蔡昂主顺天试。命翰林院侍读学士席书、左春坊左中允孙承恩主应天试。""是岁，各省试仍用科部等官。"

王慎中为广东乡试主考，所录乡魁林大钦明年状元及第。李开先《遵岩王参政传》："辛卯，各省乡试，仍以京朝官为主考，仲子得广东，而录文佳，得士多，迄今为人所称诵。明年，状元及第者，即乡魁林大钦也。"

**茅坤**（1512—1601）**乡试下第**。茅坤，字顺甫，号鹿门，归安人。嘉靖戊戌进士，除青阳知县。改丹徒，征授礼部主事，改吏部，左迁广平通判。迁南兵部主事，擢广西佥事，进河南副使。著有《白华楼藏稿》、《玉芝山房稿》、《耄年录》等。屠隆《明河南按察司副使奉敕备兵大名道鹿门茅公行状》载：茅坤乡试下第，父"南溪公恚曰：'人皆目汝盗骊、山子，一出而蹶，何名神骏？'坤顿首谢。乃裹粮渡钱塘，从名师，益下帷发愤，业大就。"

**归有光**（1506—1571）**乡试下第**。归有光，字熙甫，昆山人。九岁能属文，弱冠尽通《五经》、《三史》诸书，师事同邑魏校。嘉靖十九年举乡试，八上春官不第。徙居嘉定安亭江上，读书谈道。学徒常数百，人称震川先生。嘉靖四十四年始成进士，授长兴知县，调顺德通判，专辖马政。隆庆四年，大学士高拱、赵贞吉雅知有光，引为南京太仆丞，留掌内阁制敕房，修《世宗实录》，卒官。著有《震川先生文集》。据王锡爵《明太仆寺寺丞归公墓志铭》、《明史·文苑传》。

**何良俊至南京应试，与顾璘交往颇密**。何良俊《四友斋丛说》卷十五："辛卯年，与舍弟至南京科举，各携所业见东桥先生。适王雅宜养病于东桥爱日亭中，东桥即携余辈行卷坐雅宜床前，相与披诵，极口赞赏。故雅宜赠余兄诗中备言之。次日即手书帖子来谢云：'今英流自远之日久矣，乃荷高贤谦损之议，倡复古道，钦属钦属！即辰，家尊小倦，不获奉谈宴。书帕先致谢私，余容求晤以尽所怀，不宣。'爱才好士，今亦不复有此风矣。""顾东桥文誉籍盛，又处都会之地，都下后进皆来请业，与四方之慕从而至者，户外之屦常满。先生喜设客，每四五日即一张燕，余时时在其坐。先生每燕必用乐，乃教坊乐工也。以筝琶佐觞。有小乐工名杨彬者，颇俊雅，先生甚喜之。常诧客曰：蒋南泠诗所谓'消得杨郎一曲歌'者，正此子也。先生每发一谈，则乐声中阕，谈竟，乐复作，议论英发，音吐如钟，每一发端，听者倾座。真可谓一代之伟人。""东桥一日语余曰：昨见严介溪说起衡山。他道衡山甚好，只是与人没往来；他自言不到河下望客，若不看别个也罢，我在苏州过，特往造之，也不到河下一答看。我对他说道：此所以为衡山也。若不看别人只看你，成得个文衡山么？此亦可谓名言。"顾璘（1476—1545）号东桥，王宠（1494—1533）号雅宜，严嵩（1480—1569）号介溪，文徵明（1470—1559）号衡山。

**何良俊、薛应旂**（1500—1570 后）**应乡试落第**。何良俊《薛方山随寓录序》："余忆辛卯年与先生俱入试于南都，先生尔时文誉籍甚，已震动于都城。南畿人来就试者，皆知常州有薛先生善为古人文，其学无所不窥，南都士莫有能先之者。先生偶知余，过访焉，交见甚欢也。是年先生与余皆见黜于有司，相继以拔贡去。继是先生以甲午（1534）举于乡，乙未（1535）举会试第二。"何良俊字元朗，松江华亭人。嘉靖中贡生，以荐授南翰林孔目。有《柘湖集》二十八卷。薛应旂字仲常，武进人。嘉靖乙未进士。除慈溪知县。迁南吏部主事，历郎中，出为浙江提学副使，改陕西。有《方山集》。

**唐龙为严嵩《钤山堂集》作序**。序署"嘉靖辛卯仲秋既望，资善大夫、兵部尚书兼都察院右都御史，兰溪唐龙序"。今所见严嵩集序，以"正德乙亥（1515）冬十一月十日，中顺大夫、鹤庆知府、前工部郎中，鹭沙孙伟"之《钤山堂诗序》为最早，其次为唐龙此序，嗣后陆续有"嘉靖壬辰（1532）冬十二月朔"刘节序、"嘉靖癸巳（1533）夏至前二日"黄绾序、"嘉靖十二年（1533）岁在癸巳五月庚戌"王廷相序、"嘉靖己亥（1539）孟秋日"崔铣序、"嘉靖乙巳（1545）三月之望"张治序、"嘉靖丙午（1546）三月望"王维桢序、"嘉靖丙午（1546）夏五月望"杨慎序、"嘉靖三十年（1551）岁在辛亥夏四月二十一日"湛若水序、"嘉靖己未（1559）三月望"赵贞吉序等。皇甫汸序年月不详。孙伟至崔铣诸序均作于嘉靖二十一年（1542）八月严嵩任武英殿大学士、入阁预机务之前。后五序则作于严嵩专国政期间。由以上诸序，可见严嵩与嘉靖文坛关系之一斑。《静志居诗话》卷九《严嵩》曾慨乎言之曰："弘治乙丑殿试，泰陵焚香祝天，愿得良辅。不意是榜，乃有分宜。吁，可怪也！然分宜通籍，即见知于献吉、仲默，旋请假还里，读书钤山者七年。献吉远访之山中，作《钤山堂歌》以赠。于时子衡、华玉、廷实、子钟、允宁、应德辈，交相引誉。又走使万里，索用修点定其诗，可称好事矣。其《与友人赠答诗》云：'自非肉食相，藏拙安所宜。'又云：'故园多所欢，薄宦何为者。'《赠相士颜生》云：'本无蔡泽轻肥念，不向唐生更问年。'一似恬澹自持，无意荣利者。迨爱立之后，骄纵贪黩，忿愵惕淫，失其本心，终以致败。暮年自序诗集云：'晚登政途，百责身萃，回忆旧业，如弁髦然。触口纵笔，率尔应酬，不能求工，亦不暇求工也。'对应德亦云：'少于诗务锻炼组织，求合古调。今则率吾意而为之耳。'分宜能知暮年诗格之坏，而不自知立身之败裂，有万倍于诗者。生日诗犹云：'晚节冰霜恒自保。'昧心之言，将谁欺乎？而应德翻谓'不烦绳削而合'。若湛元明一序，读之尤令人张目，不意讲学者，贡谀乃若是。王元美《乐府变》云：'孔雀虽有毒，不能掩文章。'殆平情之论乎？"李梦阳字献吉，何景明字仲默，王廷相字子衡，顾璘字华玉，边贡字廷实，崔铣字子钟，王维桢字允宁，唐顺之字应德，杨慎字用修，王世贞字元美。

## 秋

**李开先作散曲《卧病江皋·一江风》一百一十一首。** 李开先《市井艳词又序》："辛卯春有《赠对山》，秋有《卧病江皋》。"高应玘《卧病江皋序》云："嘉靖辛卯，中麓先生出饷西夏，归而卧病经秋，因作《一江风》以抒郁抱，非若不病而呻吟者也。予尝展候，见其单张片纸，填委架阁，遂袖而类之，共得一百一十一咏。其为人取去者，不可复追矣！惜其散逸，而幸其仅存，乃谋之梓人，刻而永其传焉。音既合谱，意更可人，押韵满百，不重一字，真艺林之宗工，而南曲之绝唱也。愤世疾邪，固云多实，喻言托兴，善用其虚，歌咏太平，佐侑鐏俎，将不是赖耶！中麓制作，佳而且富，予素嗜词，因而刻词。其嗜文者将必刻文，嗜诗者刻诗，刻经解，刻举业；至于国典史评，刑书政准，猜灯隐语，善戏微言，敲棋博陆之手谈，习静内修之口诀，刻者各随其所嗜，予乌得而知之。嘉靖甲辰（1544）卯月，同邑晚生高应玘顿首书。"王阶《卧病江皋后序》："龙溪乔翁尝言：'中麓李先生神清而气盛，形瘦而词雄。观其所作《一江风》，因南调而酌中声，用俗韵而出妙语，儒释道之具备，性情理之兼该。有雄杰如万马横奔者，有华丽如千岩竞秀者，有停蓄如春江不流者，有绵邈如寒蝉难断者，有奇怪如天吴出没，惆怅如羁客悲凉者，又有闪赚萦纡，悠扬陡顿，触发急并，虚歇讯弹，千态万状，形容不可得而尽者。呜呼！孔门三千，速肖者七十二人而已；小令三千，入选者指能几屈耶？古来以单词擅名者，若邓千江之《望海潮》，朱彦高之《春草碧》，蔡伯坚之《石州慢》，陈克明之《一半儿》，张小山之《寨儿令》、《满庭芳》。拟之中麓之作，真兵之对垒，而棋之敌手者也。'予闻是语久矣，龙溪下世，亦已久矣，间以扣之刘北滨，北滨叹曰：'信哉！中麓之知音，龙溪之知人，而吾子之知言也。'予曰：'音人言有异乎？夫道一而已矣！'遂书之为是刻后语云。同邑云峰王阶顿首述。"

## 十月

**太岳山人作《建文事迹备遗录》自序。**据四库提要。

**王尚纲（1478—1531）卒。**王尚纲《苍谷全集》附录王绖《明故浙江右布政使苍谷王子墓志铭》：公"生成化戊戌十月二十五日，卒嘉靖辛卯十月二十一日"。

## 十二月

**田汝成上言忤旨，停俸二月。**《明史·文苑传》："田汝成，字叔禾，钱塘人。嘉靖五年进士。授南京刑部主事，寻召改礼部。十年十二月上言：'陛下以青宫久虚，祈天建醮，复普放生之仁，凡羁蹄铩羽禁在上林者，咸获纵释。顾使图圄之徒久缠徽墨，衣冠之侣流窜穷荒，父子长离，魂魄永丧，此独非陛下之赤子乎！望大广皇仁，悉加宽宥。'忤旨，切责，停俸二月。屡迁祠祭郎中，广东佥事，谪知滁州。"御史喻希礼、石金亦以请宥议礼诸臣罪，下锦衣卫狱。

## 本年

**右都御史某劾南京户部尚书边贡纵酒废职，边贡遂致仕归。**乾隆《历城县志》卷四十："贡早负才名，美风姿，所交悉海内名士。久官留都，优闲无事，游览江山，挥毫浮白，夜以继日。十年，右都御史某劾其纵酒废职，遂致仕归。筑万卷楼于湖上，蓄书籍金石古文甚富。"边贡自嘉靖初即任职于南京。

**张时彻（1500—1577）以副使督学江西。此前张任职于南都。**沈一贯《南京兵部尚书东沙张公行状》："张公讳时彻，字惟静，先宋魏国忠献公浚、南轩先生栻为蜀人，四世有讳原者，家于鄞槎湖，是为槎湖始。……二十举于乡，二十四进士高等，为郎八年，皆从留都转。始膳部主事，迁武选员外郎，仪部郎中。南曹务简，一时仕者有吕公柟、邹公守益、顾公梦圭、王公积、石公简，尽名士。公日与劘切，期之大道，不忍以其身悠悠，生平衷蕴，始基此矣。三十二以副使督学江西，简才汰不肖，抱公绝私，关说无行，入于棐史，尤毖救。"

汪循《仁峰文集》由书林刘氏刊行。其文但取疏畅，不事剪裁。诗亦不出《击壤》一派。《四库全书总目》卷一七六集部别集类存目三著录《仁峰文集》二十四卷、《外集》一卷，提要曰："明汪循撰。循字进之，休宁人。弘治丙辰（1496）进士。官至顺天府通判。《江南通志》称其游庄昶之门。与王守仁数相论辩，盖亦讲学之流。集中有《答程瞳书》云：'朱子著书立言，皆欲使人明其理，反求于心。未尝教人弄故纸糟粕，以资一己功利。后之习其学者，徒知排比章句，而扩充变化之无功；辨析词理，而持守涵养之不力。专训诂者，附会穿凿，叠床架屋，汩心思，乱耳目。工文词者，饰筌蹄，取青紫，龙断罔利，中立为奸。朱子之学果如是乎？'其持论亦颇中流弊。然于瞳之嚣争门户，不一纠正，则犹未破症结也。其文第取疏畅，不事剪裁。诗亦不出《击壤》一派。是集凡文十七卷，《日录》二卷，诗五卷，末附诗话数则。《外集》一卷，附录敕命、行实、墓铭、祭文之类。题嘉靖辛卯书林刘氏刊行。其子戬跋，谓先刻其强半，盖尚非全稿。刻本亦颇多脱佚，失于校正云。"

**归有光撰《尚书别解》，自为序。**序曰："嘉靖辛卯，余自南都下第归，闭门扫轨，朋旧少过。家无闲室，昼居于内，日抱小女儿以嬉；儿欲睡，或乳于母，即读《尚书》。儿亦爱弄书，见书，辄以指循行，口作声，若甚解者。故余读常不废，时有所见，用著于录。……章分句析，有古之诸家在，不敢以比拟，号曰'别解'。"

**归有光与同学诸人结文社。**时县中有南北两社，同日并举，有光晨起赴南社，午后赴北社，著文以外，饮酒谈论，绰然有余裕。据沈新林归有光年谱。

**归有光作《送吴纯甫先生会试序》。**《送吴纯甫先生会试序》："予为童子时，则知有吴纯甫先生。……嘉靖辛卯，先生始发解，于是将上礼部，服王官有日矣。……因以为别。"发解，考中举人第一名。吴中英，字纯甫，昆山人。嘉靖十年应天乡试中式。将赴礼部试，有光作序以别。序中论及"国家以科目收天下之士"，"士风渐以不振"，感慨颇深。有光时年二十六岁。

**"嘉靖八才子"之称始于今年。**嘉靖八才子，谓陈束、王慎中、唐顺之、赵时春、熊过、任瀚、李开先、吕高也。李开先《吕江峰集序》云："古有建安七子，大历十才子。今嘉靖十年后，更有八才子之称。八人者，迁转忧居，聚散不常，而相守不过数年，其久者亦止八九年而已，不知天下何以同然有此称。详其所作，任忠斋以奇警，熊南沙以简古，唐荆川以明畅，而陈后冈之精细，王遵岩之委曲，赵浚谷之雄浑，各随其材力。吕江峰独以雅致擅名。七子所长，果是不可及，但任失之靡丽，熊失之悭啬，唐失之软弱，而失之深晦者陈，失之疏荡与缠绕者乃赵与王也。吕亦自谓有方板之失，其短处自不可掩。古人多不讳短，如曹子建贻杨德祖书，备论同时数子，不少假借。雪浪斋等，与大历诗人，各有评驳，惟予兼有七病，素无一长，亦幸得厕名于其间。任有《考功集》，熊有《内外集》，并《周易象旨决录》，唐集十二卷，陈集不分卷二册，王有《家居》、《玩芳堂》二集，各七卷，而赵集十五卷，予自杂著外，集亦不分卷，凡十二厚册。惟江峰不知其集之多少存亡。忽其长子克念致书云：'编定先君遗稿，颇有次第，已托桂陵胡子为之后序。'而以前序属予。予方为其集系心，闻此不胜喜慰，遂为之序其概，以见诸子同游之美，及得誉之隆如此。虽为之作序，尚未得其全集，止据平日所见，诗则沉着痛快，文则平正详明，而雅致不足以尽之，方板不足以病之矣。"（《闲居集》之五）《明史·文苑传》载："时有'嘉靖八才子'之称，谓（陈）束及王慎中、唐顺之、赵时春、熊过、任瀚、李开先、吕高也。"陈束（1508—1540），字约之，鄞人。有《后冈集》。赵时春（1509—1567），字景仁，平凉人。有《浚谷集》。熊过，字叔仁，富顺人。任瀚，字少海，南充人。李开先，字伯华，章丘人。吕高，字山甫，丹徒人。唐顺之、陈束、任瀚、熊过、李开先、吕高均为嘉靖八年进士，王慎中、赵时春为嘉靖五年进士。《列朝诗集小传》丁集上："开先，字伯华，章丘人。嘉靖己丑进士，授户部主事，调吏部，历文选郎中，擢太常少卿，提督四夷馆。罢归家居，近三十年。隆庆戊辰岁卒。伯华七岁能文，博学强记，弱冠登朝，奉使银夏，访康德涵、王敬夫于武功鄠杜之间，赋诗度曲，引满称寿，二公恨相见晚也。嘉靖初，王道思、唐应德倡论，尽洗一时剽拟之习。伯华与罗达夫、赵景仁诸人，左提右挈，李、何文集，几于遏而不行。"

**《水浒传》在本年前后引起"嘉靖八才子"关注。李开先等所阅，当为百回繁本。**李开先《一笑散》云："崔后渠、熊南沙、唐荆川、王遵岩、陈后冈谓：《水浒传》委曲详尽，血脉贯通，《史记》而下，便是此书。且古来更未有一事而二十册者。倘以奸盗诈伪病之，不知序事之法、学史之妙者也。"此为关于《水浒传》最早的可靠记载。所举五人中，崔铣（1478—1541）年代较早，系弘治十八年（1505）进士，余四人分别为嘉靖五年（1526）、嘉靖八年（1529）进士。云"二十册"，当是百回繁本。

**罗钦顺撰《困知续记》。其学由积渐体验而得，故专以躬行实践为务，而深斥王阳明良知之非。**《四库全书总目》卷九三子部儒家类三著录《困知记》二卷、《续记》二卷、附录一卷，提要曰："明罗钦顺撰。钦顺字允升，号整庵，泰和人。弘治癸丑进士。官至南京吏部尚书。谥文庄。事迹具《明史·儒林传》。是书皆其晚年所作。前记成于嘉靖戊子，凡一百五十六章。《续记》成于嘉靖辛卯，凡一百一十三章。附录一卷，皆与人论学之书，凡六首。钦顺自称初官京师，与一老僧论佛，漫举禅语为答。意其必有所得，为之精思达旦，恍然而悟。既而官南雍，取圣贤之书潜玩，久之渐觉就实，始知所见者乃此心虚灵之妙，而非性之理。自此研磨体认，积数十年，始确然有以自信。盖其学由积渐体验而得，故专以躬行实践为务，而深斥姚江良知之非。尝与王守仁书，辨朱子晚年定论，于守仁颠倒年月之处，考证极详。此书明白笃实，亦深有裨于后学。盖其学初从禅入，久而尽知其利弊，故于疑似之介，剖析尤精。非泛相呵斥，不中窾要者比。高攀龙尝称自来排斥佛氏未有若是之明且悉者，可谓知言矣。"

**程爵重刊吕柟《二程子抄释》。**据四库提要。

**汪机《外科理例》成书。**汪机字省之，祁门人。《明史·方技传》称，吴县张颐、祁门汪机、杞县李可大、常熟缪希雍皆精通医术，治病多奇中。即其人也。《四库全书总目》卷一〇四子部医家类二著录《外科理例》七卷、附方一卷。

**礼部侍郎顾鼎臣进《步虚词》七章，以献祥瑞得宠。嘉靖间谄风滔天，此为一例。**《万历野获编》卷二十九《甘露瑞雪》："世宗登极，诏罢四方献祥瑞者。时汪鋐以右副都御史巡抚南赣，首进甘露以媚上，得召为刑部侍郎。会修《明伦大典》，璁、萼等标镀所献甘露于卷末，以为此上孝感之应，寻进掌院吏部尚书，兼兵部尚书，宠眷几与张、桂等。而其人之横恶，为天下唾骂，则至今如一口也。汪之后献祥瑞者，直至世宗季年而犹未已。又嘉靖十年，礼部侍郎顾鼎臣奏，上设醮时，先一日阴云解散，二之日云物一色，复降瑞雪，此皇上精诚格天所致。因进《步虚词》七章。又言七日奏请青词，尤为至要，仍列五事奏之。其事皆斋坛香水供献之祥也。上大悦，报曰：'览奏具见忠爱。《步虚词》留览。朕已竭诚，诸臣宜仰体朕心，秉丹诚以承天鉴。'顾由此得大拜。上南巡，奉敕居守，寻殁于位。自顾疏后，斋醮日盛，凡事玄三十余年，及上升遐始止。按二公俱以献媚得宠，得冢宰，得宰相，如取诸寄，而事业毫无闻焉。顾虽和易，非汪螫毒可比，然流秽史册亦不细矣。"又卷二十一《士人无赖》："嘉靖初年，士大夫尚矜名节，自大礼献媚，而陈洸、丰坊之徒出焉。比上修玄事兴，群小托名方技希宠，顾可学、盛端明、朱隆禧，俱以炼药贵显。而隆禧又自进太极衣为上所眷宠，乃房中术也。原任吏部主事史际建醮祝圣寿，进尚宝少卿。尚书赵文华进百花仙酒，独以忤相嵩败，亦有幸有不幸也。其大臣献瑞者，巡抚都御史汪铉首献甘露，继之则督抚吴山、李遂、胡宗宪辈，进白鹊、白兔、白鹿、白龟等，尤不可胜纪。其他权门义子，如鄢、赵辈不足道。光禄寺少卿白启常至以粉墨涂面，博严世蕃欢笑。词臣唐汝楫、梁绍儒并出入交关，先后白简逐去。当时谄风滔天，不甚以为怪也。"

**周廷用**（1482—1534）以江西按察使晋京述职，都御史汪铉摘黜之。张时彻《送周八厓叙》："嘉靖辛卯，当天下述职之期，维时藩臬诸司暨郡邑长伯，咸以职事奔走，乃八厓先生以江西按察使行，曰：'咨，圣天子之休命也，我不敢后。'"孙宜《江西按察使周公廷用传》："华容古章华墟也，山岳雄峙，川湖襟带，谈者率以为楚之巨焉。自邑东驰者概谓东山，东山之秀乃又甲等一邑。前代勿论已，开国迄今，名绅硕弁，冠冕乡土，景颂夷夏，若朴翁、忠宣者流，大抵咸山东产。自东北行数十百里，则其势愈雄，巍壁峭嶂，叠岭巉阜，仰轧日月，旁刺云汉，视东山盖上下几之，于是有伟人生焉，曰八厓公，公姓周氏，名廷用，字子贤……正德辛未进士，出为宣城令。……不三年，入为陕西道监察御史，按贵州……会公疏诋铨部，当事者怒公，思有以扼之，未一考，竟陟公浙江按察佥事以去。……未几又进四川按察副使。……居久之，始擢为江西按察使。江俗故刁强弗驯，其缙绅大夫罢居，例日请托受赇，累家富厚。公为按察也，每痛抑其弊，凡缙绅大夫以书问至者，令二吏于听事公拆之，请嘱皆废不行。而其居四川严亦若此。于是毁谤交集，咸欲椎刃公。会三载入觐铨部，都御史汪铉首摘公黜之。尚书王琼者知公，谓汪曰：'此故有名豪杰，何可黜也？'汪即曰：'公不黜此人，他日得志，将尽杀天下士，吾与公苟存，亦不噍类矣。'王公故尝以刚谪，其复起也，盖不能不稍依违，计卒无以留公。于是缙绅相语曰：'周某性高气傲人也，今黜必，且疏直冤。'乃相率诣慰公，勉之行……于是卒归，归而为石矶八厓之社，其文复益大进。"

**许赞任户部尚书。夏言任礼部右侍郎。周用任都察院右副都御史**。据王世贞《弇山堂别集》。

**谢迁**（1450—1531）卒。谢迁为明代贤相之一。《四库全书总目》卷一七一集部别集类二四著录《归田稿》八卷，提要曰："明谢迁撰。迁字于乔，余姚人。成化乙未进士第一。授修撰。官至户部尚书，谨身殿大学士。谥文正。事迹具《明史》本传。迁之在内阁也，与刘健同心辅政。史称其秉节直谅，见事明敏，天下称为贤相。其文集全稿，嘉靖中倭乱被毁。此集乃其致仕以后及再召时所作，自题曰《归田稿》，以授其子至者也。国朝康熙中，其七世孙大名府同知钟和复加厘辑，梓而传之。集中奏疏，类多晚年陈谢之作。凡在朝时嘉谟谠论，均已无存。即史所称请罢选妃嫔、禁约内官诸疏，亦不在其间。则其散失者当复不少。然迁当归里以后，正刘瑾、焦芳等挟怨修隙，日在危疑震撼之中，而所作诗文，大抵词旨和平，惟惓惓寄江湖魏阙之思，老臣忧国，退不忘君。读此一编，已足以知其忠悃矣。"

薛论道（约 1531—约 1600）约生于今年。薛论道，直隶定兴（今河北定县）人。少婴沉疾，跛一足。八岁能文，试辄第一。读兵书，自负智囊，说剑都下公卿间，呼为刖先生。许襄毅辟为参谋。神堂谷有警，用其策，却敌十万众。捷闻，陞指挥金事。寻以却敌擢官三级，以参将请老归。有《林石逸兴》十卷。据《保定府志》。陈铎、王磐、冯惟敏、薛论道并为明代散曲大家。

## 公元 1532 年（世宗嘉靖十一年　壬辰）

### 正月

杨慎应布政高公韶之聘纂修《云南通志》，馆于昆明武侯祠内。因流言中伤，三月辞归安宁。李调元《升庵先生年谱》："壬辰正月，布政高公公韶聘修《云南通志》，馆于滇之武侯祠。时卿（据《续藏书》，以作'乡'为宜）大夫有欲冒嗣颍川侯傅有德以觊世爵者，公不可。乃乘张萝峰复相，流言欲中害公，遂去。有'中宵风雨太多情，留住行人不放行；借问小西门外柳，为谁相送为谁迎'之句。"

### 二月

王九思编定所作诗文为《渼陂先生集》，康海作序。王九思号渼陂。据康序题署。

### 三月

林大钦等进士及第。大钦时年二十有二。其文明健可诵，御批第一。《弇山堂别集》卷八十二《科试考二》："十一年壬辰，命詹事府少詹事兼翰林院学士张潮、翰林侍读学士郭维藩为考试官，取中林春等。廷试，赐林大钦、孔天胤、高节及第。先是，礼部尚书夏言上疏请正文体，诸刻意骋词浮诞、磔裂破坏文体者，摈不得取。诏可。既廷试，言复令仪制郎中约束，诸士咸拱听，而大钦独后至，不闻也，起不用对冒，而文气甚奇。吏部尚书汪铉得之，诧曰：'怪哉。'以示大学士张孚敬。已定二卷，览之曰：'虽破格，甚明健可诵也。'取为第三。既呈览，上御批第一。大钦时年二十有二，第二名孔天胤，以王亲例补外为湖广提学金事。""是岁改庶吉士，已取钱亮、许樾、闵如霖、卫元确、段承恩、韩勋、扈永通、吕光洵、谢九仪、刘光文、黄献可、刘士达、刘思唐、阎朴、胡守中、钱籍、王梅、雷礼、边㵮、李大魁、郭希颜矣。上阅卷，见弥封官姓名，疑有私，遂报罢。后复选吕怀、范瑟、钱亮、黄应中、秦鸣夏、边沆、闵如霖、王珩、卫元确、浦应麒、游居敬、赵汝濂、刘思唐、阎朴、胡守中、李本、赵维垣、何城、王梅、李大魁、郭希颜,命礼部右侍郎兼翰林院学士顾鼎臣教习。"焦竑《玉堂丛语》卷六《科试》:"田汝成记,壬辰礼部尚书夏言上言:'举子经义论策,各有程式,请令今岁举子,凡骈词浮诞,磔裂以坏文体者,摈不得取。'上从之。会试既毕,夏公复召予语曰:'进士答策,亦有成式,可谕诸生,毋立异也。'予曰:'唯。'因诸举子领卷,传示如谕。既廷试,诸达官分卷阅之。时内阁取定二卷,都御史汪公鋐得一卷,诧曰:'怪哉,安有答策无冒语者?'大学士张公孚敬取阅一过,曰:'文字明快,可备御览。'遂附前二卷封进,上览之,擢第一,启之,乃林大钦也。夏公大骇,谓予何不传谕前语。予无以自解,乃就大钦询之,对曰:'其实不闻此言,闻之安敢违也。'予乃检散卷簿,则大钦是日不至,次日乃领之。因叹荣进有数,非人所能沮也。"同榜进士有范钦(1508—1590)、顾存仁、皇甫涍(1497—1546)、周复俊(1496—1574)、尹耕(1513—?)、苏志皋(1497—1569)、吴岳(1504—1570)、许应元(1506—1565)、赵伊(1512—1573)、桑乔、包节(1506—1556)、冯汝弼(1499—1577)、王畿(1498—1583)、高世彦、钱德洪等。

**孔天胤为今年进士第二。于故事当授编修,以藩戚外补陕西提学佥事。**《弇山堂别集》卷十六《皇明奇事述一》"山西二国戚":"嘉靖壬辰第一甲第二人孔天胤,以国戚授陕西按察佥事,迁提学副使,至右布政使。丁未(1547)第二甲第一人亢思谦改庶吉士,授编修,国戚事始觉,得迁提学副使,至右布政使。皆以不得意功名去官,皆晋人,皆有诗文名,豪饮喜客相甲乙。"顾梦圭《送文谷孔君序》:皇上御极,"壬辰岁临轩策天下士。文谷孔君对扬清问,上亲擢一甲第二人及第。顾以藩府姻也,出为陕西督学,未几复守祁州,董戎颍上,兹稍迁陕西藩参。"孔天胤字汝锡,号文谷,又号管涔山人。汾州人。嘉靖壬辰进士。官至浙江布政司参政。有《孔文谷文集》、《孔文谷诗集》。

**蔡汝楠(1516—1565)中进士,时年十八。**茅坤《通议大夫南京工部侍郎白石蔡公行状》:"公名汝楠,字子木。生而颖异,甫八龄随父夷轩公游南雍,时甘泉先生进诸生讲白沙之学,公以儿年曳父裾入帷中,从旁窃听之,辄点头,一座大惊。年十八举进士,授行人,函玺书赐齐、楚诸王府。所至则按图眺名山,赋为诗歌,镌之碑记,以贻四方。片楮所落,人呼曰:'汉之祢衡也!'与燕张言、河南高叔嗣、毗陵唐顺之、晋江王慎中、钱塘许应元、姑苏黄省曾及皇甫兄弟辈,时时以声律相高,而公之誉问,翩翩海内矣。已而夷轩年且衰,公由刑部员外郎上书乞南省,以便禄养。于是改南。刑部尚书顾公东桥,闻人也,雅奇公才,公至,遂为忘年友。""予尝按公学凡三变,而其莅官持政,亦数与学相上下。初释褐时,竞为声诗,然镌刻藻丽。过南省,则洗去铅华,合响郎、刘诸大家矣。"(《茅鹿门先生文集》卷之二十八)

**白悦(1498—1551)举进士,授户部陕西司主事,尝于任内出使关中,访王九思、康海,凭吊李梦阳。**王维桢《明尚宝司司丞致仕洛原白公墓碑》:"洛原白公者,常州武进人也。名悦,字贞夫。其先洛阳人,后徙武进,居采菱港。白公不忘始,故号洛原白公。……嘉靖壬午(1522),白公举顺天乡试。……又十年举壬辰进士,除户部主事。当是时,白公父行皆大官,皆器白公重之,而白公又好士如饥渴,故所与游非其先世交则海内知名之士也。白公故尝闻关中鄠杜有王太史（九思）武功康太史（康海），两公者皆家居，慕之，乃求使入关谒两公。两公见白公，与语，皆大惊喜，各留其家数十日，乃发。别而之平凉使所，道望北地，北地故空同（梦阳）李氏家，而李氏客于梁，死之。白公念当世之文所能复古昔者，由李、康诸人倡始，顾独不得见空同，乃停辂褰帷徘徊瞻顾，有怆然之思焉。"白悦官终江西按察佥事。有《洛原遗稿》八卷。

**许应元**（1506—1565）**举进士，授泰安知州。应制诸诗得李开先赏识，推为盛唐雅调。**侯一元《广西右布政使许公应元墓志铭》："公讳应元，字子春，生而绝敏，数岁，日诵数百言，为诸老先生所赏异。年十五为博士弟子，二十而举嘉靖乙酉乡试，己丑赴试春官，太史伦公以训奇其文，欲置高列，争之主试不能得，恚曰：'第落之，异日以冠多士耳。'壬辰举进士，伦公复品之曰：'西京之文也，当选庶吉士。'执政者知公，欲一见，公不往，曰：'吾始仕也，而当伛偻鼎贵之门，冒谒干进哉！'坐是竟不得入翰林，出知泰安州。然应制诸诗，籍籍传矣。吏部李公开先见之，呕嗟服为盛唐雅调焉。"历任夔州知府、云南按察使等官。官至广西右布政使。著有《水部稿》、《陭堂稿》等。

**王畿暂寓京师，唐顺之叩以阳明之说，受影响颇深。**李贽《金都御史唐公传》云："时则王龙溪以阳明先生高第寓京师，公一见之，尽叩阳明之说，始得圣贤中庸之道矣。"李慈铭《越缦堂读书记》云："唐荆川文集，明唐顺之撰。往时亡友孙二廷璋最不喜荆川文，屡质之予。予尝再阅其集，亦多不满意。今平心论之，集中书牍最多，大半肤言心性，多涉禅宗，其于学问，盖无一得，而喜为语录鄙俚之言，最为可厌。观其所往还最密者，遵岩外惟吾乡之王龙溪，吉水之罗念庵，而与吾乡季彭山书，谓其治经当融真机以求古圣贤之精，则其学可想见。序记诸作，多简雅清深，不失大家矩矱。传志墓表诸作，最为可观。其叙事谨严，确守古法，于故旧之文，尤抑扬往复，情深于词，多造欧、曾深处。以有明而论，逊于震川，胜于潜溪，而齿于遵岩、弇州之间，其名震一代，良非无故。……诗皆平直浅率，观其与王遵岩书，谓文莫高于曾南丰，诗莫高于邵康节。此其诗文之优劣所分也。同治戊辰（一八六八）七月二十日。"王畿（1498—1583）号龙溪，罗洪先（1504—1564）号念庵。

**文徵明为都穆《南濠诗话》作序。**序署"壬辰三月，衡山文璧叙"。文璧即文徵明。《南濠诗话》，都穆（1459—1525）撰，一卷。《四库全书总目》卷一九七集部诗文评类存目著录，提要云："此编刻意论诗，而见地颇浅。如许彦周诗话解《锦瑟》诗，以'适怨清和'配中四句，附会无理。而摭为异闻。杨载诗之'六朝旧恨斜阳外，南浦新愁细雨中'，格律殊卑。'柳色嫩于鹅破壳，藓痕斑似鹿辞胎'，尤属鄙俚。而指为佳句。至载入元景文'去年先生靡恃己，今年先生罔谈彼'之谑，更伤芜杂矣。其书世有二本。一为黄桓所刻，凡七十二则；一为文璧所刻，凡四十二则，较黄本少三十则，而其中三则为黄本所无。近鲍廷博始以两本参校，合为七十五则，即此本也。"《历代诗话续编》据鲍本收入。首列黄、文二序。黄序称穆"学问该博，而用意精勤，钩深致远，而雅有枢要，诚足以备一家之体"；文序谓其"玄辞冷语，居然合作"。所论颇为中肯。都穆字元敬，吴县人。弘治己未进士。官至礼部主客司郎中，加太仆寺少卿，致仕。

**刘成穆**（1514—1532）卒。刘成穆，一名嘉寿，字玄倩，又字文孙，崇庆人。嘉靖辛卯举人。有《刘玄倩集》。《玉笥诗谈》卷上载："刘玄倩，名成穆，其先世新淦人，以大姓商崇庆州，从外氏为杜氏。大父性谨厚，不御酒肉，妖人铎乱蜀之岁，梦吞五色石三，占之曰：'石之言世也。五色备乎文矣，三世之后，其以文名乎？'祖勤庵先生，举弘治壬子乡试，仕弗耀。父朝绅，以正德甲戌正月甲寅夜梦有鹤翥于庭，遂生玄倩，名之曰成穆，别名以嘉寿，字曰文孙，志先梦也。玄倩生七岁，能诗文，十岁博识，十五究经史百家，谈元理，谈兵，谈世务，珠贯川络，且澹然有山林之意。嘉靖辛卯，朝绅督饷江西，留玄倩侍其母。柱史熊云梦，宗宪张南溟，檄有司起试，试嘉禾赋经义各一，比成，日未中。读之蔚然，因强入试院，以《春秋》举乡试第三。又强之试春官，不第，发愤卒，壬辰春三月二日也。先是己丑，玄倩梦入五云洞，二道士迎于门，以诗赠别，末有'重龙望子回'之句。龙辰属三辰月，甲辰之三月重龙也，人谓先兆云。升庵杨先生甚爱其《过汉武陵》诗，云：'岁暮霜残过汉都，武皇陵墓旧荒芜。不将玉匣藏天马，犹使金灯照野狐。赋客词园清露尽，仙翁丹灶白云孤。千年惟有秋风曲，渭水长流啼野乌。'予爱其《温泉宫》，云：'碧洞霜泉卧火龙，翠华宫冷玉芙蓉。游人绿酒流春殿，妃子朱颜落夜峰。石阁独逢明月醉，瑶塘虚有晚霞封。霓裳不见梨园曲，愁听秦筝杂野蛩。'玄倩于诗文初不经意，即席挥颖，有甚嘉者，若《秋霖赋》之类，俱散失不传。所存集才三之一。初名诚穆，南溟改诚为成，易文孙以玄倩，故集名《玄倩集》云。"《静志居诗话》卷十四《刘成穆》："孝廉《过汉武帝陵》诗云：'岁暮霜残过汉都，武皇陵墓旧荒芜。不将玉匣藏天马，犹使金灯照野狐。赋客词园清露尽，仙翁丹灶白云孤。千年唯有《秋风曲》，渭水长流啼夜乌。'杨用修见而甚爱之。然按其字句，尚欠帖妥。"《明诗纪事》戊签卷十七录刘成穆诗三首，陈田按："玄倩才藻是李长吉一辈人，惜不永年。遗集今亦不传。"

## 四月

**李濂为敖英**（1480—？）**《东谷诗稿》作序。**敖英字子发，清江人。正德辛巳进士。官至河南右布政使。序曰："东谷敖先生子发督学中州，访余于梁台之下，谈论竟日，偶及诗赋，渊乎其旨之远也，确乎其评之精也，亹乎其说之长也。余闻而悚然，间求其所作，始得斯稿而阅焉。披诵之余，乃敛衽叹曰：'此名世之作也。此余所谓当以天下论而不当以一方论者也。使紫薇见之，鉴赏品题，讵当在山谷之下乎？'嘉靖壬辰夏四月，嵩渚李濂书于榆枋小隐。"南宋吕居仁号紫薇，曾著《江西诗社宗派图》，推黄庭坚为江西诗派之宗。《坚瓠甲集·敖东谷》："敖东谷英壮岁蹴死皮工，逃入宁州。年久，妻议他适，迎妇者已在门，东谷突归，始散。或作诗云：'伤心鸳侣乍分行，鸿断鳞潜十五霜。归马不随今夜月，桃花应向别园芳。'东谷念家贫难娶，隐忍与居，生二子。正德辛巳（1521）登进士第，官留都，不挈以行，纳妾甚嬖焉。二子不教以诗书，及长，但事生产作业。《绿雪亭杂言》中尝病朱买臣事，盖亦有谓而发。"《四库全书总目》子部儒家类存目二著录敖英《慎言集训》二卷，子部杂家类存目四著录敖英《东谷赘言》二卷、《绿雪亭杂言》二卷。

## 五月

**九日，吕柟与门人曹诏论民生休戚。**据吕柟《泾野子内篇》卷十《鹫峰东所语第十五》。

## 七月

**陕西提学佥事王惟贤刊行唐龙《渔石集》，康海作序。**序署“嘉靖十一年壬辰秋七月既望，浒西山人康海德涵序”。别有黄省曾序，署“嘉靖甲午冬十一月吉日五岳山人吴郡黄省曾撰”；白悦《唐渔石集后序》，作序时间不详。唐龙（1477—1546），字虞佐，号渔石，兰溪人。正德戊辰进士，官至吏部尚书。谥文襄。有《渔石集》四卷。生平详见徐阶《明故光禄大夫太子太保吏部尚书赠少保谥文襄唐公墓志铭》、庄起元《唐渔石先生传》。《四库全书总目》卷一七六集部别集类存目三著录《渔石集》四卷。

## 八月

**杨仪《高坡异纂》成书，自为序。《高坡异纂》，笔记小说集。**序称“少日读书，凡简编中所载神仙诡怪小说，心窃厌之，一见即弃去，虽读之亦多不能终其辞。正德、嘉靖间，两见邑中怪事，始叹古人纪载未必皆妄”。居京师病时，友人“日来问讯，每举所闻以解予病怀，因以新旧所得，去其鄙亵凡陋荒昧难凭者十之五六，录成三卷，题曰《高坡异纂》，聊以著造物之难测，证古人之不诬也。高坡者，予京邸之里名；异纂者，琐屑谀谈，不足于立言云耳”。序署“嘉靖壬辰仲秋六日”。杨仪（1488—1558），字梦羽，常熟人，嘉靖五年（1526）进士，历官兵部郎中、山东按察副使。《四库全书总目》卷一四四子部小说家类存目二著录杨仪《高坡异纂》二卷，提要曰：“是编乃志怪之书。前有自序，谓高坡京邸之寓名。按明张爵《坊巷胡同集》，东城有高坡胡同，盖即所居也。钱希言《狯园》称杨仪礼部素不信玄怪之谈，因闻王维贤亲见仙人骑鹤事，始遂倾心，著有《高坡异纂》行于世。然书中所记，往往诞妄。如黄泽为元末通儒，赵汸之所师事，本以经术名家。而仪谓刘基入石壁得天书，从泽讲授。真可谓齐东之语。至谓织女渡河，文曲星私窥其媟狎，织女误牵文曲星衣，上帝丑之，手批牵牛颊，伤眉流血。竟公然敢于侮天矣。小说之诞妄，未有如斯之甚者也。”

## 九月

**复举馆选。**《明史·选举志》：“迨十一年壬辰，已罢馆选，至九月复举行之。”

## 十月

**王慎中、唐顺之、吕高、罗洪先、黄佐诸人作诗送编修程文德谪信宜。时编修杨**

名以灾异陈言，论劾吏部尚书汪铉，下诏狱，词连编修程文德。程逮系诏狱，谪信宜典史。程文德，字舜敷，号松溪。永康人。嘉靖八年第二人及第，授编修。以事下诏狱，谪信宜典史，量移安福知县，迁兵部员外。历郎中，擢广东提学副使，未赴改祭酒，拜礼部侍郎，改吏部，再改南工部，以言事除名。万历初追赠礼部尚书，谥文恭。有《程文恭遗稿》。《明诗纪事》戊签卷十七收诗三首。《万历野获编》卷十《杨名编修》："嘉靖壬辰，杨编修芳洲（名）抗疏论汪铉与郭勋等之欺罔，上下之诏狱。杨为蜀之遂宁人，汪遂指为故相新都公之侄，故为之报仇，拟大辟，盖为已卸罪地，且以媚首揆永嘉也。会兵部侍郎黄敬斋（宗明）特疏救芳洲，上怒，并下之狱，加以酷刑。芳洲不为改辞，而敬斋语亦不屈。上稍霁威。杨戍瞿唐卫，其年即赦之令致仕。黄出为福建参政，寻召入为礼部侍郎，与汪同为卿贰。盖汪为永嘉鸣吠不待言，而当时议礼诸公，自桂、霍之外，如方西樵、席元山、黄敬斋、熊兆原诸公，皆表表自树，无肯扫舍人门者。自是永嘉势亦渐孤，不二年再罢，不复起矣。"永嘉指张璁。张璁于今年八月被罢，明年正月复入阁为首辅，十三年致仕。

## 本年

**归有光与同县俞允文（1512—1579）定交。时有昆山三绝之说，谓归有光古文、俞允文诗、张鸿举业也。**乾隆《江南通志·人物志·文苑》云："俞允文字仲蔚，昆山人。十五为《马鞍山赋》，援据该博，长老皆推逊之。年未及强，谢去诸生，读书汲古，才名日盛。工于临池，正书规模欧阳，行笔出入米芾。与王世贞交最善，列诸广五子之首。都穆曰：'昆山有三绝，允文诗，归有光文，张鸿举业也。'"

**陈沂作《畜德录》自跋。**据四库提要。陈沂字鲁南，号小坡，其先鄞人，徙家南京。正德丁丑进士。官至太仆寺卿。弘治十子之一也。《明史·文苑传》附见顾璘传中。

**闻人诠辑《东关图》。**闻人诠字邦正，余姚人。嘉靖丙戌进士。官至湖广按察司副使。据四库提要。

**汪机《针灸问对》成书。**机，正德、嘉靖间名医。《四库全书总目》卷一〇四子部医家类二著录《针灸问对》三卷。

**钱宏重刊《袖珍小儿方》。韩万钟《象纬汇编》成书。赵迎作《范围数》自序。**据四库提要。

**汪铉任吏部尚书。严嵩任南京礼部尚书。廖道南任讲读学士。毛伯温任右佥都御史。**据王世贞《弇山堂别集》。

**陆粲调任江西永新知县。**据徐朔方所撰年谱。

**边贡（1476—1532）卒。**乾隆《历城县志》卷四〇："（嘉靖）十一年，火几尽，贡仰天大哭曰：'甚于丧我也！'遂病卒，年五十七。""火几尽"，谓其藏书几乎尽毁于火。李开先《边华泉诗集序》云："国初诗微存古意，亦有古法，至成化年而萎腐极矣。敬皇兴文勤政，事简俗熙，士夫争以声实相高，诗三变而复古，不但微有古意古法而已。时则有庆阳李空同、信阳何大复，虽云角立而为二，其与边华泉实则鼎峙而为三。空同尝相与面议曰：'诗之雄浑吾能之，而俊逸则让二公；若官爵吾与何同，而崇贵则无如边者；寿年吾与边同，而何则不及耳。'后李、何止提学副使，华泉则由提学而至大司徒。何年三十九，边五十七，李五十八，皆如所逆料。李、何集家藏户有，人人能举其辞，而边集近亦沛然传矣。详观其作，或抚景物，或悲人代，或赠送倡酬，制裁错出，意匠妙解，其音清而越，其节畅而舒，其调高而雅，其体正而平，可以力振风骚，挽回正始，国初不足言矣。"（《闲居集》卷六）何良俊《四友斋丛说》卷二十六："世人独推何、李为当代第一。余以为空同关中人，气稍过劲，未免失之怒张；大复之俊节亮语，出于天性，亦自难到，但工于言句，而乏意外之趣。独边华泉兴象飘逸，而语亦清圆，故当共推此人。"《诗薮》续编卷一《国朝上》："弘、正并推边、何、徐、李，每怪边品第悬远，胡得此称！及读献吉《送昌谷》诗'是时少年谁最文？太常边丞何舍人'，仲默《赠君采》亦有'十年流落失边李'之句，则李、何于边，正自不浅。余细阅当时诸家，若仲凫、德涵、敬夫、子衡，诗皆非长；华玉、继之、升之、士选辈，或调正格卑，或格高调僻；独边视诸人，差为谐合，不得不尔。若君采、子业，年宦稍后，元非同列。今总挈群集，笃而论之，李、何、徐外，偏工独造，亡先观察；具体中行，当属考功。"《诗源辩体》后集纂要卷二："边庭实（名贡）五言古，语多错出，出汉魏者较于鳞则为浅易。乐府杂言格新调婉，惜变化差少，然以意为主，而不以格为主也。五言律多出子美、盛唐。七言律和韵最多，下者有同学究。入录者冠冕整秩而兼有气格，其工处较五言为胜。元美称'五言胜七言'，以全集论也。七言绝《迎銮曲》、《凯歌》等，出于太白《永王东巡歌》、《上皇西巡歌》，较献吉《帝京》、《郊祀》，完美过之，当为杰作。""胡元瑞云：'弘正并推边、何、徐、李，每怪边品第悬远，胡得此称！及细阅当时诸家，仲凫（戴冠）、德涵（康海）、敬夫（王九思）、子衡（王廷相），诗皆非长；华玉（顾璘）、继之（郑善夫）、升之（朱应登）、士选（熊卓）辈，或调正格卑，或格高调僻；独边视诸人差为谐合，不得不尔。'愚按：此论五七言律也，不惟于庭实有当，而于诸子亦见其大略矣。"《列朝诗集小传》丙集《边尚书贡》："癖于求书，搜访金石古文甚富，一夕毁于火，仰天大哭曰：'嗟乎，甚于丧我也！'病遂笃，卒年五十七。有《华泉诗集》八卷行世。弘治时，朝士有所谓七子者：北郡李梦阳、信阳何景明、武功康海、鄠杜王九思、吴郡徐祯卿、仪封王廷相、济南边贡也。吴人袁袠曰：'李、何、徐、边，世称四杰。边稍不逮，只堪鼓吹三家耳。'"《静志居诗话》卷十《边贡》："华泉诸体，不及三家，独五言绝句擅场。昔宋吴江令张达明与客论诗，其言曰：'诗莫难于绝句，尤莫难于五言。欲其章短而意长，辞约而理尽'，华泉庶足当之。大复赠诗云：'《阳春》诚独步，《清庙》徒三叹。'以绝句论，边亦无愧于三家也。又云：杜牧之诗：'一夜不眠孤客耳，主人窗外有芭蕉。'吕居仁诗：'如何今夜雨，只是滴芭蕉。'张安国词：'点点不离杨柳外，声声只在芭蕉里。'无名子词：'窗外芭蕉窗里人，分明叶上心头滴。'古之愁夜雨者，多以蕉叶为辞，高荷大芋，非所憎也。元美诮廷实，芭蕉不可言树。然《维摩诘经》云：'是身如芭蕉树而不坚固。'是芭蕉未始不可名树，元美之言过矣。按：廷实《西园》二绝云：'朝看长白山，暮看长白山。山色有朝暮，吾心常自闲。''庭际何所有，有萱复有芋。自闻秋雨声，不种芭蕉树。'王元美云：'芭蕉岂可言树？芋岂庭中佳物？

且独无雨声乎？俱属未妥。若作'自怜秋雨滴，不复种芭蕉'，或作'自闻秋雨声，不爱芭蕉色'，觉意尤深婉。"参看毛先舒《诗辩坻》卷三。《四库全书总目》著录边贡《华泉集》十四卷、《华泉集选》四卷。《华泉集选》提要曰："此本乃国朝王士禛所删定。其序谓济南诗派，大昌于华泉、沧溟二氏，而荜路蓝缕之功，又以边氏为首庸。其比之曹植、谢灵运，虽不免夸饰。然于李攀龙集终置不论，而独加意于贡集。其去取之间，亦有微意也。"《明诗纪事》丁签卷二录边贡诗三十七首，陈田按语云："《华泉集》芜蔓未翦，今睹阮亭《诗选》，顿尔改观。曹子建常叹异世相知，谁订吾文者。阮亭真华泉旷世知己。华泉古诗佳作不及华、李之多，律体翩翩，自是风流一代人豪。竹垞专取五绝，未为知言。"王士禛号阮亭，朱彝尊号竹垞。边贡字廷实，历城人。弘治丙辰（1496）进士，授太常博士。擢户科给事中，改太常丞，出知卫辉府。改荆州，历山西、河南提学副使。召拜南太常少卿，迁太仆卿，改太常卿，提督四夷馆，进刑部侍郎、户部尚书。有《华泉集》十四卷。

## 公元 1533 年（世宗嘉靖十二年　癸巳）

### 正月

　　**王九思**（1468—1551）《渼陂集》十六卷由王献作跋并刊行。《四库全书总目》卷一七六集部别集类存目三著录《渼陂集》十六卷、续集三卷，提要曰："明王九思撰。九思字敬夫，鄠县人。弘治丙辰进士。官至吏部郎中。坐刘瑾党，降寿州同知。寻勒致仕。九思为弘治七子之一。《明史·文苑传》附见李梦阳传中。是集前有自序，称始为翰林时，诗学靡丽，文体萎弱。其后德涵、献吉导予易其习。献吉改正予诗稿，今尚在。而文由德涵改正者尤多云云。是其平生相砥砺者，在梦阳、康海二人。故其诗体文格与二人相似。而诗之富健不及梦阳，文之粗率尤胜于海。盖乐府是其长技，他皆未称其名也。正集十六卷，为嘉靖癸巳九思门人监察御史王献所刊。续集三卷，乃九思晚年之作，嘉靖丙午巡抚翁万达续刊行之。"

### 二月

　　王九思编定《碧山续稿》，作自序。据序。

### 四月

　　**嘉靖帝作律诗二首，张孚敬、李时等应制奉和**。《明诗纪事》丁签卷九《李时》引田艺蘅《留青日札》："嘉靖十二年四月十三日，上演马南城，召大学士张孚敬、李时、方献夫、翟銮同游环碧殿、嘉乐馆，锡宴重华殿，赐孚敬蟒服、时等飞鱼服。上赐律诗二首纪之，群臣应制奉和，张公句云：'环碧殿前先试马，苍龙阙外更观花。'李公句云：'内苑草茵迎玉辇，行宫花气袭雕鞍。'翟公句云：'巧翦绯罗缠宝灯，分题玉篆佩花骢。'方公句云：'应制渐无《天马赋》，南薰惟诵舜廷歌。'"又引《列卿纪》："嘉靖十二年，帝幸南内，召张孚敬、李时、方献夫、翟銮同游西苑，制古乐府、七言、五言各二章命和。十三年五月，上幸南内，召孚敬、时同阅青爵尊，赐扇及酒食。阅宣宗《舆地图》诗，及御和诗。十四年三月，召同游南内，时等各作《奉制记乐赋》以献。帝亦作一诗，命曰《御制记乐同游》，刊示群臣。十五年五月，召时同夏言、郭勋泛舟西苑，命荡桨近龙舟，被顾问，赐宴无逸殿。翌日时等表谢，以为自宣宗赐蹇义同游万岁山、杨荣同游西苑后，今仅再见云。"《四库全书总目》卷五三史部杂史类存目二著录《南城召对录》一卷，提要曰："明李时撰。时字宗易，号松溪，任邱人。弘治壬戌进士。官至华盖殿大学士。谥文康。事迹具《明史》本传。是编乃世宗亲祀祈嗣坛，时与大学士翟銮、尚书汪鋐、侍郎夏言等侍于南城御殿，召见论郊庙礼制，兼及用人赈灾之事。时因录诸臣问答之词。史称时恒召对便殿，接膝咨询。虽无大匡救，而议论多本于厚。于是编亦略见一斑云。"

**王宠**（1494—1533）**卒**。袁袠《雅宜山人集序》："雅宜山人者，名宠，字履吉，吴人也，自称曰雅宜山人，故以名集云。……山人诗初宗李白，既乃宗杜，故其诗才力雄阔，辞篇丽赡，去轻靡而就沉着，尚铺缀而略陶镕，及《白雀集》诸篇，则又兴寄冲玄，思调清逸，遂窥陶谢之堂，几入王孟之室矣。惜乎天抑其进，有志未就，故所著仅此，然亦足传矣。山人长余八岁，特相友善，自山人之亡，而叹古道之日替也。忆与山人兄弟衔杯论文，穷日达旦，谓古人之庶几，大雅之可作，而竟已矣，独恨夫天之忌材，不少假也。昔魏之文考、唐之勃贺，咸以才夭，近代如姑苏徐祯卿、信阳何景明、沁水常伦、闽郑善夫亦不享年，何天之忌材若斯！岂天既畀之才，乃夺之年耶？嗟乎山人！古之称不朽者，不以年也，又何憾哉？前进士、承德郎、兵部武选司主事、翰林院庶吉士，袁袠撰。"《列朝诗集小传》丙集《王贡士宠》云："所与游者，文徵仲、唐伯虎最善。徵仲长于履吉二十四岁，折辈行与定交，而伯虎以女妻其子。为诸生，受知于郡守胡孝思，八试锁院，不利。以年资贡入太学。履约举进士，以都御史抚治郧阳，而履吉已前死。死后数十年，履吉名满天下，而人之犹知有履约者，以其有履吉为之弟也。履吉资性颖异，行书疏秀出尘，妙得晋法，于书无所不窥，而尤详于经，手写经书，皆一再过，风仪玉立，举止轩揭，猥俗之言，未尝出口，蕴藉自将，对人未始言学，温醇恬旷，与物无竞，人拟之黄叔度。顾华玉称其诗，刻尚风骨，摆脱轻靡，既正体裁，复灭蹊径，可谓后来之高足，进而未止；而徵仲则云其志之所存，不得少见于世，仅仅以文传，而所传又出于文场困踬之余，雅非其至者。两公皆深知履吉，故其论如此。"所引顾华玉（顾璘）语，见《国宝新编·王宠叙赞》。顾璘另有《雅宜山人集序》，谓王宠"古体五言沉郁有色，可愤可乐，盖类曹植、鲍照；七言跌宕浏丽，号幽吹而蔼春云，盖类杜甫、岑参；近体亦步骤杜、参，而自抒神情，殆与盛唐诸家相雄长。"序署"嘉靖戊戌（1538）孟秋望日"。《静志居诗话》卷十一《邢参》所列"东庄十友"，依次为：吴爟次明、文徵明徵仲，吴奕嗣业、蔡羽九逵、钱同爱孔周、陈淳道复、汤珍子重、王守履约、王宠履仁、张灵孟晋。《静志居诗话》卷十一《王宠》："王宠字履仁，更字履吉，吴县人。以诸生贡入太学。有《雅宜集》。履吉亦中材尔。诸公惜其早亡，誉之未免过实。《听琵琶》云：'紫塞传龙拨，昆丘学凤鸣。春风吹白雪，总是断肠声。司马千行泪，明妃万里情。当杯愁未已，天末海云生。'"《明诗别裁集》卷六："圭臬颜谢，痕迹未融，然尔时吴中诗格以贡士为最。七言律亦颇沉郁。或者必以摹古短之，何也？"《四库全书总目》卷一七九集部别集类存目三著录王宠《雅宜集》十卷，提要曰："是集诗八卷，文二卷。诗分体编列，而各以正德稿、嘉靖稿字系标题之下。盖约略编年之意，以自记所造浅深。大抵才力富赡，而抑郁之气激为亢厉，亦往往失之过粗。文则非所留意，姑附存诗后云尔。"《明诗纪事》丁签卷十一录王宠诗二十首，陈田按语云："履吉五古步趋颜、谢，亦时希踪左、阮，固是吴中俊特。其《赠边太常》诗云：'中州两龙奋，东鲁一凤摩。'其倾倒李、何与边至矣。牧斋北辕之论，是履吉得力处，不得以此訾议。"

## 七月

**唐顺之、陈束等七人改翰林院编修。任瀚、王慎中、曾阝报罢。**《世宗实录》："（嘉靖十二年七月）庚午，改吏部考功司主事唐顺之、礼部仪制司员外郎陈束、户部山西司主事杨瀹、兵部车驾司主事卢淮、武选司主事陈节之、河南道监察御史胡经试、御史周文烛俱为翰林院编修。先是，上以翰林侍从人少，诏吏部博采方正有学术，为众望所归者充其选。于是部臣疏顺之等十人名上，诏七人改补如拟。其报罢者三人：任瀚、王慎中、曾阝也。"徐问《再寄应德书》云："日见邸报，知擢翰林清切之地，无官事相萦缚，正好一意敬义工夫，时时整齐此心，事事不轻放过。""诗文亦不可废，而贵发诸性情，根于理致，古人体格言语不能强同，亦不必务为深远，以求不同。但穷理到处，出言皆能载道，其精粹处则文之至者也。尤不须苦心极力为之。非惟堕于玩物丧志，而以无益害吾气体，尤失所重。"（《山堂萃稿》卷八）唐顺之，字应德。李开先《荆川唐都御史传》云："往时翰林，皆由进士上甲与庶吉士两途，圣上以为此不足以尽人，遂更其制，选取十人，咸自科道部属入焉，而唐子则由吏部入者。陈束尤相厚，入则陪侍讲筵，出则校雠东观，暇则杯酒欢宴，或穷日夜不休。素爱空同诗文，篇篇成诵，且一一仿效之。及遇王遵岩，告以自有正法妙意，何必雄豪亢硬也。唐子已有将变之机，闻此如决江河，沛然莫之能御矣。故癸巳以后之作，别是一机轴，有高出今人者，有可比古人者，未尝不多遵岩之功也。"王惟中《河南布政司参政王先生慎中行状》："先生讳慎中，字道思，别号遵岩居士，惟中之仲兄也。"嘉靖丙戌进士。"嘉靖辛卯（1531），各省乡试复以京朝官主试，先生在岭南盛称得人。壬辰（1532）春，以廷对魁天下，即先生所收士林公大钦也。是岁转主客员外郎。天子向意文治，诏取才学之臣十人，以充史馆，而先生为之首。权贵人欲致先生，使人语曰：'得一见，馆职不足定也。'先生固不往易。乃点用九人，独先生竟沮不用。自是朝论嗷嗷，有失人之诮，乃改先生为吏部，以塞众望，由考功员外郎升验封郎中。""权贵人"指张璁（孚敬）。

**屠应埈（1502—1546）由仪制郎中改任翰林修撰，颇留意人才、风俗、钱谷、甲兵之事。**徐阶《明故右春坊右谕德兼翰林院侍读渐山屠公墓碑铭》："癸巳，今宰相夏公（夏言）以为天子方重文学侍从之臣，翰林诸先辈无在者，而公才任翰林，荐以为修撰，仍五品服。自近世来，翰林诸缙绅率以文词相雄夸，至于世务一切置不论，惟公不谓然，故与人语，往往先人才、风俗、钱谷、甲兵及政之所宜罢行者，方其意得时，驰骋古今，率数千言不倦也。"

## 本年

陆采作《谢衡山先生选濠翁集》诗。见《癸巳集》。文徵明号衡山居士。濠翁指陆采岳父都穆，居苏州南濠。

唐枢讲学于嘉兴。其门人录为《嘉禾问录》一卷。《四库全书总目》卷一二四子部杂家类存目一著录《嘉禾问录》一卷，提要曰："明唐枢撰。枢于嘉靖壬辰、癸巳间讲学嘉兴，其门人录为此编。初名《四书杂问》，邑令周显宗改题今名。其言格致心性诸说，率宗王守仁之绪论。原本二卷。后其门人王爱翻刻，并为一卷。末附数十条，乃杂论经史传注，不专主于四书。疑为爱所增入也。"

河南巡抚吴山献白鹿，自是大臣谄媚成风。《万历野获编》卷二十九《白鹿》："嘉靖十二年，河南巡抚吴山献白鹿，为大臣谄媚之始。此后白兔、白龟、白鹊相继不绝，惟浙直总督胡宗宪两进白鹿，俱蒙褒赏。时世庙方崇道教，喜闻祥异，胡正剿倭立功名，每事辄称引玄威以自固，势自不能不尔。至壬戌（1562）会试遂以灵台命题，而鹤鹿悉登于闱牍矣。时主试为袁元峰炜相公、董浔阳份尚书，俱在直典青词，本无可责者。乃至癸亥年（1563），西苑白龟生毂，严分宜方率词林在直诸公上表称贺，他可知矣。此后则万历甲戌（1574），白莲、白燕见于翰林院，江陵大喜进之。上方冲龄，谦让不受，归之阁臣。虽以渺躬自处，而献谀一念，已为圣主所窥。张方以伊周自命，而举动乃与先朝谄媚诸公，如出一辙。盖上奉慈圣，下结冯珰，不觉澜倒至此，宜相业之不终也。"

严嵩任南京吏部尚书。湛若水任南京礼部尚书。王廷相任左都御史。寻升兵部尚书。毛伯温闲住。韩邦奇任左金都御史。据王世贞《弇山堂别集》。

王激由南京通政司右通政，召主誊黄，未几改国子祭酒兼经筵讲官。罗洪先《中宪大夫国子监祭酒王公激墓志铭》："癸巳君主誊黄，未几改国子祭酒兼经筵讲官，为吏部进贤，黜陟人才务当情实，尤能采拔幽滞，直己无所他徇。"王激为张孚敬甥，时委曲以救张孚敬之失。

张九一（1533—1598）生。张九一，字助甫，新蔡人。嘉靖癸丑进士，授黄梅知县。擢吏部主事，历员外、郎中，迁南尚宝少卿，谪广平同知。擢湖广佥事，进参议。改陕西。有《绿波楼文集》五卷，《诗集》十四卷。据过庭训《张九一传》、钱谦益《列朝诗集小传》等。

史盘（约1533—约1629）生于今年或略前。据徐朔方《晚明曲家年谱》。史盘，字叔考，会稽人。所作传奇剧，今存《梦磊记》、《鹣钗记》、《樱桃记》、《吐红记》（后改名《吐绒记》）。

## 公元 1534 年（世宗嘉靖十三年　甲午）

### 二月

吕高被命募兵辽东，唐顺之、陈束、皇甫涍作诗赠行。吕高为"嘉靖八才子"之一。据李开先《江峰吕提学传》、《世宗实录》卷一五九。

### 三月

顾潜（1471—1534）卒。吕楠《泾野先生文集》卷三二《中宪大夫马湖知府桴斋顾公墓表》："甲午三月二十六日卒，距生成化辛卯年八月八日，享年六十有四。"顾潜字孔昭，号桴斋，昆山人。大学士顾鼎臣从子。弘治九年进士。官至直隶提学御史。

### 四月

延平士人辑刊徐阶《少湖文集》，林元伦、张真作序。徐阶为一代名相，其生平详见王世贞《徐文贞公行状》、《明书·徐阶传》、《明史·徐阶传》等，兹不赘。《静志居诗话》卷十一《徐阶》云："先祖姚徐安人，为文贞公曾孙。余少日登世经堂，睹永陵手敕，罗列梁栋间。盖得君久而不衰，罕有过焉者。当日袁懋中（炜）于西内撰青词，湛元明（若水）为钤山作诗序，贻笑士林。而公不露所长。读《少湖文集》，有醇无疵，非诸公所易几矣。"《四库全书总目》集部别集类存目四著录徐阶《少湖文集》七卷，提要曰："是集乃阶外谪延平府推官时，三年秩满北上，延平士人哀其前后诸作，为之付梓。凡文五卷，语录一卷，诗一卷。大都应酬之文十居六七，皆不足以传，特用志遗爱云尔。"

### 六月

齐之鸾（1483—1534）卒于河南按察司任所。汪居安《廉宪蓉川齐公行状》："公讳之鸾，字瑞卿，号蓉川。先世居桐为著族。……甲午春升河南按察司，炎月趋任，触署莅事，昼夜不息，报未完六百有奇，毒热过劳，疽发于背，延及脑后，病革，家人悲哭，公呵之曰：'大丈夫当以马革裹尸回，何泣？'后竟无一言及家事。以六月十九日卒。公生于成化癸卯，殁于嘉靖甲午，享年五十有二。""诗思甚切，然喜多，有一韵叠至数十首者。搜探奇崛，毫末不遗，他人多即难工，公有余力矣。在长兴有《唐语林》，南曹有《悠然亭集》，宁有《入夏录》，其他稿尚多，得高识之士雠校之，当为佳汇，可传也。"《四库全书总目》卷一七六集部别集类存目三著录《蓉川集》七卷，提要曰："明齐之鸾撰。之鸾字瑞卿，桐城人。正德辛未进士。官至河南按察使。事迹具《明史》本传。是集为其曾孙山所编。凡五种。一曰《南征纪行》，为其从征宸濠时所作杂诗，后附赋一首。一曰《悠然亭杂诗》，为其官南京时作，后附记序三首。一曰《开堰集》，为其在安庆时所作。一曰《历官疏草》，皆其奏议，起正德九年，讫嘉靖八年，每种为一卷。一曰《入夏录》，析为三卷，乃其佥事宁夏时作，前二卷皆诗，后一卷则杂文。别以汪元锡等赠言附于末，而总冠以小传行状年谱，后有山跋语，称'闲游市阓，得遗稿数篇。已而遍历茶坊药肆，恣意搜辑，编次成帙。因康熙己未诏修《明史》，檄取《入夏录》送官，遂哀而付诸剞劂'。盖之鸾位虽不显，然在正、嘉之间，卓卓称名臣。故史馆征其著作，以备采择。今观其奏疏，词多剀切，犹可想见风采，诗则非所擅长也。"《明诗纪事》戊签卷六录其诗十首，陈田按："蓉川诗有蹶张之力，超距之勇，不屑屑于诗流派别；而句奇语重，可与当时名家各分一席。"

## 夏

唐顺之、李元阳、任瀚、王与陵同游长城。李元阳《游银山铁壁记》："嘉靖甲午夏谒陵，同熊南沙、任少海、唐荆川、王湛泉既竣事，约往观长城。……暮投村寺，有温泉，浴罢止宿。"李元阳（1497—1580），字仁甫，号中溪，大理人。嘉靖丙戌进士。初以议礼忤旨，出令分宜、江阴，多善绩。为部曹，与唐顺之、屠应埈等并称"十才子"。为御史有直谏声。官终荆州知府。有《中溪集》。生平详见李选《侍御中溪李元阳行状》。《明诗纪事》戊签卷十六《李元阳》陈田按："仁甫为'杨门六子'之一，诗品在弘山（杨士云）、愈光（张含）之次。"

## 七月

白悦为唐龙诗文集《渔石集》作序。序署"嘉靖十三年孟秋十日，洛阳后学白悦书于高平行署"。白悦（1498—1551），字贞夫，别号洛原，武进人。嘉靖壬午（1522）举顺天乡试，又十年举壬辰（1532）进士，除户部主事。历官左春坊司直、江西按察金事。有《洛原遗稿》八卷。生平详见徐阶《尚宝司司丞致仕洛原白君墓志铭》、王维桢《明尚宝司司丞致仕洛原白公墓碑》。本年十一月黄省曾作《唐渔石集序》。序云："公之学底祖于经而弗遗群家，自翰人所传靡不含讨，尤独专于西京，故机肯翩翩乎来矣。所传记序杂著若干首，逸健豪峻，多类子长。诗之形似赋，实若杜甫，而兴格并张九龄诸能哲。和乐新缛，无凄郁之响，然皆章妥字安，跻究堂奥。若草木之滋足而敷邑也，若日蒸而霞、岳润而云也。"序署"嘉靖甲午冬十一月吉日五岳山人吴郡黄省曾撰"。《静志居诗话》卷十："文襄扬历中外，宦辙所至，必有留题。其诗长于五律，句如'莺花边地少，风雨暮春多'，'云气雨中白，山光鸟外青'，'断湟春水浅，乱石晓山稠'，'赤峡青冥外，飞泉急雨中'，'星临河影动，风入鼓声高'，'野水流渔市，山云进郭门'，'雪埋青兕叫，霞引白鸾飞'，'细雨孤帆落，疏灯两岸明'，'岩林遗鲁殿，畎亩变秦川'，'野鹿避人走，山禽向我啼'，'冻云投浦宿，倦鸟逐风回'，'百里邮程远，三更候吏稀'，'残棋榕叶暑，嫩醑菊花天'，'岩置戍楼直，峰悬鸟道斜'，'客身病亦起，短发落还梳'，'竹外青藜仗，风前细葛巾'，'移松邀老圃，失鹤闲前村'，均有风致。"《四库全书总目》卷一七六集部别集类存目三著录《渔石集》四卷，提要曰："其文颇具浩瀚之气。诗尤长于五言。然集中自朱彝尊《诗话》所摘数联以外，亦复罕逢佳句矣。"

二十一日，王锡爵（1534—1610）生。王锡爵字元驭，号荆石，太仓人。嘉靖壬戌进士。官至建极殿大学士。谥文肃。事迹具《明史》本传。著有《王文肃奏草》、《王文肃集》等。据焦竑《澹园集》续集卷十六《光禄大夫少保兼太子太保吏部尚书建极殿大学士赠太保谥文肃荆石先生行状》。

## 八月

**王慎中为张孚敬等所排挤，由吏部验封司郎中谪判常州。**李开先《唐王王唐四子补传》："王遵岩之在吏部也，时则渭厓霍公为少宰，原以议礼旧臣，甚为主上所眷注，进退人才，论议错出，属员多不当其意，独倚重遵岩，事事与之商榷，所谓权贵人者，既与遵岩有宿憾，凡部议不合，辄疑为所间阻，同列为霍公所不当者，复忌其轧己，悉力排之，谪判常州。"所云"权贵人"，盖指张璁（孚敬）。

**茅坤举乡试第十一名。**茅坤《耄年录·年谱》曰："甲午赴乡试，时按察院使内黄张公子立，先撮十一府优等一百八十二人，共堂考《四书》题'当暑袗絺绤'一节、《经》题'威克厥，爱允济'二句。张公览予文大奇之。八月初八日，阃考试官及提调监试藩臬饮宴入帘，张公特对藩臬使党公、路公辈而曰：'予今年堂考计一百八十二人，独得归安茅坤。'且曰：'此子《四书》文固已出群，至《经》文，可谓得孙吴兵钤者也。决当列之魁元，二司为我记其所编号。'已而弥封房编予为字第三号，而党亦未敢闻按院。其年三场，外帘分校。予头场落，对读房寿昌令钱公籍取第一。二场落，弥封房余姚令顾公取第二。三场又落，平阳令唐公英仍取第一。共荐之党公。岂谓内帘曾公嘉庆涂抹之不复出。党且三移文驳之，曾仍不以出也。党始怒，揭按院张公，行且欲参劾之。至廿七日填草榜，卷始出。张公按其所涂抹，怒曰：'既经涂抹若此，当不得首列矣。'异日公据入礼部似不雅，姑置之第十一。明日宴鹿鸣，按院及藩臬诸大夫并为予称屈者久之。"

**高应冕（1503—1569）中举，此后三应进士试不第。**张瀚《光州知州高颍湖墓志铭》："高光州者，讳应冕，字文中，自号颍湖。其先由汴徙仁和。""甲午举于乡，三上春官不遇。"试吏绥宁，迁光州守。有《白云山房集》二卷。

**吏部尚书汪鋐以其子试顺天不第，上书指摘科场事。考官廖道南等引刘俨故事以答，上两不问。**《弇山堂别集》卷八十二《科试考二》："十三年甲午，命翰林院侍讲学士廖道南、翰林院侍读张衮主顺天试。以初场进题迟，下礼部参，道南辞鹿门宴，不许。时吏部尚书汪鋐有子不第，上疏指摘场事，以太祖诛刘三吾为言。道南引刘俨事答之，俱不问。命右春坊谕德伦以训、右春坊右赞善张治主应天试。"《万历野获编》卷十四《奏讦考官》："自来子弟不第，父兄无奏讦考官者。惟景泰丙子顺天乡试，内阁陈循、王文有之。循言子瑛，文言子伦，文字俱优，不为试官刘俨、王谏所识拔，欲罪之。赖大学士高谷力为救解，俨等宥罪，瑛、伦俱许会试。次年丁丑正月，睿皇复辟，而王文就诛，陈循遣戍矣。此事古今创见，宜其不旋踵而败，后人亦无敢效之者。惟嘉靖甲午顺天乡试，吏部尚书兼兵部尚书汪鋐，以子不与中式，乃指摘场弊，劾考官廖道南、张衮，且以太祖诛刘三吾为言。道南等即引陈、王及刘俨故事以答。上两不问。次年鋐亦劾罢，旋死。鋐之横恶，此特其一端。且狠暗无识至此，更为可笑。此后二科，为庚子（1540）顺天乡试，掌詹事礼部尚书霍韬亦以子畿试不录，恚甚，欲纠主司童承叙、杨惟杰。其门生李开先力劝之曰：公有子九人，安知无人毂者？姑听之。韬次子与瑕，果中广东乡试第九名。霍乃止疏不上。上，必有非常处分。赖李中麓巽言而止。总之，舐犊情深，裂四维而罔顾，或诛、或窜、或自毙，俱近在岁月间，则其心死久矣。"焦竑《玉堂丛语》卷六《科试》："嘉靖甲午，吏部尚书汪鋐子试顺天不第，上疏指摘场事，以太祖诛刘三吾为拟。考试官侍讲学士廖道南、侍读张衮，引刘俨、陈循、王文事答之，俱不问。"《明史·选举志》："辅臣子弟，国初少登第者。景泰七年，陈循、王文以其子北闱下第，力攻主考刘俨，台省哗然论其失。帝勉徇二人意，命其子一体会试，而心薄之。""科场弊窦既多，议论频数。自太祖重罪刘三吾等，永、宣间大抵贴服。陈循、王文之龃龉刘俨也，高谷持之，俨亦无恙。"

## 秋

丰熙为丘云霄诗文集《南行集》作序。序署"时嘉靖甲午秋，海戍四明丰熙"。

## 十二月

颜木为王讴《王彭衙诗》作序。序云："王子戊逮丙才九年，所作近千六百篇，使天假之以年，岂止斯而已乎？虽然，神理超，虞歌数言不为简，事道缛，周诗三百不为繁，此可与知者道也。"序署："嘉靖甲午腊日叙。汉东颜木撰。"陈嘉言《王彭衙诗跋》署"嘉靖乙未元日"。《千顷堂书目》卷二二著录王讴《王彭衙集》四卷（诗以年月为次序，起正德戊辰，迄嘉靖丙戌）。

袁袠作《唐伯虎集序》。唐寅字伯虎，卒已十一年。其集由袁袠刊行。序署"嘉靖甲午腊月望日，胥台山人庠谨序"。

## 本年

康海年六十，邀名伎百人为百岁会。《艺苑卮言》卷六："康德涵六十，要名伎百人为百岁会。既会毕，了无一钱，第持笺命诗送王邸处置。时鄠杜王敬夫，名位差亚，而才情胜之，倡和词章，流布人间，遂为关西风流领袖，浸淫汴洛间，遂以成俗。"

张岳（1492—1552）由广东提举起知廉州。徐阶《明故资政大夫总督湖广川贵军务都察院右都御史赠太子太保谥襄惠净峰张公墓志铭》："公讳岳，字维乔，号净峰。……五代时始自曲江迁闽之惠安。……弱冠试于乡，其所对策书纸背尽满，主司大奇之，擢置第一。举正德丁丑进士，授行人。武皇帝寝疾，豹房独宦者数人侍，公上疏，请令大臣台谏朝夕起居，不报。宁庶人谋逆，声播远近，上将南巡，中外汹汹，谏者数十辈，已前系诏狱，公复率其僚切谏，上怒杖阙下，既而释之，调南京国子监学正。今皇帝即位（1521），尽还武庙时谏者官，复以公为行人。居久之，迁司副，寻擢南京武选员外祠祭郎中。丁祖母忧，服阕补主客郎中，由主客出为广西提学佥事，复改江西。坐广西所贡士廷试黜落七人，贬广东提举。初，公为主客，大宗伯与执政议禘礼不合，执政知其出于公也，忌之，然未有以罪，至是乃贬云。甲午起知廉州。"壬寅（1542）拜佥都御史，巡抚郧阳，改江西。乙巳（1545）擢副都御史，总督两广军务。卒，复右都御史，赠太子少保，谥襄惠。有《净峰稿》等。

李舜臣由户部浙江司郎中升江西提学佥事，颇留意于人才士风。李开先《大中大夫太仆寺卿愚谷李公合葬墓志铭》："戊子（1528）秋，（舜臣）起复，补稽勋司，已而升验封署员外郎。己丑（1529）秋，调考功。庚寅（1530）冬，养病得请，避权贵相忌，托病而逃之耳。癸巳（1533）赴部，补户部湖广司员外郎，升浙江司郎中，尽心国计，不以失清要而有愠色。其与后所排挤者，盖两权贵也，何权贵不能容人者多耶？取今之士，惟文不蹈袭，官不屈挠者，斯可贵也。愚谷每愤文体如妆粉骷髅，宦态如牵丝傀儡，则其所作与其所自持可知也。已当事者承望权贵风旨，将处以远恶地。王遵岩在文选，力争之，升江西提学佥事，此甲午年事也。愚谷以学职乃人才所系，江右为文献之邦，考阅无时，振作不倦，去留精审，条教详明，士风丕变，而人才辈出，往惟留心应出好题无忌讳者。《诗》废风雅之变，《易》废凶咎之爻，《书》废金滕顾命之策，《礼》废杂记、丧服、丧大记、三年问等篇，《春秋》废雨雹、日食、地震、山陁之灾，弑杀、崩薨、卒葬之书，愚谷一切命题，诸生始睹全经矣。远年如邵文庄、蔡虚斋、李空同，近如汪青湖、苏舜泽、蔡可泉与愚谷，是皆提学江西之出色者也。"王遵岩，王慎中也。"两权贵"，一为张璁（孚敬），一为夏言。

**莫如忠中举返乡，唐顺之、陈束作诗送行。**莫如忠（1509—1589），字子良，号中江，松江华亭人。嘉靖十七年进士，授南虞衡主事，历官祠祭司郎中、贵州提学佥事、湖广副使，官至浙江布政使。有《崇兰馆集》。据林景旸《明故通奉大夫浙江布政使司右布政使中江莫公行状》、光绪《重修华亭县志·人物》。

**王慎中访杭淮于宜兴，把酒赋诗，以为至乐。**王慎中《杭双溪诗集序》云："自予结发登朝，则知有所谓杭双溪公矣。去年秋，谪判常州，谒公于义兴之第，因挐舟泛东溪，访张公善权二洞，由西溪泛舟而旋。于时山明气肃，霜落水清，相与把酒赋诗，以为至乐。始余以公年高长者，意其倦于杖履之劳。然公顾健步善升，足之履也无所择，而其移若翔，据高临下，凭旷以望远，指顾挥斥，盖察见秋毫之末，而接乎飞翼之所入。其高谈阔辨，扣之而应，酌之而不竭，若钟发而泉出也。"杭淮（1462—1538），字东卿，号双溪，宜兴人。弘治己未进士，授刑部主事，历员外，出为浙江按察佥事，进副使，改山东，又改云南，历湖广按察使，山东、河南布政使，擢南太仆卿，以都察院右副都御史总督南京粮储。有《双溪集》八卷。《四库全书总目》卷一七一集部别集类二四著录杭淮《双溪集》八卷，提要曰：淮"与兄济并负诗名，与李梦阳、徐祯卿、王守仁、陆深诸人递相唱和。其诗格清体健，在弘治、正德之际不高谈古调，亦不沿袭陈音，颇谐中道。此本乃其弟洵所编，为朱彝尊曝书亭旧藏。卷末有彝尊手题两行，称'康熙辛巳九月十九日，竹垞老人读一过，选入《诗综》一十四首'。各诗内亦多圈点甲乙之处，盖其辑《明诗综》时所评骘。今《诗综》本内所录淮诗篇数，并与自记相同。中如《打牛坪》诗第三联，原本作'碧嶂自云生'，而彝尊改作'蔓草自春生'。《王思槐过访》诗第三联，原本作'野竹过墙初挺秀'，而彝尊改作'挺拔'。亦间有所点定，皆较原本为善。且称其诗遒炼如茧丝，抽自梭肠，似涩而有条理。五言尤擅场。持论亦属允惬云。"

**蔡羽（？—1541）以岁贡赴选，授南京翰林院孔目。**崇祯《吴县志·人物》："蔡羽字九逵，升孙，居包山，自号林屋山人。为人高朗疏秀，聪警绝人。少失怙，母吴亲授之书，辄能领解。年十二，操笔为文有奇气。稍长，尽发家所藏书，自诸经子史而下，悉读而通之。然不事记诵，不习训诂，而融液通贯，能自得师。为文必先秦、两汉为法，而自信甚笃，发扬蹈厉，意必己出，见诸论著，奥雅宏肆，润而不浮。诗尤隽永，早岁微尚纤缛，既而澌涤曼靡，一归雅驯，晚更沉着，而时出奇丽，见者谓虽长吉不过，羽乃大悔恨，曰：'吾辛苦作诗，求出魏晋之上，乃今为李贺耶？吾愧死矣！'其高自表标，不肯屈抑如此。然其所作凌厉顿迅，诚亦高夐莫及。当其得意时，不知古人何如也。羽故邃于《易》，出其绪余为程艺，以应有司，而辞义藻发，每一篇出，人争传以为式。羽试辄不售，屡挫益锐，而卒无所成。盖弘治壬子至嘉靖辛卯（1492—1531）凡十有四试，阅四十年，而羽既老矣。岁甲午以岁贡赴选，部卿雅知其名，曰：'此吾少日所闻蔡羽，今犹滞选调耶？'然限于资也，亦不能有所振拔，特以程试第二人奏授南京翰林院孔目。居三年，致仕归，卒。所著有《林屋》《南馆》二集。（文徵明志略）"

陆粲、陆采合著《明珠记》传奇。其情节以唐人薛调之《无双传》为本。据徐朔方所撰年谱。

田汝成（约1503—1563后）《药洲先生文集》（凡六卷）刊行。时田汝成在广东提学佥事任。《列朝诗集小传》丁集上："汝成，字叔禾，钱塘人。嘉靖丙戌（1526）进士，授南京刑部主事，历礼部祠祭郎中，出为广东佥事，谪知滁州，迁贵州佥事，转广西右参议，罢归。叔禾在仪制，肇举南郊籍田亲蚕，西苑省耕课桑诸大礼，各有颂述。归里盘桓湖山，穷探浙西诸名胜。所著书凡一百六十余卷，而《西湖游览志》、《炎徼纪闻》为时所称。"《明史·文苑》有传。田汝成《药洲先生诗集》（凡六卷）、《学约》（凡三章）、《试约》（凡九章）、《讲章》（凡二卷）亦任广东提学佥事时所刻。

薛蕙《约言》刊行，欧阳德作《刻薛先生约言序（甲午）》。据欧阳德刻序。

王激辞官当在今年或者明年。王激为张璁外甥。罗洪先《中宪大夫国子监祭酒鹤山王公激墓志铭》："在国子岁余，振励有方，然其私心既不欲以身为口实，而被退抑与忌其进者窃揣知之，往往构谗相轧，遂决意弃去，盖屡疏始得归。既归，连遭内外艰，心不胜痛，遂以疾终。其归之年仅六十也。"《明诗纪事》戊签卷十五录王激诗二首，陈田按语云："子扬为萝山婿。萝山柄用，以喜怒进退人。子扬能调护善类，脱其荼毒。其卒也，张唯静为刻《鹤山集》。郑澹泉为作小传，称其'天资阔达，不屑曲谨。顾以舅氏骤起骤废，坐是抑郁以卒。萝山素不喜余，非子扬祸且不测。使子扬以县令归山，洁志峻节，心迹之际皭然矣。顾其意亦欲委曲盘桓，救十一于千百。'其为正人怜惜如此。余遍检明诗总集，无录子扬诗者，偶于《温州志》获诗二首，亟登之。"萝山即张璁（孚敬）。"萝山婿"当作"萝山甥"，王激之母为张璁之姊。

孟洋（1483—1534）卒。孟洋为何景明妹夫。《静志居诗话》卷九《孟洋》："孟洋字望之，信阳人。弘治乙丑进士，除行人，选为御史，坐论张、桂，下诏狱。谪桂林教授，迁知汶上县，再迁嘉兴府同知，升湖广佥事，引疾归。旋起山东佥事，进参议，转陕西参政，拜金都御史巡抚宁夏，改理河道，终南京大理寺卿。有《有涯集》。左孝廉舜齐，献吉外弟也。孟大理望之，仲默外弟也。左诗近肤，孟诗太浅，比于郎伯，邈若云渊。《九日次边太常韵》云：'落帽怜高兴，衔杯意转哀。叶辞霜后树，人上雨中台。为客悲秋尽，思乡见雁来。百年几佳节，又负菊花开。'"《四库全书总目》

卷一七六集部别集类存目三著录孟洋《孟有涯集》十七卷，提要云："是集诗十三卷，文四卷。洋娶于何氏，故其诗格多效何景明，而才则不逮。景明之没，洋志其墓，其文亦不甚工。"《明诗纪事》丁签卷十录孟洋诗四首。

**周廷用**（1482—1534）**卒**。孙宜《江西按察使周公廷用传》："八厓者，山之特也，而公世居其地，因称八厓云。公姓周氏，名廷用，字子贤。……嘉靖甲午，公微病，不数日遽卒，年五十三。"《涌幢小品》卷十七："周廷用，字子贤，华容人，饮酒终日不醉，放口论人浅深，略不旁顾。才禀超拔，文笔烂然。所著有《八厓集》。八厓，其地山名，临江有奇石。"《列朝诗集小传》丙集："正德辛未进士，知宜黄县，入为御史。未一载，补外，为金事，参议福建，兵备四川，进江西按察使。请嘱不行，入觐，都御史汪鋐摘黜之。……今观其诗，粗豪奔放，往而不返，盖楚士之有才情，而不谐于格调者。"《四库全书总目》卷一七六集部别集类存目三著录《八厓集》十三卷，提要曰："是集赋一卷，诗六卷，文二卷。后附绪论四卷，则其训饬士民之说。顾璘《国宝新编》以廷用为殿。其赞云：'按察人豪，阔视放言。文藻性成，早垂钜篇。'然廷用自以耿直传，不必以文藻著也。"《明诗纪事》戊签卷十一录周廷用诗三首，陈田按："子贤七律，音调高华。"

**张问之撰《造砖图说》**。据四库提要。

**陆深赴四川左布政使任，途中编撰《知命录》，所记秦、蜀山川名胜为多**。据四库提要。

**董沄**（1458—1534）**卒**。许相卿《董先生墓志铭》："先生讳沄，字复宗，别号萝石。"海盐人。"先生不解俗间生作事，时时独好歌吟。所遇节序景物、离合戚欣、愤愕庆悼、怀古慨今，一寓之诗。家独壁立，不以经意。一时名能诗者，吴下沈周、关西孙一元、闽中郑善夫，皆邮寄赓唱。遇佳风日，放浪湖山，流连亲知，啸咏忘返，好事家往往除馆以待，先生纪之为《五馆记》云。晚造阳明夫子，闻良知之说，幡然改曰：'不尔得称人乎！'悚然就弟子列，时年六十七矣。故所与游者声咻色招之，先生但曰：'吾从吾所好已尔。'更号从吾道人。先生末复究心内典，忽若有悟，喟然叹曰：'乃今客得归矣！'于是援匡庐故事，与聚纠诸缁俗同志，结莲社于海门精庐，遂又号白塔山人。嘉靖甲午某月日卒。"参见《明史·儒林传》等。《四库全书总目》卷一七六集部别集类存目三著录董沄《董从吾稿》一卷，提要曰："其集以诗与语录、杂文共为一编，而附守仁和赠诸作。大抵皆暮年谈理之词也。卷末有其子谷跋，称尚有诗文若干卷未刻。盖讲学以后，转以早年之作为不足存云。"《明诗纪事》丁签卷十五录董沄诗二首。

**费寀任南京国子监祭酒**。据王世贞《弇山堂别集。

**张献翼**（1534—1604）**生**。王世贞《弇州四部续稿》卷一〇九《张幼于生志》云"不佞少长于君八岁"，王世贞生于1526 年十一月，张献翼生年据此推定。《列朝诗集小传》丁集上："献翼，字幼于，一名敉。年十六，以诗贽于文待诏，待诏语其徒陆子传曰：'吾与子俱弗如也。'入贽为国学生。姜祭酒宝停车造门，归而与皇甫子循暨黄姬水、徐纬，刻意为歌诗，于是三张之名，独幼于籍甚。幼于好《易》，十年中笺注凡三易，仿《颜氏家训》，教戒子弟，垂四万言。好游大人，狎声妓，以通隐自拟，筑室石湖坞中，祀何点兄弟以况焉。晚年与王百谷争名，不能胜，颓然自放。与所厚善者张生孝资，相与点检故籍，刺取古人越礼任诞之事，排日分类，仿而行之。或紫衣挟伎，或徒跣行乞，邀游于通邑大都，两人自为俦侣，或歌或哭，幼于赠之诗曰：'中年分义深，相见心莫逆。还往不送迎，抗手不相揖。荷锸随吾行，操瓢并吾乞。中路馈吾浆，携伎登吾席。蒿里声渐高，薤露歌甫毕。子无我少双，我无君罕匹。'每念故人及亡妓，辄为位置酒，向空酬酢。孝资生日，乞生祭于幼于，孝资为尸，幼于率子弟衰麻环哭，上食设奠，孝资坐而飨之，翌日行卒哭礼，设妓乐，哭罢痛饮，谓之收泪。自是率以为常。万历甲辰，年七十余，携妓居荒圃中，盗逾垣杀之。幼于死之前三日，遗书文文起，以遗文为属，及其被杀也，人咸恶而讳之，故其集自'纨绮'诸编外，皆不传于世。"

## 公元 1535 年（世宗嘉靖十四年　乙未）

### 正月

范钦刊行王讴（1491—1526）诗集《王彭衙诗》，陈嘉言作跋。署"嘉靖乙未元日，里人九峻陈嘉言谨跋"。

正月降雪，世宗谓之"天赐时玉"。夏言作《天赐时玉赋》。余继登《典故继闻》卷十七："嘉靖乙未正月雪，世宗谕阁臣礼官曰：'今日欲与卿等一见，但蒙天赐时玉耳。'礼部尚书夏言因言：'以时玉语雪，实前所未道，足为文训。'因作《天赐时玉赋》以献。"

吴道南表上《文华大训箴解》。据四库提要。吴道南字会甫，崇仁人。万历己丑进士。官至文渊阁大学士。谥文恪。事迹具《明史》本传。

### 二月

重修太庙。立春，特享九庙于武宗。据《静志居诗话》卷一。

取许谷（1504—1586）为会元。薛应旂第二。姜宝《前中顺大夫南太常少卿石城许公墓志铭》："公讳谷，字仲贻，石城其号也。先世闽之侯官人，洪武二十一年徙富户实京师，遂占籍上元。""乙未上春官，旅次占梦，盖又有两异征焉。比奏名，果为南宫第一。"张大复《许谷》："薛方山应旂（1500—1570后），乙未北上，谓天下才无予选者。荆川翁语之曰：'兄居榜首何惑焉。虽然，白下许石城，其文温润典雅，元品也。兄谨备之。'薛访得许，乃大服。是岁许第一，薛第二。语云：'文章如金珠玉贝，是有定价。'然惟作者知之。"唐顺之（1507—1560）号荆川。

唐顺之疏病乞归。张璁拟旨，令以吏部主事致仕，永不叙用。《世宗实录》卷一七二："（嘉靖十四年二月）己酉，翰林院编修唐顺之疏请回籍养病，上曰：顺之方改史职，又属校对《训录》，何辄以疾请？令以原职致仕，永不起用。"洪朝选《荆川唐公行状》："公常以学问文章未成，意常思归。会校《累朝宝训》将完，心不欲受升赏，族子音会试期近，意避作考官，复上章告病。是时萝峰张公柄国，张公故敬公，常欲引公自近，而公每有远嫌意。僚友之衔公者，遂倡言公养病在远嫌以激张公。张公果怒，使人以危言动公，而留其疏不下，促公供职。公曰：吾谢病疏上，即此足不可出户限矣，岂有复出供职之理。且祸福有定数，既告复出，何以为人？张公怒不已，遂取旨以原职吏部主事致仕，永不许起用。公浩然以为得遂己意，无几微忤色。"李开先《荆川唐都御史传》："萝峰张国老，虽会试举主，恶其不相亲近，有庆贺事，远投拜简，跃马径过其门，因其上疏养病，则票一旨意云：'唐顺之方改史职，又见校对《训录》，乃辄告病，着以原职致仕去，不许起用。'报出，士夫骇之，而唐子安之，曾无愠色。父在浙，泛闻有事，不知其何事，及得致仕消息，喜谓所知曰：'此有甚事，原以秀才得官，今还其官矣，固无损于秀才也！'议者以萝峰险毒，而唐子高亢。后萝峰有悔心，家居日，尝言：'倘蒙宣告，务荐用之，了此一事，仍复还山。'嗣是为相者宁复有此意哉？唐子既抵墟里，鸡犬柴门，依依桑梓，谢却业缘，便有终焉之计矣。诗文更进一格，以其侍从庆成朝堂雍容之作，而为村樵渔父歌咏太平之词。又以其暇日，精究天文，而问数学于顾箬溪，久之，乃有独得处，以古历惟大衍为精，被僧一行藏却金针，世徒传其鸳鸯谱耳。郭守敬别有一法，曰弧矢圜算，弧矢有横立，赤黄白道，变转最为活法，三道之畸零可齐，而气数之差可定。知历理又知历数，此其异于儒生，知死数又知活数，此又其异于历官者也。所著《弧矢论》、《勾股测望论》，真乃千古不传之秘，而历家作历之本也。"按，嘉靖八才子之唐顺之、王慎中、陈束诸人与张璁之间积怨甚深。

**陈束以忤张孚敬之故，由翰林院编修出为湖广佥事。**李开先《后冈陈提学传》云："萝峰张国老，宠眷方隆，朝士多出其门下，而诚斋汪太宰，虽国之大臣，亦小心附丽之，凡事承望风旨不敢违。每岁时上寿，后冈惟虚投一刺，不肯候见，二老恨之刺骨，然未始相语也。及考满，司功有与后冈善者，风知汪意，虑其不安，故书中考，汪乃改而为上。张从左掖出，偶与汪值，汪云：'贵乡陈编修，以尊分书上考矣。'张遽怒色曰：'此乡曲素无状者，何得庇覆如此！'汪乃惘然自失，亟至部堂，立召文选郎取缺帖来，查一远恶地，出补陈翰林束，初只知其与内阁亲昵，不意其亦恶之也，遂注湖广佥事，分司辰、沅，乃五溪故区，而苗蛮聚处也。"

**李宗枢为薛蕙（1489—1541）《考功集》作序。**按，序所云"旧学"，"刻镂于诗"是也；"游心理域"，"志于道"是也。故唐顺之《薛西原先生墓志铭》云："西原先生姓薛氏，名蕙，字君采。先生悯学者漓于多岐，作《约言》。学者执言诠以求见圣人之心，而不能自见其心也，作《五经杂说》。方士穿凿乎性命之外，而不知养性之为养生也，世儒泥象于有无之内，而不知无为之为有为也，作《老子解》。先生之学无所不窥，不名一家。中岁始好养生家言，自是绝去文字，收敛耳目，澄虑默照，如是者若干年，而卒未之有得也。久之乃悟曰：'此生死障耳，不足学。'然因是读老子瞿昙氏书，得其虚静慧寂之说，不逆于心。已而证之六经及濂洛诸说，至于《中庸》喜怒哀乐未发之谓中，曰：'是矣，是矣！'故其学一以复性为鹄，以慎独为括，以喜怒哀乐未发为奥，以能知未发而至之为窍。自是收敛耳目，澄虑默照，如是者又若干年，而后信乎其心。其自信之确也，而后著之于书。呜呼，心学之亡久矣，有一人焉，倡而为本心之说，众且哗然老佛而诋之矣。学者避老佛之形而畏其影，虽精微之论出于古圣贤者，且惑而不敢信矣。先生直援世儒之所最诋者，以自信而不惑，其特立者欤？

先生少尝刻镂于诗，世绝喜其工，今所传《西原集》者，其少作也。既有志于道，则弃不复为，虽为之亦绝不较工与否。然《西原集》世争慕效之，而《约言》《老子解》好者希矣。"

## 三月

**韩应龙等进士及第。世宗亲制策问，手自批阅，擢韩应龙第一。**《弇山堂别集》卷八十二《科试考二》："十四年乙未，命翰林院侍读学士张璧、侍讲学士蔡昂为考试官，取中许谷等。廷试，赐韩应龙、孙升、吴山及第。先是，大学士李时等取中十二卷，进览，上批答曰：'卿等以堪作甲卷十二来呈，朕各览一周，其上一卷说的正合策题'夫周道善而备'，朕所取法，其上三说仁礼为用，夫仁基之，礼成之，亦甚得题意。其上四论仁敬，夫敬而能仁，他不足说，可以保治矣。其上二略泛而治于行，其下二却似说，虽与题不合，以言时事，故朕取之，可二甲首。余以次挨去，不知是否？卿可先与鼎臣看一过，再同读卷官看行。'上复御批首三卷，韩应龙曰：'是题本意，可第一甲第一名。'于孙升曰：'说仁礼之意好，可第二名。'于吴山曰：'敬为心学之极，此论好，可第三名。'是岁并李机、赵贞吉、郭朴、敖铣、任瀛、沈宏、骆文盛、尹台（1506—1579）、康大和九人策皆刻之。是年四月内，礼部请考庶吉士，以故事闻上，诏于文华殿大门外亲出御题考试。大学士李时会吏部尚书汪鋐，礼部尚书夏言，吏部左侍郎顾鼎臣、霍韬，右侍郎张邦奇，礼部左侍郎黄绾、右侍郎黄宗明，选进士李机、赵贞吉、敖铣、郭朴、任瀛、骆文盛、尹台、康大和、沈翰、欧阳暎、王立道（1510—1547）、嵇世臣、彭凤、郑一统、胡汝嘉、林廷机、高时、黄廷用、奚良辅、汪集、郭鏊、沈良才、陈东光、王维桢（1507—1570）、张绪、李秦、何维柏、卢宗哲、全元立、赵继本，名上，奉旨：'朕览赵贞吉等八名，卢宗哲等二十二名可留，卿还具题来行。内列吏礼二部堂上官及鼎臣名，不必部疏，此盖朕亲试也，可作例。'又升顾鼎臣为礼部尚书兼翰林院学士，教之，后又益以吏部左侍郎翰林院学士张邦奇。"《明史·选举志》："十四年乙未，帝亲制策问，手自批阅，擢韩应龙第一。降谕论一甲三人及二甲第一名次前后之由。礼部因以圣谕列登科录之首，而十二人对策，俱以次刊刻。"同榜进士有孙植、刘绘（1505—1573）、薛应旂（1500—1570 后）、施峻（1505—1561）、陈凤等。

**王立道选翰林院庶吉士，其馆课屡冠其曹偶。**张治《翰林院编修王君懋中墓石文》："君姓王氏，名立道，字懋中，无锡人。南礼部主客郎中表之子也。……嘉靖甲午（1534），予与谕德南海伦公奉诏典试南畿，得懋中文读之，相与叹曰：'婉而达，和而平，浩然而有余思，其吴之俊才乎！'鹿鸣之旦，晋诸生堂下而谒焉。懋中美髯古貌，温温如处女，皎然秀者也。予窃喜之。乙未（1535）予复校《易》礼闱，帘中有持卷示予曰：'浑浑乎若，冲渊乎若，深而不可穷，湛乎若光发于太空，其天下之俊才乎！'及启卷则为懋中也。予叹曰：'丹砂玉札置药笼中久矣，今为予夺之。'相与以得人贺。既而廷对，懋中赐二甲进士。是岁，天子亲选士，于文华殿试诗文，而懋中诗第一，改翰林院庶吉士，读中秘书。懋中益大肆力于学，每阁试辄称首。"官至翰林院编修。有《具茨稿》等。王维桢《王太史传》："王太史者，无锡人也，名立道，字懋中，举嘉靖乙未进士，已选为翰林院吉士。是岁天子躬御文华殿，授籍命题校录进士，乃得选者三十人，而关中人王维桢在其中。时李文康公在内阁，月试吉士凡两，而顾文康公典教书。李公文尚温夷尔雅，诗婉切，乃懋中文即温夷尔雅，诗婉切，适与券合，一试辄冠吾曹，再试再冠，又再试又冠，如此至五。而顾公又数数称誉之，由此名显。桢竟试与懋中同案，懋中见桢作至阁次则恒独居后，为叹之，已规曰：'子第易子手即可前，不易不前也。'乃桢固不易。其后懋中授编修，桢亦为检讨。懋中既为编修，列史职，称曰：'夫太史之官立，为其志一代之故，集古先之鉴也。乃吾今守其事矣，隘而罔识，阙而弗修，如职何？'于是卜僻远居，尽括古坟籍，刺取今事大者，皆牒记，客时过其门，每见其下楗也。盖自其为士时，日坐一小楼，连数旬不下，即宗党造者，莫得睹其面。则耽嗜读书，其天性也。"《明诗纪事》戊签卷十九录王立道诗十首，陈田按："懋中入翰林，故事，馆师课之而已。嘉靖乙未，永陵临轩试之，选三十人，懋中第一。懋中为唐荆川妹婿，文学欧阳，诗学中唐。年三十八卒，同时名辈哀悼之。王槐野作传，张龙湖、唐荆川作志、铭，尹洞山作《解王子哀文》。洞山文词旨最美，今《洞麓堂集》不载，当在未刻稿中也。"

**刘绘**（1505—1573）**试政户部，与李开先、唐顺之、赵时春等为友。**张佳胤《中宪大夫重庆府知府嵩阳刘公暨配胡孺人墓志铭》："乙未成进士，肆政户部。尝晏至，大司徒梁公据案让之，先生为赋孤鹤，上书求去，梁公更相推重。而是时济南李开先、武进唐顺之、平凉赵时春名倾一时，乃无不下先生者。以母钟夫人病告归。"

**康大和举进士，选为庶吉士。**嗣后授编修，历春坊谕德、侍讲学士，历时二十年，始迁南礼部侍郎。官终工部尚书。有《砺峰集》。《明诗纪事》戊签卷十九引《兰陵诗话》："砺峰在翰苑二十年，闭户著书，屏迹权门。人讥其拙，作《拙宦对》以述志。致仕时值莆中倭乱，寓嘉禾四年始归。其诗有'白发多情催我老，青山无地是吾家'，'庭堆白骨人踪少，鬼哭荒村日色荒'，'燕子不知旧垒破，呢喃犹向故园归'，皆凄婉可诵。"康大和字原中，莆田人。《明史·艺文志四》著录康大和《砺峰集》二十四卷。《明诗纪事》录其诗一首。

## 春

**高叔嗣**（1501—1537）**与唐顺之**（1507—1560）**论栗应宏**（字道甫）、**栗应麟**（字仁甫）**诗。栗氏兄弟以近体诗见长。**时高叔嗣在山西布政司左参政任。高仲嗣《明嘉议大夫湖广提刑按察司按察使弟叔嗣行状》："归三年起，起任前官云。久之又与时人忤，升山西布政司左参政，久之升湖广按察使。"高叔嗣升山西布政司左参政在1533年，升湖广按察使在1536年。高叔嗣《栗陈州诗序》云："上党栗道甫者，余识之，爱其文。乙未岁朝京师，翰林编修唐君应德语余曰：'道甫诗可传。'复诵其伯氏仁甫，尤长歌诗，思见之，未闻也。仁甫登己丑（1529）进士会试第三人，例以父尚县君，不得备宿卫，补为陈州知州。亡何遭谗口弃官，筑舍五龙山下，屏迹不入城，兄弟讲业其间。人谓其负谤易白，而陈州辨不肯力，咸悲其不遇。余闻古之达人，让卿相之位，屠羊灌园，有逃之没齿者，世岂能度陈州之心耶？夫怀金佩玉，揖逊人主之前，诚与灭迹云峰者不可同日语。顾持操苟无闷，当无疚于衷已。丙申（1536），余始得陈州诗，乃道甫为之次之者。读之终篇，察其身名之际，略无所恨，其所得远矣。余曩者尝学于斯艺，思所折衷，性弱复善忘，不能为弘丽之词。每数日裁撰一篇，不喜，辄弃去。今益惫，何足与知诗乎？慢懒相乘，愿自放于山林之间，聊作以抒忧耳。故睹于陈州之述，益感焉。"栗应麟，字仁甫，潞州人。嘉靖己丑进士，除陈州知州，历顺德同知，迁陕西佥事。其弟栗应宏，字道甫，潞安人。弱冠举于乡，累试南宫不第，耕读太行山中。《列朝诗集小传》丁集上云："高子业解司封归，道甫担簦相造，鸡黍定交。子业作《紫团山人歌》赠之，云：'紫团高山概青云，栗家兄弟殊不群。陈州一出驱五马，令弟二十窥三坟。'陈州者，道甫之兄应麟，字仁甫者也。道甫《山居诗》六卷，子业为之序。"高叔嗣《栗上党集序》："上党栗道甫，弱冠志学，与古为匹，遁迹太行之麓，十年弦诵，思幽入玄，上瞰周秦之阃奥，下涉隋唐之波流。著诗若干卷。岁己丑（1529），余解司封郎中，屏居梁墟，尽谢亲友，道甫担簦相造，鸡黍终日，笑言甚得，乃出兹编，三复嗟叹，故赠予诗云：'高风今重世，大隐不居山。'遂忘年焉。道甫既连举不第，诗名益振，名卿大夫，想见其人，称不容口。癸巳（1533），余出守晋阳，道经潞上，见道甫于家，总理文翰，探得弥深。又赠余诗云：'风声随斗望，精采若云流。'投篇相答，逾不可逮，余乃辞去。每持瑶章，把玩忘疲。嗟乎，余少而无闻，长而倦学，名本东家之愚夫，情类南郭之丧我，曾何所知，敢与斯文？然于当世之士，未尝不聆言而心赏，睹形而目成也。道甫之作，良契余怀，诚无虚奖。昔中郎倒屣于仲宣，少府荐表于正平，世亮有精鉴，兹编者行役之余，辄缀数语，用俟哲人。"《盛明百家诗·栗太行集》："上党栗道甫应宏，魁岸逸迈之士也。中嘉靖乙酉（1525）山西乡试，不第，退居太行山中，耕读以自老。平生诗文，多所自定。其宗人健斋少参屡向予言其人，并及其诗，今刻近百首。无锡俞宪识。"《明诗纪事》戊签卷八录栗应麟诗三首、栗应宏诗八首，陈田按："道甫兄弟与谢茂秦、高子业游，甚有诗名。近体沉思研炼，不落寻常蹊径。"

王慎中赴常州通判任，唐顺之、陈束、李开先、吴檄、吕高、熊过、张元孝、李遂饯于海甸，作诗文赠别。李开先于去年十一月由吏部云南清吏司主事进承德郎，时在任。嘉靖十五年十二月由吏部云南清吏司员外郎进奉直大夫。李开先《游海甸诗序》："王遵岩慎中，年十八举进士，负时名，颇能违众自立，久为当国者所不悦。历官吏部司封郎，为张方山衍庆以副都请封其父参政君继，虽父子同品，前此刘编修春，封其父御史君规，杨主事子器，封其父通判君禄，张萝峰（璁）不以为例也。票拟获谴，谪判毗陵，将行，丁属同志饯别海甸，夙闻其胜，而未尝一游，过此则终身或无复见期。于是武选吴皖山檄、吕江峰高、熊南沙过、翰林唐荆川顺之、陈后冈束、礼部张少室元孝、李克斋遂及予共八人焉，以嘉靖乙未三月望日，出阜城门。至则荒凉殊甚，盖张昌国以癸巳（1533）罹祸，及游日，已三年矣。亭台倾圮，惟水声潺潺，不异旧时。樵牧纷纭，牛羊蹂践，其水边诸洞，四面旋绕，藏歌妓，曳绮罗而奏弦管者，俱不可踪迹矣！主客两忘，酒酣赋诗，有颦眉者，有昂首者，有口呻吟而身屈伸者。予因大笑曰：'本为游乐，而乃愁苦如此。或罚酒，或罚席，予首甘之，而诗则不能也。'遍阅诸友，有得数句者，有欠结句者，独皖山先成，意高辞雅，不亚唐之名家。继而诸作悉具，而予亦终篇，八句全美，无如皖山者，可谓压倒元、白矣。昌国在孝庙，宠绝当朝，科道交章论劾无虚月。钦命置酒陪礼，且传谕守科及该道接本者俱赴席，今日暂不发本，临时又赐御物助杯盘，翌日谢恩本上，而劾本亦上矣。孝庙乃叹曰：'既享其家酒食，劾待数日后，亦不为迟。亟戒其家，凡事早收敛。'可见大君德量，如天地之无不容，独恨其曾入禁闼，有干国宪，然亦为解辩。李空同弹章诗中，正点缀其事，所以高不可及。夏桂洲（夏言）遂劾张、李二司属，无事漫游海甸，并私诘李之兄逢，及曾汴二兵科同下狱。大同事不协其意，夫以一日不入部，则处之过重，而大同则又关系天下之公是非，亦以其不苟同于平日，而快其忿于一朝耳。未久，七人相次罢谪，皖山幸而独免。大臣忌才，往往挤其不党己者，岂惟古有之，今殆有甚焉者矣。诗卷归予手，事如隔世，而人多下世，怆然作序，不惟感诸友之易消歇，而且叹大臣之善倾陷也。诸诗字迹宛然如新，丰神则杳然不可复觌矣。'含情瞻北阙，洒泪向西风。'三复读之，更觉吴诗出色，特著序中，而他固不及详云。'五侯台榭竞芳菲，三月花深车马稀。弦管不随流水奏，绮罗应化暮云飞。空传玉馔分天府，曾睹金葩到禁闱。借问旧时桃李月，由来此地几人非？'"吴檄诗题为《春日过张侯亭园》，《明诗纪事》戊签卷十四选入，字句略有不同。诗序以张昌国影射夏言之意甚明，戒其勿跋扈太甚。"夏桂洲"即夏言，时执掌朝政。

## 四月

**世宗诏令更定宗庙雅乐，增设七庙乐官乐舞生**。据《世宗实录》。

**赵用贤**（1535—1596）生。赵用贤字汝师，参议承谦子。先世为宋宗室，有士鹏者守江阴军，因家焉。后徙常熟。用贤少有才名，登隆庆辛未进士，选庶吉士第一，授检讨。万历丁丑（1577），江陵相不奔丧，台省保留，用贤抗疏请听终制，拜杖阙下，为编氓。癸未（1583）召复原官，晋中允。时迁人辐集，欲反江陵政，而江陵旧人犹布满九列，因倡党人之议。用贤疏极言党祸，与吴编修俱乞归，不允，后晋洗马祭酒，历官吏部侍郎，与选郎顾宪成辩论人材，以进贤退不肖为己任，竟用谗归。先是拜杖日，刲败肉如掌，陈夫人腊而藏之，每见其嚼齿击案，辄奉榇进曰："盍为余腊地乎？"虽为之敛容叹息，终不能改也。其为文章博达详赡，尤长于奏疏尺牍。有文集行于世。赠太子太保礼部尚书，谥文毅。据瞿汝稷《嘉议大夫吏部左侍郎定宇赵公行状》、《明书》卷一百九、《罪惟录》列传等。

## 六月

**廖道南《戴星集》编成，张治、童承叙分别作前叙、后叙**。童叙云："洞野子自翰林学士出倅于徽，亡何，上念之，召之还。于是有戴星之集。" 序署"嘉靖乙未夏六月朔，皇明赐进士出身、翰林院国史编修、经筵讲官，内方山人汉沔童承叙士畴甫撰"。张叙署"嘉靖乙未夏哉生明，皇明赐进士出身、左春坊左赞善、经筵讲官、兼修国史，茶陵云阳山人张治撰"。廖道南（1494—1547），字鸣吾，号洞野，蒲圻人。正德辛巳（1521）进士。官至翰林院侍讲学士。谪徽州府通判，寻复旧职。著有《楚纪》五十卷、《殿阁词林记》二十二卷等。

## 七月

**王稚登**（1535—1612）生。《列朝诗集小传》闰集马湘兰传："万历甲辰秋，伯谷七十初度。"稚登字伯谷，或作百谷，长洲人，四岁能属对，六岁善擘窠书，十岁能诗，长益骏发有盛名。嘉靖末游京师，客大学士袁炜家，炜试诸吉士《紫牡丹诗》，不称意，命稚登为之，大加击赏，欲荐于朝，不果。吴中风雅，自文徵明后无定属，稚登起而振之，主词翰之席三十余年。有《晋陵》、《金昌》、《燕市》、《客越》、《青雀》、《竹箭》、《梅花什》、《荆溪》、《松坛》诸集。据李维桢《征君王百谷先生墓志铭》、崇祯《吴县志》、《列朝诗集小传》等。

**杜楠作《刻孟有涯集序》。** 序署"嘉靖乙未秋七月望，研冈杜楠序"。孟洋字望之，著《有涯集》。孟洋为何景明妹夫。

## 八月

**申时行**（1535—1614）生。申时行字汝默，长洲人。嘉靖壬戌第一人及第，授修撰。历中允、谕德、左庶子，擢礼部侍郎，改吏部，兼东阁大学士，入预机务。进礼部尚书，兼文渊阁大学士，累进少傅，兼太子太傅、吏部尚书、建极殿大学士，加少师，兼太子太师、中极殿大学士。赠太师，谥文定。有《赐闲堂集》四十卷。

## 九月

**陆采所撰笔记小说集《览胜纪谈》十卷成书。** 其自序云："比游武夷，客三山，旅建安，皆暑且病。长日无聊，追怀旧事，并新得于闽浙者又百余条。厘为十卷，俾小史书之，以代口述。清斋佳客，未必不逾于俎醢之杂陈也。"序署"嘉靖乙未重阳日，吴郡天池山人陆采子玄甫书"。《览胜纪谈》多记神怪，兼及轶事掌故。

**夏言劾张元孝、李遂无事漫游海甸，二人下狱。** 时人以为，夏言之忌刻过于严嵩。《世宗实录》卷一六七："（嘉靖十三年九月）礼部尚书夏言劾奏仪制司郎中张元孝、祠祭祠（司）郎中李遂放纵不职状……上命锦衣卫执元孝送赴镇抚司鞫治之，寻俱调外任。"参见李开先《游海甸诗序》，见今年三月。按，王慎中、唐顺之等与夏言结怨甚深，此其一例。故《列朝诗集小传》丁集上《吴参议檄》云："李开先《游海甸诗序》云：'嘉靖乙未三月，王遵岩谪判毗陵，武选吴皖山檄、吕江峰高、熊南沙过、翰林唐荆川顺之、陈后冈束、礼部张少室元孝、李克斋遂及予共八人，钱之海甸。望日出阜城门，至则荒凉殊甚，盖张昌国以癸巳罹祸，已三年矣。亭台倾圮，惟水声潺潺，不异旧时。酒酣赋诗，皖山先成，意高辞雅，不减唐之名家。次日夏桂洲遂劾张、李二司属无事漫游。下狱未久，七人相次罢谪。皖山幸而独免。诗卷归予手，事如隔世，而人多下世。怆然作序，不惟感诸友之易消歇尔，且叹大臣之善倾陷也！'嘉靖初，海淀之狱，与苏子美诸人监院饮酒之事，大略相似。贵溪（夏言）恃宠恣横，一至于此，西市之祸，岂不幸哉！伯华记此事，有关于国论，故详著之。"《静志居诗话》卷十一《吴檄》亦云："吴檄，字用宜，桐城人。正德辛巳进士，除襄阳推官，入官户部主事，历武选郎中，出为湖广参议，转山东云南副使，终陕西参政。有《皖山集》。王道思官司封郎，为当国者所不悦，谪判毗陵。嘉靖乙未三月之望，朝士出钱于海淀者八人，唐顺之应德、陈束约之、张元孝少室、李遂邦良、李开先伯华、熊过叔仁、吕高山甫，其一则用宣也。海淀在阜成门外，其地为张昌国园林，昌国罹祸之后，亭台悉圮，诸公置酒，为之不乐。惟用宣诗先成，所云'弦管不随流水奏，绮罗应化暮云飞'者，是也。夏桂洲（夏言）闻之，遂劾元孝、遂二司官'无事漫游'，竟下狱。七人者相次罢谪，惟用宣幸免尔。何元朗述顾东桥赴严分宜饮，升堂，竟上座，酒行，嫌冷不堪，既易酒至，又嫌太热，指顾挥霍，不知有主人。而分宜执礼愈恭。因谓使桂洲当此，则东桥不免有双江之祸矣。盖严、夏皆娼嫉，而当时之论，若似乎夏之倾陷，有甚于严者。观伯华《海淀诗序》，则桂洲西市之祸，朝士未始不有快意者矣。"

**费宏**（1468—1535）病卒。费宏于今年七月抵大学士任，辅政二月而卒。《嘉靖以来首辅传》卷一："宏辅政之二月所，而以劳瘁疾骤发，一夕而卒，年六十有八。上为咨嗟久之，予祭及葬，赙赐加等，赠太保，谥文宪。"《明史·费宏传》："十四年，（桂）萼既前死，璁亦去位，帝始追念宏。四月再遣行人即家起官如故。七月至京师。使中使劳以上尊御馔，面谕曰：'与卿别久，卿康健无恙，宜悉心辅导称朕意。'宏顿首谢。自是眷遇益厚。偕李时召入无逸殿，与周览殿庐，从容笑语，移时移出。赐元章曰'旧辅元臣'。数有咨问，宏亦竭诚无隐。承璁、萼操切之后，易以宽和，朝士皆慕乐之。未几卒。"《四库全书总目》著录《费文宪集选要》七卷、《宸章集录》一卷，《选要》提要云："明费宏撰。宏字子充，铅山人。成化丁未（1487）进士第一。官至吏部尚书、华盖殿大学士。谥文宪。事迹具《明史》本传。所著《鹅湖摘稿》本二十卷。此本乃徐阶、刘同升所选录，非全帙也。"

## 秋

**礼部尚书夏言所拟殿额得世宗赏识。世宗遣使赐以白金彩币。**余继登《典故纪闻》卷十七："嘉靖十四年秋，世宗谕礼部尚书夏言：'朕宫左右小殿，东贮冕弁，西藏书史，欲悬以额，卿可拟名来闻。'言拟左曰'端凝'，右曰'懋勤'以进。世宗览而悦之，曰：'卿可拟取端冕凝旒，懋学勤政，意义甚善。'遂遣中使赐言白金彩币。"明年闰十二月，夏言兼武英殿大学士，预机务。

## 十月

**李舜臣由江西提学佥事转南京国子监司业。时伦白山为南京国子监祭酒。**汪应轸《赠愚谷李先生擢南国子司业序》："嘉靖乙未冬十月，愚谷李子董学江右，声迹腾远迩，铨曹以最闻。圣天子曰：'俞，惟兹南雍，尚赖表仪。'乃以白山伦子为祭酒，而以司业属之李子。二子皆天下文章第一人妙选也。"李开先《大中大夫太仆寺卿愚谷李公合葬墓志铭》："寻转南京国子监司业，与伦白山、邹东廓二祭酒，同心一德，迪教育才，监丞有绳愆册，博士有登善簿，助教学正学录，授书有时，典簿、掌馔，钱谷有考，堂友长必推择有行，援例以公，举事以实，监规严而可称贤士之关矣。无何，乃转尚宝司卿。尚宝在南京为散秩，禁城四门留守指挥，以铜符领把总以下若干人，人一木符，都督府持令牌入，五兵马亦各持令牌入，每三日一易，卿但视其交承符牌无阙而已，辰巳二刻，即可完事，余日得闭门读书。愚谷未及不惑之年弃世，所尚诗文，而读汉人经注，初则苦其精严难入，已而知其旨归在《尔雅》。《尔雅》本六书，六书如五味使相为用，边旁一也，篆当然者，隶楷亦当然，可使经文乱俗笔哉！《易》、《诗》、《书》、《仪礼》、《戴礼》、《左氏春秋》，分日读之，每六日一易，舛则质以篆隶与《增广韵》，旁及唐陆德明音义，工未半而升应天府丞。"

## 十一月

石存礼、蓝田、冯裕、刘澄甫、陈经、黄卿、刘渊甫、杨应奎等八人为海岱会始于本月，其唱和诗结集为《海岱会集》。参见"引言"所收《四库全书总目·海岱会集》。

## 十二月

布衣诗人张诗（1487—1536）卒。（卒年据公历标注）李开先《昆仑张诗人传》："北平张子言，八岁入小学，其童子师名之曰诗，字之曰子言，长果以诗名天下，师或有先见，抑偶合欤？……子言生成化丁未，卒嘉靖乙未十二月十日，少二十日不五十也。""初学举业于吕泾野，继学诗文于何大复。"曾至大梁。"梁故汉孝王之封疆，而吹台巍巍独壮，又有文人之宗李空同在焉。凡数十日，歌咏酬赠颇多，空同称其为燕山豪士。夜宴，瓶芝忽尔自堕，以为桦行觞焉，亦一奇怪事也。与空同各作《芝桦行》，俱有李、杜风骨。前此曾送王梦泽还乡，因策杖荆山，挐舟洞庭，至汝南视其何师之疾，相守七日，师卒，乃旋京师。""有拟之以太白孙山人者，是皆豪荡之才，崎岖之气，悲忿之音，而子言则更觉追古。有言：'何必拘拘于古者。'予应以：'物不古不灵，人不古不名，文不古不行，诗不古不成。'子言亦云：'太白独歉于古。'会日，曾行酒令，各诵楼字韵旧诗。太白多宋、元人作，子言首首驳回，因之各怀不平。太白自夸其'青崖贴天日，下照芝草斑'两句，真曹氏父子也。子言笑曰：'尖新浅近，曹氏父子便不如此。'作赠之诗，有'张子自高格，入山从我游'之语。子言怒曰：'吾岂汝门弟子耶？'从此绝交。""所著《骂鬼》、《诘发》、《笑琳七子》等文，雄奇变怪，览者不敢以今人待之。其《上上官求书书》，亦复骇观。其大约言：'成帝时，扬雄从上借书，上壮其志，尽发石渠之藏，雄乃竟无端涯之辞，而冒天下之道，文章都诡不羁，万世称善，吾今不向上公求之，无以恢其曼衍瑰玮之胸次，而肆为森严戈甲之文辞，若遣一力士，送书五车，否则宾之堂下，就邺架而读之，得睹绝目之语，广隘心之窍，谈天地之符，而搜鬼神之秘，是亦古今之奇矣。'""子言文非不高，世独尚其诗，因题其传曰昆仑张诗人云。"（《闲居集》卷十）《静志居诗话》卷十一《张诗》："张诗字子言，本姓李，宛平人。有《昆仑山人集》。岳氏《今雨瑶华》以昆仑山人诗压卷。然诗实不工，方棠陵诮之曰：'君诗虽佳，第乏情实，如无山称山，无水赋水，非欢而畅，不戚而哀是已。'是亦切中其病。"《明诗纪事》丁签卷十七录其诗三首，陈田按语云："山人诗亦有奇致，以校太初，去之尚远。李开先推之过甚，何耶？"所云"太白孙山人"，即孙一元（1484—1520）。

<br>

## 本年

**胡缵宗**（1480—1560）**以都察院右副都御史巡抚山东，行部之暇，作《汉乐府》四卷。**冯惟讷《拟古乐府序》："嘉靖乙未，先生以御史大夫拊循齐鲁，尝以行部之暇，作《拟汉乐府》四卷。"《拟汉乐府》有顾梦圭序，署"嘉靖己亥九月五日，吴郡顾梦圭拜手谨书"；杨祜序，署"嘉靖己亥秋，赐进士、江西按察□□□□□□（杨）祜序"；杨仪序，署"是岁长至日，奉政大夫、礼部祠祭郎中、前进士，常熟杨仪梦羽谨序"；马汝骥序，署"嘉靖己亥春正之望，上郡马汝骥撰"；王崇庆序，署"明嘉靖己亥秋七月癸巳，苑马寺卿、前进士，澶渊王崇庆撰"；谷继宗题辞，署"嘉靖岁在屠维大渊献被禊日敬识，明前进士、济南谷继宗僭撰"；朱睦㮮绪论，署"嘉靖庚子春三月之吉，明镇国中尉、西亭朱睦㮮谨撰"；邹颐贤跋，作跋时间不详。胡缵宗颇以拟汉乐府自豪，时人亦多许之。李东阳、李梦阳均热心于拟作乐府。

**张绖**（1487—1543）**八上春官不第，谒选，得武昌通判。**顾璘《南湖墓志铭》："按状，君讳绖，字世文，……迨今五世为高邮人。""十五游郡庠，谒乡贤祠，作诗辄有俎豆其间意，盖自少志已不凡如此。每督学使者至，必遇以殊礼，兄弟更迭首冠，时有四龙之目。癸酉（1513）领举，年甫二十有七。丙子（1516）卒业南雍。时阳明王公网罗人物，访士于汪司成，独以君对。王与君论及武王伐商，大加惊赏，曰：'汪公谓子豪杰，真豪杰也。'平居商榷义理，进退古人，多出人意表，闻者厌服。八上春官不第，乙未遂谒铨曹，得武昌通判，专督郡赋。""判武昌时，过留都谒吕泾野先生，论及岳武穆班师，及所说《论语》数条，吕公叹服曰：'君所见到此，若得嘉惠后学，有益于居官多矣。'予兄东桥公自湖南巡抚过家，予因问君，公称许不容口。"官至光州知州。著有《南湖诗集》、《诗余图谱》。张绖号南湖。吕柟号泾野。

**高叔嗣编选任瀚诗文成集，并作《任吏部集序》。**序云："固陵先生始举进士，奉大对，今上亲题其文，直词绝识，名冠海内，士莫不延颈，愿托末交。余辛卯（1531）再登上国，首奉款曲，宴语阑宵，相得甚真，乃投赠诗云：'文章知汝在，交谊为谁深。'既遂别去，其后余迁守边垂，世故相系，亲交日疏，疑莫与匹。乙未（1535）春得以觐事祇役阙下，先生犹敦凤好，不薄厌之。感谷风之谊，诵同人之言，君子于是知友道存焉。时则翰林唐君应德、陈君约之，司勋李君伯华，咸相综理文艺，启发微言，一朝大振。余拘以外寮，不得久待，遂录先生诗歌文论若干首，用著矜式。夫李白有诗人之材而无诗人之识，杜甫有诗人之识而无诗人之度，故言匪世法，动迕于时。余观先生雍容谦和，声华益远，制行以周孔为师，陈词与诗书比轨，不激而高，不刻而工，治世之音，于斯以备。明王之佐，舍是焉适！先生复不以余陋，而使缀名于简，辄不避逊，敢扬大雅？夫世有心赏之士，弘丽精微，苟有见于斯编，其必赞叹愉悦，犁然自解，又何赖于余言乎？是岁苏门山人高叔嗣谨序。"（《苏门集》卷五）任瀚为嘉靖八年进士。嘉靖八才子之一。《列朝诗集小传》丁集上载："瀚，字少海，南充人。嘉靖己丑（1529）进士，廷对献替剀切，天子亲题其制策，一旦名动天下，与罗达夫、唐应德相上下。已而自吏部考功主事，补春坊司直，兼翰林简讨，于是与应德、陈约之、李伯华肆力学诗文，无何皆被遣去。少海闭门读书，时从幽人文士，徜徉山水间。道士彭幼朔告我曰：少海入青城山，遇异人授鸿宝修炼秘法。家故贫，盘盂盆盎，皆点化汞银为之，灿然满室，虽陶猗不是过也。同时熊过叔抑，亦好道家服食炼形之书，私诸箧衍者，家人莫得见。晚年目盲，世庙购求符法秘书，蜀抚臣访之熊氏，叔仁给其家，举所藏悉焚弃之，至今蜀人谈玄怪者，皆本任氏、熊氏。"《静志居诗话》卷十二亦云："少海遇青城山异人，授鸿宝修炼法，家中盘盎，皆点汞银为之。同时熊叔仁亦好服食炼形之说。而罗达夫之死，燕齐海上之士，或言其仙去。是时青词丹箓，西内尚未营斋，而诸君爱道，实开其先已。少海'老去自吹秦觱栗，西征曾比汉嫖姚'之句，诗家类多称之。"嘉靖间士大夫，迷恋于修道成仙者甚众。

王慎中升任南京户部员外郎，寻转礼部。所作古文，自是多得力于欧、曾。李开先《康王王唐四子补传》："及升南部，闲散，乃发宋儒之书尽读之，有味于欧、曾之文，以为世人谈文，皆卑宋人而尚班、马，殊不知善学马迁莫如欧阳修，善学班固莫如曾巩者，是欧、曾之文，盖原本经传史汉之豪，一变而粹者也，以此自信，凡有所作，不出二子家法。诗亦以盛唐为宗，杂出于晋、魏风雅，旨趣玄妙，音节冲融，不专守唐人字句，而模写变化远矣。"李开先《遵岩王参政传》："升任户部主事，再升礼部员外，俱在留都闲简之区，益得肆力问学，与龙溪王畿，讲解王阳明遗说，参以己见，于圣贤奥旨微言，多所契合。曩惟好古，汉以下著作无取焉，至是始发宋儒之书读之，觉其味长，而曾、王、欧氏之文尤可喜，眉山兄弟，犹以为过于豪而失之放，以此自信，乃取旧所为文如汉人者悉焚之。但有应酬之作，悉出入曾、王之间。唐荆川见之，以为头巾气。仲子言：'此大难事也，君试举笔自知之。'未久，唐亦变而随之矣。尝以书寄予：'新来独得为文之妙，兄虽海内极相契，而于此文有不能共其味者矣！'然不知其正相同也。"（《闲居集》之十）

唐顺之初尚秦汉，至癸巳（1533）以来，改趋韩、欧、曾、王。李开先《康王王唐四子补传》：顺之"文则初学史、汉，后会王遵岩于南都，尽变其说，意颇讶之。王云：'此难以口舌争也，第归取七大家文读之，当自有得。'唐子犹不谓然，但素信其才识，如其言而读其书，数月后尽得其法，方知向之所谓学《史》、《汉》者，特得其皮毛，而七大家文，真得《史》、《汉》之骨髓者也。后复见遵岩，意投语合，遂皆以文章擅天下。"（《闲居集》之十）参见李开先《荆川唐都御史传》、洪朝选《荆川唐公行状》。

王慎中与顾璘、陈沂、罗凤过从甚密。嘉靖十二年至十五年间，顾璘（1476—1545）赋闲家居。王世贞《吴中往哲像赞》："顾东桥先生者，讳璘，字华玉，其先吴县人也，徙家留都，为江宁人。先生二十一成进士。为诗歌与刘麟元瑞、朱应登升之齐名，曰江东三才子。……赞曰：弘、正之间，天昌厥辞，李、何□之，边、王翼之。

跛踬中原，江左其谁，昌谷后劲，公乃先驰。绵丽才情，纡徐规矩，六季风流，庾、鲍庶几。"（《弇州续稿》卷一百四十八）《明史·文苑传》云："璘少负才名，与何、李相上下。虚己好士，如恐不及。在浙，慕孙太初一元不可得见。道衣幅巾，放舟湖上，月下见小舟泊断桥，一僧、一鹤、一童子煮茗，笑曰：'此必太初也。'移舟就之，遂往还无间。抚湖广时，爱王廷陈才，欲见之，廷陈不可。侦廷陈狎游，疾掩之，廷陈避不得，遂定交。既归，构息园，大治幸舍居客，客常满。""初，璘与同里陈沂、王韦，号'金陵三俊'。其后宝应朱应登继起，称四大家。璘诗矩矱唐人，以风调胜。韦婉丽多致，颇失纤弱。沂与韦同调。应登才思泉涌，落笔千言。然璘、应登羽翼李梦阳，而韦、沂则颇持异论。三人者，仕宦皆不及璘。"

**金江《义乌人物志》成书。郑灿《济美录》成书。戴璟撰《广东通志初稿》。**据四库提要。

**霍韬任南京礼部尚书。**据王世贞《弇山堂别集》。

**陈文烛（1535—?）生。**陈文烛《廷中诗》卷一《遣儿归省大人书怀》八首之三："嘉靖庚戌时，我生十有六。"又同卷《己巳除夕拟杜七歌》之七："吁嗟我年三十五"，以嘉靖二十九年十六岁、隆庆三年三十五岁推之，陈氏当生于嘉靖十四年。陈文烛字玉叔，沔阳人。嘉靖四十四年（1565）进士，官至南京大理寺卿。有《二酉园诗集》十二卷、《文集》十四卷、《续集》二十三卷。

## 公元 1536 年（世宗嘉靖十五年 丙申）

### 正月

**袁衮为胡缵宗《鸟鼠山人小集》作序。**序署"皇明嘉靖十五年岁丙申孟春既望，姑苏门人袁衮谨序"。

### 四月

**南京礼部郎中王慎中升任山东提学佥事。顾璘作《赠别王道思序》。**《世宗实录》卷一八六："（嘉靖十五年四月）壬辰，升南京礼部署郎中王慎中为湖广按察司佥事提调学校。""湖广"为"山东"之讹。王惟中《河南布政司参政王先生慎中行状》："（1535年）谪判常州，时年二十有七。……在郡仅数月，升南京户部主事，转礼部员外郎。礼部于留都尤闲简，得益肆力于问学。……丙申升山东督学，慨然以敦风教齐习尚为己任。"

**孙德夫刊行胡缵宗（1480—1560）《可泉集》，崔铣作序。**序云："慈溪孙公德夫长我汸省而来世甫，爱其诗，协其贤，而梓是集。……嘉靖丙申夏四月庚寅，相台崔铣序。"胡缵宗字世甫，时任河南布政司右参政。

### 五月

**唐龙、杜楠作《王氏家藏集序》。**《王氏家藏集》乃王廷相（1474—1544）诗文集。唐序署"嘉靖十五年仲夏初吉，兰溪渔石唐龙撰"，杜序署"嘉靖丙申岁五月五日，颍川杜楠子才甫序"。时唐龙在刑部尚书任。

**王世懋**（1536—1588）生。王世懋，字敬美。世贞弟。嘉靖三十八年（1559）成进士，即遭父忧。父冤雪，始选南京礼部主事。历陕西、福建提学副使，再迁太常少卿，先世贞三年卒。好学，善诗文，名亚其兄。世贞力推引之，以为胜己，攀龙、道昆辈因称为"小美"。有《奉常集》等。据王世贞《亡弟中顺大夫太常寺少卿敬美行状》、《明史·文苑传》等。

**王艮、王畿相偕至武进访唐顺之。**《心斋年谱》："嘉靖十五年丙申夏五月，（王艮）会王龙溪畿金山，访唐荆川顺之武进。"

## 七月

**王宠**（1494—1533）**《雅宜山人集》由王守编定。朱浚明于次年刊行。**王守序署"明嘉靖丙申七月一日，中宪大夫、太常寺少卿、前吏科都给事中王守撰"。王宠（1494—1533），字履吉，自称雅宜山人。王守之弟。《雅宜山人集》另有朱浚明、顾璘、胡缵宗三序，朱序署"丁酉（1537）七月望日"，顾序署"嘉靖戊戌（1538）孟秋望日"，胡序署"嘉靖戊辰至日，通议大夫、都察院右副都御史、前翰林检讨、国史官，天水胡缵宗撰"。胡序云："伯氏奉常履约辑其（履吉）诗文若干卷，门人朱浚明辈寿之梓，曰：知履吉者子也，子其序之。缵宗有感于履吉也，不容辞。"

## 十二月

**济郡太守司马泰汇刊张经（蔡经）《北寓》、《南行》、《西征》、《东巡》四稿为《半洲稿》一书。**黄臣《半洲稿序》："半洲先生崛起闽中，非圣不师，非经不穷，又得壮游于四方，得江山之助为多，故其诗文非人人所能及者。偶观《北寓》、《南行》、《西征》、《东巡》四稿，读之感叹不忍释手。吾郡司马太守汇而萃之，并刻以传。……嘉靖丙申冬十二月吉旦。"叶洪《书半洲稿后》："御史中丞半洲蔡公《南行》、《北寓》、《东巡》、《西征》，靡不有作，济郡太守司马公汇而刻之，题曰《半洲稿》。……嘉靖十六年三月既望，德郡叶洪拜手书。"《北寓稿》作于1526—1529年张经官御史时。顾霈《北寓稿后叙》："嘉靖丙戌（1526）、己丑（1529）间，半洲翁居燕京，乃述《北寓稿》。"王纳言《叙北寓稿》："《北寓稿》者，大中丞半洲公拾遗时所署什也。……嘉靖丁酉春王正月吉日，赐进士、山东提刑按察司金事，信阳王纳言撰。"《南行稿》作于张经官嘉兴府知府时，刘天民《南行稿叙》："《南行稿》，御史大夫半洲蔡公初举进士，出尹嘉兴，政成被征道里诸作也。……嘉靖丙申腊月既望，赐进士出身、四川按察司副使、前吏部文选司郎中刘天民撰。"《西征稿》作于张经官大理寺卿奉命安辑关西时，杨锱《西征稿序》："是帙乃吾师半洲蔡公奉使关西时所著也。……上党门人杨锱顿首拜识。"《东巡稿》作于张经巡抚山东时，李人龙《东巡稿识语》："半洲翁绥猷东土，汇什萃帙，爰颜《巡稿》梓之济郡。……属下吏华亭李人龙顿首谨撰。"《四库全书总目》卷一七六集部别集类存目三著录《半洲稿》四卷，提要曰："明张经（？—1555）撰。卷首题曰蔡经，盖其未复姓时所刊也。经字廷彝，侯官人。正德丁丑进士。累官南京兵部尚书，总督军务，改左都御史。为严嵩构陷，坐以失律弃市。后追谥襄愍。事迹具《明史》本传。是集第一卷为《北寓稿》，乃经官御史时所著。次为《南行稿》，为嘉兴府知府时所著。次为《西征稿》，为大理寺卿奉命安辑关西时所著。次为《东巡稿》，巡抚山东时所著。诗多五七言近体，颇摹唐调。盖正当太仓、历下初变风气之时也。"《半洲稿》另有林琼后序，署"嘉靖丙申冬闰月吉旦"。司马泰《半洲稿识语》作年不详。

## 闰十二月

**礼部尚书夏言兼武英殿大学士，预机务。**据孟森《明史讲义》。

**袁袠（1502—1547）为顾璘《国宝新编》作序。**《四库全书总目》卷六一史部传记类存目三："《国宝新编》一卷，明顾璘撰。""是书凡录李梦阳、何景明、祝允明、徐祯卿、朱应登、赵鹤、郑善夫、都穆、景旸、王韦、唐寅、孙一元、王宠十三人。人为之传，传为之赞。盖感于知交凋谢而作。略缀数语以存其人，亦柳宗元《先友记》类也。"

## 本年

**唐顺之与万吉订交。万吉以笃信朱熹见称。**唐顺之《万古斋公传》云："嘉靖丙申，余始识公于宜兴，公因遣二子从余游，数过余，相与讲论，有合有不合，而卒归于相得也。盖公尊经传甚笃，而守格式甚谨。然而默成不言之旨，近于破去经传，而易以为束书游谈者之所便；得心忘象之宗，近于脱落格式，而易以为宕无忌惮者之所假。故儒者往往因其似而疑其真。余既与公交久之，乃稍稍于经传格式之外有所陈述，大要以反求自得，一不蹈袭，独操把柄为说。公闻而相与辩析亦久之，然公察余非敢不尊经传，非敢不谨格式者，是以因其迹而谅乎其心，知其人之不求为异，而意其言之或不妄也。先是公之友周君道通，学于王阳明子，得闻致良知之说，归而以语公，力怂恿之。公以其说异朱子，不肯信。道通没十余年，既与余相得，则慨然谓其所善门人王革曰：'道通爱我。'今荆川子语固多与道通所述相合，然固未尝背于朱子，我恨不及道通之存也。"万吉之子万士和《先考古斋翁行略》云："素慕荆川先生为人，时先生方以少年拔出流俗，论先生者是非相半。先考将就见之，先生适养痾来荆溪，即踵门求谒，不觉惊服，率安、和往从学焉。每一会晤，必有激发，恨相见之晚。然论书辞谈道理，必反复质正，不为苟同。归家则进不肖辈曰：先生非特博极群书，而志趣高迈，造诣精深，如凤凰翔于千仞，又如白璧无瑕，真当世人豪也。"（《履庵文集》卷九）万吉字克修，宜兴人。守先儒成说甚谨，尤笃信朱熹。万士和乃其次子，字思节，号履庵。官至礼部尚书。有《履庵文集》十二卷。

**王廷相（1474—1544）所撰诗文集《内台集》刊行。**《四库全书总目》卷一七六集部别集类存目二著录《内台集》七卷，提要曰："明王廷相撰。是编刻于嘉靖丙申。凡诗二卷、词一卷、杂著一卷、奏疏一卷、杂文二卷，又在《家藏集》之后者也。时廷相为都御史，故以内台为名云。"王廷相字子衡，仪封人。弘治壬戌进士，选庶吉士，改兵部给事中。以言事谪判亳州，拜监察御史，巡按陕西，为镇守廖銮诬奏下狱。再谪赣榆县丞，稍迁宁国同知，历四川按察使，拜副都御史，巡抚四川，入为兵部侍郎，都察院右都御史，进兵部尚书，提督团营，仍掌院事，加太子太保。卒，谥肃敏。有《家藏》、《内台》二集。

**唐顺之卜居阳羡山中，潜心于圣贤之学。**唐顺之《与王尧衢编修书》云："春来卜居阳羡，此中山水清绝，无车马迎送之烦，出门则从二三子登山临水，归来闭门食饮寝梦。尚有余闲，复稍从事于问学。然诗文末艺与博杂记问，昔尝强力好之，近始自觉其羊枣昌歜之嗜，不足饥饱于人，非古人切问近思之义。于是取程、朱诸老先生之书，降心而伏读焉。初亦未尝觉其好也，读之且半月矣，乃知其旨味隽永，字字发明古圣贤之蕴，凡天地间至精至妙之理，更无一闲句闲语，所恨资性蒙迷，不能深思力践于其言焉耳。"（《荆川集》卷五）王立道（1510—1547），字懋中，号尧衢，无锡人。嘉靖乙未（1535）进士，官翰林院编修。顺之妹夫。有《具茨集》。《四库全书总目》别集类二五著录王立道《具茨集》五卷，提要云："其诗虽微嫌婉弱，而冲容淡宕，不为奇险之语，犹有中唐钱、刘之遗。文则纵横自喜，颇于眉山为近。其论文书有云：'兵无常形，以正胜者什九。文无常体，以奇善者什一。盘诰之文则六经之什一耳。效而似者犹未可为常，而况其万不类也哉！'其言深中当时北地诸人摹仿周秦之弊。即其所为文可知矣。"

**李元阳（1497—1580）以监察御史巡按八闽。**李元阳为"杨门六子"之一。屠应埈有《送李侍御元阳按闽嘉靖丙申病中作》诗，见《武夷吟》。李选《侍御中溪李元阳行状》："巡按八闽，大学士饯之，手出官名纳公袖，谓：宜荐剡也。比至，廉知贪黩状，疏劾之，所至风靡，一省廓清。"李元阳字仁甫，大理太和人。嘉靖丙戌进士，除江阴知县。征授御史，出为荆州知府。有《中溪漫稿》、《艳雪台稿》。《明诗纪事》戊签卷十六录李元阳诗三首，陈田按："仁甫为'杨门六子'之一，诗品在弘山、愈光之次。"杨士云号弘山，张含字愈光。"杨门六子"指杨给事士云、王金事廷表、胡副使廷禄、李荆州元阳、唐金事锜、张举人含。

**归有光计偕北上，临行作《示徐生书》，论圣人之道以《六经》为载体。**徐生，有光门人徐倬。书中有"今年正月，予游金陵……及是，予将计偕北上"之语。

**徐渭（1521—1593）拟扬雄《解嘲》作《释毁》。**据徐渭《畸谱》。

**蔡羽（？—1541）撰《辽阳海神传》。是篇为明代优秀传奇小说之一。**传末云："戊子（嘉靖七年，1528）夏，余在京师闻其事，然犹未闻大同以后事。今年丙申（1536）在南院，客有言程来游雨花台者，遂令邀与偕至，询其始末"，因信"昔闻不谬"，故作是传。《古今说海》说渊部收入此传。凌濛初据以创作拟话本《迭居奇程客得助 三救厄海神显灵》，收入《二刻拍案惊奇》。

**闵文振所撰志怪小说集《涉异志》成书。**黄虞稷《千顷堂书目》著录，云："（闵文振）字道充，浮梁人。嘉靖丙申序。"书末叙及嘉靖丁酉（十六年）年事，或序成后补入。《涉异志》一卷，叙明代神鬼变异之事。

**朱纨撰《茂边纪事》一卷。**据四库提要。

吕柟撰《朱子抄释》。方广《丹溪心法附余》成书。据四库提要。

湛若水任南京吏部尚书。据王世贞《弇山堂别集》。

以道士邵元节为礼部尚书。据孟森《明史讲义》。

何孟春（1474—1536）卒。《列朝诗集小传》丙集《何侍郎孟春》："孟春字子元，郴州人。弘治癸丑进士。长沙异其才，拟入史馆，以父忧罢。授兵部职方主事，历郎，出补河南参政，入为太仆卿，以佥都御史巡抚云南，召为吏部右侍郎。世庙即位，诏议尊亲礼，大臣相继去位，子元率部院台谏力争，泣谏于左顺门，疏上，上抚谕再四，跪泣不起，左迁南京右侍郎。居无何，尽斥诸哄议者，削籍，锢不复用。屏居著述，有《余冬叙录》行世。穆庙初，追赠礼部尚书，赐谥文简。"又钱谦益附记云："右录石熊峰、罗圭峰等六公之诗，皆长沙之门人也。华亭何良俊曰：'李西涯在弘、正间，主张风雅，一时名士如邵二泉、储柴墟、汪石潭、钱鹤滩、顾东江、陆俨山、何燕泉，皆出其门。'东江、燕泉，前六公中人也。柴墟者，储文懿公罐，与邵文庄同出长沙之门。石潭者，汪文庄公俊，与其弟侍郎伟皆长沙所举士。《麓堂集》中所云'二汪'也。俨山者，陆文裕公深，有《题邵国贤哭文正公诗后》云：'重游东观真如梦，再过西涯定惘然。白发门生思往事，每谈忧国泪双涟。'观此诗，其师弟契分可知也。鹤滩者，华亭钱福与谦，与成都杨慎同修皆以举子受业长沙，与谦殁，长沙表其墓，用修每有撰述，必称'先师李文正公'，用修殁于嘉靖中年，至是而长沙之门人始尽。他如乔庄简宇、林贞肃俊、张文定邦奇、孙文简承恩、吴文肃俨，名硕相望，不可胜记。靳文僖《麓堂集后叙》曰：'操文柄四十余年。出其门者，号有家法。虽遐陬荒壤，无不窃模其词规字体，以鸣于世。岂不盛哉！'自李空同倡为剽拟古学，倔背师门，秦人康、王辈，失职訾毁。嘉靖初，山东李开先趋风附和曰：'西涯为相，诗文取絮烂者，人才取软滑者，不惟诗文靡败，而人才亦从之。'王渼陂为诗嘉之曰：'进士山东李伯华，相逢亦笑李西涯。'呜呼！诗文且勿论也，熊峰以下诸公，直道劲节，抗议而犯权幸，砥柱永陵之朝，皆长沙所取之人才也，而以软滑目之，其可乎？斯不可以不辨。固国论所系，不独文章升降之际也。庚寅十月初二日乙夜，蒙叟谦益书于绛云楼下。"《四库全书总目》著录何孟春《何文简疏议》十卷、《孔子家语注》八卷、《余冬序》十五卷、《何燕泉诗》十四卷、《余冬诗话》三卷。《何文简疏议》提要曰："孟春少游李东阳之门，学问该博。而诗文颇拙，卒不能自成一家。惟生平以气节自许，历官所至，于时事得失，敷奏剀切，章疏乃卓然可传。"《何燕泉诗》提要曰："孟春少游李东阳之门，传其诗派。而才力不及其富赡，故往往失之平衍。"《明诗纪事》丁签卷六录何孟春诗四首，陈田按："子元及西涯之门，观所著《余冬叙录》，于西涯诗话绪论，娓娓不倦，并梦中亦续西涯诗稿，可谓服膺不忘矣。惟才力稍弱，句调平易，而学殖既深，亦自远于俗调。"

金大车（1493—1536）卒。许谷《刻金子有诗集后语》："亡六年，羽伯（陈凤）葺其遗诗，刻之梓。诗凡若干首，诸体略备，往来商订刊落者，凡十倍，兹盖存其菁华可述者尔。嘉靖壬寅（1542）仲冬既望，吏部文选司员外郎，石城许谷记。"《列朝诗集小传》丁集上："子有屡上南宫不第，从其妇于广陵，以旅病卒。子有诗法襄阳、随州，每摇笔执卷，顷刻立就。尝赋诗有'不堪摇落逢秋日，况复蹉跎人暮年'之句，陈羽伯怪其壮岁山语不祥，时年四十四。"生卒年据以推定。金大车字子有，其先西域默伽国人。明初归义，赐姓，居南京，遂为上元人。嘉靖乙酉举人。有《方山遗稿》。《明诗纪事》戊签卷八录大车诗四首，陈田按："子有与陈羽伯为素交。子有卒后，羽伯有诗哀之云：'大金吾素好，伟然清庙质。五色焕龙鸾，希声中琴瑟。束发友斯人，毕志期作述。沈冥同往岁，潇洒弄文墨。吾方堕尘网，旷期阻亲暱。岂意南阳别，欢好此焉毕？仰视天方曹，巫咸不世出。诵子临歧赠，洒泪空永日。'其为侪辈叹慕如此。"

**吕坤**（1536—1618）生。吕坤字叔简，宁陵人，万历甲戌（1574）进士，知襄垣、大同二县，为吏部主事，历员外郎中，出参政山东，按察山西，转陕西右布政，以右佥都御史巡抚山东，升刑部侍郎。有《去伪斋集》。据《列朝诗集小传》等。

## 公元 1537 年（世宗嘉靖十六年　丁酉）

### 正月

**杨南金为杨慎词集《升庵长短句》作序**。序署"嘉靖丁酉正月望日，雨侬居士杨南金序"。升庵长短句序跋颇多，有唐锜序，署"嘉靖庚子（1540）仲冬长至日，晋宁池南唐锜"；有王廷表序，署"嘉靖癸卯（1543）春正月望临安王廷表书"；有许孚远序，作序年月不详。王世贞《艺苑卮言》卷六："边庭实以按察移疾还，每醉，则使两伎肩臂，扶路唱乐，观者如堵，了不为怪。关中许宗鲁、何栋、西蜀杨名无夕不纵倡，渐以成俗。有规杨用修者，答书云：'文有仗境生情，诗或托物起兴。如崔延伯，每临阵则召田僧超为壮士歌；宋子京修史，使丽竖燃椽烛；吴元中起草，令远山磨隃糜。是或一道也，走岂能执鞭古人？聊以耗壮心，遣余年，所谓老颠欲裂风景者，良亦有以。不知我者不可闻此言，知我者不可不闻此言。'""用修谪滇中，有东山之癖。诸夷酋欲得其诗翰，不可，乃以精白绫作祛，遗诸伎服之，使酒间乞书。杨欣然命笔，醉墨淋漓裙袖，酋重赏伎女购归，装潢成卷。杨后亦知之，便以为快。""用修在泸州，尝醉，胡粉傅面，作双丫髻插花，门生舁之，诸伎捧觞，游行城市，了不为怍。人谓此君故自污，非也。一措大裹赭衣，何所可忌？特是壮心不堪牢落，故耗磨之耳。"杨慎在滇，多所著述，亦有消磨壮心之意。

**王纳言为张经（蔡经）《北寓稿》作叙**。叙署"嘉靖丁酉春王正月吉日，赐进士、山东提刑按察司佥事，信阳王纳言撰"。另有顾霖《北寓稿后叙》，作叙时间不详。叙云："嘉靖丙戌（1526）、己丑（1529）间，半洲翁居燕京，乃述《北寓稿》。今详其稿，近律古体诸首，皆燕京一时所撰，故称'北寓'云。"刘玑《北寓稿后叙》作年不详。本年蔡经任都察院右副都御史。

### 二月

**刑部尚书唐龙录上前坐事充军应赦者马录等共 142 人，独丰熙、杨慎、王元正等八人不赦**。世宗对议礼诸臣，积怨甚深。《万历野获编》卷二《献帝称宗》："坊父丰熙，以翰林学士率修撰杨慎等词臣，于嘉靖二年，痛哭阙下，撼门长跪，力辨考兴献之非，廷杖濒死，下狱远戍。至嘉靖十六年，恩诏大霈，部议赦还。上许尽还诸臣，独丰熙、杨慎等不宥。是年熙即卒于戍所。"

## 三月

**韩邦靖**（1488—1523）《韩汝庆集》由赵伯一刊行，康海作序。序署"嘉靖丁酉春三月七日丙戌序"。韩邦靖字汝庆，其兄韩邦奇字汝节。

## 五月

**归有光婢寒花去世，作《寒花葬志》以寄哀悼之情。**《寒花葬志》："婢，魏孺人媵也。嘉靖丁酉五月四日死，葬虚丘。事我而不卒，命也夫！"魏孺人，归有光第一位妻子，南京光禄寺典簿魏庠次女。

**帅机**（1537—1595）生。帅机字惟审，号谦斋，临川人。隆庆戊辰进士，授汝宁教授。改国子学正，迁兵部主事。乞南，改礼部，历郎中，谪两浙盐运司运副。历彰德同知，迁南刑部郎中，出为思南知府。有《阳秋馆集》。据帅先慎《惟审先生履历》。

## 六月

**高叔嗣**（1501—1537）卒。高叔嗣在明代与徐祯卿并称。霍韬《高廉使墓志铭》：高叔嗣字子业，祥符人。"子业生弘治辛酉十二月十四日，卒嘉靖十六年六月十七日。"高仲嗣《明嘉议大夫湖广提刑按察司按察使弟叔嗣行状》："其所著有《高氏读书园集》、《弃瓠集》、《考功集》、《晋阳题》，篇散不及收者犹多。"陈束《苏门集序》："嘉靖甲午冬，束在史馆，时苏门高子业由晋阳入朝京师，会都庭下，明年束罢史职，出金湖湘金事，又明年丁酉（1537），子业由晋阳转湖湘为观察使，从游省署中累两月，而束弃去，行湖北，子业乃疾病十余日，死矣。嗟哉悲夫！子业盖尝谓束曰：余生平所向慕两人，后渠崔子，谓余文不如诗；空同李子，谓余书不如诗，诗乃不如文矣。宇内知交，非子谁定吾言？悲夫已矣！子业既死之三月，束乃收其遗言而叙之。（《苏门集》卷首）王世懋《艺圃撷余》："诗有必不能废者，虽众体未备，而独擅一家之长。如孟浩然洮洮易尽，止以五言隽永，千载并称王孟。我明其徐昌谷、高子业乎？二君诗大不同，而皆巧于用短。徐能以高韵胜，有蝉蜕轩举之风；高能以深情胜，有秋闺愁妇之态。更千百年，李、何尚有废兴，二君必无绝响。所谓成一家言，断在君采、稚钦之上，庭实而下，益无论矣。"（《历代诗话》）《诗源辩体》后集纂要卷二："高子业名叔嗣。五言古，或出太康，亦有出于应物者。七言古，间得数篇，殊不为工。五言律多出摩诘。王敬美极称之。然全集多生字、生句，即入录者亦略见之，盖欲以此见风格耳。此是不及昌谷处。予尝以全集观，辄欲弃去，最后删录，不忍释手。故知弘正诸子之诗，非选录不可。"王士祯《带经堂诗话》卷四："明兴至弘治，百有余年，李、何崛起中州，吴有昌谷徐氏为之羽翼，相与力追古作，一变宣、正以来流易之习，明音之盛，遂与开元、大历同风。洎嘉靖之初，后生英隽，稍稍厌弃先矩，去而规模初唐，于时作者数家，例乏神解。唯高子业继起大梁，自写胸情，扫绝依傍。弇州《诗评》谓：昌谷如白云自流，山泉泠然，残雪在地，掩映新月；子业如高山鼓琴，沉思忽往，木叶尽脱，石气自青。谭艺家迄今奉为笃论。其弟敬美又云：'更百千年，李何尚有废兴，徐高必无绝响。'其知言哉！不佞束发则喜诵习二家之诗。弱岁官扬州，数于役大江南北，停骖辍棹，必以《迪功》、《苏门》二集自随。顺治辛丑，泊舟海陵，尝取二集评次，录为一通。大抵于徐主《迪功集》，而外集、别集什不取一。于高主五言，而七言则姑舍是。此本贮箧中久矣。康熙己卯居京师，烧烛检故书，适得二集，铅椠宛然，辄加删补，镂版京师，以申平生瓣香二公之志云。（《蚕尾续文》）"《明史·文苑传》："高叔嗣，字子业，祥符人。年十六，作《申情赋》几万言，见者惊异。十八举于乡，第嘉靖二年（1523）进士。授工部主事，改吏部。历稽勋郎中。出为山西左参政，断疑狱十二事，人称为神。迁湖广按察使，卒官，年三十有七。叔嗣少受知邑人李梦阳，及官吏部，与三原马理、武城王道同署，以文艺相磨切。其为诗，清新婉约，虽为梦阳所知，不宗其说。陈束序其《苏门集》，谓有应物之冲澹，兼曲江之沉雄，体王、孟之清适，具高、岑之悲壮。王世贞则曰：'子业诗，如高山鼓琴，沉思忽往，木叶尽脱，石气自青；又如卫洗马言愁，憔瘁婉笃，令人心折。'而蔡汝楠至推为本朝第一云。"《四库全书总目》卷一九〇集部总集类五著录《二家诗选》二卷，提要曰："国朝王士禛删录明徐祯卿、高叔嗣二人诗也。明自弘治以迄嘉靖，前后七子，轨范略同。惟祯卿、叔嗣虽名列七子之中，而泊然于声华驰逐之外。其人品本高，其诗亦上规陶、谢，下摹韦、柳，清微婉约，寄托遥深，于七子为别调。越一二百年，李、何为众口所攻，而二人则物无异议。王世懋之所论，其言竟果验焉。岂非务外饰者所得浅，具内心者所造深乎？士禛之诗，实沿其派，故合二人所作，简其菁华，编为此集。祯卿诗多取《迪功集》，其少年之作见于外集、别集者，十不存一。叔嗣惟取其五言诗，其七言则阙焉。取所长而弃所短，二人佳什，亦约略备于是矣。"又卷一七二集部别集类二五著录《苏门集》八卷，提要曰："明高叔嗣撰。叔嗣字子业，号苏门山人，祥符人。嘉靖癸未进士。官至湖广按察使。事迹具《明史·文苑传》。是集凡诗四卷、文四卷。其诗初受知于李梦阳，然摆脱窠臼，自抒性情，乃迥与梦阳异调。……世贞、世懋谈诗颇有异同，而品题叔嗣，则两相符契。盖论至当则无以易也。至其杂文四卷，特附缀以行。陈束原序言其诗优于文，抑亦确论矣。"《明诗纪事》戊签卷二录高叔嗣诗三十四首，陈田按语云："子业襟抱既超，故吐属蕴藉，有魏、晋人标致，次亦不失为孟襄阳、韦苏州。自叙云：'李空同方盛，邑子之属出其门，撰为文辞，模于古人，私心不能无慨慕，时时窃撰一二篇。夫本非所长，而强力慕之，度必取诮于众。'可以明其宗旨矣。陈束之《苏门集序》出，一时名流，捧手叹绝，可谓玄赏。"

### 夏

　　王廷陈与文溪子相见于大江之滨，作《丁酉之夏觏文溪子于大江之滨与之述往感时命酒坐石挥涕而别太息成诗》。王廷陈字稚钦，黄冈人。正德丁丑进士，改庶吉士，授史科给事中。以谏南巡，杖谪裕州知州，寻下狱，免归。《四库全书总目》卷一七二集部别集类二五著录王廷陈《梦泽集》二十三卷，提要曰："事迹具《明史·文苑传》。其集一刻于淮安，再刻于苏州。此本为其从孙追淳知颖州时所刻，乃第三本也。廷陈少年高第，以恃才傲物，致放废终身，其器量殊为浅狭。至其诗意警语圆，轩然出俗，则不得不称为一时之秀。王世贞《艺苑卮言》称其如良马走坂，美女舞竿，五言尤是长城。又称王稚钦、吴国卿之五言律各集，妙境专至而有余。朱彝尊《静志居诗话》亦谓其音高秋竹，色艳春兰，乐府古诗，殊多精诣。盖在正、嘉之间，何景明最为俊逸。廷陈之天骨雄秀，抑亦骖乘矣。若杂文则藻采太多，华掩其实，等诸自郐无讥，无庸深论也。"《明诗纪事》戊签卷三录王廷陈诗三十三首，陈田按语云："稚钦格矜复古，意取标新，亮节清音，绵情丽制。大约古体胜于近体，五言胜于七言。固由诣有专精，亦是才分各限。薛君采、高苏门亦复尔尔。"

## 七月

**朱浚明为王宠（1494—1533）诗文集《雅宜山人集》作序。**序署"丁酉七月望日，门生朱浚明顿首谨书"。王宠号雅宜山人。

## 八月

**姚涞、江汝璧等任乡试主考。**《弇山堂别集》卷八十二《科试考二》："十六年丁酉，命翰林院侍讲学士姚涞、左春坊左中允孙承恩主顺天试。命右春坊右谕德江汝璧、司经局洗马欧阳衢主应天试。""初，以南京进呈试录考官批语失列名，下部参看，谓事属不敬，考试、提调等官皆当提问，议上。上谓，考官既不填名，策题又以国家祀戎大事为问，所对语多讥讪，谕德江汝璧、洗马欧阳衢令锦衣卫官逮治，提调府尹孙懋，府丞杨麒，监试御史何铉、沈应阳，南京法司究问，考官学正许文魁等，所在巡按御史逮问，所取生儒不许会试。后谪汝璧为广东市舶副提举，衢为南雄府通判。""礼部尚书严嵩奏：广东所进试录字如圣谟、帝懿、四郊、上帝，俱不行抬头，及称陈白沙、伦迁冈之号，有失君前臣名之义，且录中文体大坏，词义尤为荒谬，宜治罪。得旨，学政王本才等、布政陆杰等、按察司蒋淦等俱命巡按官逮问，本才等夺其礼币，御史余光命法司逮问。仍通行天下提学官，严禁士子，敢有肆为怪诞不遵旧式者，悉黜之。"

**山东提学金事王慎中为胡缵宗（1480—1560）《鸟鼠山人集》作序。时胡缵宗以都察院右副都御史巡抚山东。**序署"皇明嘉靖丁酉秋八月辛未日，古闽遵岩王慎中谨撰"。胡缵宗（1480—1560），初字孝思，后更世甫，号可泉、鸟鼠山人，秦安（天水）人。正德戊辰进士，授翰林院检讨，历官南户部郎中、山东参政、河南布政使、山东巡抚，有《可泉集》、《可泉文录》、《鸟鼠山人集》、《拟古乐府》、《拟李西涯古乐府》等。顾梦圭《鸟鼠山人集序》："公平生著述积若干卷，吴人士暨四方学者梓之以传。嘉靖丁酉，公以大中丞保厘山东，政暇出以示梦圭，诵复数过。顾末学谫陋，何能知公之文。独念集中作于吴者居多，南国之思召伯也，所芘之树且爱之，况其文乎？……吴郡后学顾梦圭拜手书。"《鸟鼠山人集》序跋颇多，如"皇明嘉靖十五年（1536）岁在丙申孟春既望，姑苏门人袁衮谨序"之《鸟鼠山人小集序》、"吴郡后学顾梦圭拜手书"之《鸟鼠山人小集序》（作序年月不详）、"澄城县举人、署秦安县儒学教谕路世龙顿首谨赘"之《鸟鼠山人集跋》（作跋年月不详）。最早一篇是"嘉靖戊子（1528）春三月，吴郡伍余福序"之《鸟鼠山人小集序》。多应酬语，不录。《四库全书总目》集部别集类存目三著录《鸟鼠山人集》二十九卷，提要曰："是编凡《正德集》四卷，《嘉靖集》七卷，《鸟鼠山人小集》十六卷，后集三卷。其诗激昂悲壮，颇近秦声。无妩媚之态，是其所长，多粗厉之音，是其所短。"《正德集》即《辛巳集》。

陈绍文中举。陈绍文与梁有誉、黎民表、欧大任等俱游于黄佐之门。陈绍文字公载，南海人，府尹锡子。嘉靖丁酉举人，官通判。有《中阁集》。《明诗纪事》戊签卷十九《陈绍文》陈田按："公载乃应天府尹锡子。府尹构浮丘心远亭，擅园林之胜。黄才伯有《心远亭分韵》诗云：'浮丘倚兰渚，郁水环山郭。中流结衡宇，炎歊尽销落。'黎瑶石有《心远亭探梅》诗云：'京兆池亭万树芳，半临秋水半含霜。'纪其胜也。瑶石又有《过公载浮丘心远亭》、《听公载弹琴》诸诗。公载以罗浮有中阁，自号中阁山人，集名以此。公载与梁公实、欧桢伯、黎瑶石、吴而待诸人结诗社，又同游黄才伯之门，见桢伯所作《梁比部传》中。竹垞录公载诗不能详其字，余为考其详如此。"黄佐（1490—1566）字才伯，梁有誉（1519—1554）字公实，欧大任（1516—1595）字桢伯，黎民表（1522—1582）字维（惟）敬，号瑶石，均为岭南诗人。《明史·文苑传》载："黄佐，字才伯，香山人。……佐学以程、朱为宗，惟理气之说，独持一论。平生撰述至二百六十余卷。所著《乐典》，自谓泄造化之秘。年七十七卒。穆宗诏赠礼部右侍郎，谥文裕。佐弟子多以行业自饬，而梁有誉、欧大任、黎民表诗名最著云。""欧大任，字桢伯，顺德人。由岁贡生历官南京工部郎中，年八十而终。黎民表（1522—1582），字惟敬，从化人，御史贯子也。举乡试，久不第，授翰林孔目，迁吏部司务。执政知其能文，用为制敕房中书，供事内阁，加官至参议。"梁有誉（1519—1554）字公实，广州顺德人。嘉靖庚戌（1550）进士，授刑部主事。后七子之一。有《兰汀存稿》八卷。欧大任《梁比部传》："岭南在国初称五先生诗，嘉靖中盖有梁比部云。梁比部者讳有誉，字公实，南海人也。……公实质颖貌古，童时日诵数千言，长益湛思博核，自六经以逮百氏外家小史，靡不研究。弱冠补博士弟子员，厌训诂括帖语，与余及陈绍文、吴旦、黎民表、陈冕、黎民衷、梁孜、黎民怀、梁柱臣讲业于黄先生所，以古诗文共相劘切，尤砥砺行谊，海内学士大夫往往诵余岭南诗。"

冯惟敏（1510—1590）中举。明年会试落第，此后家居二十余年。咸丰《青州府志》卷四四：冯惟敏，"字汝行，裕三子。总角时，裕之官石阡，力不能携家，以惟敏行，课以六经、诸子史，性聪颖，学日益进。为文弘肆，万言立就。归自石阡，声誉噪一时。晋陵王慎中督学山东，自谓无书不读，少所推许，及见惟敏文，乃大赏异之，以为其才不能逮也。嘉靖十六年举于乡，谒选，授直隶涞水知县。"改教润州，迁保定府通判。有《海浮山堂词稿》、《击筑余音》和杂剧《梁状元不伏老》、《僧尼共犯》等。

孙允中《云中纪变》成书。该书记嘉靖十二年大同兵变事。据四库提要。

潘士藻（1537—1600）生。藩士藻，字去华，号雪松，婺源人。万历癸未进士。官至尚宝司少卿。事迹附见《明史·李沂传》。著有《洗心斋读易述》十七卷，《阇然堂类纂》六卷。

## 九月

陆采（1497—1537）卒。陆粲《天池山人陆子玄墓志铭》云："天池山人陆子玄者，吾弟也，名灼，更名采。世吴人。吴之西境，有山曰天池，盖道书所称可以度世者也。君意慕之，因自谓山人云。……其于人喜称六代，诗初规摹盛唐，晚宗谢康乐，造语往往似之。居闲弄笔游戏，为近体乐府，若调笑率然之作，亦缊藉可喜。独好闻国朝故实，所至延访勤切，黠者或谩言以中其意，君亦倾听弗疑。他如幽冥物怪、黄冶变化之言，靡不采获，著之编录，多至数十百卷，藏于家。闻有奇人异书，不远数百里走求之。其笃好如此。""（采）语人曰：世无知我者。吾闻京师，天下豪杰辐辏，又燕赵多慷慨士，吾且往观焉，傥庶几乎？行半道，病还。及家，意颇惘惘。夜中数起东西行。谓余曰：日者言吾岁行在酉当厄。吾形神不相摄矣。吾殆将死也！因屏人属余后事。其言凄怆，不忍闻。兄弟相对唏嘘，泣数行下。居亡何，竟不起。伤哉。是岁嘉靖丁酉九月廿二日也。年四十一。"（《皇明文范》卷五十）据沈德符《顾曲杂言·填词名手》，陆采作有传奇《明珠记》、《南西厢》、《韩寿偷香记》等。《四库全书总目》卷一四四子部小说家类存目二著录《冶城客论》二卷，提要曰："明陆采撰。采字子元，长洲人。粲之弟也。是编乃其肄业南雍时记所闻见，大抵妖异不根之言。其'胡铨后身'一条云：闻之祝允明。又云初闻祝子之言，以为祝好奇，必记此，不暇详叩。因近阅《语怪》两编无之，追书于册。是允明有所不记，而采记之，其诞更甚于允明矣。乃讥沈周作《客座新闻》，多信门客妄言，何也？卷末《鸳鸯记》一篇，述施氏妇闺阁幽会之事，淫媒万状，如身历目睹。此同时士大夫家也，谁见之而谁言之乎？尤有乖名教矣。"

## 本年

王立道（1510—1547）授翰林院编修。其文学秦汉，诗以韦、柳为宗。张治《翰林院编修王君懋中墓石文》：王立道，字懋中，无锡人。嘉靖乙未（1535）进士，选庶吉士。"丁酉授本院编修，懋中曰：'翰林职文字，然时俗弊久矣，夸浮怪谲，非所以称良史、润贲皇猷也，徒区区椠墨间，不通天下之务，直块焉耳，则国亦何赖哉！'乃与编修孙子升、赵子贞吉、检讨王子维桢裁质疑义，论度古今治理得失及经制民物之略。其为文力追秦汉而止乎理，诗冲雅，骎骎入韦、柳门户也。"

湖广提学佥事陈束刻《湖广乡试录》并作序，王慎中不满于第二问策之指斥宋儒。据《遵岩先生文集》卷十五王慎中复陈束书。

应天主考及广东巡按御史以试录语触世宗怒，俱遭逮问。《明史·选举志》："嘉靖十六年，礼部尚书严嵩连摘应天、广东试录语，激世宗怒。应天主考及广东巡按御史俱逮问。"参见《弇山堂别集》卷八十二。

**骆文盛**（1496—1554）**授翰林院编修，邀同馆诸人岁时宴集赋诗**。孙升《骆两溪墓志铭》："吾友两溪骆公，盖今之笃行君子云。公讳文盛，字质甫，别号两溪。其先义乌人也。宋乌程尉讳免者徙家武康，遂世为武康人。""正德己卯领浙江乡荐，试南宫下第，卒业太学，志益坚定。嘉靖乙未（1535）举进士，阁大臣以所对策高等十二篇呈宸览，并梓其文，公与焉。已又天子躬御文华殿命题授简，校选进士三十人为庶吉士，公名在选中。皆异数也。丁酉（1537）授翰林院编修。己亥（1539）使鲁郑，诸藩馈贻，秋毫弗受。辛丑（1541）为会试同考官，所取称得人。当是时，四海静谧，明主右文，吾同榜官词林者，公年最长，乃公与诸君子约，岁时宴集赋诗，犹记菊月宴公之堂，分韵咏菊，公各为属和，词采烂然盈卷，称一时胜事焉。"有《骆两溪集》十四卷。

**张邦奇以吏部左侍郎兼任翰林学士。杜枏任左佥都御史。王教任国子祭酒**。据王世贞《弇山堂别集》。

**顾璘再起为都察院右副都御史，巡抚湖广，兼赞理军务**。文徵明《故资善大夫南京刑部尚书顾公墓志铭》："丁酉再起为都察院右副都御史，巡抚湖广，兼赞理军务。己亥升刑部右侍郎，寻改吏部，会显陵肇工，改工部左侍郎，领山陵事，进工部尚书。事竣还朝，改南京刑部尚书。"顾璘数年前以上疏乞终养忤旨，致仕。

**陆深**（约1475—1544）**召为太常卿兼侍读学士**。《明史·文苑传》："陆深，字子渊，上海人。弘治十八年进士，二甲第一。选庶吉士，授编修。刘瑾嫉翰林官亢己，已改外，深得南京主事。瑾诛，复职，历国子司业、祭酒，充经筵讲官。奏讲官撰进讲章，阁臣不宜改窜。忤辅臣，谪延平同知。晋山西提学副使，改浙江。累官四川左布政使。松、茂诸番乱，深主调兵食，有功，赐金币。嘉靖十六年召为太常卿兼侍读学士。世宗南巡，深掌行在翰林院印，御笔删侍读二字，进詹事府詹事，致仕。""深少与徐祯卿相切磨，为文章有名。工书，仿李邕、赵孟頫。赏鉴博雅，为词臣冠。然颇倨傲，人以此少之。"

**吏部尚书荐起杨士云等若干人。杨士云至京，补兵科给事中。杨士云为"杨门六学士"之一**。李元阳《户科左给事中弘山先生士云墓表》：杨士云（1477—1554），字从龙，号弘山先生，云南太和人。"正德丁丑登进士，以文望改翰林庶吉士。由是名动公卿。己卯冬，授工科给事中。"丁外艰，"服除之后，亲识劝驾，先生曰：'太孺人在堂，何忍去离？且万无奉以俱往理。'遂决意不出。坐卧一小楼，左右图史，非亲族庆吊，足不逾户。楼甚嚣隘，贵官悯焉，欲拓其居，先生曰：'先人容焉，于某侈矣。'风雨燥湿，人不堪其陋，先生曾无蹙容。嘉靖己丑（1529），太孺人寝疾，先生衣不解带，目不交睫。比殁，悲痛垂绝，复苏。既葬，欲庐墓，嫌于沽名，遥望松楸，朝不间夕。闭户读书，一坐十年，吏于土者欲一见而不可得。先生之居去城二舍，兵宪安公每造其庐，信宿而后去。谓人曰：'弘山清气逼人，可敬可畏。'督学孙公把手晤语，啧啧叹赏，谓当时鲜有其俪。时云南抚按部院科道论荐章疏，交出叠至，不谋而同。嘉靖丁酉，吏部尚书荐起光禄卿马公理及先生等若干人。有司劝促日至，不得已就道，至京补兵科给事中，寻转户科左给事中。"不久杨士云即上疏乞归，里居读书以终。

《玉堂丛语》卷五："杨士云，正德间为翰林庶吉士，授给事中。以外艰归里，养母不出。嘉靖间举遗逸，有司强之起，至京师，迁左给事中，推为宫僚，以病辞不就。人问其故，曰：'吾岂能俯仰人以求进乎？'乞归，里居二十余年，甘贫自乐，不入郡城。乡人不知婚丧礼节，教以易奢为俭，所居环堵萧然。"为"杨门六学士"之一。另五人为王廷表、胡庭禄、张含、李元阳、唐锜。"杨"者杨慎也，时谪居云南。

**南京翰林院孔目蔡羽（？—1541）致仕归。**据崇祯《吴县志·人物》。《盛明百家诗·蔡翰目集》："林屋蔡公名羽，字九逵，吴县洞庭西山人。有声庠校，竟以贡授南翰林孔目，然非其志也，故每自称山人云。平生好古文词，尝见其《南馆集》十卷，就中刻诗数十篇，备一家之言。"蔡羽1534年以岁贡赴选，授南京翰林院孔目。

**李攀龙（1514—1570）得山东督学王慎中赏拔，以"狂生"之名闻于诸生间。无何中举。**王世贞《李于鳞先生传》："李于鳞者，讳攀龙，其家近东海，因自号沧溟云。当其业成时，海内学士大夫无不知有沧溟先生者。而自其六七友人，居恒相字之，故其为于鳞独著。于鳞之先世济南历城人，父宝，以赀事德庄王为郎，善酒任侠，不问家人生产。继娶于张，梦日入怀而生于鳞。于鳞生九岁而孤，其母张，影相吊也。但澼纻不足以资修脯，而自其挟册请益，塾师为之逊席者数矣。补博士弟子，与今左长史许君邦才、少保殷公士儋结髻眦交。晋江王慎中来督山东学，奇于鳞文，擢诸首。然于鳞益厌时师训诂学，间侧弁而哦若古文辞者，诸弟子不晓何语，咸相指于鳞'狂生狂生'，于鳞夷然不屑也，曰：'吾而不狂，谁当狂者？'亡何，举其省试第二人。"今年，王慎中在山东提学金事任。旋转江西参政。

**世宗令拆毁湛若水所创书院。时世宗深恶讲学诸人，疑其与人主争衡。**《万历野获编》卷二《讲学见绌》："世宗所任用，皆锐意功名之士，而高自标榜，互树声援者，即疑其与人主争衡。如嘉靖壬辰年（1532）御史冯恩论彗星，而及吏部侍郎湛若水，谓素行不合人心，乃无用道学。恩虽用他语得罪，而此言则不以为非。至丁酉年（1537），御史游居敬又论南太宰湛若水学术偏陂，志行邪伪，乞斥之，并毁所创书院。上虽留若水，而书院则立命拆去矣。比湛殁请恤，上怒叱其伪学盗名，不许，因以逐太宰欧阳必进。其憎之如此。至辛未年九庙焚，给事戚贤等因灾陈言，且荐郎中王畿当亟用。上曰：畿伪学小人，乃擅荐植党。命谪之外。湛、王俱当世名流，乃皆以伪学见斥。至于聂双江（豹）道学重望，徐文贞力荐居本兵，上以巽懦偾事逐之，徐不敢救。比世宗上宾，文贞柄国，湛、聂俱得恩赠加等，湛补谥文简，聂补谥贞襄。盖二公俱徐受业师，在沆瀣一脉宜然，而识者以为溢美，非世宗意矣。若王文成之殁，在嘉靖初年，既靳其恤典，复夺其世爵，亦文贞力主续封，备极优异，而物论翕然推服。盖人情不甚相远也。王龙溪位止郎署，且坐考察斥不得复官，故文贞不能为之地，即隆庆初元起废，亦不敢及之，第为广扬其光价耳。"按，御史游居敬于今年四月劾王守仁、湛若水"伪学私创"，诏令各地罢私创书院。

**欧大任（1516—1595）得黄佐赏识，始与梁有誉、黎民表、潘光统等交游。**欧必元《家虞部公传》："公讳大任，字桢伯，广州顺德人。以岁荐起家，历仕至南京工部虞衡司郎中，故又称虞部公。……弱冠以儒生入棘闱，试卷为大参项公所得，大嘉赏识，首荐于部使者，曰：'毋论麟经（《春秋》）可称白眉，即二三场淹通今古，恐亦非帖括家所易得，宜亟收。'衡文者竟以一二字违式见摈，甚非项公意也。项为黄文裕公（黄佐）高足，闻后竟持公卷以呈文裕，文裕赏识如项公。公始执羔雁同梁比部公公实、黎秘书公惟敬、潘光禄公少承朝夕师事焉。文裕赏公，见所作《南粤赋》，览毕嗟叹良久，以为莫及，谓在孔门，必登游夏之堂，即应汉科，亦入董、贾之室。其见重如此。"潘光统字少承，广州顺德人。以贡入国子监，除光禄署丞。有《滋兰集》。《明诗纪事》庚签卷二十八录潘光统诗二首。

袁袠为顾璘《国宝新编》作跋。跋署"丁酉岁谷旦吴郡袁袠题于谢湖田舍。"

《皇明开运英武传》（八卷六十则）撰于本年，成书或稍后。又名《英烈传》、《云合奇踪》。章回小说。郑晓《今言》卷一云："嘉靖十六年，郭勋欲进祀其立功之祖武定侯英于太庙，乃仿《三国志俗说》及《水浒传》为《国朝英烈记》，言生擒士诚，射死友谅，皆英之功。传说宫禁，动人听闻。已乃疏乞祀英于庙庑。"郑晓为嘉靖二年（1523）进士，嘉靖十五年（1536）在考功郎中任。沈德符《万历野获编》与陈建《皇明从信录》言郭勋撰写《英烈传》事，似即依据《今言》。一说《英烈传》为徐渭所编。

杨慎《水经注碑目》由云南按察副使朱方刊行。李黼《二礼集解》刊行。周琦《东溪日谈录》刊行。据四库提要。

《霞外杂俎》或成于今年。《四库全书总目》卷一四七子部道家类存目著录《霞外杂俎》一卷，提要曰："旧本题铁脚道人撰。有敖英序，称嘉靖丁酉泊舟空舲滩，遇仙翁所授。又有后跋，称铁脚道人姓杜氏，名巽才，魏人。亦未详其信否也。所言皆养生术，大旨阐黄老恬静之理。"

沈一贯（1537—1615）生。《明史》有传，此处从略。

## 公元 1538 年（世宗嘉靖十七年 戊戌）

### 正月

孟洋《孟有涯集》刊行。徐九皋作《刻孟有涯集序》。序署"嘉靖戊戌春正月元日"。孟洋为何景明妹夫。

### 二月

王慎中由山东按察司佥事升为江西布政司左参议。山东按察司副使顾梦圭迁河南提调学校。王惟中《河南布政司参政王先生慎中行状》："丙申升山东督学。……甫一年，转江西参议。江西，故阳明讲习化导之区，其老先生多以学鸣世，士之知学者不少。先生以职事往来白鹿鹅湖间，与学者犹订证发明，简易通彻，不为蹊径。诸老先生如宗伯南野欧阳公、司马双江聂公、司成东廓邹公、礼部明水陈公、翰林念庵罗公，皆以德学文章相雅善。元相徐存翁时以馆阁儒臣督学兹省，德尊誉重，士友每私相语，谓难于为继，莫不愿先生为督学，以继徐公。而先生乃遂迁河南参政而去。"王慎中于嘉靖八年（1539）五月迁河南参政。

三月

**茅瓒等进士及第**。《弇山堂别集》卷八十二《科试考二》："十七年戊戌，命太子太保礼部尚书掌詹事府事翰林院学士顾鼎臣、太子宾客吏部左侍郎翰林院学士张邦奇为考试官，取中袁炜等。廷试，易茅瓒、罗珵、袁炜（1508—1565）及第。""是岁，内阁初拟吴人陆师道为状元，御笔批作二甲第五，取袁炜第一。文华宣读已出，复召大学士李时、夏言，学士顾鼎臣入，改作第三，亲擢茅瓒第一。见陆詹事深家书中。"吕本《光禄大夫柱国少傅户部尚书建极殿大学士赠少师谥文荣袁公墓志铭》云：袁炜（1508—1565），字懋中，别号元峰。慈溪人。"十岁习举子业，读书一过目辄成诵。十七补县学生，淹贯经史，名誉日殷殷起。嘉靖丁酉举乡试第二。明年会试第一。廷试卷呈上览，已批第一，中言边将事过直，文华读卷后，易置第三，授翰林院编修。是年端居公卒，守制还，用礼襄事，癸卯起复。"陆师道字子传，长洲人。嘉靖戊戌进士，除工部主事。改礼部，复改南礼部，迁工部郎中，进尚宝少卿。《明诗纪事》己签卷十七录其诗一首，陈田按语云："子传廷试策入夏桂洲手，桂洲称其文贾、董，字钟、王，拟第一，永陵改置二甲，除工部主事。桂洲奏改礼部，入直内阁。子传不欲近权相，请急归。师事文徵仲，友王雅宜、彭孔嘉、徵仲子寿承、休承，评骘文事，考校金石，以事丹青。茗碗炉香，翛然竟日。间从诸人泛石湖，取越来道，放舟胥口，寻览虎丘、上方、支硎、天池、玄墓、灵岩、邓尉、万笏、大石之胜。吴中好事人操酒船迹之于山水间，取酬适而别，兴到弄笔，得薄蹄一点染，可谓高致。余见子传小幅淹润精致，不减文画。诗长于摹古，《张烈妇行》拟《庐江小吏》，大是佳作。"

**莫如忠成进士，颇受夏言（贵溪）赏识。时夏言在大学士任**。林景旸《明故通奉大夫浙江布政司布政使中江莫公行状》云：莫如忠（1509—1589），字子良，别号中江，松江华亭人。"稍长，肆力问学，读书至丙夜不休。善属文，耻为时师训诂，穷极要眇，即天官律吕、皇极象数之学，多所悟入。弱冠以增广入胶庠，亦异数也。每试辄冠，以选贡入对大廷。时晋江王先生（慎中）、毘陵唐先生（顺之）阅卷，具只眼，叹赏置第一，贵溪相公比之贾、董，名籍盛公卿间矣。甲午（1534）举顺天，名次与一轩公同，人以为传经之验云。乙未（1535）下第归，遂游毘陵（唐顺之）之门，三年尽得其秘。戊戌成进士，廷试二甲第四，初盖为进呈首，而抑之者。时贵溪相公（夏言）雅重公，向意用之，公意不可，以亲老乞南，授南京虞衡司主事。"

**茅坤（1512—1601）被抑置三甲第十三名**。茅坤《耄年录·年谱》曰："戊戌会试，左春坊中允平度李公芳仍首荐之两主试掌詹事府事尚书顾公鼎臣，及吏部侍郎兼翰林院学士张公邦奇，张称之啧啧不置，然顾独览予《答策》而曰：'正德以前贿赂之风止行于中官，而近年来则交乎缙绅矣。'顾大怒，且曰：'此子浮薄不足取！'李公轩颐颂不置，他经房屠公应埈辈亦力赞之，而顾犹色愠未解也。于是张公两解之，填第十三，仍刻策一道。已而殿试，适同乡官翰林者谓掌卷检讨某曰：'予湖中二生，茅坤同吴维岳，兹二人者行且并入御览，或大魁矣。'辄匿卷。已而张公亦以读卷官上殿三检予试卷，且谓刑部尚书唐公龙曰：'茅某前会试策场中为最，殿试策当呈御览，今且久之不及见，奈何填榜至第三甲中？'予同吴卷始出，且复扯坏。"（见《耄年录》）茅国缙《先府君行实》："年二十三，乡举第十一。又三年戊戌，礼部举第十三人。时都人士传其文，声籍甚。及廷试，忌者故匿其卷，漫漶始出，公卿咸惜之。因请急归省。比归，抵家良久，里人无知者。家人愠曰：'衣锦者，固夜行耶？'父老殊器之。"

**冯惟讷**（1513—1572）**中进士。除宜兴知县。**《列朝诗集小传》丁集上："惟讷字汝言，惟敏之季弟也。嘉靖戊戌进士，除宜兴知县，调魏县，三迁为兵部员外，出为按察佥事，提学陕西两浙，累迁江西左布政，所至皆有声迹。以病请老，特进光禄寺卿，予致仕。汝言仕宦三十年，图书诗卷外无长物。撰《汉魏六朝诗纪》，自上古以讫陈隋，网罗放失，殊有功于艺苑。有《冯光禄集》行世。评其诗者，以为博洽多记，自出为鲜。"

**会稽沈炼、钱塘翁相、云间莫如忠、永嘉侯一元及王德系茅坤同年进士，六人相知极深。**茅坤《六子咏》（约作于嘉靖三十二年）即咏此六人。沈炼（1507—1557）字纯甫，号青霞。嘉靖三十年正月，因上疏弹劾严嵩谪佃保安，嘉靖三十六年被斩于宣府。

**洪朝选**（1516—1582）**中进士，授南京户曹，为唐顺之所知。**林士章《通议大夫刑部左侍郎静庵先生洪公朝选谏铭》："公讳朝选，字汝尹，别号芳洲，更号静庵。先世为光州固始人，宋建炎间，祖十九郎尹南安县，因卜居同安。……嘉靖丁酉举于乡，辛丑成进士，授南京户曹，出榷钞关。关政惟通商惠民是急，前后与者或多自玷，公毫无所染。荆川唐公（唐顺之），吴之贤者也，与公交厚，实自此知公。始关事竣，督放仓粮，其所规画，继公后者皆以为法。一日自思少习举子业，非古人学优始仕之意，遽上疏引疾，因客毗陵僧舍，与荆川考德问业一年而归。复与遵岩王公讲学论文，自是闻见益博，凡国家典章经史精义，莫不充然有得。"洪朝选后累迁至四川提学副使。历南太仆少卿，迁刑部侍郎。有《静安稿》十五卷。王慎中（1509—1559）号遵岩。唐顺之（1507—1560）号荆川。

**今年停选庶吉士。盖因郭勋密上揭帖攻夏言之故。**茅坤《耄年录·年谱》："已而例选庶吉士。适武定侯郭公勋与首辅夏公言相睚眦，时夏公婿吴君春亦中会试，而且殿二甲也。计夏公当必选列庶吉士，密为揭帖上闻。世宗肃皇帝夜半传：'今年庶吉士且停选。'予以五更入朝囊笔砚赴试，及获传旨，辄已明日。办事刑部堂唐公首令办事官携之入谒火房，面谕张学士公云云。嗟乎，岂非命哉！"

## 春

**归有光再入文社，与诸友会文于马鞍山之野鹤轩。**归有光《野鹤轩壁记》："嘉靖戊戌之春，予与诸友会文于野鹤轩。吾昆之马鞍山，小而实奇；轩在山之麓，旁有泉，芳洌可饮。稍折而东，多盘石，山之胜处，俗谓之东崖，亦谓刘龙洲墓，以宗刘过葬于此。墓在乱石中，从墓间仰视，苍碧嶙峋，不见有土。惟石壁旁有小径，蜿蜒出其上，莫测所往。意其间有仙人居也。始，慈溪杨子器名父创此轩。令能好文爱士，不为俗吏者，称名父。今奉以为名父祠。嗟夫！名父岂知四十余年之后，吾党之聚于此耶？时会者六人，后至者二人。潘士英自嘉定来，汲泉煮茗，翻为主人。予等时时散

去，士英独与其徒处。烈风暴雨，崖崩石落，山鬼夜号，可念也。"（《震川先生集》卷十五）

## 四月

丰坊请加尊皇考献皇帝称宗，祀明堂以配上帝。世宗大悦，用其言而薄其人。户部侍郎唐胄疏争，下锦衣狱，黜为民。《万历野获编》卷二《献帝称宗》："献皇帝之称宗也，非张、桂意也，始于何渊之世室。至四年渊复申前说，上惑之，下其事礼部会议。时席书新以议礼得上眷，拜宗伯，力止，且曰：昔者献考观德殿成，医士刘惠，欲更殿名，已蒙圣断，发戍边卫。臣上议曰：假使张璁、桂萼谓献帝可以入太庙，非独诸臣欲诛，臣当先攘臂诛之。今何渊欲以御定殿名改同文武世室，臣昧死以为不可。上不允。至学士璁、萼及太宰廖纪咸力言其非，且共请重治渊罪。犹不许。至兵部尚书金献民，乃调停为别庙京师之说，上始允行。至十五年，又命改世庙为献皇帝庙，与九庙并列。其称宗祔庙，上心知其不可，亦不复再议。继而犹有请者，上严治论死，事寝久矣。直至十七年四月，原任通州同知丰坊，遂请加尊皇考献皇帝称宗，祀明堂以配上帝。礼部尚书严嵩复奏，谓配帝当如所奏。称宗则未安。上必欲行坊言，户部侍郎唐胄，力持以为不可。上震怒，下胄狱讯治。于是严嵩等改口奉命，进献皇帝为宗，一如坊议。坊父丰熙，以翰林学士率修撰杨慎等诸词臣，于嘉靖三年，痛哭阙下，撼门长跪，力辨考兴献之非，廷杖濒死，下狱远戍。至嘉靖十六年，恩诏大霈，部议赦还。上许尽还诸臣，独丰熙、杨慎等不宥。是年熙即卒于戍所。坊之入都献谀，距其父殁时尚未小祥也。不忠不孝，勇于为恶，一至于此。上既以献皇明堂配上帝，称宗入庙，居武宗之上，上意始大惬，无遗恨。而坊仍罢归田里，老死不叙。坊素有文无行，以故世皇用其言，薄其人。圣哉神哉！坊归，至十八年，又上《庆云雅诗》一章，命付史馆，而坊终不召。坊字存礼，浙之鄞人。举解元高第。初为南考功郎，谪是官，旋以察罢。既两献谄不售，居家益狠戾，不为乡里所容。出游吴越间，以善书知名，稍用自给。而与人交多不终，偶有不谐，辄为文诅之于九幽。晚年尤甚，人皆厌憎之，困厄以死。"《明史》卷一九一记丰坊事云："子坊，字存礼。举乡试第一。嘉靖二年成进士。出为南京吏部考功主事。寻谪通州同知。免归。坊博学工文，兼通书法，而性狂诞。熙既卒，家居贫乏，思效张璁、夏言片言取通显。十七年诣阙上书，言建明堂事，又言宜加献皇帝庙号称宗，以配上帝，世宗大悦。未几，进号睿宗，配飨玄极殿。其议盖自坊始，人咸恶坊畔父云。明年复进《卿云雅诗》一章，诏付史馆。待命久之，竟无所进擢，归家悒悒以卒。晚岁改名道生。别为《十三经训诂》，类多穿凿语。或谓世所传《子贡诗传》，亦坊伪纂也。"《四库全书总目》卷八三史部政书类存目一著录《明堂或问》一卷，提要曰："明世宗肃皇帝御撰。嘉靖十七年，致仕同知丰坊疏请复古礼，建明堂，加兴献帝庙号，称宗以配上帝。诏下礼部会议，尚书严嵩等皆以明堂为应建，而于称宗、配享二事则依违其词。户部侍郎唐胄抗疏言，宜以太宗配享。帝怒，下胄狱。嵩乃再会廷臣议，请以兴献帝称宗配享。帝以疏不言祔庙，留中不下。复设为臣下问答之词，作《或问》一篇。大略言文皇远祖，不应严父之义，宜以父配称宗。虽无定说，尊亲崇上，义所当行。既称宗则当祔庙，岂有太庙中四亲不见之礼。是年九月，遂尊兴献帝为睿宗，祔太庙。又即元极宝殿为明堂，大享上帝，以睿宗配，皆如帝旨。此本前有帝所自作小序，后以配享诏书一通附之。"

## 五月

胡缵宗刊行马汝骥（1493—1543）《西玄诗集》，并作叙。叙署"嘉靖十有七年夏五月午日，天水胡缵宗世父叙"。马汝骥时任南京国子监祭酒。该集除胡缵宗序外，尚有嘉靖十七年吕𩾃序、刘天民序，嘉靖癸卯（1543）马汝骏序，癸亥（1563）孙应鳌序。《静志居诗话》卷十一云："马汝骥字仲房，绥德州人。正德丁丑进士，改庶吉士。谏南巡，罚跪阙下五日，受杖，出知泽州，召还为编修，历修撰，国子司业，南京右通政，南京国子祭酒，升礼部右侍郎，兼侍读学士。卒，赠尚书，谥文简。有《西玄集》。仲房派沿北地。由其体钝，存滓秽而舍神明。虽与稚钦齐称，去而千里。"王廷陈字稚钦。

## 六月

陈沂（1469—1538）卒。顾璘《山西行太仆寺卿陈先生沂墓志铭》："丁酉，璘召起为副都御史抚楚，与先生别，殊怏怏。戊戌秋忽以讣闻，实卒于六月十六日，璘哭之恸。"《列朝诗集小传》丙集："沂，字鲁南，鄞县人。……五岁能属对，八岁能摹古人画，十岁能诗，十二岁作《赤宝山赋》，传诵人口。正德丁丑进士，改庶吉士，年已四十有八，为宿名士矣。授编修进侍讲，忤张永嘉，出为江西参议、山东参政。入贺，遇永嘉长安道上，抗论不屈，卒为所中。左转行太仆卿，抗疏致仕。杜门著书，绝意世务。书学大苏，旁及篆隶绘事，皆称能品。所至好游名山水，皆有诗纪。晚与顾华玉游历长干诸寺，赋咏尤多，文采照映一时。有《拘虚诗集》及《诗话》若干卷。""鲁南论诗专以唐人为宗，谓少陵七言声洪气正，格高意美，非小家妆饰，但才大不拘，后学茫昧，特拾其粗耳。于时大江南北文士称朱、顾、王、陈四家。朱、顾皆羽翼北地，共立坛墠，而鲁南能另出手眼，讼言一时学杜之敝，钦佩亦与之同调。江左风流，至今未坠，则二君盖有力焉。"陈沂，字鲁南。正德中进士。由庶吉士历编修、侍讲，出为江西参议。量移山东参政。以不附张孚敬、桂萼，改行太仆卿致仕。弘治十子之一。《明史·文苑传》附见顾璘传中。有《遂初集》、《拘虚馆》二集。《静志居诗话》卷十《陈沂》："鲁南诗亦匀整，第乏警策。盖心惩北地勦袭之非，而限于力也。《夏日杂兴》云：'野寺清凉旧有名，空廊还傍石头城。侵阶竹荫差差转，入座荷香细细生。西府山前车辇路，南唐宫里辘轳声。冰浆玉碗传瓜处，想像君臣万古情。'"《四库全书总目》著录陈沂《维祯录》一卷（附录一卷）、《畜德录》一卷、《金陵古今图考》（无卷数）、《拘虚晤言》一卷、《询刍录》一卷。《明诗纪事》丁签卷五录其诗三首，陈田按："鲁南论诗针砭北地之失，可谓谈言微中。但其所作去北地乃不可以道里计。牧斋援鲁南以攻北地，譬如挟邾、莒小国以抗齐、楚，多见其不知量也。"

## 七月

徐霖（1462—1538）卒。徐霖以多能艺事见称。顾璘《隐君徐子仁霖墓志铭》云：先生字子仁，"先世苏之长洲县人，高祖蔚州守伯时始迁松之华亭，祖公异以事谪戍南京，考思诚仍居松。君六岁见背，实从兄震而来（金陵）。""以系出松，自号九峰道人。""自前元赵孟頫亡，书学遂微，篆法尤多失正。至周伯温（伯琦）始复振。本朝少师李文正公（东阳）远续其绪，时则徐君子仁出，以其超颖之姿，躬诣堂室。早尚雄丽，晚益朴古拔俗，绰登神品。余若真行皆入妙。碑板书师颜柳，楷法题榜大书师本朝詹孟举，并绝。海内四方，操金币走其门求书者，恒满宾馆，声沛夷裔。朝鲜、日本使臣得其书者什袭为珍。以故有豪士乐志之适，如李北海风。""嘉靖戊戌，年七十七，以七月二日，卒于家。讯传于郛，余惋痛累日，时太仆陈君鲁南亦卒，甚痛乡国雅文之凋丧也。"据墓志铭，徐霖著有《南京志》、《端居咏》、《远游纪》、《北行稿》、《皖游录》、《古杭清游稿》、《丽藻堂文集》、《快园诗文类选》、《中原音韵注释》、《续书史会要》等。《静志居诗话》卷十一《徐霖》："徐霖字子仁，吴人，徙南京。补诸生，坐事削籍。武宗南狩，召见，欲官之，固辞，赐飞鱼服，扈从还京，后归里。有《丽藻堂稿》。髯仙多能艺事，书画之外，工填南北曲。文徵仲赠诗云：'乐府新传桃叶句，彩毫遍写薛涛笺。'所筑快园，康陵南巡，两幸其居。有晚静阁、宸幸堂、浴龙池。及扈跸入都，每夜宿御榻前，与帝同卧起。永陵之初，威武近幸多逮治坐罪，惟子仁脱然，亦滑稽之雄也。"《明诗纪事》丁签卷十二录徐霖诗二首。《明代传奇全目》著录徐霖《柳仙记》、《绣襦记》、《梅花记》、《留鞋记》、《枕中记》、《种瓜记》、《两团圆》等传奇剧。其中《绣襦记》一剧，另有郑若庸作、薛近兖作二说。参见邓长风《明清戏曲家考略·徐霖研究》。

## 九月

上献皇帝庙号睿宗，祔于太庙。据《静志居诗话》卷一。

改上成祖谥号。据《静志居诗话》卷一。

## 十月

夏言（1482—1548）词集《玉堂余兴》刊行，皇甫汸作《桂洲集玉堂余兴识语》。识语云："戊戌之秋，汸承檄出理楚黄，时桂洲元相赠之以词，并以内阁所录一篇示之，曰：吴匠氏善梓，尔归其谋诸，且为我纪之。乃郡守王公仪乐任其事，汸也校而刊焉。……陈公蕙采风我土，遂乐董其成云。是岁冬十月之望，后学皇甫汸谨识。"夏言号桂洲。礼部尚书掌詹事府顾鼎臣于今年八月兼文渊阁大学士，预机务。时夏言当国，顾鼎臣充位而已。

## 十一月

吴一鹏为夏言《少傅桂洲公诗余》作序。序署"嘉靖戊戌冬十一月，资善大夫、太子少保、南京吏部尚书致仕、前礼部尚书兼翰林院学士、专管诰敕兼国史副总裁，长洲吴一鹏书"。夏言词序跋颇多，吴序之外，尚有戊戌（1538）十月皇甫汸序、庚子（1540）十月石迁高识语、辛丑（1541）六月费寀引、丙午（1546）元夜杨仪序。《四库全书总目》卷一七六集部别集类存目三著录夏言《桂洲集》十八卷，提要云："言未相时以词曲擅名，然集内词亦未甚工。诗文宏整而平易。犹明中叶之旧格。"《词苑萃编·指摘·夏言赠答》云："词至夏桂洲（夏言）、严介溪（严嵩），俱以《百字令》、《木兰花慢》为赠答之什。如陆俨山、周自川亦无不效之，但悉遵旧人之韵，千篇一律，了无旨趣。若桂洲闺艳小令，脍炙人口者，则又嫁名于无名氏。集中三百九十调，应酬居多。介溪往来词调，纷纷于扇面画幅，相见辄用以媚之。尝有寄陆俨山《百字令》后半云：'只今遥指江云，重吟渭树，高兴参差发。四十年来同宦海，不觉飚驰星灭。槐省垂鱼，凤池鸣玉，相对俱华发。君恩报了，五湖同访烟月。'此正奸雄之语也。余虽不欲以人废言，亦岂至为其所欺耶？（钱允治）"夏言（1482—1548），字公谨，号桂洲，贵溪人。有《桂洲集》、《赐闲堂稿》等。《明史》有传，此处从略。

## 本年

刘绘（1505—1573）以行人使韩，便道访康海（1475—1541）于武功。张佳胤《中宪大夫重庆府知府嵩阳刘公暨配胡孺人墓志铭》："乙未成进士，肄政户部。……以母钟夫人病告归，归二年，出授行人使韩。事竣，道出武功。时康海修撰家居，逢先生县界，叹曰：'子非汝南刘髯耶？'执手欢甚，为置酒鞠域中，康自起拨琵琶，先生挝鼓三摻作渔阳声，宫羽转激，四座尽倾。"

可泉子作《灵秘十八方加减序》。据四库提要。

王肯堂《证治准绳》成书。王肯堂字宇泰，金坛人，王樵之子。万历己丑进士。官至福建布政司参政。事迹附见《明史》王樵传。《四库全书总目》卷一〇四子部医家类二著录《证治准绳》一百二十卷。

吴韶《全吴水略》成书。据四库提要。

顾璘推升吏部右侍郎，未任。崔铣任南京礼部右侍郎。据王世贞《弇山堂别集》。

黄省曾（1490—1540）初游西湖，与田汝成（约 1503—1563 年）合著《西湖游咏》一卷。田艺衡《家大夫小集引》："《西湖游咏》一卷，嘉靖十七年公与黄勉之作，板存积善毓庆堂。"《坚瓠丁集·五岳山人》："钱塘田汝成记云：苏州黄勉之省曾，风流儒雅，卓越罕群。嘉靖戊戌，当试春官，予过吴门，谈西湖之胜，便辍装不北上，来游西湖，盘桓累月。勉之自号五岳山人，其自称于人亦曰山人。予常戏之曰：子真山人也。癖就山水，不顾功名，可谓山兴；瘦骨轻躯，乘危涉险，不烦筇策，上下如飞，可谓山足；目击清辉，便觉醉饱，饭才一溢，饮可旷旬，可谓山腹；谈说形胜，穷状奥妙，含腴咀隽，歌咏随之，若易牙调味，口欲流涎，可谓山舌；解意苍头，追随不倦，搜奇剔隐，以报主人，可谓山仆。备此五者，而谓之山人，不亦宜乎？"按，明代隆、万间之陈文烛亦号五岳山人。

李纪《史略详注补遗大成》成书。据四库提要。

唐枢撰《景行馆论》。据四库提要。唐枢字惟镇，归安人。嘉靖丙戌进士。授刑部主事。以疏争李福达事，斥为民。隆庆初复官，以年老加秩致仕。事迹具《明史》本传。著有《易修墨守》一卷、《宋学商求》一卷、《一庵杂问录》一卷、《嘉禾问录》一卷、《辖圆窝杂著》一卷、《酬物难》一卷、《咨言》一卷等，大旨主王守仁之说。

世宗遣行人敕免真人张彦頨朝觐。礼遇之隆，举世罕见。《弇山堂别集》卷十三《皇明异典述八》"行人敕免真人朝"："嘉靖十七年，皇帝敕谕正一嗣教大真人张彦頨：'朕惟我皇祖之制天下，大小衙门官员，凡三岁一朝觐，卿亦与焉，重其教也。今年又当其朝，朕念卿晚年方得一子，矧在襁褓，或难远离，特遣行人黄如桂往谕，今次特暂免卿一来，俾卿得专守视，见朕保重尔嗣之意。卿其钦承之哉。故谕。'按免朝，传奉一旨足矣，今至厪敕谕，遣行人，称卿而恤其子幼，即勋戚宰辅所不能及也，亦异矣。"时世宗崇信道教。曾于嘉靖十五年十二月命道士邵元节为礼部尚书。

杭淮（1462—1538）卒。俞宪《盛明百家诗·二杭诗集》："孝庙以还，李空同、何大复二公首倡诗学，一时扬袂而起者，如徐迪功、熊士选、康对山、王浚川辈，不啻数十家。宜兴杭泽西、双溪昆季，亦同声而应者也。今考其诗，虽才力各殊，要不可废，乃于全集中摘取入彀者各数十篇，用备采览，名《二杭诗集》。"（《盛明百家诗》）杭淮兄杭济（1452—1534），已卒。

## 公元 1539 年（世宗嘉靖十八年　己亥）

### 二月

立皇子载壑为皇太子，选置东宫僚属。夏言、顾鼎臣举陆深、崔铣、王教、罗洪先、唐顺之、黄佐等三十七人，皆天下名儒。顺之复编修原职。已而御史洪垣等疏言温仁和、张衍庆、薛侨、胡守中、屠应埈、华察、胡经、史际、白悦、皇甫涍等皆庸流，不可使辅导东宫。三月，仪部郎中白悦、皇甫涍以扈从失职降调外任，悦为直隶永平府通判，涍为直隶大名府通判。五月，世宗以选补事属吏部给事中钱薇、吕应祥、任万里，乃举霍韬、毛伯温、顾璘、吕柟、邹守益、徐阶、任瀚、赵时春等。（《世宗实录》卷二二一、二二二）

张孚敬（1475—1539）卒。《四库全书总目》著录张璁（孚敬）《谕对录》三十四卷、《奏对稿》十二卷、《保和冠服图》一卷、《张文忠集》十九卷。《张文忠集》提要曰："是集凡奏疏八卷，诗稿四卷，续稿一卷，文稿六卷。孚敬以议礼得君，故其著述，强半皆考礼之词。不惟议兴献王礼，而且议郊祀礼，议孔庙礼。不惟撰《明伦大典》，而且撰《礼记章句》。自谓有明一代持礼教之人。其间所论，未必百无一当。然穿凿附会以迁就时局者，比比然也。"

吏部拟薛蕙以右春坊右司直兼检讨，报罢。《弇山堂别集》卷三十《史乘考误十一》："《薛西原墓志》，按嘉靖十八年选宫僚，吏部拟公以右春坊右司直兼检讨，而独报罢，志亦不载。中间拟礼多所奏辩，皆遗之。"

二月至四月，世宗南巡，陆深《南巡日录》历载其事。《四库全书总目》卷五三史部杂史类存目二著录《南巡日录》一卷《北还录》一卷，提要曰："明陆深撰。深字子渊，号俨山，上海人。弘治乙丑进士，官至詹事府詹事，兼翰林院学士。卒谥文裕。事迹具《明史·文苑传》。世宗嘉靖十八年，南幸承天，相度显陵。深时官学士，命掌行在翰林院印扈行。是编乃纪其往返程顿，自二月癸丑至四月壬子，凡六十日之事。《南巡日录》中载有永乐后内阁诸老历官年月一篇，乃得之于孙元者。深最留心史学，故随所见而录之云。"

世宗南巡安陆，以道士陶仲文为秉一真人，嗣后多有赏赉。《弇山堂别集》卷七十七《赏赉考下》："嘉靖十八年，上南幸，赐高士陶仲文绣蝉锦囊、金银事件，又赐'林隐'玉印一颗，黄金法剑一，金银水盂各一，又赐金带一围，大红金绉丝纱罗孔雀衣三袭，云鹤绉丝纱罗衣六袭，进真人，赐大红金彩锡襕飞鱼绉丝纱罗衣三件，彩缎四表里。十九年元旦，赐玉带一围，斗牛蟒龙衣各一袭，'凌虚子'图记二。四月，赐宫扇、金玉环狮蛮玉带一，纱蟒衣金鹤云绢四。八月，赐大红五彩织遍地金人仙云鹤绉丝纱罗三件，金冠一，貂皮八十张，又赐大红云绉丝二，宫花四，御筵法酒。二十年二月，赐斗牛蟒衣等物，银盘五执，又嵌宝金冠一顶，簪匣。三月，赐玉带一围，三色银锤银筋。二十四年，赐金嵌宝石冠一顶，如意簪，金厢玉宝石，法剑珠穗鞘，金嵌宝石水盂一，洒绣纱衣一。二十五年，赐金丝宝石冠一，如意簪一，金嵌宝石香水盂一，道衣三，大红纱罗缎各一，又赐玉带一围，大红金彩云鹤绉丝纱罗各一袭。二十七年，赐玉带一，银币、蟒服、酒馔。二十八年，赐银叶百两。二十九年，赐银币，珍宝，罗丝金冠，如意簪，纳纱法服一，金玉珰珰嵌金剑，金水盂。银数先后不可考，然至乞休之际，再进赐银万两，其数之多见矣。"据孟森《明史讲义》，今年世宗南巡，邵元节病，以陶仲文代。元节死，世宗为出涕，赠少师，赐祭十坛，遣中官锦衣护丧还，谥文康荣靖。

## 四月

**冯惟重**（1504—1539）**奉命告谕湖湘，病死于庐州。年仅三十有六。**陶望龄《赠主事芹泉冯公暨配蒋太安人墓志铭》："芹泉冯公讳惟重，字汝威，本青州之临朐人。""甲午（1534）举于乡。……戊戌（1538）举进士，授行人司行人。明年（1539）肃皇帝南狩，奉使告谕湖湘，触甚暑行，日夜不暇息。行至庐，疽出于背，同年友人过视公疾而泣曰：'子疾至是，姑东归，幸而可已。'公谢曰：'使臣不任及于踣顿，废天子成命，受事在行而死于道途，职也。使臣其尚有余息，敢委而归，以重大戾？'竟卒于庐。"有《大行集》。《明诗纪事》戊签卷八录冯惟重诗二首。惟重之兄（冯惟健）、之弟（冯惟敏、冯惟讷）均有诗名。

## 五月

**夏言落职致仕，寻复入内阁。**《弇山堂别集》卷四《皇明盛事述四》"四入内阁"："（嘉靖）十六年，夏文愍言以少傅、武英殿学入，十八年以少师首揆罢，至张家湾，以少傅召入，二十年以少师致仕，候圣诞行，月余，自居第以少傅召入，二十一年归，二十五年召，以少师入。……凡四拜相。"郑晓《今言》卷三："嘉靖十八年五月，夏言落职致仕，寻复入内阁。以梁材为户部尚书。六月丁酉震，奉先殿、鼓楼灾。山西地震，有声如雷。南京礼部右侍郎吕柟致仕。理河副都御史朱裳卒。七月，辽东兵变。庚寅，震武功坊。浙江大水。庚申，葬献皇后显陵。闰七月，木、火、水、金四星聚东井，河南大疫。辛未，献皇后祔庙中宫，亚献。咸宁侯仇鸾总督军务。兵部尚书兼右都御史毛伯温参赞军务，讨安南。九月，虏数入宣府塞。辛酉，上行祝长陵，癸亥还宫。十月，大同总兵、都督梁震卒。十二月，虏入宣府塞。"

## 七月

**崔铣为王廷相《雅述》作序。**序署"嘉靖己亥秋七月初吉，安阳崔铣书"。

**沈恺《环溪集》编成，徐阶作序。**序署"嘉靖己亥孟秋之吉，赐进士及第，中宪大夫，太子洗马，兼翰林侍读，经筵讲官，郡人徐阶书"。光绪《重修华亭县志·人物》："沈恺字舜臣，号凤峰，居东门外起云桥。嘉靖八年进士，授刑部主事。当徐阶被斥时，亲故无过门者，恺问讯不异平日。及阶拜守揆，恺不进一秩，世高其品。出守宁波，时倭奴入贡，道经宁波，有武人欲邀击以倖功，恺持不可，弗听，倭难遂构。徙临江，以治堤功迁湖广副使，进左参政。以母老乞归。穆宗即位，召为太仆少卿，不赴。作环溪亭，赋诗自娱。善怀素草书。年八十余卒，祀乡贤祠。"《环溪集》另有张时彻序，作序年月不详；王世贞序，署"隆庆辛未（1571）秋八月之望，赐进士出身，嘉议大夫、山西提刑按察司按察使，琅琊王世贞撰"；徐献忠序，作序年月不详。沈恺（1492—1571），字舜臣，号凤峰。嘉靖八年进士，历官刑部主事、湖广副使、太仆少卿。筑环溪亭，赋诗自娱。《四库全书总目》卷一七七集部别集类存目四著录《环溪集》六卷，提要曰："明沈恺撰。恺有《夜灯管测》，已著录。是集皆所著杂文，乃其门人任子龙所编。前有徐阶序，题曰《凤峰杂集序》。又有文徵明序，亦题曰《凤峰子诗稿序》。疑今名为后来所追改，而又佚其诗集欤？考《千顷堂书目》别载《环溪集》二十六卷，则此非其全也。恺文章颇尚古雅，不肯作秦汉以下语。而模仿太甚，遂与北地同归。"《明诗纪事》戊签卷十七录沈恺诗四首，陈田按："环溪论诗，皈依何、李，五言亦爽脱有致。"

**日僧策彦周良在华搜集中国文献，持续十年之久。**严绍璗《汉籍在日本的流布研究》第一章《汉籍东传日本的轨迹与形式》："今存十六世纪日僧策彦周良在华日记《初渡集》与《再渡集》，其中详细记载了他本人在中国搜集文献的实况，兹摘要如下：

嘉靖十八年七月四日　　《听雨纪谈》一册，以粗扇二把、小刀三把交换。

七月八日　　《读杜愚得》八册，以粗扇二把、小刀三把交换。

七月九日　　《鹤林玉露》四册，银二勾（日人货币词，钱一枚为勾一著者）。

七月十八日　　《白沙先生诗序》三册，钧云所赠。

七月二十七日　　《李白集》四册，张古岩所赠，《文锦》二册，张古岩之兄所赠。

闰七月一日　　《古文大全》二册，柯雨窗所赠。

七月二十五日　　《九华山志》二册，钱龙泉所赠。

八月十三日　　《升庵诗稿》一册，周遵湖所赠。

八月十六日　　《三场（杨）文选》三册，范蔡园所赠。

八月二十二日　　《文章规范》二册，金南石所赠。

十二月十日　　《张文潜集》四册，刘宗仁所赠。

嘉靖十九年四月十八日　　《注道德经》一册，邓通事所赠。

八月十六日　　《文献通考》一部，银九匀。

嘉靖二十七年八月五日　　《本草》十册，银十两十分。

嘉靖二十八年八月十六日　　《奈效良方》一部，银十七匀。

从这一组《日记》的记载看，策彦周良在中国获取文献典籍，大致是有两种方式——一种是相知馈赠，一种是以钱购买，其中包括少量的以物相换。一般说来，这大概便是五山时代日本僧侣在中国获得汉籍的主要型态。"（江苏古籍出版社 1992 年版）

## 九月

　　**江以达为张时彻《芝园集》作序**。序署"皇明嘉靖十有八年秋九月十日"。另有邹守益《刻芝园集序》，署"皇明嘉靖二十有二年（1543）岁次甲辰冬十月朔"。张时彻（1500—1577），字唯（惟）静，号东沙，鄞县人。嘉靖癸未（1523）进士，历官南兵部主事、礼部郎中、南刑部侍郎、南兵部尚书。有《芝园定集》、《别集》、《外集》。《列朝诗集小传》丁集上："尚书诗学殖富有，工力深重，乐府古诗，标举兴会，时多创获。七言今体，尘坌芜秽，若出两手。杨用修评其诗云：'顷得纵观全集，自四言以至六言，冲澹秾粹，沉郁雄壮，匠意铸词，色具体备。七言之什，自郐无讥。'用修可谓能言矣。"《明诗综》卷四四："江于顺云：唯静立格汉魏，取材六朝，而音节变调出入开宝之间，情属景生，神在象外。"《明文授读》卷三六："东沙文近板实，独其序丰考功，描写曲尽，若俱如此，便为作家矣。"《静志居诗话》卷十一："芝园乐府，不规摹古人，较之济南觉胜。五律颇近初唐，七律潦倒粗疏，无讥焉已。《长安道》云：'月晓开长乐，风清绕建章。龙媒驰道出，凤吹彩旌扬。绣陌生朱雾，铜沟映绿杨。渭桥春水涨，日日浴鸳鸯。'《斋居》云：'紫阁风云迥，彤庭日月临。明禋昭代典，肃戒小臣心。雨露春偏渥，星河夜不沉。长安千万里，应献太平吟。'"《四库全书总目》卷一七七集部别集类存目四著录《芝园定集》五十一卷、《别集》十一卷，提要曰："其诗文不出常格。乐府喜用古题，而所拟诸篇，皆舍其本词而拟其增减入乐之词，未免逐影而失形。史论尤多偏驳。"《明诗纪事》戊签卷七录张时彻诗二十六首，陈田按："芝园诗自以乐府为胜，骈文亦是当家。所作《丰考功集序》，情文俱美，视貌袭秦、汉者，不可以道里计。"

　　**童承叙校辑毛伯温（1482—1545）《东塘诗集》毕，作《东塘诗集序》**。序云："嘉靖戊戌（1538），公晋大司马，摄台长；己亥，兼摄宫宾，奉命征南。濒行，乃裒旧草，属叙校辑。叙受而卒业。……是岁秋九月九日，赐进士出身、奉议大夫、左春坊太子左庶子，兼翰林侍讲经筵、国史官，门人汉沔童承叙谨识。"毛伯温字汝厉，号东塘，吉水人。正德戊辰进士，历任右金都御史、太子少保、太子太保兵部尚书，谥襄懋。有《毛东塘集》、《东塘诗集》。罗洪先撰《明故前光禄大夫柱国太子太保兵部尚书东塘毛公行状》，徐阶撰《明故光禄大夫柱国太子太保兵部尚书东塘毛公墓志铭》。《明史》有传。

## 秋

**右春坊右谕德兼翰林侍读屠应埈（1502—1546）上疏乞归，以避嫌疑。** 徐阶《明故右春坊右谕德兼翰林院侍读渐山屠公墓碑铭》："己亥（1539）始建储宫，迁右春坊右谕德兼侍读。会诸宫僚或自他途以进，于是给事中御史疏论十有八人，而公亦在论中，章一再上，天子尽去十七人者，独留公。公素负气，既横被口语，忿不能自持，疾大作，及独被留，益思有以自明，亦三上书以去请。其秋予自江西提学副使召为司经洗马，数往留不得，则谓曰：'疾已其速来！'公不应。归一年疾增剧，又六年遂卒，寿四十五耳。"袁袠《右春坊右谕德屠公行状》："己亥升春坊右谕德。时春宫初建，慎简僚寀，而诸臣幸有渥恩，觊为宫僚者甚众。于是给事中御史概论诸宫僚，公亦在论中。章一再上，所论十八人者皆罢免，有旨独留公。或谓屠公曰：'天子方知君，诚以此时奏赋颂，必得近幸。'公喟然曰：'臣蒙恩待以不诛，虽捐躯暴骸，无以自效。乃欲乘机徼进耶？'公素修谨，横被口语，颇怀不平，且耻不自表见，遂抗疏乞归，曰：'臣有狗马疾，愿放还田里。倘不即死，敢忘所以报陛下者。'疏三上得请，归而疾作。"

## 十月

**罗洪先在南京会晤王慎中、王畿、湛若水等。** 今年五月，王慎中由江西参议擢河南参政，时由江西赴河南参政任，途经南京，暂作逗留。湛若水时在南京兵部尚书任。据马美信《唐宋派文学活动年表》。

## 本年

**南京礼部右侍郎吕柟（1479—1542）以灾异自劾，致仕归。** 李舜臣《刻泾野先生文集序》："先生以南京吏部侍郎于嘉靖己亥致仕于京。"薛应旂《泾野先生传》："丁酉（1537）升南京礼部右侍郎，未几以灾异自劾，得致仕去。"《玉堂丛语》卷五："吕仲木，关西人。夏贵溪怙宠负才，傲睨一世，独心敬仲木。夏方与霍文敏交恶，文敏之为南宗伯也，仲木为贰，文敏时时诟贵溪，仲木乘间讽曰：'大臣有过，规之可也，背噂非礼。'文敏疑其党夏，心衔之。未几，仲木以考满之都，谒贵溪，时贵溪柄国矣，得仲木甚欢，亟欲援之为助。已，乃对仲木数短文敏，至谓不可一日近。仲木毅然曰：'霍君天下才也，公奈何以寸朽弃栋梁耶？'贵溪又以仲木附文敏而异己，历岁不迁，仲木乃致政归。"吕柟字仲木。夏言，贵溪人。霍韬谥文敏。

**任良干序刻《戴氏诗集》。** 戴氏，戴冠也。序云："公出大复之门，妙契宗旨，故其形诸声歌，播诸吟咏，机轴自别于众。余尝刻《大复遗稿》三卷，兹以戴集分为三峡，归川授梓，捐俸以助其不逮。……授受一道，轨辙不殊，欲学何者必以戴为指南也。著之家塾，与大复稿并显于世云。公名冠，字仲鹖，别号邃谷，登正德戊辰进士，官至提学副使。"序署"嘉靖己亥孟冬朔知信阳州桂林任良干书"。戴氏集另有张鲁《续刻戴氏集引》，署"嘉靖二十有七年（1548）正月望后之吉，奉直大夫知信阳州同乡安厓张鲁书"。《四库全书总目》集部别集类存目三著录《邃谷集》十二卷，提要曰："明戴冠撰。案明有两戴冠。其一长洲人，有《礼记集说辨疑》，已著录。此戴冠字仲鹖，信阳人。正德戊辰进士。官至山东提学副使。事迹具《明史》本传。或混为一人，非也。冠受业于乡人何景明，诗亦似之。然景明诗虽风姿俊逸，而酝酿犹深。冠才学皆逊于师，而徒守其格调，殆所谓时女步春，终伤婉弱者矣。"

嘉靖帝诏修《承天大志》，巡抚顾璘以王廷陈及颜木、王格荐。《弇山堂别集》卷二十七《史乘考误八》："徐左使学谟撰《楚通志·王廷陈传》，谓廷陈为翰林院庶吉士，以好讥评人长短出为吏科给事中。会毅皇帝南狩，业以言激修撰舒芬、庶吉士汪应轸上书阻谏，大学士石珤止之曰：'脱祸不测，莫汝庇也。'廷陈乃旦赋《乌母谣》，大署玉堂之壁，语侵政府。由是风吏部，又出为裕州守。此处殊误。盖当正德十四年散馆前，而廷陈与同馆汪应轸、曹嘉、江晖、马汝骥上疏剀切，留中。至是晖、汝骥留，而廷陈、应轸、嘉出授官。迨吏部拟晖、汝骥编修，廷陈吏科，应轸礼科，俱给事中，嘉御史。有旨，各依甲次补外。至嘉靖初，各复官，而廷陈坐法革为民，后以言事，例准致仕。今谓廷陈已授给事中，而激修撰舒芬等云云，又出为裕州守。且其时石公以礼侍学士掌院司教育，非大学士也。又谓肃皇帝登极，访罗遗佚，巡抚都御史顾璘以廷陈名荐，不果用。亦误。嘉靖十八年璘聘廷陈修《承天志》而荐之，为科中所驳，故仅赐银币耳。肃皇登极之际，廷陈方坐事，顾公尚为台州守。"《明史·文苑传》：王廷陈，字稚钦，黄冈人。正德十二年进士，选庶吉士。改吏科给事中，出为裕州知州，削籍归。"屏居二十余年，嗜酒纵倡乐，益自放废。士大夫造谒，多蓬发赤足，不具宾主礼。时衣红紫窄袖衫，骑牛跨马，啸歌田野间。嘉靖十八年诏修《承天大志》，巡抚顾璘以廷陈及颜木、王格荐。书成，不称旨，赐银币而已。廷陈才高，诗文重当世，一时才士鲜能过之。木，应山人，官亳州知州。格，京山人，官河南佥事。"

朱谏增订《雁山志》。嘉靖帝撰《大狩龙飞录》。夏言《桂洲奏议》刊行。据四库提要。

袁表序刻《江南春词》。该集收录明沈周等五十人追和元倪瓒之作。《四库全书总目》卷一九一集部总集类存目一著录《江南春词》一卷，提要曰：明沈周等追和元倪瓒作也。时吴中有得瓒手稿者，因共属和成帙。首有作者姓氏，自周以下共五十人。嘉靖十八年，袁表序而刻之。后有袁袠跋。二人亦皆有和作。又有张凤翼、汤科、陈瀚三人之作。卷首不载姓氏，疑刻成后所续入也。瓒原倡题三首，而其后和者皆作二首。祝允明跋云：'案其音调是两章，而题作三首，岂误书耶？'袁表则云：'细观墨迹，本书二首，后人以词一阕谬增为三也。'今考《云林诗集》，惟《春风颠》一首载入七言古体，题作《江南曲》，而无《汀洲夜雨》一首。则后一首是七言诗，而前一首是词耳。然文徵明《甫田集》云："追和倪元镇《江南春》，亦载入诗内。'则当时实皆以诗和之。盖唐人乐府，被诸管弦者，往往收入诗集。自古而然，固非周之创例矣。"

**胡缵宗**（1480—1560）**作诗纪世宗南巡。后缵宗以此诗得祸。**《万历野获编》卷二五《诗祸》："嘉靖十七年，上幸承天府。都御史胡缵宗作诗纪上南巡，末句云：穆王八骏空飞电，湘竹英皇泪不磨。又云：东海细臣瞻巨斗，北枢中夜几曾移。自刻而勒之石。后为仇家任丘王联所讦，指为诅咒讥讪。上震怒，遽下诏狱，拷掠论死。后宥戍极边。此等拙笔，无论为颂为规，要无佳句，何足当乙览。时两英主在御，宜乎得罪。以比蔡确《车盖亭诗》，不及远甚，直如古人目为靳准恶诗可也。""嘉靖十七年"当为"嘉靖十八年"。

**李濂等为胡缵宗**（1480—1560）**诗文集作序。**李濂《胡可泉集序》署"嘉靖己亥秋七月既望，嵩渚山人李濂拜书"。《可泉集》另有崔铣序，署"嘉靖丙申（1536）夏四月庚寅，相台崔铣序"。胡缵宗《拟汉乐府》完稿，有杨祐序，署"嘉靖己亥岁春三月既望，门人钱塘杨祐顿首拜书"；邹颐贤序，署"嘉靖己亥季春谷雨，前古平原门人邹颐贤再拜书"；蓝田序，署"嘉靖己亥长至，齐东大劳山氓蓝田书于致遂楼"；顾梦圭序，署"嘉靖己亥九月五日，吴郡顾梦圭拜手谨书"；马汝骥序，署"嘉靖己亥春正之望，上郡马汝骥撰"；另有靳学颜、冯惟健序，作序年月不详。冯惟讷序云："元人杨廉夫始以史事命题，创为一体，世所传《铁崖乐府》者是也。孝庙时，宰相李文正公因之，为《拟古乐府》，凡二卷若干篇。其意正直而含蓄，其辞婉约而隽永，其调诘屈而谐节。李公虽钜望盛才，以文章鸣一世，而是编尤为士林所脍炙。然自今观之，其声格合处，可与唐人并驱尔。弘、德间，北地李献吉尝拟作数章，乃纯用古格。成纪胡可泉先生仕于朝，游文正之门，而与献吉为诗友。献吉以乐府声诗雄视千古，其与先生论文，独抵掌相符合。"一时舆论如此。

**李开先随驾兴都，道出均阳李梦阳墓下，不满于胡缵宗仅以诗人视李梦阳。**李开先《李空同传》："嘉靖己亥，予以随驾兴都，道出均阳李空同墓下。可泉胡缵宗题其碑曰'明诗人空同李先生墓'。呜呼！空同岂徒工于诗者？"

**华察**（1497—1574）**作《皇华集序》。**明代遣使朝鲜，时有唱酬，该集即所刊使臣唱酬之作。《四库全书总目》卷一九二集部总集类存目二著录《皇华集》十三卷，提要云："明朝鲜国所刊使臣唱酬之作。所录惟天顺元年、二年、三年、四年、八年，成化十二年，弘治元年、五年，正德十六年，嘉靖十六年之诗。考明代遣使往朝鲜者，不仅此十年，似有阙佚。然世所传本并同。或使臣不尽能诗，其成集者止此耶？"

**王世贞始读王守仁文集，爱之至废寝食。**王世贞《读书后》卷四《书王文成集后一》云："余十四岁，从大人所得《王文成公集》，读之而昼夜不释卷，至忘寝食。其爱之出于三苏之上。稍长，读秦以下古文辞，遂于王氏无所入，不复顾其书，而王氏实不可废。"

**王献芝、李遂为吕柟《周易说翼》作序跋。**据四库提要。

**郑岳**（1468—1539）**卒。**《四库全书总目》著录郑岳《莆阳文献》十三卷、《列传》七十五卷、《山斋集》二十四卷。《莆阳文献》提要曰："明郑岳编，黄起龙重订。岳字汝华。弘治癸丑进士。官至兵部左侍郎。事迹具《明史》本传。起龙，万历戊戌进士。并莆田人。是书取莆田、仙游二县自梁、陈迄明著作诗文，辑为十三卷。又取名人事迹成列传七十四卷。文以体分，传则不分门目。后倭变书毁，起龙为之重镂。并附柯维骐所作岳传一首，为卷第七十五。岳书采撷繁富，义例颇仿史裁。然起龙讥其文内不载杨琅、林诚两御史之奏疏及黄仲元之郭孝子祠记、墓表，传内载仕梁之徐寅、翁承赞及永乐初梯荣献策之林环，而于林光朝传但纪其文集，而不及所著之《易解》、《尚书解》、《语录》、《说诗》等书。去留不无遗憾，则固确论也。"《山斋集》提要曰："其所著诗文有《蒙难录》、《西行纪》、《南还录》、《山斋吟稿》、《漫稿》、《净稿》、《续稿》、《奏议》。因雕本燹煅，所存不过数种。是集乃万历中其曾孙炫搜辑重镂，凡诗七卷、文十七卷。炫跋谓校视旧集十未能存二三，盖亦幸而不佚也。柯维骐《续莆阳志》称其所作诗文，俱畅达蕴藉。朱彝尊《明诗综》引谢山子之言，亦称其诗深于讽谕之体。考《明史》岳本传，称其屡拒中官崔文之干请，争宁王宸濠之侵占。又以争兴献王祔庙，忤旨夺俸。其居官颇著风节。而为江西按察使时，与李梦阳互讦。为兵部侍郎时，又为聂豹劾罢。所与龃龉者，乃皆正人。盖其天性孤介，非惟与小人相忤，即君子亦不苟合也。其文章落落远俗，固亦有由焉。"

## 公元 1540 年（世宗嘉靖十九年 庚子）

### 正月

**蔡羽作《太薮外史》自题。时蔡羽致仕家居。**《四库全书总目》卷一二四子部杂家类存目一著录《太薮外史》一卷，提要曰："明蔡羽撰。羽字九逵，自号林屋山人，又称左虚子，吴县人。由国子生授南京翰林院孔目。《明史·文苑传》附载文徵明传中。是编前有嘉靖庚子正月自题，称夜梦一文移，上有符信曰'太薮外史'。私念具区为扬州之薮，一曰太湖，左虚子去翰林归太湖，盖所谓外史。因著文五首，题曰《太薮外史》，志梦也。说颇荒诞。其说为《文苑考》上下篇二首，《政通》上下篇二首，《易大赞》一首。史称羽自负甚高，文法先秦两汉。而此五首中，类多排偶之词，体格卑杂，未能及古。殊为不副其名也。"

**毛伯温《东塘诗集》刊刻于吴中，王仪等作序。**王仪序署"嘉靖庚子春王正月之望，赐进士出身中宪大夫山东按察司副使奉敕整饬苏松等处地方兵备前贵州道监察御史晚学文安王仪谨撰"。另有童承叙序，署"是岁（1539）秋九月九日"；陈一德后跋署"嘉靖庚子春三月朔"；叶稠后跋署"嘉靖庚子岁立夏日"。《四库全书总目》集部别集类存目三著录《东塘诗集》十卷，提要曰："是集为伯温所自编，后并入全集。此乃其初出别行之本。"《静志居诗话》卷十《毛伯温》："东塘数与夏公谨、李献吉、方思道相酬和，故其诗颇具风格。《夜泊富阳》云：'秋夜江风急，楼船水月明。汀洲散渔火，烟树隐山城。雁逐星河没，虫依草岸鸣。乡心愁欲绝，何处捣衣声。'"

### 三月

**茅坤授青阳令。六月赴官。以进士为青阳县令，自茅坤始。**茅坤《丹徒纪事》："嘉靖庚子春，予领青阳令。青阳，跨九华山而县，其君子则闲于文辞；其小人则好设奸利，力斗讼。予以六月二十四日赴官，逆于道而讼者凡千人。……予视县仅六十五日，而以先君南溪公病殁，奔丧来归矣。"（《茅鹿门先生文集》卷之二十九）茅国缙《先府君行实》："居岁余谒选。肃皇帝方崇祷祠，执政贵溪公（夏言）以醮词属府君。持不可，曰：'士有拂衣去耳，安能操愉糜，为相君作书记耶？'乃授青阳令。青阳之以甲科令，自府君始。"

**诏儒臣议薛瑄从祀文庙。**《世宗实录》卷二三五："（十九年三月）先是御史杨瞻、樊得仁奏故礼部侍郎薛瑄国朝大儒，宜从祀文庙。诏下儒臣议。时尚书霍韬、侍郎张邦奇、詹事陆深、少詹事孙承恩、祭酒王教、学士张治、詹事府丞胡世忠、庶子杨维杰、谕德龚用卿、屠应埈、洗马徐阶、邹守益、中允李学诗、秦鸣夏、闵如霖、赞善阎朴、司直谢少南、吕怀、编修兼校书王同祖、赵时春、编修兼司谏唐顺之、黄佐、侍讲胡经二十三人，议宜祀。庶子童承叙、赞善浦应麒议宜缓；赞善兼检讨郭希颜以瑄无著述功，议不必祀；给事中丁湛等请从众议之多者。……上曰：圣贤道学不明，士趋流俗，朕深有感。薛瑄能自振起，诚可嘉尚，但公论久而后定，宜候将来。"唐顺之作有《故礼部左侍郎薛瑄从祀议》，见《荆川先生外集》卷一。

## 四月

**邹守益以夏言排挤，出掌南京国子监。**唐顺之有《送邹东廓掌南院》诗。《弇山堂别集》卷六十三《南京国子监祭酒年表》："邹守益，江西安福人。由探花，（嘉靖）十九年任，二十年闲住。"

**崔铣（1478—1541）为薛应旂（1500—1570后）《薛子诗稿》题辞。**《题辞》署"嘉靖庚子夏四月望，相台崔铣"。

## 六月

**左国玑（1480—1540）卒。李梦阳为左国玑姐夫。**李濂《左舜齐传》："左国玑字舜齐，其先江西之永新人也。大父辅正统间为御史，以言事谪云南炎方驿丞，擢河南尉氏令。父梦麟，周藩镇平王府仪宾，母广武郡君。先是河决大梁，王避水如尉氏，因缔婚，乃落籍汴城，遂为大梁人。舜齐风骨莹爽，长身玉立，眉目秀朗，读书日记数千言，终身不忘。幼师其姊夫李公梦阳，李公奇其才，挈之京师，俾受《毛诗》于慈溪姚公镆。舜齐跅弛不羁，性嗜酒，不汲汲仕进。束发作诗赋古文，出语辄惊人。顾不甚攻举子业，年几四十始举于乡，数试礼部不第。嘉靖庚子夏六月，饮南郭水亭，醉归而病，病数日卒，时年六十一。舜齐襟度磊落，无城府畦畛，平生不藏怒蓄怨，故人乐与之交。与人饮亡所择，必尽欢，投壶酣歌，旁若无人。喜读《史记》、《文选》、李杜诸家诗。其为文驰骋踔厉，落笔滚滚千百言不休，如绝群之马，奔蹄腾骛于平旷之野，武夫悍卒，莫得而羁縻之。五七言律诗学杜甫，沉着悲壮如边城鼓角，闻者动色。歌行长篇又往往学李白，沛放厥辞，才藻逸发，如汉滨游女，靓妆丽服，委蛇容与，日暮忘归。顾所作多不存稿。尝自言曰：'诗文乃儒者余事，奚用稿为？'字画遒劲奇古，四方之士得其片纸只削，辄藏以为宝。"《千顷堂书目》卷二一著录左国玑《南郭集》七卷。《静志居诗话》卷十《左国玑》："田、左并称，诗皆粗鄙，信鲁、卫也。"《明诗纪事》戊签卷十二录左国玑诗二首，陈田按："舜齐与田深甫并称。舜齐驰骋有余，较深甫为优。"

## 八月

世宗欲令太子监国，专事修道。太仆卿杨最疏谏，下诏狱，杖死。据孟森《明史讲义》。

王济（1474—1540）卒。刘麟《广西横州判官王君济墓志铭》："庚子八月十九日卒。"顾元庆《夷白斋诗话》云："吴兴王雨舟济，人物高远，奉养雅洁，刻意诗词。所著有《宫词》一卷，有《水南词》一卷，有《谷应集》，有《铁老吟余》。其《宫词》尤蕴藉可喜。姑举一二，染指可知鼎中之味矣。词云：驾幸长春二鼓时，提灯驰报疾如飞。上房供奉忙多少，才拭龙床布地衣。昨夜闽中进荔枝，君王亲受幸龙池。先将并蒂盛金盒，密赐昭仪尽不知。锦标夺得有谁争，跪向君王自报名。宣索宫花亲自插，连呼万岁两三声。余皆类此。"

童承叙、张治等为乡试主考。《弇山堂别集》卷八十二《科试考二》："十九年庚子，命左春坊左庶子童承叙、右春坊右庶子杨维杰主顺天试。命翰林院学士张治、右春坊右谕德龚用卿主应天试。"

归有光（1506—1571）举应天乡试第二名。王锡爵《明太仆寺寺丞归公墓志铭》："岁庚子，茶陵张文毅公（治）考士，得其（归有光）文，谓为贾、董再生，将置第一，而疑太学多他省文，更置第二，然自喜得一国士。其后八上春官不第。盖天下方相率为浮游泛滥之词，靡靡同风，而熙甫深探古人之微言奥旨，发为义理之文，洸洋自恣，小儒不能识也。于是读书谈道于嘉定之安定江上，四方来学者常数十百人。"李攀龙（1514—1570）举山东乡试第二名。

杨慎受聘与修《蜀志》。据李调元所撰杨慎年谱。

## 十月

石迁高重刊夏言词集《玉堂余兴》，并作《桂洲集玉堂余兴识语》。识语署"庚子岁冬十月望日大名府知府后学石迁高谨识"。《玉堂余兴》于 1538 年初刻于吴中。

霍韬（1487—1540）卒。李开先《太子少保礼部尚书谥文敏渭厓霍公墓志铭》："霍公讳韬，字渭先，号兀厓。人士有致书者，误称渭厓，公以为与名字亦有情，遂改号渭厓云。""正德庚午、辛未年，屡试府县，皆不利，尤为府守郑琚所抑挫。壬申，始得备数郡庠，癸酉，即领乡荐第二，甲戌，会试第一，廷试仍置列一甲第一。"官至太子太保，礼部尚书。谥文敏。"公生成化丁未四月二十一日，追殁（'庚子十月七日捐馆'），年仅五十四。""诗律非其所长，唐荆川所谓'寒山击壤，别有一机'。而奏疏则席、桂、张、夏之外，少见其比也。集外他刻未及成者，又有《书解》、《春秋解》、《西汉书》、《程朱训》、《象山学辨》，诗注止缺《大雅》。"《四库全书总目》著录霍韬《明良集》二十卷、《明诏制》八卷、《兀厓西汉书议》十二卷、《渭厓文集》

十卷，《渭厓文集》提要曰："是编为其子与瑕、与琦所编，皆所作杂文。惟七卷有诗数十首。韬性强执谬戾，不顾是非。议尊兴献为皇考，则斥司马光不知忠孝，不当从祀孔庙。议合祀天地，则并诋及《周礼》。可谓无忌惮者。其他文亦皆争辨迫急，异乎有德之言。前有伦以谅、金立敬二序，誉之甚力。盖一其乡曲，一其年家子也。"

## 十一月

**唐锜为杨慎《升庵长短句》作序**。据序末题署。

**陈束**（1508—1540）**卒**。张时彻《明故河南按察司提督学校副使后冈陈君墓碑》："嘉靖庚子，竟以劬瘁致疾，呕血而卒，年仅三十有三耳。"李开先《后冈陈提学传》："后冈陈子者，中麓子同年友也，契厚以词藻、行检，不专同年故。幼名束，长字约之，擢居高第，始有号，号后冈。圣天子御批其制策，称为不易之说，一日而名天下。选授庶吉士，无何，除礼部祠祭司主事，迁员外郎，改翰林院编修。日与少洲所述数子并熊南沙、屠渐山、田豫阳游衍，竞为奇古诗文。士方守常袭陋，见其作，惊讶，谓为捉鬼擎神之手，姗且笑之者十人而八九矣。……注湖广金事，分司辰、沅，乃五溪故区，而苗蛮聚处也。……升福参议。……竟死淇上，年甫三十三。""大抵李、何振委靡之弊而尊杜甫，后冈则又矫李、何之偏而尚初唐，两浙以文擅天下，后冈乃两浙之首出者也。"所云"少洲所述数子"，乃王慎中、唐顺之、陈束、吕高。陈束丧事即由王慎中经纪。《静志居诗话》卷十二："约之取组六朝，亦称典则。《咸宁山中雪霁晚行》云：'雪霁乍见山，残阳稍辞岭。暝色起烟氛，寒光散墟井。田空猎犬还，林冻栖鸟警。遥闻野寺钟，初月生俄顷。'《还浙夜泊江口》云：'越嶂宜春望，江舠入夜乘。潮移诸岛出，云卷数峰层。近郭翻多恋，还家独未能。北堂今夕梦，先已度西兴。'《送李子》云：'山城细雨绿芜滋，黄鸟关关送别时。海内为邻千里近，湖边倾盖十年迟。蝉声驿路催官骑，草色河桥映酒旗。遥想经行多逸兴，逢人莫不寄新诗。'"《四库全书总目》卷一七七集部别集类存目四著录《陈后冈诗集》一卷、《文集》一卷，提要曰："明陈束撰。束字约之，鄞县人。嘉靖己丑进士。官至河南提学副使。事迹具《明史·文苑传》。束与唐顺之为同年，共倡为初唐、六朝之作，以矫李、何之习，而所学不逮顺之。又自翰林改礼部主事，追复官编修，旋即外调，恒忽忽不乐，年仅三十余而卒，文章亦未成就。故顺之终以古文鸣，而束无称焉。诗集为顺之所编，皆嘉靖甲午、乙未、丁酉三年之作。其余仅寥寥数首。文集为张时彻所刊，分京、楚、闽、洛四集，以居官之地名之。初刻于蜀中，又刻于吴郡。此本乃万历中其同邑林可成所校刊也。"陈束于嘉靖十七年二月由湖广金事迁福建布政司右参议，嘉靖十八年改官河南按察司提学副使。《明诗纪事》戊签卷九录陈束诗七首，陈田按："约之《高苏门集序》，阐明诗绪正变得失，言言科律，字字珠玉，岂在多乎？今观所作，意极矜炼，境乏闳深；趋步虽工，音节未壮。良由赋质荏弱，又伤早逝。采录遗诗，为之三叹。"皇甫汸作《陈约之集序》，赵廷松作《陈后冈文集序》，张时彻作《陈约之传》、《明故河南按察司提督学校副使后冈陈君墓碑》，李开先作《后冈陈提学传》，可参考。

## 十二月

**康海**（1475—1541）**卒。（卒年据公历标注）**张治道《翰林院修撰对山康先生行状》："嘉靖庚子十二月十四日，前翰林院修撰对山康先生卒。……先生讳海，字德涵，别号对山，又号浒西山人。……读书不专记诵，但通其大义，余能类融，下笔数千言不竭。时提学杨邃庵先生奇其才，即以天下士许之。其为文脱去近习，上追汉魏，以《诗经》中弘治戊午乡试、壬戌进士第一，除翰林院修撰。是时孝宗皇帝拔奇抡才，右文兴治，厌一时为文之陋，思得真才雅士，见先生策，谓辅臣曰：'我明百五十年无此文体，是可以变今追古矣。'遂列置第一。而天下传诵则效，文体为之一变，朝野景慕，若麟凤龟龙，间世而一睹焉。……孝宗时，谢阁老迁见知主上，其子丕为翰林编修，文亦有名。焦阁老芳，其子黄中亦为翰林检讨，争胜于谢，各树党与，互为标榜。焦欲引先生为附，一日置酒，托先生厚请先生。先生往，见座客皆邪媚者，曰：'此为排谢招我耶？'遂正言责之。座客皆愧服，衔先生者益众矣。是时李西涯为中台，以文衡自任，而一时为文者皆出其门，每一诗文出，罔不模效窃仿，以为前无古人。先生独不之效，乃与鄠杜王敬夫、北郡李献吉、信阳何仲默、吴下徐昌谷为文社，讨论文艺，诵说先王。西涯闻之，益大衔之。戊辰（1508），先生同考会试，场中拟高陵吕仲木（吕柟）为第一，而主者置之第六。榜后，先生忿言于朝曰：'仲木天下士也，场中文卷无可与并者。今乃以南北之私忘天下之公，蔽贤之罪，谁则当之？会试若能屈吕矣，能屈其廷试乎？'时内阁王济之为主考，甚怨先生焉。及廷试，吕果第一人，又甚服之。无何，丁母忧，归关中。往时，京官值亲殁，持厚币求内阁志铭以为荣显，而先生独不求内阁文，自为状，而以鄠杜王敬夫为志铭，北郡李献吉为墓表，皋兰段德光为传。一时文出，见者无不惊叹，以为汉文复作，可以洗明文之陋矣。西涯见之，益大衔之，因呼为子字服（股），盖以数公为文称子故也。若尔，非大衔也耶？……其为学道披玄门，识该宗旨，议论如孟轲，为文类马迁。诗以兴致为先，格高辞俊，凌驾古人。乐府数百篇，可羽翼骚雅。使遭时用事，管、晏不足为，伊、傅不足追也。"（《皇明文范》卷五十三）李开先《对山康修撰传》："君姓康名海，字德涵，自号对山，而浒西山人、浒东渔父，则其别号也。在人之称之者，惟对山。故对山之名溢海内，以其行高见远，不但诗古文精也。先籍河南固始人，今籍则陕西武功县。""弘治戊午，举乡试第七，壬戌，举进士第一，……释褐授翰林院修撰。"以救李梦阳事，坐刘瑾党削籍。"嘉靖庚子十二月十四日，终于正寝。……距生成化乙未六月二十日，寿六十有六。""所著有《武功志》、《张氏族谱》、《浒东乐府》、《纳凉余兴》、《春游余录》、《王兰卿传奇》、《即景余录》，有史笔，有元音，而《对山文集》十九卷，不雕刻，有识见，不止还国初之质直浑厚。张太微所谓'驰驱屈、宋，陵轹班、马'，非虚誉也。"《列朝诗集小传》丙集《康修撰海》："德涵于诗文持论甚高，与李献吉兴起古学，排抑长沙，一时奉为标的。今所传《对山集》者，率直冗长，殊不足观。或言德涵工于乐府，歌诗非其所长。又或言德涵有经世之才，诗文皆出漫笔，非其所经意者。余固不足以定之也。"《静志居诗话》卷十《康海》："德涵坐援献吉，遂挂清议。归田之后，耽心词曲，其小令云：'真个是不精不细丑行藏，怪不得没头没脑受灾殃。从今后花底朝朝醉，人间事事忘。刚方，奚落了膺和滂。荒唐，周旋了籍与康。'论者原其心而悲之。没时家无长物，腰鼓多至三百副。留心风雅之日少，宜其所就止此尔。"《四库全书总目》著录康海《武功县志》三卷、《对山集》十卷、《对山集》十九卷。十卷本《对山集》提要曰："其诗文集自明以来凡四刻。一为张太微所选，一为王世懋所选，互有去取。国朝康熙中，其里人马氏始哀其全集刻之江宁。此本乃乾隆辛巳其里人编修孙景烈以所藏张太微本又加刊削而刻之。海以救李梦阳故，失身刘瑾。瑾败，坐废。遂放浪自恣，征歌选妓，于文章不复精思，诗尤颓纵。王世懋序称其五七言古律多率意之作。又慕少陵直抒胸臆，或同时人名号爵里，韵至便押，不丽于雅。朱孟震序述李维桢之言，亦称张太微本碔砆燕石，间列错陈。故马氏所增刊，颇伤芜杂。景烈此本虽晚出，而去取谨严，于诗汰之尤力，较诸本特为完善，已足尽海所长矣。明人论海集者是非不一，要以俞汝成文过于诗语为不易之评。其拟廷臣论宁夏事状，及《铸钱论》诸篇，尤颇切时弊。崔铣、吕柟皆以司马迁比之。诚为太过。然其逸气往来，翛然自异，固在李梦阳等割剥秦、汉者上也。"

**罗洪先、唐顺之、赵时春疏请来岁朝正后，皇太子出御文华殿，受群臣朝贺。世宗怒，并免为民。**焦竑《玉堂丛语》卷四《侃直》："春坊赞善罗洪先、司谏唐顺之、司经局校书赵时春，以上不御朝，各疏请来岁元日朝贺，礼成，请皇太子出御文华殿，受文武百官及朝觐官朝贺。礼部复洪先等所言谬妄，不达大体。上曰：'东宫目上视未愈，且朕疾未平复，遂欲储贰临朝，是必君父不能起者。罗洪先等狂悖浮躁不道，姑从宽，俱黜为民。'由是三人名重天下。时东宫尚在童齓。即无疾，亦非朝百官之日，矧上方不预，岂欲闻此不祥语，三人之名固不当倚此为重。而独怪夫希声附影之徒，恒以事之不足重者为可重也。其后，时春、顺之相继以兵事起而不效干用，独洪先名在疏首，为上所记忆，卒不及用，故得全其名云。"周鉴《明御史中丞浚谷赵公行实》："庚子十二月，同罗念庵、唐荆川公请正东宫朝会礼仪，备文武官僚以崇国本。适方士倡两龙不相见之说，蛊惑圣听，时宰因欲罪之。上以三人儒学系时望，察其意无他，札内阁尚称三翰林臣，迟久之，乃罢为民。家居将十年，督耕课艺，日率子孙承太孺人欢。"时赵时春为翰林院编修兼司经局校书。《明史·儒林传》罗洪先传："（嘉靖）十八年简宫僚，召拜春坊左赞善。明年冬，与司谏唐顺之、校书赵时春疏请来岁朝正后，皇太子出御文华殿，受群臣朝贺。时帝数称疾不视朝，讳言储贰临朝事，见洪先等疏，大怒曰：'是料朕必不起也。'降手诏百余言切责之，遂除三人名。"罗洪先自是家居，不再出。赵时春至庚戌（1550）年始起为兵部管营主事。

## 冬

**茅坤赴部补选。**茅坤《耄年录·年谱》："庚子冬赴部补选。先是，湖州府推官袁公，即分宜严相公婿也，间手《钤山堂诗刻》赠予。予览之，诗并唐大历风调。予谓袁曰：'诗自屈、宋以还，世惟羁臣骚客得之，故罕有历官宰执而以诗名者。若公所赋，殆张曲江之流也。'不意袁阴以予所评公诗者闻之分宜公，分宜公大嘉赏之为知己。及谒选，公辄遣办事官属文选郎郑公晓补分宜。郑亦予故所以游之深者，故得拒分宜而别补丹徒。"按，茅坤因服父、母之丧，本年冬未及谒选即奔丧还家。"壬寅服阕，癸卯秋，始及谒选补丹徒。"（茅坤《丹徒纪事》）《年谱》叙事有眉目不清处。

## 本年

卢柟（？—1559）**坐诬系浚狱**。卢柟《滕王阁图记》："庚子岁，柟坐佣奴事系狱。"王世贞《卢柟传》："卢柟字少楩，一字子木，大名浚人也。其先世业农，获则什一而息之，故以赀雄于乡。柟少负才敏甚，读书一再过，终身不忘。父为入赀太学上舍，数应乡试，罢免归。柟才高，好古文辞，不能俯而就绳墨，为博士诸生业，以故试辄不利，而声称奕奕在荐绅间著也。柟为人跅弛，不问治生产，时时从倡家游。大饮，饮醉辄弄酒骂其坐，客毋敢以唇舌抗者。而又豪歌诗，当所得意，下笔数千言立就，客咸咋指遁去。竟用是败。浚令某者，数刻深名法家言，于文非能好之，阳浮慕之，以张吏术耳，谓柟邑诸生才，得相从事，幸甚。柟亦欲借令，谬恭敬为相得极欢。令尝从容语柟：'吾且过若饮。'柟归，与翁媪益市牛酒，夜共张至旦，室邑子相戒，卢生有重客，门之履相蹑也。而会令有它事，日昃不来。柟愧且望之，斗酒自劳，醉则已卧。报令至，柟故徐徐出。坐久之，柟称醉不能具宾主。令恚去，曰：'吾乃为伧人子辱，愧见其邑长者。'邑人素恶柟者，为柟谗曰：'是尝见令君文，而笑且唾。'令益怒。亡何，柟干掫其役夫，得伏麦，以为盗也，榜之。役夫被酒，自理而声强，柟复加榜焉。旬日矣，役夫夜压于墙阴。事闻令。令色动曰：'嘻累是，复能倨见我耶！'匿役夫所由死状，当柟抵坐。狱具，上报可。柟既已坐大辟系狱，又令仇之，故毋敢为称冤者。而会柟乡人间尝侍饮不逊，柟目摄之去，已来为狱吏，夜缚柟，格棰之数百，臀踵悉溃烂，且死矣。吏以他事罢，得不死。乃感慨折节，益读其所携书，著《幽鞠》、《放招》赋以自广。"卢柟著有《蠛蠓集》五卷。

**杨慎应聘为贵州乡试考官。**据李调元所撰杨慎年谱。

徐渭（1521—1593）**进学为诸生，秋试落第。**徐渭《畸谱》："二十岁。庚子，渭进山阴学诸生，得应乡科，归聘潘女。秋八月，潞卒于贵州。冬，妇翁得主阳江县簿，携予偕。"陶望龄《徐文长传》："徐渭字文长，山阴人。幼孤。性绝警敏。九岁能属文。年十余，仿扬雄《解嘲》作《释毁》。二十为邑诸生。……渭为诸生时，提学副使薛公应旂阅所试论，异之，置第一，判牍尾曰：'句句鬼语，李长吉之流也。'"

马汝骥（1493—1543）**颇受严嵩赏识，由南京国子监祭酒升礼部右侍郎。**王维桢《赠礼部尚书谥文简西玄先生行状》："庚子，礼部右侍郎缺，升祭酒右侍郎。当是时，少傅严翁为宗伯宫詹，松江孙公为左侍郎，而上兴礼乐，创制度，诸大典更起不绝，诸公日聚讲议，而先生洽览群集，习识今昔，故遇可言则应答如响，平居视之，顾恂恂若不能者。严翁贤之，又尝善其诗，爱重逾等。居久之，严翁拜相，见上言马侍郎贤，上由是知侍郎，因以其官加翰林侍讲学士宠之。"严翁，严嵩也。

张綖（1487—1543）**由武昌通判升任光州知州，不久罢归。**顾璘《南湖墓志铭》："庚子之会，谓予言：'久宦荒我南湖。闻今已擢光守，予将纳檄归矣。'予曰：'吾子洪才而倅，车不得展，光州佳郡，而贪鄙者难之，何不一行，使光人乐得父母，且知世有循良也？胡为以一方易一湖哉！'既而君沥恳再三，卒不得请，乃强一之任，未期被中罢归。"所著《南湖诗集》，收诗止于今年。朱曰藩《张南湖先生诗集序》："吾郡南湖张先生，弱冠作无题诗及香奁杂诗数十首，一时盛传，以为淮海才子。乃去年（1551）秋，先生嗣子惟一刻先生全集成，持过泾上，以序见属。集自弘治辛酉迄嘉靖庚子。编年分类，凡四卷，各以其时长短句附诸后。……或问先生长短句，予曰：《诗余图谱》备矣。先生从王西楼游，早传斯技之旨。每填一篇，必求合某宫某调、某调第几声、其声出入第几犯，务俾抗坠圆美，合作而出。故能独步于绝响之后，称再来少游。予每欲择其词之精者合少游词成一帙，以遗乡人，为词学指南，第多事来未遑耳。先生名綎，字世文，别号南湖，起家武昌倅，擢守光州。……嘉靖壬子（1552）仲春吉，同郡射陂朱曰藩撰。"《南湖诗集》另有仪城许樾"嘉靖戊戌（1538）中秋"叙，作于今年之前，或刊刻时又有增补也。《四库全书总目》卷一七六集部别集类存目三著录张綎《南湖诗集》四卷，提要曰："是集诗多艳体，颇涉佻薄，殆玉台、香奁之末流。每卷皆附词数阕。考綎尝作《填词图谱》，盖刻意于倚声者，宜其诗皆如词矣。"

**高儒作《百川书志》自序。**《百川书志》系藏书目录，高儒编，凡二十卷。卷六野史门、外史门、小史门著录若干小说戏曲作品，所附评介亦颇有价值。如野史门著录《三国演义》，称此书"据正史，采小说，证文辞，通好尚，非俗非虚，易观易入。非史氏苍古之文，去瞽传诙谐之气。陈叙百年，该括万事"。小史门著录瞿佑《剪灯新话》等十二种文言小说，评论《娇红记》等六种作品云："皆本《莺莺传》而作，语带烟花，气含脂粉，凿穴穿墙之期，越礼伤身之事，不为庄人所取，但备一体，为解睡之具耳。"均为珍贵小说评论资料。高儒，字子醇，号百川子，涿州（今属河北）人，嘉靖间武弁而特喜藏书。

**樊深编成《嘉靖河间府志》。**据四库提要。

**侯甸作《西樵野记》自序。**《西樵野记》系笔记小说集。序云："余少尝从枝山、南濠二先生门下，其清谈怪语，听之靡靡忘倦。余故凡得于见闻者辄随笔识之，自国朝迄今一百七十七事，名曰《野记》。"侯甸，苏州人。生平不详。《西樵野记》，《千顷堂书目》、《明史·艺文志》小说类著录，十卷。《四库全书总目》卷一四四子部小说家类存目二著录《西樵野记》四卷，提要曰："明侯甸撰。甸，苏州人。《明史·艺文志》载是书作十卷。此本卷数不符，疑有散佚。然原序称一百七十余条，计数无缺，或《明史》误也。序又称所载悉幽怪之事。此本所载乃有不涉幽怪者二十三条，为例未免不纯。其女子咏线一诗，见沈括《笔谈》。撫为近事，尤疏舛矣。"

**佚名《南内记》成书。**据四库提要。

**孙承恩、马汝骥任礼部右侍郎。**据王世贞《弇山堂别集》。

**王世贞**（1526—1590）**受业于山阴骆行简先生。**《艺苑卮言》卷七："余十五时，受《易》山阴骆行简先生。一日，有鬻刀者，先生戏分韵教余诗，余得'漠'字，辄成句云：'少年醉舞洛阳街，将军血战黄沙漠。'先生大奇之，曰：'子异日必以文鸣世。'是时畏家严，未敢染指，然时时取司马班史、李杜诗窃读之，毋论尽解，意欣然自愉快也。"

**王艮**（1483—1540）**卒。**《明史·儒林传》："王氏（王守仁）弟子遍天下，率都爵位有气势。艮以布衣抗其间，声名反出诸弟子上。然艮本狂士，往往驾师说上之，持论益高远，出入于二氏。""艮传林春、徐樾，樾传颜钧，钧传罗汝芳、梁汝元，汝芳传杨起元、周汝登、蔡悉。"

**汪佃**（1471—1540）**卒**。参见《明诗纪事》戊签卷十三。

**黄省曾**（1490—1540）**卒**。皇甫汸《五岳黄山人集序》："年才半百，奄陨大命。"《静志居诗话》卷十四："黄省曾，字勉之，吴县人。嘉靖辛卯举人。有《五岳山人集》。勉之诗品太庸，沙砾盈前，无金可拣，当时从游李、何，漫无师资之益，反不若方山、洴溪二贾人子，尚有秀句可采也。《江南曲》云：'旖旎绿杨楼，侬傍秦淮住。朝朝见潮生，暮暮见潮去。'"《四库全书总目》卷一七七集部别集类存目四著录《五岳山人集》三十八卷，提要曰："明黄省曾撰。省曾有《西洋朝贡典录》，已著录。是集凡赋诗十八卷，杂文二十卷。王世贞序称其古今体诗皆出自六代、三唐，于他文亦推许甚至。及其为《艺苑卮言》，则云勉之诗如假山，虽尔华整，大费人力。朱彝尊《静志居诗话》亦谓其诗品太庸，沙砾盈前，无金可采。今观其集，两家之说不虚矣。中第二十卷为《客问》四十章，二十一卷、二十二卷为《拟诗外传》，二十三卷为《黄氏家语》，明人亦摘出别行。其《客问》杂论物理，多臆揣之说。《拟诗外传》未免优孟衣冠。至《家语》创立篇名，俨同孔氏，抑又僭矣。"皇甫汸、王世贞均有《五岳山人集序》，可参考。与诗之被贬成为对照，黄氏之文颇得好评。《明文授读》卷七评其《难柳宗元封建论》曰："五岳之文学六朝，然意思悠长，不仅以堆沓为工，则是阳明问道之力。牧斋因其北学，訾毁过甚，其实五岳未尝染空同一毫习气也。"《明文远》亦评曰："道理正大，议论昌明，子厚《封建》一论，脍炙千载，徒以其强词悍气耳。逐段批驳，见得是，折得倒。"《明诗纪事》戊签卷十七陈田按语云："其文序事颇复彬彬，亦学人之雅制也。"

**孙柚**（1540—1585后）**生**。孙柚，常熟人，著有《琴心记》传奇。据徐朔方《晚明曲家年谱》。

# 公元 1541 年（世宗嘉靖二十年　辛丑）

## 正月

**蔡羽**（？—1541）**卒**。蔡羽为"东庄十友"之一。文徵明《翰林蔡先生墓志》："嘉靖二十年辛丑正月三日，吴郡蔡先生卒。吾吴文章之盛，自昔为东南称首，成化、弘治间，吴文定、王文恪继起高科，传掌帝制，遂持海内文柄。同时若杨礼部君谦、都太仆玄敬、祝京兆希哲，仕不大显，而文章奕奕，颙然在人，要亦不可以一时一郡言也。先生虽稍后出，而所造实深，自视甚高，常所评骘，虽唐宋名家，犹有所择，其隐然自负之意，殊不肯碌碌后人。而潦倒场屋，曾不得盱衡抗首，一侪诸公间，而以小官困顿死。呜呼！岂不有命哉？先生讳羽，字九逵。"（《甫田集》卷三十二）《静志居诗话》卷十一《蔡羽》："'杜诗韩笔'，百世之师也。人其可自绝乎？孔目于诗文，高自标许，以少陵不足言，所著者建安、西京。韩、柳不足言，所撰者先秦、两汉。今其集具在，篇无妍辞，句无警策。此犹淮南帝前，自称寡人，夜郎天末，不知汉大，妄人也已。其《自序》云：‘古之言者必有得，有所得而不言，与无所得而言，均非也。’其言诚是矣。第不知何者为孔目所得？虽有诗赋八百余首，文二百首，恒河之沙，钩金安在？愚山纵曲为解嘲，其谁信诸？”蔡羽为“东庄十友”之一。《明史·文苑传》：“蔡羽，字九逵，由国子生授南京翰林院孔目。自号林屋山人，有《林屋》、《南馆》二集。自负甚高。文法先秦、两汉。或谓其诗似李贺，羽曰：‘吾诗求出魏、晋上，今乃为李贺邪！’其不肯屈抑如此。”《明诗纪事》丁签卷十二录蔡羽诗九首，陈田按语云：“羽妄自矜诩，解经薄古人，谈诗文则卑韩、杜，如周望所云，抑何可笑！竹垞……诋之亦过。余为采掇精华，亦是六朝人佳制。”

**薛蕙（1489—1541）卒。薛蕙以诗人而讲学，乃明代值得关注之文学现象。**唐顺之《薛西原先生墓志铭》：“西原先生姓薛氏，名蕙，字君采。……先生以正德甲戌举进士，授刑部贵州司主事，病免，起为刑部主事，以才调吏部主事。嘉靖中，先生在吏部，历考功司郎中而罢。后十八年辛丑正月九日，以病卒于家，年五十有三。”（《皇明文范》卷五十一）王廷《刻西原先生遗书序》：“始余家食时，尝闻西原薛先生博综典籍，缀绩艺文，聿追古昔，为词林宗匠。及游京邑，先生先已罢归，求得《西原集》读之，并早年之作也。古雅典则，冲澹简远，骎骎入汉、魏矣。然但知先生为诗人耳。后余以御史谪判亳州，先生之乡也。于时先生贲迹丘园，潜心性命，精诣邃养，迥超物外。在亳凡一年余，率间日一会，会率竟日乃罢，相与讨论艺业，谘叩道蕴，评骘古今，商求政事。而先生才性高迈，识鉴洞朗，言未尝不竭两端，亦未尝不令人蓬然觉，惕然省也。而行履之纯，充养之粹，取予之介，出处之正，有确不可拔者，岂但为诗人已邪？余闻先生往与故相以文字交厚，及故相入为辅弼，势张甚，犹数移书访问，先生竟弗答也。其刻《西原集》，乃并平日所作赠贻诗删焉。……观此则先生之所养可知矣。余为苏州时，尝托衡山文子诠择先生诗文为《考功集》四卷，行于世。余犹收藏遗书一卷，至维扬，因出与友人艾陵沈子商之。艾陵以为不可无传也，因属校正，且付之梓，使世之求知先生与先生之所以大过人者，固在此而不在彼也。嘉靖癸亥岁季冬望日，南充王廷题。”“故相”指严嵩。《列朝诗集小传》丙集《薛郎中蕙》：“年十二，以能诗闻。王廷相谪判亳州，激赏之，曰：‘可继何、李。’后之论者亦曰：‘弘、嘉之际，三君鼎立。’然君采为诗，温雅丽密，有王、孟之风。尝与杨用修论诗曰：‘近日作者，摹拟蹈袭，致有拆洗少陵、生吞子美之谴。求近性情，无若古调。’则君采之意，尚未肯肩随仲默，而况于献吉乎？貌癯气清，行己峻洁，屏居西原，陂鱼养花，著书乐道，自守泊如也。晚岁，有得于二氏玄寂之旨，注《老子》以自见。唐应德亟称之。”按，薛蕙卒，唐顺之撰《薛西原先生墓志铭》，于其心学造诣表彰尤力。《静志居诗话》卷十《薛蕙》：“薛蕙字君采，亳州人。正德甲戌进士，授刑部主事，改吏部，历员外郎中。以议大礼下诏狱，寻复职，未几罢归，屡荐不出。有《西原集》。薛公南巡净吏，大礼正人，条达词华，渊源理学。古诗自《河梁》以暨六朝，近体自神龙以迄五季，靡不句追字琢，心摹手追，敛北地之菁英，具信阳之雅藻，兼迪功之精诣，卓然名家。”“君采年十二能诗，王子衡谪判亳州，赏之曰：‘可继何李。’故其诗云：‘束发从师王浚川，文章衣钵幸相传。尔时评我李何似，白首摧颓只自怜。’其与用修论诗云：‘近日作者，摹拟蹈袭，致有拆洗少陵、生吞子美之谴。求近性情，无若古调。'直以沿流讨源自许。晚年究心讲学，于诗不师《击壤》，尤人所难。《送杨石斋》云：'社稷功成后，山林避宠年。遭逢谁可并，出处独超然。反侧当前日，经纶迈昔贤。殷忧兴圣主，至治格皇天。凶竖同摧朽，苍生尽解悬。庙谟随指顾，臣节见周旋。智勇千夫敌，勋劳百辟先。赏仍虚裂土，名已重凌烟。握玺惭周勃，挥金笑鲁连。急流嫌盛满，介石慕贞坚。许国心恒切，还乡兴偶牵。留侯初相汉，乐毅晚辞燕。异渥丝纶数，高风进退全。草停黄阁诏，花簇锦江船。水槛星桥侧，茅堂雪岭边。云霞深绿野，卉木富平泉。事业存锺鼎，仪型照简编。累朝瞻翊戴，四海忆陶甄。白首归休记，青春送别筵。衣冠望行色，端不异登仙。'"《四库全书总目》著录薛蕙《西原遗书》二卷、《约言》（无卷数）、《考功集》十卷。《考功集》提要曰："正、嘉之际，文体初新，北地、信阳，声华方盛。蕙诗独以清削婉约介乎其间。古体上挹晋宋，近体旁涉钱、郎。核其遗编，虽亦拟议多而变化少，然当其自得，觉笔墨之外别有微情，非生吞汉魏，活剥盛唐者比。其戏成五绝句，取何景明之俊逸，而病李梦阳之粗豪。所尚略可见矣。又蕙与湛若水俱为严嵩同年。嵩权极盛之时，若水年已垂髦，不免为嵩作《钤山堂集》序，反复推颂，颇为盛德之累。蕙初亦爱嵩文采，颇相酬答。迨其柄国以后，即薄其为人，不相闻问。凡旧时倡和，亦悉削其稿。故全集十卷，无一字与嵩相关。人品之高，迥出流辈。其诗格蔚然孤秀，实有自来。是其所树立，又不在区区文字间也。"《西原遗书》提要曰："蕙本诗人，《考功》一集，驰骤于何景明、徐祯卿、高叔嗣间，并驽争先，原足以自传不朽。乃求名不已，晚年忽遁而讲学。所讲之学，又舛驳如是，反贻嗤点于后来。蛇本无足，子为之足，其蕙之谓乎？"《明诗纪事》戊签卷三录薛蕙诗三十八首，陈田按："君采诗长于拟古，气馥兰荃，音振琼瑶。其论诗云：'神韵为胜，才学次之。'又云：'清远秀丽，深服康乐。'可以识其意境矣。《戏成绝句》云：'海内论诗伏两雄，一时倡和未为公。俊逸终怜何大复，粗豪不解李空同。'薛之俊逸，与何为近，宜其不许空同也。"

**元日微雪，夏言、严嵩作颂称贺，御史杨爵**（1493—1549）**抚膺太息，上疏言时政，下锦衣狱。主事周天佐、御史浦铉以救杨爵，先后棰死狱中。**据孟森《明史讲义》。《静志居诗话》卷十二《杨爵》："杨爵字伯修，富平人。嘉靖己丑进士，除行人，擢河南道监察御史，上书劾夏言、郭勋，因极言朝政。廷杖系狱者再，久而得释。卒，追谥忠介。有《斛山集》。斛山手触逆鳞，甘以其身显弃。封事大略谓：'目前之忧甚大。大抵因仍苟且，兵戎废弛，公私困竭，奔竞成俗，贿赂通行。遇灾变而不忧，非祥瑞而称贺，谗谄面谀，士风民俗，于此大坏。而国之所恃以为国者，扫地尽矣。'又云：'天下之患，莫大乎以危为安，以灾为利，实则可忧，而以为可乐。法家拂士日远，而快意肆情之事，无敢有龃龉于其间。积弊而至于蛊，则不可得而救矣。'永陵见之震怒，下镇抚司，重笞下狱。于是晋江周主事天佐救之而死，文登浦御史铉再救之，而又死。系狱五稔始得释，才旋里，永陵复谕东厂拘之。斛山之在狱也，校尉苏宣、乔某、杨栋，狱官洪百户咸哀焉。及再被逮，缇绮亦怜之，不相促迫。斛山饭已即行，立门屏前，传语家人曰：'有旨见逮，吾行矣。'观者流涕。狱中撰《周易辨录》。其论文云：'文以理为主，以气为辅，不以偏邪之见乱其心，本诸圣贤之言，以充养之。如此，则造语皆自胸中流出，其吐词立论，愈出愈新而无穷。如日月在天，穷居深谷，花石草木之微，青者自青，白者自白，仰之以生辉，触之而成色矣。'旨哉言乎！诗则信口而作，不求工也。"《周易辨录》四卷，有嘉靖二十四年（1545）自序。五月，户部主事周天佐越职上疏以救杨爵，杖责而死。

## 三月

**沈坤等进士及第。**《弇山堂别集》卷八十二《科试考二》："二十年辛丑，命掌詹事府礼部尚书翰林院学士温仁和、翰林院侍讲学士张衮为考试官，取中陆树声等。廷试，赐沈坤、潘晟、邢一凤及第。改进士高仪、董份、严讷、高拱、梁绍儒、熊彦臣、晁瑮、陆树声（1509—1605）、陈升、裴宇、陈以勤、王材、徐养正、潘仲骖、杨宗气、王显忠、何云雁、张铎、王交、徐南、金忭、林懋和、王三聘、王言、何光裕、万士和、叶镗、夏子开为庶吉士，命仁和及太子宾客吏部侍郎翰林院学士张潮教习。"《万历野获编》卷十六《嘉靖三丑状元》："嘉靖二十年辛丑状元沈坤，直隶太和卫人也。历官南祭酒，忧居，以倭事起，将吏奔溃，坤率壮勇保其乡里，遂以军法榜笞不用命者。其里中虽全，而人多怨之。有儒生辈为谣言构之，御史林润弹治之。时坤起为北祭酒，上命捕至诏狱拷治，瘐死狱中。润所劾枭败卒之首，并剁住房人两手，皆无其事也。"

**同榜进士有王崇古**（1515—1588）、**万士和**（1516—1586）、**洪朝选**（1516—1582）、**李时行、王忬等。**《万历野获编》卷十六《一榜词林之盛》："弇州纪盛事，但述一榜中大僚，而未及词林。今按嘉靖辛丑馆中，则宰相五人，潘宫保晟、高宫保仪、严宫保讷、高少师拱、陈少傅以勤；尚书五人，董宗伯份、陆宗伯树声、徐司空养正、万宗伯士和、裴宗伯宇；赠尚书一人，陈宗伯升。其三品大九卿又七人，不暇尽记。然内惟潘为一甲第二人，余皆庶常也。弇州记一榜四相，于辛丑但纪潘新昌、严常熟、高新郑、陈南充，而遗高仁和仪，亦千虑之一失也。后戊辰词林，七相、五尚书、十侍郎中丞，可以继之。"《明史·选举志》："二十年辛丑，考选庶吉士题，文曰《原政》，诗曰《读大明律》，皆钦降也。" 王崇古，字学甫，蒲州人。嘉靖辛丑进士，除刑部主事，累官右佥都御史，巡抚宁夏，以兵部右侍郎，兼佥都御史，总督三边，以右都御史，总督宣大，加太子太保，进兵部尚书，召入协理戎政，加少保。卒，赠太保，谥襄毅。有《山堂汇稿》。万士和，字思节，宜兴人。嘉靖辛丑进士，历官礼部左侍郎。卒，谥文恭。有《万文恭公摘稿》。洪朝选，字舜臣，同安人。嘉靖辛丑进士，历官刑部右侍郎。有《芳洲集》。林士章撰有《通议大夫刑部左侍郎静庵先生洪公朝选谏铭》。王忬，王世贞之父。

**今年会元陆树声**（1509—1605）**选庶吉士，授编修。**陆字与吉，松江华亭人。嘉靖辛丑会试第一，廷对二甲第四，改庶吉士，授编修，累官礼部尚书。卒，赠太子太保，谥文定。有《陆树声诗文集》等。于慎行《明故资政大夫太子少保礼部尚书兼翰林院学士赠太子太保谥文定平泉先生陆公墓志铭》："故事：南宫第一人，被选必授馆职。而分宜与其胄子衡公落落，见无加礼，欲以他官抑之。先进有欲得公一言以为地者，公为不省。分宜诎于朝论，竟授编修。一日同馆谒寿分宜，皆更绯衣而入，公独青袍鹄立其间。分宜则目摄之，然亦不深讶也。肃皇帝祠竹宫，儒臣竞进青词，公独无所预。执政间以尝公，逊谢不应，而日与同舍高文端公、毘陵荆川唐公、同郡中江莫公诸人以问学志行相切劘，大为清议所归。"光绪《重修华亭县志·杂志》："陆文定公为编修，一日偕众以事至严分宜宅，盆菊缤纷，众争先致殷勤，公逡巡独后，谓诸人曰：'毋压倒陶彭泽。'闻者解颐。（郭宋府志）"《万历野获编》卷十三《辛丑二宗伯》："嘉靖辛丑科，词林二宗伯，一为乌程董浔阳份，一为华亭陆平泉树声，吴越接壤，相去不三舍。董先贵，世宗朝宠眷隆赫，以忤旨削籍归。又十八年而陆始正春卿之席，则今上龙飞，江陵欲收陆以为重，且示意即入揆路，将主甲戌会试。陆知其为乃子登进地，屡疏始允归，遂不出矣。至戊子年八十，抚按为请于朝，得存问，且加太子少保。董次年己丑，亦登八十，巡按御史蔡系周亦为之请。时申吴门当国，王太仓为次揆，俱董壬戌所举会试廷试第一人，业已允行，而御史万国钦驳之，备数董立朝邪佞，居乡不法诸状，成命为寝。是年董之子给事道醇殁于家，而陆之子彦章，适登第拜行人使归，则情境大不侔矣。又七年乙未，董之长孙礼部郎嗣成在侍，而次孙嗣昭成进士，殁于京邸。董宗伯不胜痛，寻病卒。礼部君亦坐家难，愤恚发疾死，年亦未四十也。又三年戊戌，陆登九十，上遣中书柴大履存问于家。时申、王两公，俱以首揆居里，同执羔雁往贺，修后进礼，隅坐屏息以侍，观者荣之。而董八十时，两公门生方在事，且遭万抨章，更无此盛举也。又三年辛丑，而陆之同邑张以诚举状元，适值一甲子，陆喜甚，以年弟帖投之，虽属戏剧，然实清朝所希觏者。陆后再膺存问，九十七而下世，饰终赠谥之典大备，尤非董所敢望。二公品行，世所共见，不复置喙，特纪其同登第，同词林大僚，同高年林下，同在三吴一方，而后先荣悴不同如此。"

**何良傅**（1509—1562）中进士，颇得严嵩赏识。授行人司行人。何良俊《弟南京吏部祠祭郎中大鬐何君行状》："君讳良傅，字叔皮，华亭柘林里人也。""十四选补博士弟子员。时永丰双江聂公为华亭令，方右文兴学，选弟子中之秀异者召置门下，月出数题命作时义，每篇必出其疵颣，授以作文之法。余与君皆在选中。君体素羸，不任劳苦，凡入试于应天，辄以病不克终试。后以拔贡卒业于南太学。从南太学入试于应天，又辄以病不克终试。至庚子（1540）年，一终试即举于应天。辛丑连举进士。时介溪严公（严嵩）在礼部知举，拆卷时，手其文语同事诸人曰：'此子与其兄良俊皆吴中名士，今喜拔得其一矣。'廷试在第三甲，授行人司行人。"迁刑部主事，改南礼部，历员外郎中。有《礼部集》十卷。

## 五月

**崔铣**（1478—1541）卒。《明儒学案·诸儒学案中二·文敏崔后渠先生铣》："崔铣字子钟，一字仲凫，号后渠，河南安阳人。弱冠举乡试，入太学，与四方名士马理、吕柟、寇天叙辈相期许。登弘治乙丑（1505）进士第，改庶吉士，授编修。逆瑾窃政，朝士见者多屈膝，先生与何瑭长揖而已。瑾怒其轻薄，……终出为南京稽勋主事。瑾诛，召还翰林。……晋侍读，遂告归。嘉靖改元，起原官，寻擢南京祭酒。大礼议起（1524），上疏勤圣学，辨忠邪，以回天变。上以为刺己也，勒令致仕。家居十六年，以皇太子立，选宫僚，起少詹事兼侍读学士，转南礼部右侍郎，入贺圣节，过家疾作而卒，辛丑岁也，年六十四。赠礼部尚书，谥文敏。"事迹又见《明史·儒林传》。《四库全书总目》著录崔铣《读易余言》五卷、《崔氏小尔雅》一卷、《彰德府志》八卷、《文苑春秋叙录》一卷、《士翼》四卷、《后渠庸书》一卷、《洹词》十二卷、《晦庵文抄续集》四卷、《洹词别本》十七卷、《文苑春秋》四卷。《洹词》提要曰："是集题曰'洹词'，以铣家安阳，境有洹水故也。一卷、二卷曰馆集，三卷曰退集，四卷曰雍集，五卷至十卷曰休集，十一卷、十二卷曰三仕集。皆编年排次，不分体裁。杂著笔记亦参错于其间。铣力排王守仁之学，谓其不当舍良能而谈良知。故持论行己，一归笃实。其争大礼，劾张璁、桂萼，风节表表，亦不愧其言。所作《政议》十篇，准今酌古，无儒生迂阔之习。他若《漫记》十条，可以补《宋史》之未备。《讹传》两则，可以靖明代之浮言。而《岳飞论》一篇，称飞之急宜奉诏班师，尤识大体。盖不以文章著，而文章自可传也。第十一卷中有严嵩《钤山堂集》序，似涉南园作记之疑。然嵩集载此序，题嘉靖己亥。据《明史》嵩传，是时方为礼部尚书，未操国柄，尚无由预识其奸。是犹司马光之于王安石，非陆游之于韩侂胄矣。"《静志居诗话》卷九《崔铣》录其五绝《秋风》；《明诗纪事》丁签卷十三录崔铣《赠谢茂秦》一首。

**张志选刊行徐问《山堂萃稿》，唐顺之作序，张志选作跋。**《山堂萃稿》，徐问所著诗文集。唐序署"嘉靖辛丑夏五月，同邑后学荆川生唐顺之应德甫顿首书"，张跋署"嘉靖年辛丑长至，晋江后学行吾子张志选以学甫顿首书"。《静志居诗话》卷九："徐问字用中，武进人。弘治壬戌进士，除广平推官，召为刑部主事，转郎中，出知登州府，调临江，迁长芦盐运史，历广东左布政，以右副都御史巡抚贵州，拜兵部侍郎，改礼部，进户部尚书。谥庄裕。有《养斋集》、《山堂萃稿》。尚书五律，清高深稳。歌行如：'山鸡野鹤自啼舞，赤日照耀神仙宫。''悬崖石壁置台观，凌虚下瞰冯夷宫。''寒潮涌日下孤岛，潮回响聒晨昏钟。'颇具谪仙风骨。"《四库全书总目》卷一七六集部别集类存目三著录徐问《山堂萃稿》十六卷，提要曰："是编诗六卷，文十卷，而奏疏三篇附诗之末，体例殊别。其诗文平正通达，而伤于浅易。中有孙伟、方豪、黄佐三人评语，盖即以点勘之本附雕，亦非古式。"徐问另有《读书札记》八卷。《明儒学案·诸儒学案中六·庄裕徐养斋先生问》："先生为旧论缠绕，故于存养省察，居敬穷理，直内方外，知行，无不析之为二，所谓支离之学，又从而为之辞者也。其《读书札记》第二册，单辟阳明，广中黄才伯（黄佐）促而成之。"《四库全书总目》卷九三子部儒家类三著录《读书札记》八卷，提要曰："明徐问撰。……是书乃问巡抚贵州时，与门人问答，随时札记而成。所论天文、历象、山川、性理、六经、四子书皆守先儒成说。其论学则一本程、朱，而力黜姚江之学。如古本《大学》、亲民格物、知行合一各说，皆逐条辨正。尝与罗钦顺书云：'王氏之学本诸象山，至今眩惑人听。'《读书札记》第二册实辟其说。盖以广中侍读黄才伯促而成之。才伯者，黄佐字也。所云第二册者，即指此本第五卷。今核其所辟各条，大都托之或谓，又称为近学、世学，而并未斥言。盖是时王学盛行，羽翼者众，故问不欲显示排摈。然所摘发，多能切中症结，迥异乎陈建诸人，叫嚣毒詈，如不共戴天者。史称问官长芦盐运使，终任不取一钱，则与言清行浊者异。又载问官贵州巡抚时，破独山州贼蒙钺，则与迂疏无用者亦异。宜其言笃实切近，无讲学家之积习矣。"《明诗纪事》丁签卷九录徐问诗六首。

## 六月

**徐渭成婚**。徐渭《畸谱》："二十一岁。寓阳江。夏六月，婚。得潞兄讣，秋，兄淮至阳江，余随之归，寓广省久。冬，始抵玉山，岁除矣。改春大雪，往岳庙看绿萼梅，诗三首，刻文略。"

## 夏

**李开先罢太常寺少卿，优游林下，为诸友邀入词社，轮流作主**。殷士儋《翰林院提督四夷馆太常少卿李开先墓志铭》："公既负才气，居铨衡要路，素亢直，不善事权贵人，而诸侥幸见抑者又日媒蘖之。时柄臣衔公不附己，遣逻卒廉公阴事，久之无所得，终不释。公至是盖已迁太常矣，会九庙灾，公例上疏自陈，竟中以他事，令公归。"李开先《东村乐府序》云："自辛丑夏，罢归田庐，优游词会，每月相参作主，分题定韵，言志抒情，北曲南歌，长章小令，不两年，充然成帙。……忆昔词成之余，相与吊古穷奇，登山临水，一倡众和，大笑长呼，出游鱼而惊秣马，愁花鸟而走山灵，今恍如隔世事矣。"（《闲居集》之五）《归休家居病起蒙诸友邀入词社》云："仕途不作词，朝省日奔驰。官罢非无兴，病多几不支。秋来吾已健，夜宴客相随。新作谁能唱？须烦女教师。""诸友俱能作，如吾何所知。强推为会长，深愧不相宜。玉树多悲调，竹枝亦俗词。口占南北曲，即席付歌儿。"（《闲居集》之二）《列朝诗集小传》丁集上《李少卿开先》："在铨部，谢绝请托，不善事新贵人。已迁太常，会九庙灾，上疏自陈，竟罢归。归而治田产，蓄声妓，征歌度曲，为新声小令，搊弹放歌，自谓马东篱、张小山无以过也。为文一篇辄万言，诗一韵辄百首，不循格律，诙谐调笑，信手放笔。尝自序《闲居集》曰：'年四十罢官归里，既无用世之心，又无名后之志。诗不必作，作不必工。'自称其集曰'闲居'，以别于居官时苦心也。所著词多于文，文多于诗。改定元人传奇乐府数百卷，搜辑市井艳词、诗禅、对类之属，多流俗琐碎，士大夫所不道者。尝谓：'古来才士，不得乘时柄用，非以乐事系其心，往往发狂病死，今借此以坐消岁月，暗老豪杰耳。'"

## 八月

**顾大典**（1541—1596）**生**。据徐朔方《晚明曲家年谱》。乾隆《江苏震泽县志》卷十九《文学》："顾大典字道行。祖皋，见《吴江志》。大典少孤，依母家周氏，读书过目成诵。隆庆二年成进士。年未及壮，丰神秀美，望之若仙。授绍兴府教授，迁处州府推官。万历二年擢刑部主事，改南京兵部，累迁吏部郎中。大典工诗善书画，在金陵，暇即呼同曹郎载酒游赏，遇佳山水辄图之，或晨夜忘返，而曹事亦无废。十二年，升山东按察副使，改福建提学副使。请托一无所徇，忌者追论其为郎时放于诗酒，坐谪禹州知州，遂自免归。再起开州，不就。家有谐赏园，池台清旷，宾从觞咏不辍。又妙解音律，颇畜歌妓，自为度曲。不入公府，曰：'吾性本疏懒，非恶见贵人也。'归后七八年而卒。所著有《清音阁集》、《海岱吟》、《闽游草》、《园居稿》行于世。子二，庆延词翰清绝，庆恩见《名臣传》。（参献集）"《列朝诗集》、康熙《吴江县志》等有顾大典传，可参考。

## 秋

**朱廷立为毛伯温《东塘先生文集》作序**。序署"嘉靖辛丑秋望日，楚通山门人朱廷立谨撰"。毛伯温（1482—1545）号东塘。

## 十月

**杨慎《升庵诗话》单独印行，程启充作序**。序署"嘉靖辛丑阳月，嘉州初亭程启充序"。阳月，农历十月。张含、王嘉宾、杨达之各有《诗话补遗序》，张序署"嘉靖壬子（1552）十一月七日，永昌禹山张含序"；王序署"嘉靖丙辰（1556）夏，蜀东缑岭山人王嘉宾序"；杨序署"嘉靖丙辰三月，门生大理杨达之顿首谨序"。

**刘天民（1486—1541）卒**。李开先《四川按察司副使前吏部文选司郎中函山刘先生墓志铭》："函山刘先生者，讳天民，字希尹，济之历城人。城南二十里，有函山，因以为号焉。"正德甲戌（1514）进士，除户部主事，谏南巡受笞阙下。改吏部，谏大礼，又受笞。历文选郎中，调知寿州，累迁河南按察副使，改四川，以计典罢。"先生生于成化丙午夏四月二十七日亥时，卒于嘉靖辛丑冬十月十一日辰时。""诗文书翰，为当世所推尚。晚年为词曲，杂俗兼雅，歌者便之。盖虽假金元之音以洩不平，亦可见才之优赡，无往不宜也。自少以至投老，有风调，善谈吐，庶几乎嬉笑怒骂皆成文章者。黄方伯海亭尝谓余曰：'同一事也，他人言之或无意味，但自函山口出，人无不倾听者矣。'饮酒多而不废事，次日亦不病酒。每对客自矜，曰：'人谓解醒不可去酒，醒之病状，吾平生未知，非饮中一福人耶？'所著有《愧庵集》、《刺寿稿》、《游蜀吟》、《南行稿》、《草虫吟》、《田间集》，并前所云《禹贡》、《洪范》二解。"《明史·艺文志》著录刘天民《洪范辨疑》一卷。《四库全书总目》卷一七六集部别集类存目三著录刘天民《函山集》十卷，提要曰："所著本有《虫吟草间集》、《刺寿稿》、《游蜀稿》、《田间集》诸目。其孙亮采汇而刻之，共为此集云。"《静志居诗话》卷十《刘天民》："函山谏草两陈，再笞阙下。其调知寿州也，故事：京官外谪，出都时以眼纱自蔽。过部门，选人拥其马不得前。函山掷纱于地，曰：'吾无愧于官，俾汝辈见吾面目可耳。'蔡鹤江送以诗云：'元祐党人沧海外，贞元朝士晓星前。'王耕原送以诗云：'君不见盘中紫脂蟹，畴昔横行今安在？又不见坐上虎皮裀，当日负嵎思杀人。世间反复那可数，鄙夫何事用心苦。'盖以刺谗人也。晚又以计吏罢，愤懑不平，恒逃于词曲，有云：'把俺这没嫂嫂的陈平，也串下一个招。'李中麓每称之。"《四库全书总目》著录《函山集》，提要云："朱彝尊诗话称天民晚以计吏罢，愤懑不平，恒逃于词曲。而顾璘序则称其内境春融，神游太古，无芥蒂于得失。今观其集中，如《拟宫词》五十首、《古别离》、《宿楚相祠》等作，尚可谓怨而不怒者。特其摹仿太多，不能卓然自成一家耳。"《明诗纪事》戊签卷十二录刘天民诗六首，陈田按："希尹以直谏名，亦留心风雅，不尽合辙。渔洋谓古选在华泉之上，亦乡曲之言耳。"

## 本年

**卢柟（？—1559）仍在浚县狱中。**卢柟《蠛蠓集》卷四《酬谢逸人四溟三首》序："山东谢榛茂秦，嘉靖中以能诗为赵王客，居邺邸，尝游迹燕、赵、梁、宋间，与余相知。辛丑岁，余坐诬系浚狱，则杳然莫知出处。近有人自宋中来，传《四溟诗集》，读之，乃茂秦所为者；中二绝句矜予极冤，拟之祢衡、李白之伦。"

**今年大计，河南参政王慎中以不附夏言落职。时年三十有三。**王惟中《河南布政司参政王先生慎中行状》："属岁大饥，大梁宋卫之墟殍胔蔽野，民且相食。天子为遣户部侍郎王公（王杲）奉宣德意，以赈贷全活之。王公至，檄先生（时任河南参政）将事。先生为见历郡邑，周行乡井，开廪发粟，劝分平粜，而赈给有方，里胥豪猾不得侵置铢发，饥者得食，待哺之民倏获更生，枯润仆起，诵声载途。王公具以其状闻，且荐先生宜大用，人亦旦夕望其为公卿。乃嘉靖辛丑忽从中报罢，朝野骇愕，莫得其故。先生所以罢，由在江西时夏相方以权焰为缙绅所辐辏，吏于其乡者皆曲意取容，先生独漠然不顾，蓄憾特甚。会考察，遂以意讽吏部，考功惧拂其意而外惮公论，姑以不及调先生。迨疏入，乃出内批以不谨罢，时年才三十三也。"王慎中《河南参政刘涵江墓表》云："辛丑岁，予与公同罢河南参政。予方倨侮自恣，驰书于公，约游淇水、王屋、太少二室、武当山，相携而归。公艴然径归，且报书曰：'君报罢犹出内批，孰不知为权贵人所为，如吾谁当为明者？吾归矣，不能从君游。且宦其土，方见罢，而又往游焉，得毋太作意乎？'予时已至淇上，徜徉百泉、苏门之间，愧公之言，径趋安阳，访故学士崔后渠先生，谈数日，亦遂归，不复至孟门、洛阳矣。"《明史·文苑传》："久之，（慎中）擢山东提学佥事，改江西参议，进河南参政。侍郎王杲奉命振荒，以其事委慎中，还朝，荐慎中可重用。会二十年大计，吏部注慎中不及。而大学士夏言先尝为礼部尚书，慎中其属吏也，与相忤，遂内批不谨，落其职。"

**田汝成、蔡汝楠偕游武夷，各成五言古诗十首，后编为《武夷游咏》。**田艺蘅《家大夫小集引》："《武夷游咏》一卷，嘉靖二十年公与蔡子木作，板存武夷山豫阳讲宇。"《四库全书总目》卷一九二《武夷游咏》提要："嘉靖二十年四月，汝楠以刑部员外郎告归，省父于延平。适汝成为福建提学副使，校士崇安。二人因偕游九曲，各成五言古诗十首，编为一帙。"蔡汝楠字子木。

**田汝成（约1503—1563）《西湖游览志》刊行。《西湖游览志》系史部地理类著作，多记湖山之胜。**田艺蘅《家大夫小集引》："《西湖游览志》凡五十卷，嘉靖二十年刻，板存杭州府。"《静志居诗话》卷十二："田汝成，字叔禾，钱塘人。嘉靖丙戌（1526）进士，授南京刑部主事，由员外转礼部郎中，出为广东提学佥事，左迁滁州知州，升贵州佥事，迁广西左参议。有《豫阳集》。叔禾挟黄勉之遍游武林诸山，互相酬和。撰《西湖游览志》及《志余》，亦称好事。惜《中兴馆阁录》、《都城纪胜》、《武林旧事》、《梦粱录》、《咸淳临安志》、《大涤洞天纪》诸书，皆未寓目，未免挂一漏十耳。诗品在范青山、江午坡间。"《四库全书总目》卷七〇史部地理类三著录田汝成《西湖游览志》二十四卷、《志余》二十六卷,提要曰:"是书虽以游览为名,多记湖山之胜,实则关于宋史者为多。故于高宗而后,偏安逸豫,每一篇之中三致意焉。宋乾道间,周淙撰《临安志》十五卷,咸淳间,潜说友又续成一百卷。湖山特其中之一目,例不当详。吴自牧作《梦粱录》,周密作《武林旧事》,于岁时、风俗特详,而山川、古迹又从略。汝成此书,因名胜而附以事迹,鸿纤巨细,一一兼该。非惟可广见闻,并可以考文献。其体在地志、杂史之间,与明人游记徒以觞咏登临,流连光景者不侔。其《志余》二十六卷,则摭拾南京轶闻,分门胪载。大都杭州之事居多,不尽有关于西湖。故别为一编,例同附录。盖有此余文,以消纳其冗碎,而后本书不病于芜杂,此其义例之善也。惟所征故实,悉不列其书名,遂使出典无征,莫能考证其真伪。是则明人之通弊,汝成亦未能免俗者矣。"

**施文明校刊《宁藩书目》。吕柟作《张子抄释》自序。托名杨慎《广夷坚志》或刊于今年。魏焕编《九边考》。据四库提要。**

**顾璘任南京刑部尚书。据王世贞《弇山堂别集》。**

**焦竑(1541—1620)生。**焦竑,字弱侯,南京人。万历己丑举进士,廷试第一人,除翰林修撰。谪福宁州同知。天启初赠谕德,福王时追谥文端。有《澹园集》、《续集》等。《列朝诗集》、《罪惟录》、《明史》等有传。

## 公元 1542 年(世宗嘉靖二十一年 壬寅)

### 正月

**丰越人(1542—1619)生。**丰建《丰正元先生诗跋》:"先君生于世庙壬寅之王正朔日。"《列朝诗集小传》丁集下:"越人字正元,鄞县人。有《天放野人集》。"丰越人自号天放道人。《四库全书总目》集部别集类存目七著录《丰正元集》四卷。

### 五月

**蒋山卿(1486—1542 年后)作《诗集自序》。**其诗集《南泠集》已于去年刊行。序曰:"余自髫年学诵诗,能分别前人格调。弱冠渡江,见东吴顾吏部、宝应朱户曹,教以读汉魏晋宋唐人之诗。年二十九举进士。始与同年亳州薛子蕙研工古作,是时信阳何子景明与薛邻,尝闻其绪论焉。而同时倡和者,在北有关中刘子储秀、张子治道,济南刘子天民,上邽马子汝骥,秦川胡子侍,在南有顾子璘,多闻之益,惟二三子矣,而知我者薛子也。平生性本疏愚,所属辄多遗弃,犬马走是惧,辑录其所存者十二卷,洛阳乔子佑敦门下之雅,乃为之刻于太平台中。刻之明年为嘉靖壬寅,后五月既望,山卿自序其事云尔。"《四库全书总目》卷一七六集部别集类存目三著录《南泠集》十二卷,提要曰:"明蒋山卿撰。山卿字子云。《千顷堂书目》作字仙卿,传写误也。仪真人。正德甲戌进士。官至广西布政司参政。是集为山卿所自订,其门人乔佑校刻。前有自序云:弱冠见东吴顾吏部、宝应朱户曹,教以读汉、魏、晋、宋、唐人之诗。年二十九,举进士,好与同年亳州薛子蕙研攻古作。是时信阳何子景明与薛邻,尝闻其绪论焉。其学诗大旨，已尽于此。顾璘序称其下笔千言，才情焕发，朋辈每为敛手。而王世贞又以不堪咀嚼少之。持论互异。今观其集，正韩愈所谓无好无恶之诗耳。"

**陆铨**（？—1542）卒。戴鲸《广东右布政使陆公铨行状》："公讳铨，字选之，别号石溪。"嘉靖癸未进士。官至广东布政使。"卒，实嘉靖二十一年五月十一日。"《千顷堂书目》卷二三著录陆铨《石溪集》。《静志居诗话》卷十一《陆铨》："陆铨字选之，鄞县人。嘉靖癸未进士，除刑部主事，谏大礼，廷杖，迁兵部员外，转礼部郎中，为张孚敬所忌。出为福建按察副使，历广西按察使，广东布政使。有《石溪集》。石溪论诗，专以性情为主。尝曰：'宋人不能为唐，唐人不能为汉、魏，时为之也。其偶似者，宋之似唐，唐之似汉、魏尔。'故诸体不沿时习。五言如'鸟白云中树，山青雨后峰'，'乱帆争入浦，羸马怯过桥'，'越竹成游轿，吴蚕吐钓丝'；七言如'山田雨足秋仍熟，石室风高夏亦寒'，'绝壁有松人不到，深林无主鸟相忘'，'沙头水急潮初落，山腹烟多雨未收'，'野树巢空惊鹤去，浅沙船动觉潮来'，'轻便度岭双肩轿，小巧穿桥独橹舟'，'一别动经千里阔，百年消得几回忙'，皆非陈言也。至若《狱中次季举之韵》云：'圣怒不妨为孝子，狂言岂敢托忠臣。'庶几哉，忠厚之遗矣！"《明诗纪事》戊签卷十五录陆铨诗一首，陈田按："选之议礼，与罗峰不合。罗峰骤贵，气凌朝士，排挤正人。选之挽罗峰诗云：'此后正人方贴席，从前同党几张弧？笑君十载为公相，不得徐生一束刍。'可谓快论也。"《明史·文苑》有传。张璁号罗峰，或作萝峰，后改名张孚敬。

## 六月

**柴奇**（1470—1542）卒。陆深《应天府府君柴公奇行状》："公讳奇，字德美，号黼庵，姓柴氏，昆山人也。"正德辛未进士，历官吏科给事中、南光禄少卿、应天府尹。"公以成化庚寅十月十有九日生，以嘉靖壬寅六月七日考终于正寝，年七十有三。所著有《石池稿》、《嘉树轩纪闻》并《黼庵集》，藏于家。"《四库全书总目》集部别集类存目三著录柴奇《黼庵遗稿》十卷，提要曰："奇在正德时，谏南巡，劾权幸，及上边储屯政诸疏，颇著直声。以当时自焚其草，故集中不载。是编前有正德辛巳题识，称旧有《石池诗稿》、《石池文稿》、《嘉树轩纪闻》各一册。己卯转南光禄，失之。重置一册，录后来之作。时有所忆，或就人录得，亦错置其间云云。盖犹奇所手编也。凡诗六卷、杂文四卷，皆平易有余，精深不足，邹守益序称其诗文典雅雄健，不落骫骳，不矜刻峭。友朋推挹之词耳。"《明诗纪事》戊签卷十一录柴奇诗三首，陈田按："德美诗疏豁无滞，七绝特有风韵。"

**朔，日食昼晦，世宗大恐，问天官主何占。户科给事中刘绘引《汉书》对，请去夏言以塞天怒，夏言遂去位。**张佳胤《中宪大夫重庆府知府嵩阳刘公暨配胡孺人墓志铭》："初，贵溪相（夏言）与侯勋（武定侯郭勋）阴害而阳浮好，谋共倾司马王公。公遂劾勋奸赃，竟下狱，而夏缘是欲中王，并罪之，先生为上书理其冤，明日罢王归。夏患甚，然无可谁何先生者，乃遣客李宝以姑布之术说先生附己，当大显，先生怒发竖，揣胡投宝柱下，明日揖夏于朝曰：'某且死职，不能从客言。'他日从诸给舍寿相公，相公手玉碗行酒，至先生前，诵丽词为欢，公色勃勃，故堕碗，客尽惊出。明日疏夏十罪，谓夏专权骄恣，无人臣礼，当坐死。疏寝不报。是岁壬寅六月朔昼晦，上大恐，问天官主何占，公复上封事曰：'臣谨按《汉书》，刘向、京房、郎颙皆谓阴掩阳为臣迫君之象，沴气下盛，上著于天，宜亟去言以塞天意。'明日遂逐夏，一时台省出夏门者悉被黜。"

## 夏

**夏言作词书扇以赠杨仪。杨仪为夏言门人。**杨仪《重刻桂翁词序》："往在壬寅岁，仪谬领霸州之命，公属词书扇以为赠言，时方夜暑，使至，拜辱于今司成程舜敷座中，执烛诵之，一阕既终，坐客皆唏嘘动色，再歌之，凉飙肃然，左右皆掩泣而走。明日篇章遂传布都下，儿童舆皂皆能歌之。"《远志斋词衷·夏贵溪词》："虞山诗选云夏贵溪喜为长短句，诗余小令，草稿未削，已传布都下，互相传唱。殁未百年，而《花间》、《草堂》之集，无有及公谨名氏者。求如前代所谓曲子相公，亦不可得。大约《花间》、《草堂》，亦宋人选集之偶传者耳，此外不传者何限。况并不入选中，则佳词灭没，又不知其几矣。"夏言（1482—1548）字公谨，号桂洲，贵溪人。

## 七月

**夏言罢。**郑晓《今言》卷三："嘉靖壬寅七月朔，日食。逐贵溪去。时诸城一人在内阁，中秋分宜入内阁。甲辰，诸城以二子举进士，为言官所劾，父子并削籍。数月后，灵宝许太宰、石首张宗伯二人同入内阁。丙午，许乞致仕，闲住去。张病卒。是冬复召贵溪。贵溪至，而寿宁侯张延龄死于西市。戊申冬，贵溪亦如之。"

**吕柟（1479—1542）卒。**李开先《泾野吕亚卿传》："泾野姓吕，讳柟，字大栋，既而改字仲木，西安之高陵人也。居泾水之阳，四方学者共称为泾野先生。""以壬寅六月左臂瘫发，坐卧北泉精舍，至七月一日卒……生则成化己亥四月二十一日，享年六十四。"正德戊辰进士第一。官至南京礼部右侍郎。参见马理《南京礼部右侍郎泾野吕先生墓志铭》、马汝骥《通议大夫南京礼部右侍郎泾野吕公柟行状》。薛应旂《泾野先生传》："泾野先生姓吕，名柟，字仲木，陕西西安高陵人也。西安为古泾阳之域，学者称为泾野先生。……壬寅某月日以疾卒于家，年六十四。所著有《四书因问》、《周易说翼》、《尚书说要》、《毛诗说序》、《春秋说志》、《礼问》、《史约》、《宋四子钞释》、《诗学图谱》、《寒暑经图解》、《史馆献纳》、《南省奏稿》、《泾野文集》、《诗集》、《监规发明》、《署解文移》各若干卷，行于世。然皆仁义之精华，孔颜之正脉，有非迁、固以来文人词客所能与者。"《明史·艺文志》著录吕柟《周易说翼》三卷、《尚书说疑》五卷、《毛诗序说》三十七卷、《解州志》四卷、《泾野子内篇》三十三篇、《语录》二十卷、《寒暑经图解》一卷、《泾野集》五十卷。《四库全书总目》著录吕柟《周易说翼》三卷、《尚书说要》五卷、《毛诗序说》六卷、《礼问》二卷、《春秋说志》五卷、《四书因问》六卷、《泾野子内篇》二十七卷、《周子钞释》三卷、《张子钞释》六卷、《朱子钞释》二卷、《泾野集》三十六卷。《泾野集》提要曰："（吕）柟之学出薛敬之，敬之之学出于薛瑄，授受有源，故大旨不失醇正。然颇刻意于字句，好以诘屈奥涩为高古。往往离奇不常，掩抑不尽，貌似周秦间子书。其亦渐渍于空同之说者欤？"吕柟门生有吕潜、张节、李挺等。吕柟卒年，李舜臣《刻泾野先生文集序》作"癸卯"（1543），误。

周伦（1463—1542）卒。文徵明《周康僖公传》："周公名伦，字伯明，苏之昆山人也。"晚号贞翁。弘治己未进士。官至南京刑部尚书。"二十一年，年八十卒。是岁七月一日也，讣闻，赠太子太保，谥康僖。……为文典雅明洁，必宗于理，诗尤新丽。所著有《贞翁净稿》二十卷，《奏议》二十卷，《西台纪闻》二卷，《医略》四卷。"《明史·艺文志》著录周伦《贞翁稿》十二卷。《四库全书总目》卷一七六集部别集类存目三著录周伦《贞翁净稿》十二卷，提要曰："是集为赵士英所删定。其诗沿台阁旧派，不免肤廓。士英序谓其有得于陶元亮、王摩诘两家，非定论也。"《明诗纪事》丁签卷八录周伦诗三首。

## 八月

礼部尚书严嵩兼武英殿大学士，预机务。据孟森《明史讲义》第二编第四章。

周履靖（1542—1632）生。李日华《味水轩日记》万历三十九年（1611）八月十九日日记云："梅墟周表叔七旬诞日，扶家君率儿子往称觞。"李日华为周履靖表侄。周之生日据以推定。周履靖，字逸之，别号梅墟、螺冠，嘉兴（今属浙江）人。作有《锦笺记》传奇。

## 十月

宫女杨金英以丝带缢杀世宗未果，史称"宫婢之变"。《万历野获编》卷十八《宫婢肆逆》："嘉靖壬寅年，宫婢相结行弑，用绳系上喉，翻布塞上口，以数人踞上腹绞之，已垂绝矣。幸诸婢不谙绾结之法，绳股缓不收，户外闻咯咯声，孝烈皇后率众人解之，立缚诸行弑者伏法。时上乍苏，未省人事，一时处分，尽出孝烈，其中不无平日所憎，乘机滥入者。又宁嫔王氏，首谋弑逆，端妃曹氏，时虽不与，然始亦有谋。俱载实录中。故老相传，曹妃为上所嬖，孝烈妒而窜入之，实不与逆谋。然而宫禁事秘，莫能明也。今《实录》所载姓名，稍异一二。偶得当时底案，录其姓名，并刑部奉旨于后。曹端妃不列名于疏，想正法禁中矣。曹氏本端嫔，因生皇第一女，以十四年进封端妃。是夜上寝于端妃所。宫婢张金莲，报变于中宫。盖先同谋，事露始告耳。"又卷二《壬寅岁厄》："世宗中年，静摄斋居，不御朝已久。至壬寅冬十月，而有宫婢之变。主上已濒危，至丙夜始能言。医官用去血剂，稍苏，犹数日始能复故，从此圣体愈康。"又《嘉靖始终不御正宫》："大内乾清宫，以正德九年遇灾，旋鸠工创建，役尚未竣。比肃皇以正德十六年四月，自郢中入奉大统，暂居于文华殿，亟促冬官昼夜缮治，至十月而落成，上始移跸。临御垂二十年，至己亥（1593）南巡，则永寿宫已成。至壬寅宫婢之变，上因谓乾清非善地，凡先朝重宝法物，尽徙实其中，后宫妃嫔俱从行，乾清遂虚。至丙寅（1566）上宾，始返龙蜕于大内。盖自践祚之初，及弥留之际，皆于别宫行吉凶礼，说者谓世宗以禁中为列圣升遐之所，意颇疑惧。而永寿则文皇旧宫，龙兴吉壤，故圣意属之。古云：先天而天弗违。世宗有焉。"《静志居诗话》卷十二："宫婢杨金英欲弑世宗于熟寝，以绳束帝喉，未绝，有张金莲走告皇后，往救获苏。此嘉靖壬寅年事也。讯得同谋者，杨玉香、邢翠莲、姚淑翠、杨翠英、关梅秀、刘妙莲、陈菊花、王秀兰、徐秋花、邓金香、张春景、黄玉莲凡一十三人，悉磔之于市。王祭酒维桢《孝烈方皇后挽歌》云：'范内留芳训，扶天有骏功。仙游知跨凤，圣念为当熊。玉珮虚无里，苍云怅望中。宜春花照眼，泪洒旧时丛。'圣念当熊盖指此也。"王维桢（1507—1555），字允宁，华州人。嘉靖乙未（1535）进士，选庶吉士，授检讨，历修撰谕德，迁南国子祭酒。以省母归，值地震陷死。有《槐野存笥稿》二十卷。今年王维桢在翰林院检讨任。

**皇亲方锐为世宗作大醮于东岳庙，世宗劳以温旨，有白金文绮之赐。**《松窗梦语》卷五："壬寅十月大雾，树木生冰，识者谓主侧有阴谋。已而传旨宣法司，出宫人十有六人，凌迟东市。先是宫人杨金英等同宁嫔王氏、端妃曹氏共谋大逆，事几不测，赖方后救全。乃究诸恶罪，明正典刑，仍戮各犯宗属。时圣躬方调护，不能郊天，盖邪婢逆谋之后，不免少伤耳。方皇亲锐为上作大醮于东岳庙三昼夜，既而题知，劳以温旨，有白金文绮之锡。于是九卿堂上官许赞等，各捐金延道众于显庆宫，作醮事三昼夜，以祝圣寿。上方崇尚道教，如邵元节、陶仲文皆以方士得幸，位上卿，加宫保，有致一、秉一真人之号。倡率道众，时举清醮，以为祈天永命之事。上亦躬服其衣冠，后妃宫嫔皆羽衣黄冠，诵法符咒，无间昼夜寒暑。禁中建大高玄殿、无上等阁，极其绮靡，供奉神祇。外则显灵、灵济等宫，皆为祠祷之所。自上临御，数年以后，稍稍留意于此矣。"

## 十一月

**顾璘读蒋山卿《南泠集》，爱不释手，作《蒋南泠诗集序》。**序云："余尝有言曰：诗以自得为宗，正之以气格，和之以音调，其要也，模拟者最下。盖恶夫雕琢牵缀之辞，远于斯道也，抑安得见斯人，与之畅斯意哉！吾友南泠蒋子云氏，深有得于余心同然者，集其所作诗若干篇，寄余商评，开缄快读，凡三昏旭而不能去手。……皇明嘉靖壬寅仲冬长至日，南京刑部尚书姑苏顾璘撰。"《列朝诗集小传》丙集："山卿字子云，仪真人。正德甲戌进士，授工部主事。谏南巡，拜杖，谪南京前府都事。嘉靖改元，复官，历刑部郎中，出知河南府，改浔州，再改南宁。时有诏讨思田土官岑猛，调度军兴，以功进广西参政。总督林富雅重其才略，拟以方镇擢用，竟坐谗言罢。……以其时考之，子云之诗，发源于金陵，成就于亳州，主于学唐，不为勤杜，其亦生于北郡之后，而不堕其云雾者与？"《静志居诗话》卷十《蒋山卿》："有《南泠集》。子云诗如水精净域，尽扫游尘，微嫌境太浅尔。"《明诗纪事》戊签卷十二录蒋山卿诗十二首，引《坚瓠集》云："嘉靖临御久，简于视朝，日居西宫奉道。初用邵真人，继用陶真人，官皆极品。后妃而下法服以从。蒋子云《宫词》云：'君王亲著紫衣裳，白玉冠簪八宝光。夜半碧坛星月冷，九天星月下鸾凰。''离宫复道接蓬莱，云绕千峰五色开。香辇无尘珠箔卷，后宫遥望上陵回。''小年选入芷珠宫，紫阁玲珑十二重。日侍上真修法事，水晶盘捧玉芙蓉。''碧殿瑶坛礼上清，桂花甘露浸银瓶。双双玉女扶青案，跪启琅函讽道经。'"陈田按语云："参政诗格调整齐，微有陈色。录其清婉者，亦自楚楚。"

**陈凤刊行金大车（1493—1536）诗集，许谷作《刻金子有诗集后语》。据《后语》题署。** 金大车，字子有。

## 十二月

**丁奉（1480—1543）卒。（卒年据公历标注）** 薛应旂《南湖留稿序》："海虞丁南湖先生，举进士，历官南验封郎中，正德中以讳误去。既谏垣白其事，诏复登用。时值其舅氏陆水村位冢宰，累遗书促之起，先生辞不赴，雅志艺文，多所著述，是稿盖其一尔。嘉靖壬寅秋，介其友益斋赵子德光属薛子为序。薛子以吏冗，未有以应也。迫冬十二月，先生殁矣。……先生名奉，字献之，南湖其所自号，故题其稿云。时大明嘉靖癸卯（1543）季夏谷旦，谨序。"《南湖留稿》附《丁南湖先生文选补编》之《得曾孙祖庚等》："耆岁得曾孙，与我皆庚子。"知丁奉生于成化十六年庚子（1480）。方鹏《南湖留稿序》："公平生著述，自时文而下有《阅史迁论》、《五经臆言》、《通鉴赞断》等书，皆无虑万言，类能发前人所未发，已为好事者梓行矣。然皆矩趋法步，不能尽其才者，而此稿则其纵辔横奔，出入绳墨，大可为词人典则，虽传之天下，将无有弗爱而弗珍者矣。噫，公去而稿留，《留稿》固所以留公也。"序署"嘉靖癸卯孟春朝日"。《静志居诗话》卷十："丁奉字献之，常熟人。正德戊辰进士，除行人，历南京吏部验封司郎中。有《南湖留稿》。南湖诗不事锻炼，兴酣落笔，往往暗合囊篇。句如'白蘋风外水，红叶雨中山'，'径转花间月，山飞树杪泉'，'夜桥喧客棹，晓碓起邻灯'，'菜甲今朝雨，蒲香隔岸风'，'人当红树坐，船触白蘋行'，'白发生秋日，黄花惜暮年'，'山寒松子落，篱暝豆花深'，俱有风韵。即呕心拈髭者为之，不过尔尔。"《四库全书总目》卷一七六集部别集类存目三著录丁奉《丁吏部文选》八卷，提要曰："奉字献之，常熟人。正德戊辰进士。官至南京吏部郎中。著有《南湖留稿》、《南湖逸稿》。此集则宣城梅守箕合二稿选辑者也。凡诗四卷，文四卷，而诗末附以史赞，文末又附诗三道，体例颇为丛脞。诗文皆未成家。史论三卷，亦大半陈因之语。"丁奉《南湖逸稿》有瞿景淳序，署"嘉靖己未（1559）季春谷旦"。《丁吏部文选》有王锡爵、蒋以化二序，王序署"万历甲辰（1604）秋孟"，蒋序署"万历甲辰孟夏朔日"。丁汝宽跋署"万历癸卯桂月谷旦"。《明诗纪事》戊签卷十录丁奉诗五首，陈田按："诗兴趣天然，颇有山林逸致。"

## 本年

**杨慎撰《谭苑醍醐》自序。** 据四库提要。本年杨慎在云南。

**归有光读书于安亭，时年三十六岁。** 归有光《畏垒亭记》："自昆山城水行七十里，曰安亭，在吴淞江之旁。盖图志有安亭江，今不可见矣。土薄而俗浇，县人争弃之。

予妻之家在焉。予独爱其宅中闲静。壬寅之岁，读书于此。宅西有清池古木，垒石为山。山有亭，登之，隐隐见吴淞江环绕而东，风帆时过于荒墟树杪之间。华九峰、青龙镇古刹浮屠皆直其前。亭旧无名，予始名之曰'畏垒'。……作《畏垒亭记》。"

**李舜臣召为北太仆丞，未履任而解职，自此闲居十七年之久，直至1559年去世。**李开先《大中大夫太仆寺卿愚谷李公合葬墓志铭》："自甲午为提学，至此在外在南，凡八年，始召还为北太仆卿，识与不识咸称庆，以为由此可大行其志矣。因庙灾自陈，未履任而解职，闲居几二十年，抚按屡荐未起，尚有待也，岂意其一疾竟不起哉！"《列朝诗集小传》丁集上："懋钦与章丘李伯华才名相颉颃，并由吏部左迁，并以京堂罢免，皆为嘉靖初权贵人所齮龁。伯华家居，纵酒度曲，頹然自放；懋钦一意经术，《易》、《诗》、《书》、《三礼》、《左传》，分日读之，每六日一易，其指归在《尔雅》，质以篆、隶、《广韵》，及陆德明《音义》，各有注释，部分秩如也。伯华后懋钦两科，而致仕先于懋钦。会则夜数易烛，离则月不乏书。有作必走使相示。两人学业不同，而志趣欣合，今三齐之士，屈指先辈有名人，必称二李。"李舜臣字懋钦，李开先字伯华。

**骆文盛（1496—1554）以不附严嵩而称病还乡，自此高卧不起，更号侣云道人。**吴尚文《骆两溪集小叙》："先生强年登第，奉大对，简庶常，官史局者积五六年所，时相嵩柄国，势焰张甚，士之嗜进取者辐辏其门，而先生悠然自远，不可得而亲。以使节还，就列中堂，一日相嵩目而随之，先生徐举手以职衔姓氏应，不复自通名，即日上书乞疾还两溪。不佞文大父爱云公尝云：先生得请还，期满不起，日日青山碧流间，翻书理咏而已，而养日益粹，声望日益重，同馆诸公人人内逊，以为不可及。"孙升《骆两溪墓志铭》："公性温醇，接人和孙，其中则矻矻莫挠，愤世嫉邪，殷忧过计，尝有浩然归休之志，不语诸妻子，而以语余及同馆二三知厚者。壬寅称病，得请还乡，果绝意仕进，构小墅城南，栖息其中，赋《归田》诸诗，更号侣云道人。监司郡县劝驾敦趣再三，高卧不起矣。"

**唐顺之卜居阳羡山中，衣食俭朴，以磨砺意志。**洪朝选《荆川唐公行状》云："削籍家居，冬夏惟着一青衣直裰，巾履十余年不更，初或一年不沐，其后至有二十余年不沐者。往来乡郭间；乘一小舟，低首侧足，盘膝以坐，见者不知其为公，往往凌侮，同舟之人至不胜忿，公怡如也。家中卧处惟一板门，冬则置草于其上以为温，有怀翁见之泪下，以银三钱买一床与之，公于是始睡床，而终身亦无厚褥。尝病羸甚，借软褥于所亲家，愈即还之。门生子弟从公出入游处，不堪其苦，而公独安之。初喜食肉，无肉则饭不能甘，后乃连肉不食，而终岁茹素。最后或食川泳云飞之物，鸡豚牛羊之类终身不御。其意以衣服居处虽淡而饮食尚喜甘美，亦能为心累也。"唐顺之《答皇甫柏泉郎中书》、《与蔡子木郎中书》、《与莫子良主事书》作于今年。

**谢榛寓居京师，有《醉歌行》等诗。**《醉歌行》题下自注："嘉靖壬寅寓京，崔太傅席上作。"

**朱朴以海滨布衣主盟小瀛洲社，清吟雅制，唱酬不辍。**《明诗纪事》丁签卷十四录朱朴诗十二首，陈田按："嘉靖壬寅，徐东滨结小瀛洲社会，西村以海滨一老，清吟雅制，领袖骚坛，仿西园故事，倩画士陈询绘图。仁立相语者为西村、丰崖、西皋，聚首阅卷者为东畲、南溪、勾溪，挟童过桥者为海村，欲行且顾者为古崖，坐以待弈者为东滨、石林。东滨序所谓‘衣冠萃止，献酬乃行。四美具而二难并，三寿朋而五福介。仕无愧于轩裳，隐有光于丘壑’。洵一时胜事也。”朱朴字元素，海盐布衣。有《西村集》。《四库全书总目》卷一七二集部别集类二五五著录朱朴《西村诗集》二卷补遗一卷，提要曰：“其近体格调清越，超然出群，古诗差逊，然亦不坠俗氛。以不为王世贞等所奖誉，故名不甚著。然当太仓、历下坛坫争雄之日，士大夫奔走不遑，七子之数，辗转屡增。一时山人墨客，亦莫不望景趋风，乞齿牙之余论，冀一顾以增声价。盖诗道之盛，未有盛于是时者。诗道之滥，亦未有滥于是时者。朴独闭户苦吟，不假借嘘枯吹生之力。其人品已高，其诗品苕苕物表，固亦理之自然矣。”《蟒斋诗话》：“偶阅《海盐志》，见朱西村诗，《漫兴》有云：‘楝花风过蚕蛾老，麦秀城深雉子斑。’《上巳郊行》：‘三月三日出郭行，风和日暄天气晴，衔泥补巢旧家燕，隔水唤春何处莺？墟头小姬酒正熟，道旁古坟人自耕。劝君行乐贵及早，明日东风花满城。’西村名朴，字元吉（素）。时有陈鉴字用明，与朴齐名。有《勾溪集》。”《明诗纪事》丁签卷十四录陈鉴诗四首，陈田按：“西村、勾溪野趣逸情，风味略近。”

萧根等撰《虔台志》。叶夔《毗陵人品记》刊行。李濂《祥符乡贤传》成书。湛若水为姚虞《岭海舆图》作序。沈津《邓尉山志》成书。皇甫录《明记略》由其子皇甫冲删定。马明衡《尚书疑义》成书。据四库提要。

张邦奇任南京吏部尚书。张治任南京吏部右侍郎。徐问任南京礼部右侍郎。毛伯温任兵部尚书。龚用卿任南京国子监祭酒。据王世贞《弇山堂别集》。

童承叙（1495—1542）卒。《国朝献征录》所录佚名《左春坊左庶子童公承叙传》：“童承叙字士畴，其先随州人。元季始祖避兵居沔阳，遂为沔阳人。”正德辛巳进士。官至左春坊左庶子。“壬寅以先墓历岁弗省葺，疏乞假归，未几卒，上赐谕祭。”《列朝诗集小传》丁集上：“庶子以茶陵张治、蒲坼廖道南，并以世庙初元入中秘，世庙以从龙侍臣遇之。张登宰执，而童、廖止于宫僚。廖才名甚著，其诗尤芜浅，不及录。”《静志居诗话》卷十一《童承叙》：“童承叙字士畴，一字汉臣，沔阳人。正德辛巳进士，改庶吉士，授编修，进侍讲，历中允，司经局洗马，国子司业，左春坊，左庶子。有《内方集》。庶子与张文邦、廖鸣吾号‘楚中三才’。永陵以从龙侍臣遇之。诗篇比廖差优，论者拟之夏云秋水，不可方物。失其伦矣。《明诗纪事》戊签卷十四录童承叙诗二首。《明史·艺文志》著录童承叙《平汉录》一卷、《沔阳州志》十八卷、《内方集》十卷。《四库全书总目》卷五三史部杂史类存目二著录童承叙《平汉录》一卷。

吴一鹏（1460—1542）卒。《静志居诗话》卷九《吴一鹏》：“吴一鹏，字南夫，长洲人。弘治癸丑进士，累官太子少保，南京吏部尚书。卒，赠太子太保，谥文端。有集。尚书名位与原博、济之鼎峙中吴，诗虽不敌原博，品在济之伯仲之间。原博辟一鹤园于都下，中有玉延亭、海月庵，及以忧去，推尚书居焉。赵栗夫过之，谓其亭曰借玉，谓其庵曰借月。尚书诗所云‘乾坤浩荡谁非主，丘壑风流我所私’也。诗集十卷，选家罕有录之者。”《四库全书总目》卷一七六集部别集类存目三著录《吴文端集》四十卷，提要曰：“明吴一鹏撰。一鹏字南夫，号白楼，长洲人。弘治癸丑进士。

官至南京吏部尚书。谥文端。事迹具《明史》本传。一鹏力争大礼，抗张璁、桂萼之锋，颇著风节，而不以文章名。是集前有徐阶序，称其子纯叔所编，而不著其名。朱彝尊《静志居诗话》谓一鹏名位与守溪王鏊鼎峙吴中，诗品亦在伯仲间。然鏊不以诗名，即一鹏之诗可知也。"

## 六月

**王骥德**（约1542—1623）**或生于今年。**据徐朔方《晚明曲家年谱》。王骥德，字伯良，别号方诸生、秦楼外史，会稽人。所作传奇今知有五种，现存《题红记》一种。杂剧亦有五种，今存《男王后》一种。有戏曲论著《曲律》、《南词正韵》。

## 公元1543年（世宗嘉靖二十二年 癸卯）

### 二月

**袁衮**（1502—1547）**致函其兄袁袠，托以序刻其诗文集。**时袁衮病势已极为沉重。袁袠《家弟永之文集序》："岁壬寅（1542），永之自南兵部员外郎转广西督学佥事，明年癸卯春仲寄余书曰：'弟必死于桂林矣！所著诗文已成集，凡若干卷。兄知弟，为弟序而梓之。'"袁衮字永之，其集刊行于嘉靖丁未（1547）八月，距其去世三月左右。

### 三月

**马汝骏重刊马汝骥《西玄诗集》。**《西玄诗集》有胡缵宗1538年初刊本。马汝骏《题西玄诗集后叙》："此卷二百篇，皆在馆所作，录以寓同志请益者，未尝经选择，不意遂为可泉胡公序刻济上，弟每叹为才之灾也。今历田陈公守广德，予忝为之佐，重取刻焉，辞不获已，乃缀数言于末。……嘉靖癸卯春三月中溪马汝骏。"

**卢柟**（？—1554）**编定《蠛蠓集》，作自序。**序署"时嘉靖癸卯春三月朔六日，黎阳卢柟撰"。序云以事系狱在"嘉靖壬寅"（1542年），与其《滕王阁图记》所云"庚子岁"（1540年）不同，当是庚子至壬寅均在系狱期间。《国雅品·士品四》："卢少楩：晋渡江来，赋几亡矣。自兹而作，有卢生焉，涉屈宋之华津，步班扬之高衢，弘音夕振，恍乎渔阳操挝，渊渊有金石声，眇觌创制，亦一代之赋手也。至所为诗，稍有短长。……余尝一识生于邑之南濠，因详附王元美尝悼其亡之什，生也遗爽，颇复赏此否？王云：'北风吹松柏，下与飞藿会。词人厄阳九，卢生亦长逝。桐棺不敛胫，寄殡空山寺。蝼蚁与乌鸢，眈眈出奇计。酒家惜余负，里社忻安食。孤女空抱影，寡妾将收泪。著书盈万言，一往恐失坠。惟昔黎阳狱，弱羽因毛鸷。幸脱雉经辰，未满鬼薪岁。途穷百态改，蛮触新语至。词场四五侠，往往走余锐。大赋少见赏，小文仅易醉。醉后骂坐归，还为室人詈。我昔报生札，高材虚见忌。自取造化余，何关世途事？呜呼卢生晚，竟无戢身地。哭罢重吞声，皇天有深意。'"《静志居诗话》卷十三："次楩诗，足以高视四溟。《送人之塞上》云：'北风萧萧边马鸣，君今弃我何远行？阴山雪花大如掌，黄云出没单于营。万里龙沙那可见，将军大小七十战。捷书奏入建章宫，寄我云中一只箭。'《戏寄孟龙川》云：'旧日浮邱伯，曾将王子乔。周游乘白鹤，接引上青霄。大药留丹鼎，天台度石桥。不知千载后，为尔一相邀。'钟广汉云：'此诗对仗，原出襄阳。'"《四库全书总目》卷一七二集部别集类二五著录《蠛蠓集》五卷，提要曰："明卢枏撰。枏字少楩，浚县人。以资为国子监生。负才忤县令。令诬以杀人，榜掠论死，淹系数年。临清谢榛走京师为称冤。适县令已罢，平湖陆光祖代之。乃平反其狱，得不死。《明史·文苑传》附载于榛传中。是集为嘉靖癸卯枏所自编。凡杂文二卷，赋一卷，诗二卷。前有自序，称蠛蠓者，醯鸡也，取其洁于自奉，介于自守，不如蚊蚋之侵秽强喙。又以事系狱，类蠛蠓之阨燕吭，罹蛛网，振其音而喑喑者。故以名集。史称其骚赋最为王世贞所称，诗亦豪放，如其为人。今观其集，虽生当嘉、隆之间，王、李之焰方炽，而一意往还，真气坌涌，绝不染钩棘涂饰之习。盖其人光明磊落，藐玩一时。不与七子争声名，故亦不随七子学步趋。然而榛救之，世贞称之，枏反因是重于世。亦可谓毅然自立，无所依附者矣。"《明诗纪事》己签卷四录卢枏诗十六首，陈田按："浮丘山人五古质厚气劲，有左记室、阮步兵之遗风。七古神似青莲，七子中惟元美据其上游，余子不及也。近体多疏野之致。殆才有短长耳。"卢枏字少楩，一字次楩，又字子木。

**任良干刊行《词林万选》（题杨慎编），并作序。**任序云："升庵太史公家藏有唐、宋五百家词，颇为全备，暇日取其尤绮练者四卷，名曰《词林万选》，皆《草堂诗余》之所未收者也。间出示走……遂假录一本，好事者多快见之，故刻之郡斋，以传同好云。时嘉靖癸卯季春吉，奉政大夫、守楚雄府、桂林任良干书。"明末毛晋有《词林万选跋》。跋云："予向慕用修先生《词林万选》，不得一见，金沙于季鸾贻予一帙，前有任良干序，不音咽三危之露而聆秋竹积雪之曲矣。但据序云：皆《草堂》所未收者。盖未必然。其间或名、或字、或别号、或署衔，却有不衫不履之致。"《四库全书总目》卷二〇〇集部词曲类存目著录《词林万选》四卷，提要云："旧本题明杨慎编。……此本为嘉靖癸卯楚雄府知府任良干所刊。盖慎戍云南时，良干得其本也。前有良干序，称慎藏有唐、宋五百家词，暇日取其尤绮练者四卷，皆《草堂诗余》之未收云云。考《书录解题》所载唐至五代自赵崇祚《花间集》外，惟南唐二主词一卷，冯延巳《阳春录》一卷。此外别无词集。南北宋则自家宴集以下，总集、别集不过一百七家。明末毛晋穷搜宋本，只得六十家耳。慎所藏者何至有百余家，此已先不可信。且所录金、元、明人皆在其中，何以止云唐、宋？序与书亦不相符。又其中时有评注，俱极疏陋。如晏几道《生查子》云：'看遍颍州花，不似师师好。'注曰：'此李师师也。'虽与颍州不合，然几道死靖康之难，得见李师师，犹可言也。又秦观《一丛话》题下注曰：'师师，子野、小山、淮海词皆见，岂即李师师乎？'考师师得幸徽宗，虽不能确详其年月，然刘鞾《汴京书事》诗曰：'辇毂繁华事可伤，师师垂老过湖湘。缕衣檀板无颜色，一曲当年动帝王。'则南渡以后师师流落楚南，尚追随歌席。计其盛时，必在宣、政之间。张先登天圣八年进士，为仁宗时人。苏轼为作'莺莺燕燕'之句，时已八十余矣。秦观则于哲宗绍圣初业已南窜，后即卒于藤州，未尝北返。何由得见师师？慎之博洽，岂并此不知耶？其所选录，欲搜求隐僻，亦不免雅俗兼陈。毛晋跋称尝慕此集，不得一见，后乃得于金沙于季鸾。疑慎原本已佚，此特后来所依托耳。"

## 五月

**张綖**（1487—1543）**卒**。顾璘《南湖墓志铭》："君讳綖，字世文，……迨今五世为高邮人。"中正德癸酉（1513）乡试，除武昌通判，迁知光州。"君生于成化丁未二月二十二日，以嘉靖癸卯五月五日卒，得年五十有七。""所著《诗余图谱》、《杜诗释》、《杜诗本义》、《南湖入楚吟》，皆刊行于世。其他诗文未经编辑者，与《杜诗通》十八卷，皆藏于家。""为诗文操笔立就，而尤工于长短句，率意口占，皆合格调。"《四库全书总目》集部别集类存目一著录张綖《杜诗通》十六卷、《本义》四卷，集部别集类存目三著录张綖《南湖诗集》四卷，集部词曲类存目著录张綖《诗余图谱》三卷、附录二卷。《列朝诗集小传》丙集："喜作艳体诗，有《南湖集》四卷。"《静志居诗话》卷十一："南湖学词曲于王西楼，以此擅场。诗其余事，如设菖蒲之俎，纵有嗜者，要非逸味。"《四库全书总目·诗余图谱》提要："是编取宋人歌词，择声调合节者一百十首，汇而谱之，各图其平仄于前，而缀词于后。有当平当仄、可平可仄二例。而往往不据古词，意为填注。于古人故为拗句，以取抗坠之节者，多改谐诗句之律。又校雠不精，所谓黑圈为仄、白圈为平、半黑半白为平仄通者，亦多混淆。殊非善本。宜为万树《词律》所讥。末附秦观词及綖所作词各一卷，尤为不伦。"《明诗纪事》戊签卷十一录张綖诗七首，陈田按："南湖词是当家，诗亦轻俊可喜。"

**屠隆**（1543—1605）**生**。徐朔方《晚明曲家年谱》引1919年《甬上屠氏宗谱》卷七：屠隆"生嘉靖二十二年癸卯六月二十五日申时"。屠隆字长卿，鄞县人。万历丁丑进士，除颍上知县。改青浦，征授礼部主事，历员外、郎中。有《由拳集》、《白榆集》、《栖真馆集》等。《列朝诗集》、《明史》、康熙《松江府志》等有传。

## 八月

**秦鸣夏、华察等任乡试主考**。《弇山堂别集》卷八十二《科试考二》："二十二年癸卯，命左春坊左中允秦鸣夏、左赞善浦应麒主顺天试。命翰林院侍读华察、右春坊右中允闵如霖主应天试。""上览山东所进乡试小录，手批其第五问'防边御虏策'曰：'此策内含讥讪，礼部其参看以闻。'于是尚书张璧等言：'今岁虏未南侵，皆皇上庙谟详尽，天威所慑，乃不归功君上，而以丑虏餍饱为词，诚为可恶。考试官教授周鑛、李弘，教谕刘汉、陶悦、胡希颜、程南、吴绍曾、叶震亨、胡侨，率意为文，叛经讪上，法当重治；监临官御史叶经漫无纠正，责亦难辞；其提调官布政使陈儒、参政张臬、监试官副使谈恺、潘恩，均有赞襄之职，俱属有罪。'上曰：'各省乡试出题刻文，悉听之巡按，考试教官莫敢可否，此录不但策对含讥，即首篇《论语》义"继体之君"，不道。叶经职司监临，事皆专任，并同鑛等陈儒等俱令锦衣卫差官校逮系至京治之。'寻逮经、儒、臬、恺、恩至，上以经狂悖不道，命廷杖八十为民，乃降儒等边方杂职，经遂死于杖下，及补儒等为宜君等县典史。寻贵州试录至，亦以忤旨，御史为民，右参政等各降三级。'"初，顺天乡试，岁多冒籍中者。慈溪人张汝濂易名张和，冒良乡籍。礼科给事中陈斐劾奏之，因历陈京闱之弊。其劾谓：'国家求贤，以科目为重，而近年以来，情伪日滋，敢于为巧以相欺，工于为党以相弊。其中奸宄之徒，或居家之时恃才作奸，败伦伤化，削籍为民，兼之负累亡命，变易姓名，不敢还乡者有之；或因本地生儒众多，解额有限，窥见他方人数颇少，逃奔入京，投结乡里，交通势要，钻求诡遇者有之；或以顺天乡试多四海九州之人，人不相识，暮夜无知，可以买托代替者有之。一遇开科之岁，奔走都城，寻觅同姓，假称宗族，贿嘱无耻乡官，拴同保结，不得府学，则谋武学，不得京师，则走附近，不得生员，则求儒士，百孔营求，冀遂捷径。及其中科回籍，则既告路费，又告牌坊，四顾罔利，真同登垄。而其未得者，则从旁挟持，互相攻发，蜂起浮议，呈帖匿名。圣明莘毂之下，岂宜有此不美之事！请令所司核究顺天府学冒籍生员，俱遣回籍，降学肄业。京卫武学，非武职应袭，不得滥入。岁贡援例监生，如举人教官会试例，止得一人京闱，后但本省应试，而京闱乡试，如各省法，唱名辨验，不得混冒。庶乎前弊可革。'得旨，钱仲实、张和下法司逮治，冒籍生员，提学御史复勘，余俱下礼部会议。给事中李念疏论工部侍郎陆杰从子光祚、太仆寺卿毛渠子延魁、鸿胪寺卿陈璋子策冒京卫、顺天二学中式，劾杰等欺罔不忠。提学御史谢九仪以被讦冒京卫、顺天二学中式郑梦纲等十人论奏。俱下礼部，行所司核其真伪。至是议上，谓：'孙镒、孙鑢、王宸、陆宏共四人，系锦衣卫太医院见任官的亲子侄，当存留会试。郑梦纲、陶大壮、沈谱、丁子载、陆可成、翟钟玉共六人，俱诈冒籍贯，当发回原籍，入学肄业，仍得应其乡试。陆光祚、陈策、毛延魁虽称随任，终属冒籍，亦当一体发回。'得旨：'孙镒等、郑梦纲等俱依拟，陆光祚等姑准存留，不许对制。陆杰、陈璋、毛渠俱贷之。'明年，言官复摘左赞善浦应麒卖题事，下狱，杖之六十，并举人翟钟玉等俱为民。又以取中翟汝孝、汝俭，并左中允秦鸣夏俱逮捕夺职。"

监察御史叶经监临山东乡试，乞顺之为乡试录文，山东提学副使吕高心存不满。李开先《江峰吕提学传》云："录文旧多出提学手，君之时文，精莹简当，叶御史经乃置而不用，顾于二千里外求唐荆川顺之之作，而亦不过一半篇。录成，君以一册寄余，且贻之书曰：'录中无仆一字，不敢冒他人之美。其间纰缪处，必为礼部之所参驳，是又往年一余光也。'余亦不知何所见闻，复书料其不但余光，光止提问，此则旗校早晚必有一行。君与赵甫江文华书中，亦具此意，不过简札往来常事耳。严介溪嵩，深恨叶御史弹劾，假此报复之，摘其辞之似涉讥讪者以闻，上因大怒，械致御史并藩臬之有职事者，系之狱，罪谪各有等差，而御史竟死杖下，台中误以为君从臾之也。甲辰（1544）外考，杨虞坡博虑其不安，言之冢宰许松皋赞：'如吕某者，历官行己俱无异议，今次考察，幸毋及之。'松皋应曰：'然。'已而邸报有名，虞坡向松皋扣其由，松皋言初拟无事，而众御史必欲黜之，恶其曾害道中人。"甲辰为明年。《明史·文苑传》："吕高，字山甫，丹徒人。亦（陈）束同年进士。历官山东提学副使。乡试录文，旧多出学使者手，巡按御史叶经乞顺之文。高心憾，寓书京师友人言经纰缪。严嵩恶经，遂置之死。及后大计，诸御史谓经祸由高，乃斥归，于八子中，名最下。"《明史·选举志》："二十年，帝手批山东试录讥讪，逮御史叶经杖死阙下，布政以下皆远谪，亦（严）嵩所中伤也。"

许邦才中举，授永宁知州。《列朝诗集小传》丁集上："邦才字殿卿，历城人。嘉靖癸卯解元，官永宁知州，迁德、周二府长史。隆庆初，相周藩。六年，周王崇易序其诗曰《梁园集》。"宋弼《山左明诗钞》卷十四："邦才字殿卿，号空石，历城人。嘉靖癸卯乡试第一人，官永宁知州，终周府长史。所著有《海右》、《梁园》二集。"《明诗纪事》戊签卷二十一引《黔书》曰："吾乡许长史殿卿诗，风格近韩仓，纵横跌宕可喜。今阅《黔志》，知殿卿曾谪官永宁，遂搜摭其在黔之作，得绝句四首。一《初至永宁》云：'风尘谁自料？花鸟故相猜。问是山东客，何由万里来？'一《元日》云：'客中逢改岁，不解是何乡？时见悬门帖，春风动夜郎。'一《新添驿》云：'野馆孤灯半灭明，江壖月落夜潮生。无端乡思三更后，听尽潇潇风雨声。'一《夜投山家宿》云：'西南蛮徼万山隈，昔日谁教汉帝开？野鸟常呼行不得，马蹄那复夜深来。'其言蔼恻和平，得风人之旨。"

**王世贞中举。**据《艺苑卮言》卷七。

## 十月

**马汝骥以所著诗文托付友人王维桢。时距马汝骥之卒仅十日。**王维桢《赠礼部尚书谥文简西玄先生行状》："桢于文简公为馆局晚进，又甚不肖，而公顾谓我为小友也，接遇至勤，行能绪论，私窃实多，乃遂与纪次其事。公所著诗文若干卷，公且卒之十日，自榻前属桢，举手曰：'幸为我校此集收之，令无散灭亡也。予历官多闲曹，建立少，最致心力独此耳。'公谈诗常依深严，忌漫缓浅俗，今校集乃自作，固如此，校定且谋之梓，拟称曰《西玄先生集》，而未能也。先生号西玄。"《四友斋丛说》卷二六："马西玄游西山诸寺古诗十余首，其清警藻绚，出何、李上。今所刻行一小本，乃胡可泉校定者。其全集有诗六本，文四本，王槐野以此见托，恨余贫薄，尚未能入梓。余受二公之知最深，倘数年未死，终当了此一事。此百年大业，若命名湮灭不传，则负二公者多矣。"胡可泉即胡缵宗，1538年刊本即由其校定。王槐野即王维桢。

## 十一月

**马汝骥（1493—1543）卒。**王维桢《赠礼部尚书谥文简西玄先生行状》："西玄先生者，绥德州人也。姓马氏，讳汝骥，字仲房。"丁丑举进士，已选庶吉士。官至礼部右侍郎，兼侍读学士。"先生之生也为弘治癸丑九月十九日，……遂卒，癸卯十一月六日也，年五十一。"赠尚书，谥文简。有《西玄集》。《四库全书总目》集部别集类存目三著录马汝骥《西元（玄）集》八卷，提要曰："蒋一葵云：'仲房诗有沉理而无玄趣。'黄清甫谓其诗'整炼似法颜、谢，队仗森然。求之声律，未造其深，亦不失为高流。'盖汝骥刻意熔炼，务求典实。其长短皆在于是也。"《明诗纪事》戊签卷十三录马汝骥诗五首，陈田按："侍郎诗镂金错彩，颇极璀璨之观，惟少变化。"马汝骥所著《西玄集》，有吕颛后序（嘉靖十有七年六月望）、刘天民书后（嘉靖戊戌秋七月七日）、孙应鳌序（嘉靖癸亥三月）、马汝骏序（嘉靖癸卯春三月）。

**南京河南道御史包孝奏辛丑会试有弊，事下吏部，得旨勿论。**《弇山堂别集》卷八十二《科试考二》："冬十一月，南京河南道御史包孝奏：辛丑会试，以礼部尚书温仁和主试，翰林院编修嵇世臣为《礼经》分考，赇中进士徐履祥、陈志、潘仲骖，当追罢。且言左庶子童承叙之嗜酒，右赞善郭希颜之轻险，编修袁炜之放荡，俱不当与试。事下吏部复，得旨，俱勿论。"

## 十二月

皇甫涍（1479—1546）作《癸卯除夕直北曹作》。《明诗评选》卷四："用意迎情，浮情殆尽。王敬美所云河下佣隶，驱遣殆尽。"《明人诗钞正集》卷八："涍字子安，嘉靖十一年进士，授工部主事，改礼部，历仪制员外郎主客郎中。在仪制时，夏言为尚书，连疏请建储，皆涍起草，故言深知涍才，比简宫僚，遂用为春坊司直兼翰林检讨。言者论改官有司，谪广西通判，量移南京刑部主事，进员外郎，迁浙江按察佥事，以南曹事论罢。有《少玄集》。"夏言 1536 年任礼部尚书。

## 本年

梁辰鱼（1519—1591）《浣沙记》或作于今年。《浣纱记》标志着南戏时代终结和传奇时代开始。张大复《梅花草堂笔谈》卷十二《昆腔》云："魏良辅别号尚泉，居太仓之南关。能谐声律，转音若丝。张小泉、季敬坡、戴梅川、包郎郎之属，争师事之惟肖。而良辅自谓勿如户侯过云适。每有得，必往咨焉。过称善乃行，不，即反复数次勿厌。时吾乡有陆九畴者，亦善转音。顾与良辅角，既登坛，即愿出良辅下。梁伯龙闻，起而效之，考订元剧，自翻新调，作《江东白苎》、《浣沙》诸曲。又与郑思笠精研音理，唐小虞、陈棋泉五七辈杂转之，金石铿然。谱传藩邸戚畹金紫熠爚之家，而取声必宗伯龙氏，谓之昆腔。张进士新勿善也，乃取良辅校本，出青于蓝，偕赵瞻云、雷敷民与其叔小泉翁，踏月邮亭，往来唱和，号南马头曲。其实禀律于梁，而自以其意稍为均节，昆腔之用勿能易也。"（上海古籍出版社 1986 年瓜蒂庵藏明清掌故丛刊本）或以为《浣纱记》成于嘉靖四十二年左右甚或成于万历初年。详见吴书荫《〈浣纱记〉的创作年代及版本》，收入《明清戏曲国际研讨会论文集》，台湾中央研究院中国文哲研究所 1998 年刊行。《万历野获编》卷二十五《梁伯龙传奇》："《浣纱》初出，梁游青浦，时屠纬真隆为令，以上客礼之，即命优人演其新剧为寿。每遇佳句，辄浮大白酬之，梁亦豪饮自快。演至《出猎》，有所谓'摆开摆开'者，屠厉声曰：'此恶语，当受罚。'盖已预储洿水，以酒海灌三大盂。梁气索，强尽之，大吐委顿，次日不别，竟去。屠每言及，必大笑，以为得意事。"按，屠隆于万历七年（1579）调青浦令。《静志居诗话》卷十四："梁辰鱼，字伯龙，昆山人。有《远游稿》。伯龙雅善词曲。所撰《江东白苎》，妙绝时人。时邑人魏良辅，能喉啭音声，始变弋阳、海盐故调为昆腔，伯龙填《浣纱记》付之。王元美诗所云'吴闾白面冶游儿，争唱梁郎雪艳词'是已。……传奇家曲别本，弋阳子弟，可以改调歌之，惟《浣纱》不能。固是词家老手。诗律犹未细，粗能骈赡而已。"《明诗纪事》己签卷二十录梁辰鱼诗一首，陈田按："伯龙词曲称名家，诗亦有丽藻。"按，《浣纱记》将昆腔由"水磨调"的清唱搬上戏曲舞台，标志着旧传奇即南戏的终结，开创了传奇剧创作的新的历史时期。

如叶德均《戏曲小说丛考·明代南戏五大腔调及其支流》所云："昆腔最初只用于清唱散曲和戏曲。张牧《笠泽随笔》记万历以前宴会时唱曲情况写道：'间或用昆山腔，多属小唱。'那时的优童小唱是清唱戏曲和散曲，而非演唱。魏良辅创造的'水磨调'，本是专供清唱之用。……把昆腔水磨调的清唱方法应用到戏曲上去，第一个是梁辰鱼，他为了用水磨调唱戏曲而创作《浣纱记》。这样，就把昆腔应用范围大大扩充了，奠定了用昆腔唱戏曲的基础。此后到万历间，昆腔又获得更大的发展。"

**施峻**（1505—1561）以刚毅自持见称于友人而见恶于同僚。徐献忠《璇川诗集序》："璇川施先生，吴兴之归安人，举嘉靖乙未（1535）进士，仕至刑部郎中，升青州郡守。……往予于濮阳曹君所获读先生诗，并闻其仕宦之节云。初仕为郎，即执法守正，不承上官旨意。方是尚书为鄞闻公，故长者能容焉。其后东桥顾公（顾璘）继之。东桥为文士所宗，凤闻其才行，与之深相契。人谓东桥重其诗，非尽官方。岁癸卯（1543），余谒东桥于金陵，亟称曰：施子不但善唐人诗，其任古人之节，非与浮世相能者也。其后先生竟以不合去，如东桥所云。嗟乎！自昔贤君子所自究竟，往往以不相能去，岂直先生然哉？"徐献忠所云"以不合去"，指嘉靖乙巳（1545）年诖计典事。张永明《书璇川诗集后》："唐人有诗云：'知尔不能荐，羞称献纳臣。'盖咎言职之未酬也。嘉靖乙巳，予尚备垣南都谏垣，大学士茶陵龙湖张公柬予曰：'昨者考察璇川，乃在黜斥之列。初见报抄，不觉狂叫，而继以涕泣也。璇川之性若太抗，自恃刚直，才藻俊绝，亦目中所无者，忍使之无用至此哉！夫一物之美，人犹惜而重之，而世有良才若此，一旦举而委之草莽，不亦暴殄矣乎！仲常此举，平生尽废矣。伤悼之深，盖不止于丧予也。愧愤愧愤！'读此，知公之责仲常者切矣，知璇川者深矣，予又何辞焉。仲常，薛考功之字也。璇川之去由之。予知璇川诗，又知璇川之为人，且知公之鉴衡，百代羽仪也。谨述之，并识璇川之慰公者有在云。"张治（1488—1550）号龙湖，茶陵州人，官至礼部尚书、文渊阁大学士。薛应旂（1500—1557后）字仲常，号方山，官至浙江、陕西提学副使。施峻之诖计典，《列朝诗集小传》丁集上以为："平叔（施峻字平叔）以诗自重，在僚友间矢口弹射，人不能堪，既出守，复诖计典，以此故也。"嘉靖乙巳，青州知府施峻以内计罢官。

**胡直见欧阳德，师事之。二人皆以讲学著称**。钦定《续文献通考·经籍考》："胡直《胡子衡齐》八卷。臣等谨按：直之学出于欧阳德及罗洪先，故以王守仁为宗。尝与门人讲学螺水上，辑问答之语为是书。"又《经籍五三》："《衡庐精舍藏稿》三十卷，《续稿》十一卷。"

**陈让编成《嘉靖邵武府志》。据四库提要。**

**黄佐《南雍志》成书。据四库提要。**黄佐字才伯，泰泉其号也。香山人。正德辛巳进士。官至少詹事。事迹具《明史·文苑传》。

**杨慎编录《古今谚》、《古今风谣》。盖久居戍所，借编录以消遣岁月。**《四库全书总目》卷一四四子部小说家类存目二著录《古今谚》二卷、《古今风谣》二卷，提要曰："明杨慎编。是书采录古今谣谚各为一编。《贾子》及《太公兵法》引黄帝语，自属巾机铭之遗文，或《列子》所谓黄帝书者，不得谓之为谚。且是书成于嘉靖癸卯，即载正德、嘉靖时谚。然则慎自造数语亦可入之矣。此盖久居戍所，借编录以遣岁月，不足以言著书。其孙宗吾误刻之耳。"

张邦奇任南京兵部尚书。张治任吏部右侍郎。孙升任吏部左侍郎。周用以工部尚书兼都御史任。周用，直隶吴县人。徐阶任国子祭酒。黄佐任南京国子监祭酒。据王世贞《弇山堂别集》。

高瀔（1494—1543）卒。高瀔为闽"十才子"之一。邱云霄《高石门传》："石门子姓高氏，名瀔，字宗吕。居石门山，贫以自耕，又自号曰庖羲谷老农氏云。"别号霞居子。侯官人。"岁癸卯，行年五十，疾革，梦有画舫载卮促其登舟者，遂呼家人进之酒，再饮而卒。"《明史·艺文志》著录高瀔《石门集》二卷。《列朝诗集小传》丙集："诗与傅汝舟齐名，时称高、傅。书自取适意，不受促迫，遇其酣畅，以绢素投之，虽小夫稚子，可掩而得也。邑子宋生者，病疟，宗吕过之，酒酣泼墨，写菊数本，复写奇石修竹，寒香飘拂，凉风飒然，宋跃起视之，病霍然良已。人谓霞仙画真不减少陵诗也。"《四库全书总目》卷一七八集部别集类存目五著录高瀔《石门诗集》一卷，提要曰："一名《霞居集》。明高瀔撰。瀔字宗吕，号石门，又号髯仙，侯官人。朱彝尊《静志居诗话》云：'少谷郑善夫居鳌峰北，从之游者九人，乡党目为十才子。瀔居首，傅汝舟次之。'今卷首林向哲序，称其俊而不刻、清而不矫，亦非虚语。然竟以为与少谷相伯仲，则溢美矣。瀔诗向未付梓，流传俱属钞本。《明诗综》载其《岳阳楼》一诗，有'残雨数声衡岳晓'句。今检原集，'数声'实作'数峰'，较声字为工。考徐𤊹《晋安风雅》所载亦同。盖《诗综》刊本偶误耳。"《明诗纪事》丁签卷十二录高瀔诗一首。

魏校（1483—1543）卒。魏校字子才，号庄渠，昆山人。弘治乙丑进士。官至太常寺卿。迁国子监祭酒，未上卒。谥恭简。事迹具《明史》儒林传。《四库全书总目》著录魏校《周礼沿革传》四卷、《春秋经世》一卷、《大学指归》二卷（附考异一卷）、《六书精蕴》六卷、《音释》一卷、《经世策》一卷、《官职会通》二卷、《庄渠遗书》十二卷。《庄渠遗书》提要云："校欲行《周礼》于后世，其说颇为迂阔。所著《六书精蕴》，欲以古篆改小篆。而所列古篆，又多杜撰，尤为纰缪。然校见闻较博，学术亦醇。故是集文律谨严，不失雅正。考据亦具有根柢，无忝于儒者之言。其御札问经义诸条，亦多精确。惟《郊祀论》一篇，谓见于经者独有南郊无北郊，而以社当地祇之祭。不知大司乐方丘之文与圜丘相对，圜丘为郊天、方丘为祭地可知。未闻祭社于泽中之方丘，且于夏日之至也。又祭法瘗埋于泰折，祭地也，与燔柴于泰坛祭天之文相对。皆北郊祭地之显证。校乃引《周礼》阴祀用黝牲，驳祭法祭地用骍犊为附会。不知《周礼》、《礼记》不能强合，先儒辩之甚明。无庸横相牵合，自生纠结也。"

何瑭（1474—1543）卒。其事迹具《明史》儒林传。《静志居诗话》卷九《何瑭》："何瑭字粹夫，怀庆卫人。弘治壬戌进士，改庶吉士，授编修，转修撰，谪开州同知，稍迁东昌府同知，升山西提学副使，改松江，擢南太常寺少卿，署翰林院事，历工部右侍郎，改户部，复改礼部，升南京右都御史，赠工部尚书。谥文定。有《柏斋集》。文定讲学，兼明礼仪乐律。其撰《许鲁斋祠堂碑》，称'鲁斋以躬行为急，而不徒事乎语言文字之间，道以致用为先，而不徒极乎性命之奥。'且言：'近世之士，有志乎圣贤之道，必留心性命。至于修齐治平之方，义利取舍之分，多忽而不省。夫性与天道，夫子罕言，而四教之施，必以文、行、忠、信。则其先者可知已。'持论甚笃实。诗特其余事，然如《九日和韵》，从肺腑中流出，此等作，无论字句之工不工也。"《四库全书总目》著录何瑭《医学管见》一卷、《柏斋三书》三卷、《柏斋集》十一卷。《明诗纪事》丁签卷十三录何瑭诗一首。

　　**张燕翼**（1543—?）生。张燕翼与其兄凤翼、献翼并有才名，吴人号曰"三张"。据徐复祚《花当阁丛谈》卷四《三张》，燕翼字叔贻，"少于幼于九岁"。张献翼字幼于，生于1534年。燕翼生年据以推定。徐复祚为张燕翼之婿。燕翼字叔贻。《列朝诗集小传》丁集中："凤翼，字伯起，长洲人。与其弟献翼幼于、燕翼叔贻，并有才名。吴人语曰：'前有四皇，后有三张。'伯起、叔贻，皆举乡荐，幼于困国学，叔贻早死，而伯起老于公车，年八十余乃终。"

## 公元 1544 年（世宗嘉靖二十三年　甲辰）

### 二月

　　**茅坤之官，为丹徒令。**茅坤《丹徒纪事》："壬寅服阕，癸卯秋，始及谒选补丹徒。……予以明年二月之官。"王宗沐《茅鹿门先生文集序》："嘉靖甲辰，余结发登朝，专意为古文章，力追心惟，冀以挽复典雅，传六经，下且薄秦汉。杜门苦思，而不能自得。因欲游于天下名士，以求其所谓至者。雅闻归安鹿门茅君，明年使道丹徒。而君方为令，相留竟日，似以余为可语者，而余未敢遽请也。又明年，君入为吏部郎，握手都门之外，因得叩。君才俶傥奇峭，固上下古今，饫渥百氏，王伯甲兵之略，撑腹流口，听之令人座上须眉开张，欲起周旋。少选而君以谪去，恨未尽请。"

　　**陈与郊**（1544—1611）生。据李维桢《大泌山房集》卷七十八《太常寺少卿陈公墓志铭》，与郊生于今年二月二十三日。陈与郊，字广野，号隅阳，一作玉阳。海宁人。康熙《浙江通志》卷三一《陈与郊》："本高氏裔，赘陈，因以为氏。万历甲戌进士，授河南府推官。是时，江陵为政，以法绳郡县吏。与郊独济以宽和，时有纵舍，征拜吏科给事中。江陵败，诸言事者尚编成籍，与郊上疏，请召还。癸未大计，特疏严纲纪。戊子掌垣，复当计吏，因申馈遗之禁。在谏垣八年，若裁织造、省营建、修实政、停助工诸疏，皆裨国体，擢太常寺少卿。丁母忧居家，竟以忌口罢免。"著有《隅园集》、《薳川集》和《灵宝刀》、《昭君出塞》等戏曲作品。康熙《浙江通志》、康熙《顺德府志》等有传。

### 三月

　　**秦鸣雷等进士及第。**世宗梦中闻雷，遂拔秦鸣雷为状元。《弇山堂别集》卷八十二《科试考二》："二十三年甲辰，命太子宾客礼部尚书兼翰林院学士张潮、左春坊左庶子江汝璧为考试官。时潮入贡院，三场毕，以病死，舆尸出。考试唯江一人，而后序则属同考修撰茅瓒。是当取中瞿景淳等。廷试，赐秦鸣雷、瞿景淳、吴情及第，而少傅翟銮二子汝俭、汝孝俱与焉。少傅以嫌故，辞读卷，不许。既试，以进呈卷上，上疑汝俭等在首甲，因抑第一卷置第三，复抑第三卷置二甲第四，拆卷果汝孝也。上又梦闻雷，遂拔鸣雷为状元。""刑科给事中王交、王尧日论劾少詹事江汝璧、修撰沈坤、编修彭凤、欧阳唤、署员外郎高节朋私通贿，大坏制科；大学士翟銮以内阁首臣，二子汝俭、汝孝既联中乡试，又连中会试，若持券取物然，崔奇勋乃汝俭等师，焦清与汝俭结姻，又同受业，四人者会试俱一号，汝俭、汝孝、奇勋皆彭凤所取，《诗经》考官五人，何俱在凤一房？欧阳唤亦汝俭等师，本同经，又改看《书经》，迹若引嫌，而阴助凤寻卷。及沈坤之取中陆炜，高节之取中彭谦、汪一中，皆以纳贿故，乞明正其辜。且欲追顺天乡试主考秦鸣夏、浦应麒阿奉翟銮之罪。上下其章吏部、都察院从公参看。銮随具疏自理，且请特降题目，命部院大臣复试。上怒曰：'銮被劾，有旨参看，乃不候处分，肆行扰辩，屡屡以直无逸为辞；同夏言禁苑坐轿，止罪一人，全不感惧；敢以撰科文、赞玄修为欺朕；内阁任重，不早赴，以朕不早朝，并行君事；二子纵有轼、辙之才，岂可分明并用？恣肆放僻如此，部院其参阅治罪，不许回护。'部院复请下汝璧于理严究，分明情罪轻重。上以迹弊明显，大坏祖宗取士之制，遂勒銮并汝俭、汝孝、奇勋、清及凤、唤俱为民，汝璧等俱下镇抚司逮问。已法司会鞫，谓汝璧、鸣夏、应麒虽各阿取辅臣之子，然实非贿故，坤之取炜、节之取一中亦然。独彭谦实以校尉张岳贿节五百金而中。监察御史王珩、沈越失于纠察，罪亦难逃。疏上，诏杖汝璧、鸣夏、应麒六十，革职闲住不叙。珩、越降一级调外任，节、岳充军，坤、一中、炜存留供职。"《万历野获编》卷八《命名被遇》："我朝世宗极重命名，如甲辰状元，以梦闻雷，即取秦鸣雷为首。"《明史·选举志》："嘉靖二十三年廷试，翟銮子汝俭、汝孝俱在试中。世宗疑二人滥首甲，抑第一为第三，以第三置二甲。及拆卷，而所拟第三者，果汝孝也，帝大疑之。给事中王交、王尧日因劾会试考官少詹事江汝璧及诸房考朋私通贿，且追论顺天乡试考官秦鸣夏、浦应麒阿附銮罪，乃下汝璧等镇抚司狱。狱具，诏杖汝璧、鸣夏、应麒，并革职闲住，而勒銮父子为民。"

**同榜进士有任环**（1519—1558）、**张才、刘凤、朱曰藩**（1501—1561）、**皇甫濂**（1508—1564）、**李攀龙**（1514—1570）**等**。《静志居诗话》有传。李攀龙试改吏部文选司。

**王世贞、归有光、皇甫冲、梁有誉等春试不第。王世贞、梁有誉去年中举。**皇甫汸《华阳长公行状》："公讳冲（1490—1558），字子浚，中宪公之元子也。……甲辰再试春官，时主考为西蜀张公潮，取优卷十余，公在其中。而张卒于锁院，竟遗不录。其家儿持之出，以示人，公叹曰：'此谓非命邪？'""十上春官，不获一第，亦命矣夫！而娓娓冠玉者，乃纡朱横金，享鲜策肥，诩于里中，朝盖棺夕腐蛆矣。公以翰墨垂声，世之重公，隆于卿相之位，岂以彼易此哉？"

## 五月

**侯一元为蔡汝楠**（1516—1565）**《自知堂集》作序。**据序末题署。

## 九月

**王廷相**（1474—1544）**卒。**《静志居诗话》卷十《王廷相》："王廷相字子衡，仪封人。弘治壬戌进士，选庶吉士，改兵部给事中。以言事谪判亳州，拜监察御史，巡按陕西，为镇守廖銮诬奏下狱。再谪赣榆县丞，稍迁宁国同知，历四川按察使，拜副都御史，巡抚四川，入为兵部侍郎，都察院右都御史，进兵部尚书，提督团营，仍掌院事，加太子太保。卒，谥肃敏。有《家藏》、《内台》二集。浚川扬历之暇，锐意诗文，非徒扶大雅之轮，抑且抉群经之奥。而又见善如不及，其序空同子诗，称其‘掩蔽前贤，命令当世，秦、汉以来，寡见其俦’。然空同名成之后，目空四海。观《送昌谷之湖湘诗》，述一代人文之盛，有云：‘是时少年谁最文，太常边丞何舍人。’三子而外，并不及浚川只字也。郑继之未尝谋面，乃有句云：‘海内谈诗王子衡，春风坐遍鲁诸生。’宜浚川见之，有知己之感。于继之身后，赋《少谷子歌》，焚其稿于燕，望闽再拜。歌云：‘彼时才杰游帝傍，信阳之何棠陵方。大梁翩翩李川甫，吏部薛生尤擅场。’于空同亦未齿及，不无憾焉矣。他日作《遣兴十首》，其一云：‘昔吟吴下徐昌谷，幻出斯文百代先。’其二云：‘逸气谁当郑善夫。’其三云：‘康子文章迥绝尘。’其五云：‘大复天才冠两都。’其六云：‘后来谁擅六朝奇，君采分明别缀词。’其七云：‘散逸长年何粹夫。’独于空同，则云：‘疏越朱弦《大雅》沉，始知《清庙》有遗音。峡江迫厄湍澜出，可是空同太剧心。’殆有微辞焉，信乎恩怨之难忘也。浚川诗格，诸体稍粗，惟五言绝句，颇有摩诘风致，下亦不失为裴十秀才、崔五员外。”潘德舆《养一斋诗话》卷十：“明人论诗多大言，不独大复讥陶、谢也。王子衡云：《风》、《骚》包韫本体，标显色相。若子美《北征》之篇，昌黎《南山》之作，玉川《月蚀》之词，微之《阳城》之什，漫敷繁叙，填事委实，言多趁帖，情出附耧。呜呼！何其诞也？《北征》一篇，原本忠爱，发以史笔，根柢盘深，关系宏远，乃杜集之钜制，与《风》、《雅》相出入者，比以昌黎《南山诗》，已觉不伦，况侪诸卢仝、元稹辈哉？彼盖只知意在词表为《三百》、为《离骚》，而不知《风》、《骚》之畅叙己怀，铺陈乱始，直诋匪人者，固指不胜屈也。大抵诗知赋而不知比兴，则切直而乏味，知比兴而不知赋，则婉曲而无骨，三纬所以不可缺一。子衡崇比兴而废赋，直知一而不知二矣。”《四库全书总目》著录王廷相《慎言》十三卷、《雅述》二卷、《王氏家藏集》六十八卷、《内台集》七卷。《雅述》提要曰：“《慎言》虽多偏执，犹不大悖于圣贤。此书则颇多乖戾。自序谓宋儒才情有限，沾带泥苴，使人不得清澄宣朗，以睹孔门之景。作于读书之暇，时置一论，求合道真。积久成卷，分为上下二篇，名曰《雅述》。谓述其中正经常、足以治世者云尔。今观其书，标举《中庸》‘修道之谓教’为本，而多斥枯禅寂坐之非，未为无见。而过于摆落前人，未免转成臆断。如谓人性有善有恶，儒者亦不计与孔子言性背驰与否，而曰孟子言性善。是弃仲尼而尊孟子矣。况孟子亦自有言不善之性者，何独以性善为名云云。是其所见与告子殆无以异。又谓人生而静，天之性也，感于物而动，性之欲也，此非圣人语。然而圣人之动，亦皆欲而非天耶？是又不以情言欲，直以私言欲。无怪其并性善而疑之矣。至谓雷搏击成声乃物之所为，但非人间可得而见，尤涉于小说家神怪之言。廷相以诗名一时，而持论偏驳乃尔。盖弘、正以前之学者惟以笃实为宗。至正、嘉之间，乃始师心求异。然求异之初，其弊已至于如此。是不待隆、万之后始知其决裂四出矣。”《王氏家藏集》提要曰：“一曰《浚川集》，明王廷相撰。……其诗文列名七子之中。然轨辙相循，亦不出北地、信阳门户。郑善夫诗所谓'海内谈诗王子衡，春风坐遍鲁诸生'，一时兴到之言，非笃论也。王士禛《论诗绝句》曰：'三代而还尽好名，文人从古善相轻。君看少谷山人死，独有平生王子衡。'盖善夫殁后，廷相始见是诗，赒恤其家甚至也。亦颇有微词矣。"《明诗纪事》丁签卷三录王廷相诗二十四首，陈田按："子衡刻意学诗，粗漫之篇诚如昔人所讥，遇有合作，如游五都市中，动获奇宝。"

## 十二月

陆深（1477—1545）卒。（卒年据公历标注）《碧里杂存·陆俨山》："陆俨山祭酒深，嘉靖二十三年十二月二十一日以疾终。"《静志居诗话》卷九《陆深》："陆深字子渊，上海人。弘治乙丑进士，改庶吉士，授翰林院编修，迁国子司业，进祭酒，谪延平府同知，升山西提学副使，改浙江，历江西参政，四川布政使，召为光禄卿，改太常卿，兼侍读学士，升詹事府詹事。卒，赠礼部右侍郎，谥文裕。有《俨山集》。俨山诗，其原出于'大历十子'。平衍帖妥，如设伊蒲之馔，方丈当前，虽远膻腥，终鲜滋味。至其折衷经史，练习典章，其所纪载，可资国史采择。昔朱晦翁讥叶正则知古而不知今，陈同甫知今而不知古，惟许吕伯恭克兼之。俨山亦可无愧伯恭矣。若夫正书似颜尚书，行书似李北海，莫云卿之论，谓'风力实出赵吴兴之上。自董尚书墨迹盛行，而俨山遂为所掩'。然尚书论书法，推为正宗。世有张怀瓘估直，未必定取董而遗陆也。"《四库全书总目》著录陆深《南巡日录》一卷、《北还录》一卷、《淮封日记》一卷、《南迁日记》一卷、《蜀都杂抄》一卷、《科场条贯》一卷、《史通会要》三卷、《同异录》二卷、《书辑》三卷、《古奇器录》一卷、《俨山外集》三十四卷、《河汾燕闲录》二卷、《停骖录》一卷、《续录》三卷、《俨山外纪》一卷、《玉堂漫笔》三卷、《金台纪闻》二卷、《春风堂随笔》一卷、《知命录》一卷、《溪山余话》一卷、《愿丰堂漫书》一卷、《俨山集》一百卷、《续集》十卷、《行远集》（无卷数）、《行远外集》（无卷数）。《俨山集》提要云："《明史·文苑传》称深少与徐祯卿相切磨，为文章。又善书，仿李邕、赵孟頫，赏鉴博雅，为词臣冠。阶序称深以经济自许。在翰林，在国子，数上书言事。督学于晋，参藩于楚，旬宣于蜀，则皆有功德于其士民。而惜其独以文章见。寀序亦称其以剀切不讳忤宰臣，左迁以后，略无感时愤俗之意，而举其《发教岩》诗、《峡江道中》诗证其无所怨尤。今观其集，虽篇章繁富，而大抵根柢学问，切近事理，非徒斗靡夸多。当正、嘉之间，七子之派盛行。而独以和平典雅为宗，毅然不失其故步，抑亦可谓有守者矣。"《明诗纪事》丁签卷十二录陆深诗六首，陈田按语云："子渊论诗云：'近时李献吉、何仲默最工，姑自其近体论之，似落人格套，虽谓之拟作可也。'然其自作乃平衍敷腴，去李、何尚远。书法在明人中，不失为第二流。"

## 冬

谢榛客居大梁，李奎从游，时相与切磋。《诗家直说》卷三第二七五则："甲辰岁冬，予客居大梁，有李生者，屡过款宿。及晨起盥栉，旭日射窗，因索新句。李云：

'晓日照疏窗。'予亦成：'寒日澹虚牖。'贾子闻之曰：'此出一机杼，而织手不同。'戊午岁，从游邺下，夜酌王中宦别馆，请示一字造句，以'灯'为韵。予就枕构思，乃得三十四句云：'烟苇出渔灯，书声半夜灯，山扉树里灯，风幢闪佛灯，竹院静禅灯，蛾影隔笼灯，星悬宝塔灯，心空一慧灯，风雨异乡灯，倦客望村灯，鬼火战场灯，除夜两年灯，雪市减春灯，茅屋只书灯，树隐酒楼灯，穴鼠暗窥灯，殿列九华灯，星聚广陵灯，棋罢暗篝灯，疏林见远灯，蛩吟半壁灯，农谈共瓦灯，屋漏夜移灯，明灭几风灯，窗昏梦后灯，流萤不避灯，寒闺织锦灯，形影共寒灯，调鹰彻夜灯，海舶浪摇灯，夜泊聚船灯，霜风逼旅灯，灵焰风膏灯，春宫万户灯。'此行远自迩之法，俾其自悟耳。及晓起，寒雀在檐，时有幽意，李吟一句云：'群雀噪前檐。'予应声曰：'檐日聚寒雀。'夫能写眼前之景，须半生半熟，方见作手。李生亦佳士也，予尝授之韵学，博记雅谈，悬河泻于广席，使醉客复醒。其善用所长如此。"甲辰为1544年，戊午为1558年。李生即李奎，又名珠山，字伯文，钱塘人。《列朝诗集小传》丁集中：伯文"雅善诗，跌宕自豪，从齐人谢榛游，倾动诸公卿"。《诗源辩体》后集纂要卷二曰："茂秦《诗说》云：'写眼前之景，须半生半熟，方见作手。''尝与卢次楩论诗，卢云："格贵雄浑，句宜自然。吾子何其大苦？恐刻削有伤元气。"今观其集多生涩语，正卢所谓'刻削有伤元气'者也。又其诗云'诗缘老后格逾健'，今考其浅稚者多少年作，生涩者实晚年作，岂识见不足，以生涩为格健耶？观其论李长吉诗，便是其悟头差处。（见总论茂秦《诗说》中）"

## 本年

**唐顺之与茅坤往复论文。** 茅坤作《复唐荆川司谏书》，以为秦汉、唐宋文章风调迥异。唐顺之作《答茅令鹿门书》，以山川为喻，以为秦汉、唐宋文章内在精神一脉相通。

**孙宜（约1507—约1556）年三十有八，绝意仕进，肆力于词赋。** 王世贞《洞庭渔人传》："最后渔人罢试归，而道闻提学公讣，日夜奔驰哭踊，两目为损，凡四载，遇医得神方，砭之复明。渔人年三十有八，而叹曰：'丈夫安能龊龊老死辕下驹哉！且夫能衡命者我也，能衡命者我也。'盖渔人所由称矣。"陈文烛《洞庭渔人传》："辛丑（1541）遭副使公丧，哀几损目，得神人秘方始愈。年三十有八，遂绝意世故。"自1541至1544，正四个年头。陈文烛《洞庭渔人传》又记："（渔人）时往来洞庭烟水间，且曰：'屈平放逐，始赋《离骚》，马迁被刑，斯成《史记》。我今穷愁，当著书藏名山耳，何仆仆自苦也？'乃赋《七游》，著《遁言》十七篇，语多垂训者。又以明兴文体至弘德之际，北地李献吉力于复古，渔人私心慕焉。又习闻何先生论，是以文章命意修词，尔雅不群，有《史》、《汉》之风。至律诗法杜甫，长歌在唐初四子间，尤号雄放，莫可窥际。古体多宗梁、齐，盖褒然大家云。日坐玄石山堂，诵读不休，绝迹公府，士大夫非专访者，辄避不见。人呼进士，公不应；呼渔人则应。"孙宜字仲可，华容人。嘉靖戊子（1528）举人。有《洞庭渔人集》五十卷。

**许应元（1506—1565）由虞衡郎迁夔州府知府，任内刊行《许水部稿》三卷。** 侯一元《广西右布政使许公应元墓志铭》："逮岁甲辰，则公为郎六载矣，乃迁夔州府知府。"此前曾任工部都水员外郎、虞衡郎，自嘉靖己亥（1539）至今年甲辰。《四库全书总目》卷一七七集部别集类存目四著录《许水部稿》三卷，提要曰："明许应元撰。应元字子春，钱塘人。嘉靖壬辰进士。官至广西布政使。是集乃应元官夔州知府时所自刊。以皆官郎署时所作，故仍以水部名集。凡诗一卷，文二卷。"

**李开先作《傍妆台》小令一百首，中多悲忿之音，激烈之辞。**李开先《中麓山人小令引》云："闲居日长，颇有余力，省稼灌园之外，六经训解，义有未安者，随笔注之，俟研穷既久，各成一家之言。所尝与谈经者，将走书乞正。不事词曲，自在仕路已然矣。偶有西郡歌童投谒，戏擅南北，科范指点，色色过人，因作《傍妆台》小令一百，付之歌焉。起结句同而字异，杂以常言，援笔即成，七法不差，十九韵皆尽。每于箫鼓中按拍，弦索上发声，中多悲忿之音，激烈之辞，似乎游心浮气，尚有存者。语云：'老骥伏枥，志在千里，烈士暮年，壮心不已'，予岂若是哉？……嘉靖甲辰，中麓山人书于焉文堂。"王世贞《曲藻》："北人自王、康后，推山东李伯华。伯华以百阕《傍妆台》为德涵所赏。今其辞尚存，不足道也。所为南剧《宝剑》、《登坛记》，亦是改其乡先辈之作。二记余见之，尚在《拜月》、《荆钗》之下耳，而自负不浅。一日问余：'何如《琵琶记》乎？'余谓：'公辞之美，不必言。第令吴中教师十人唱过，随腔字改妥，乃可传耳。'李怫然不乐罢。"

**《古今说海》成书。是编辑录前代至明小说，分四部七家，颇为详赡。**《四库全书总目》卷一二三子部杂家类七著录《古今说海》一百四十二卷，提要曰："明陆楫编。楫字思豫，上海人。是编辑录前代至明小说，分四部七家。一曰说选，载小录、偏记二家。二曰说渊，载别传家。三曰说略，载杂记家。四曰说纂，载逸事、散录、杂纂三家。所采凡一百三十五种。每种各自为帙，而略有删节。考割裂古书，分隶门目者，始魏缪袭、王象之《皇览》。其存于今者，修文殿《御览》以下，皆其例也。裒聚诸家，摘存精要，而仍不乱其旧第者，则始梁庾仲容之《子钞》。其存于今者，唐马总《意林》以下，皆其例也。楫是书作于嘉靖甲辰。所载诸书，虽不及曾慥《类说》，多今人所未见。亦不及陶宗仪《说郛》掇拾繁富，巨细兼包。而每书皆削其浮文，尚存始末，则视二书为详赡。参互比较，各有所长。其搜罗之力，均之不可没焉。"

**归有光作《书张贞女死事》，并请友人陆师道作诗咏之。**陆师道《张烈妇行》诗前小序云："嘉定张烈妇嫁汪生之子，汪之母与群恶少乱，烈妇耻之。姑怒，谋令一人强乱烈妇，烈妇不从，杀之。余友归熙甫高其节行，纪其事，请余作诗。"张贞女，《明史·列女一》有传，即节取归文而成。归有光字熙甫。其《书张贞女死事》云："贞女死时，年十九耳。嘉靖二十三年五月十六日也。……予来安亭，因见此事，叹其以童年妙龄，自立如此，凛然毛骨为竦。因反复较勘，著其始末，以备史氏之采择。"归氏颇以此文自负，其《与李浩卿书》云："仆与足下数十年相知，未尝不黯黯而居，默默而处。今日岂欲揭日月、求声誉于海滨草野之中？惟《记事》一首，乃仆自以为必可传者。少好《史》、《汉》，未尝遇可以发吾意者。独此女差强人意，又耳闻目见，据而书之，稍得其实。但世人知文者绝少，要以示千百世之后耳。"

**冯惟讷（1513—1572）纂辑《古诗纪》始于今年，至嘉靖三十七年（1558）告**

成，历时十四年之久。张四维《诗纪序》："右《诗纪前集》十卷，《诗纪》百三十卷，《外集》四卷，诗话及拾遗为《别集》十二卷，北海少洲冯先生所纂辑也。……方甲辰始事，先生时守河中，维与分雠之列，兹当告成，敢续言于末简。……嘉靖戊午夏五月癸丑，赐进士出身、翰林院国史编修、承事郎、河中张四维。"冯惟讷字汝言，惟敏弟。嘉靖戊戌进士，除宜兴知县。改魏县，历蒲州知州、扬州同知，改松江。征授南户部员外，进郎中，改兵部，出为陕西金事，历河南参议、浙江副使、山西参政、按察使，改江西，加光禄卿致仕。有《光禄集》十卷。

严讷、李春芳、董份俱直西苑，撰应奉青词。寻严、李入阁，参预机务。董以给事中欧阳一敬论劾，削职去。《明诗纪事》戊签卷二一《董份》陈田按："嘉靖二十三年，命吏部尚书兼学士严讷、礼部尚书兼学士李春芳、吏部侍郎兼学士董份俱直西苑，撰应奉青词。寻严、李入阁，参预机务。董以给事中欧阳一敬论劾，削职去。先是，董为考官，取妻弟吴绍中式，绍吏部尚书吴鹏子也，为御史耿定向所举劾，吴、董各疏辩求罢。帝命鹏竭忠供职，份安心直撰。吴，分宜党也，董亦与分宜子世蕃往还。时严氏得罪，人言啧啧。董得世蕃二万金。董虽供直西苑，帝终不能曲袒也。董归后，以赀名，为有司持短长，乡人缘间起，数见凌夺，不胜恚愤。死时呼其子曰：'吾死毋书吾故官，以白布三尺题曰"耐辱主人"足矣。'亦可哀也。份诗五言有清致，为何元朗所推。"

林希元为吴朴《龙飞纪略》作序。王琼《晋溪奏议》刊行。李濂《祥符文献志》成书。通政使顾可学奏进《医方选要》十卷，诏礼部重录付梓。杨慎作《异鱼图赞》自序。严尧黻作《槐亭漫录》自序。据四库提要。

唐龙以南京刑部尚书起用，未任，本年改兵部尚书。周用任左都御史。徐阶任吏部右侍郎。韩邦奇任刑部右侍郎。程文德任南京国子监祭酒。张岳总督两广军务。据王世贞《弇山堂别集》。

张邦奇（1484—1544）卒。嘉靖《浙江通志·人物》："张邦奇字常甫，鄞人。弘治十八年进士，改翰林庶吉士，授检讨，历任湖广提学副使，南京国子祭酒。端重典雅，所至卓有师模。仕至南京兵部尚书，卒。所著有《芝园集》。"《明儒学案·诸儒学案中六·文定张甬川先生邦奇》："张邦奇字常甫，号甬川，浙之鄞人也。改南兵部而卒，甲辰岁也。年六十一。""阳明赠先生序云：'古之君子，有所不知，而后能知；后之君子，惟无所不知，是以容有不知也。'则先生当日固泛滥于词章之学者也。后来知为己之功，以涵养为事，其受阳明之益多矣。谓载道之文，始于六画，大备于周、程、朱子之书，莫非是道之生生而不已也。由博文之学，将溯流而求源，舍周、程、朱子之书，焉适哉？今之为异论者，直欲糟粕《六经》，屏程、朱诸子之说，置而不用，犹欲其通而窒之窍也。所谓异论者，指阳明而言也。夫穷经者，穷其理也，世人之穷经，守一先生之言，未尝会通之以理，则所穷者一先生之言耳。因阳明于一先生之言有所出入，便谓其糟粕《六经》，不亦冤乎？此先生为时论所陷也。"《明诗纪事》丁签卷十录张邦奇诗八首，陈田按："尚书提学湖广时，世宗在潜邸，就试学使，以此受知。帝奉太后谒天寿诸陵，语及择相，太后曰：'献皇尝言提学张邦奇，他日可为宰相。其人安在？'帝憬然曰：'尚未用也。'即召为吏部侍郎。会以母老便养，改南京。帝念邦

奇不已，与分宜语及之。分宜以邦奇至孝，母老不乐北来对，遂终不召。卒后阁拟谥文恪、文敏。帝抹去四字，大书'定'字，遂谥文定。庙堂制作，颇称庄雅。《观光楼集》目，乐章仅列《秋享上帝》、《祀皇天上帝》二章，后人不知，妄将洪武及嘉靖时改制乐章一切阑入集中。后之读文定集者，所当知也。"《明史》有传。《明史·艺文志》著录《张邦奇全集》五十卷。

## 公元 1545 年（世宗嘉靖二十四年　乙巳）

### 正月

张治道为康海《对山集》作序。序署今年正月。

### 闰正月

顾璘（1476—1545）卒。顾璘与同里陈沂、王韦并称"金陵三俊"。文徵明《故资善大夫南京刑部尚书顾公墓志铭》："嘉靖二十四年乙巳闰正月八日辛巳，南京刑部尚书顾公以疾卒于金陵里第。……其生成化丙申七月二日，享年七十。""公所著书曰《国宝新编》，曰《近言》，曰《顾氏七记》。诗曰《浮湘稿》，曰《山中集》，曰《息园集》，曰《凭几集》，曰《登衡小纪》总若干卷。""公讳璘，字华玉，别号东桥居士。世为苏之吴县人，国朝洪武中，高祖通以匠作征隶工部，因占数为上元人。"《明史·文苑传》：顾璘，字华玉，上元人。"初，璘与同里陈沂、王韦，号'金陵三俊'。其后宝应朱应登继起，称四大家。璘诗矩矱唐人，以风调胜。韦婉丽多致，颇失纤弱。沂与韦同调。应登才思泉涌，落笔千言。然璘、应登羽翼李梦阳，而韦、沂则颇持异论。三人者，仕宦皆不及璘。""南都自洪、永初，风雅未畅。徐霖、陈铎、金琮、谢璇辈谈艺正德时，稍稍振起。自璘主词坛，士大夫希风附尘，厥道大彰。许谷，陈凤，璇子少南，金大车、大舆，金銮，盛时泰，陈芹之属，并从之游。谷等皆里人，銮侨居客也。仪真蒋山卿、江都赵鹤亦与璘遥相应和。沿及末造，风流未歇云。"《四库全书总目》著录顾璘《国宝新编》一卷、《近言》一卷、《浮湘集》四卷、《山中集》四卷、《凭几集》五卷、《续集》二卷、《息园存稿》诗十四卷文九卷、《缓恸集》一卷。《浮湘》以下诸集提要曰："是编乃其诗文全集。《浮湘集》由开封府知府谪全州知府时作，蔡羽序之。《山中集》移病家居时作，陈束序之。《凭几集》、《凭几续集》皆起官湖广巡抚时作，皇甫汸序之。璘亦有自序。《息园存稿》并刻于嘉靖戊戌，诗稿陈大壮序之，文稿邓继中序之。附录曰《缓恸集》，官工部侍郎时哭其亡女之作，璘自序之。朱彝尊《明诗综》称其尚有《归田集》。今未见传本，不知佚否也。……今观其集，远挹晋安之波，近骖信阳之乘，在正、嘉间固不失为第二流之首也。"陈凤，《列朝诗集小传》丁集有传："凤，字羽伯，金陵人。嘉靖乙未进士，官至陕西参议，与许仲贻、谢与槐齐名。同时，无锡有陈山人凤，亦字羽伯，王元美《诗评》所谓'陈羽伯如东市倡，慕青楼价，微傅粉泽，强工靥笑'者，此陈凤也。嘉靖中，顾华玉以浙辖家居，倡诗学于青溪之上，羽伯及谢应午、许仲贻、金子有、金子坤，以少俊从游，相与讲艺谈诗。金陵之文学，自是蔚然可观，皆华玉导其前路也。"金大舆，字子坤，

《列朝诗集小传》丁集有传："大车之弟，同学于顾华玉。才行高秀，并著名字；拓落为儒，不获占一第。雅不事生产，贫日益甚。蓬室污下，脱粟不厌，而处之泊如。南都贵人多访之，避去不答。少所与游者，虽贵犹嫚下之。黄淳父谓其不以壮暮而废吟，不以泰约而辍咏，所得于诗者深矣。其殁也，友人郭第卖所藏古鼎，刻其诗行世。"《明史·艺文志四》著录"金大舆《子坤集》二卷"。黄姬水作有《金子坤诗集序》，署"嘉靖中元甲子（1564）七月七日，吴郡黄姬水志淳父撰"；侯一麟亦有序，作序年月不详。金銮，字在衡，《盛明百家诗存后编·金白屿集题识》云："陇西金白屿氏名銮，字在衡，详观集中，盖以布衣寓居金陵，而久游吴楚淮阳之间者。计其时当在嘉靖间，集内赠蒋南泠二、赠胡可泉四、赠顾东桥一、赠谢与槐一、赠徐东园三、赠许平湫二、赠马西玄一、赠程浉溪一，其往复皆嘉靖间人也。又闻尚健在，年已逾老望鏊矣。"

### 三月

张治作《钤山堂集序》。序云："《钤山堂集》，集少傅介溪严公所著为文者也。"序署今年三月。

### 春

李濂（1489—1566后）为太行诸山之游，成《春游稿》。柯相《乙巳春游稿序》："春游有记，大梁嵩渚李子卜嘉靖乙巳之春为太行诸山之游，书其事藏之名山，以贻诸好事者也。间以贻予，予受而读之竟，窃叹夫兴寄高远，足以为李子平生一壮游焉。……记中游之次第，首王屋，讫韩庄，凡十有二处。李子分日遍历，纵日周览，所至操笔砚以从。景与情会，文思泉涌，信口走笔，诸体咸备。文一十五首，杂体诗并诗余共六十九首。……赐进士、嘉议大夫、奉敕巡抚河南、都察院右副都御史，池阳柯相撰。"《盛明百家诗·李嵩渚集》："嵩渚李公，名濂，字川父，河南祥符人，人称大梁才子。……归后二十年，乙巳，有《春游稿》一册传于士林。"李濂于嘉靖丙戌年（1526）免归，时年三十有八。

王九思序刻李开先《傍妆台》小令百首。王九思《书宝剑记后》："往年乙巳春，东山中麓李公，以其所制《傍妆台》百首寄余。余不自量，辄敢次韵，序而并刻之，不自知其不可也。"李开先《傍妆台》百首作于去年。

### 六月

毛伯温（1482—1545）卒。徐阶《明故光禄大夫太子太保兵部尚书东塘毛公墓志铭》："乙巳五月，公病疽，遂以六月一日卒于家，距生成化壬寅七月初六日，享年六十四。公讳伯温，字汝厉，东塘其号。"《四库全书总目》著录毛伯温《毛襄懋奏议》二十卷、《毛襄懋集》十八卷、《东塘诗集》十卷，《毛襄懋集》提要曰："此本凡诗十卷，文八卷。文格颇疏畅。诗则所造不深，词多浅易。盖伯温北拒蒙古，南服安南，

以功名自见于世，文章非所专营。童承钦（叙）序称：正德间，李、何首倡，雅颂复振。嗣响有唐，伯温亦其一。乃自尊其师之词，非公论也。"《明诗纪事》戊签卷十录毛伯温诗二首。

六、七两月，王九思、刘储秀、吴孟棋等作《刻对山集序》。康海（1475—1541）号对山。据诸序题署。

## 八月

张璧（1475—1545）卒。《四库全书总目》卷一七六集部别集类存目二著录《阳峰家藏集》三十五卷，提要云："明张璧撰。璧字崇象，石首人。正德辛未（1511）进士。官至礼部尚书，东阁大学士。谥文简。是集为璧居内阁时所自编。首以经筵讲章及议典礼之文。次为应制诸诗及诰敕、赋颂、表疏。次为古今体诗及杂文。璧当夏言、严嵩相持之时，入阁不及一年而卒。《明史》不为立传，其人盖无所短长者。今观其诗文，殆亦如其为人焉。"《明诗纪事》戊签卷十一录其诗一首。

张时彻撰《嵩渚文集序》。李濂（1489—1566），字川父，祥符人。有《嵩渚集》一百卷。序署"嘉靖二十四年太岁在乙巳秋八月吉旦，赐进士出身嘉议大夫都察院右副都御史奉敕巡抚四川地方四明张时彻顿首撰"。《静志居诗话》卷十："《嵩渚集》凡百卷，最称繁富，然不甚剪裁。其持论，以明初'吴中四杰'为归，求其神似，未免类桓宣武之拟刘太尉也。《秋怀》云：'潇湘枫落鳜鱼肥，楚客怀归未得归。频忆凤城询北使，尚闻龙舸驻南畿。惊心关塞旌旗动，旅食江湖谏疏稀。本乏涓埃裨郡国，拟将生事付渔矶。'"《明诗纪事》戊签卷六录李濂诗二十六首，陈田按："川父作《理情赋》，左舜齐持以示李献吉，献吉大惊，访之吹台。王子衡《少石子歌》云：'大梁翩翩李川父。'薛君采《梁园歌》云：'大梁李侯才绝妙，司马邹生尔同调。'其为名辈推誉如此。余检《嵩渚集》，大约近体胜于古体，七言胜于五言。川父尤留心乡邦故实，所著《汴京遗迹志》二十四卷，博综典洽，几与《长安志》、《雍录》抗行。又撰《祥符乡贤传》八卷、《祥符文献志》十七卷，著述繁富，不仅以诗歌擅名已也。"

陆深（1477—1544）《俨山外集》定稿，编校者为黄标和陆深子陆楫。徐献忠《俨山外集序》："詹事府詹事兼翰林院学士赠礼部右侍郎谥文裕、俨山先生《外集》者，辑略古义，有《传疑录》，在史馆立义，有《史通会要》，以编修官入试院，有《科场条贯》，书法造极三昧，有《书辑》，性嗜古，有《古奇器录》，考求圣祖刘夷之迹及扈从皇上行幸山陵，有《平胡录》及《南巡北还日录》，其寓游历览，有《淮封南迁日记》，有《河汾燕闲刻命停骖录》，有《蜀都豫章杂抄》，有《金台纪闻》、《玉堂漫笔》，其燕私，有《春风中和堂随笔》、《愿丰堂漫书》、《春雨堂杂抄》及《溪山余话》，又有《同异录》，发明格心之业。……先所次诗文集共若干卷，此因名《外集》。子楫校，授中表黄子标铨次如此云。嘉靖乙巳岁八月既望，后学郡人徐献忠撰。"另有何良俊后序，署"嘉靖乙巳九月望"，序云："是刻也，黄子实事编校，最为详审。楫又以先生之意，命良俊序于简末。"

### 九月

**于慎行**（1545—1607）**生**。慎行字可远，更字无垢，慎言弟。隆庆戊辰进士，选庶吉士，授编修。历修撰、侍讲、左谕德、侍读学士，擢礼部侍郎，改吏部。拜礼部尚书，加太子少保，兼东阁大学士，入参机务，以疾廷谢失仪，寻卒。赠太子太保，谥文定。有《谷城山馆文集》四十二卷、《诗集》二十卷。叶向高《太子少保礼部尚书兼东阁大学士赠太子太保谥文定于公墓志铭》："公生于嘉靖乙巳年九月二十九日，卒于万历末年十一月二十二日，得年六十三。"《明史》有传。

### 十月

**李开先作《画品》后序**。《画品》为李开先所撰杂著。《四库全书总目》卷一一四子部艺术类存目著录《中麓画品》一卷，提要曰："明李开先撰。开先字伯华，中麓其号也，章丘人。嘉靖己丑进士。官至太常寺卿。《明史·文苑传》附载陈束传中，称其性好蓄书，藏书之名闻天下。今其书目不传，乃传其《画品》。大致仿谢赫、姚最之例，品明一代之画，分为五品。每品之中，优劣兼陈。王士禛《香祖笔记》曰：章丘李中麓太常，藏书画极富，自负赏鉴，尝作《画品》，次第明人。以戴文进、吴伟、陶成、杜堇为第一等，倪瓒、庄麟为次等，而沈周、唐寅居四等。持论与吴人颇异。王弇州与之善，尝言过中麓草堂，尽观所藏画，无一佳者。而中麓谓文进画高过元人，不及宋人，亦未足为定论也云云。则是编之持论偏僻，可知矣。"

### 十二月

**茅坤召为礼部仪制司主事，寻徙吏部司勋司主事**。茅坤《三黜纪事》："予补丹徒，会岁饥，而天子诏求救灾异政，抚按并以予首江南以闻，他使君又例以贤能闻者凡十余上。又适唐渔石公为吏部尚书，公入吏部三日，而予擢仪制，又未几，徙司勋。"查《明史·七卿年表二》，唐龙于今年十二月任吏部尚书。唐龙字虞佐，号渔石，兰溪人。正德三年进士。

### 本年

**张凤翼《红拂记》传奇或作于今年**。《红拂记》系据唐人传奇《虬髯客传》改编。吕天成《曲品》云："此伯起少年时笔也。侠气辟易，作法撇脱不粘滞。第私奔处未免（见）激昂。吾友槲园生补北词一套，遂无憾。乐昌一段，尚觉牵合。娘子军亦奇，何不插入？"徐复祚《花当阁丛谈》卷四："张伯起先生，余内子世父也。所作传奇有《红拂》、《窃符》、《虎符》、《庆庆》、《灌园》、《祝发》诸种，而《红拂》最先。本《虬髯客传》而作，惜其增出徐德言合镜一段，遂成两家门，头脑太多。佳曲甚多，骨肉匀称，但用吴音，先天、帘纤随口乱押，开闭阄辨，不复知有周韵矣。"《万历野获编》卷二十五《张伯起传奇》云："张则以意用韵，便俗唱而已。余每问之，答云：子见高则诚《琵琶记》否？余用此例，奈何诃之。"焦循《剧说》卷四："吾吴张伯起新

昏伴房，一月而成《红拂记》，风流自许。"张凤翼与李氏女于今年合卺。

杨爵《周易辨录》定稿。钱琦辑录《祷雨录》一书。据四库提要。

唐顺之致书陈昌积，以为人精力有限，不宜耗之于作文。据《荆川先生文集》卷五与陈昌积书。

茅坤访吕高于万卷楼。吕高居嘉靖八才子之末。茅坤《万卷楼记》云："万卷楼者，故督学宪使江峰吕公所贮先古以来百氏之书，皇坟帝典、周鼓秦篆、象纬舆地、律历医卜，下及浮屠老氏、阴符兵钤、仙传农占、稗官野史，无所不载。而予令丹徒时，所尝过访其庐，公颇以之自喜，属予记之者也。近代来学士大夫好藏书之家，独称成都杨公慎、章丘李公开先，而公于章丘为同年肺腑交，家所藏本，公必搜而副之。"（《茅鹿门先生文集》卷二十）此文作于吕高殁后。今年十二月，茅坤召为礼部仪制司主事，寻徙吏部司勋司主事。

谢榛谈禅作偈，与庄子颇多默契之处。《诗家直说》卷四第三八一则："嘉靖乙巳岁，因访西林禅侣，谈及庞居士陻槃，代作偈子云：'来时忽堕，去时不躲。我归太空，太空即我。'《南华经》曰：'适来夫子时也，适去夫子顺也。安时以处顺，哀乐不能入也。'李东冈谓予有悟禅旨，故与庄子默契焉。"李泰（1517—1586），字仲西，号东冈，河南临漳人。嘉靖乙未（1535）进士，选庶吉士，官终左参政。谢榛有《冬夜过李黄门仲西别业》诗。

李攀龙以疾告归，益发愤励志，以秦汉文、盛唐诗自期。殷士儋《墓志铭》："乙巳，以疾告归。归则益发愤励志，陈百家言附而读之，务钩其微，抉其精，取恒人所置不解者，拾之以积学。盖文自西汉以下，诗自天宝以下，若为其毫素污者，辄不忍为也。"

徐阶（1503—1583）任吏部侍郎，榜戒语于堂以自警。时年四十有三。焦竑《玉堂丛语》卷二："徐公阶佐铨时，年仅四十三，榜戒语于堂以自警。故事，吏部大僚镛车门所，接见庶官，不能得数言，以示严冷。阶曰：'若尔，何以能尽人才也。'乃痛折节，修词色而下之，见必深坐亹亹，咨访边腹要害、吏治民瘼，错及寒暄可怜语，冀以窥见其人。见者亦自喜，愿为之尽，阶益有缙绅间声。尚书熊浃雅重阶，托以肺腑，而阶亦为之竭力。相与励廉节，奖恬退，振淹滞，抑躁竞，一时翕然归贤。光绪《重修华亭县志·杂志》："徐文贞阶为吏部时，题壁曰：'咄，汝阶，二十一而及第，四十三佐天官，所不竭忠殚劳，而或植党摈贤，或徇贿鬻法，或背公行媚，或持禄自营，神之殛之，及于子孙。'"

徐问任南京户部尚书。韩邦奇任吏部右侍郎。翁万达总督宣大军务。据王世贞《弇山堂别集》。

世宗令辅臣举编修二人检讨三人于中秘撰文官诰敕。时高拱在列，其代言之稿后集为《外制集》一卷。《四库全书总目》卷一七七集部别集类存目四著录《外制集》一卷，提要曰："明高拱撰。嘉靖乙巳，世宗令辅臣举编修二人检讨三人于中秘撰文官诰敕，拱时在列。是编乃其代言之稿也。前有自序，称掌诰敕者初以阁学或翰詹掌贰。后乃属之两院供事官。至是始复翰林之旧云。"

徐缙（1489—1545）卒。皇甫汸《徐文敏公集序》："公卒逾三年，玄成（徐缙

子）赴阙上书而祭葬锡，再上而赠典隆，谥荫备。逾十有九年，玄素（徐缙子）请于监司，而祠宇考。又逾年，诸子搜采遗阙，刊校讹谬，汇次之，属予为序以梓，而文集成。……隆庆二年（1568）冬十月既望，司勋氏门生皇甫汸顿首谨书。"崇祯《吴县志·人物》："竟卒，年六十有七。"徐缙生卒年据以考定。《静志居诗话》卷九："徐缙字子容，吴县人。弘治乙丑进士，历官吏部左侍郎，兼翰林侍讲学士。卒，谥文敏。有集。文敏与献吉（李梦阳）、仲默（何景明）、昌谷（徐祯卿）俱深揽环结绶之好。诗虽平衍，较王锦夫、孟望之（孟洋）似胜。"《明诗纪事》丁签卷十录徐缙诗六首，陈田按："文敏五字诗，音节浏亮，颇近边华泉（边贡）。"

## 1546 年（世宗嘉靖二十五年 丙午）

### 正月

**屠应埈**（1502—1546）卒。徐阶《明故右春坊右谕德兼翰林院侍读渐山屠公墓志铭》："公讳应埈，字文升，别号渐山，处士六世孙，刑部尚书赠太子太保谥康僖讳勋之子。"嘉靖丙辰进士，官至右春坊右谕德。袁褧《右春坊右谕德屠公行状》："公生弘治壬戌，卒嘉靖丙午，享年四十有五。""丙午正月十三日竟卒。"《明史·文苑传》附载王慎中传中。《静志居诗话》卷十二《屠应埈》："屠应埈字文升，平湖人。嘉靖丙戌进士，选庶吉士，改刑部主事，调礼部，历员外郎中，仍改翰林修撰，升侍读，进春坊右谕德。有《兰晖堂集》。谕德取材六代，具体初唐，烂若春葩，将以秋实，是众作之有滋味者。"《四库全书总目》卷一七八集部别集类存目五著录屠应埈《兰晖堂集》四卷，提要曰："是编凡诗二卷，文二卷，与其父集本别行。后其曾孙绳德等又取勋所著《太和堂集》，与是集合刻，名曰《屠氏家藏二集》云。""应埈为文，善比事属辞。诗法泛滥诸家，时有独造。一时名出其父右。然牵于华藻，蕴蓄未深。"《明诗纪事》戊签卷十六录屠应埈诗四首，陈田按："渐山文长于摹古，上规两汉，下效唐人。格虽沿古，而意取切今，非徒以字句为藻绘者。诗亦有气格。"

### 二月

**陈尧文重刊夏言《桂翁词》，杨仪作《重刻桂翁词序》。**杨仪为夏言门人。序云："元相《桂翁词》六卷，初刻于吴郡，再刻于铅山，三刻于闽中。每刻成而新谱复出，公盛德大业，天下具瞻，片纸只字散落人间，莫不争先快睹，贵如珙璧。至是陈生尧文又得《鸥园新曲》，并前六卷并刻以传，知仪尝受公恩纪，因以相示。……刻既成，敬书其末。嘉靖丙午二月朔旦，门人常熟杨仪再拜谨序。"夏言词集初刻于吴中，时为1538 年。

### 三月

**王维桢作《钤山堂集序》。**《钤山堂集》，严嵩著。据序末题署。
**皇甫涍**（1497—1546）卒。皇甫四兄弟并有盛名，以诗风古淡见称。文徵明《渐江按察司佥事皇甫君墓志铭》："君讳涍，字子安，裔出宋戴公，以字为氏。世望安定，赵宋时有为提刑者，扈高宗南渡，居吴城孔圣里，占数为长洲人。"嘉靖壬辰（1532）进士。除工部主事。官至浙江按察司佥事。事迹具《明史·文苑传》。"雅性闲靖，慕玄晏先生所为，自号少玄子，作《续高士传》以著志。居常问学之外，他无所事，群经子史，莫不贯综。而酷喜左氏，著《春秋书法纪原》，选《唐文粹》为《文粹》，（阙）为文必古人为师，自两汉而下，咸有所择，见诸论撰，居然合作。诗尤沉蔚伟丽，早岁规仿初唐，旋入魏晋，晚益玄造，铸词命意，直欲窥曹刘之奥而及之，惜乎未见其止也。没后，其兄子浚集所作为《皇甫少玄集》云。君生弘治丁巳六月某日，卒嘉靖丙午三月九日，享年五十。"皇甫冲《编次仲弟少玄集目序》："盖今之为文者，王、宋称一代之宗，李、何为中兴之冠。然王、宋反元习之靡而不能不病于声，李、何矫一时之弊而不能不泥其迹。故其为文，雅意于《史》、《汉》庄骚间，而于诗独有取于迪功，然又狭小其篇章，乃删其遗文以为外集，尝叹曰：'会诸氏之长以追六代，迪功其庶几哉！'子安刻励二十余年，其性敦哲简默，又能致其深沉之思。其于诗铸辞精而为旨远，体骨奇峻，辞彩英发，陈风谕则婉而不迫，叙政事则直而不俚，颂功德则艳而不诬，不取妍于一字，不求功于一辞，肇端莫测，归趣难探，咏之而有遗音，咀之而无穷味，使观者动心说（悦）志。又以拙宦不达，多感慨之辞，亦忧患之意欤？拟议而谈，则建安、开元之盛，盖瞻忽间耳。子安之在艺苑，犹机轴之有文锦，廪庾之有秬黍；而吾宗之有子安，则衣裳之冠冕，而居室之栋梁矣。惜乎天不假年，而竟止于斯也。"（《皇明文范》卷二十七）皇甫涍集序跋颇多。皇甫汸《少玄外集序》署"皇明嘉靖丙寅（1566）季夏朔日，百泉山人皇甫汸子循撰"，《司直兄少玄集序》作序年月不详；王稚登《少玄外集序》署"嘉靖丙寅上春晦日，姬吴后学王稚登序"；皇甫濂《皇甫少玄集序》、黄姬水《少玄外集序》作序年月不详；皇甫枢《少玄外集跋》署"时嘉靖丙寅八月望日，男枢百拜谨识"。《列朝诗集小传》丁集上云："其卒也，蔡子木为诗哭之云：'五字沉吟诗品绝，一官憔悴世途难。'每为人诵之，辄呜咽流涕。子浚集其所作为《少玄集》，而子循序之曰：'方其家食含章，与中表黄鲁曾、省曾、洞庭徐缵称诗，笃好少陵，既而李、何篇出，病其蹊径，专意建安，尝曰：'诗可无用少陵也。'解巾登仕，与蔡、王二行人，广搜六代之诗，披味耽说，雅许昌谷，乃曰'诗可无用近体也'。又与王文部、李司封、唐、陈二编修，剧谈开元、天宝之盛，而心醉焉，乃曰：'诗虽选体，亦无使尽阙唐风，七言易弱，恐降格钱、刘也。'故其诗，特工五言，而七言今体，薄不加想。鲁曾之子河水，评其诗云：'司直含咀八代，苦心覃思，每制一篇，必经百虑，既薄杜陵之史，心醉殷璠之鉴，盖《东览》优于诸集，而五言长于七言。'斯定评也。余观国初以来，中吴文学，历有源流，自黄勉之兄弟，心折于北地，降志以从之，而吴中始有北学。甫氏、黄氏中表兄弟也。子安虽天才骏发，而耳目濡染，不免浸淫时学。子循之序，所谓'笃好少陵'者，非好少陵也，好北地师承之少陵也。已游于蔡、王，而轨躅始分；既游于唐、陈，而质的始定。于是壹意唐风，而尽弃黄氏之旧学矣。子循之所谓'无用少陵'者，非薄少陵也，薄北地剿拟之少陵也。子安刻《迪功外集》，皆昌谷未遇空同之作，深非李子守化之言，以为知之未尽，厥有旨哉！子循之自序，与子安亦略相似。子安少折于李、何，子循长压

**193**

于王、李，文章之道，不惟以时代上下，抑亦以声势盛衰，良可慨也！自王元美《艺苑卮言》记吴中盛事，谓太原兄弟并擅菁华，汝南父子嗣振骚雅；至今海内流为美谭。而中表因依，研席应求，文章问学，风气密移，非深思论世，置身于百年以前，未能或知也。余故详著之，以表微焉。"《静志居诗话》卷十三《皇甫涍》："子安逸藻风飞，清文绮合，视子循工力悉敌，铢两未分，宜子浚之难为兄，而子约之难为弟也。《春日斋中即事》云：'仲春气妍和，兰薄幽可践。开轩眺远野，文霞霭层巘。黄鸟鸣芳菲，绿蘋泛清浅。感物怀古人，缃帙聊自展。尝钦柳下惠，颇悦邴生免。苟持齐物心，得丧两俱遣。'"叶矫然《龙性堂诗话续集》："皇甫子安五律，通体隽别，纯是六朝，似不肯乞灵王、杜者。盖此体易就难工，必如此深秀，浅人始不敢轻下笔。阿弟子循，姿致不愧埙篪，而未免露作家气习；至七律则赏心大历，不甘寄七子篱下矣。二甫洵吴中杰士也。子安五律秀句，如《江上别友》云：'分鸿下林影，别鹤上琴声'，《春天对雨》云：'疏花开独树，新水乱寒塘'，《宴流杯亭》云：'暝树烟常合，春山雨不分'，《夜泊》云：'蓼积寒江渚，枫凋古驿亭'，《彭城道中雨行》云：'残阳向湍没，飞雨度川重'，《灵岩溪口》云：'云行低合柳，江浅细澄沙'、'岸静渚花落，溪闲山鸟鸣'，《天平寺》云：'松堂散花雨，溪牖摇峰阴'，《治平寺》云：'一林寄空水，满院生云阴'，《灵岩寺》云：'遥霭引疏磬，群峰寒暮天'，《怀子循》云：'山钟摇客梦，池草结遐心'，诸如此妙语，云间选明诗尽汰之，谓其落中晚色相。果尔，则何逊、江总、张正见、庾子山诸公，皆可谓中晚乎？选家好尚之偏如此！"《四库全书总目》卷一七二集部别集类二五著录《皇甫少玄集》二十六卷《外集》五卷，提要曰："古文非涍所刻意，亦不擅场。其诗则宪章汉魏，取材六朝，古体多于近体，五言多于七言。其持论谓'王、宋反元习之靡，而不能不病于声。李、何矫一时之弊，而不能不泥其迹'。可谓笃论。盖涍与黄省曾为中表兄弟，早年袭其绪论，亦宗法北地之学。及其造诣既深，乃觉摹拟之失，故其论如此。然其鉴李何之弊，则云诗可无用少陵。取法迪功，则云诗可无用近体。又云七言易弱，恐降格为钱、刘。亦类于惩羹吹齑者矣。王世贞《艺苑卮言》尝谓其如轻缣短幅，不堪裁剪。陈子龙《明诗选》亦谓其无纵横荡逸之致。岂非以取径太狭，故窘于边幅欤？要其婉丽之词，绵邈之神，以骖驾昌谷、苏门，固无愧色也。"沈德潜《明诗别裁集》卷七："吴中诗品，自高季迪、徐昌谷后，应推皇甫兄弟。以造诣古淡，无一点秾纤之习。时二黄、三张，空存名目耳。"《明诗纪事》戊签卷五录皇甫涍诗四十九首，陈田按语云："子安刻意摹拟，词俊而格超，可谓镂冰雕琼，心手双绝。"

**田汝成为夏言《赐闲堂稿》作序。**序署"嘉靖二十五年春三月，钱唐田汝成撰"。去年九月，夏言复以大学士入阁。

## 五月

**杨慎为严嵩《钤山堂诗集》作序。**据序末题署。

**陆深（1477—1544）《俨山文集》由其子陆楫刊行，徐阶作序。**序署"嘉靖丙午仲夏望日，赐进士及第、通议大夫、吏部左侍郎，郡人徐阶序"。陆深（1477—1544）所著除《俨山文集》外，尚有《俨山外集》、《俨山续集》等多种。徐献忠《俨山外集序》，署"嘉靖乙巳岁八月既望，后学郡人徐献忠撰"；何良俊《俨山外集后序》，署"嘉靖乙巳九月望，后学郡人何良俊撰"；唐锦《俨山续集序》署"嘉靖辛亥岁仲春朔旦，江西提学、按察副使致仕，进封中宪大夫，姻生唐锦撰"；陆师道《陆文裕公续集题后》署"嘉靖辛亥夏五月朔，长洲陆师道谨题"；文徵明《俨山文集后序》作于嘉靖丁巳年。《四库全书总目》收录其著述约 20 种。

## 七月

唐龙（1477—1546）卒。徐阶《明故光禄大夫太子太保吏部尚书赠少保谥文襄唐公墓志铭》："嘉靖丙午夏六月，太子太保吏部尚书唐公病弗能朝，三上疏乞致仕，上方倚重公，以为忘国，夺其官放归。七月十九日公舆出都门三十里，卒于旅舍。……公生成化丁酉六月二日，享年七十。""素善属文。当其得意时，长篇短章，操觚立就，莫不婉丽畅达。或戏为奇深文，杂字至不可读，然终不诡于理。所著《易经大旨》若干卷，《渔石集》若干卷，《云南江西督府总督奏议》各若干卷传于世。"《静志居诗话》卷十《唐龙》："唐龙字虞佐，兰溪人。正德戊辰进士，累官太子太保，吏部尚书。卒，赐少保，谥文襄。有《渔石集》。文襄扬历中外，宦辙所至，必有留题。其诗长于五律，句如'莺花边地少，风雨暮春多'，'云气雨中白，山光鸟外青'，'断湟春水浅，乱石晓山稠'，'赤峡青冥外，飞泉急雨中'，'星临河影动，风入鼓声高'，'野水流渔市，山云进郭门'，'雪埋青兕叫，霞引白驾飞'，'细雨孤帆落，疏灯两岸明'，'岩林遗鲁殿，畎亩变秦川'，'野鹿避人走，山禽向我啼'，'冻云投浦宿，倦鸟逐风回'，'百里邮程远，三更候吏稀'，'残棋榕叶暑，嫩醅菊花天'，'岩置戍楼直，峰悬鸟道斜'，'客身病亦起，短发落还梳'，'竹外青藜杖，风前细葛巾'，'移松邀老圃，失鹤问前村'，均有风致。"《四库全书总目》经部易类存目一著录唐龙《易经大旨》四卷，史部传记类存目三著录唐龙《群忠录》二卷，集部别集类存目三著录唐龙《渔石集》四卷。《渔石集》提要曰："龙扬历中外，所著有《黔南集》、《江右集》、《关中集》、《晋阳集》、《淮阳集》，陕西提学金事王维贤为合而刻之，以成此集。其文颇具浩瀚之气。诗尤长于五言。然集中自朱彝尊《诗话》所摘数联外，亦罕逢佳句矣。"《明诗纪事》戊签卷十录唐龙诗五首。

## 八月

李本、郭朴等任乡试主考。《弇山堂别集》卷八十三《科试考三》："二十五年丙午，左春坊左中允李本、右春坊右赞善吴山主顺天试。命翰林院侍读郭朴、右春坊右中允孙升主应天试。"

李攀龙还京师，充顺天乡试同考官。据殷士儋《墓志铭》。

张凤翼初应乡试失利。徐渭再应乡试不第。汪道昆中举。据徐朔方《晚明曲家年谱》。

**本年**

王慎中读唐顺之《叙广右战功》文，钦羡不已，欲作一大文胜之。《四库全书总目》卷五三史部杂史类存目二著录唐顺之《广右战功录》一卷，提要曰："此录述右江参将都督同知沈希仪讨平广西诸蛮事。顺之工于古文，故叙事具有法度，《明史》希仪本传全采用之。惟《录》称希仪为临淮人，而《史》称贵县人，稍有不同。盖希仪世官指挥，《史》据其卫籍言之，而《录》则仍书本贯也。其书已载《荆川集》中，此为袁褧摘出，录入《金声玉振集》者也。"

徐桂撰《郎台事略》。据四库提要。

周用任吏部尚书。韩邦奇任南京都察院右都御史，掌院事。据王世贞《弇山堂别集》。

茅坤由丹徒县令入为吏部司勋郎，与王宗沐定交。王宗沐《白华楼集序》："嘉靖甲辰（1544），余结发登朝，始去举业，专意为古文章，力追心惟，冀以挽复典雅，传六经，下且薄秦汉。杜门苦思而不能自得，因欲游于天下名士，以求其所谓至者。雅闻归安鹿门茅君，明年使道丹徒，而君方为令，相留竟日，似以余为可语者，而余未敢遽请也。又明年，君入为吏部郎，握手都门之外，因得叩。"王宗沐字新甫，临海人。嘉靖甲辰进士，授刑部主事。历员外郎中，出为江西副使，累迁山西布政使。改广西、山东，以右副都御史总督漕运，兼巡抚凤阳。迁南刑部侍郎，召改工部，再改刑部。赠尚书，天启初追谥襄裕。有《敬所文集》三十卷。

茅坤由吏部司勋司主事谪广平府通判。屠隆《鹿门茅公行状》云："公在丹徒廉甚，尺帛寸缕不以入署。姚孺人布素浣濯，萧如也。已召为仪部郎，检橐装，仅十六金耳。寻改吏部司勋郎。是时，公文学吏治，声冠海内；海内贤豪名士，亡弗延颈愿纳交公，而忌者亦蜂起。华亭徐公，以词臣出督浙学政。公登贤书，实非徐公所录士；徐公心欲公执北面为重，公不能屈，意衔之。会徐公居丧，闻公且往吊，大喜；而公行以病返。徐公既惭且恚，曰：'吾不足以辱茅子。'公入吏部，徐公官少宰，遂中公，谪广平别驾。"茅国缙《先府君行实》："乃别补丹徒。……未满考，召为仪部郎。未任，改吏部司勋。当是时府君文章吏业，名满天下，知者恨不加膝骤跻之通显，而忌者与故所睚眦者，亦遂投袂起。初，华亭徐公（徐阶）庐丧，闻府君且过吊，遍召邑中名士，盛供帐以须。府君以病中道返，惭且恚曰：'吾不足辱茅子。'府君入吏部，华亭官少宰矣。言者遂指改吏部为骤，谪判广平郡。"莫如忠《崇兰馆集》卷六有《送茅吏部顺甫谪官广平》诗。屠隆、茅国缙将茅坤之谪归因于徐阶报复，实本于茅坤《耄年录》。张梦新以为："茅坤多次提到，因徐阶居丧自己未去吊唁而造成误会，引来徐阶对其的迫害，似将两人以后的关系移前，有不尽合实之处。"详见张梦新《茅坤研究》第 101 页、11—15 页。章培恒《茅坤研究·序》亦有申论。《茅坤研究》，中华书局 2001 年版。

董玘（1483—1546）卒。嘉靖《浙江通志·人物》："董玘，字文玉，会稽人。弘治十八年举礼部第一，登进士及第第二，授翰林编修，历谕德詹事。……官至吏部左侍郎兼翰林学士，以忧制归，为胡明善、汪鋐论劾，遂不复出。"所著《中峰先生文选》有唐顺之、沈束、王国桢序。唐序署"嘉靖壬子（1552）仲春望日"，沈序署"嘉靖丙寅（1566）六月初九日"，王序署"嘉靖辛酉（1561）春三月既望"。《明史·艺文志》著录《董玘文集》六卷。

**魏允中**（1546—1585）**生。**魏允中字懋权，南乐人。万历庚辰（1580）进士，除太常博士，迁吏部主事。有《仲子集》八卷。《列朝诗集》、《明史》有传。

## 公元 1547 年（世宗嘉靖二十六年　丁未）

### 三月

**李春芳等进士及第。**《弇山堂别集》卷八十三《科试考三》："二十六年丁未，命掌詹事府吏部左侍郎翰林院学士孙承恩、吏部左侍郎翰林院学士张治为考试官，取中胡正蒙等。廷试，赐李春芳、张春、胡正蒙及第。选进士孙世芳、张思静、汪镗孙、朱大韶、亢思谦、胡杰、毛起、张居正、殷士儋、林燫、马一龙、张勉学、谢登之、蓝璧、黎澄、李敏、刘泾、赵镗、刘锡、任士凭、任有龄、蔡文、陈一松、马三才、孙衮、莫如忠为庶吉士，命张治及吏部左侍郎兼学士徐阶教习，后续命吏部左侍郎兼学士欧阳德。林燫，翰林廷机子也。"同榜进士有张居正（1525—1582）、杨巍（1517—1608）、王樵、孙永思、杨继盛（1516—1555）、彭辂、王世贞（1526—1590）、汪道昆（1525—1593）等。

**归有光应礼部试下第南还。**是年试卷为《中庸》题，"天地位万物育"，有光用"山川鬼神莫不父安，鸟兽鱼鳖莫不若"，房考官大篦批一"粗"字，有轻薄子，每诵此以为嬉笑，有光终不与之计较。据沈新林《归有光年谱》。

**李先芳**（1511—1594）**举进士。明年选为新喻知县。**时其诗名已籍甚于齐鲁间。于慎行《明故奉直大夫尚宝司少卿北山先生李公墓志铭》："北山先生姓李氏，讳先芳，其先湖广监利人也。国初以士伍北徙，因籍濮州。……当嘉靖辛卯（1531）举省闱，高第，六上南宫不中，中丁未（1547）进士。时先生诗名已著，而不与馆选，识者惜之。乃与历下殷文庄公、李宪使于鳞、任城靳少宰、临清谢山人结社赋咏，相推第也。明年（1548）选为新喻知县。"王世贞《送李伯承之新喻令序》："予举进士京师，则闻同年中有李子者名能诗。李子之为诗，刿刻性致，穷极幻变，担材博而命旨玄，即世所称诵名家，若不足李子观也。人或才之者，曰：'李子当被抢荐侍禁近，假清燕鸣我国家之盛，不则亦列曹署。'已而李子外补得江西之新喻令，人尤为惜之。"《列朝诗集小传》丁集上："先芳字伯承，濮州人。嘉靖丁未进士，除新喻知县，迁刑部郎中，改尚宝司丞，升少卿，降亳州同知，稍迁宁国府同知，复以台拚罢。……年八十四而卒。"

**汪道昆举进士。**今年十二月，除义乌知县。据汪无竞年谱。

### 四月

**王世贞试政大理寺左寺评事，与吴维岳、李先芳等游。时李攀龙任刑部广东司主事。**《明史》卷二八七本传云："世贞好为诗古文。官京师，入王宗沐、李先芳、吴维岳等诗社。又与李攀龙、宗臣、梁有誉、徐中行、吴国伦辈相倡和，绍述何（景明）、李（梦阳），名日益盛。"王宗沐为嘉靖二十三年进士，李先芳为嘉靖二十六年进士，吴维岳为嘉靖十七年进士。宗臣以下为嘉靖二十九年进士，交游时间在后。李先芳字伯承。《列朝诗集小传》丁集上云："始伯承未第时，诗名籍甚齐鲁间，先于李于鳞。通籍后，结诗社于长安。元美隶事大理，招延入社，元美实攀附焉。又为介元美于于鳞。嘉靖七子之社，伯承其若敖、蚡冒也。厥后李、王之名已成，羽翼渐广，而伯承左官落薄，五子七子之目皆不及伯承。"王世贞《王氏金虎集序》云："是时有濮阳李先芳者雅善余，然又善济南李攀龙也。因见攀龙于余。余二人者相得甚欢……于是吾二人者益日切劘为古文辞。众大欢呶喅之。虽濮阳亦稍稍自疑引辟去。而徐中行、梁有誉来。已，宗臣来。已，吴国伦来。其人咸慷慨自信，于海内亡所许可，独称吾二人者千古耳。"又《艺苑卮言》卷七："（余）十八举乡试，乃间于篇什中得一二语合者。又四年成进士，隶事大理，山东李伯承烨烨有俊声，雅善余持论，颇相下上。"据王世贞《先考思质府君行状》，世贞父忭嘉靖二十八年出按湖广监乡试，吴国伦为其所取士。吴维岳（1514—1569）字峻伯，孝丰人。嘉靖戊戌（1538）进士，除江阴知县。征授刑部主事，历员外郎中，改兵部，出为山东督学副使。历湖广参议、江西按察使，以右佥都御史巡抚贵州。有《天目山斋岁编》二十四卷。王世贞《吴峻伯先生集序》："予始从事尚书刑部，而同舍郎吴峻伯先生与河中王丈学甫、天台王新甫俱以精谳比经断主尚书章奏，而峻伯新甫尤名能文章，尚书以下有所撰著，辄左右顾，而非二子不以任。诸公卿上事，岳牧出镇，以不得一言为耻。会新甫与学甫相继迁去，独峻伯留，日益重。而是时济南李于鳞性孤介，少许可，偶余幸而合，相切磋为西京、建安、开元语，它同舍郎弗善也，而峻伯一见而内奇之，因折节定交。"时吴维岳在刑部尚书郎任。王宗沐字新甫，王崇古字学甫。

**傅光宅**（1547—1604）生。于慎行《明故中宪大夫四川按察司提学副使金沙傅公合葬墓志铭》："傅公讳光宅，伯俊其字也，别号金沙居士。……以其年（甲辰）五月二十九日终于正寝，距生嘉靖丁未四月二十日，得寿五十八岁。""所著有《巽曲》、《吴门》、《燕市》、《蚕丝》诸草，半行于世。"《列朝诗集小传》丁集下："光宅字伯俊，聊城人。万历丁丑（1577）进士，除吴县知县，召拜御史，转副使。负意气，通禅理，为通人所称。"

## 五月

**俞弁作《逸老堂诗话自序》。**序署"嘉靖丁未五月望日，戊申老人自叙"。《逸老堂诗话》，俞弁撰，分上下二卷。此书长期以钞本流传，但知作者姓俞。民国初年丁福保汇辑《历代诗话续编》，始考知作者名弁，字子客。卢文弨跋云："其书虽无大过人处，而叙述亦斑驳可喜。其论《麓堂诗话》载同官献谀之词，未免起后人之议，尤确论也。"

## 六月

袁袠（1502—1547）卒。文徵明《广西提学佥事袁君墓志铭》："君讳袠，字永之，别号胥台山人，世吴人。"嘉靖丙戌（1526）进士，选庶吉士。会有诏翰林官并除郎署，授刑部主事，改兵部。上官未几，兵部火，下诏狱，谪戍湖州。会赦归，以荐起补南职方员外郎，出为广西提学佥事。移疾乞休。"君生弘治壬戌（1502）十月二十六日，卒嘉靖丁未六月十有三日。""为文必先秦两汉为法，乐府师汉魏，赋宗屈贾，古律诗出入唐宋，见诸论撰，莫不合作。所著文集二十卷，《皇明献实》二十卷，《吴中先贤传》十卷，《世纬》及《岁时记》及《周礼直解》总若干卷。始君雅志用世，及事与心违，时移身远，乃肆意于此，以泄其所蕴耳。观《世纬》所著，皆凿凿乎经世之论。其《官宗》、《遴傅》与夫《距伪》诸篇，实维时敝，惜不得少见于事，而徒托之空言，可慨也已。"彭年《袁督学诔》："嘉靖二十六年六月十三日，明故奉敕提督学校广西按察司佥事胥台先生袁君卒。呜呼哀哉！君讳袠，字永之，苏郡吴人也。少知名，为博士弟子，乙酉举（1525）应天乡试第一，丙戌（1526）举进士第二甲第一，选入翰林为庶吉士，遇例裁抑，出授刑部主事。决狱江北，校文河南，调兵部武选主事。兵部火，谪戍湖州，遇赦归。久之召补南京兵部武选主事，进职方员外郎，寻拜提学之命，致仕，寝疾，卒于瑞秀里第，春秋四十有六。呜呼哀哉！"袁表《袁永之集序》："吾弟十岁能文，弱冠即发解，连举进士，可谓遇矣。……欢燕未几，乃岁丁未（1547）夏日，遂以疾七日而卒，仅年四十有六，余恸绝者数四。呜呼惜哉！呜呼痛哉！……卒三月，鸠工刻就此集，将以传之四方，请余序首简。……是岁九月之望，兄表书。"（《衡藩重刻胥台先生集》卷首）袁褧《家弟永之文集序》："夫古之文士不享其年者亦多矣！今若信阳何景明、大梁高叔嗣、沁水常伦，同邑若王宠，皆以才华露发，皆不享其年。所恃以不朽者，乃曰有言语在碑版。斯言也，不亦大可痛乎！永之诗拟高岑，文喜学先秦西汉。当其快意处，则沉着恳到，体裁疏秀，琅琅可诵。少有用世之志，究其学亦欲得国而治之，而今已矣！集梓已成，因抆泪书此以践昔岁桂林之言。嘉靖丁未秋九月既望，仲兄褧撰。"《袁永之集》序跋颇多。朱曰藩序署"嘉靖壬子（1552）上元，射陂朱曰藩撰"；董宜阳序署"嘉靖丁未（1547）闰九月，云间董宜阳著"，陆师道序、王格序作序年月不详。万历年间《衡藩重刻胥台先生集》有董复亨、张炳忠、袁尊尼序。文徵明撰《广西提学佥事袁君墓志铭》，吴维岳撰《衡藩重刻胥台先生传》，记其生平颇详。王世贞《吴中往哲像赞》："袁胥台先生袠，字永之，吴县人。生五龄即知书，岁赋诗，有奇语，十五试应天，即驰声场屋间，又九岁而举乡试第一。明年廷试第二甲第一人，改翰林庶吉士。时新贵人张公者，以先生所射策尝荐居首而亟言之，欲以见德，先生不答，亦不往报谢，以故当授官，密言于上，谓诸少年浮薄，非大器，皆左之。先生仅得刑部主事。主试河南，所识拔多知名士。还改兵部之武选。未几而司不做于火，以先生当陬于夕，逮下狱，特论戍湖州，则犹张意也。先生既工文章，精笔札，而湖当山水间，凡所讽诵著述传远近，虽在戍而名益重。久之赦归，起南武部主事，迁职方员外郎、广西提学佥事，骎骎显矣。偶意有所不可，遂拂衣，有所经游名山，皆为文记之。先生归而家横塘，据石湖之胜，著书行吟，豁如也。卒年仅四十六。所著文集二十卷，《皇明献实》二十卷，《吴中先贤传》十卷，《世纬》及《岁时记》、《周礼直解》又若干卷。"《艺苑卮言》卷五："袁永之

如王谢门中贵子弟，动止可观。"《明诗综》卷四五："吴峻伯云：永之古诗法魏晋，近体拟唐。当其意到一骋，敷赡沉核，无所摹剽，而动与作老合度。蒋仲舒云：袁诗如筑城建邑，位置整严，终乏悠然之思。"《静志居诗话》卷十二《袁袠》："永之诗品在后冈之上，足与吾乡渐山方驾。报顾东桥书云：'立言之道，其难有六：学难乎渊该，事难乎综核，辞难乎雅健，气难乎冲和，识难乎贯融，志难乎沉澹。兼是六能，而假以岁月，庶矣。古之立言者，率多中岁。盖少年轻俊，闻见未广，计虑未周，词锋则锐，而论议剽捷，终乖轨辙。'今读《胥台集》，多中岁之诗。宜其声既清会，辞亦藻拔也。"《四库全书总目》卷九三子部儒家类三著录袁袠《世纬》一卷、卷一七七集部别集类存目四著录袁袠《胥台集》二十卷。《世纬》提要云："明袁袠撰。袠字永之，号胥台，吴县人。嘉靖丙戌进士。官至广西提学佥事。《明史·文苑传》附见文徵明传中。是书凡二十篇。曰官宗，曰遴傅，曰简辅，曰降交，曰诱谏，曰广荐，曰崇儒，曰贵士，曰裁阉，曰汰异，曰距伪，曰抑操，曰久任，曰惜爵，曰惩墨，曰节浮，曰节奢，曰正典，曰实塞，曰均赋。其言皆指陈无隐，切中时弊。虽立说不免过激，而忧时感事，发愤著书，亦贾谊痛哭之流亚也。当时狃于晏安，文恬武嬉，朝廷方以无事为福。故袠自序有凿枘异用，竽瑟殊好，空言无益，只增多口之语。而《距伪》一篇，讲学者尤深嫉之。然袠之言曰：今之伪者，其所诵读者，周、孔之诗书也；其所讲习者，程、朱之传疏也；而其所谈者，则佛、老之糟粕也。党同伐异，尊陆而毁朱云云。盖指姚江末流之弊，有激言之。观于明季，袠可谓见微知著矣。又乌得恶其害己，指为排抑道学乎？"《胥台集》提要曰："是编诗不失体格而乏坚苍，文亦俊爽而酝酿未免少薄。"《明诗纪事》戊签卷十六录袁袠诗十六首，陈田按："永之与王履吉皆服膺空同，履吉未达，私淑而已。永之使大梁，空同赋《相逢行》赠之。空同属纩之日，遗言必袁生表墓。其子伯材书乞永之作传。永之又有悼空同诗云：'李公海岳秀，长庚兆灵异。发颖由西陲，空群眇北冀。摛词追子长，作赋凌贾谊。虎视万古前，鸿冥陋衰季。徐何抗英特，晚达劳指示。金声叶钧《韶》，兼总集能事。煌煌弘治间，文章准天地。抗疏逐城狐，挺节诋阉寺。八党虽稽留，二张亦敛避。青蝇何群飞，白首从吏议。淮南自狂谋，公也实奚累。繁台昔攀跻，龙门幸无弃。白马聆雄谈，朱弦当真趣。三复《相逢行》，绸缪伏高义。哲人竟山颓，仰止庶可企。'永之诗雄词快句，下笔凌厉，而直易之篇，伤于易尽，无复顿挫含蓄之妙。惟五律独多合作。其与顾华玉论诗，谓'四言必以《三百篇》为法，而取材于汉、魏'。今玩集中此体，了无高唱，欲副斯言，眇若河汉矣。"

## 夏

**李开先传奇作品《宝剑记》、《登坛记》脱稿。**李开先《市井艳词又序》："《登坛》及《宝剑记》，脱稿于丁未夏，皆俗以渐加，而文随俗远。"

## 八月

**二十五日，雪蓑渔者为李开先《宝剑记》作序。**序云："《琵琶记》冠绝诸戏文，自胜国已遍传宇内矣。作者乃钱塘高则诚，阖关谢客，极力苦心，歌咏则口吐涎沫，按节拍则脚点楼板皆穿，积之岁月，然后出以示人；犹且神其事而侈其说，以二烛光合，遂名其楼为瑞光云。予性颇嗜曲调，醉后狂歌，只觉'雁鱼锦'、'梁州序'、'四朝元'、'本序'及'甘州歌'等六七阕为可耳，余皆懈松支漫；更用韵差池，甚有一词四五韵者。是记则苍老浑成，流丽款曲，人之异态隐情，描写殆尽，音韵谐和，言辞俊美，终篇一律，有难于去取者；兼之起引散说，诗句填词，无不高妙者，足以寒奸雄之胆，而坚善良之心，才思文学，当作古今绝倡，虽《琵琶记》远避其锋，下此者毋论也。但不知作者为谁。予游东国，只闻歌之者多，而章丘尤甚，无亦章人为之耶？或曰：'坦窝始之，兰谷继之，山泉翁正之，中麓子成之也。'然哉？非哉？闻其对客洒翰，如不经意，才两阅月而脱稿矣。固不待持久，亦不借烛光为之瑞应也。果尔，是则词林之幸，而中麓之不幸。近见有贻中麓书者，其略曰：'时从门下游者，候问行藏，云：多注疏古六经。或云：多通宾客歌舞酒弈，以自颓放；而其所著者，间或杂引谑噱之词。客或以此病之，然仆独窃笑客之陋者，又非所揣摩于贤者之深微也。天之生才，及才之在人，各有所适。夫既不得显施，譬之千里之马，而困槽枥之下，其志常在奋报也，不得不蹄足而悲鸣，是以古之豪贤俊伟之士，往往有所托焉，以发其悲涕慷慨抑郁不平之衷，或隐于钓，或乞于市，或困于鼓刀，或歌，或啸，或击筑，或喑哑，或医卜，或恢谐驳杂；之数者，非其故为与时浮湛者欤？而其中之所持，则固有溷于世之耳目，而非其所见与闻者矣。'中麓复书曰：'仆之踪迹，有时注书，有时摘文，有时对客调笑，聚童放歌；而编捏南北词曲，则时时有之。大夫士独闻其放，仆之得意处，正在乎是，所谓人不知之味更长也。'观此，则其无志于世可知也已。近因贤内之丧，叹流影之似飞，悟生人之如寄，一切劳心事，罢弃不为，小令且难见之矣，况乎文与经解，及如《宝剑记》数万言耶！尝拉数友款予，搬演此戏，坐客无不泣下沾襟。恐其累吾道心，酒半而先逃；然犹为此言者，将以阐其微而表其素。有才如此，使之甘为沟中之断，不亦深可惜耶！过此以往，将与之嘘吸冲和，珍摄元液，以图超出尘埃之外，而遨游蓬阆之区，不犹贤于征逐骚坛，堕落苦海耶？闻者若以为狂，则其狂滋甚矣！邑侯平冈，恐是记失传，托刻之。盖政而兼文者也。诚心直道，以翰林清贵而出是官，劳心抚字，苦志辞章，不知身为迁客，宜其有是举也。继此刻者，当不啻《琵琶记》之多。古有一艺成名者，以是刻名出高则诚之上，较诸得志一时富贵，必不肯相博也。若是者，则又中麓之幸矣。嘉靖丁未岁八月念五日，雪蓑渔者漫题。"姜大成《宝剑记后序》署"嘉靖丁未闰九月，同邑松涧姜大成序"；王九思《书宝剑记后》署"嘉靖己酉（1549）秋九月九日，渼陂八十二山人王九思书"。王序云："音律之学，余未之能深知也。罢官后，间尝命笔，直以取快一时耳，非作家手也，乃对山康子持去刻诸梓云。往年乙巳（1545）春，东山中麓李公，以其所制《傍妆台》百首寄余。余不自量，辄敢次韵，序而并刻之，不自知其不可也。……乃今使者至，辱公手书，以新制《宝剑记》见示，且命为之序。"王骥德《曲律》："《宝剑》引子，多出己创，皆不足为法。"沈德符《顾曲杂言》："李中麓之《宝剑记》，则指分宜父子。"吕天成《曲品》具品一："《宝剑》传林冲事，亦有佳处。自撰曲品名亦奇。此公熟于北剧，作此记，谓弇州曰：'何似《琵琶》？'答曰：'但当令

吴下老曲师讴之，乃可。'"按，《宝剑记》取材于《水浒传》中林冲被逼上梁山一事而有所改动，藉以发泄抑郁不平之怀。

## 秋

今年，岘山堂改名逸老堂，秋会由刘麟（1474—1561）主盟，改名为逸老会。张梦新《茅坤研究》第三章："明嘉靖二十二年（1543）秋，唐枢、蒋瑶发起岘山诗会。刘麟《岘山逸老堂记》引顾应祥诗记曰：'第一会，岁癸卯秋，社始会。……是会实逸老为会之始。'以后每年春秋两会，人数不等，地点多在岘山或城内私人园林。嘉靖二十六年春三月二十六日，实社人之第八会，唐枢、蒋瑶、刘麟、顾应祥等15人与会，后人为此画成《岘山十五老图》。是年，岘山堂改名逸老堂，秋会由刘麟主盟，改名为逸老会。"刘麟字元瑞，江西安仁人，弘治九年进士，官至工部尚书。正德中因得罪刘瑾，罢为民。隐居长兴南坦，因号南坦。著有《刘清惠集》等。

## 十月

谢榛（1495—1575）偕新科进士李先芳（1511—1594）游北京西山，有诗。《诗家直说》卷三："予初冬同李进士伯承游西山，夜投碧云寺，并憩石桥，注目延赏。时薄蔼濛濛，然涧泉奔响，松月流辉，顿觉尘襟爽涤，而兴不可遏，漫成一集。及早起临眺，较之昨夕，仙凡不同，此亦逼真故尔。附诗云：'并马寻名寺，登高藉短筇。飞泉鸣古涧，落月在寒松。石路经千转，云岩复几重。人间多梦寐，谁听上方钟？'"谢榛诗题为《初冬夜同李伯承过碧云寺》。李先芳，字伯承，今年中进士。其《东岱山房诗集》中有《碧云寺》五律一首。

## 十一月

王立道（1510—1547）卒。年才三十有八。张治《翰林院编修王君懋中墓石文》："君姓王氏，名立道，字懋中，无锡人。南礼部主客郎中表之子也。"嘉靖乙未进士。官翰林院编修。"懋中生正德庚午月日，卒以嘉靖丁未月日，年三十有八。""其为文力追秦汉而止乎理，诗冲雅，骎骎入韦、柳门户也。"王维桢《王太史传》："后十二岁为嘉靖丁未，太史自告起还翰林，相见，亟称欧阳永叔之文粹固须法，诗谈唐张司业、刘随州，以为质而近。乃索其自作读之，果皆似之。""疏上未报，而太史卒，即其年十一月二十四日也。"其《具茨先生诗集》有孙继皋序，署"万历乙巳（1605）春王正月，赐进士及第、嘉议大夫兼翰林院侍读学士、前正史副总裁、经筵讲官，后学孙继皋撰"；有邹迪光序，作序年月未详。《四库全书总目》卷一七二集部别集类二五著录王立道《具茨集》五卷《补遗》一卷《文集》八卷《补遗》一卷《附录》一卷《遗稿》一卷。《明诗纪事》戊签卷十九录王立道诗十首。

赵王朱厚煜刊行谢榛《四溟山人全集》并作叙。谢榛号四溟山人。叙曰："乃于隐逸爱取三人：孙太白（一元）、张昆仑（诗）、谢四溟（榛）。孙、张二子不及见之，谢生予得而友焉。其诗得少陵体裁、太白格调,故何柏斋曰:其诗隽逸不凡,足占所养也。苏舜泽(祐)曰:郙有此诗,不在何李之下。李春溪曰:谢诗虽与诸家同,而意兴过之。刘一轩曰:沉痛清逸,洒然物表,不食烟炊。黄五岳曰:激昂悲壮,其高岑之流乎!卢涞西曰:一代诗人出吾山东矣。漫山曹均尤所爱重,从而刻其五言。予取其全集刻之。或言王刻《洹词》,后刻谢诗乎?予应之曰:文至后渠(崔铣),诗至四溟,其尽之也。生名榛,字茂秦,别号四溟,东郡人,卜居于郙云。嘉靖丁未冬十一月日南至,大明太祖八世孙赵王枕易道人撰。"另有苏祐《四溟山人全集序》,署"嘉靖庚戌(1550)春,东郡苏祐"。邢云路《刻四溟山人全集序》作年不详。苏潢跋、陈养才后跋作于万历丙申(1596)。张泰征《续刻四溟山人全集跋》作于万历二十三年(1595)孟冬。程兆相后跋作于万历"甲辰(1604)之夏六月六日"。

## 冬

**王廷表访杨慎于滇,得《经义模范》一卷。《经义模范》系宋代经义选本。经义为科举考试文体。**王廷表《经义模范序》:"丁未冬,表访太史杨升庵,得《经义模范》一帙,乃同年朱良矩所刻也。退观之,义凡十六篇,易义二篇,为姚孝宁,余篇则蜀先贤广安张才叔、中江吴师孟、简州张孝祥也。夫经义盛于宋,张才叔《自靖,人自献于先王》之义,吕东莱取之入《文鉴》,与古文并传。朱文公每醉后口诵之,至与诸葛武侯《出师》二表同科。我成祖文皇帝命儒臣纂集《尚书大全》,以其义入注,经义之盛,无逾此篇。选者以此特轧卷首,有见哉。其余十五篇皆称是,盖出于胸臆之妙,非口耳剿说,如今之套括也。临安大邦伯左绵、东崖胡公属表序而重梓之,非惟表蜀之先贤,抑惠我滇后学之盛心乎?敬序以复于公云。"《明史·艺文志》著录杨慎《经义模范》一卷。《四库全书总目》卷一八九集部总集类四著录《经义模范》一卷,提要曰:"不著编辑者名氏。前有王廷表序,称嘉靖丁未访杨升庵于滇,得《经义模范》一帙,乃同年朱良矩所刻云云。考廷表为正德甲戌(1514)进士,是科题名碑有朱良、朱敬、朱裳、朱节、朱昭、朱方六人,未详孰是。以字义求之,殆朱方为近乎?方,浙江永康人,其仕履亦未详。所录凡宋张才叔、姚孝宁、吴师孟、张孝祥四人经义十六篇,其弁首即才叔《自靖,人自献于先王》一篇,吕祖谦录入《文鉴》者也。时文之变,千态万状,愈远而愈失其宗,亦愈工而愈远于道。今观初体,明白切实乃如此。考吴伯宗《荣进集》,亦载其洪武辛亥会试中式之文,是为明之首科。其所作与此不甚相远。知立法之初,惟以明理为主,不以修词相尚矣。康熙中,编修俞长城尝辑北宋至国初经义为《一百二十家稿》,然所录如王安石、苏辙诸人之作,不能尽知所自来,世或疑焉。此集虽篇帙寥寥,然犹见经义之本始。录而存之,亦足为黜浮式靡之助。"

## 本年

**俞允文(1513—1579)谢去诸生,一意读书汲古。俞允文以布衣诗人见称于时。**顾章志《明处士俞仲蔚先生行状》:"君姓俞氏,初名允执,更名允文,仲蔚其字也,世为昆山人。"年十七补郡诸生,才名藉藉。"嘉靖丁未,督学使者豫章胡公植按吴,君决意求去，郡守丰城范公庆惜其才，极口荐之于胡，仍力留君就试。然胡竟不知君，君亦不求知也。遂辞归，益闭户读书，肆力古学，或模搨古书刻，暇则玩禽鱼花卉以自娱。所养益纯，所造益邃，就之者如入芝兰之室而饮醇醪也。"

**李攀龙**（1514—1570）授刑部广东司主事，曹务闲简，大肆力于文词。其名籍盛公卿间。殷士儋《墓志铭》："丁未授刑部广东司主事，既曹务闲寂，遂大肆力于文词。余时为检讨，日相引，上下其议论。而于鳞益交一时胜流，若吴郡王元美数子者，名乃籍甚公卿间矣。"王世贞字元美，今年举进士。

**茅坤作《与蔡白石太守论文书》，时在广平通判任。蔡汝楠**（1516—1565），字子木，号白石，时在归德太守任。茅坤《通议大夫南京工部侍郎白石蔡公行状》："公名汝楠，字子木，生而颖异，甫八龄随父夷轩公游南雍。时甘泉先生进诸生讲白沙之学，公以儿年曳父裾入帏中，从旁窃听之，辄点头，一座大惊。年十八举进士，授行人，函玺书赐齐楚诸王府，所至辄按图眺名山，赋为诗歌，镵之碑记，以贻四方。片楮所落，人呼曰汉之祢衡也。与燕张言、河南高叔嗣、昆陵唐顺之、晋安王慎中、钱塘许应元、姑苏黄省曾及皇甫兄弟辈，时时以声律相高，而公之誉问翩翩海内矣。已而夷轩年且衰，公由刑部员外郎上书乞南省，以便禄养。于是改南刑部尚书。顾公东桥闻人也，雅奇公才，公至遂为忘年友。久之出守归德。归德故州也，睢陈之间多巨盗，稍稍啸聚，窃觊非常者，改为郡。而公以才为郡太守，佩二千石印绶，首出镇之。下车不数月，郡中肃然。"

**马天祐编次其祖父马文升奏议成《马端肃奏议》十二卷。**据四库提要。

**郎瑛**（1487—1566后）《七修类稿》成书于今年或稍后。《七修类稿》为学术性笔记。《四库全书总目》卷一二七子部杂家类存目四著录《七修类稿》五十一卷，提要曰："明郎瑛撰。瑛字仁宝，仁和人。是编乃其笔记，凡分天地、国事、义理、辩证、诗文、事物、奇谑七门。所载如杭州宋官署考，则《咸淳临安志》及西湖各志所未详，又纪明初进茶有探春、先春、次春、紫笋诸名，及漕河开凿工程，皆《明会典》及《明史》诸志所未及，亦间有足资考证者。然采掇庞杂，又往往不详检出处，故舛谬者不一而足。如以宋李建中为南唐人，谓谢无逸以蝴蝶诗得名，后李商隐窃其义，则以唐人而蹈袭宋人；引武林女子金丽卿诗'梅边柳外识林苏'句，讥其不能守礼，出则拥蔽其面，皆极为王士祯所诋斥，见于《香祖笔记》中。此外如纪杨维桢为明太祖所召，托疾固辞，作诗缢死，则全无事实；桓温'我见犹怜'之语，不知为李势妹，而但云温娶妾甚都，则失之耳目之前。至'周公恐惧流言日，王莽谦恭下士时'一诗，以为不知姓名，必宋人所作，则并白居易集而亦忘之。盖明人著书，卤莽往往如此。书中极诋《说郛》、《辍耕录》，然此编实出此二书下，所谓人苦不自知也。"

**唐顺之、洪朝选相约游武夷山，会王慎中于山中。**据马美信《唐宋派活动年表》。洪朝选（1516—1582）字汝尹，一字舜臣，别号芳洲，同安人。嘉靖辛丑进士，历官刑部右侍郎。有《芳洲集》。《静志居诗话》卷十二《洪朝选》云："舜臣强直自遂，为劳堪罗织，毙之狱中。士林多为扼腕。时王道思、唐应德辈，锐意古文辞，舜臣虽不与八才子之列，而实联镳并驱。道思与李中溪书云：'吾乡洪芳洲先生文，直得韩、欧、曾、王家法。吾辈驳杂，视之有愧。'其倾倒至矣！诗非擅长。"据林士章《通议大夫刑部左侍郎静庵先生洪公朝选诔铭》，时洪朝选引疾辞官，方从唐顺之考德问业。《诔铭》云："公自为童时颖悟，每发惊人语，大理林公次崖一见异之，因以兄之女妻焉。嘉靖丁酉（1537）举于乡，辛丑（1541）成进士，授南京户曹，出榷钞关。关政惟通商惠民是急，前后与者或多自玷，公毫无所染。荆川唐公，吴之贤者也，与公交厚，实自此知公。始关事竣，督放仓粮，其所规画，继公后者皆以为法。一日自思少习举子业，非古人学优始仕之意，遽上疏引疾，因客毘陵僧舍，与荆川考德问业一年而归。复与遵岩王公讲学论文，自是闻见益博，凡国家典章经史精义，莫不充然有得。嘉靖己酉（1549）以病瘳，例赴部，补南稽勋司考功司，与白野殷公、吉阳何公、初泉刘公交相砥砺，时有南都四君子之称。"

**陆粲作书答王世贞，以"非凡儿"称之。** 王世贞《前工科给事中赠太常寺少卿贞山陆公墓碑》云："晚年，世贞以童子见。公饮之酒，曰：是非凡儿也。迨叨第进士，以书上公。公降辞报纳良至。"陆粲今年 54 岁。

**聂豹**（1487—1563）**在狱中撰《困辨录》。** 聂豹之学出于阳明。《四库全书总目》卷九六子部儒家类存目二著录《困辨录》八卷，提要曰："明聂豹撰。豹字文蔚，永丰人。正德丁丑（1517）进士。官至兵部尚书。谥贞襄。事迹具《明史》本传。豹之学出于姚江。是编乃其嘉靖丁未系诏狱时所札记，分辨中、辨易、辨心、辨素、辨过、辨仁、辨神、辨诚八类。罗洪先为之批注。"据《明史》本传，聂豹任陕西副使时，言官指其在平阳知府任防备鞑靼有侥幸之举，逮系诏狱，免职归。

**赵瀛校刊李汤卿所著医学著作《心印绀珠经》。**《四库全书总目》卷一〇五子部医家类存目著录《心印绀珠经》二卷，提要曰："明李汤卿撰。汤卿不知何许人。是书为嘉靖丁未嘉兴府知府赵瀛所校刊。"

**杨慎《丹铅摘录》刊行。**《丹铅摘录》系删并杨慎诸考证著述而成。《四库全书总目》卷一一九子部杂家类三著录《丹铅余录》十七卷、《续录》十二卷、《摘录》十三卷、《总录》二十七卷，提要曰："明杨慎撰。慎有《檀弓丛训》，已著录。慎博览群书，喜为杂著，计其平生所叙录，不下二百余种，其考证诸书异同者，则皆以丹铅为名。顾其志《揽莔微言》曰：古之罪人，以丹书其籍。《魏志》缘坐配没为工乐杂户者，用赤纸为籍，其卷以铅为轴。升庵名在尺籍，故寄意于此也。凡《余录》十七卷、《续录》十二卷、《闰录》九卷。慎又自为删薙，名曰《摘录》，刻于嘉靖丁未。后其门人梁佐裒合诸录为一编，删除重复，定为二十八类，名曰《总录》，刻之上杭。是编出而诸录遂微。然书帕之本，校雠草率，讹字如林。又守土者多印以充馈遗，纸墨装潢，皆取给于民。民以为困，乃橾毁之。今所行者皆未毁前所印也。又万历中四川巡抚张士佩重刊慎集，以诸《录》及《谭苑醍醐》等书删并为四十一卷，附于集后。今亦与《总录》并行。此本惟有《余录》、《续录》、《摘录》而阙闰录。然有梁佐之《总录》，则《闰录》亦在其中。四本相辅而行，以《总录》补三《录》之遗，以三《录》正《总录》之误，仍然慎之完书也。慎以博洽冠一时，使其覃精研思，网罗百代，竭平生之力以成一书，虽未必追踪马、郑，亦未必遽在王应麟、马端临下。而取名太急，稍成卷帙，即付枣梨。饾饤为编，只成杂学。王世贞谓其工于证经而疏于解经，详于稗史而忽于正史，详于诗事而略于诗旨，求之宇宙之外而失之耳目之内，亦确论也。

又好伪撰古书以证成己说。睥睨一世，谓无足以发其覆，而不知陈耀文《正杨》之作，已随其后，虽有意求瑕，诋諆太过，毋亦木腐虫生，有所以召之之道欤？然渔猎既富，根柢终深。故疏舛虽多，而精华亦复不少。求之于古，可以位置郑樵、罗泌之间。其在有明，固铁中铮铮者矣。"按，陈耀文《正杨》成书于隆庆己巳（1569 年）。

**戴冠《礼记集说辨疑》刊行。**据四库提要。

**陆粲为戴冠《濯缨亭笔记》作序。**据四库提要。

**戴葵作《仙都山志》。**仙都山在四川丰都县境，为道经第四十二福地。《四库全书总目》卷七六史部地理类存目五著录《仙都山志》二卷，提要曰："明戴葵撰。葵，丰都人。始末未详。据其自跋，此书盖嘉靖丁未作也。仙都山在四川丰都县境，为道经第四十二福地。称前汉王方平、后汉阴长生得道处。葵杂采旧文，分为八类，大抵神仙家言为多。"

**徐渭自今年始师事季本。**据徐渭《畸谱》。季本字明德，山阴人。正德丁丑进士。官至长沙府知府。著有《易学四问》、《说理会编》等。

**韩邦奇任南京兵部尚书。丁汝夔任吏部右侍郎。欧阳德任礼部左侍郎。胡松任右都御史。胡松，直隶绩溪人。欧阳德掌国子监事。**据王世贞《弇山堂别集》。

**方太古（1471—1547）卒。**《静志居诗话》卷九《方太古》："方太古，字元素，兰溪人。有《寒溪子集》。布衣初受经于枫山，中年弃去，专力于诗，不苟随时尚。句如'老松万树霁深雪，流水一溪浮落花'，'白布探囊无长物，乌皮凭几笑贫居'，'平田白溠流新雨，绝壁青枫挂断云'，'朝看烟云如画里，夜闻风雨似潮生'，'多情夜雨马兰草，无限春风莺粟花'，'云洞草香初过雨，月台松老不知年'，颇近江西诗派，盖特立之士也。"《明诗纪事》丁签卷十五录其诗六首，陈田按语云："太古负气傲岸，山泽俊人，诗亦洒落不凡。"

**廖道南（1494—1547）卒。**《静志居诗话》卷十一《廖道南》："廖道南，字鸣吾，蒲圻人。正德辛巳（1521）进士，改庶吉士，授编修，历侍讲学士，谪为徽州通判，寻复职。有《元素子集》。鸣吾诗，望之若精选体。然其质钝，辖句束字，易于滞涩。"《明诗纪事》戊签卷十四录廖道南诗一首，陈田按："学士在世宗朝，颇蒙优眷。纂修《明伦大典》成，进侍读。在经筵讲《洪范》称旨。其说具载《实录》。嘉靖八年元夕，应制撰灯诗十五首以进，又撰《泰神殿礼成感雪赋》、《圜丘载祀庆成九章》、《圣主光图阳翠岭赋》、《南巡江汉赋》、《景云征烈四颂》，皆邀睿赏。自徽州赐环，帝亲洒《锺粹宫词》命和，赐金绮有差。生平著述甚富，撰《楚纪》六十卷、续黄泰泉《翰林记》为《殿阁词林记》二十四卷、《玄素子集》五十六卷，诗句襞字辏，不称其名。"其《戴星集》有张治前叙、童承叙后叙，张叙署"嘉靖乙未（1535）夏六月载生明，皇明赐进士出身，左春坊左赞善、经筵讲官、兼修国史，茶陵云阳山人张治撰"，童叙署"嘉靖乙未夏六月朔，皇明赐进士出身，翰林院国史编修、经筵讲官，内方山人汉沔童承叙士畸甫撰"；其《玄素子诗集》有黄省曾序，署"嘉靖丙申（1536）春正月望日，五岳山人吴郡黄省曾撰"。《国朝献征录》卷十九收有胡□《廖中允道南传》。

**罗钦顺（1465—1547）卒。**罗钦顺字允升，号整庵，泰和人。弘治癸丑（1493）

进士。官至南京吏部尚书。谥文庄。事迹具《明史·儒林传》。《四库全书总目》著录罗钦顺《困知记》二卷、《续记》二卷、《整庵存稿》二十卷。《整庵存稿》提要曰："钦顺之学以穷理格物为宗,力攻王守仁良知之说。其大旨具见所作《困知记》中,已别著录。至词章之事,非其所好,谈艺家亦罕论及之。其弟钦蒚,作《仪训录》,尝称钦顺于应酬文字辞谢居多,下笔稿成,未尝自是。旧稿盈笥,晚年手自删存,余悉焚去。谓二子曰:此等文字世间不少,慎勿出以示人。姑留自观可也云云。其志趣可以想见。然集中所作,虽意境稍涉平衍,而典雅醇正,犹未失成化以来旧格。诗虽近击壤派,尚不至为有韵之语录。以抗行作者则不能,在讲学诸家亦可云质有其文矣。"按,《困知记》成于嘉靖戊子(1528),《困知续记》成于嘉靖辛卯(1531)。

**李维桢**(1547—1626)生。李维桢,字本宁,京山人。隆庆戊辰进士,选庶吉士,历南京礼部尚书。有《大泌山人集》。

**俞安期约生于今年。**俞安期,初名策,字公临,既更今名,改字羡长,吴江人。有《蓼蓼集》。

## 公元 1548 年(世宗嘉靖二十七年 戊申)

### 正月

信阳知州张鲁刊行戴冠续集,并作《续刻戴氏集引》。据引末题署。戴冠,参见1521 年。

**黄佐**(1490—1566)与夏言不睦,辞官归里。《明诗纪事》戊签卷七《黄佐》引《涌幢小品》曰:"夏贵溪妾苏,广陵人。其父曰纲,少女适曾石塘铣,与贵溪为联衿。纲出入两家,传石塘复套之说。夏大喜,主其策。纲益自负,与巡仓御史艾朴通贿作奸,为众所嫉。分宜一一刺其阴事,伏毒深。夏不悟,妄度河套指日可复,得意甚,作《渔家傲》一阕。适黄泰泉至,掀髯示之索和。黄有'千金不买陈平计'之句,盖讽之也。夏大诟詈,嗾言者逐之去。去三日而祸作。"黄佐字才伯,香山人。有《泰泉集》六十卷。

### 三月

**兵部侍郎曾铣**(?—1548)**力主收复河套,受严嵩诬陷,被杀。**《诗家直说》卷三:"嘉靖戊申岁,曾总制铣以复河套事,及夏阁老言俱被奸谀陷于刑戮。上以科道不言,命锦衣卫遍加捶楚,其蔓连多矣。辛丑岁(1541),李赞画尚伦预有此议,竟不果。予赋诗慰之曰:'献策金门空自归,马头西向逐云飞。长城夜月催刁斗,青海严霜犯铁衣。秋到边庭能御虏,古来功业在知机。百年几欲收河套,多少英雄有是非。'夏公婿吴郎中春以是诗达公所,公慨然和之,其诗不传。此闻之李鸿胪宝云。壬戌岁(1562),严阁老嵩罢归江南,会诸缙绅谈及河套不可复取,曰:'谢四溟山人独有先见。'此闻之邹处士伦云。嵩论与鄙见略同,然借此成曾、夏二公狱,另有史氏之评。"谷应泰《明史纪事本末》卷五十八:"嘉靖二十年后,总督三边侍郎曾铣,曾数章奏收复河套,并亲自督战。夏言极力赞助。至二十七年,受严嵩诬陷,俱被杀。廷臣'凡与议复套者，悉夺俸，并罚言官，廷杖有差'。自'言、铣死，竟无一人议复河套者'。"谢榛慰李尚伦诗，题为《李将军尚伦献策不果，诗以慰之》。嘉靖二十五年四月，以兵部侍郎曾铣总督陕西三边军务。今年正月，夏言罢。

## 四月

瞿汝稷（1548—1610）生。汝稷字符立，常熟人，侍郎景淳子。用荫补官，迁刑部主事，历郎中，出为黄州知府。改邵武、辰州，迁长芦都转运使，以太仆少卿致仕。有《冏卿集》。

## 十月

夏言弃市。下月，严嵩为内阁首辅。《蕉轩随录·夏桂洲》："夏桂洲就逮，实缘严嵩修怨，代仇鸾草奏，讦夏纳曾铣金，交关为利。夏抵通州，再疏讼冤，谓嵩静言庸违似共工，谦恭下士似王莽，奸巧弄权、父子专政似司马懿。世宗已先入嵩谮，竟弃市。贵溪、分宜，盖乡人也。夏直率，严阴险。夏为先达，援严自代，辄以门客畜之。嵩始而谨事，继而蓄怒，终而倾陷，虽奸邪狠毒，亦夏之有以召之矣。尝阅《钤山堂集》，其与桂洲酬赠唱和之什，盈篇累幅。如'殿头鹄立知元辅，亲佐唐尧致太平'，乃《和桂翁郊坛喜晴奉天殿捧诏》诗也；'商岩先梦说崧岳，会生申乃祝少师'，《桂翁寿辰》诗也。至《赠桂洲作宗伯序》，以马周之奏疏、苏轼之文章，皆不足为桂洲道。撰《严州夏公祠碑》，以宋欧阳观任绵州推官，为死狱求生，实生文忠公修为宋宗臣，比夏鼎之生桂洲，可谓推崇到极处。顾执笔如此，设心如彼，殆小人之所以为小人欤？余曾读《保孤记》，知桂洲死后，妾崔氏遗腹生一子，托赵金五护持，中更患难，至十五岁，崔氏已卒，乃复归于桂洲继妻苏夫人耳。又记中附载：嘉靖二十六年十二月初五日陕西澄城县界头岭山吼，至二十七日劈裂一半，东西移走三里，南北移走五里，分宜乘隙趣陶仲文以楚昭王军中见赤云如鸟，夹日而飞，周太史占移祸福于楚将相之说上，故夏及于难。并云：夏生于壬寅年丁未月丙寅日壬辰时，江西星士王玉章者，于其少时预批命书云：'如今还是一书生，位至三公决不轻。莫道老来无好处，君王还赠一车斤。'车斤者，合之为'斩'字。是说也，余盖存而不论云。"《万历野获编》卷二十六《借蟹讥权贵》："宋朱勔横于吴中。时有士人咏蟹讥之，中联云：'水清讵免双螯黑，秋老难逃一背红。'盖勔曾犯法，鞭背黥面，故以此嘲。至嘉靖朝，张、桂用事恣肆，有人于御前放郭索横行，背有朱字，世宗取阅，乃漆书瑰、萼姓名。此大珰辈所为也。其后分宜擅权，枉杀贵溪，京师人恶之，为语曰：'可恨严介溪，作事忒心欺。常将冷眼观螃蟹，看你横行得几时。'一蟹之微，古今皆借以喻权贵。然亦一蟹不如一蟹矣。○咏严后二句，或又云：善恶到头终有报，只争来早与来迟。语亦确。"《静志居诗话》卷十《夏言》："贵溪游览赠酬之作，不及分宜。而应制诗篇，投《颂》合《雅》，不若袁文荣之近于亵也。《无逸殿应制》云：'睿藻承遗训，农歌启圣衷。千秋所《无逸》，七月咏《豳风》。帝学诗书在，神谋制作同。光昭文祖业，原上有新宫。'《夜泊吴江》云：'月岸秋灯灭，风湖夕浪翻。桥连枫叶冷，城带水云昏。把烛延津吏，传舟次驿门。渔歌起何处，潇洒数家村。'"《明诗纪事》戊签卷十三录夏言诗十八首，陈田按语云："贵溪骄蹇，当时语云：'不睹费宏不知相大，不见夏言不知相尊。'观弱侯《玉堂丛语》所记，其取祸宜矣。五言特具高韵，才本挥霍。长礼部时，与翰苑诸公赋《采莲歌》，联篇次韵，层出不穷，虽未尽合节，要亦豪宕之作也。绝句尤有风致。"焦竑字弱侯，《玉堂丛语》载夏言骄蹇事，见卷八。略云：贵溪久贵用事。故事，阁臣日给酒馔，当会食。贵溪与分宜共食二载，贵溪不食上官供，家所携酒馔甚丰饫，什器皆用金，与分宜日对案，分宜自食大官供，不以一匕及也。分宜谓华亭："吾生平为贵溪所狼藉，不可胜数，而最不堪者二事。其一，大宗伯时，贵溪为首揆，俱在直。欲置酒延贵溪者数矣，多不许，间许，至前一日而后辞。则所征集方物，红羊、貔狸、消熊、栈鹿之类，俱付之乌有。一日，候出直，乃敢启齿，又次揆诸城为怂恿，则曰：'吾以某日赴，自阁出，即造公，不过家矣。'至日，诸城为先憩诸朝房以俟。乃贵溪复过家寝于他姬所。薄暮始至，就坐，进酒，三勺一汤，取略沾唇而已。忽傲然起，长揖命舆。诸城亦不敢后。三人者不交一言。"夏言字公谨，贵溪人。严嵩，分宜人。徐阶，华亭人。王国维《观堂外集·桂翁词跋》："有明一代，乐府道衰。《写情》、《扣舷》，尚有宋元遗响。仁宣以后，兹事几绝。独文愍（夏言）以魁硕之才，起而振之。豪壮典丽，与于湖、剑南为近。"

**祠祭司郎中莫如忠（1509—1589）尽力为夏言经纪丧事，朝士以此多之。**林景旸《明故通奉大夫浙江布政使司右布政使中江莫公行状》："公讳如忠，字子良，别号中江"，华亭人。嘉靖戊戌（1538）进士，授南京虞衡司主事，"补礼部主客司，转精膳员外"，"寻转祠祭司郎中"。"当公为郎之日，贵溪相公中谗死东市，门下客多削籍引去，公独竭力经纪其丧，又撰文哭之。怨家有觇觊其孤者，公与其婿吴阴决策保护之，卒免于难。分宜（严嵩）相公子浮慕公，肃为上客，席半众客起舞，为公子寿，公独整襟危坐，公子庄事公，卒爵不敢以堕见。故侍御包蒙泉按楚，与中贵人□交奏，上怒下诏狱，廷榜百，公营救医药，包君得不死。其高义类如此云。"《列朝诗集小传》丁集中："子良束修自好，恬于荣进，贵溪相死西市，门下士皆避匿，独奋身经纪其丧，朝士以此多之。"

## 冬

**李先芳（1511—1594）授新喻知县，任内撰《江右诗稿》。先芳为广五子之一。**《四库全书总目》卷一七七集部类存目四著录李先芳《江右诗稿》二卷，提要曰："宋弼《山左明诗抄》称其有《李氏山房诗录》。邢侗《来禽馆集》有先芳行状，称所著《东岱山房稿》三十卷。此集总题为《东岱山房诗录》，而子目则作《江右诗稿》。盖其集中一种，嘉靖戊申知新喻县时作也。嘉隆诗社，先芳首倡。厥后王、李踵兴，遂摈斥先芳，不与七子之列。继以先芳愤激，乃收之广五子中。于慎行称其诗与李攀龙异曲同工。邢侗亦称历下名愈高，濮阳苦为所掩，然修戈侍糒，未尝一日忘于鳞。今观其诗，才力实出攀龙下。慎行等以乡曲情均，不欲分左右袒耳。明末攻七子者，遂欲以跻攀龙之上，非笃论也。"

**本年**

**王世贞授刑部主事，与李攀龙定交，共倡复古之论。入吴维岳等诗社。**《艺苑卮言》卷七：余"十八（1543）举乡试，乃间于篇什中得一二语合者。又四年（1547年）成进士，隶事大理，山东李伯承烨烨有俊声，雅善余，持论颇相下上。明年为刑部郎。同舍郎吴峻伯（维岳）、王新甫（宗沐）、袁履善（福征）进余于社。吴时称前辈，名文章家，然每余一篇出，未尝不击节称善也。亡何，各用使事及迁去。而伯承者，前已通余于于鳞，又时时为余言于鳞也。久之，始定交。自是诗知大历以前，文知西京而上矣。已于鳞所善者布衣谢茂秦来。已同舍郎徐子与、梁公实来，吏部郎宗子相来。休沐则相与扬扢，冀于探作者之微，盖彬彬称同调云。"王世贞《李于鳞先生传》："成进士，试政吏部文选司。其明年移疾归，久之疾良已，同考顺天试，获奇俊居多。又明年，授刑部广东司主事。于鳞既以古文辞创起齐鲁间，意不可一世学，而属居曹无事，悉取诸名家言读之，以为纪述之文厄于东京，班氏姑其狡狯者耳。不以规矩不能方圆，拟议成变，日新富有。今夫《尚书》、庄、左氏、《檀弓》、《考工》、司马，其成言班如也，法则森如也，吾撷其华而裁其衷，琢字成辞，属辞成篇，以求当于古之作者而已。操觚之士不尽见古作者语，谓于鳞师心而务求高，以阴操其胜于人耳目之外而骇之。其骇与尊赏者相半。而至于有韵之文，则心服靡间言。盖于鳞以诗歌自西京逮于唐大历，代有降而体不沿，格有变而才各至，故于法不必有所增损，而能纵其夙授神解于法之表。句得而为篇，篇得而为句，即所称古作者，其已至之语，出入于笔端而不见迹，未发之语为天地所秘者，创出于胸臆而不为异。亡论建安而后，诸公有不遍之调，于鳞以全收之，即其偏至而相角者，不啻敌也。当于鳞之为主事，迁员外郎以至山西司郎中，曹事浸以剧，守文法无害，而其业日益进。大司寇有著作，辄以属于鳞，籍籍公卿间。然于鳞竟无所造请干赍，不为名计，出曹，一羸马蹩躠归，杜门手一编矣。"《列朝诗集小传》丁集上《吴金都维岳》："维岳，字峻伯，孝丰人。嘉靖戊戌进士，知江阴县，入为刑部主事，升山东提学副使，以金都御史，巡抚贵州。峻伯在郎署，与濮州李伯承、天台王新甫攻诗，皆有时名。峻伯尤为同社推重，谓得吴生片语，如照乘也。已而进王元美于社，实弟畜之，及李于鳞出，诗名笼盖一时，元美舍吴而归李。峻伯愕眙盛气，欲夺之不能胜，乃罢去，不复与七子、五子之列。元美后为广五子诗，追录伯承、峻伯，而二公皆讳言之，颇以牛后为耻。元美《诗评》云：'峻伯诗小巧清新，足炫市肆，无论风格。'诗之风格，有出于清新二字者乎？元美少年之论如此。"

**胡松任户部右侍郎。徐阶以吏部左侍郎兼任翰林学士。欧阳德以礼部左侍郎兼任翰林学士。张治任南京吏部尚书。**据王世贞《弇山堂别集》。

**胡侍《真珠船》八卷约成书于今年。**是书杂采经史故事及小说家言而成。胡侍（1492—1553），字承之，别号蒙溪，陕西咸宁人。"公少治《书》为县学生，正德癸酉（1513）举乡试。丁丑（1517）举进士。戊寅（1518）授刑部云南司主事。辛巳（1521）晋广东司员外郎。嘉靖壬午（1532）晋鸿胪寺右少卿。甲申（1524）谪补山西潞州同知。乙酉（1525）下诏狱，事白，夺秩为民。戊戌（1538）诏复其官。"（许宗鲁《鸿胪寺右少卿胡公侍墓志铭》）所著《真珠船》，《四库全书总目》卷一二七子部杂家类存目四提要曰："是书杂采经史故事及小说家言。其曰'真珠船'者，陆佃诗注引元稹之言，谓读书每得一义，如得一真珠船也。然征引拉杂，考证甚疏。如以北曲为朝庙之音。信王子年《拾遗记》，谓七言昉于宁封、皇娥等歌。又喜谈怪异果报之说。皆不免于纰缪。"同卷另有胡侍著《墅谈》（六卷）提要。

**陈建作《学蔀通辨》自序。**据四库提要。

**冯梦祯**（1548—1605）生。冯梦祯，字开之，秀水人。万历丁丑进士，除编修，终南京国子祭酒。有《快雪堂集》。

**何白**（1548—1628）生。《列朝诗集小传》丁集下谓何白"崇祯初年，以老寿终"，光绪《永嘉县志》卷十八《人物·寓贤》谓何白"卒年八十一"，生卒年据以推定。《列朝诗集小传》丁集下："白，字无咎，永嘉人。幼时为郡小吏，龙君御为郡司理，异其才，为加冠，集诸名士赋诗以醮之，为延誉于海内，遂有盛名。西游酒泉，南穷湘沅，归隐于梅屿山中。……无咎能书善画，有《汲古阁集》行世。"《静志居诗话》卷十八："无咎起于侧微，事容有之。第考万历庚辰（1850）履历，龙君御初授徽州府推官，镌级改温州府学教授，入为国子博士，未尝任温州司李也。钱氏殆亦道听之说。《汲古堂集》原亦出于七子，颇与俞羡长根近。"龙膺字君御。

**马湘兰**（1548—1604）生。马守真，字湘兰，一字元儿，又字月娇，金陵妓。有集。

# 第二章

## 明世宗嘉靖二十八年至明穆宗隆庆六年（1549—1572）共24年

## ·引　言·

董份《奉赠宪使凤洲王公任山西序》：明兴，治轶古初，而一时以文名者，大抵犹袭元陋。弘治、正德间，学者始知法古。至于嘉靖，士益翕然，而凤洲公与山东李子者，上下其议，朝夕赋咏。当是时，群彦景从，其尤卓绝者七人，号七才子，比于建安，而王、李为之宗。乃凤洲公禀才独殊，往往准古作者，七人相视惊服，莫不以太史复出，孟坚载生，建安以下弗论也。（《泌园集》卷十六）

许国《吴明卿集序》：嘉靖中作者七人，齐李攀龙于鳞、谢榛茂秦，吴王世贞元美，楚吴国伦明卿，越宗臣子相、徐中行子与，南越梁有誉公实。七人者并集都下，以著述自喜，藉甚缙绅间。茂秦布衣之侠，为于鳞嚆矢。于鳞独建旗鼓，元美副之，明卿、子相属鞭弭中原，不相避舍，而子与、公实为之雁行。盖于鳞法，元美隽，子相豪，公实淳，而明卿雅矣。明兴，人文于斯为盛。……万历甲申五月，新安许国序。（《甔甀洞稿》卷首）

陈文烛《王奉常集序》：夫诗与文，天地自然之声气也。袭二京之遗者北，或失之豪；沿六朝之习者南，或失之靡。空同、大复起而振之，凤观虎视，迪功鹰扬江左，国朝文体，一时丕变。然献吉之沉雄，仲默之隽永，昌谷虽号鼎足，而南音不无少逊也。嘉靖间，李于鳞起历下，元美起姑苏，而徐子与、吴明卿、宗子相、张肖甫起吴楚巴蜀，独张助甫起河洛。敬美后出，诸公异之，谓王氏二难云。中原正声，翕然海内，皆在大江以南，较北地时差胜矣。……万历己丑冬日，五岳山人沔阳陈文烛撰。（《国立中央图书馆善本序跋集录》）

喻均《余德甫先生集序》：明兴，士虽以经术进，国家温柔敦厚之化，翔洽客宇，缙绅学士讫于缝掖布衣之流，靡不称诗，方且以其兼长当其专至，信阳、北地，厥功伟矣。嘉、隆间，济南李于鳞、吴郡王元美并以简朗高名为盛明艺苑赤帜，南昌余德甫先生适起家比部，与二公为同舍郎，雅相慕重，夏书之暇恒相引，刻励切劘为诗歌。于时武昌吴国伦、长兴徐中行、广陵宗臣、南海梁有誉公，一时名流，结社倡和，品题所加，或号称五子、七子，或三甫。先生辄举其间，时人艳慕之，知言之士脍炙至今。先生于诗，古近体无不妙天下，既身处盛名，被废早居，当杜门谢宾客，愈益肆

力搜研，日讨古今诸名家诗，上下扬榷，于当代服膺济南、吴郡，彼亦有所以合之也。（《余德甫先生集》卷首）

《诗源辩体》后集纂要卷二：胡元瑞云："七言律开元之后，便到嘉靖。虽圭角巉严，铓颖峭厉，视唐人性情风致，尚自不侔；而硕大高华，精深奇绝，人驱上驷，家握连城，名篇杰作，布满区宇。古今七言律之盛，极于此矣。"愚按：元瑞此论，于于鳞诸子最为公平，且字字精切，无容拟议。今人第以其语意多同，并多用乾坤、日月等字，遂并其高处弃之，此虽识性浅鄙，抑亦袁氏之说中之也。

又：嘉靖七子七言律，硕大高华，精深奇绝，譬之吾儒，乃是正大高明之域，今之宗中郎者，视之不啻寇雠；学者苟有志于反正，正当以此砥砺。苟能于此编时时讽咏，开拓其心胸，使龌龊鄙吝之念尽消，则邪气自不容入矣。予尝谓：嘉靖七子之律，气象笼盖千古，惟温雅和平稍乖，不能不逊弘、正诸子耳。

又：诗之硕大高华，譬食味之有牢牲；享宴之品虽众，然必以牢牲为先，胡元瑞谓"诗富硕则格调易高，清空则体气易弱"是也。七子七言律硕大高华者多，而温雅和平者少，只是不能通变。今之宗中郎者，于七子之语而尽黜之，是犹享宴而尽废牢牲也，不惟失体，且不知正味矣。李本宁"学唐太过"之说，实为七子药石。

朱常清《续刻四溟山人全集序》：明兴百余年来，德泽汪濊，鸿昌茂明之纯，丕昌寰宇，至敬皇帝朝，称极治矣。于时北地李献吉、汝南何仲默二子，崛起中原，拯颓习，扶昌运；嘉、隆之际，于斯为盛，而七子称焉，雅道大振。七子者，济南李观察于鳞、吴郡王司寇元美、广陵宗学宪子相、武昌吴参知明卿、吴兴徐右丞子与、番禺梁比部公实，而东郡谢山人茂秦实以布衣长雄其间。……万历丙申夏五月之吉，赵王恒易道人撰。（《谢榛全集校笺》附录一）

赵南星《明十二家诗选序》：明诗自北地、信阳之外，其传与否未有定论也。即近所称七子者，人未必尽服。卢柟雄艳诡特，庶几雅颂之博徒，不在七子中，则七子者亦未能自为定论也。懋忠兄弟俱少而以诗名，三公者又皆以诗名，而参伍去取。之十二子者，诗人人殊，而懋忠取之牝牡骊黄之外，即七子之中舍其四，而取卢柟，其见卓矣，诸子之论其自兹定乎！（《赵忠毅公诗文集》卷七）

《列朝诗集小传》丁集上《谢山人榛》：榛字茂秦，临清人。眇一目，喜通轻侠，度新声。年十六作乐府商调，临德间少年皆歌之。已而折节读书，刻意为歌诗，遂以声律有闻于时。寓居邺下，赵康王实礼之。嘉靖间挟诗卷游长安，脱黎阳卢柟于狱，诸公皆多其行谊，争与交欢。而是时济南李于鳞、吴郡王元美结社燕市，茂秦以布衣执牛耳。诸人作"五子"诗，咸首茂秦，而于鳞次之。已而于鳞名益盛，茂秦与论文，颇相镌责，于鳞遗书绝交。元美诸人咸右于鳞，交口排茂秦，削其名于"七子""五子"之列。茂秦游道日广，秦晋诸藩争延致之，河南北皆称谢榛先生。诸人虽恶之，不能穷其所往也。赵康王薨，茂秦归东海，康王之曾孙穆王复礼茂秦，为刻其全集。当"七子"结社之始，尚论有唐诸家，茫无适从。茂秦曰："选李杜十四家之最者，熟读之以夺神气，歌咏之以求声调，玩味之以裒精华，得此三要，则造乎浑沦，不必塑谪仙而画少陵也。"诸人心师其言。厥后虽争摈茂秦，其称诗之指要，实自茂秦发之。

又丁集上《宗副使臣》：臣，字子相，兴化人。嘉靖庚戌进士，除刑部主事，改吏部考功，历稽勋员外郎，出为福建参议，迁提学副使，卒于官，年三十六。子相在郎署，与李于鳞、王元美诸人，结社于都下。于时称五子者：东郡谢榛、济南李攀龙、吴郡王世贞、长兴徐中行、广陵宗臣、南海梁有誉，名五子，实六子也。已而谢、李交恶，遂黜榛而进武昌吴国伦，又益以南昌余曰德、铜梁张佳胤，则所谓七子者也。于鳞既殁，元美为政，援引同类，咸称五子，而七子之名独著。

又丁集上《张金都九一》：嘉靖中，五子创诗社于长安，于鳞出守，元美为政，南昌余德甫、铜梁张肖甫及助甫，相继入焉，是为七子。元美所谓吾党有三甫者也。厥后又益以蒲圻魏裳、歙郡汪道昆，为后五子。后五子之诗，皆沿袭七子格调，而余、魏尤卑弱，兹集无取焉。

黄昌衢《王伯谷诗小序》：自嘉靖逮万历三四十年中，韦布儒生，能以诗雄天下者，沈嘉则、王子幻、王伯谷三人为最。（《国立中央图书馆善本序跋集录》）

《静志居诗话》卷十三《杨巍》：梦山与中麓、沧溟同郡，而其诗远法右丞、左司，近取苏门，不蹈章邱粗鄙之音，不堕历下叫嚣之习，信豪杰之士也。当嘉靖初，北地、信阳朝华已谢，沧溟集盛唐人字句以为律，一时宗之。正犹隋苑，剪采成花，浅碧深红，未尝不眩人目。然生意绝少。此时读梦山诗，如水仙十囊，江梅一蕚，嫣然薄冰残雪之外，有不爱惜者邪？

叶矫然《龙性堂诗话初集》：明山人诗滥恶者多，即佳者身分亦薄。谢茂秦、卢次楩最称作者。茂秦今体，节制精严中神采焕发，词坛之李临淮也。古体诗差逊次楩。而卢之今体，则远不及谢。

周树模《大隐楼集序》：明嘉、隆间，王、李主盟坛坫，天下学子靡然向风。于时竟陵、公安二派未兴，先生亦不能破王、李之藩而别有所树，盖笃于时然也。（《大隐楼集》卷首）

《明史·文苑传》：攀龙之始官刑曹也，与濮州李先芳、临清谢榛、孝丰吴维岳辈倡诗社。王世贞初释褐，先芳引入社，遂与攀龙定交。明年，先芳出为外吏。又二年，宗臣、梁有誉入，是为五子。未几，徐中行、吴国伦亦至，乃改称七子。诸人多少年，才高气锐，互相标榜，视当世无人，七才子之名播天下。摈先芳、维岳不与，已而榛亦被摈，攀龙遂为之魁。其持论谓文自西京，诗自天宝而下，俱无足观，于本朝独推李梦阳。诸子翕然和之，非是，则诋为宋学。攀龙才思劲鸷，名最高，独心重世贞，天下亦并称王、李。又与李梦阳、何景明并称何、李、王、李。其为诗，务以声调胜，所拟乐府，或更古数字为己作，文则聱牙戟口，读者至不能终篇。好之者推为一代宗匠，亦多受世抉摘云。自号沧溟。

《四库全书总目》卷一七二：《瑶石山人稿》十六卷，明黎民表撰。……其初刻今未见。此刻冠以赋三首，余皆古近体诗。虽错彩镂金，而风骨典重，无绮靡涂饰之习。盖与太仓、历下同源而派稍异，故虽与王道行、石星、朱多煃、赵用贤同列为续五子，而终非四人所可及也。

刘声木《苌楚斋随笔》卷一《论明七子诗》：明七子之诗，虽不免模拟，然与唐人风骨相近，学诗者有脉络可寻，终为正轨。国初诸家，过事贬斥，实非公论。新城王文简公以诗名一代，亦从七子入手，故吴乔目为"清秀李于鳞"。文简衔之终身，以一语中其微隐。桐城姚鼐《惜抱轩尺牍》谓：学诗须从明七子诗入手，不可误听人言。曾编《明七子律诗选》□卷，示之准的。姚莹亦谓：明七子诗，不可轻视。皆学力有得之言。

又卷十《明七子等名氏》：明王世贞字元美，太仓州人，嘉靖丁未进士，历官至刑部尚书，为嘉靖七子之领袖。初，元美以结诗社，定社中诗友为七子。曰：□□李梦阳□□、□□何景明□□、□□徐祯卿□□、□□边贡□□、□□王廷相□□、□□王九思□□、□□康海□□，后又改为前七子，又称弘治七子。后七子曰：□□李攀龙□□、□□王世贞□□、□□吴国伦□□、□□宗臣□□、□□徐中行□□、□□梁有誉□□、□□谢榛□□，又称嘉靖七子。又后五子，则南昌余曰德德甫、蒲圻魏裳顺甫、歙县汪道昆伯玉、铜梁张佳胤肖甫、新蔡张九一助甫。广五子，则昆山俞允文仲蔚、浚县卢柟次楩、濮阳李先芳伯承、孝丰吴维岳峻伯、南海欧大任桢伯。续五子，则阳曲王道行明甫、东明石星拱辰、从化黎民表维敬、豫章朱多煃用晦、常熟赵用贤汝师。末五子，则□□□用贤□□、京山李维桢本宁、鄞县屠隆纬真、南乐魏允中懋权、兰溪胡应麟元瑞。其又广为四十子，皆元美一人所主持。其当时奔走天下士，一时诗流皆望其品题，得其一言以为轻重，非高才博学，焉能如此。惟恩怨过于分明，临清谢茂秦诗本极工，本在七子结社之列，乃因兴国吴国伦，诋明卿为粪土小嫌，遂摈之，不得与于七子、五子之列，而《四溟山人集》□卷，终在天壤。

《明诗纪事》己签序：嘉靖之季，以诗鸣者有后七子，李、王为之冠，与前七子隔绝数十年，而此唱彼和，声应气求，若出一轨。海内称诗者，不奉李、王之教，则若夷狄之不遵正朔；而啖名者，以得其一顾为幸，奔走其门，接裾联袂，绪论所及，嘘枯吹生。沧溟高亢，门墙稍峻。弇州道广，观其后五子、续五子、广五子、末五子，递推递衍，以及于四十子，而前后《四部稿》中，或为一序、一传、一志者，又不在此数焉。此又沧溟所无，即李、何亦无此声气之广也。盖弇州负沉博一世之才，下笔千言，波谲云诡，而又尚论古人，博综掌故，下逮书画、词曲、博弈之属，无所不通；硕望大年，主持海内风雅之柄者四十余年，吁云盛矣！综观七子之诗，沧溟律绝，足以弹压一世。弇州诸体，无所不工，苦存诗太多，若汰其中驷以下，便称佳集。茂秦专长五律。公实质美中夭。子相、子与习气太甚。明卿亦享大年，精研此道，而质地未优。若升瑶石、少楩于七子之列，便可无憾。暨乎随波之流，摹仿太甚，为弊滋多，黄金紫气之词，叫嚣亢壮之章，千篇一律，令人生厌。临川攻之于前，公安、竟陵掊之于后。逮牧斋《列朝诗集》，诋諆不遗余力，而沧溟丛矢尤甚，且诟病及空同焉。余略为论列七子之诗派盛衰如此，而后来流变之失，别具于后集，使论诗者有考焉。宣统己酉春仲，黔灵山樵陈田。

《越缦堂读书记》八《文学》：阅《明诗综》数卷。竹垞此选，最称完美，然于后七子，贬斥太甚。沧溟选十八首，其七律七绝高作，多置不录。子相仅十七首，亦多遗珠之憾。子与、明卿，律绝俱佳，而竹垞尤峻诋之；徐取二首，吴取四首，弥为失平。其稍许可者弇州一人，亦多所刊落。即此后之公安、竟陵，丛诃攒骂，谈者齿冷，竹垞于中郎虽稍示平反，而其佳章秀句，十不登一，伯敬、友夏，则全没其真，此尚成见之未融也。沧溟诸君，可厌者拟古乐府耳，五古亦鲜真诣，七古高亮华美之作，自为可爱，惟不宜多取。至于七律七绝，则虚实开合，非仅浮声为贵，胡可非也。如谓其字多同，格调若一，则又不尽然。观其随物赋形，古泽可掬，何尝不典且丽。至诗中常用好字，本自不多，陶谢韦杜王孟诸公，何独不然？且明之高薛边徐二皇甫专长五古，比而观之，多有雷同，较其真际，亦不数见。牧斋、竹垞，于彼则誉之无异词，于此则诋之无遗力，不亦失是非之公耶！同治壬申（1872）五月二十七日。

## 公元 1549 年（世宗嘉靖二十八年　己酉）

### 正月

　　**梅鼎祚**（1549—1615）生。《鹿裘石室集》卷一《释闵赋》自述："唯祝犁（己）冠于作噩（酉）兮，月毕陬（正月）而为阳。贞焉逢（甲）之淹茂（戌）兮，予乃谢闉阖而以降。"即己酉年正月甲戌生。甲戌，初三也。据徐朔方《梅鼎祚年谱》。《列朝诗集小传》丁集下《梅太学鼎祚》："鼎祚，字禹金，宣城人。云南参政守德之子。禹金舞象时，陈鸣埜、王仲房皆其父客，故禹金少即称诗。长而与沈君典齐名。君典取上第，禹金遂弃举子业，肆力诗文，撰述甚富。万历末，年六十七，赋诗说偈而逝。有《鹿裘集》六十五卷。"另有传奇《玉合记》、《长命缕记》和笔记《青泥莲花记》等。

### 三月

　　**敖英**（1480—?）作《东谷赘言》自序。据序末题署。沈淮《刻东谷赘言序》作于今年五月。《明诗纪事》戊签卷十四录敖英诗十二首，陈田按："子发《绿雪亭杂言》云：'近见一种文家，险涩其语以为奇，僻怪其字以为古，隐晦其意以为深，突兀其体以为高。盖以《盘庚》为古文之鼻祖，而浅视《史记》、《汉书》；以樊绍述为古文之宗子，而下视韩、柳、欧、苏。鲸吞鳌掷，牛鬼蛇神，瑶翻碧艳，嵬眼倾耳，挥霍自恣，居之不疑。噫！弊也甚矣！'盖亦不随时好为步趋者。诗亦有标致。"敖英另有《东谷诗稿》，有李濂"壬辰（1532）夏四月"序。

　　**张光孝、王廷等为殷云霄**（1480—1516）诗文集《石川集》作序。张序署"嘉靖己酉三月之望，关中后学张光孝序"，王序署"嘉靖己酉春三月朔日，南充王廷著"。另有皇甫汸《殷给事集选序》，不详作序年月。俞宪《盛明百家诗·殷石川集》卷首载："按志，石川名云霄，字近夫，山东寿张人。母孕七月而生，修眉碧目，口可容拳，体赢而骨健，读书数行下，既成诵，终身不忘。年二十六，举弘治乙丑（1505）进士，以疾归。五年出授靖江令，调青田，召补南工科给谏，未几卒，年三十有七。平生方峭克约，雅志诗文，政事多务清简。嘉靖甲子锡山俞宪氏刻其诗并识首简。"《四库全书总目》集部别集类存目三著录《石川集》四卷，提要曰："史称云霄尝作蓄艾堂，聚书数千卷，以作者自命。多与孙一元唱和，诗派亦与相近。然大抵才情富赡，而骨格未坚。"

## 五月

**蔡汝楠**（1516—1565）**除母服，起为衡州知府。**朱炳如《简末别纪》："己酉中夏，我师白石先生来守衡郡，首辟衡湘书院，选诸生之隽，群于其中，炳如以程艺被录为诸生第一，因获侍绛帷焉。"董份《明通政大夫南京刑部右侍郎白石蔡公墓志铭》："年十八举进士，为行人，……尝以行人奉使，还报命，而转比部员外郎，久之以母忧去，起而复为比部。公故倦游，益厌，上书乞南，复为南比部，优游郎署间，而前数十人在选者十败八九，世以是高之。自行人为郎凡十二年所，而转归德守。……未及三月，又以母忧去，起而得衡州。"

## 八月

**周用**（1476—1547）**诗文集《周恭肃公集》刊行，朱希周作序。**朱序云："公平生著作甚富，然多所散佚，既卒后，其子督府都事国南乃搜辑其所存者，刻之为十有六卷，而授予请序。顾浅陋之言，何足为重，而其请甚恳，有不得辞，因举古人所尝言者而申其说云。嘉靖己酉八月朔旦，资政大夫、南京吏部尚书致仕、前翰林院侍读学士、经筵讲官、兼修国史，睢阳朱希周书。"其生平参见王世贞《吴中往哲像赞》、《列朝诗集小传》丙集、《明史》本传。《静志居诗话》卷九："周用字行之，吴江人。弘治壬戌（1502）进士，除行人，授南给事中，升广东左参议，迁浙江按察副使，改山东，历福建按察使，河南右布政使，以副都御史抚南赣，召还理院事，升吏部侍郎，寻迁南京右都御史，进工部尚书，改刑部，复召入为左都御史，秩满，加太子少保，转吏部尚书。卒，赠太子太保，谥恭肃。有《白川集》。白川十龄能画，长师石田翁（沈周），得其指授。诗则别裁风格，取法杜陵。集中诗云：'画品仍游艺，诗家特擅名。丹青乃余事，金石自希声。散地方盘礴，诸公孰老成。辋川称二绝，早晚慰平生。'盖以摩诘自喻也。余尝见公画龙，戏浪穿山，蜿蜒升降，百年绢素，云雾犹湿。至写平坡放犊，亦不减史道硕、厉归真。乃知公艺事兼能，不惟以经济文章重也。"《四库全书总目》卷一七六集部别集类存目三著录周用《周恭肃集》十六卷，提要曰："是集为其子国南所编。凡诗九卷，诗余一卷，文六卷。其诗古体多啴缓之音，近体音节颇宏整。文则平实坦易，纵其笔之所如。"《明诗纪事》丁签卷九录周用诗十三首，陈田按："尚书七言近体颇擅风格，绝句尤有风致。"

**诏废徽王朱载坮为庶人，朱载坮自杀。**王世贞《钧州变》即写其事。详见《明诗纪事》己签卷一引沈越《嘉隆闻见纪》。

**谢榛、李攀龙、王世贞等于中秋夜相聚论诗。**谢榛《诗家直说》卷三载："己酉岁中秋夜，李正郎子朱延同部李于鳞、王元美及予赏月，因谈诗法。予不避谫陋，具陈颠末。于鳞密以指掐予手，使之勿言。予愈觉飞动，亹亹不辍，月西乃归。于鳞徒步相携，曰：子何太泄天机？予曰：更有切要处不言。曰：何也？曰：其如想头别尔。于鳞默然。"时谢年五十五，李年三十六。

**康大和、敖铣等任乡试主考。**《弇山堂别集》卷八十三《科试考三》："二十八年己酉，命翰林院侍读康大和、右春坊右赞善兼翰林院检讨阎朴主顺天试。命翰林院侍读敖铣、修撰黄廷用主应天试。"

**海瑞**（1514—1587）**中举**。梁云龙《海忠介公行状》：海瑞，字汝贤，一字国开，号刚峰，学者称刚峰先生。琼山人。"己酉，督学蔡公继至，试题有'不曰白手'之句，手公卷珍玩移时，因询知公微隐事，叹曰：'兹所谓"涅而不缁"者非耶?'是岁公举广东乡试。"

**封方士陶仲文为恭诚伯。嘉靖间方士授官之滥，此为一例。**《弇山堂别集》卷十七《皇明奇事述二》"嘉靖二真人"："嘉靖中，道士邵元节赐号真人，掌道教，至礼部尚书，赐蟒衣玉带，谥文康荣靖。道士陶仲文亦赐号真人，掌道教，至礼部尚书，加三孤封伯，谥荣康惠肃。寿皆八十二。而四字谥千古所无，二人偕得之，后亦同日削夺。"又卷三十九《恩泽公侯伯表》："恭诚伯陶仲元，湖广黄冈人。嘉靖二十八年以真人掌道教封，禄一千二百石，寻累加三百石。三十六年以病归。薨，追削。"

## 九月

九日，王九思作《书宝剑记后》。据文末题署。时王九思八十二岁。《宝剑记》，李开先所作传奇。该剧已经分齣，但不像嘉靖之后的传奇那样每齣都有一个名称，其体制介于典型的南戏与典型的传奇之间。

**许相卿作《贻谋四则自序》。**据序末题署。《贻谋四则》，含《家则》、《学则》、《祠则》、《墓则》。家则云："尼媪、牙媒婆、唱词妇、秽行邻妇，勿容入室。"

## 十月

王慎中为唐顺之（1507—1560）《唐荆川文集》作序。序署"嘉靖己酉冬十月望，晋江遵岩居士王慎中道思甫序"。

## 十一月

文徵明年满八十。陆粲作《翰林文先生八十寿序》。序云："嘉靖己酉前翰林待诏衡山先生长洲文公年八十，乃十一月六日维初度之辰。"郑若庸作《衡岳颂》寿词。

## 本年

杨慎居高峣，时偕简绍芳、叶道亨、胡廷禄等游昆明池，有《池赏诗社集》。据李调元所撰杨慎年谱。

**归有光计偕北行，是为四上公车。**《震川先生年谱》："先生每上春官，辄赁骡车以行。先生俨然中坐，后生弟子执书夹侍。嘉定徐宫伯学谟年最少，从容问：'李空同（梦阳）文云何?'因取集中《于肃愍庙碑》以进。先生读毕，挥之曰：'文理那（哪）得通?'偶拈一帙，得曾子固《书魏郑公传后》，挟册朗诵，至五十余过。听者皆欠伸欲罢，先生沉吟讽咏，犹有余味。宫伯每为人道之，叹其好学深思，不可几及。宫伯即于次年成进士。"年内作有《思子亭记》、《雪竹轩记》等。

何瑭（1474—1543）《柏斋集》十一卷由郑王刊行。据四库提要。何瑭号柏斋，怀庆人。弘治壬戌进士。官至南京右副都御史。谥文定。事迹具《明史·儒林传》。

崔铣《洹词》重刻本问世。据刘而位《洹词序》。崔铣（1478—1541）著述以《洹词》最为著名，谭尚忠、黄邦宁、蒋希宗、熊文举、张幽等作有序跋，年月未详。

谢少南辑《嘉靖全州志》。沈朝宣撰《嘉靖仁和县志》。据四库提要。

杨继盛为韩邦奇《苑洛志乐》作序。《四库全书总目》卷三八经部乐类著录《苑洛志乐》二十卷，提要曰："明韩邦奇撰。邦奇有《易学启蒙意见》，已著录。是书首取《律吕新书》为之直解，凡二卷。前者邦奇自序，后者卫淮序。第三卷以下乃为邦奇所自著。……虽其说多本前人，然抉择颇允。又若考定度量权衡、乐器、乐舞、乐曲之类，皆能本经据史，具见学术。与不知而妄作者究有径庭。史称邦奇性嗜学，自诸经、子、史及天文、地理、乐律、术数、兵法之书，无不通究。所撰《志乐》，尤为世所珍，亦有以焉。末有嘉靖二十八年其门人杨继盛序。据继盛自作年谱，盖尝学乐于邦奇。所云夜梦虞舜击锤定律之事，颇为荒渺。然继盛非妄语者，亦足见其师弟覃精是事，寤寐不忘矣。"

江瓘编《名医类案》成书。《四库全书总目》卷一〇四子部医家类二著录《名医类案》十二卷，提要曰："明江瓘编。其子应宿增补。瓘字明莹，歙县诸生。因病弃而学医，应宿遂世其业。其书成于嘉靖己酉。"

乔世宁（1503—1563）以楚藩参入贺万寿，短而髯，温然长者也。《艺苑卮言》卷七："乔景叔世宁己酉岁以楚藩参入贺万寿。余时见之，短而髯，温然长者也。所有行卷，仅百余篇耳，颇脍炙人口。又十余年，景叔卒。近有以其《丘隅集》来者，云景叔所自选。余犹记其行卷内一七言律寄王太史元思谪戍玉垒者云：'学士两朝供奉年，上林词赋万人传。一从玉垒长为客，几放金鸡未拟还。闻道买田临灌口，能忘归马向秦川。五陵他日多豪俊，空望城南尺五天。'词颇佳，而集不之选，何耶？"又卷五："乔景叔诗如清泉放溜，新月挂树，然此景殊少，不耐纵观。"乔世宁生平，略见《列朝诗集小传》丁集上："世宁，字景叔，耀州人。嘉靖戊戌（1538）进士，由南京刑部郎中，迁四川金事，湖广提学副使。庚戌岁（1550），参政河南，虏犯京师，调募纷纭，无不立办，擢四川按察使。以忧归，累荐不起。景叔短而髯，温然长者也。其所建造凿凿副名实。生有异禀，日记数千言，强学好问，至老不倦。有《丘隅集》行世。"

兵部尚书翁万达丁忧，丁汝夔继任。顾应祥任南京兵部右侍郎。孙升任国子祭酒。据王世贞《弇山堂别集》。

杨爵（1493—1549）卒。杨爵字伯修，富平人。嘉靖己丑进士。官至山东道监察御史。以上疏极论符瑞下诏狱，系七年始得释。事迹具《明史》本传。《四库全书总目》著录杨爵《周易辨录》四卷、《杨忠介集》十三卷。《杨忠介集》提要曰："是编第一卷为奏议，二卷为序、碑、记，三卷为传，四卷为书，五卷为家书，六卷为语录，七卷为祭文、志铭、杂著，八卷至十二卷则皆诗。世宗时斋醮方兴，士大夫率以青词取媚，而爵独据理直谏。如所陈时雪之不可为符瑞，左道之不可以惑众，词极剀切。下狱以后，犹疏谏以冀一悟。其忠爱悱恻，至今如见。家书二十五则，谆谆以忠孝勖其子孙，未尝一言及私。语录皆不为高论，而笃实明白，真粹然儒者之言。按爵与罗洪先、钱德洪等源出姚江，务阐良知之说。爵则以躬行实践为先，关西道学之传，爵实开之。迹其生平，可谓不负所学者。所作诗文，大抵直抒胸臆。虽似伤平易，然有本之言，不由雕绘，其可传者正不在区区词采间矣。"

**梅鼎祚**（1549—1615）生。《光绪宣城县志》卷二十八："岁乙卯卒，年六十七。"其生卒年据以推定。梅鼎祚字禹金，号胜乐道人，又号梅真子、太乙生。宣城人。著有《鹿裘石室集》，编有《历代文纪》、《汉魏诗乘》、《古乐苑》、《唐乐苑》、《书记洞诠》等。著杂剧《昆仑奴》、传奇《玉合记》、《长命缕》等。

## 公元 1550 年（世宗嘉靖二十九年　庚戌）

### 二月

**臧懋循**（1550—1620）生。据徐朔方《臧懋循年谱》。《列朝诗集小传》丁集上："懋循，字晋叔，长兴人。万历庚辰进士，风流任诞，官南国子博士，每出必以棋局、蹴球系于车后。又与所欢小史衣红衣，并马出凤台门，中白简罢官。时南海唐伯元上书议文庙从祀，恭进石经大学，与晋叔偕贬，同日出关。汤若士为诗云：'却笑唐生同日贬，一时臧谷竟何云？'艺林至今以为美谈。"

**张治**（1488—1550）任会试主考，尹台等任同考试官，以权臣重臣发策，隐指严嵩。《玉堂丛语》卷四："张文肃治虚怀高朗，临事果断，秉直不挠。时严相用事，一时脂韦湵涩，不敢与伉。公庚戌主会试，发策问，乃以权臣重臣立题，辞峻峭弗之讳。是秋，虏犯京师，力疾抗疏，乞决白河御之，不报，遂怏怏而终。（《国雅》）"胡直《宗伯尹洞山先生传》："洞山先生尹氏，讳台，字崇基，吉永新人也。庚戌复充会试同考试官，策问及重臣权臣，上览，亟取《臣鉴录》、《贤奸传》省览，为之感动，由是稔先生名，一时上下有延颈相天下之望。而不相中者进谗辅臣严嵩曰：'权臣盖指公也。'嵩阳答以好言而中心怨次骨矣。"去年二月，张治由南京吏部尚书入为礼部尚书兼文渊阁大学士，预机务。今年八月，严嵩以华盖殿大学士加上柱国。

**王维桢**（1507—1555）为会试同考官，以辽蓟兵备事发策询士。瞿景淳《南京国子监祭酒槐野王公行状》："公姓王氏，字允宁，别号槐野，陕西华州人也。……岁辛卯（1531）举于乡，越乙未（1535）举进士，选授翰林院庶吉士，读书中秘，三阅年乃授检讨，……甲辰（1544）会试为同考官，取士号多人。……己酉（1549）以九载考绩，乃晋秩为修撰。……庚戌会试，复为同考官。公发策询士，略曰：'今大同边垣既以底绩，而蓟州一路顾有遗谋，自今作之，西接宣府，东抵山海，为边千二百里，使干济之臣戮力经营，患可少止。'是年秋，虏果自蓟州入。天子采群臣议，特设总督大臣一人，使专备辽蓟。其议盖自公发之。"

### 三月

**唐汝楫等进士及第。**《弇山堂别集》卷八十三《科试考三》："二十九年庚戌，命礼部尚书文渊阁大学士张治、吏部左侍郎翰林院学士欧阳德为考试官，取中傅夏器等。

廷试，赐唐汝楫、姜金和、吕调阳及第。时以汝楫与首相有连，故得第云。"同榜进士有梁有誉（1519—1554）、宗臣（1525—1560）、徐中行（1517—1576）、吴国伦（1524—1593）、余曰德（1514—1583）、魏裳、张佳胤（1527—1588）、徐学谟（1522—1593）、刘效祖（1522—1589）、方宏静（1516—1611）、栾尚约、潘季驯（1521—1595）等。

**王世贞与新进士徐中行、吴国伦、宗臣、梁有誉、魏裳等交游，以气谊相激昂。**王世贞《陈于韶先生卧雪楼摘稿序》云："余为郎燕京时，颇得游诸名隽间，而诸名隽独盛于庚戌之对公车者。若吴兴徐子与（中行）、武昌吴明卿（国伦）、广陵宗子相（臣）、南海梁公实（有誉），以气谊相激昂，还往至穷昕夕亡间。未几而豫章余德甫（曰德）、铜梁张肖甫（佳胤）、郲上高伯宗（岱）、吾郡徐子言（诗）亦阑入焉。相与修觞酒觚翰之政。"（《弇州续稿》卷四十四）王世贞《魏顺甫传》："魏顺甫者，名裳，世为蒲坼人。……十六试诸生高等。是时廖学士雅自负博而辨，又贵倨也，所引说经史连挂诸生口，独顺甫避席奏对不穷，又所请益，时出其表。学士自失曰：'何物少年乃尔，足三冬耶？'诸生亦大喜谓：'阿游何渠使五鹿少府角折也？'盖又十余年而举乡试，又四年而成进士，授刑部山西司主事。丧其妇刘恭人，请急归，复守故官。始与予及李于鳞辈游，而好为古文词。顺甫自以材不称诸子，益自刻苦。昼从曹中治司空城旦，小间即开卷，非夜分弗释也"。

**徐中行（1517—1578）授刑部广东司主事，与李攀龙、王世贞为友。时梁有誉入京应试，亦时相切磋。**王世贞《中奉大夫江西布政使司左布政使天目徐公墓碑》："徐公讳中行，字子与，徐所受姓具韩愈所造偃王庙碑中，其系凤阳人也。洪武中进五公者坐徙江南之长兴，遂为长兴人。……公生而颖警，十数岁即能为举子业，旁及古文辞。十六试于邑，邑令黄公光升大奇之，谓是儿国器也。寻游邑庠，为诸生。无何举乡荐，遂进游南太学，益为古文辞。公白皙美姿容，眉目如画，能食酒，工谐笑，所周旋无非贤豪长者，以故藉藉公车间。凡十年而成进士，授刑部广东司主事。公既以文辞有声实，而尚书为顾公应祥，其外舅行也，甚赏异之，间谓曰：'郎所业足自名，必欲舍而趋古者，则毋若他曹郎李攀龙。'又谓不佞世贞虽少，亦其次也。公自是交欢吾两人。而同年中若梁有誉、宗臣、吴国伦咸来相劘切。公遂取旧草悉焚之，而自是诗非开元而上，文非东西京而上，毋述矣。"《静志居诗话》卷十三："子与在西曹，与王、李结社，其赠李诗云：'寂寞汉魏后，乃复挺斯人。遂令同心者，周旋若一身。'李答诗遽云：'既闻风雅音，三叹文在兹。'元美亦以蔼蔼吉士目之，云子与性味如醍醐，无处不入，知其交始终无间也。"今年七月，顾应祥任刑部尚书。

**归有光应礼部试下第，谒会试主考张治于邸第。**张治于丁未、庚戌连主南宫试，见有光不第，辄不怿者经旬，对客曰："吾为国得士三百人不为喜，而以失一士为恨。"（《震川先生年谱》）

**皇甫冲（1490—1558）应礼部试下第，作《还山诗》一卷，并着手编《华阳集》。**皇甫汸《华阳长公行状》："公讳冲，字子浚……庚戌归，悔其再误，因号不庵叟，因揭铭座右，杜门著书，湛思味道，若将终身焉。先是移书诸弟曰：'予鬓侍先大夫官京师，获闻李、何、边、徐之论，后与孙、方二山人倾盖吴门，发机破昧，何必同人

221

哉?'乃溯风雅之源,究作者之意,删辑所为词赋诗歌四十卷,序记传志杂文二十卷,总曰《华阳集》,而编目先行。"《列朝诗集小传》丁集上:"庚戌下第,有《还山诗》一卷。"

## 四月

**赵南星**(1550—1627)生。姚希孟《荣禄大夫太子太保吏部尚书赵忠毅公墓志铭》:"公生于嘉靖庚戌四月三日,殁于天启丁卯十二月十七日,得年七十有八。"《雍正畿辅通志》七二载:"字梦白,高邑人。万历进士,授汝宁府判官,称廉平。历文选郎,方严嫉恶。上疏陈四事,乞归。再起考功郎,主京察,与政府忤,削籍归。光宗立,起左都御史,主大计,弹劾无所避,人多震慄。改吏部尚书。魏忠贤夺爵,戍代州,卒。崇祯初,复官,追谥忠毅。"

## 六月

**乔世宁为孙宜**(1507—1556)**诗文集《洞庭渔人集》作序。孙宜以学杜见称于时人。**序曰:"余以执事来楚,始得会仲可于洞庭之浒,仲可出其集数十余卷,自题曰《洞庭渔人集》,相与订议焉。余观其词赋则祖《离骚》,盖洁志旷思,悲壮瑰玮矣;诗古体则宗齐梁,间出宋晋,近体则宗杜甫,或近时诸名家,又何其俊丽清逸也;序记杂文则鉴情晰理,自多名言;诸志传当实陈事,其《史》、《汉》之遗风乎!"序署"嘉靖二十九年六月朔日"。《洞庭渔人集》另有许宗鲁序,署"嘉靖癸丑(1553)五月五日"。其生平略见王世贞《洞庭渔人传》:"洞庭渔人者,华容孙宜仲可也。逾冠举于乡,凡五上而五困公车,因罢,不复应制。而自以家洞庭,更号洞庭渔人,人呼之渔人则应,它呼之则不应。"与滇人张含、秦人左国玑、吴人黄省曾,皆以老举子有名于时。"渔人既自命渔,又不为衣冠,时时与樵青钓童狎,亡异也。兴至泚笔,而书所为诗,奇逸飞动,龙虬郁盘,已又自歌之,感激用壮,节奏顿挫,云停石裂,始怪以为贵人或谪仙人矣。渔人所著诗文为集前后六十九卷,《两都集》十卷,《卮言》十七篇,《洞玄志》三卷,《宋元史论》二卷,《明初略》二卷,《岳州志》三十卷。所辑有《孙氏日抄》六十二卷,《王氏易》七卷,《天文书》八十二卷,《国朝事迹》百二十卷,《求言录》十五卷。其诸未成书者尤伙。""一夕卒,得年仅五十。"孙宜"绝意"不应进士试在1544年,时年三十有八。据陈文烛《洞庭渔人传》。《艺苑卮言》卷六:"国朝习杜者凡数家,华容孙宜得杜肉。"

## 八月

**俺答大举入寇,攻古北口,京师戒严。**谢榛有《哀哉四首》。题下自注:"庚戌岁八月十六日虏犯京师。"写"燕京老人鬓若丝","忽惊杂虏到门巷";"燕京小儿眉目青","兄妹散失身伶俜";"燕京少妇殊可怜","一去龙沙断归路";"燕京女儿何盈盈","驱之北去悲吞声"。《诗慰初集·谢茂秦诗选》陈允衡评曰:"终不能仿佛老杜万一，然已无七子气，盖其志向在杜以前也。"钱薇《庚戌虏警》诗云："蓟门寒色敞高秋，易水萧萧咽不流。闻道北门虚锁钥，左贤阑骑下凉州。"钱薇字懋垣，海盐人。嘉靖壬辰（1532）进士，除行人。擢礼科给事中，转右给事中。隆庆初，赠太常少卿。有《承启堂稿》二十九卷。《明诗纪事》戊签卷十八录钱薇诗三首。按，嘉靖一朝，南倭北虏，少有宁日。

**汤显祖**（1550—1616）**生**。汤显祖《送汪仲蔚备兵入闽》首四句云："肃帝金天精，庚戌秋八月，七日子生辰，再七我如达。"知显祖生于明世宗（肃帝）嘉靖二十九年庚戌八月十四日。汤显祖，字义仍，临川人。万历癸未（1583）进士，除南太常博士，迁南礼部主事，谪徐闻典史，量移知遂昌县。有《玉茗堂集》和传奇"临川四梦"等。

## 九月

**唐顺之致书洪朝选**（1516—1582），**论及李攀龙诗文，甚为不满**。据《荆川先生文集》卷六与洪朝选书。

## 十月

**张治**（1488—1550）**卒**。**有《龙湖诗集》行世**。吕本《大中太保礼部尚书兼文渊阁大学士赠少保谥文隐张公墓志铭》："按状，公讳治，字文邦，湖广长沙茶陵州人也。"正德辛巳进士，改庶吉士，授编修。以修《明伦大典》成，擢赞善，进谕德，以翰林学士宣谕安南，未行遂止。擢南吏部侍郎，改北，进南吏部尚书，召拜礼部尚书，兼文渊阁大学士。"二十九年春，命复主考会试。比夏在直，婴暑毒，忽疾大作，上疏请告，上遣中使偕御医往视。……八月以大庆恩加太子太保，辞不允。""十月……十四日竟卒于长安西第。……距生弘治戊申六月十六日，卒年六十有三。""其学博极群书，而统要卒归于圣人。诗高浑昌丽，多开元大历之风。乃其微志不他著，间著于文若诗，后之览者，不能无感矣。"《弇山堂别集》卷十八《皇明奇事述三》"师生同赐下谥及改谥"："嘉靖六年，大学士石珤卒，上亲定谥曰文隐，取'勤学好问，违拂不成'为义也。至二十九年，大学士张治卒，上复亲定谥曰文隐，则取'勤学好问，怀情不尽'为义。盖国朝谥文隐者惟二人，皆在内阁不久，而张公又石公会试所取第一人也。以后二公皆改谥，一文介，一文毅。"《列朝诗集小传》丁集上："世庙在西内，召辅臣入直，撰科书。忽忽不乐，遂发病卒。上衔之，赐下谥曰隐。隆庆初改谥文毅。归有光其所取士也，改谥时，有光以中书舍人管内制，故其词甚美。有《龙湖诗集》行世。"万历初，复改谥文肃。《四库全书总目》卷一七六集部别集类存目三著录《龙湖文集》十五卷，提要曰："是集凡文十卷，诗五卷，乃丰城雷礼与治壻彭宣所编刊。版久漫漶。雍正丙午，宣之从曾孙思眷得旧刻校正，属其子维新重刊于浙江。治《明史》无传。《献征录》称其临事不阿，以是失世宗旨，及其卒也，命与中谥。隆庆改元，始更谥焉。然观何乔远所撰小传，不能举其相业。集中奏疏，于时事亦罕指陈。乔远所称为辅臣时，默默不自得，冀乘间争谏。殆亦曲解之词欤？归有光、薛应旂皆治所取士，当时以识鉴称。而诗文则未能自为一家。朱彝尊《静志居诗话》尝摘其《夜过洞庭》诗云：'晓发吴阊门，夕渡广陵汭。日暮江帆迟，洞庭三百里。微风澹无波，明月照天水。隐隐见君山，钟声翠微里。'以吴地而混于楚。且云：'文肃家茶陵，与洞庭湖密迩，岂得以君山属吴耶？'今观集中是诗，晓发吴阊门作武昌门，夕渡广陵汭作黄陵汭，洞庭三百里作八百里。则固未尝涉于吴地。岂彝尊所见之本，乃思睿序所谓翻本杂淆，或思睿重校，因彝尊是语而改之欤？"雷礼《张龙湖先生文集序》署"嘉靖癸丑（1553）季春吉旦"，陈柏序署"嘉靖甲寅（1554）夏五月朔"，薛应旂序署"嘉靖甲寅冬十二月"，雷思睿序署"雍正四年丙午秋八月上浣"。《明诗纪事》戊签卷十四录张治诗十首。

### 十二月

**刑部郎中徐学诗（1517—1567）上疏，请罢严嵩、严世蕃，杖责削籍为民。日暮出都，惟有谢榛策蹇相送。**徐学诗字以言，上虞人。嘉靖甲辰（1544）进士，授刑部主事。历员外、郎中，以劾严嵩被杖，削籍为民。隆庆初，起南通政参议。赠大理少卿。有《石龙庵集》四卷。《明诗纪事》己签卷八录其诗一首，陈田按："以言劾相嵩，被杖削籍为民，例须向礼部除名、户部注籍。日暮，负创疾驰出都，知交无从者。俄闻有策蹇朗吟'去国一身轻似叶，高名千古重如山'者，乃谢茂秦也。茂秦豪气，可以挽末世浇薄之风。"谢榛字茂秦。

### 本年

**王世贞作诗追怀乡贤。所怀乡贤分别是：高启、黄钺、王宾、姚广孝、杨翥、陈镒、陈祚、俞士悦、徐有贞、刘珏、张和、韩雍、叶盛、鱼侃、刘昌、孔镛、吴宽、王鏊、陆钶、张泰、祖父王倬、李应祯、陆完、杨循吉、毛澄、顾鼎臣、徐祯卿、魏校、朱希周、周用、沈周、祝允明、方鹏、文徵明、周凤鸣、朱纨、陆粲、王谷祥、父王忬、王宠、黄省曾。后十四章，嘉靖三十九年作。**据王世贞诗《四十咏》小序："庚戌之春，予以病休曹假，伏枕不怿。忆数乡哲，彬彬多钜公异人……因紬绎所闻，自我明始高代迄今共成四十章。"

**曹忭读王慎中《玩芳堂摘稿》，作《摘稿序》。**序云："庚戌之岁，余按江右，政暇搜取箧中所携王集，玩而读之。适廉宪蔡道卿至，辄以授之校刻，兹刻成，属余序。……赐进士出身、文林郎、河南道监察御史、前翰林院庶吉士，南郡江陵曹忭撰。"皇甫汸有《遵岩先生文集后序》，陈文烛有《王遵岩选集序》，洪朝选有《遵岩先生文集序》，作序年月未详。严镜《遵岩先生文集后序》署"隆庆辛未岁十月之吉，赐进士出身、中顺大夫、知嘉兴府事，顺天府严镜撰"。

**张献翼（字幼于）以诗贽文徵明。时张献翼年十七，文徵明年八十一。**王世贞《张幼于生志》云："（献翼）年十七，即以诗贽故翰林待诏文翁（时八十一岁）……（翁）辍食而读，谓其客陆礼部师道曰：吾与若俱不及也。趣延入酒之。而是时伯起业已名文翁客。居数年，遂客及叔贻（燕翼）。陆君亦折辈行而与幼于称诗。故皇甫按察沨、彭处士年、黄处士姬水、今刘按察凤，尤相得，唱酬无虚夕。当是时，操觚者以不得幼于一语为歉。幼于寻游南太学，两司成至不敢抗师礼，引以为上客。"按，《列朝诗集小传》丁集上云："年十六，以诗贽于文待诏。"王世贞《四十咏·张太学献翼》亦云"十六游龙门"，自注："谓文氏也。"前后不一。

**尹耕作《塞语》。皆言捍御塞北诸部之术。**《四库全书总目》卷一〇〇子部兵家类存目著录《塞语》一卷，提要曰："明尹耕撰。耕有《南泰纪略》，已著录。是书作于嘉靖庚戌，皆言捍御塞北诸部之术。一曰边情，二曰形势，三曰城塞，四曰乘塞，五曰出塞，六曰抽丁，七曰官军户，八曰练习，九曰保马，十曰民堡，十一曰审几。耕以边才自负，其言颇纵横博辨。然亦书生纸上之谈也。"尹耕字子华，蔚州人。嘉靖壬辰（1532）进士。官至河南按察司佥事。

**史起蛰等《两淮盐法志》成书。**据四库提要。

**刘濂作《乐经元义》自序。**据四库提要。刘濂字浚伯，南宫人。正德辛巳（1521）进士。由杞县知县擢监察御史。

**李攀龙**（1514—1570）**由刑部广东司主事升员外郎，以继承李（梦阳）、何（景明）事业自许。**殷士儋《墓志铭》："丁未（1547）授刑部广东司主事，……三年升员外郎。"王世贞《明诗评》卷一："李攀龙字于鳞，历城人也。举进士，今为刑部郎中。于鳞于书无所不通，为人狷介忠信，而好为深沉之思。当所未得，或竟日夕忘食寝。家故贫，又官常调，而绝不肯逐众为干谒，泊如也。即世所称说名士，亡可当于鳞云。而于鳞顾折节与余好，居恒相勉戒：'吾子自爱，吴人屈指，高誉逵书，不及子，子故非其中人也。'予愧而谢之。又尝慨然称：'少陵氏没千余年，李、何廓而未化，天乎，属何人哉！'""余"，王世贞也。

**莫如忠**（1509—1589）**由礼部祠祭司郎中升贵州提学副使，以道远不能将母，辞官归，自此家居达十五年之久。**林景旸《明故通奉大夫浙江布政使中江莫公行状》："庚戌升贵州学宪，次岳阳，夜梦太安人，忽忽心动，已微知太安人病状，辄大怵曰：'猥以不奈劳之身试九折之阪，而贻老亲忧，须富贵何为？'从者闻之皆感泣，遂复乞归。"《列朝诗集小传》丁集中："如忠，字子良，华亭人。嘉靖戊戌（1538）进士，授南虞衡主事，改仪制，擢贵州提学副使，道远不能将母，投劾归。家居十五年，补湖广副使。"

**胡松任工部尚书。聂豹、张时彻任兵部右侍郎。苏佑总理宣大军务。**据王世贞《弇山堂别集》。

**九庙灾，邹守益疏陈上下交修之道，忤旨落职。**《明诗纪事》戊签卷十一录邹守益诗三首，陈田按语云："《四库提要》称：'嘉靖二十九年九庙灾，守益疏陈上下交修之道，忤旨落职。其疏具载《明史》本传，今《东廓集》乃不载。'余检史称：'守益言："殷中宗、高宗反妖为祥，享国长久。"帝大怒，落职。'此数语具载本集《九庙灾自陈疏》内，《提要》偶未检耳。谦之此疏辞亦不甚激烈，盖帝以议大礼故，隐憾之耳。"邹守益字谦之，有《东廓集》十二卷。罗洪先《明故南京国子监祭酒致仕东廓邹公墓志铭》："（癸未）复职，与经筵，加文林郎，于是赠金事奉政大夫，母进宜人，封妻孺人。大礼议起，偕同官上疏，不报。甲申（1524）复疏，忤旨下诏狱，与吕修撰柙联事，未几谪广德州判官。"

陈霆（？—1550）卒。《静志居诗话》卷九《陈霆》："陈霆字声伯，德清人。弘治壬戌进士，刑科给事中。正德初，谪判六安州，历山西提学佥事。有《水南集》。水南博洽著闻，留心风教，诗不苟作，予录其三篇，稍加删汰。"《四库全书总目》著录陈霆《唐余纪传》二十四卷、《两山墨谈》十八卷、《山堂琐语》二卷、《水南稿》十九卷、《渚山堂诗话》三卷、《渚山堂词话》三卷。《水南稿》提要云："是集所载诸诗，意境颇为萧洒。而才气坌涌，信笔而成，故往往不暇检点。古文大致朴直，而少波澜顿挫之胜。惟诗余一体较工，其豪迈激越，犹有苏、辛遗范。末附诗话一卷，中论词一条，谓明代骚人多不务此，间有知者，十中之一二。则其自负亦不浅矣。"《渚山堂词话》提要曰："是编与所作诗话并刊，而较诗话为稍胜。盖霆诗格颇纤，于词为近，故论词转用所长。其中如韦庄'雨余风软碎鸣禽'句，本用杜荀鹤《春宫怨》语。南卓《羯鼓录》所谓'透空碎远'之声，即此碎字，当训细琐杂乱之义。霆乃曰鸣禽曰碎，于理不通。改为'暖风娇鸟碎鸣音'，未免点金成铁。又谓杨孟载雪词'簌簌飐飐'字古无所出，欲据黄庭坚诗改为'疏疏密密'。不知以'疏疏密密'咏雪，黄诗亦何所出，亦未免涉于胶固。然其它持论多确。又宋、元、明佚篇断句，往往而有。如宋徐一初《九日登高》之类，其本集不传于世者，亦颇赖以存。王昭仪《满江红》词，为其位下宫人张琼瑛作。《垂杨》、《玉耳坠金环》二曲，为唐、宋旧谱所无之类，亦足资考证，犹明人词话之善本也。"《明诗纪事》丁签卷九录陈霆《墨布袍》一首。刘承干《吴兴丛书跋语》云："《渚山堂词话》三卷，明陈霆水南撰。水南一字声伯，德清人。弘治十五年进士。为刑科给事中，抗直敢言。以忤逆瑾，逮狱廷杖。目为朋党，谪判六安州。瑾诛，复起，历迁山西提学佥事。以师道自任，士习丕变。致政归。嘉靖中，屡荐不出。隐居渚山四十年，著述百余卷。有诗话、词话。水南工于词，论词较诗为确。宋元明逸事佚句，采取甚博。如王昭仪《满江红》词，为其位下宫人张琼瑛作。《垂杨》、《玉耳坠金环》二曲，为唐宋旧谱所无。殊足以资考证。中载杨眉庵《落花》词云：'当时开拆赖东风，飘零仍是东风妒。'意在言外。又载徐一初《九日登高》一词，有云：'登临莫上高层望，怕见故宫禾黍。觞绿醑。浇万斛牢愁，泪湿新亭雨。黄花无语。毕竟仗西风，朝来披拂，犹识旧时主。'阅之惘惘。明人旧帙，急宜存之。此本钞自江南图书馆，而无诗话。他日搜得，当汇刻入丛书，以志景仰。岁在丙辰浣花节，吴兴刘承干跋。"

邹迪光（1550—1626）生。《列朝诗集小传》丁集上《邹提学迪光》："迪光，字彦吉，无锡人。万历甲戌进士，官至副使，提学湖广，罢官时年才及强。以其间疏泉架壑，征歌度曲，卜筑惠锡之下，极园亭歌舞之胜。宾朋满坐，觞咏穷日，享山林之乐几三十载。年七十余乃卒。愚公亡，而江左风流尽矣。前后集三百余卷，连篇累牍，烦缛秾艳，无如其骨气猥弱，不堪采撷。其文又不必置喙矣。"

# 公元 1551 年（世宗嘉靖三十年　辛亥）

正月

　　**锦衣卫经历沈炼**（1507—1557）**上疏劾首辅严嵩，请诛之以谢天下，被谪佃保安。**
王世贞《明故锦衣卫经历赠奉议大夫光禄寺少卿青霞沈公墓志铭》："当先皇帝己酉
（1549）、庚戌（1550）间，余守尚书刑部郎，而沈公由清丰令入为锦衣卫经历，数从
故尚宝丞张逊业饮，沈公少饮辄醉，醉则击缶呜呜，诵《出师》二表、《赤壁赋》，已
慷慨曼声长啸，泣数行下，余私心慕异之。而亡何，敌阑入塞，都门不启，天子坐西
斋宫忧之，亡所出。会敌获我中贵人，为嫚书附以进曰：'予我币，通贡，即解围。不
者岁一毙而郭。'时华亭公（徐阶）领大宗伯，要诸大臣以御朝请，而天子下其书大宗
伯，会文武群臣计：即予贡弗予孰便？甫就计，国子司业赵先生贞吉曰：'敌所谓贡者
也耶？彼傅城而军，我城下盟耳。窃以为天子御奉天门，出内帑犒士，释言者，旌功
臣，敌固当自退。'而检讨毛先生起嗫嚅言：'吾姑宽赦，以予贡而出之，而后议守
便。'赵先生廷叱之，争之坚，而沈公复为申赵理，刺刺不休。太宰夏公怪而问曰：
'若何小吏也？'沈公目摄之曰：'大吏嗫弗言，故小吏言，胡怪也？且不曰主辱臣死
耶？'太宰意不自得罢，而华亭公持众议上，竟弗予贡。次日天子出视朝，有所诛进
矣。当是时，沈公气甚壮，欲力吞敌，几得以身当一面，毕见其长，乃上疏言：'请以
万骑护陵寝，万骑防通州，饷而合勤王之师十余万，鼓而薄其惰归，必大胜。'报闻
罢。盖是时相严嵩独贵幸用事，数寝抑边事，不以报。而见事急则若为开言路有所诛
进者，将帅当事臣迫诛，益入赇居间嵩以免，而其进有时贿，贿价暴起，言者日以益，
嵩日以重，于是沈公饮张丞所，泣而叹曰：'《诗》不云乎："瀌瀌訿訿，亦孔之哀。
谋之其臧，则具是违。谋之不臧，则具是依。"已矣，亡所信吾谋矣。吾即不死，而苟
且日蝇然过我而集于西第何也？且夫社稷何赖焉？'乃抗疏言：'相嵩父子，翼虎社鼠，
误国大计，请僇之以谢天下。太宰阿私，亡所异同，宜从坐。'诏以公昔岁喧哗，亡人
臣礼，今复诬诋大臣，自为名，廷榜之数十，谪田塞外。而先是赵先生亦坐他法谪斥
矣。"《列朝诗集小传》丁集中："炼字纯甫，会稽人。嘉靖戊戌进士，知溧阳、茌平、
清丰三县，入为锦衣卫经历。庚戌（1550）岁，虏薄城下，廷议乞贡事，群臣畏严氏，
莫敢发言。纯甫越阶抗论，当从赵司业贞吉议，拒贡去虏，明日上疏，请得二万骑，
护陵寝通饷道，合勤王之旅，击其堕归，俾只轮不返。疏报闻，朝廷壮之。明年正月，
抗疏劾相嵩父子，请诛之以谢天下，杖四十，谪田保安州。"《明文远》卷四七评沈炼
《早正奸臣误国以决大策疏》曰："忠愤郁结，发为谠言，真有馨南山、决东海之意，
亦有鹰鹯逐鸟雀之意，杀机从此伏矣。虽然，志士仁人舍生取义，与日月争光可也。"

　　**刑部尚书郎吴维岳**（1514—1569）**奉命虑囚江西，李攀龙、王世贞、谢榛作诗文
送行。**据王世贞《送比部吴峻伯江西恤刑序》。吴维岳（1514—1569），字峻伯，号霁
寰，孝丰（今属浙江）人。嘉靖戊戌（1538）进士。《明人诗钞续集》卷八："峻伯与
李王结社最先，七子名盛，元美收之广五子之列。然其诗品亦不遽让明卿、子与诸人，
五律尤胜，如'关河春雁少，风雨暮钟多'，有嘉州风格。"

## 二月

　　茅坤由南京礼部精膳司郎中升广西金事。明年赴任。在任期间与广西按察副使王

宗沐往还颇密。茅坤《府江纪事》："嘉靖辛亥春二月，予由南京礼部精膳司郎中，升广西佥事。时颇闻执政所构，窃自怜，愿为弃官投檄矣。秋七月，适应警庵公桧总督两广，辄遣吏移文，强之且再。予始以壬子入粤右。"王宗沐《白华楼集序》："庚戌，余视学广右，而君来同官，悉出其平生所作示余。大都鞭霆驾风，如江河万状，不可涯涘。而其反复详略形势，淋漓点缀，悲喜在掌，则出司马迁、班固，而自得陶铸成一家言。余往所谓欲求其至者，乃始尽得于君。"

## 三月

**仇鸾主和，与俺答通马市。杨继盛（1516—1555）上疏力言不可，下狱，谪狄道典史。**徐阶《明兵部武选司员外郎赠太常少卿谥忠愍杨公墓志铭》："公讳继盛，字仲芳，别号椒山，忠愍者谥也。国朝之制，非大臣不得与于易名，公位下乃得谥者，今皇帝御极，溯观化源，谓公死谏，节甚伟，宜尊显以励士大夫，故奉遗诏，赠公太常寺少卿，荫子应尾为国子生，而特赐今谥。其义则取诸危身奉上在国逢难云。初，公举嘉靖丁未（1547）进士，授南京吏部验封主事，师事大司马苑洛韩公，尽通其天文地理太乙壬奇兵阵之学，名声重一时。辛亥（1551）迁兵部车驾员外郎。当是时，大将军仇鸾骄，然心惮敌，欲利啖之以缓兵，请与敌为马市，有成议矣。公上疏斥其不可者十，辩其说之谬者五，鸾因诋公挠边计，惑众心，诏锦衣卫逮公置讯，狱具，贬狄道典史。"去年九月，以仇鸾总督京营戎政。

**朔，大学士严嵩以其《钤山堂集》三十二卷请序于湛若水。**湛序写定于今年夏四月二十一日。据序末题署。

## 春

**简绍芳为杨慎散曲集《陶情乐府》作序。**据序末题署。

## 四月

**文徵明为何良俊（1506—1573）《何氏语林》作序。**《何氏语林》为"世说"体笔记小说。序署"辛亥四月之望，文徵明书"。另有陆师道序（作序年月不详）、王世贞补序（嘉靖丙辰季夏作）、王世懋序（万历庚辰秋作）、王世懋补序（乙酉初春作）、王泰亨题后（乙酉春三月既望作）、陈文烛序（万历丙戌秋日作）、王思任序（作序年月不详）。《四库全书总目》卷一四一子部小说家类二著录《何氏语林》三十卷，提要曰："其简汰颇为精审。其采掇旧文，剪裁镕铸，具有简澹隽雅之致。视伪本李垕《续世说》剽掇《南北二史》，冗沓拥肿，徒盈卷帙者，乃转胜之。每条之下又仿刘孝标例自为之注，亦颇为博赡。其间摭拾既富，间有抵牾。如王世懋《读史订疑》所谓以王莽时之陈咸为汉成帝时之陈咸者，固所不免。然于诸书舛互，实多订正。如第二十一卷纪元载妻王韫秀事，援引考证，亦未尝不极确核。虽未能抗驾临川，并驱千古，要其语有根柢，终非明人小说所可比也。"何良俊（1506—1573），字元朗，号柘湖先生。

松江华亭人。嘉靖中贡生，曾官南翰林院孔目。著有《柘湖集》、《四友斋丛说》、《何氏语林》等。

黄佐为舒芬《梓溪文钞》作序。舒芬（1484—1527），学者称梓溪先生。据序末题署。张鏊《紫溪文钞序》作于今年五月。

皇甫濂为其兄皇甫涍（1497—1546）诗文集《皇甫少玄集》作序。序云："辛亥之春，侄秦、枢遗书荆南，以少玄成集寄余为序。启而诵之，宛如生平聆其咏叹，伤哉怀也，洒泣兴思。……兄自少为诗歌，遂藻于声偶，凌轹李杜矣，时亦未有知者。及既蒙嘉运，矫迹崇贤，稍与时辈相逐，然终非其好，盖自居先大夫忧，已尽诎时品，而独持上躅矣。夫精于义者，不系乎物，知所止者，不同于流，而彼窃小知以附阅议，其奈之何？今试举其一二，如'雪意烦辞发，江流倩浣肠'，如'衔鱼上水鸟，惊燕落桥花'，类皆少陵之靡妙，虽集多不载，犹可别传。兄尝同为秋宴寒夜之作，许与过甚，既改服东浙，寄余书云：将事考盘，以卒初志，冀与同奖风流，益增标胜。余方讣太夫人，中道而兄以奄逝，生平景怀，悼嗟何及！遂使国家登禅，太息于斯文，而人伦模楷，怅绝于具尔。吁，其已矣！敬序遗编，因之寄慨。"序署"嘉靖辛亥夏四月朔日，季弟理山濂谨书"。按，皇甫涍（1497—1546），字子安，有《少玄集》。

白悦（1498—1551）卒。王维桢《明尚宝司司丞致仕洛原白公墓碑》："洛原白公者，常州武进人也。名悦，字贞夫，其先洛阳人，后徙武进，居采菱港。白公不忘始，故号洛原白公。""嘉靖壬午（1522），白公举顺天乡试，推荫与弟。又十年举壬辰（1532）进士，除户部主事。"改礼部，历员外、郎中，迁左春坊司直，谪永平通判。历南后军都督府经历、吏部郎中，再谪河间通判。迁户部主事，改尚宝司丞，出为江西按察佥事。"白公生弘治庚戌十二月二十五日，卒嘉靖辛亥四月二十四日，年五十四。"徐阶《尚宝司司丞致仕洛原白君墓志铭》："己酉（1549）改尚宝司司丞。……辛亥（1551）三月升江西按察司佥事，病，未能诣阙谢，会被论，诏仍以尚宝致其仕。……病已剧，四月二十日竟卒，距生弘治戊午十二月二十五日，享年五十四。君能为古文歌诗，行草小楷皆有法，意兴所到，濡笔引纸，往往屈其坐人，故每见谓浮薄。性又喜宾客，延访结纳，朝夕不暇，而时名公钜卿之好士者，亦喜与君游，故又见谓奔竞。及既病，日闭门与客绝，间有访君榻前者，君辄与论时务，亹亹不置，故又见谓矫抗。其仕宦以是不达。然君之心固未尝一日不志于为善也。士生于世，其仕止毁誉，信有幸不幸哉！"宗臣《洛原白公集序》："公之子祠部君与余同举进士，当是时，凡三谒公，会公病，竟不得觐公。公既卒，而祠部君复与余谈艺长安邸中，则日观余以公所撰述者。余章章读已，章章叹也，诚伤之矣！诚伤之矣！祠部君因函帙归余，命余精之，叙焉以传。稍间，辄尽发其所为词类精之，得赋八首，五言古诗二十二首，歌行二十四首，五言律诗七十四首，七言律诗五十二首，五言长律九首，五言绝句一十二首，七言绝句二十二首，序记赞跋颂启共二十八首，固言言殊矣。总之诗不离唐，五言者最乎！序记尺牍汉唐之轨也，类《国》《左》者数矣，灵雪诸赋则庶几哉与梁园并藻也。嗟乎，公之所传于世者如此哉！嘉靖丁巳年（1557）秋八月既望，广陵宗臣撰文。"皇甫汸《白洛原遗稿序》："其所至必先友名流，秦若王子九思、吕子柟、康子海，梁若崔子铣、高子叔嗣，楚若王子廷陈、廖子道南，豫章若江子以潮，闽中若王子慎中，相与酬赠，咸共嘉赏焉。兼以丁辰中否，动忍既深，牵世播迁，牢愁弥结，由此其工也。今览集中，调畅朗而思沉，语婉丽而致远，音和平而易感，旨隽永而难致，文足阐道图微，所得于古人者多矣。"末署："序成于嘉靖丙寅（1566）长至日，集成于隆庆丁卯（1567）中秋日。吴郡百泉山人皇甫汸子循撰。"《四库全书总目》集部别集类存目四著录《洛原遗稿》八卷，提要曰："悦为尚书昂之孙。家世鼎贵，而独刻意学诗。句调华赡，神理颇清。视当时襞积者差胜。特格律未能变化，往往雷同。"《明诗纪事》戊签卷十八录白悦诗一首，陈田按："洛原诗特俊爽，惜不得其全集录之。"

## 五月

陆师道作《题陆文裕公续集后》。末署"嘉靖辛亥夏五月朔，长洲陆师道谨题"。陆深（约1475—1544），字子渊，谥文裕。

## 九月

许谷（1504—1586）以大察被论致仕，作《二台稿》自序。姜宝《前中顺大夫南太常少卿石城许公墓志铭》："辛亥又以大察被论而致仕。"朱孟震《太常石城许先生七十寿叙代作》："时年未五十，辄谢事归，日与乡骚人胜士登览觞咏，二十年趾未尝一至公府。"寿叙作于1573年。许谷生平，略见《列朝诗集小传》丁集上："谷，字仲贻，上元人。嘉靖乙未会元，户部主事，改吏部文选郎中，升南京太常寺少卿。大计，谪两浙运副，起为江西提学佥事、南京尚宝司卿，以人言罢归。仲贻负时名，盛年岩居三十年，不通一字于政府，缙绅至南都，造门求见，不一谢报，曰：'此乡前辈里居之法，不敢变也。'日以赋咏自娱，所得卖文钱，投竹桶中，客至探取之，沽酒酣畅，穷日月不倦。年八十有三，自为行述，甫三日，无疾而逝。仲贻为顾华玉高第弟子，风流儒雅，以耆宿主盟词坛，盖先后相望云。"

## 十月

郑若庸应赵王聘北上。郑若庸以作剧擅名。郑若庸《蠛蠓集》卷四《祭陆贞山文》云："时赵王聘余，久未应。辛亥（1551）之夏，使寺人乘传促余行。君适病暴泻，秋转剧。余心不欲去君，次且不决。君诏余曰：'斯行足伸子志，其毋逡巡弛良图也。'力强余别，若惨然不胜情。余犹弭楫城下，日往闯其门。又越旬，闻已啜糜粥，能强起坐矣，乃突入见君，君骇曰：'子深念我若是，我固将起矣。'其亟行，又执手歔欷而别，是时十月既望也。"贞山名粲，卒于今年十二月二十六日。

## 十一月

邢侗（1551—1612）生。李维桢《陕西行太仆寺少卿邢公墓志铭》：卒"岁在万历壬子四月二十有七日，距生嘉靖辛亥十有一月二十有六日，年六十有二"。"子愿名侗，士大夫率字之。皙而清扬，左眉有黑子，相者以为文星。既长，声如钟，目如电，发鬒如云，须髯如戟。"邢侗，字子愿，临邑人。万历甲戌（1574）进士，除南宫知县，征授监察御史，出为湖广参议，升陕西行太仆少卿。有《来禽馆集》。

## 十二月

张文龙为韩邦奇诗文集《苑洛集》作跋。末署"嘉靖辛亥十二月二十四日，门人潼关张文龙顿首跋"。韩邦奇（1479—1555），字汝节，号苑洛。孔天胤《苑洛集刻叙》署"嘉靖三十一年（1552）冬十月"。孔叙曰："大司马韩公苑洛先生文集二十二卷，其一卷、二卷为叙，三卷为记，四卷、五卷、六卷为志铭，七卷为表，八卷为列传，九卷为策问，十卷为五言，十一卷为七言及联句，十二卷为填词，十三、十四、十五、十六、十七卷为奏议，十八、十九、二十、二十一、二十二卷为语录。巡抚大中丞樵村贾公，取付省中刻之，以表宪一方，若曰文献为可传耳。于是，外史胤推叙其略。……时嘉靖三十一年冬十月，河汾孔天胤谨叙。"《明诗纪事》丁签卷十六录韩邦奇诗一首，陈田按："正德中，汝节官浙江金事，时中官采富阳茶鱼为民害，汝节作《富阳谣》哀之云：'富阳江之鱼，富阳山之茶，鱼肥卖我子，茶香破我家。采茶妇，捕鱼夫，官府拷掠无完肤。昊天胡不仁，此地亦何辜？鱼胡不生别县，茶胡不生别都？富阳山，何日摧？富阳江，何日枯？山摧茶亦死，江枯鱼始无。山难摧，江难枯，我民不可苏。'中官王堂奏汝节格上供，作歌怨谤。帝怒，逮至京，下诏狱，斥为民。"《明儒学案·三原学案》有"恭简韩苑洛先生邦奇"传。

陆粲（1494—1552）卒。（卒年据公历标注）黄佐《贞山先生给事中陆公粲墓表》："己酉，侍太夫人疾，亲调汤药，衣不解带。比宅忧，哀痛逾礼。……然而逝，辛亥十二月二十五日，距其生弘治甲寅六月二十六日，春秋五十有八。"王世贞《吴中往哲像赞》："陆贞山先生粲，字子余，一字浚明，生而朗秀，长身玉立，美须髯。自其诸生时，则已为王文恪所赏识，曰：'是子也，材非吾翰林所能有也。'而久之乃举乡试，魁其经，明年会试，复魁其经，以进士改翰林庶吉士，凡七试皆居首。当是时，新贵人张、桂长翰林，先生耻为之寮，约诸庶吉士毋得往见，张、桂衔之，中于上，谓皆故相费公宏桃李。以故当散馆，公仍试第一，而仅得工科给事中。先生上言，请开弘文馆，与博闻有道之士讲说政术；开太学，举贡诸生，途与进士并，王国及教官材者一体迁擢。士毋得乞远方，远方二千石以上，毋以不及调，行太仆苑马盐运，毋以下考迁。又上久任使、慎考察、汰冗官、复制科四事，皆次第采纳。故相杨公一清，见辄叹曰：'子自爱，真经世才也。'先生以是益自信，论事亡所避。主浙江试还，而法司与厂卫狱互异，上右厂卫，至为斥台长浃，先生力言其不可，以是得上怒，下诏狱杖三十，寻释之。时张与桂俱继相，拟杨公后，先生遂露章劾其奸，上为之罢二相，一时朝廷肃然望治。而上寻入霍詹事韬语，谓先生缘杨公指，于是首召张，而杨公不自安，更请去，而先生再下诏狱以谪矣。先生之自都镇驿丞迁永新令，有善政，其士民多讴谣之。而念相张数颇起，不能不相中，且母老，上书乞致仕归，里居凡十八年，中外论荐者，无虑三十疏，而皆报罢。先生以母老，多戚戚，为选声色以娱之，而已不能无染指。及母死，悉屏去之。先生性伉爽，每语意气及不平事，慷慨攘臂，须尽张。其为文精雅有法，得班氏及韩欧遗意。"《静志居诗话》卷十二《陆粲》："嘉靖间，元老类皆延揽宾客，虽贵溪、分宜亦然。惟张、桂专与文士为仇，丙戌庶常，一笔尽扫。贞山又多论劾，困抑终身。然晚极田庐文酒之乐，菽园著述，传诵艺林。比之二柄臣，孰得孰失邪?"《四库全书总目》集部别集类二五著录陆粲《陆子余集》八卷，提要曰："是集凡文七卷、诗一卷。粲早入词馆，负盛名。泊官工科，以劾张璁、桂萼，偃蹇终身。然亦缘是息意邱园，研心经史，学问具有根柢。又为王鏊门人。《明史》粲本传称其少谒鏊，鏊异之曰：'此子必以文名天下。'其授受亦有端绪。徐时行序称其出入左氏、司马迁，无论魏、晋。彭年序以为专法马、班，雄深雅健，东汉诸家所不及。推奖颇为太过。至黄宗羲《明文海》云：贞山文秀美平顺，不起波澜，得之王文恪居多，乃欧阳氏之支流。则平心之论，当之无愧色矣。其《忆父诗》一首，《明诗综》云七岁所作。然风格老成，不应至是，疑或有所夸饰。至于《担夫谣》之类，有香山新乐府遗音。《赠别王直夫》二首之类，亦绰有风格。尤未可以篇什无多，遂谓曾子固不能诗也。"周复俊《陆子余集序》署"嘉靖甲子（1564）谷日，南京太仆寺卿、前进士，年生周复俊撰"；吕光洵《贞山先生集叙》、许谷《跋陆贞山文稿后》年月不详。

## 本年

吴国伦（1524—1593）由王世贞绍介于李攀龙，入七子之社。时李攀龙任刑部广东司主事，王世贞亦任职于刑部。李攀龙本年升刑部山西司郎中。梁有誉授刑部山西司主事。王世贞《吴明卿先生集序》云："二十七岁（1550年）而登进士第，始受古文辞，与不佞二三兄弟善。明年（1551年）进于李于鳞，于鳞亟称之。入参制掖，为中书舍人。"又《赠吴大参明卿先生六十叙》："余少也从李于鳞先生游，而是时诸先生皆称诗，而吴明卿先生最后入。其所称诗独工，诸先生皆内足而气扬，以其最工者为泄造化之秘，当见嫉，嫉必取困阨，毋老寿，虽至短折不以为讳。而间得一语疵，则必指呼以为大蠢，以为大贵人。其不欲受之，至面頳尽赪，归必极彫镂之力而后已。以故诸先生之称诗益工，而用是得狂声士林间，谪逐相继，毋一登八座者。"冯梦祯《吴明卿先生传》："嘉靖己酉（1549）举湖广乡试首名。明年庚戌（1550）成进士。又明年辛亥（1551），授中书舍人，司诰敕。故事：中舍直两房者俱委琐杂流，内阁大臣使之如佐史。然先生以特例选入，不少为屈。是时吴中王元美、历下李于鳞主盟文章，门庭高峻，而先生与长兴徐子与、南海梁公实、广陵宗子相等往来，文酒靡间，号六子社。名高毁集，公卿以下侧目焉。"殷士儋《（李于鳞）墓志铭》："甲辰（1544）赐同进士出身，试政吏部文选司，乙巳（1545）以疾告归，归则益发愤励志，陈百家言附而读之，务钩其微抉其精，取恒人所置不解者，拾之以积学。盖文自西汉以下，诗自天宝以下，若为其毫素污者，辄不忍为也。丙午（1546）还京师，聘充顺天乡试同考试官，简拔多奇士。丁未（1547）授刑部广东司主事，既曹务闲寂，遂大肆力于文词。余时为检讨，日相引，上下其议论。而于鳞益交一时胜流，若吴郡王元美数子者，名乃籍甚公卿间矣。"茅坤《明诗人李珠山先生墓志铭》："先生名奎，字伯父，号珠山。起家刀笔间，以文无害称，由布政使司吏再考从事锦衣。锦衣者，古所称司隶校尉之职，而领天子诏狱者也，以游徼督察为功。而公故雅善诗，颇跌宕自豪，窃耻之。闻比部郎李攀龙、徐中行及山人谢榛辈为诗社游，于是手所著诗谒之。而诸君者且惊且讶，相与招之入社，共与唱和长安邸舍，稍稍倾动诸公卿间。时陆太保公炳掌锦衣，亦雅闻公，不敢以从事史遇之，引为上客。"（《茅鹿门先生文集》卷之二十四）

**宗臣**（1525—1560）**由刑部广西司主事改吏部考功司主事，与李攀龙、王世贞诸人游，相切磋为古文辞。**欧大任《广陵十先生传·宗臣》："宗臣字子相，兴化人。……嘉靖己酉（1549）以《戴氏礼》举于乡。庚戌（1550）登进士第，授刑部主事。辛亥调吏部考功司主事。""为郎时与临清谢榛、济南李攀龙、长兴徐中行、南海梁有誉、吴人王世贞、楚人吴国伦结社燕中，为一时词人之冠。臣尝言：人世只有二道，上焉者乘青云，弄紫霞，而次则宏词丽句，照耀千古，名并日月。"王世贞《明中宪大夫福建提学副使方城宗君墓志铭》："按状，君讳臣，子相其字，尝自称方城山人。其先世居吾吴郡，寻迁盱眙，最后迁兴化，遂为兴化人。……十四试诸生第一，自是连试辄第一，而又十余载始成乡荐，明年成进士高第，授刑部广西司主事。太宰李公默见君文而奇之，调为其属，得考功。故事：吏部郎自相贵，绝不复通他曹郎，而君日夜与其旧曹李于鳞、徐子与、梁公实及不佞世贞游，益相切劚为古文辞。"

**新喻知县李先芳**（1511—1594）**擢为户部主事，与后七子往还。**于慎行《明故奉直大夫尚宝司少卿北山先生李公墓志铭》："北山先生姓李氏，讳先芳，字伯承，其先湖广监利人也。国初以士伍北徙，因籍濮州。"嘉靖丁未（1547）进士。"明年选为新喻知县。……三年政成，擢为户部主事。旋丁外艰，复补刑部。先生既负时名，不得一当艺苑，又出试吏，仆仆对牒，非其好也。及入为曹郎，居多暇日，而海内名能诗家，吏部宗子相、张助甫，兵部张肖甫，同部王元美、徐子与辈，云集阙下，先生尽与之交，朝夕为咏，期为复古，而诸子之名大噪，长安称一代盛际矣。"

**苏祐**（1492—1571）**咏雪诗颇为时人推重，被评为"写景入微，非老手不能"。**谢榛《诗家直说》卷三："陈一庵太守因徽藩诬奏，谪戍琼州，寓丘文庄（丘浚）别墅，日耽诗酒。每闻缙绅间盛称苏舜泽总制雪诗：'初随鸣雨喧相续，转入飘风静不闻。'写景入微，非老手不能也。若杨诚斋'筛瓦巧从疏处透，跳阶误到暖边融'，便是宋人本色。"陈吉号一庵，曾任钧州知州。徽藩，指徽恭王朱厚爝（？—1550）。《明史》卷一百十九："初，厚爝好琴，斫琴者与知州陈吉交恶，厚爝庇之，劾吉，逮诏狱。都御史骆昂、御史王三聘白吉冤。帝怒，并逮之，昂杖死，三聘、吉俱戍边。议者不直厚爝。时方士陶仲文有宠于世宗，厚爝厚结之。仲文具言王忠敬奉道，帝喜，封厚爝太清辅元宣化真人，予金印。"苏总制指苏祐。于慎行《明故资政大夫兵部尚书兼都察院右都御史谷原苏公行状》："公讳祐，初号舜泽，谷原其更号也。世为东昌濮人，居北王赵之原。……嘉靖丙戌（1526）成进士，授吴县令。"历广东道监察御史、江西提学副使，"壬寅（1542）擢山西参政，分理雁门三关。廷臣荐公可当大任，晋大理少卿。乙巳（1545）拜都察院右金都御史，巡抚保定。丁未（1547）进右副都御史，巡抚山西。……己酉（1549）召入为刑部侍郎，已改兵部，庚戌（1550）转左，……无何，以所居官总督宣大军务。"据此，则"苏总制"之称在1551年之后，故系于今年。苏祐雪诗，题为《袁州对雪简何笋亭侍御》，见《谷原诗集》卷四："宜春台边同暮云，宜春城下雪纷纷。初随鸣雨喧相集，转入飘风静不闻。银烛并回摇乍暝，金尊独对散微醺。因怀骢马江城夜，客况曾经可问君。"诗当作于1539、1540年左右，时苏祐在江西提学副使任。

张寰为叶盛《两广奏草》作序。罗汝鉴作《群忠备遗录》自序。曹金为卢翰《签易》作序。卢翰字子羽，颍州人。嘉靖甲午举人。官兖州府推官。据四库提要。

王九思（1468—1551）卒。李开先《渼陂王检讨传》：先生"讳九思，字敬夫，居近渼陂，因以渼陂为号"。"至丙辰，则文学成矣，第进士，考选庶吉士，试题乃端阳赐扇诗，翁有'谁剪巴江，天风吹落'之句，闻者以为必膺首选。何也？以其似李西涯之作，已而名出，果然。是时西涯当国，倡为清新流丽之诗，软靡腐烂之文，士林罔不宗习其体，而翁亦随例其中，以是知名，得授翰林院检讨，故曰：'上有三老，下有三讨。'自以为是矣。及李空同、康对山相继上京，厌一时诗文之弊，相与讲订考正，文非秦、汉不以入于目，诗非汉、魏不以出诸口，而唐诗间亦仿效之，唐文以下无取焉。故其自叙曰：'空同为予改诗稿今尚在，而文由对山改者尤多，然亦不止于予，虽何大复、王浚川、徐昌谷、边华泉诸词客，亦二子有以成之。'人之称之者，则以为叙事似司马子长，而不琐屑于言语之末，议论似孟子舆，而能从容于抑扬之际。至其因怀陈致，寄景道情，则又出入乎风雅骚选之间，而振迅于开元天宝之上。士夫虽倾心，然不免有侧目者矣。刘晦庵虽不喜诗，然犹爱才，而李西涯则直恶其异己，蓄怒待时而发。……其为予作《宝剑记后序》，年已八十二矣，而文思尚如涌泉，料必寿过百岁，乃于辛亥某月日病卒，八十二岁至是又加二矣。""所著有《渼陂集》、《渼陂续集》、《王氏族谱》、《鄠县志》、《游春记》、《碧山续稿》、《新稿》，此其已刻行者，而未刻者尚多也。"《诗源辩体》后集纂要卷二："王敬夫《自序》云：'予始为翰林时，诗学靡丽，文体萎弱，其后德涵、献吉导予，易其习焉。献吉改正予诗者，稿今尚在也。而文由德涵改正者尤多。'愚每读此序，未尝不敛衽叹服。今人一登科第，即耻言受学，既入翰苑，则文衡在我矣。敬夫谦而受益，卑不可逾，卒与康、李先后并驱，宜矣。献吉名高一代，亦述王叔武相发之言，何能损其万一，适足益其美誉耳。"《列朝诗集小传》丙集《王寿州九思》："九思，字敬夫，鄠县人。弘治丙辰进士，选翰林院庶吉士，授简讨。九年，满考。值刘瑾乱政，翰林悉调部属，历练政务，敬夫独得吏部，不数月，长文选。瑾败，降寿州同知。居一年，会天变，言官钩瑾余党，勒致仕。年八十四乃终。敬夫馆选试端阳赐扇诗，效李西涯体，遂得首撰，有名史馆中。时人语曰：'上有三老，下有三讨。'既而康、李辈出，唱导古学，相与訾謷馆阁之体，敬夫舍所学而从之，于是始自贰于长沙矣。敬夫之再谪，以及永锢，皆长沙秉国时。盛年屏弃，无所发怒，作为歌谣，及《杜甫春游》杂剧，力诋西涯，流传腾涌，关陇之士，杂然和之。嘉靖初，纂修实录，议起敬夫，有言于朝者曰：'游春记，李林甫固指西涯，杨国忠得非石斋，贾婆婆得非南坞耶？'吏部闻之，缩舌而止。敬夫、德涵，同里同官，同以瑾党放逐，汧东、鄠杜之间，相与过从谈宴，征歌度曲，以相娱乐。敬夫将填词，以厚赏募国工，杜门学按琵琶、三弦，习诸曲，尽其技而后出之。德涵尤妙于歌弹，酒酣以往，撅弹按歌，更起为寿，老乐工皆击节自谓弗如也。万历中，广陵顾小侯所建，游长安，访求曲中七十老妓，令歌康、王乐府，其流风余韵，关西人犹能道之。敬夫《渼陂集》粗有才情，沓拖浅率，续集尤为冗长。李中麓云：'敬夫词曲新奇，得元人心法。'王元美云：'敬夫词曲与德涵齐名，秀丽雄爽，康大不如也。'评者以为不在关汉卿、马东篱下。大率康、王皆工词曲，而秦人推其诗文，以为一代师匠，乡曲之言，君子存之而已。"《静志居诗话》卷十《王九思》："康、王并以乐府擅场，而诗鲜合作。王差胜康，乐府亦尔。《十四夜月与李献吉饮》云：'万户秋风砧杵哀，殊乡今夕故人来。竹间凉露萧萧下，楼上浮烟细细迥。地僻柴门无过客，家贫樽酒有余醅。疏帘碧簟须同醉，明月青天为尔开。'"《四库全书总目》著录王九思《渼陂集》十六卷、续集三卷、《碧山乐府》五卷。《渼陂集》提要见 1533 年。《碧山乐府》提要曰："此其所作杂曲小令也。自宋赵彦肃以句字配协律吕，遂有曲谱。至元代如'骤雨打新荷'之类，则愈出愈新。不拘字数，填以工尺。俗传仅知有正宫、越调为南北曲之分，而相带、相犯之妙，填词家又不知度曲四声有去作平、上作平之例。故论其体格，于文章为最下，而入格乃复至难。九思酷好音律，尝倾资购乐工，学琵琶，得其神解。是编所录，大半依弦索越调而带犯之，合拍颇善。又明人小令多以艳丽擅长，九思独叙事抒情，宛转妥协，不失元人遗意。其于填曲之四声，杂以带字，不失尺寸。可谓声音文字兼擅其胜。然以士大夫而殚力于此，与伶官歌妓较短长，虽穷极窈眇，是亦不可以已乎！"今年正月，王九思曾作《碧山诗余自序》。

　　**唐时升**（1551—1636）生。《明史·文苑传》："唐时升，字叔达，嘉定人。父钦训，与归有光善，故时升早登有光之门。年未三十，谢举子业，专意古学。王世贞官南都，延之邸舍，与辨晰疑义。时升自以出归氏门，不肯复称王氏弟子。及王锡爵柄国，其子衡邀时升入都，值塞上用兵，逆断其情形虚实，将帅胜负，无一爽者。家贫，好施予，灌园艺疏，萧然自得。诗援笔成，不加点窜，文得有光之传。与里人娄坚、程嘉燧并称曰'练川三老'。卒于崇祯九年，八十有六。"

　　**胡应麟**（1551—1602）生。胡应麟，字元瑞，更字明瑞，兰溪人。万历丙子（1576）举人。有《寓燕》、《还越》、《计偕》、《岩栖》、《卧游》、《两都》、《兰阴》、《邯郸》、《华阳》、《养疴》、《娄江》、《白榆》、《湖上》、《青霞》等集，合为《少室山房稿》。另有《少室山房笔丛》等多种著述。

## 公元 1552 年（世宗嘉靖三十一年　壬子）

### 正月

　　**李攀龙、王世贞、梁有誉访谢榛于华严庵，分韵赋诗，极一时之盛。**王世贞诗《早春同于鳞公实访谢茂秦华严庵》，今年作；《正月六日雨阻江上，因记昨岁同于鳞诸君访茂秦于华严庵，分韵赋诗，一时之盛，怅焉有怀，爰赋十韵》，明年作。谢榛《诗家直说》卷四："嘉靖壬子春，予游都下，比部李于鳞、王元美、徐子与、梁公实、考功宗子相诸君延入诗社。又《诗家直说》卷三："予客京时，李于鳞、王元美、徐子与、梁公实、宗子相诸君招予结社赋诗。一日，因谈初唐、盛唐十二家诗集，并李杜二家，孰可专为楷范？或云沈宋，或云李杜，或云王孟。予默然久之，曰：'历观十四家所作，咸可为法。当选其诸集中之最佳者，录成一帙，熟读之以夺神气，歌咏之以求声调，玩味之以裒精华。得此三要，则造乎浑沦，不必塑谪仙而画少陵也。夫万物一我也，千古一心也，易驳而为纯，去浊而归清，使李杜诸公复起，孰以予为可教也。'诸君笑而然之。是夕，梦李杜二公登堂谓余曰：'子老狂而遗言如此。若能出入十四家之间，俾人莫知所宗，则十四家又添一家矣。子其勉之！'""宗考功子相过旅馆曰：'子尝谓作近体之法，如孙登请客。未喻其旨，请详示何如？'曰：'凡作诗先得警句，以为发兴之端，全章之主。格由主定，意从客生。若主客同调，方谓之完篇。譬如苏门山深松草堂，具以琴樽，其中纶巾野服，兀然而坐者，孙登也。如此主人，庸俗辈不得跻其阶矣。惟竹林七贤，相继而来，高雅如一，则延之上坐，始足其八数尔。'子相曰：'若作古体，亦用此法，可乎？'曰：'凡作古体近体，其法各有异同，或出于有意无意之间，妙之所由来，不可必也。妙则天然，工则浑然，二体之法，至矣尽矣。'"王世贞《李于鳞先生传》："李于鳞者讳攀龙，其家近东海，因自号沧溟云。……于鳞以诗歌自西京逮于唐大历，代有降而体不沿，格有变而才各至，故于法而不必有所增损，而能纵其凤授神解于法之表。句得而为篇，篇得而为句，即所称古作者，其已至之语，出入于笔端而不见迹，未发之语为天地所秘者，创出于胸臆而不为异，亡论建安而后诸公，有不遍之调，于鳞以全收之。即其偏至而相角者，不啻敌也。当于鳞之为主事，迁员外郎以至山西司郎中，曹事寝以剧，守文法无害，而其业日益进。大司寇有著作辄以属于鳞，籍籍公卿间。然于鳞竟无所造请干赞，不为名计，出曹一羸马虺蘬归，杜门手一编矣。其同舍郎徐中行、梁有誉、不佞世贞及吴舍人国伦、宗考功臣，相与切劘千古之事，于鳞咸弟蓄之。为社会时，有所赋咏，人人意自得，最后于鳞出片语，则人人自失也。"李攀龙有《初春元美席上赠谢茂秦得关字》诗。诗云："凤城杨柳又堪攀，谢朓西园未拟还。客久高吟生白发，春来归梦满青山。明时抱病风尘下，短褐论交天地间。闻道鹿门妻子在，只今词赋且燕关。"《皇明诗选》卷十一："辕文曰：起句抑扬有致。卧子曰：诵结句，似劝茂秦勿作客。"《明诗别裁集》卷八："诵五六语，如见茂秦意气之高，应求之广。"屠隆《论诗文》："元美推尊于鳞诚过当。时诸公挥毫，或未免稚弱。于鳞晚出一首，苍健惊人，奈何不压服曹偶。今若尽读于鳞诗，初则喜其雄俊，久则厌其雷同。若杂一首于众作之中，则陡觉于鳞矫然而特出翅，众鸟中一苍隼，宜其为元美所赏诧如此。晚年之论，定当不复尔。"又王世贞《明承直郎刑部山西司主事梁公实墓表》：梁有誉字公实。"公实为诸生，即名能歌诗，倾岭南矣。已成进士燕中，即又倾燕中人。而居恒不自得，郁郁思归。补尚书刑部郎，间与其同舍郎李攀龙、王世贞游，乃稍自愉快，曰：'世故有人哉！'而郎宗臣已去为吏部，休浣辄一来。俄而郎中徐中行来。中行故尝与公实游南太学，深相结者也。以是日相与切劘为古文辞，甚欢。"又欧大任《梁比部传》记梁有誉："居曹日无事，得以博综邃学，多所撰著，求当于古作者，不屑今人诗。请沐辄从谢山人榛、宗考功臣、吴舍人国伦、同舍郎李攀龙、王世贞、徐中行唱和为乐，都人无不标目七子焉。"

## 二月

朱曰藩为张綖《张南湖先生诗集》作序。末署"嘉靖壬子仲春吉，同郡射陂朱曰藩撰"。张綖（1487—1543），号南湖。其子张守中《张南湖先生诗集跋后》作于"嘉靖癸丑（1553）七月朔日"。

唐顺之编选董玘文为《中峰先生文选》并作序。董玘（1483—1546）号中峰。序曰："汉以前之文未尝无法，而未尝有法。法寓于无法之中，故其为法也密而不可窥。唐与近代之文不能无法，而能毫厘不失乎法。以有法为法，故其为法也严而不可犯。密则疑于无所谓法，严则疑于有法而可窥，然而文之必有法，出乎自然而不可易者，则不容异也。且夫不能有法，而何以议于无法？有人焉，见夫汉以前之文，疑于无法，而以果无法也，于是率然而出之，决裂以为体，恒钉以为词，尽出自古以来开阖首尾、经纬错综之法，而别为一种臃肿窘涩浮荡之文。其气离而不属，其声离而不节，其意卑，其语涩，以为秦与汉之文如是也，岂不犹腐木湿鼓之音，而且诧曰：吾之乐合乎神。呜呼！今之言秦与汉者纷纷是矣，知其果秦乎？汉乎？否也。中峰先生之文未尝言秦与汉，而能尽其才之所近。其守绳墨，谨而不肆，时出新意于绳墨之余，盖其所自得，而未尝离乎法。其记与序，文章家所谓法之甚严者，先生尤长。先生在翰林三十余年，尝有闻于弘治以前诸先辈老儒，而潜思以至之，故其所为若此。然今之为先生之文者益少，其知先生之文而好之者又少矣！先生之子近思将刻集以传，而请序于余。近思岂亦以为世之言秦与汉者未必能知先生之文，而余之愚陋稍知之也？晋江王道思、平凉赵景仁，其文在一时文人中最有法，皆先生丙戌（1526）为考官时所取士。近思试以先生之文与吾言质之，其必有合乎否也？嘉靖壬子仲春望日，武进唐顺之应德序。"《中峰先生文选》另有沈束、王国桢二序。沈序署"嘉靖壬子丙寅岁（1566）六月初九日"，王序署"嘉靖辛酉（1561）春三月既望"。王序系为重刻本作。序曰："先生平生所为文词甚富。是编出唐太史公荆川选，兹惟铨次伦类，改正讹谬，仍其名曰《中峰文选》。"

## 春

梁有誉（1519—1554）告病，将归岭南。时梁有誉任刑部山西司主事。《弇州四部稿》卷三十三有诗《春夕同于鳞、子与访公实，时公实在告，将归岭南，分韵得声字》。梁有誉字公实。《沧溟诗集》卷七有诗《五日同子与、子相过公实，时公实在告》，据此，则梁有誉端午犹未起程。

## 夏

唐顺之过会稽，与徐渭论文于舟中。是为徐渭、唐顺之过从之始。徐渭有诗《壬子武进唐先生过会稽，论文舟中，复偕诸公送至柯桥而别，赋此》，诗前小序云："时荆川公（唐顺之）有用世意，故来观海于明，射于越圃。而万总兵鹿园、谢御史狷斋、徐郎中龙川诸公与之偕西也。彭山、龙溪两老师为之地主。荆公为两师言，自宗师薛公所见渭文，因招渭。渭过从之始也。"（《徐文长三集》卷四）时任提学道者为薛应旂，武进人。季本号彭山。王畿号龙溪。两人俱王阳明弟子，徐渭师。王畿又为文长中表兄。徐渭《寿徐安宁公序》云："予当壬子夏，偶得见刑部君于荆川先生舟中。"（《徐文长佚稿》卷十五）

## 七月

李攀龙、王世贞等送别谢榛。李攀龙有诗《七夕集元美宅送茂秦》，王世贞有诗《谢生歌，七夕送脱屣老人谢榛》。本月，王世贞之父王忬巡抚浙江备倭。

## 八月

仇鸾罢。病死，戮尸。《万历野获编》卷十七《仇鸾谈兵之舛》："仇鸾自庚戌（1550）秋虏入，得上宠，比壬子追僇，恰二年耳。其间意气之骄盈，议论之舛谬，概难枚举。即如辛亥（1557）六月，虏报渐急，鸾奏请欲自领京兵民兵迎贼，而以边兵分遣附近，追剿零贼，且许军马食民田禾。大学士嵩乃言：今岁调遣到边兵，以其惯经战阵，全赖入卫京师，今却遣兵出外，以待零贼，而用京兵民兵以迎大贼，臣等莫喻其意云何。又行军纪律，有擅取一物者即斩，宁使虏过田苗食尽，必不可下此一令。会礼卿阶亦言之，得旨允行。七月鸾又请借民田车，以备战守。上曰：去岁造完战车，专备御敌，如何又取民车，益增骚扰？不允行。盖建白乖谬，而君相俱疑厌之矣。是年鸾出行边，惟督臣与雁行，即巡抚亦金坐，不敢具宾主，若兵备则竟隅侍。鸾晏然受之。人谓其器满将覆矣。〇初仇与严共事，夏、曾得志，情若父子，既已同诸大臣入直撰玄文，遂拟郭勋故事，欲挤严而独擅大柄，嵩始恨之。而仇亦密以嵩父子贪横事上闻。其说几行矣。严乃益结徐共排鸾，因其死，遂合谋使陆炳发其阴事，以至夷灭。时严、徐尚未有隙，弇州独归诛鸾之功于徐，未必尽实。然《实录》中亦云：徐阶密疏鸾通虏误国状。上始惊，收其兵权。鸾因悸死。未知何据。"兵部尚书赵锦坐仇鸾党戍边。

郭朴、秦鸣雷等任乡试主考。《弇山堂别集》卷八十三《科试考三》："三十一年壬子，命左春坊左庶子兼翰林院侍读郭朴、翰林院修撰秦鸣雷主顺天试。命左春坊左中允兼翰林院修撰尹台、翰林院修撰郭鎜主应天试。"

徐渭乡试落第。徐渭《畸谱》："三十二岁。应壬子科。时督浙学者薛公，讳应旂，阅余卷，偶第一，得廪科。后北。初夏赴归安。潘友招，图继我偶，后先以三女，余三忤之，上文云悔，悔是也。是时移居目连巷，与丁子范模同门。"

## 秋

王世贞以刑部员外郎奉诏按决庐扬凤淮四郡之狱，李攀龙作《送王元美序》，于王慎中、唐顺之多所掊击。序云："以余观于文章，国朝作者，无虑十数家称于世。即北地李献吉辈，其人也，视古修辞，宁失诸理。今之文章，如晋江、毘陵二三君子，岂不亦家传户诵？而持论太过，动伤气格，惮于修辞，理胜相掩，彼岂以左丘明所载为皆侏离之语，而司马迁叙事不近人情乎？故同一意一事而结撰迥殊者，才有所至不至也。后生学士，乃唯众耳是寄，至不能自发一识，浮沉艺苑，真为相舍，遂令古之作者谓千载无知己。此何异途之群瞽，取道一夫，则相与拍肩随之，累累载路，称培娄则皆挢足不下，称污邪则皆曳踵不进，而虽有步趋终不自施者乎？语曰：'何知仁义，已飨其利者为有德。'世之儒者，苟治膑成一说，不惮侪俗，比之俚言，而布在方策者耳。复以易晓忘其鄙倍，取合流俗，相沿窃誉，不自知其非。及见能为左氏、司马文者，则又猥以不便于时制，徒敝精神，何乃有此不可读之语，且安所用之？又二三君子，家传户诵，则一人又何难焉？诚使元美与二三君子者，比名量誉，诚不能以一人一旦遽夺其终身之见，而辄胜天下风靡之士。文章之道，童习白纷，乃欲一朝使舍所学而从我，日暮途远，且彼奚肯苦其心志于不可必致者乎？夜虫传火，不疑于日，非虚语也。"（《沧溟集》卷十六）"晋江"指王慎中，"毘陵"指唐顺之。

### 十月

翁万达（1498—1552）卒。据汪道昆《明兵部尚书翁公传》。《明史·艺文志》著录翁万达《平交纪事》十卷、《宣大山西诸边图》一卷。《明史》有传。

孔天胤作《刻苑洛集叙》。《苑洛集》，韩邦奇（1479—1555）诗文集。据孔叙。

### 十一月

建阳杨氏清白堂刊刻《大宋中兴通俗演义》。该书凡八卷八十则，熊大木撰。熊大木序云："武穆王《精忠录》，原有小说，未及于全文。今得浙之刊本，著述王之事实，甚得其悉。然而意寓文墨，纲由大纪，士大夫以下遽尔未明乎理者，或有之矣。近因眷连杨子素号涌泉者，挟是书谒于愚曰：'敢劳代吾演出辞话，庶使愚夫愚妇亦识其意思之一二！'余自以才不逮班马之万一，顾奚能用广发挥哉？既而恳致再三，义弗获辞，于是不吝臆见，以王本传行状之实迹，按《通鉴纲目》而取义。至于小说与本传互有同异者，两存之以备参考。或谓小说不可紊之以正史，余深服其论。然而稗官野史实记正史之未备，若使的以事迹显然不泯者得录，则是书竟难以成野史之余意矣。如西子事，昔人文辞往往及之，而其说不一。《吴越春秋》云，吴亡西子被杀；则西子之在当时固已死矣。唐宋之问诗云：'一朝还旧都，靓妆寻若耶，鸟惊入松网，鱼畏沉荷花；'则西子尝复还会稽矣。杜牧之诗云：'西子下姑苏，一舸遂鸱夷；'是西子甘心于随蠡矣。及东坡题范蠡诗云：'谁遣姑苏有麋鹿，更怜夫子得西施，'则又以为蠡窃西子，而随蠡者或非其本心也。质是而论之，则史书小说有不同者，无足怪矣。屡易日月，书已告成锓梓，公诸天下，未知览者而以邪说罪予否？时嘉靖三十一年，岁在壬子冬十一月望日，建邑书林熊大木钟谷识。"孙楷第《中国通俗小说书目》卷二著录。

张含为杨慎《诗话补遗》作序。张含为"杨门六学士"之一。序曰："吾友太史公升庵杨子，今之马迁也，腹笥五车，言众七略，诗其余事，又出其绪，缀为《诗话》若干卷，有续集，有别录，有补遗，皆诗评也，艺林同志咸珍传之，盖与余同见闻者十八九，比之宋人珊瑚钩、渔隐话，评品允当，不翅度越，九变复贯，知言之选，良可珍哉！嘉靖壬子十一月七日，永昌禺山张含序。"杨慎所著《升庵诗话》，自明以来向无善本。有刻入升庵文集者，凡八卷（自五十四卷至六十一卷）。有刻入升庵外集者，凡十二卷（自六十七卷至七十八卷）。有刻入《丹铅总录》者，凡四卷（自十八卷至二十一卷）。《函海》本凡十二卷，附补遗三卷。此有彼无，此详彼略，前后顺序和卷帙均有不同。民国初年，丁福保汇辑《历代诗话续编》，爰搜集各本，详加校订，改编为十四卷，较此前诸本为善。升庵著此书在谪戍永昌之时，边地少书，惟凭记忆，故不免小有舛讹。但学有根柢，兼富词章，瑕玷虽存，而精华亦多。其诗少见知于李东阳，文学主张与前七子有异。《诗话补遗》另有王嘉宾序，署"嘉靖丙辰（1556）夏"；有杨达之叙后，署"嘉靖丙辰三月"。

## 十二月

**茅坤以雕剿法平定傜乱。**时茅坤在广西佥事任。详见朱赓《明河南按察司副使奉敕备兵大名道鹿门茅公墓志铭》、屠隆《明河南按察司副使奉敕备兵大名道鹿门茅公行状》、王宗沐《阳朔纪事碑》。

**张岳（1492—1553）卒。**（卒年据公历标注）徐阶《明故资政大夫总督湖广川贵军务都察院右都御史赠太子少保谥襄惠净峰张公墓志铭》："公讳岳，字维乔，号净峰……公生于弘治壬子十月四日，卒于嘉靖壬子十二月二十四日，享年六十有一。""公所著有《惠安志》、《古文要典》、《三礼经传》、《宋元名辅事业》、《宋名臣奏议》、《载道集》、《大儒文集》、《圣贤正传》、《历代兵鉴》、《恭敬大训》、《小山类稿》凡若干卷，藏于家，皆有补于世教云。"今年三月，徐阶以礼部尚书兼东阁大学士，预机务。《张净峰公文集》有王慎中序，署"嘉靖三十五年岁在丙辰（1556）秋八月既望"；吴文华作《苍梧重刻集选序》，署"万历丁亥（1587）秋八月"。《静志居诗话》卷十《张岳》："襄惠初释褐，与林希元、陈琛谈理学，时目为'泉州三狂'。始以言礼忤永嘉（张璁），继忤贵溪（夏言）、分宜（严嵩），幸以功名终。文治武功，所至登绩，诗其余技。然如'宛宛西飞日，余光照我裳'，'江空流月华，白石光凌乱'，'理深物有悟，兴极感相因'，'幽篁迷旧蹊，回磴距飞辙'，'微风万里阴，落日半江烟'，非'熟精《文选》理'者，不能作也。"《四库全书总目》卷一七二集部别集类二五著录张岳撰《小山类稿》二十卷，提要曰："明张岳撰。岳字维乔，惠安人。正德丁丑（1517）进士。官至刑部侍郎，掌都察院事。复出总督湖广、四川、贵州。卒谥襄惠。事迹具《明史》本传。岳初授行人，即以疏谏南巡廷杖，调南京国子监学正。嘉靖初，牵复原官，又以议礼忤张璁，继忤夏言，忤严嵩父子。而卒得以功名终，若有天幸然。其刚正之操，天下推之。集中奏议，分《行人司稿》、《廉州稿》、《粤藩稿》、《督抚郧阳稿》、《巡抚江西稿》、《督抚两广稿》、《总督湖广川贵稿》，皆据其历官年月，次第编类。虽文义朴直，而经济大业，亦可据以考见。又史称岳博览，工文章，经术湛深，不喜王守仁学。今观集中《草堂学则》及诸书牍内辨学之语，大都推阐切至，归于笃实近里。盖有体有用之言，固与空谈无根者异也。"《明诗纪事》戊签卷十二录张岳诗一首。

## 冬

**命京师内外选童女三百人入宫，供嘉靖帝炼延年药之用。**《万历野获编》补遗卷一《宫词》："嘉靖中叶，上饵丹药有验。至壬子冬，命京师内外选女八岁至十四岁者三百人入宫。乙卯（1555）九月，又选十岁以下者一百六十人。盖从陶仲文言，供炼药用也。其法名先天丹铅，云久进之可以长生。王弇州《嘉靖宫词》所云：'灵犀一点未曾通'，又云：'只缘身作延年药'，是也。"

**卢柟如赵。赵王览其赋而奇之，赐金百镒。卢柟冤狱今年始得平反。**王世贞《卢柟传》："其《幽鞫》曰：卢柟既用事逮系浚狱，与幽囚伍，瞀愦迷惑，目无日月，不知晦朔，仰天太息曰：'嗟呼，圣人修身晋道，立命不贰。贤者推运循理，以定所天。顾柟微眇，离兹宪网，问诸造物而已，因作赋以自广。其辞曰：……《放招》文多不尽录。居顷之，盗行剽，迫柟父自刭死，烧其庐。子钱家咸负贷不偿。柟固已壁立矣。令亦更悔，念鱼肉卢生何酷耶？阴稍稍宽柟梏，有所雠诗辞，呼使从狱具草。草上，予酒肉食饮洗沐。寻令去浚为大官，事益解。而故人谢榛先生者，携柟赋游京师贵人间，絮泣曰：'天乎！冤哉卢生也。及柟在而诸君不以时白之，乃罔罔从千古哀湘而吊贾乎？'陆光祖，吴人。有心计，俄竭选得浚令，至则首为更爱书上，论鬼薪，输作三岁，卢柟既出狱，家益贫，乃为《九骚》谢陆令。而谢榛先生方留滞邺，柟走谒之，因上赋赵王。赵王览而奇其文，立召见，赐金百镒。"《诗家直说》卷三："浚人卢浮邱，豪俊士也，负才傲物，人多忌之。曾以诗忤蒋令，令枉以疑狱，几十五年不决。余爱其才，且悯其非罪，遂之都下，历于公卿间，暴白而出之。因《感怀》诗云：'长存排难意，遂有泛交情。'以示比部李沧溟。沧溟曰：'数年常闻高论，皆古人所未发，余每心服，可谓知己，而亦以为泛交之流耶？'指其诗而颔之者再。大司徒张龙冈过南都，谓诸缙绅曰：'四溟子以我辈为泛交，可讶也。'余闻二公之言，心甚歉然。夫卢生得免，予愿少遂，作诗自况，偶得之耳。二公讥之，其亦孟子所谓'固哉'者欤？附沧溟寄余诗云：'向来燕市饮，此意独飞扬。把袂看人过，论诗到尔长。世情摇白首，吾道指沧浪。去住俱贫病，风尘动渺茫。'""浚人卢浮丘名柟者，过邺，访予草堂。樽酒款洽，因谈作诗有难易迟速，方见做手不同。卢曰：'格贵雄浑，句宜自然。吾子何其太苦？恐刻削有伤元气尔。'曰：'凡静卧宜想头流转，转未周处，病之根也。数改求稳，一悟得纯，子美所谓'新诗改罢自长吟'是也。吾子所作太速，若宿构然，再假思索，则无瑕之玉，倍其价矣。'卢曰：'平生口吃，不能剧谈，但与子操笔对赋，各见所长。'予曰：'这是卢生倔强不服善处！'然其佳句甚多，予每称赏，但不能悉记。如'读书秋草园'，情景俱到，宛然入画，比康乐'春草'之句，更觉古老。妙哉句也！固哉人也！"谢榛有《岁暮卢次柟过邺有感》诗。卢、谢之短长，时人及后人亦多所评述。《艺苑卮言》卷五："卢次楩诗，华藻不如谢而气胜之，世但知其赋耳。"

《列朝诗集小传》丁集上：梬"诗律不如茂秦之细，而才气横放，实可以驱驾七子"。《静志居诗话》卷十三："次梬诗足以高视四溟。"《龙性堂诗话初集》："明山人诗滥恶者多，即佳者身份亦薄。谢茂秦、卢次梬最称作者。茂秦今体，节制精严中神采焕发，词坛之李临淮也。古体诗差逊次梬。而卢之今体，则远不及谢。"按，卢梬以嘉靖十九年庚子系狱（卢梬《滕王阁图记》："庚子岁，梬坐佣奴事系狱。"），至今年共十三年。谢榛所云"几十五年"，举约数也。

**吏部考功司主事宗臣**（1525—1560）**上疏养病归，筑室于百花洲，读书其中。**欧大任《广陵十先生传·宗臣》："壬子冬，上书养病归，讲求药饵，游览山海，家人生产不之问也。客有劝为田园计者，曰：'吾志宁此哉！即志此，又愧囊中萧然，不似官人耳。日与二三子吟啸百花洲上，每出语即论述千古，成一家之言，偃仰山中，奚不可耶？'"王世贞《明中宪大夫福建提刑按察司提学副使方城宗君墓志铭》："考功署中，自公令外多不复酬往，而君少年骤贵显，诸曹偶不无目摄之矣，君亦以湛思故，咯血谢病归。病良已，筑室于所谓百花洲者，而读书其中，不复问世事。"

## 本年

**茅坤作《广西乡试录序》。**时在广西佥宪任。据茅序。明年，茅坤升大名兵备副使。

**皇甫冲**（1490—1558）**游虞山，有《纪游诗》一卷，**"自为之序，词致甚美。"据《列朝诗集小传》丁集上。

**《便民图纂》刻于贵州。**据四库提要。

**敖铣任讲读学士。**据王世贞《弇山堂别集》。

**朱浣**（1486—1552）**卒。**《四库全书总目》卷一七二集部别集类二五著录《天马山房遗稿》八卷，提要曰："明朱浣撰。浣字必东，号损岩，莆田人。嘉靖癸未进士。授湖广道监察御史。会兴国太后诞节，诏命妇朝贺。而慈寿太后诞节转不令命妇朝贺。浣上书争之，廷杖斥归，终于家。事迹具《明史》本传。其诗文不事铅华，独抒怀抱。朱彝尊《静志居诗话》称其诗无俗韵，诵之想见其人。盖泽畔行吟，沉沦没世，而未尝有一穷郁怨尤之语，是为难也。至家居三十余年，于民生国计，切切不忘。集中所载南洋水利之议，山寇海寇之防，皆指陈利病，斟酌时宜，委曲以告当事，不以罢黜而漠视，抑又难矣。其争诞节朝贺疏，史仅删大略，集中尚载其完本，用以压卷。盖自议礼诸臣获罪后，举朝皆附新局。浣与马明衡独惓惓故君，尤其一生大节。故编录遗文者，别为一卷，弁于集首云。"

## 公元 1553 年（世宗嘉靖三十二年　癸丑）

### 正月

**兵部武选司员外郎杨继盛**（1516—1555）**上疏劾严嵩十大罪、五奸，系刑部狱。**徐阶《明兵部武选司员外郎赠太常少卿谥忠愍杨公墓志铭》："辛亥（1551）迁兵部车驾员外郎。……贬狄道典史。逾年擢知诸城，寻迁南京户部主事，又迁刑部员外郎，调兵部之武选。尝独居深念至夜分，配张安人问其故，公曰：'吾受上恩，思有以报耳。'安人曰：'严相国方用事，此岂君直言时耶？'公不应而心自计，欲报恩，其道莫如去奸人，使不得乱政。遂以癸丑正月疏论少师严嵩十罪五奸，请召二王问状。公意以嵩在位久，其党羽布满中外，上即问必不肯言，而今皇帝以明圣在东府，冀一召问，可尽得其实。嵩更借以为谗，诏逮公，讯所以引二王者，公具对侃侃，至断指出胫，不易词。诏杖公百，送刑部狱。郎史君朝宾议从轻比，而其长贰皆嵩党，竟当公诈传亲王令，旨绞。"

## 二月

刘大昌为杨慎《词品》作后序。据后序题署。《词品》另有周逊序，署"嘉靖甲寅（1554）仲秋朔日"。《词品》系升庵词话。《莲子居词话》评曰："杨用修《词品》四卷，论列诗余，颇具知人论世之概，不独引据博洽而已。其引据处，亦足正俗本之误。……其它辨订，渊该综核，终非陈耀文、胡应麟辈所可仰而攻也。"

沈璟生。据凌敬言《词隐先生年谱及其著述》引《沈氏家谱》。赵景深《明清曲谈》据《吴江县志》云沈璟"万历二年（1574）成进士，时年二十二"，"（万历）十六年（1588）为顺天同考官，迁光禄寺寺丞，以疾乞归，归二十余年卒，年五十八。"与《沈氏家谱》合。沈璟（1553—1610），号宁庵，自署词隐生。吴江（今属江苏）人。万历二年（1574）进士。历任礼部仪制司主事，员外郎，光禄寺丞。他是格律派巨子，对音韵极为重视。所作戏曲作品甚多，《红蕖记》、《埋剑记》、《双鱼记》、《义侠记》至今尚存。

江盈科（1553—1605）生。江盈科字进之，号绿萝山人，湖广桃源人。万历壬辰（1592）进士。官至四川提学副使。著有《明十六种小传》、《雪涛阁集》、《雪涛谐史》等。按，《江盈科集》卷四《初度》诗云："二月春光最可怜，一杯独酌小桃前。客中几度逢生日，镜里何时再少年？相马谩劳重问齿，属牛只合早归田。君平往往空相誉，道说官星八座边。"第六句"属牛"二字后作者自注："余生癸丑。"据此则盈科生于嘉靖三十二年二月。卷二《迎春感赋》诗曰："我今行年四十四，蹉跎小吏成何事。墨绶纠缠已五年，管领春风经四次。"题下作者自注："丙申冬作。"与《初度》诗自注"余生癸丑"相合。

归有光应礼部试落第。归有光《送许子云之任分宜序》："嘉靖癸丑之春，余与子云北上……盖同行者四人，而子云独登第。"

## 三月

陈谨等进士及第。《弇山堂别集》卷八十三《科试考三》："三十二年癸丑，命少保太子太保礼部尚书东阁大学士徐阶（1503—1583）、翰林院侍讲学士敖铣为考试官，取中曹大章等。廷试，赐陈谨、曹大章、温应禄及第。是岁特科，凡四百人。改进士张四维、王希烈、姜宝、万浩、南轩、孙铤、吴可行、梁梦龙、孙应鳌、晁东吴、孙九功、冯叶、陆泰、马自强、李贵、赵祖鹏、吕旻、方万有、胡汝嘉、徐师曾、王文炳、姚弘谟、张巽言、王学颜、郭敬言、李蓘、蒋淳、王咏为庶吉士，命吏部左侍郎翰林院学士程文德、礼部左侍郎翰林院学士闵如霖教习。晁东吴，翰林瑑子。孙铤，吏侍升子。"《万历野获编》卷十六《嘉靖三丑状元》："三十一（二）年癸丑科，状元为陈谨，福建闽县人。以中允丁忧归，忤其乡戍海之卒，被众聚殴而死。"

同榜进士有李蓘、徐师曾（1517—1580）、季科、盛周、罗汝芳（1511—1588）、宗臣（1525—1560）、张九一（1533—1598）等。徐师曾，字伯鲁，吴江人。嘉靖癸丑进士，选庶吉士，授兵科给事中，历刑科左给事。有《湖上集》。辑《文体明辨》。李蓘、季科、盛周，《静志居诗话》卷十三有小传。罗汝芳，字惟德，南城人。嘉靖癸丑进士，除太湖知县。征授刑部主事，历郎中，出为宁国知府，改东昌，历云南副使，进参政。有《近溪子集》。

万虞恺为舒芬《梓溪文钞》作序。据序末题署。舒芬（1484—1527），学者称梓溪先生。另有漆彬《梓溪文钞序》，未详作序年月。萧上达、舒瑑各有《梓溪文钞跋》，均作于万历庚申（1620）六月。

## 闰三月

海瑞谒选，授福建南平县教谕。梁云龙《海忠介公行状》："甫应癸丑一科会试不第，而当四十强仕，即毅然自决曰：'士君子由科目奋迹，皆得行志，奚必制科？'遂就教。……已授南平县教谕。"本年十二月到任。至嘉靖三十六年皆在南平任。

## 八月

建阳清江堂刊刻《唐书志传通俗演义》。该书凡八卷九十节，熊大木撰。有李大年序。李大年《唐书演义序》："《唐书演义》，书林熊子钟谷编集。书成以视余。逐首末阅之，似有紊乱《通鉴纲目》之非。人或曰：'若然，则是书不足以行世矣。'余又曰：'虽出其一臆之见，于坊间《三国志》、《水浒传》相仿，未必无可取。且词话中诗词楹书颇据文理，使俗人骚客披之，自亦得诸欢慕。岂以其全谬而忽之耶？惜乎全文有欠，历年实迹，未克显明其事实，致善观是书者见哂焉。'或人诺吾言而退。余曰：使再会熊子，虽以历年事实告之，使其勤渠（劬）于斯迄于五代而止，诚所幸矣。因援笔识之以俟知者。时龙飞癸丑年仲秋朔旦，江南散人李大年识，书林杨氏清江堂刊。"

## 九月

欧阳德为薛应旂《方山文录》作题序。薛应旂以八股文擅名一时，著述非其所长。题序云："余因忆王玉溪尝谓吕泾野曰：李献吉真奇才也，一为歌行近体即如李、杜，一为古诗乐府即如曹、刘、阮、谢，一为赋记序书即如屈、宋、贾、马，其殆可传也已！泾野曰：惜哉！向使其一为《定性》、《订顽》即如程、张，一为《大学》、《中庸》即如曾、思，不尤愈乎？仲常固习闻泾野之说者也。今观所录文，触机感事，舒慷发情，皆训辞格论，未尝有意于文，而巽法抑扬，动中矩矱，殆阐《定性》、《订顽》

之精蕴，而优入《学》、《庸》之堂室，反诸身心可验，质诸古今可稽，而措诸天下可行，盖非空言无物，徒以斗奇争胜，娱心志而悦耳目也。如是为文，文在兹矣。乃知仲常之道，固将垂之久远，而未可以方所限也，尚得与文人例论哉？仲常当自慰而益懋矣。嘉靖癸丑秋九月既望，泰和南野欧阳德崇一甫书于西内之直庐。"（《方山先生文录》卷首）薛应旂（1500—1570 后），字仲常，武进人。嘉靖乙未（1535）进士，除慈溪知县，转南吏部主事，历浙江提学副使。有《方山集》。薛应旂集序，今所知最早为崔铣《薛子诗稿题辞》（署"嘉靖庚子夏四月望，相台崔铣"）；嗣后陆续有欧阳德《题方山文录》；马理《方山先生文录序》，署"嘉靖乙卯（1555）秋九月既望，三原马理伯循甫序"；赵时春《方山先生文录序》，署"嘉靖乙卯腊日平凉赵时春景仁甫撰"；刘仕《方山薛先生外录序》，署"嘉靖丙辰（1556）春二月朔，前进士，尚书司寇郎，鄜南刘仕谨序"；黄佐《方山先生随寓录序》，署"嘉靖己未（1559）仲春既望，泰泉山人黄佐才伯甫撰"；何良俊《薛方山随寓录序》、向程《方山先生摘论题辞》作序年月未详。《静志居诗话》卷十二《薛应旂》："方山以帖括擅长，既负时名，遂专著述。所续《通鉴》，孤陋寡闻，如王偁、李焘、杨仲良、徐梦莘、刘时举、彭百川、李心传、叶绍翁、陈均、徐自明，诸家之书，多未寓目。并辽、金二史，亦削而不书。惟道学宗派特详尔。《宪章录》一编，似未睹实录而成者。若《浙江通志》，简略太甚，俾后之欲知前事者，漫无考稽。文献不足征，是谁之过与？昔刘仲原父谓：'可惜欧九不读书。'览方山遗编，颇同此恨。诗其余艺，不必论也。"《四库全书总目》集部别集类存目四著录薛应旂《方山文录》二十二卷，提要曰："其学初出于邵宝，后从泰和欧阳德。德，姚江派也。又从高陵吕柟。柟，河东派也。故所见出入朱、陆之间。然先入为主，宗良知者居多。集中论学之语，互有醇疵，盖由于此。至其《识势论》中称'党锢兴而汉社屋，玄谈盛而晋室倾，清流浊而唐祚移，学禁作而宋舟覆。其初文雅雍容，议论标致，不过起于一二人之猎胜。而其究乃致怨恶沸腾于寰中，干戈相寻于海内，而溃败不可收拾'云云。若于七八十年之前预见讲学之亡明者，则笃论也。其文章当李、何崛起之时，独毅然不变于风气。然应旂以时文擅长，古文特自抒胸臆，惟意所如。故往往轻快有余，少停蓄深厚之意。如十五卷《费文通传》，称'公生成化癸卯三月十四日，距卒六十有六年。初娶娄氏，以产卒。继娶金溪吴都御史女，复卒。俱赠夫人。五子，长某，次某'云云。此志状之文，非传之体，于文格亦多未合。所谓不践迹亦不入于室者欤？所作史论，如汉武帝、苏轼诸篇，特为平允。而汉文帝论中称贾生不死，文帝终必用之。贾谊论中又称文帝终不能用之。取快笔端，自相矛盾，亦不可尽据为典要也。"

秋

**梁辰鱼南游永嘉。所作《南游篇》多慷慨忧生之感。**梁氏《江东白苎》卷下《画眉序套曲·秋日登瀫水驿楼感旧作》序云："余幼有游癖，每一兴思，则奋然高举。癸丑之岁，南游永嘉，道经兰溪。徘徊江岸，凌丽谯之孤耸，见塞羽之长征……"王世贞《弇州四部稿》卷十三《贻梁伯龙》序云："伯龙示我《南游篇》，奇哉。然多慷慨忧生之感。某薄有田庐，足以送日，而戚戚文网，鲜复遗致。末路榛集，暗筍未融，徒自苦耳。因成一章，聊以相广云。"王氏《弇州山人诗集》卷四十七《嘲梁伯龙》云："吴闻白面游冶儿，争唱梁郎雪艳词。七尺昂藏心未保，异时翻欲傍要离。"瀫水即浙江兰溪。

## 十月

**京师外城竣工**。京城外城始筑于去年十月。《明诗纪事》戊签卷五录皇甫冲《筑垣行》诗，引《实录》云："嘉靖三十二年十月辛丑，新筑京师外城成，上命正阳门名永定，崇文外门名左安，宣武外门名右安，大通桥门名广渠，彰义街门名广宁。"

## 十二月

**胡侍（1492—1554）卒**。（卒年据公历标注）许宗鲁《鸿胪寺右少卿胡公侍墓志铭》："公姓胡氏，讳侍，字承之，别号蒙溪，应天府溧阳县人也。国初讳士真者，明医术，坐累谪戍陕宁夏卫，历四世皆为宁夏人。司马公卒，赐葬陕西咸宁县韦曲，得守冢墓，遂为韦曲里人。公少治书为县学生，正德癸酉（1513）举乡试。丁丑举进士。戊寅授刑部云南司主事。辛巳晋广东司员外郎。嘉靖壬午（1522）晋鸿胪寺右少卿。甲申（1524）谪补山西潞州同知。乙酉（1538）下诏狱，事白，夺秩编民。戊戌诏复其官。癸丑十二月四日考终于家。距生弘治壬子十一月六日，得年六十有二。明年甲寅十一月四日祔葬司马公墓次。所著有《蒙溪集》三卷，续集一卷，《墅谈》二卷，《真珠船》二卷，《清凉经》一卷，传之于世。"《四库全书总目》子部杂家类存目四著录其《真珠船》八卷、《墅谈》六卷。所著《蒙溪集》有赵时春、孔天胤二序，未详作序年月。《静志居诗话》卷十《胡侍》曰："承之诗原北地，而五言颇近信阳。弇州称之曰：'虽于风雅未悬合，往往时材骨格，殊亦不失实。'《送刘德征守夔府》云：国有蚕丛古，城闻白帝雄。龙蛇夏禹庙，云雨楚王宫。羽檄通南徼，楼船进北风。还令蜀父老，喜得汉文翁。"《明诗纪事》戊签卷十三录胡侍诗一首。

**田汝成（1503—1563）五十一岁**。其五十岁以前诗文后由其子田艺蘅编为《田叔禾小集》。田艺蘅《家大夫小集引》曾详列田汝成著述及其刊刻情形。小引云："家君喜读书，垂老病废，两手捧卷不忍释。平时属文毕，遽持其草与人，多不蓄副本，四方宦游，得渐散轶。故尝自咏云：'一从桂海骖鸾去，零落珠玑烂未收。'殆纪实也。即今所存，车载驷马尚恐不能胜。而海内名王上公，递遣侍史来，在在令县官给笔札，踵门钞录，户限几折，不肖亦每苦于校雠，因请梓而行之者再四，家君顾谦让未遑许也。退而私自缮写，凡得诗文三百六十九首，分为一十二卷，初不暇计其次第，先此镌布以应户外索文者，敢并识其所闻如斯云。若夫五十已后者，则置而不录，盖覩面交承，或有难于去取也，聊备编目于左，尚冀余力，乃重图之。嘉靖四十二年春三月九日。已刻杂集：《药洲先生文集》（凡六卷，嘉靖十三年公为广东提学金事时刻）《药洲先生诗集》（凡六卷）《学约》（凡三章，广东刻）《试约》（凡九章，广东刻）《讲章》（凡二卷，广东刻。已上板俱存药洲崇正书院。《讲章》福建时又入《学政集》)《断藤峡纪》(一卷，公为广西左参议时刻。公分守左江道，以平断藤峡功奏闻，有旨褒美，赏公白金五十两，纻丝四表里，升官一级云)《西湖游咏》(一卷，嘉靖十七年公与黄勉之作，板存积善毓庆堂)《学政集》(讲义二卷，策问二卷，嘉靖十九年公为福建提学副使时刻)《征南碑》(一卷，福建刻)《立后论》(二卷，福建刻)《南游赋》(一卷，福建刻)《厘正丁祭礼乐彝典》(一卷，福建刻。已上板俱存养正书院)《武夷游咏》(一卷，嘉靖二十年公与蔡子木作，板存武夷山豫阳讲宇)《西湖游览志》(凡五十卷，嘉靖二十年刻，板存杭州府)《炎徼纪闻》(凡四卷，其一惠安鲁公英遇刻，板存鄞县。其一黄州周公元服刻，板存余杭县。其一福清陈公邦宪刻，板存布政使司。又并入《皇明经济文录》)《大观堂策目》(二卷，积善毓庆堂刻) 未刻杂集：《杨园集》(凡三十五卷。疏一卷、议一卷、序三卷、记二卷、书二卷、论一卷、说一卷、颂一卷、赞一卷、经议一卷、题跋一卷、传二卷、墓志四卷、行状一卷、祭文一卷、赋一卷、五言古诗二卷、七言古诗一卷、五言律诗二卷、五言排律一卷、七言律诗一卷、五言绝句二卷)、七言绝句二卷、《药洲九略》(九卷不全)《九边志》(九卷不全)《唐诗人苑》(二十四卷不全)。"《四库全书总目》著录其《炎徼纪闻》四卷(史部)、《辽记》一卷(史部)、《西湖游览志》二十四卷《志余》二十六卷(史部)、《田叔禾集》十二卷(集部)、《武夷游咏》一卷(集部)，《田叔禾集》提要曰："其全稿本名《豫阳集》，亦名《杨园集》。此集乃汝成晚年令其子艺蘅所编，凡诗文三百六十九首。五十以后所作均不在是焉。汝成归田后，盘桓湖山，搜剔名胜，殊以风流自赏。其诗律仗修整，颇自娟娟秀出。然使逢大敌，则未足相当。文体亦颇伤平易。"

## 本年

　　**刑部山西司郎中李攀龙**(1514—1570)**出守顺德**，王世贞作《赠李于鳞序》，于唐顺之、王慎中颇多讥切之词。序云："海内称文章家不相下，更龆龀胜己者，此其常云。日吾之使而南也，于鳞辱予言，计于鳞所许可，亡过北地李生矣，其次为仲默，又次昌谷，而其微词多讥切某郡某郡二君子。二君子固蠖伏林野，其声方握柄，所褒诛足浮沉天下士。……吾复游京师，属于鳞已出守顺德。吴兴蔡某从西来，过于鳞而论文。某者，故二君子友也，其所持议与识亡以长于鳞，则谓：'吾李守文大小出司马氏，司马氏不六经隶人乎哉？士于文当根极道理亡所蹈，奈何屈曲逐事变模写相役也。'吾笑而不答。於乎！古之为辞者，理苞塞不喻，假之辞；今之为辞者，辞不胜，跳(逃)而匿诸理。六经固理区数也，已尽，不复措语矣。由秦汉而下二千年，事之变何可穷也，代不乏司马氏，当令人举遗编而跃然，胡至今竟泯泯哉！"(《弇州四部稿》卷五十七) 所谓"二君子"者，即唐顺之、王慎中是也。李攀龙 1547 年授刑部广东司主事，1550 年升员外郎，1551 年迁山西司郎中，至是出守顺德。《艺苑卮言》卷八："李于鳞守顺德时，有胡提学者过之，其人蜀人也。于鳞往访，方掇茶次，漫问之曰：'杨升庵健饭否？'胡忽云：'升庵锦心绣肠，不若陈白沙鸢飞鱼跃也。'于鳞拂衣去，口咄咄不绝。后按察关中，过许中丞宗鲁，许问：'今天下名能诗何人？'于鳞云：

'唯王某。（谓余也。）其次为宗臣子相。'时子相为考功郎。许请子相诗观之，于鳞忽勃然曰：'夜来火烧却。'许面赤而已。"

李攀龙、谢榛交恶，谢榛被屏于五子之外，而以吴国伦代之。李攀龙有《戏为绝茂秦书》。《艺苑卮言》卷七云："已于鳞所善者布衣谢茂秦来，已同舍郎徐子与、梁公实来，吏部郎宗子相来，休沐则相与扬扢，冀于探作者之微，盖彬彬称同调云。而茂秦、公实复又解去，于鳞乃倡为五子诗，用以纪一时交游之谊耳。又明年而余使事竣，还北，于鳞守顺德。出茂秦，登吴明卿。又明年（三十三年），同舍郎余德甫（曰德）来，又明年，户部郎张肖甫（佳胤）来。吟咏时流布人间。或称七子，或八子。吾曹实未尝相标榜也。而分宜氏当国，自谓得旁采风雅权。谗者间之，耽耽虎视，俱不免矣。"《静志居诗话》卷十三《谢榛》："七子结社之初，李、王得名未盛，称诗选格，多取定于四溟。于鳞赠诗云：'谢榛吾党彦，咄嗟名士籍。遂令《清庙》音，乃在褐衣客。'于时子与、公实、子相、元美撰五子诗，咸首四溟，而次以历下。既而布衣高论，不为同社所安。历下乃遗书绝交，而曰：'岂其使一眇君子，肆于二三兄弟之上，必不然矣。'迹其隙末，乃因明卿入社，四溟喻以粪土，由是布恶于众。元美别定五子，遂削其名。曰'后五子'，则南昌余曰德德甫、蒲圻魏裳顺甫、歙汪道昆伯玉、铜梁张佳胤肖甫、新蔡张九一助甫也。曰'广五子'，则昆山俞允文仲蔚、浚卢柟次楩、濮阳李先芳伯承、孝丰吴维岳峻伯、南海欧大任桢伯也。曰'续五子'，则阳曲王道行明甫、东明石星拱辰、从化黎民表维敬、豫章朱多煃用晦、常熟赵用贤汝师也。曰'末五子'，则用贤，及京山李维桢本宁、鄞屠隆纬真、南乐魏允中懋权、兰溪胡应麟元瑞也。其后广为'四十子'，而四溟终不得与焉。故四溟赋《杂感》诗，有'奈何君子交，中道两弃置'之句。亦可悯矣。历下有言：'眇君子虽耄，而绳墨犹存。'则亦未尝深绝之。特明时重资格，于章服中杂以韦布，终以为嫌尔。四溟论诗云：'平顺却难险巇易。'斤斤局守格律，尺寸不逾，有隽句而乏远神，有雄句而无生气。或谓胜弇州之汗漫。然弇州才大如曹孟德，放荡无威仪，笑时头没杯案，不失为英雄。四溟謦折虽工，特公孙子阳之修饰边幅，仅堪作清水令耳。《暮秋即事》云：'十见黄花发，孤樽思不胜。关河秋后雁，风雨夜深灯。留滞愁王粲，交游忆李膺。相随年少子，走马猎韩陵。'《宿淇门驿有怀》云：'驻马淇门夕，堂空暑气徂。乱云关树暝，寒雨驿灯孤。身计聊时序，乡心复道途。何当报知己，秋雁满江湖。'《秋日怀弟》云：'生涯怜汝自樵苏，时序惊心尚道途。别后几年儿女大，望中千里弟兄孤。秋天落木愁多少，夜雨残灯梦有无。遥想故园挥涕泪，况闻寒雁下江湖。'"《明三十家诗选》："榛，字茂秦，临清人。眇一目，少喜游侠，已而折节读书，刻意为歌诗。寓居邺下，赵康王宾礼之。嘉靖间挟诗卷游长安，时浚县卢柟以非辜系狱，茂秦于诸贵人前诵柟所著诗赋，泣曰：'生有一卢柟，视其死而不救，乃从千古哀沉而吊湘乎？'吴人陆光祖为浚令，平反其狱，柟得免死。李于鳞、王元美等方结社于燕，重茂秦行谊，推为盟长。后于鳞名盛，茂秦与论诗不合，于鳞遂遗书绝交。元美诸人咸右于鳞而排茂秦，削其名于'七子'、'五子'之列。然茂秦游道日广，秦晋诸藩争延致之。河南北皆称'谢榛先生'。赵康王薨，茂秦归东海，康王曾孙穆王亦礼茂秦，为刻其全集。复游燕赵间。万历六年卒于大名。"《四库全书总目》集部别集类二五著录《四溟集》十卷，提要曰：“榛早工词曲，年十六，作乐府商调，少年争歌之。已而折节读书，刻意为诗。李攀龙、王世贞辈结诗社，推榛为长。及攀龙名盛，榛与论生平，颇相刻责，攀龙辈遂怒相排挤，削其名于‘七子’、‘五子’之列。然当结社之始，尚论有唐诸家，定称诗三要，皆自榛发，诸人实心师其言也。后薄游诸藩邸，并为上客，虽终于布衣，而声价重一代。赵康王至辍侍姬以赠之，如姜夔小红故事。其救卢柟一事，尤见气谊。攀龙送榛西游诗所谓‘明时抱病风尘下，短褐论交天地间’者，颇肖其实。其诗亦不失为作者，七子交口诋诃，乃一时恩怨之词，固不足据为定论矣。”

**张佳胤（1527—1588）以诗为贽，拜谒李攀龙。攀龙大善之，与之折节讲钧礼。张佳胤寻擢户部主事入京。** 王世贞《光禄大夫太子太保兵部尚书赠少保居来张公墓志铭》：“公姓张，楚之孝感人。其先有天性者，避元季兵乱窜于蜀，深入于泸之铜梁，系籍焉。……公讳佳胤，字肖甫，初自号泸山，以其家在居来两山间，更之曰居来山人。……二十三举于蜀，明年（1550）遂成进士，出补大名之滑令。滑故三辅岩邑也。……公居邑多暇，乃益为歌诗，而李子于鳞守顺德，为比壤。于鳞郎刑部时，与余及同舍郎徐子与、梁公实、宗子相及吴舍人明卿歌诗酬唱，颇传于人人，公意艳之，乃谒于鳞，出其诗为贽。于鳞大善之，与折节之讲钧礼。然公益心仪于鳞矣。”

**王世贞、俞允文定交。俞允文为明代著名布衣诗人。** 王世贞《俞仲蔚先生集序》：“余以嘉靖癸丑有维扬谳，而投俞先生诗，与定交。……或谓俞先生集，所酬赠多宦路显者。此事独余识之。盖余以诗定俞先生交，而所善吴兴徐子与来，子与于游道广，天下自是慕说俞先生，争欲得俞先生言。俞先生无所拒，然亦无援纳，既久而干旄之大夫有造俞先生者，俞先生无所拒，然亦无所报谢。俞先生少贫，所食恒半菽，至或并日炊，然一介无所取。晚节声转重，人或以谊饷者，亦不为饰词，然大不能至束帛，小或算器食而已。昔许玄度卧永兴南幽穴，而致四方诸侯之遗，人或以箕山人诮之，顾谓‘筐筥苞苴轻于天下之宝’为解。传奇者亦毋用是而废其栖逸，此何足轩轾俞先生哉！盖俞先生去诸生即为贽，赞高士如干人以寓其微指，而所操论独不喜郭林宗，以舍己而就天下之好、布衣而侵大司徒之秉亡当。要之，俞先生虽不竟自晦于隐遁，庶几能持衡者。故因程氏请及之，以俟传文苑隐逸者折衷焉。”顾章志《明处士俞仲蔚先生行状》：“今廷尉凤洲王公，隽才早贵，其学无所不窥，俯视一世，独折节友君。时有同志五人者，皆官于朝，以文章气节相砥砺，世号为六子，以拟建安诸贤，一时闻君名，皆争愿与之交。方伯长兴徐公中行，往来吴门，必迂驾就君，恋恋不忍去。于是君名日起，知君者不独在东南一隅矣。使者行部，及守土诸公与达官贵人之道昆者，往往礼君之庐，寄以布素之意。而君益以谦虚恬静自牧，终岁不一至公庭，有不可已者，仅于舟中一报谢而已。楚藩以修书聘，郡侯以修志聘，皆以疾辞不就。”王世贞《俞仲蔚先生墓志铭》：“吾故人徐君中行，首造庐定交。于是郡守王君道行、中丞张君佳胤继之，而学使者吴君遵与中丞君遂旌其庐曰‘高士’，曰‘真逸’。御史邵君、王君俱称诏赍束帛醪米。邵君移书欲得先生文以为式，而先生意澹如也。楚王以志楚聘，守李君以志吴聘，羔雁踵相接，而皆力辞之。独参政王君叔杲，以三吴水利造质，为成一编书而已。昆令之贤者曰王侯用章，与今程侯达右文而高先生行，每过辄谈笑移刻，然欲伺先生色以间，不得也。程侯叹曰：‘古所谓征君，真先生其人哉！’”俞允文（1513—1579），字仲蔚，昆山人。诸生。有《仲蔚集》二十四卷。王世贞今年升刑部郎中。正五品。

**张献翼初识王世贞。时献翼年甫二十。** 王世贞《文起堂新集序》："余始识幼于甫二十，白皙美姿容，与文徵仲、张禄之诸先生游。"张献翼字幼于。

**梁有誉（1519—1554）归岭南，修复粤山旧社，与陈绍文、黎民表、梁孜游，相与发愤千古之事。** 欧大任《梁比部传》："梁比部者讳有誉，字公实，南海人也。……癸卯（1543）公实举于乡。庚戌（1550）成进士，当铨注辄称病后期，乃授比部郎。……居比部岁余，即上疏谢病归。……修复粤山旧社，招邀故人，相与发愤千古之事，见余《南粤赋》、《秦关铭》、《任嚣城》、《赵陀墓》诸篇，喟然曰：'吾党狂简，亦斐而成章矣！'于是作《咏怀》十五诗，社中人自以为不及也。陈绍文、黎民表、梁孜与公实游白云蒲涧，巾舄所临，翱翔八极，所赋有一死生、齐物我意。"

**《风月锦囊》重订本刊行。** 据《中国戏曲史编年》（元明卷）。《风月锦囊》初刻于永乐间，二刻于成化间。重订本包括正编二十卷、续编二十卷、续补一卷，收录元杂剧、元南戏、明传奇等近五十种。

**朱自新撰《重辑祖陵纪略》。东吴逸史作《明朝典故辑遗》自序。** 据四库提要。

**刘麟（1474—1561）八十初度，文徵明绘《神楼图》赠之，并系以诗。杨慎、朱曰藩等亦相继有作。** 《四库全书总目》卷一七一集部别集类二四著录《刘清惠集》十二卷，提要曰："明刘麟撰。麟字元瑞，一字子振，江西安仁人。后流寓长兴，子孙遂隶籍焉。弘治丙辰（1496）进士。官至工部尚书。事迹具《明史》本传。初，麟观政工部时，即与同年陆昆抗疏争谏官下狱事。及为绍兴府知府，又以忤刘瑾褫职。后官尚书，卒以争苏松织造为宦官所挤而罢。盖始终介介自立者。其自绍兴归也，依其姻家吴琮于长兴。与孙一元、文徵明等往来倡和。世传徵明《神楼图》，即为麟作也。是集凡诗二卷，奏疏、杂文九卷，附录一卷。麟曾孙懋陛所编。万历丙午（1606），湖州知府无锡陈幼学刊之长兴。朱凤翔为序，称其文出入秦、汉，诗则骎骎韦、杜。固未免太过。至称其标格高入云霄，胸中无一毫芥蒂，故所发皆盎然天趣，读之足消鄙吝。则得其实矣。是亦文章关乎人品之验也。"《明诗纪事》丁签卷七录其诗四首，陈田按语云："坦上翁人品高洁，居朝日，永陵以冰清玉洁目之，可谓知臣莫如君也。前后罢官及谢病凡四，退归皆寓长兴之渎。南坦尝与太白山人孙太初、龙霓、吴琮、陆昆结社于苕溪，号苕溪五隐。所著兴趣天然，颇似《击壤》一派，今录其少矜炼者。性好楼居，贫不能构。八十初度，文徵仲绘《神楼图》赠之，兼系以诗。朱射陂、杨升庵相继有作，并录于此。徵仲云：'仙人谩说爱楼居，咫尺丹青卷足舒。坐守《黄庭》幽阙迥，读残《真诰》夜窗虚。游心物外疑无地，寄迹空中乐有余。一笑阑干不成倚，浮云奄忽意何如？'射陂云：'神楼一何峻，神楼峻而安。胡不京洛游？畏彼峡路间。峡路诚崎岖，险于太行山。歌以言其志，神楼峻而安。'升庵云：'安期昔制神楼散，射陂今作《神楼曲》。神楼主人南坦翁，欲往从之限空谷。吾闻仙家五城十二楼，樊桐方丈绕瀛洲。长风引舟不可到，环中根像空神游。坦翁元是神仙流，何年飘然下丹丘？天庭摘藻捝鸾鹤，云屏立仗鸣骅骝。北斗南宫不肯住，挂冠归来营苑裘。碧澜罨画开苕雪，紫烟萦带彩云夹。新波菱榜泛青翰，过雨蘋风爽乌裓。人间九畹播声诗，天上予昔与子木在南省时，颇类此。'子木《哭子安》诗云：'五字沉吟诗品绝，一官憔悴世途难。'时人以为定论。子木五律颇类皇甫，第才不及耳。"

## 春

赵王府徐左史致政归楚，谢榛一日夜之内代诸王缙绅辈作诸体诗二十篇志别。《诗家直说》卷三："嘉靖甲寅春，予之京，游好饯于郭北申幼川园亭。赵王枕易遣中使留予曰：'适徐左史致政归楚，欲命诸王缙绅辈赋诗志别，急不能就，子盍代作诸体二十篇，以见邺下有建安风，何如？'予曰：'诺。明午应教毕，北首路矣。'幼川曰：'果哉斯言！有才固敏，何兴能长。况诗备诸体，焉得寸心立意，而卒应纷然，以臻精妙，信乎不易。昔江文通拟古诸作，岂在一朝一夕而振藻思哉？'曰：'予试扩公输子之法，遽造宫殿、楼阁、台馆、亭榭，并筑基址，齐构梁栋，及其妙转心机，诘旦历观落成，则轮奂一新，丹碧相耀，此见作手变化也。夫欲成若干诗，须造若干句，皆用紧要者，定其所主，景出想像，情在体帖，能以兴为衡，以思为权，情景相因，自不失重轻也。如十成六七，或前后缺略，句字未稳，皆沓于案，息灯而卧；晓起，复捡诸作，更益之；所思少窒，仍放过，且阅他篇，不可执定，复酌酒酣卧；迨心思稍清，起而裁之，三复探赜，统归于浑成。若必次第而成，则兴易衰而思易疲矣。愚见是否？'幼川曰：'吾见难其易者得其一，未见易其难者得其多。以一为难则工，以多为易而能工耶？梁周兴嗣，帝命以千字，限一夕成文，盖系乎生死。子与之不同，何苦乃尔？'曰：'予用背水阵法，颇类兴嗣。既言不愆行期，自不容缓。惬知己之意，折妒者之心，使异地则不能也。'迨午，中使征诗，付以全稿转上。幼川曰：'子才如此，王左右恶得无忌？昔闻卢生柟以诗获罪蒋令，子为遍陈当道，始脱其狱，由此人皆称重。若不虚己，是亦卢柟而救卢柟，其不免夫！'予谢曰：'知我者，鲍子也！'"

## 七月

王世贞父王忬进右都御史，总督蓟辽，李攀龙作《送右都御史太仓王公总督蓟辽序》。据李序。

## 九月

杨士云（1477—1554）卒。杨士云为"杨门六学士"之一。李元阳《户科给事中杨弘山先生士云墓表》："点苍五台峰之麓有隐君子曰弘山先生，以嘉靖甲寅秋九月八日卒，年七十有八。……先生讳士云，字从龙，别号弘山。先生先践履而后著述，尝分录《春秋》正文以证胡传之误，又订《尚书》蔡传之得失，皆未及脱稿。所著有《黑水集证》一卷，《郡大记》一卷。先生究心《皇极经世书》，天文、历志、律吕、诸史、《韩诗外传》、老庄列三子、《说苑》、太乙，皆有咏诗可证。其门人方汇次，未行。"《玉堂丛语》卷五："杨士云，正德间为翰林庶吉士，授给事中。以外艰归里，养母不出。嘉靖间举遗逸，有司强之起，至京师，迁左给事中，推为宫僚，以病辞不就。

人问其故，曰：'吾岂能俯仰人以求进乎？'乞归，里居二十余年，甘贫自乐，不入郡城。乡人不知婚丧礼节，教以易奢为俭，所居环堵萧然。"《静志居诗话》卷十一《杨士云》："杨士云，字从龙，云南太和人。正德丁丑进士，改庶吉士，授工科给事中，历户科左给事中。有《弘山集》。给事未老抽簪，自号九龙真逸。坐卧小楼，订《尚书蔡传》之得失，撰《黑水集证》，自春秋以来迄于元季，历代人物，各咏以诗。又取天文、历象、律吕，及《皇极经世书》，地志，皆分题成咏，可谓好学也已。其诗原出白沙、定山，近取裁于杨用修。同时吴懋，以给事及王廷表、胡庭禄、张含、李元阳、唐锜，为'杨门六学士'。六人，皆滇产也。"《明诗纪事》戊签卷十三录杨士云诗七首，陈田按："从龙名在'杨门六学士'之列，诗品可与张禺山方驾。非徒性耽吟咏，兼博涉典籍。集中读《尚书》、《石经》等诗，非学人不能著也。"

骆文盛（1496—1554）卒。孙升《骆两溪墓志铭》："公讳文盛，字质甫，别号两溪。其先义乌人也。宋乌程尉讳免者徙家武康，遂世为武康人。……于弘治丙辰八月五日生公。……嘉靖乙未举进士，阁大臣以所对策高等十二篇呈宸览，并梓其文，公与焉。已又天子躬御文华殿命题授简，校选进士三十人为庶吉士，公名在选中。皆异数也。丁酉授翰林院编修，己亥使鲁郑，诸藩馈遗，秋毫弗受。辛丑为会试同考官，所取称得人。……壬寅（1542）称病，得请还乡，果绝意仕进，构小墅于城南，栖息其中，赋《归田》诸诗，更号侣云道人。……甲寅冬，族侄游武康者归云：骆公九月十六日长逝矣。""公美髭髯，貌癯而骨清，为文简古多思，尤深于诗，婉切冲雅，似唐人声调。有遗稿十二卷，《杂谈》二卷，藏于家。"其遗集，蔡汝楠刻为《骆两溪集》，蔡序云："公名文盛，字质甫，少岐嶷，神超色夷，年四十余仕为翰林编修，娴文词而励操行，自相公以至同馆之士，无不由中心向慕之者。一日乞疾还两溪间，期满不复赴馆，稍以诗文自娱，亦不以取誉当世，介特自将，居处萧然，一介取予，真无有以累平生者。馆阁故人，时贻书强之俾起，公但自笑，谢不能起，其所存可概见也。公所为诗冲澹尔雅，辞句整秀，惟其直写情素，故得如其为人。第取誉廉，故诗不强吟，吟亦不多也。"蔡序所作年月未详。张时震、吴尚文、潘洙、何如申序跋均作于万历四十一年（1613）。《四库全书总目》集部别集类存目四著录《骆两溪集》十四卷附录一卷，提要曰："明骆文盛撰。初，蔡汝楠刻其诗集七卷，并为之评点。卷首汝楠序即为诗集而作。此集益以杂文、笔记七卷，盖杨鹤所续增也。……盖文盛官翰林时，以不附严嵩，遂移疾不出。后贫病垂死，有以千金求居间者，尚力挥之，至没无以葬。事具吴尚文序及卷末尚文书事中。是其胸次本高，故吐言不俗。特编次者欲取卷帙之富，未能尽剪其榛楛耳。"骆文盛号两溪，《列朝诗集小传》丁集上云："所居在余英溪之下，自号两溪，即乐府所谓前溪也。"所云"尚文书事"，指吴尚文《书骆两溪事》。《明诗纪事》戊签卷十九录骆诗一首。

## 秋

皇甫汸访王廷陈故庐，稍后作《梦泽集序》。序云："《梦泽集》者，齐安王君之作也。君名廷陈，字稚钦，号梦泽子，因以名集云。……弱冠，举于乡，越丁丑试春官，俱为《礼经》第一，廷对擢高第，选为庶吉士，与东浙汪子应轸、江子晖、关中马子汝骥、许子宗鲁、任丘旷子灏、大梁林子时、曹子嘉、西蜀余子承勋、楚颜子木暨君，并摛藻掞天，敷华纬国，得人之盛，彬彬首是科矣。……夫楚多材之邦，而辞赋之薮也。屈原见诋于上官，宋玉蒙诉于登徒，祢衡被害于曹瞒，然其志则争光于日月，而其言则等敝于霄壤矣，君亦奚愧哉！是集也，乐府古诗，潘陆齐轨，下拟阴何。五七言律，沈杜比肩，参之卢骆。文效左氏、《国语》而兼骖班马。书类东京尺牍，而雄视崔蔡。凡诗赋十一卷，文六卷，共十七卷，成一家言。旧刻于家塾，季弟云泽君廷瞻刻于淮阳，侄三湘君同道又刻于吴中，而吴板益精矣。……三湘君谓余知梦泽最深，命序诸首。嗟乎，甲寅之秋，余有滇南之役，取道齐安，访君故庐，见其子若孙，歔欷拉涕，赋诗吊之，兹复序之。"丁丑，乃正德十二年，即 1517 年。

**宗臣**（1525—1560）**病起，仍补吏部考功司主事。**宗臣于 1552 年冬上疏养病归。欧大任《广陵十先生传·宗臣》："病瘥，部使者强之起，不起。台省诸卿更书来恳强，始于甲寅赴阙。陈丞熙之二百金，再却不受，曰：'恤我乡中民，视熙我意倍万万也。'侍阙下三月，仍补考功。又三月调文选，守文选一年所，升稽勋员外郎。时宰欲一见之，竟不往。"

## 十月

**梁有誉**（1519—1554）**卒。**王世贞《哀梁有誉》序："嘉靖甲寅孟冬，友人梁有誉以疾卒于南海。"梁有誉字公实，广东顺德人。嘉靖庚戌进士，授刑部主事。王世贞《明承直郎刑部山西司主事梁公实墓表》："公实为诸生，即名能歌诗，倾岭南矣。已成进士燕中，即又倾燕中人。而居恒不自得，郁郁思归。补尚书刑部郎，间与其同舍郎李攀龙、王世贞游，乃稍愉快，曰：'世故有人哉！'而郎宗臣已去为吏部，休浣辄一来。俄而郎徐中行来。中行故常与公实游南太学，深相结者也。以是日相与切劘古文辞，甚欢。而一旦念其太夫人，竟移病，满三月，上书请告归。公实时声愈藉甚，当徙郎吏部，吏部亦推择岭南郎一人，以风公实且止者。公实笑曰：'吾自欲归，岂以刑部郎少之故，而一吏部能縻我哉？'竟去弗顾。至济上，而贻百韵诗攀龙辈为别。百韵即古自杜甫氏而外，不恒见也。而文甚工。既归，乃杜门庋图史丹青彝鼎之类，一小阁，卉木竹石环之，而身吟诵其间，嚣嚣然不屑也。郡国大吏雅慕公实，干旄门相踵，公实则以一苍头谢觞不任客。乡里纨袴子迹绝不相闻，而潦倒书生挟册剥啄，则寻声出延食之矣。然公实所最善者攀龙辈，武昌吴国伦最后定交。而谢榛以布衣故，公实亦间从游。其于乡师事故黄文庄公佐，而友黎户部民表。尝与民表约，游罗浮山，观沧海日出没，探勾漏令丹鼎，庶几其人一遇。而属海飓作，不可以舟，乃止宿田舍者三夕。飓益甚，山木尽拔，道为徙，而公实亦意尽，乃赋诗而归。是时属疾，寒中凑矣，归而疾大作，遂不起，年仅三十有六也。"（《弇州四部稿》卷九十四）欧大任《梁比部传》："有《比部集》八卷行于世。"《诗源辩体》后集纂要卷二："梁公实名有誉。诸体较诸子为少，而入录者多，疑后人删选。七言古亦较诸子为胜，但未尽工耳。""公实七言律，如'上谷风尘通大漠，居庸紫翠落层峦。''北海波涛三岛近，西山楼阁五云凝。''青海月明胡马动，黄榆风急皂雕寒。''坐令鸣镝侵周甸，不见封泥守汉关。''龙沙旌闪胡尘断，鹿塞笳鸣汉月流。''狐塞天低横杀气，雁山秋早动边声。''天阔高台招骏去，风生大漠射雕来。''人间漫忆冲星剑，海上虚留贯月槎。''接塞战尘天外黑，隔城山色雨中青。''千峰凉雨窗前急，万壑惊涛树杪来。''南国梯航催贡赋，中原战斗忆提戈。''西山云雾开黄甸，北阙星辰护紫微。''西山雷起蛟龙斗，北极云垂海岳昏。''战后关山生暝色，雨余城阙淡秋阴。''共悬霄汉乘槎兴，忽动江湖击节情。''孤城海气霾寒日，万壑钟声出暝烟'等句，皆冠冕雄壮，足继于鳞者也。然入录虽多，全篇则不如诸子为工。至如'涧泉杂雨鸣山阁，空翠因风湿客冠。''下榻微风吹石壁，当歌明月出江云。''林藏宿雨诸溪涨，峡束长江万木低。''谁家笛弄千山月，半夜乌啼万树霜。''石楼积翠临沧海，铁柱飞泉落紫虚。''海上断云秋漠漠，天边落木岁阴阴。''村前花逐诸溪水，雨后人耕满壑云。''野烟细绕卢敖杖，夜雪难乘剡曲舟。''石床云满无人扫，山笥书成只独看。''叶声四起催山雨，涧溜斜分到石池'等句，皆声调和平而有气格，出明卿（吴国伦）之上，较诸家为多。"《列朝诗集小传》丁集上《梁主事有誉》："公实少师事黄才伯，从游最久，通籍后始复与王、李结社。其为诗，词意婉约，殊有风人之致。王元美《诗评序》云：'梁率易寡世好，尤工齐梁，近始幡然悔之。'而公实作五子诗，首谢榛，次李攀龙，盖公实甫入社，即移病去，又捐馆舍最早，虽参预七子、五子之列，而于其叫嚣剽拟之习，熏染犹未深也。"《静志居诗话》卷十三《梁有誉》："兰汀（梁有誉号兰汀）学诗于泰泉（黄佐），又与乡人结社，号'南园后五子'，所得于师友者深。虽入王、李之林，习染未甚，诵其古诗，犹循选体。五七律亦无叫嚣之状，四溟而下，庶几此人。度越徐、吴，奚啻十倍。"

**归有光作《甲寅十月纪事》诗，写兵乱情形极为真切。**诗云："沧海洪波蹙，蛮夷竟岁屯。羽书交郡国，烽火接吴门。云结残兵气，潮添战血痕。因歌《祁父》什，流泪不堪论。""经过兵燹后，焦土遍江村。满道豺狼迹，谁家鸡犬存？寒风吹白日，鬼火乱黄昏。何自征科吏，犹然复到门？"（《震川先生别集》卷十）《明诗归》卷四谭元春评曰："历一境，思一境，非实经兵火人，不知此。"

## 十一月

**杨慎为严嵩《振秀集》作小引。**末署"嘉靖甲寅冬十有一月朔，升庵杨慎书"。皇甫汸亦有序，署"嘉靖甲寅长至日，门下后学皇甫汸书于南中五华精舍"。另有顾起纶序，作于"嘉靖乙卯（1555）上巳日"，序云："明兴，自弘治已来，海内作者，翕然遵古，渐还风人标格，然得其门而入者，未之多见也。今太师严相公，早游艺苑，震耀当代，晚陟台阶，独迈前哲。……一日纶侍公寓直，出杨修撰、皇甫开州所编诗选见视，乃按帙翻阅，僭为公曰：谢宣城澄江之句，陈思王清夜之咏，岂尚篇章之富邪？公不以迂狂为嫌，遂授以《钤山》《直庐》全集，命为是选。得古近体一百五十有五首，较之风雅，体变而兴同，调殊而理合，悉芳音之菁英、新声之婉丽者也。尝论公之诗，得王、孟风骨，兼韦、刘情性，王司马则谓冲邃闲远，唐太宰谓之澹而达，杨又谓友乎韦、沈、张、李之间者，皇甫之谓当伯仲隐侯，指挥燕公，二三说者，殆亦通方家也。"

晦日，李开先作《田间四时行乐诗百首》。末署"嘉靖甲寅仲冬晦日，中麓李开先书"。

## 十二月

归有光为顾梦圭（1500—1558）诗文集《疣赘录》作序。序云："凡所著述，多儒先之所未究。至自谓甫弱冠入仕，不能讲明实学，区区徒取魏晋诗人之余，摹拟锻炼以为工，少年精力耗于无用之地，深自追悔，往往见于文字中，不一而足。暇日以其所为文名之曰《疣赘录》，予得而论序之。以为文者道之所形也，道形而为文，其言适与道称，谓之曰：其旨远，其辞文，曲而中，肆而隐。是虽累千万言，皆非所谓出乎形而多方骈枝于五脏之情者也。故文非圣人之所能废也。虽然，孔子曰：'天下有道则行有枝叶，天下无道则言有枝叶。'夫道胜则文不期少而自少，道不胜则文不期多而自多，溢于文非道之赘哉！于是以知先生之所以日进者，吾不能测矣。录是若干卷，自举进士至谢事家居之作皆在焉，然存者不能什一，犹自以为疣赘云。嘉靖甲寅季冬望日，京兆归有光序。"《四库全书总目》卷一七七集部别集类存目四著录《疣赘录》九卷，《续录》二卷，提要曰："明顾梦圭撰。梦圭字武祥，号雍里，昆山人。嘉靖癸未（1523）进士。官至江西右布政使。此集为梦圭所自编，同里归有光序之。末载府志列传及有光所撰墓志，则其五世孙登重刊时所附入也。首二卷为《就正编》，乃其读书札记之语。上卷论五经、四书，下卷皆杂论，而说经讲学者居多。大旨以心学为宗，阐王守仁之余绪。考有光序中称，梦圭暇日以所为文名之曰《疣赘录》，则疣赘但其文集之名，不应冠于此书。《苏州府志》载其有《北海》、《齐梁》、《武平》、《还山》诸稿，集中亦不标此名。意者四稿乃其诗集，与《就正编》皆别行。登重刊时始合为一编，而仍袭其文集之名欤？文凡五卷，诗凡四卷，续录则文一卷有奇，而诗附焉。诗文皆平正通达，直抒胸臆，无钩章棘句之习。惟诗有捶字未坚者。盖当有明中叶，风气初更，学问移于姚江，而文章未移于北地，犹沿长沙旧格者也。"《明诗纪事》戊签卷十五录顾梦圭诗四首，陈田按语云："武祥《疣赘集》长于古体，如《溧县行》等篇，皆可采之輶轩、陈之太史者也。"

## 冬

李攀龙致书吴国伦，嘱以勿小视宗臣、徐中行、梁有誉和谢榛。书云："元美书来，亟言足下似欲据子相上游者，乃足下亦自谓宗、谢所不及，而梁、徐未远过也。明卿，明卿，无赖哉！三子者，不可谓非海内名家矣。眇君子虽耄，而绳墨犹存，明卿今见其胜之，尔即一日千里，某何敢私诸二三兄弟乎？"（李攀龙《沧溟集》卷二十九《与吴明卿书》）后七子中吴国伦入社最晚，而欲据宗臣之前，故攀龙嘱他与诸子友好相处。宗臣字子相。

## 本年

**梁辰鱼作《甲寅感怀二首》，凭吊古迹，不胜伤感。** 张大复《梅花草堂笔谈》卷五《梁伯龙》云："梁伯龙风流自赏，修髯美姿容，身长八尺，为一时词家所宗。艳歌清引，传播戚里间。白金文绮，异香名马，奇技淫巧之赠，络绎于道。每传柑禊饮竞渡穿针落帽一切诸会，罗列丝竹，极其华整。歌儿舞女，不见伯龙，自以为不祥。人有轻千里来者，而曲房眉黛，亦足自雄快，一时佳丽人也。独诗文不敌古人，骈赡而已。今日得刻稿于其从孙雪士。虽不尽读，览其品目，多胜游名侣，居然不俗。中有甲寅二诗，亦多伤感之致。摘附于此：晋世铜驼荆棘满，石家金谷水云屯。白头空作《江南赋》，青草谁招塞北魂。此日燕归空有树，当年鹿去已无台。凭高一望千山暮，零落浮云天际来。"

**汤显祖五岁，能属对，见者辄啧啧赞叹。** 邹迪光《临川汤先生传》云："生而颖异不群。体玉立，眉目朗秀。见者啧啧曰：汤氏宁馨儿。五岁能属对，试之即应。又试之，又应。立课数对无难色。"

**李攀龙谒大名兵备副使茅坤于大名。** 李攀龙《送河南按察副使王公元美自大名之任浙江左参政序》云："始河南之按察大名者，大名、广平二郡耳。自某之为顺德，犹往谒山西之按察真定者于获鹿。逾年，盖茅公始得并按察顺德，凡三郡云。余后往谒茅公大名，习知大名故重镇，又并顺德。"（《沧溟先生集》卷十六）时李攀龙在顺德任。茅坤于本年内中吏议罢归。王世贞在刑部郎中任。

**李桢为邓显麒《梦虹奏议》作序。崔旦《海运编》成书。胡缵宗《愿学编》成书。** 据四库提要。

**康大和任南京礼部右侍郎。** 据王世贞《弇山堂别集》。

**尹台（1506—1579）升南国子祭酒。赴任前，特谒严嵩，以勿杀杨继盛请。** 胡直《宗伯尹洞山先生传》："洞山先生尹氏，讳台，字崇基，吉永新人也。……癸丑（1553）冬，升右春坊右谕德兼翰林院侍讲，管坊事。明年升南祭酒。嵩举酒曰：'何以别不谷？'先生从容请曰：'杨继盛狂言自取死，第愿相公勿贻主上有杀谏臣名。'嵩避席谢。先生退为司业王公材述其事，因属之，王曰：'顷有王生世贞者亦云。'王果谒嵩以请，嵩诺，而曰：'昨尹司成尝及此。'而私心犹豫未肯决，谋诸鄢懋卿，鄢持不可，杨竟论死。乃海内稍知王救杨，竟莫知出先生也。"嵩，严嵩也。杨继盛1555年被杀。

**林庭机任南京国子监祭酒。** 据王世贞《弇山堂别集》。

**欧阳德（1496—1554）卒。**《明史·儒林传》有传。

**程文德所撰青词有所规讽，世宗衔之。程文德受业于阳明。**《明史·儒林传》："程文德，字舜敷，永康人。初受业章懋，后从王守仁游。登洪先榜进士第二，授翰林编修。坐同年杨名劾汪鋐罢，量移安福知县，迁兵部员外郎。父忧庐墓侧，终丧不入内。起兵部郎中，擢广东提学副使。未赴，改南京国子祭酒。母忧，服阕，起礼部右侍郎。俺答犯京师，分守宣武门，尽纳乡民避寇者。调吏部为左。已，改掌詹事府。（嘉靖）三十三年供事西苑。所撰青词，颇有所规讽，帝衔之。会推南京吏部尚书，帝疑文德欲远己，命调南京工部右侍郎。文德疏辞，劝帝享安静和平之福。帝以为谤讪，除其名。既归，聚徒讲学。卒，贫不能殓。万历间，追赠礼部尚书，谥文恭。"

顾允成（1554—1607）生。顾允成字季时，别号泾凡，无锡人。顾宪成之弟。万历丙戌进士。官礼部主事，谪光州州判。事迹具《明史》本传。有《小辨斋偶存》八卷。

## 公元 1555 年（世宗嘉靖三十四年 乙卯）

### 正月

八日，文徵明、陆治等集张献翼宅作诗。时文徵明 86 岁。据徐朔方《晚明曲家年谱》。

董其昌（1555—1636）生。董其昌《画禅室随笔》卷一《题自署古诗卷尾》："正月十九日，为余悬弧辰也。"董其昌字玄宰，华亭人。万历己丑（1589）进士，改庶吉士，授编修。出为湖广副使，乞归。起山东副使、河南参政，不赴。召拜太常少卿，擢本寺卿，进礼部侍郎，拜南礼部尚书，告归。起故官，掌詹事府事，加太子太保致仕。赠太子太傅。福王时，谥文敏。有《容台文集》、《诗集》、《别集》。

### 三月

徐阶为吕柟《泾野先生文集》作序。序署"嘉靖乙卯季春望日，赐进士及第、光禄大夫、柱国、少保、兼太子太傅、礼部尚书、武英殿大学士、知制诰，华亭徐阶序"。李舜臣《刻泾野先生文集序》同时作。另有马理《泾野先生文集序》，未详作序年月。吕柟，学者称泾野先生。

### 春

蔡汝楠（1516—1565）由四川按察司副使擢江西参政，洪朝选作《送蔡白石叙》。茅坤《通议大夫南京工部侍郎白石蔡公行状》："公名汝楠，字子木，……年十八举进士，授行人，……由刑部员外郎上书乞南省，以便禄养。于是改南刑部尚书。……久之出守归德。……徙四川按察司副使，公上章乞终养，不报。历江西参政，公又上章乞终养，不报。"

王世贞、宗臣、吴国伦等为位哭梁有誉于燕邸。梁有誉卒于去年十月。王世贞《哀梁有誉》序云："嘉靖甲寅孟冬，友人梁有誉以疾卒于南海。明年乙卯春，讣至自南海。故善有誉者武昌吴国伦、广陵宗臣、吴郡王世贞，相与为位哭泣燕邸中。又走书西南报李攀龙、徐中行，哭如三人。又十月，而友人户部郎张佳胤奉辖粤中，国伦等乃寓椒絮而南，为文授张生，使告于梁氏之丧。"

### 四月

王崇庆为毛伯温《新梓东塘毛公全集》作序。据序末题署。毛伯温号东塘。另有罗洪先序，署"嘉靖辛酉（1561）春二月望"；陈昌积后序，署"隆庆二年戊辰六月"。《四库全书总目》集部别集类存目三著录《毛襄懋集》十八卷（凡诗十卷，文八卷），当即此本。毛伯温（1482—1545）另有集名《东塘先生文集》，有朱廷立序，署"嘉靖辛丑（1529）季秋望日"；施尧臣序，署"隆庆二年（1568）冬十月朔"；《四库全书总目》未著录。总目史部诏令奏议类存目著录毛伯温《毛襄懋奏议》二十卷，提要曰："伯温字汝厉，吉水人。正德戊辰进士。官至金都御史，巡抚宁夏、山西、顺天，晋工部尚书，改兵部尚书。天启初，追谥襄懋。事迹具《明史》本传。是集乃其历任奏疏，以一官为一集。凡台中、抚台、内台、总边、宫宾、平南、总宪、枢垣八集。其筹边诸议，颇详晰当时利弊云。"

## 六月

**杨慎为朱曰藩**（1501—1561）**《山带阁诗》作序**。据序末题署。序云："呜呼，诗之说多矣，古不暇枚数，近日士林多宗杜陵之矫健高古，不为无因，而蹈袭其字，剪裁其句，与题既不相似，与人亦不相值，曰：吾学杜也，可乎？吾友松溪安石公语余曰：论诗如品花，牡丹芍药，下逮苦楝刺桐，并具有天然一种风韵。今之学杜者，纸牡丹芍药耳。而轻薄者不肖，拆洗杜诗，活剥子美之□。噫，是诗法一变而一蔽生也。余方欲划其蔽，以俟知音，独见射陂子之诗，犁然当于心，盖取材文选乐府，而宪章于六朝初唐，不事蹈袭，不烦绳削，可以鸣世，可以兴后矣。曾以诧于泉山张子。张子曰：太白以建安绮丽不足珍，昌黎以六朝众作拟蝉噪，子何尊六朝之甚也。余应之曰：文人抑扬太过，每每如此。太白之诗仅可及鲍谢，去建安尚远。昌黎之视六朝，则秦越矣。如刘越石之高古、陶渊明之冲澹，可以六朝例之哉！为此言者，昌黎误宋人，宋人又误今人也。今之学诗者，避宋如避瘟，而伐柯取则，犹承宋人余窍之论，毋乃过乎？"朱曰藩字子价，号射陂。另有陈文烛序，作序年月未详。

## 七月

**李开先作《诗禅》自序**。《诗禅》，李开先所编谜语集。序云："诗禅何所于始乎？其当中古之时乎？人心稍变，直道难行，有托兴，有危诗，有讽谏，有寓言，有隐语，有廋词，俗谓之谜，而士夫谓之诗禅。如禅教深远，必由猜悟，不可直指径陈，径直则非禅矣。……嘉靖乙卯中元节，中麓子李开先书于席前灯下。"

**顿锐《鸥汀渔啸集》刊行**，岳东升作前序，邹察作序后，裴绅作叙。梁策《鸥汀长古集序》系为翻刻本作，未详作序年月。顿锐，字叔养，号渔汀，涿州人。正德辛未进士，官终长史。岳东升《鸥汀渔啸集前序》云："涿鸥汀司徒顿翁久有诗名，闻于海内，而集未出也。同官梦鹤田君乃翁里人，因问稿焉，辄欣然曰：副郎屏城史君昨守安吉，业已刻之矣。即求诸史，止以一册见贷，因觖望而遗之诗，有曰：圯翁不遽传三卷，尼父聊先举一隅。史谓求者多，故分贷耳。顷吴人入都下，率盛称顿诗，曰：鹤峰史君刻续集于姑苏也。以不获见为恨。比奉使过家，适我宪伯范翁（溪）焦公刻《鸥汀渔啸集》成，并二史所刻者悉以见惠，嘻，幸何甚焉！载读顿诗，澹而远，雅而华，天然奇秀，视古诗人良不多让。……嘉靖三十四年秋七月，户部江西清吏司主事、承德郎、后学信阳岳东升谨撰。"裴绅《鸥汀渔啸集叙》云："范溪焦公函二帙以寄予，且曰：'兹吾乡顿公诗也，子为我叙之。'……嘉靖三十四年秋七月朔日，赐进士第、河南布政使司右参政、前监察御史、山东按察司提学副使，河中右山裴绅撰。"邹察序后署"嘉靖三十四年秋七月辛丑，赐进士第、知信阳州事，海虞邹察谨书"。《列朝诗集小传》丁集上："北人云：'涿郡有才一石，人得其二，锐得其八。'"《静志居诗话》卷十《顿锐》评："诗颇警拔，微嫌冗长耳。"《四库全书总目》集部别集类存目三著录《鸥汀长古集》二卷、《前集》二卷、《别集》二卷、《续集》一卷、《渔啸集》二卷、《顿诗》一卷，提要曰："锐少负诗名，当时称涿郡有才一石，锐得其八斗。晚年卜居怀玉山，吟咏自适。其五言古诗，气韵清拔，颇为入格。七言古诗，跌荡自喜，而少蓥裁。近体专尚音节，数篇以外，意境多同。盖变化之功犹未至也。"《明诗纪事》戊签卷六录顿锐诗二十四首，陈田按："叔养古诗微嫌冗长，竹垞所评良然。至五律音节高亮，队仗鲜明；七言律、绝亦复翩翩振响，在正、嘉之际，不失为第二流。"

## 八月

南院妓赵丽华同西池征君、质山学士集海滨天香书屋，题诗于画扇。《静志居诗话》卷二十三："赵丽华字如燕，小字宝英，南院妓。自称昭阳殿中人。如燕父锐，以善歌乐府，供奉康陵（指明武宗）。如燕年十三，隶籍教坊，能缀小词，被入弦索，予尝得书画扇，楷法绝佳。其诗云：'感君寄吴笺，笺上双飞鹊。但效鹊双飞，不效吴笺薄。'后题：'乙卯中秋，同西池征君、质山学士，集海滨天香书屋，书此竟，闻任兵宪在陆泾坝御倭大捷，奏凯回戈，亦快事也。'沈嘉则为作传，有云：'赵虽平康美人，使具须眉，当不在剧孟、朱家下。'今即其题扇数语，豪宕可知。《赋别》一诗，亦手书便面者。诗云：'妾舟西发君舟东，顷刻天生两处风。此去云山天际渺，寸心千里附冥鸿。'"

**王维桢**（1507—1555）、**袁炜**（1508—1565）**等为乡试主考**。《弇山堂别集》卷八十三《科试考三》："三十四年乙卯，命右春坊右谕德王维桢、翰林院侍读袁炜主顺天试。命翰林院侍读严讷、潘晟主应天试。""是岁，上以应天试录中词旨不明，且有所忤，内阁大臣为解释其义，乃寝。"又卷四十六《翰林诸学士表》：袁炜，"嘉靖三十四年任侍讲学士，历礼、吏左右侍郎，俱仍原兼。"瞿景淳《南京国子监祭酒槐野王公行状》："公姓王氏，字允宁，别号槐野，陕西华州人也。……乙卯秋，命主顺天府乡试。士类忻忻，多自幸入公彀中。公凡四入试场，每录出，士争传观，谓真班、马之匹云。"

## 九月

**世宗复选女十岁以下者一百六十人入宫，供炼延年药之用**。《明诗纪事》己签卷一录王世贞《西城宫词》四首，后引《野获编》云："嘉靖中叶，上饵丹药有验。至壬子（1552）冬，命京师内外选女八岁至十四岁者三百人入宫。乙卯（1555）九月，又选十岁以下者一百六十人。盖从陶仲文言，供炼药用也。其法名先天丹铅，云久进之可以长生。弇州《宫词》所云'灵犀一点未曾通'，又云'只缘身作延年药'是也。"《明诗纪事》己签卷二录梁有誉《汉宫词》一首，陈田按语云："永陵好道，方士多进房术。陶世恩进小涵丹，陶倣进九白兜肚香袍，刘文彬进经验仙丹，王兆先进百花酒以暖丹田，申世文进天水生元丹，高守中进三元丹，陶仲文进先天丹铅，梁指甲进徽王载沦女癸铅，又参议顾可学进童男女溲所炼秋石，皆房术也。王弇州《西苑宫词》'只缘身作延年药，憔悴春风雨露中'，词旨显露，不如公实《汉宫词》'芷宫别有欢娱处，春色人间总未知'，尤为婉而多风也。"梁有誉字公实。

## 十月

**兵部员外郎杨继盛（1516—1555）以论劾严嵩被杀。**徐阶《明兵部武选司员外郎赠太常少卿谥忠愍杨公墓志铭》："公讳继盛，字仲芳，别号椒山，忠愍者谥也。……公举嘉靖丁未进士，授南京吏部验封主事……辛亥（1551）迁兵部车驾员外郎。……贬狄道典史。逾年擢知诸城，寻迁南京户部主事，又迁刑部员外郎，调兵部入武选。""公之将受杖也，或遗之蚺蛇胆，却不受曰：'椒山自有胆。'或谓公勿怕，公笑曰：'岂有怕打杨椒山者。'及系刑部，创甚，吏畏祸莫敢睨公，公乃自破甓盎，刺右股出血数升，已复手小刃割左股去其腐肉，有观者咸为战慄，公顾自如。在狱三年，以乙卯十月晦死西市。临刑赋诗云：'浩气还太虚，丹心照万古。平生未报恩，留作忠魂补。'天下相与涕泣传诵之。""公生以正德丙子五月十七日，年仅四十。""公死之岁，刑部郎今藩参王君世贞为求救于嵩所厚，嵩曰：'行卜之。'其子世蕃不可，而其党鄢懋卿等亦相与争曰：'不杀某，所谓养虎自贻患也。'故公竟死。"《明诗纪事》己签卷九录杨继盛诗一首。杨继盛，容城人。兵科给事中吴国伦因杨继盛事倡众赙送，得罪严嵩。

**总督侍郎张经（？—1555）被赵文华谮杀。**后数年，冤案昭雪，赐谥襄愍。按，今年二月，朝廷遣工部侍郎赵文华督视海防。"文华恃严嵩内援，恣甚。经、天宠不附也，独宗宪附之。文华大悦，因相与力排二人。倭寇嘉兴，宗宪中以毒酒，死数百人。及破王江泾，宗宪与有力。文华尽掩经功归宗宪，经遂得罪。"（《明史》胡宗宪传）"经"指张经，时任总督。"天宠"指李天宠，时任浙江巡抚。四月，倭犯嘉兴，张经率卢镗、俞大猷、胡宗宪等破倭于王江泾。赵文华尽掩张经之功，密疏张经糜饷殃民，畏贼失机；谤李天宠嗜酒废事。张、李被逮入京，十月，两人俱弃市。详见《明史》张经传。《静志居诗话》卷十《蔡经》："蔡经字廷彝，侯官人，复姓张。正德丁丑进士，累官南京兵部尚书，总督浙直军务，改左都御史，为赵文华所劾，逮至京论死。追谥襄愍。有《半洲集》。襄愍死非其罪，郡志冤之，国史白之。而愚山氏（钱谦益）以为东南之论殊不然。传闻异辞，不可不核。以余所闻，赵文华病笃，命祷其平生所陷六人，襄愍其一。则文华已心悔其诬。且与杨忠愍同日死于市，公论亦可定矣。其诗特清婉，无拔剑横槊气。《兰河晓渡》云：'月落金城鼓角残，危关晓色拂雕鞍。黄河渺渺中原隔，紫塞迢迢边地寒。西望旌旗连瀚海，东来风雪满皋兰。萍踪万里休惆怅，虎节龙沙亦壮观。'"《制义丛话》卷五："侯官张廷彝（经），在嘉靖间经略东南，扫平倭寇，王江泾之捷，为东南战功第一。时赵文华视师，迟三日始到，驰书欲专其功。公于先一夜奏捷，赵衔之次骨，嗾其党以冒功劾之，弃市。江南士民，哭声震天。后数年，冤亦旋白，赐谥襄愍，《明史》有传。吾乡余田生先生（甸）亦为撰传，则在修《明史》之前。有《张半洲诗集》，而文集未见，余仅从甲癸集中得其制艺一篇，题为《禹吾无间章》，起讲云：今夫为君者，天逸之以圣人之位，而其所经营者，又有百倍于人之事，故图大者略细微，谨小者缺美备，古今感慨之所由也。后二比云：开天之主，制度非其所不足，恐一有侈其美盛之意，即非所以昭法则于子孙。禹惟躬持节俭，而以时修庶人之行，虽一节之微，亦视为天心物力所关，而不敢过享乎崇高，讵得议其尽饰也哉？平成之后，忧勤非其所不能，恐一有偏于节损之心，亦非所以称显庸于奕祀。禹惟崇尚典章，而以身尽开创之规，虽一端之见，亦懔为帝命民情所系，而不敢稍存其谦让，有不服其宏远者哉！按此文全篇录入《闽文复古篇》，始知储中子此题文，家弦户诵，其源盖出乎此。"《四库全书总目》集部别集类存目三著录张经《半洲稿》四卷，提要曰："卷首题曰蔡经，盖其未复姓时所刊也。经字廷彝，侯官人。正德丁丑进士。累官南京兵部尚书，总督军务，改左都御史。为严嵩构陷，坐以失律弃市。后追谥襄愍。事迹具《明史》本传。是集第一卷为《北寓稿》，乃经官御史时所著。次为《南行稿》，为嘉兴府知府时所著。次为《西征稿》，为大理寺卿奉命安辑关西时所著。次为《东巡稿》，巡抚山东时所著。诗多五七言近体，颇摹唐调。盖正当太仓、历下初变风气之时也。"按，防倭为今年要务。二月，工部侍部赵文华兼区处防倭。三月，兵备副使任环败倭于南沙。五月，总督侍郎张经、副总兵俞大猷破倭于王江泾。七月，兵部侍郎杨宜总督军务，讨倭。八月，苏松巡抚都御史曹邦辅败倭于浒墅。凡此，皆今年大事。

皇甫冲《舟中读杨兵部疏》作于稍后。皇甫冲字子浚，长洲人。嘉靖戊子（1528）举人。有《华阳集》六十卷。《明诗纪事》戊签卷五录皇甫冲诗八首，陈田按语云："子浚诗五言与诸弟合辙，歌行独得变《风》变《雅》遗意。子浚《舟中读杨兵部疏》诗云：'谁读杨公疏，闻之感慨生。无从得借剑，空使欲沾缨。填狱人谁惜？投沙己独清。须知直臣志，九死一毛轻。'吊椒山之死，义愤勃发。乃弟《司勋集》中《寿介溪序》、《谢严相公分惠大官攒品》、《谒钤麓书院》、《严公解相还豫章追送淞陵》诸诗，过于放翁之赋南园。在山出山之咏，能不于兹三叹！"

## 十二月

赵时春为薛应旂《方山先生文录》作序。据序末题署。薛应旂（1500—1570后），字仲常，号方山。武进人。嘉靖乙未进士。有《方山集》、《方山文录》、《薛子诗稿》等。

南京光禄寺卿马理（1474—1556）、南京兵部尚书韩邦奇（1479—1556）、南京国子监祭酒王维桢（1507—1556）以地震卒。（卒年据公历标注）李开先《溪田马光禄传》："先生马姓，理其名，而伯循、溪田，则其字与号也，陕西三原县人。""年二十五，以《春秋》魁乡试。四十一，始以《毛诗》魁南宫。""乙卯季冬十二夜，地忽大震，死者数万人，而秦、晋河华之间为尤甚，先生与其配同压土窑中。""自胡元微言之绝，先生与何柏斋、崔后渠、吕泾野力回其澜，可直继濂、洛、关、闽之绪。自晚宋文体之腐，先生与王渼陂、李空同、康对山首振其弊，天下始知有先秦、两汉之文。""所著有《四书注疏》、《周易赞义》、《尚书疏义》、《诗删义》、《周礼注解》、《春秋修义》、《陕西通志》与诗文集各若干卷，皆得诸精思力践之余。"《四库全书总目》著录马理《周易赞义》七卷、《溪田文集》十一卷、补遗一卷。《溪田文集》提要曰："是集凡文六卷，诗五卷。补遗一卷，则有文无诗。理少从王恕游，务为笃实之学。故所诂诸经，亦多所阐发。惟其文喜摹《尚书》，似夏侯湛昆弟诰之体。遣词宅句，涂饰瑡刻，其为赝古，视李梦阳又甚焉。《明史·儒林传》载杨一清督学关中，见理及吕柟、康海文，大奇之。曰：康生之文章，马生、吕生之经术，皆天下士也。则一清虽赏识之，已不以文章许理与柟矣。史又称理名震都下，高丽使者慕之，录其文以去。盖亦以其人重之耳。"马理官至南京光禄寺卿。事迹具《明史·儒林传》。王维桢字允宁，有《槐野存笥集》。瞿景淳《南京国子监祭酒槐野王公行状》："乙卯秋，命主顺天府乡试。士类忻忻，多自幸入公觳中。公凡四入试场，每录出，士争传观，谓真班马之匹云。时公方向用，会太孺人遘末疾，公闻报惊仆，失声悲号，寝食俱废。复披沥请终养。久之，乃晋秩为南京国子监祭酒。谢恩毕，即日陛辞，倍道西驰，不数日过西岳，为文虔祷，请以身代。母太孺人闻公至，病亦少愈。是年冬，关中地大震，山摧川溢，城郭庐舍多倾毁，民人压死者过半，而公亦不免，实嘉靖乙卯冬十二月十二日。悲夫！悲夫！传称天道无亲，惟与善人。若公之念母，好爵不縻，非所谓善人耶？而卒罹此。曩所称天道，信耶否耶？岂天地闭塞，贤哲将隐，公固不能独违也？"《列朝诗集小传》丁集上："维桢，字允宁，华州人，嘉靖乙未进士，选庶吉士，授简讨，历修撰、谕德，升南京国子监祭酒。以省母归，未上。嘉靖乙卯，关中地震，与朝邑韩邦奇、三原马理同日死。"王维桢所著《王氏存笥稿》，序跋颇多。孙升序署"嘉靖丁巳（1557）五月既望，赐进士第资善大夫南京礼部尚书友人姚江孙升撰"；李攀龙序署"嘉靖丁巳十月"；郑本立叙署"嘉靖丁巳仲冬之望，赐进士第巡按陕西监察御史兰溪郑本立书"；王一鹗序署"嘉靖辛酉（1561）六月，曲梁王一鹗（建宁府知府）"；刘士忠序署"万历己卯（1579）八月，同郡刘士忠（江西道御史）"；黄升序署"万历乙巳春，赐同进士出身，山东道监察御史、钦差提督南畿学校、前奉敕巡察巡按、陕西翰林院庶吉士，睢阳后学黄升撰"；南师仲书后署"万历丙午（1606）端阳日，赐同进士出身、翰林院国史检讨、征仕郎、直起居注、编纂六曹章奏，馆生男渭上南师仲谨撰"。《列朝诗集小传》丁集上："允宁长大白皙，谙知九边要害，扼腕时事，慷慨用壮，又好使酒嫚骂，人多畏而去之。为文慕好太史公，盱衡抵掌，沾沾自喜。论诗服膺少陵，自谓独得神解，尤深于七言近体，以为有照应、开阖、关键、顿挫，其意主兴、主比，其法有正插、有倒插，而善用顿挫倒插之法者，宋元以来惟李空同一人。及其自运，则粗笨棘涩，滓秽满纸，譬如潦倒措大，经书讲义，填塞腹笥，拈题竖义，十指便如悬锥，累人捧腹，良可一笑也。先夫子读《槐野存笥集》，大书批其后云：'冤哉，千余年杜氏！惜哉，二十载王君！'此二语者，不知何所自来，而学士家迄今皆传道之。"《静志居诗话》卷十二《王维桢》："王允宁、孙仲可皆学杜而不得其门。允宁自诩七律。然尤懦钝。五言有句无篇，如'千里秋江水，孤舟月夜吟'，'高林风叶下，远渚薄云低'，'花树迷官路，涛声入县门'，'山无云断处，塔有雁来时'，'三叠尊前酒，双旌画里身'，'暮云迷远岫，春棹响空江'，'天险分秦塞，神谋度汉兵'，尚泠然可诵也。允宁死于地震，谤者谓：获罪华山之神。考同时死者，尚有杨尚书守礼、杨（韩）都御史邦奇、马光禄卿理。李伯华诗所云'平生三老友，一夜委泥沙'也。诸公岂皆获罪于神者邪？事在嘉靖三十四年十二月十二日夜，蒲州震尤甚，山阴僖顺王聪澍亦薨，又辅国将军四人，承国将军一人，镇国中尉十七人，辅国中尉三人，庶人五人，县主、郡君、淑人各一人，夫人四人，齐压死。伯华诗又云：'四方多变异，讵止平阳哀。户曹倏降火，渭流却逆洄。山崩兼泉涌，彗见复风霾。犬育在鸡卵，蛇出由人怀。雨豆血淋漓，妖鸟羽碞毰。虎产于猪腹，人生自鳖胎。李树忽结瓜，多而且更魁。夜见火城出，莲从土釜开。'妖孽如此，天心可知。而西苑君臣，方以丹鼎青词相尚，只见白龟白鹿，颂瑞应者纷纷，真可长太息也。伯华诗太粗鄙，以其纪事特详，故附录，以资史局述《五行志》者。朱彝尊所引李开先诗，题为《平阳哀》，见《闲居集》之一。诗前小序曰："《平阳哀》者，哀平阳府也。嘉靖三十四年十二月十二日夜半，山、陕地震，而山西似犹过之；山西地震，而平阳似又过之。远近同时，起西北，直往东南，后虽屡震不止，止有初次为灾。……四方灾异，层见叠出，倭寇戕害三吴两浙，处所不止对半，窃据不止三年。……地震、倭寇，乃灾害之极大者，故于前因近报，纪之特详。……古云：天心仁爱人君，特出灾异以谴告之。楚庄王见天不示警，则曰：'天其忘予？'今灾奇异多，天其不忘，且以仁爱而成盛治欤？"李开先另有《地震》十首，其一曰："平生三老友，一夜委泥沙。"附注："杨尚书守礼、韩都御史邦奇、马光禄卿理，惊压而死。"《四库全书总目》卷一七七集部别集类存目四著录《王氏存笥稿》二十卷，提要曰："（孙）升序称其文法司马迁，诗法汉魏，近体尤宗杜氏。朱彝尊《静志居诗话》则谓七律滞钝，五言有句无篇。今观其集，彝尊之论为允。胡应麟又称其文矫健胜其诗，亦不尽然。"《明诗纪事》戊签卷十九录王维桢诗六首，陈田按："允宁《与张太谷书》云：'本朝作者，空同圣矣，即大复犹却数舍。若倒插、顿挫之法，自少陵后善用之者，空同一人而已。'牧斋掊击空同，故于允宁丑诋不遗余力。余检何元朗《四友斋丛说》云：'许石城得顾东桥、文衡山、蔡林屋、王雅宜诸人诗装成卷，求槐野跋语。槐野逐句破调，无一当其意者。'信乎天道好还，宜来牧斋之丑诋也。允宁五律亦有佳篇。竹垞有句无篇之说，亦为牧斋之论所慑耳。"

**郭应奎为湛若水**（1466—1560）**《甘泉先生续编大全》作序。湛若水号甘泉。**序曰："《甘泉先生大全》若干卷，尝刻于羊城，先生官大司马以前之集也。今其《续编》若干卷，则先生致政以后之集。中丞周潭汪公始莅虔台，即请于先生刻之，且辱以原帙贻示曰，子宜有序。奎既受读，作而叹曰：……奎也白首门墙，愧无能以□［发］先生之蕴。顾勉承周潭中丞之命而僭引于卷端，庶几后之读先生之文者，其亦知所以求之哉！嘉靖乙卯岁季冬之吉，进士第、中顺大夫、前嘉兴府知府，门人泰和郭应奎顿首拜书。"《续编大全》中《岳游纪行略》一卷，作于今年。《明儒学案·

甘泉学案一·文简湛甘泉先生若水》："湛若水字元明，号甘泉……年登九十，犹为南岳之游。将过江右，邹东廓（守益）戒其同志曰：'甘泉先生来，吾辈当献老而不乞言，毋有所轻论辩也。'"

## 本年

**卢柟（？—1559）托张佳胤序刻其《蠛蠓集》。张佳胤携归，许以异日寿诸梓。**张佳胤《蠛蠓集序》云："嘉靖乙卯，余使闽，投马邺都，卢仲木山人从浚来，出所著《蠛蠓集》，顿首请曰：'柟死罪，徼惠于足下，幸不弃诸市，今老矣而无后，所与为后者斯言尔，藉第一旦填沟壑，世复有知柟者哉？'言讫，泣数行下。余受书卒业，稍加评次，归而许之以异日寿诸梓，相与痛饮达旦别去。后余贬居浮湛下吏，隆庆己巳（1569）稍迁魏，使者求山人，而墓木拱矣。浚人故忌山人，收其遗言无所得，乃为诗吊之，檄有司树碣墓道，并恤其寡君云。越数年而余抚吴，从友人王元美索山人集，未全也。一日客建业，与姚叙卿谈山人。姚故守大名，因出其集，即邺都旧本也。余抚卷而悲之，又何能食前诺，负山人地下哉？乃属友人周兴叔纳言，删定入梓。呜呼！山人河朔间高士也，平生以才取祸，至所为骚赋诗文，诸家评叙互得其似，余不具论。山人有奇行，则余耳目所睹记者。往余客燕市，申考功仪卿语余曰：山人游太学归，过魏访考功，入门大哭不休，已而长叹曰：太学，士人之薮，卒无有与于斯文，悠悠宇宙，不知涕之何从也。考功笑而饮之至醉，出厩中紫骝马，命之赋。山人左手浮白，右手挥毫，须臾数百言，翩翩乎李供奉之音也，今集中亦未之载。山人初囚浚狱，余时时问劳，及出犴狴，而银铛桎梏，犹然拘挛也，山人则诣余厅事，稽首谢余。始识面，亟引副署中阍人列榻雁行，山人乃举械手揖余曰：'柟乌鸢之余肉也，以分何敢望见君侯，顾君侯知己，宜当客礼。'遂上坐。夫祢正平、越石父之不见于今久矣，山人甫释南冠，手木且未脱，即俨然据上坐，英论四发，不作沾沾困苦之态，然则世之龌龊缩朒、改虑患难者何可胜数，宜山人自豪一世矣。元美旧为山人刻赋二卷，比者东明穆敬甫考功、石拱辰符卿刻山人诗二卷。三君子以文章气节闻天下，爱重山人如此，固有以感之矣。集刻既成，余且挂冠去，虑刻之无所托也，而穆、石两君书适至，概然欲为之传。山人素未尝从两君游，而两君慕义怜才，可谓笃矣。余近闻浚人已仆山人墓碣，呜呼！词人终在阳九，至身后且不免，微两君，则山人安可死哉！万历二年甲戌三月朔日，西蜀居来山人张佳胤。"隆庆己巳为1569年，万历二年甲戌为1574年。

**北京讲学之风盛行，尤以灵济宫讲阳明学之讲会为盛。大学士徐阶赞助甚力。**《明儒学案》卷二十七《文贞徐存斋先生阶》："聂双江初令华亭，先生（徐阶）受业其门，故得名'王氏学'。及在政府，为讲会于灵济宫，使南野（欧阳德）、双江（聂豹）、松溪（程文德）分主之。学徒云集，至千人，其时癸丑甲寅，为自来未有之盛。丙辰以后，诸公或殁或去，讲坛为之一空。戊午，何吉阳自南京来，复推先生为主盟，仍为灵济之会，然不能及前矣。"按，徐阶于嘉靖三十一年三月入阁。《明史·儒林传》："当是时，（欧阳）德与徐阶、聂豹、程文德并以宿学都显位。于是集四方名士于

266

灵济宫，与论良知之学。赴者五千人。都城讲学之会，于斯为盛。"

**杨巍**（1517—1608）补山西按察佥事，始从提举曹汴学诗。杨巍字伯谦，海丰人。嘉靖庚戌进士（一说丁未进士），官至吏部尚书，加太子太保，进太保，赠太师。有《梦山集》。邹观光《梦山存家诗稿序》："观光昔与河朔魏允中同为郎，允中善称诗，数击节诵公晋中诗，如'灯前梳白发，马上梦青山'，思沉而致远，非唐人不能道。观光心识之。公不以诗自命，无从得睹大全，然观光待罪吏部久，虽未得悉公诗，顾数闻公之教矣。公之言曰：'余家海上，盖有桃花岭之丹葩紫蕚，照映于烟窗云岛，此何必减度索之山、武陵之溪哉？而余念之，不得归。'余闻此于公，叹焉。公清真雅素，自其天性，数晋要路津，数抗疏乞归，而御太夫人板舆，累诏强起之田间，无岁不引疾，无念不在丹山碧水，非虚语也。即公之出处以窥公诗，其必高旷玄远，冲夷澹泊，契玄理于寰中，托沉词于物外，不待尽读其集而后知已。'"《静志居诗话》卷十三《杨巍》："梦山自言不知诗，补晋臬时，学使者曹君纪山谓当以唐人为宗，且辨其体格。及归田，四明吕山人往来海上，相与倡和，共明此道云云。吕山人者，时臣中甫也。纪山名汴，江陵人，嘉靖辛丑（1541）庶吉士，仕至右副都御史，巡抚云南。以梦山推许若是，度其诗必有可观，惜无好事如王、谢两公刻之以传也。"王士祯《分甘余话》卷二："吾郡杨太宰梦山先生巍，五言冲古淡泊，在高子业、华子潜季孟间，如：'远道令人愁，况近单于垒'，'秋风入雁门，羽书日三至'，'微微霁景流，天壤色俱素'，'乡心生塞草，世事入秋风'，'风雨楼烦国，关山李牧祠'，'闲将流水引，梦与古人居'，'雨响残秋地，城分不夜天'，'古石苔生遍，泉香麝过余'，皆逼古作。"《四库全书总目》集部别集类二五著录杨巍《存家诗稿》八卷，提要曰："巍扬历中外，居官有能声。自跋称幼习举子业，不知诗。至嘉靖乙卯，补晋臬，提举曹忭始导之为诗。归田后，与山人吕时臣相倡和，得诗六百余篇，属邢侗、邹观光评骘而存之。盖其中岁学诗，与唐高适相类。而天分超卓，自然拔俗，故能不染埃壒，独发清音。王士祯《池北偶谈》称其五言简古得陶体，为明人所少。又举其'前年视我山中病，落日独骑骢马来。记得任家亭子上，连翘花发共衔杯'一绝。盖其神韵清隽，与士祯论诗宗旨相近，故尤赏之。然其它高旷简古之作，尚复不少，固与当时嘈杂之音相去远矣。"《明诗纪事》戊签卷四录杨巍诗三十二首，陈田按："《梦山集》五律最胜，直擅右丞、文房胜境，余子不足道也。自书《存稿》后，乃谓得于曹纪山、吕时臣为多。雅抱冲襟，令人翛然意远。"

**茅坤等为西湖社游。茅坤于今年罢官归里。**茅坤《贵池令近溪沈公墓志铭》："嘉靖乙卯，予以河南按察使司副使罢官归，归而栖圣水寺，同山人沈公仕，及通政使马公三才、太仆卿沈公淮、光州守高公应冕辈，为西湖社游而吟。当是时，近溪沈公梅亦以第乡试，摈之南宫者且四，而于马、沈两公为同年也，故亦囊诗筒过焉。"（《茅鹿门先生文集》卷二十四）茅坤《明高处士松里马先生墓表》有相近记载。沈仕，字懋学，一字子登，号青门山人，仁和人。详见《列朝诗集小传》丁集中《青门山人沈仕》。

**南京礼部仪制司郎中何良傅**（1509—1562）**乞致仕，得请归。**何良傅字叔皮，华亭人。嘉靖十九年（1540）领乡荐，明年举进士，授行人，迁刑部主事，改南礼部仪制司，晋主客郎中。何良俊《弟南京礼部祠祭郎中大堑何君行状》："夫祠祭所司者各寺观与教坊乐籍，南京寺观俱有高皇帝赐田及芦洲，其利甚伙，诸功臣之家皆朵颐于此。近年法禁渐弛，诸僧道之以侵夺赐田为讼者，日有数端。功臣家素以燕乐馈赠，能役使部寺诸大臣，诸大臣数为干请，司官稍不从，则转托堂上卿贰临之，司官往往不能主持。齐王有罪，以庶人编置南京，当时防禁甚严。今渐纵侈，凡有废寺，其殿材可直数千金者，但以二三百金请佃，拆毁鬻卖，其利数十倍。祠祭官不与主张，即公肆陵侮，加以骂詈。教坊乐工虽至贱隶，然朝廷所设，本以供祭祀朝会，其他大臣公燕，非赐教坊乐则不得擅役，此祖宗旧制也。南京则旧制：凡大臣燕会，以手本；至祠祭，祠祭司拨送。今则诸司擅自差役，而勾摄乐工之使旁午于道。君曰：'凡是是无祠祭司也。夫天下至大，朝廷所以能连属而纲维之者，徒以法制在耳。余蹇劣无状，于政事无所裨益，但欲坚守祖宗之法，持此以报朝廷。苟必圜转俯仰，曲法以保名位，余不能复为祠祭郎中矣。'于是遂有去志。"乞致仕。章再上，得请归。时年四十七岁。

**张佳胤偕余曰德造访王世贞。时余曰德任刑部贵州司主事。**王世贞《光禄大夫太子太保兵部尚书赠少保居来张公墓志铭》："公（指张佳胤）治理流闻，法当首垣省，以年未及格，擢户部主事。命下，于鳞以书寄余：'盟坛中有一当齐秦赋者，张肖甫也，公实不死矣！'公既入，遂与余比部德甫同造我。而是时，诸君子艺文翩翩自肆，相砥砺为高人之行，且飞觞染翰，卜夜无已。而公独温然其间，若巨源、浚冲而年又最少。宗、吴颇跆籍公卿，而恒呼公张少保云。"余曰德，字德甫，南昌人，与张助甫（九一）、张肖甫（佳胤）并称"三甫"。与魏裳、汪道昆、张佳胤、张九一合称"后五子"。梁有誉字公实，嘉靖甲寅（1554）孟冬（十月）病逝，李攀龙等于乙卯（1555）春收到讣文。王世贞于嘉靖丙辰（1556）春以刑部郎中为治狱使者，北察燕赵，十月自刑部云南司郎中升山东按察司副使，明年正月抵任。其间惟1555年在北京时间最长。

**华察**（1497—1574）《岩居集》付梓。王慎中《岩居稿序》、龚用卿《题重刻岩居稿》作序年月不详。王序云："君所为诗，顾洒然自立于尘埃情累之表，意象之超越，音奏之凄清，不受垢氛，而独契溟滓，若木居草茹，服食导练，沦隐声迹者之所为言，非世人语也。"龚序云："其冲淡闲旷，如秋水芙蓉，不事雕饰。盖步骤陶韦而得其自在者也。"《静志居诗话》卷十二《华察》："学士丰于资，纤纤务啬，昼夜持筹，不知吟咏性情，何由超诣乃尔？《次韵答仅初见寄》云：'地僻畏风雨，入春长掩扉。一从还山后，又见梨花飞。世事多贝锦，故人犹布衣。瑶琴勿轻奏，山水知音稀。'"华察，字子潜，号鸿山，无锡人。嘉靖丙戌进士。历官户部主事、兵部郎中、翰林修撰。有《岩居稿》、《翰苑集》。

**李仲儌序刊杨昱《牧鉴》。**钟一元为黄乾行《礼记日录》作序。据四库提要。

**李贽任共城（今河南辉县）教官，自本年至嘉靖三十八年。**据《李贽研究资料汇编》。

**尹台以少詹兼讲读学士。张时彻任南京兵部尚书，本年闲住。郑晓任吏部左侍郎。**据王世贞《弇山堂别集》。

**邓原岳**（1555—1604）生。邓原岳字汝高，闽县人。万历壬辰（1592）进士，除户部主事，历员外郎中，出为云南提学佥事，终湖广按察副使。有《西楼存稿》等。

娄坚（1555—1631）生。娄坚，字子柔，嘉定人。贡生，有《吴歈小草》等。

## 公元 1556 年（世宗嘉靖三十五年　丙辰）

### 正月

潘之恒（1556—1621）生。袁宏道有《潘景升谷日同诸公小集，得谷字》诗。谷日即正月八日。潘之恒《仲弟季孺行状》："余六岁为辛酉。"其出生年月据此推定。潘之恒字景升，歙县人。汪道昆举白榆社，之恒以少隽与焉。工诗，恣情山水。著有《鸾啸集》。平生所游，随得随记，凡成《新安》、《越中》、《三吴》、《江上》诸山水志若干卷。据光绪《安徽通志》"人物志·文苑"。

### 三月

诸大绶等进士及第。《弇山堂别集》卷八十三《科试考三》："三十五年丙辰，命太子太保礼部尚书文渊阁大学士李本、詹事府少詹事兼翰林院侍讲学士尹台为考试官，取中金达等。廷试，赐诸大绶、陶大临、金达及第。"又卷十七《皇明奇事述二》"绍兴二首甲"："嘉靖丙辰，绍兴状元诸公大绶，榜眼陶公大临同里闬，为婚姻。诸自礼部右侍郎为吏部右侍郎、翰林院侍读学士，修实录，经筵日讲官，以万历元年（1573）卒。赠礼部尚书。陶亦自礼侍代之，衔位赠谥无不同者，以二年卒，赠官亦同。寻，己未状元丁公亦自礼侍代之，仅一转而卒，赠官亦同。三人后皆有谥，陶得文僖，丁得文恪，诸最后得文懿。"

同榜进士有姚汝循、耿定向、卞锡等。《静志居诗话》有姚、卞小传。

皇甫冲（1490—1558）最后一次应进士试，仍不第。皇甫汸《华阳长公行状》："公自庚戌（1550）之后，不欲更试。丙辰，或劝之曰：'先大夫肇迹之年也。天运其将复始乎？'乃强一行，再蹶而归，鞅鞅弗豫。适余解枭归自南中，而子约（皇甫濂）弟亦弃郡牒不赴，相与慰劳，陈说平生，缅良会于冬宵，追欢惊于秋燕。"

### 四月

钱德洪删定《阳明传习录》。钱德洪出阳明门下。其《书阳明传习录后》云："嘉靖戊子冬，德洪与王汝中奔师丧，至广信，讣告同门，约三年收录遗言。续后同门各以所记见遗。洪择其切于问正者，合所私录，得若干条。居吴时，将与《文录》并刻矣，适以忧去未遂。当是时也，四方讲学日众，师门宗旨既明，若无事于赘刻者，故不复萦念。去年同门曾子才汉得洪手抄，复旁为采辑，名曰《遗言》，以刻行于荆。洪读之，觉当时采录未精，乃为删其重复，削去芜蔓，存其三之一，名曰《传习续录》，复刻于宁国之水西精舍。今年夏，洪来游蕲……乃复取遗稿，采其语之不背者，得一卷；其余影响不真，与《文录》既载者，皆削之，并易中卷为问答语，以付黄梅尹张君增刻之。庶几读者不以知解系，而惟以实体得，则无疑于是书矣。嘉靖丙辰夏四月，门人钱德洪拜书于蕲之崇正书院。"

**徐海入寇上海、维扬等地。**茅坤《纪剿徐海本末》："嘉靖丙辰，徐海之拥诸倭奴而寇也，一枝由海门入略维扬，东控京口；一枝由淞江入掠上海；一枝由定海关入略慈溪等县。众各数千人，而海自拥部下万余人，直逼乍浦而岸；岸则破诸舟，悉焚之，令人人各为死战。又导故窟柘林者陈东所部数千人与俱，并兵攻乍浦城，盖四月十九日也。当是时，朝廷方夺故总督，而新总督胡公，自提督代之甫八日，问幕府麾下募卒，仅三千人，俱孱弱不可用。故总督所征四川、湖广、山东、河南诸兵，俱罢去。所为缓急者，特容美土兵千人，及参将宗礼所籍河朔之兵八百人耳。"茅坤于1555年落职回乡，是时正出入胡宗宪幕府。

五月

**唐顺之《文编》六十四卷编纂完成。**是编取先秦至两宋之文，分体排纂，别择颇具精意。据张梦新《茅坤年谱》。茅坤《与慎山泉侍御论文书》云："本朝诗声自弘治、正德以来，度越宋元，直逼唐风矣。文章一派，犹未得其至者。仆尝作一《文旨》以贻许海岳、沈虹台二太史，大略以为文必溯六艺之深，而折衷于道，斯则天下者之正统也。其间雄才侠气，姗韩欧骂苏曾，而不能本之乎六艺者，草莽偏陲，项羽、曹操以下是也。汉以来衰选文章家，独真西山似得其旨。近代如唐司谏所衰《文编》，亦或沿其遗意而为之者。兄之高明，当自有独得深见，以遗于世。"《四库全书总目》卷一八九集部总集类四著录《文编》六十四卷，提要曰："是编取由周迄宋之文，分体排纂。陈元素序，称以真德秀《文章正宗》为稿本。然德秀书主于论理，而此书主于论文，宗旨迥异，元素说似未确也。其中如以《庄》、《韩》、《孙子》诸篇入之论中，为强立名目。又不录《史记》、《汉书》列传，而独取《后汉书·黄宪传》冠诸传之上，进退亦多失据。盖汇收太广，义例太多，舛驳往往不免。然顺之深于古文，能心知其得失，凡所别择，具有精意。观其自序云：不能无文，即不能无法。是编者文之工匠，而法之至也。其平日又尝谓：汉以前之文未尝无法，而未尝有法。法寓于无法之中，故其为法也密而不可窥。唐与宋之文不能无法，而能毫厘不失乎法。以有法为法，故其为法也严而不可犯。其言皆妙解文理。故是编所录虽皆习诵之文，而标举脉络，批导窾会，使后人得以窥见开合顺逆、经纬错综之妙，而神明变化，以蕲至于古。学秦汉者当于唐宋求门径，学唐宋者固当以此编为门径矣。自正、嘉之后，北地、信阳声价奔走一世，太仓、历下，流派弥长。而日久论定，言古文者终以顺之及归有光、王慎中三家为归，岂非以学七子者画虎不成反类狗，学三家者刻鹄不成尚类鹜耶?"

**赵文华提督江南、浙江军务，疏荐唐顺之为南京兵部主事。顺之以父丧未终，不出。**据马美信《唐宋派文学活动年表》。按，防倭仍为本年要务。三月，以赵文华为工部尚书，巡抚侍郎胡宗宪总督军务讨倭。六月，总兵俞大猷败倭于黄浦。皆为本年大事。

六月

六日，李开先作《九子诗》。九子为李舜臣、刘绘、罗洪先、吕高、熊过、唐顺之、赵时春、王慎中、潘高。诗前小序云："李空同有九子诗，率多诗文之友。予亦有友九人焉，诗文而兼经济者也。勿论经济，其诗文不屑乎今，而实不外乎今；不蹈乎古，而实不远乎古；有可掩蔽前九子者焉。同履仕途，相继一蹶弗起，惟赵浚谷起而复蹶。产各殊方，无缘再会，别近者亦且十年余矣。丙辰六月六日，热蒸坐甑，众泉成雷，通宵不能假寐，安得高阁迎风，而玉井含霜乎？起步中庭，仰见玉绳将低，银河已徙，爰念同心，作为九诗歌之。童子群然和之，声惊邻舍。古谓朝歌歌非其时，然则予歌诚亦非时，而予情有不能已耳！次日困卧迟起，起即命歌童从而记之。"（《闲居集》之一）

## 八月

张岳（1492—1552）《张净峰公文集》刊行，王慎中作序。序云："公之弟兵部君维直氏刻公斯文于家，而谓予序之。夫功烈德义难以兼有文章，此公之独盛于今人也；文之合乎道，而功烈德义由是以出，尤公之所以为盛也。予故特著之，以待读斯集者考论焉。嘉靖三十五年岁在丙辰秋八月既望，赐进士出身、大中大夫、河南布政使司左参政，郡人遵岩王慎中顿首谨撰。"

胡宗宪袭破海盗徐海。徐渭预其谋。见茅坤《纪剿徐海本末》、袁宏道《徐文长传》。《万历野获编》卷十七《杀降》："嘉靖丙辰，倭酋请降。时督帅为胡襄懋宗宪，许以不死，已上疏于朝。既而有流言，谓贼首汪直、汪五峰者，与胡少保俱徽人，潜通重赂，贷其族诛。胡悸惧无策。赵文华正以少保视师，劝胡追还前疏，尽改其辞。汪酋辈遂俱授首。"按，相传王翠翘为徐海侍女，后成为著名小说人物。采九德《倭变事略》："（嘉靖三十五年八月）十九日，（徐）海知危在旦夕，漏二鼓，遣亲密护送二爱姬出巢逃遁。会叶麻党深衔海，夜每伺于巢侧，不得出。"采九德所云徐海二爱姬，茅坤《徐海本末》（又名《纪剿除徐海本末》）称为"两侍女"，"两侍女者，王姓，一名翠翘，一名绿姝，故歌伎也。"茅坤是胡宗宪平倭时的幕僚之一，其记载可信度高，焦竑《国朝献征录》、张萱《西园见闻录》、徐开任《明名臣言行录》等史料集纷纷加以引用，徐学谟《王翘儿传》则主要据民间传说写成。明末清初，相关小说戏曲作品不断问世，小说有：余怀《王翠翘传》、陆人龙《胡总制巧用华棣卿　王翠翘死报徐明山》、周清源《胡少保平倭战功》和青心才人《金云翘传》；戏曲有：王铖《秋虎丘》、叶稚斐《琥珀匙》、夏秉衡《双翠圆》和佚名《两香丸》等。越南诗人阮攸（1765—1820）的叙事长诗《金云翘传》系据青心才人《金云翘传》翻译改编而成。

## 秋

赵贞吉以使事至京，拜谒严嵩。据赵贞吉《钤山堂集序》。

王世贞刊行《俞仲蔚集》，并作序。俞允文，字仲蔚，明代著名布衣诗人之一。王世贞《俞仲蔚先生集序》："余以嘉靖癸丑（1553）有维扬谳，而投俞先生诗，与定交。后三岁丙辰而有三辅谳，为稍梓俞先生诗以行而叙之。"王世贞今年所作为《俞仲蔚集序》。序云："吾所与布衣游者三人，俞允文仲蔚、谢榛茂秦、卢柟次楩。谢、卢故河北人，任侠往来燕赵间，燕赵书生习称之。而仲蔚好里居，又善病，病辄不出应客，家人数米而炊，且夕不办治饭，即且治糜耳，终不能有所干谒。凡仲蔚所为行，桑枢瓮牖，咀藜短褐，不厌死而已。而其自托古文辞特甚。吴中少年，习闻其乡有名者，则日益事相贵，椎窃不休，饰媒母扬其直而售之，乃仲蔚弗顾也。谓余曰：'而来前，而为黄初之际乎哉！'盖洋洋如也，即不遂方轨，而执鞭者忻然矣。仲蔚又稍厌唐以后书，虽不能尽屏，搜猎一二，计以共扫除之役，非素所仿慕也。以故益日与诸少年倍。仲蔚之文与声不能走阛阓而南北，虽然，海内更二三君子亡鄙余者，与仲蔚相欢，足老也。即不可，而使仲蔚卒弃其故，而臣诸少年，婆娑漫涵，白首途远，岂其能遂重洛阳纸，而以是致哉？然又胡竟寥寥乎仲蔚也！"序署"嘉靖丙辰秋"。序所云谢榛、卢柟、俞允文，均为明中叶布衣诗人。赵翼《廿二史札记》卷三十四《明代文人不必皆翰林》云："唐、宋以来，翰林尚多书画医卜杂流，其清华者，惟学士耳。至前明则专以处文学之臣，宜乎一代文人尽出于是。乃今历数翰林中以诗文著者，惟程敏政、李东阳、吴宽、王鏊、康海、王九思、陆深、杨慎、焦竑、陈仁锡、董其昌、钱福、钱谦益、张溥、金声、吴伟业耳。其次则夏昶、张泰、罗玘、王维桢、王淮、晏铎、王廷陈、王韦、陈沂、袁袠、黄辉、袁宗道，虽列《文苑传》中，姓氏已不甚著。而一代中赫然以诗文名者，乃皆非词馆。如李梦阳、何景明、王世贞、李攀龙，世所称四大家，皆部郎及中书舍人也。其次如徐祯卿、边贡、杨循吉、柯维骐、王慎中、唐顺之、田汝成、皇甫涍兄弟、王世懋、袁中道、曹学佺、钟惺、李日华、陈际泰，亦皆部曹及行人博士也。其名称稍次，而亦列《文苑传》者，储瓘、郑善夫、陆师道、高叔嗣、蔡汝楠、陈束、梁有誉、宗臣、徐中行、吴国伦、王志坚，亦皆部曹及中书行人也。顾璘、王圻、李濂、茅坤、归有光、胡友信、屠隆、袁宏道、王惟俭，则并非部曹而皆知县矣，然此犹进士出身也，若祝允明、唐寅、黄省曾、瞿九思、李流芳、谭元春、艾南英、章世纯、罗万藻，则并非进士而举人矣。并有不由科目而才名倾一时者，王绂、沈度、沈粲、刘溥、文徵明、蔡羽、王宠、陈淳、周天球、钱谷、谢榛、卢柟、徐渭、沈明臣、余寅、王稚登、俞允文、王叔承、沈周、陈继儒、娄坚、程嘉燧，或诸生，或布衣山人，各以诗文书画表见于时，并传及后世。回视词馆诸公，或转不及焉，其有愧于翰林之官多矣。"

**王世贞为谢榛（1495—1575）编选《谢茂秦集》并作序。时王世贞以刑部郎中按察大名府，与谢榛等聚会游处，"为一时盛事"。（王世贞《太仆寺卿罗公传》）今年十月，王世贞由刑部云南司郎中升山东按察司副使。明春赴任。**

**吴国伦（1524—1593）以忤严嵩故，由兵科给事中左迁江西按察司知事。**冯梦祯《吴明卿先生传》：嘉靖癸丑（1553）拜兵科给事中。"相严虽意忌先生，而阳好之，且冀其为己用。拜兵给谏，德之，而先生所论列自若，一不规相严意。会杨忠愍以曹郎言事，丑诋相严论死，而倡为奔哭赙赠，作诗挽之，且经纪其丧者，皆六子之属。先生所作挽诗六章，犹称悲愤。飞语既闻，相严大恚曰：'吾故疑吴生非长者，果然。'时以星变察吏，谪先生江西按察司知事，久之量移南康推官。"王世贞作《于郡城送明卿之江西》诗。诗云："青枫飒飒雨凄凄，秋色遥看入楚迷。谁向孤舟怜逐客，白云相送大江西。"

李攀龙（1514—1570）由顺德守升陕西按察司提学副使。过平凉，有诗。殷士儋《墓志铭》："癸丑（1553）出守顺德，……比三岁，有十数最书，擢陕西按察司提学副使。关中士素习古文词，得于鳞为师，又蝟然勃兴矣。"《艺苑卮言》卷七："于鳞为按察副使，视陕西学，而乡人殷者来巡抚。殷以刻核名，尤傲而无礼，尝下檄于鳞代撰奠章及送行序。于鳞不乐，移病乞归，殷固留之，入谢，乃请曰：'台下但以一介来命，不则尺蹄见属，无不应者，似不必檄也。'殷愕然起，谢过，有所属撰，以名刺往。而久之复移檄，于鳞恚曰：'彼岂以我重去官耶？'即上疏乞休，不待报竟归。"《明诗纪事》已签卷一录李攀龙《平凉》诗，即李攀龙提学陕西过平凉而作。诗云："春色萧条白日斜，平凉西北见天涯。唯余青草王孙路，不入朱门帝子家。宛马如云开汉苑，秦兵二月走胡沙。欲投万里封侯笔，愧我谈经鬓有华。"《明诗纪事》引陈继儒《眉公笔记》曰："莫中江云：中州地半入藩府，李于鳞《送客河南》云：'惟余芳草王孙路，不入朱门帝子家。'可谓诗史，而语意含蓄有味。"又陈田按："遍检《沧溟集》无《送客河南》之作，惟《平凉》诗有此二句。考史，韩宪王松封国开原，未之国，子恭王冲𤊟嗣。时弃大宁三卫地，开原逼塞不可居。永乐二十二年改封平凉。于鳞此诗乃提学陕西过平凉而作，自指韩王事，与河南无涉。"

## 十月

立冬日，李开先作《中麓闲居集》自序。《闲居集》为李开先诗文集。序云："年四十，罢归田里，既无用世之心，又无名后之志，顿然觉悟，诗不必作，作不必工。或抚景触物，兴不能已，或有重大事，及亲友恳求，时出一篇，信口直写所见。"序署"嘉靖丙辰立冬日"。

## 本年

王世贞邀谢榛、徐中行、吴国伦、蔡汝楠诸友饮酒赋诗。《艺苑卮言》卷七："余为比部郎，尝与蔡子木臬副、徐子与主事、吴明卿舍人、谢茂秦布衣饮。谢时再游京师，诗渐落。子木数侵之。已被酒，高歌其夔州诸咏，亦平平耳。甫发歌，明卿辄鼾寝。鼾声与歌相低昂。歌竟，鼾亦止，为若初醒者。子木面色如土，虽予辈亦私过之。子与复与子木论文，不合而罢。后五岁，子木以中丞抚河南，子与守汝宁，明卿谪归德司理，张肖甫谪裕州同知，皆属吏也。子木张宴，备宾主，身行酒炙，曰：'吾乌得有其一而慢三君子。'寻具疏荐之。"据《明督抚年表》，嘉靖四十年（1561），蔡汝楠巡抚河南。蔡汝楠字子木，徐中行字子与，吴国伦字明卿，谢榛字茂秦。

顾起纶逾岭造访其师湛若水。湛若水为一代鸿儒。顾起纶《国雅品·士品三》"湛司马元明"："先生为一代鸿儒宗望。纶束发列弟子之座，事先生最久。初若崖岸，终无町畦。其为文章平易质实，诗词颇酝藉逸秀。每曰：'须发得自家意思出乃佳。'尝好登临，必谓诸生且领略山水真趣，明日补诗，率意如此。余丙辰间逾岭外一造先生之门，所处故荣盛，萧然几榻，犹事文翰，不以耄耋少替，皤然渭滨一老叟也。其诗

273

颇得唐人古澹处。此老胸中仍无宿物。"

**茅坤误以徐渭文章为唐顺之作品。**陶望龄《徐文长传》："时都御史武进唐公顺之，以古文负重名。胡公尝袖出渭所代，谬之曰：'公谓予文若何？'唐公惊曰：'此文殆辈吾！'后又出他人文，唐公曰：'向固谓非公作，然其人谁耶？愿一见之。'公乃呼渭偕饮，唐公深奖叹，与结欢而去。归安茅副使坤时游于军府，素重唐公。尝大酒会，文士毕集，胡公又隐渭文，语曰：'能识是为谁笔乎？'茅公读未半，遽曰：'此非吾荆川必不能。'胡公笑谓渭：'茅公雅意师荆川，今北面于子矣。'茅公惭愠面赤，勉卒读，谬曰：'惜后不逮耳。'其为名辈所赏服如此。"唐顺之号荆川。

**兴化同知皇甫濂（1508—1564）投劾归，自此里居不出。皇甫濂兄弟四人皆有盛名，并称"四皇甫"。**皇甫汸《水部君墓志铭》："皇甫水部君者名濂，字子约，一字道隆，中宪公第四子也。……丙辰代守人觐归，即投劾不赴郡，监司督之，坚辞以谢。开府胡公宗宪拟以治军荐督齹，鄢公懋卿拟以遗贤举，皆遗书谢之，何异嵇康之绝山公耶？"《列朝诗集小传》丁集上："濂字子约，一字道隆。嘉靖甲辰（1544）进士，除工部都水主事，监薪厂。贾人子纳女于司空，依倚为奸利，子约按其罪不少贷，司空心衔之。榷关荆州，已得代，案前事内计，谪河南布政司理问，稍迁兴化府同知。丙辰入觐，投劾不赴。里居数年，闲居散斋，不通宾客。少学琴于云间张氏，晚更精诣，撰述之暇，鼓琴一二行，谓足玩世遗荣也。皈心释氏，尝栖息精庐，以名僧检经说难，翻大乘、法华内典，持诵维摩诘品，作妙伽它赞。"

**徐献忠为施峻（1505—1561）《琠川先生诗集》作序。施峻诗以七律较为出色。**序云："余尝怪献吉序昌谷诗，以为守而未化。嗟乎！守化之说，得无自骋其驰骛之意耶？以法书言之，仓颉荒迷，籀篆窘束，则真行迭变，而晋永和为宗矣。后之作者，本领失其神品，结构违于临学，亦将以为化乎？诗学久荒，科条不设，无以约束奇俊之士，遂使骏足横驰，鹏抟泛路，不能归于唐人格律，亦可惜矣！余辄因琠川之作有感云。是岁为丙辰，书于长谷草堂。"（《琠川诗集》卷首）施峻（1505—1561），字平叔，号琠川。归安人。嘉靖乙未（1535）进士，历官南刑部主事、郎中，青州知州。有《琠川诗集》。另有顾应祥序和张永明《书琠川诗集后》，未详作序年月。《静志居诗话》卷十二《施峻》："平叔以七律自诩，闾党交称焉。然殊不见好。诸体过修边幅，未免气馁。顾箬溪序之，谓唐以后诗，'音调格律相尚，锻炼益工，其气益弱。'毋乃微辞也乎？"所引顾箬溪（顾应祥）语，见顾序。《四库全书总目》集部别集类存目四著录施峻《琠川诗集》八卷，提要曰："朱彝尊《静志居诗话》谓'平叔以七律自诩，然殊不见好。诸体过修边幅，未免气馁'。是集有顾应祥序，亦谓唐以后诗，音调格律相尚。锻炼益工，其气益弱。亦似微致不满焉。"《明诗纪事》戊签卷十九录施峻诗一首，陈田按："平叔七言如'南岳先生句曲去，东林长老沃州还，''药栏当午蜂偏乱，钓槛平溪水不浑'，'河桥细雨舟初泊，山郭寒烟梅半开'，'未信年华欺客鬓，也知春色到邻家'，殊自清脱。"

**孙永思作《海珠寺宴同乡李崔二鸿胪》诗。时孙永思任广东巡御史。**《静志居诗话》卷十三《孙永思》云："孙永思，字性孝，蒲州人。嘉靖丁未进士，除行人，选授浙江道御史。侍御《海珠寺宴同乡李崔二鸿胪》诗云：'象设邻鲛室，江流达海门。上方无陆路，四壁有潮痕。香雾笼珠树，飞花堕玉尊。渔歌相听处，萍水不须论。'《登镇海楼》云：'越王台接五层楼，岛屿连空起暮愁。瘴海波涛浮日月，炎天风雨自春秋。乱帆归晚声相轧，万树边江叶尽流。莫倚危栏听吹笛，武陵离思在南州。'二诗巡按广东时作，盖嘉靖丙辰年事。"

薛铠《保婴撮要》刊行。据四库提要。

尹台任南京吏部左侍郎。袁炜任礼部右侍郎。鄢懋卿任右佥都御史。沈坤任南京国子监祭酒。据王世贞《弇山堂别集》。

张治道（1487—1556）卒。乔世宁《刑部主事太微张公治道墓碑》："嘉靖丙辰，太微张公卒。""比卒时年七十岁矣。"张治道，字孟独，一字时济，长安人。"正德癸酉举于乡，甲戌登进士第，授长垣令。三年以治行中科道选，征入，……乃仅授刑部主事。……上疏引疾归。归二年，当考察期，御史掇拾都御史言，论公落职。""家居者几四十年，竟以一主事终身。""公自以志业不伸，遂弃官不就，乃一意读书为文章，尤好杜工部诗与秦汉人文。其始诗学杜，拟为之，久之句意体裁无弗杜者。文复气雄语质，当于事实，即不定拟秦汉何人，然唐以下无师焉。与王检讨、唐修撰一见语合，乃数与纵论诗文，又数与遨游终南鄠杜间，遇山水胜处，辄命酒歌吟，赋诗立就。或语及古今天人之际，至浩渺闳肆，时人莫测也。""所著《太微》前集、后集、《嘉靖集》、《少陵志》、《长垣志》凡数十卷，诸时事、边情、里俗、吏治具见其中，可以览观古今得失之故，所谓诗史者不在是哉！"《艺苑卮言》卷五："张孟独如骂阵兵，瞋目擅袖，果势壮往。"《明诗纪事》戊签卷十二录张治道诗二首。

孙宜（1507—1556）卒。王世贞《洞庭渔人传》谓孙宜"一夕卒，得年仅五十"；孙宜绝意弃进士试在1544年，时年三十有八；孙宜生卒年据以推定。邹观光《洞庭渔人续集序》："邹子曰：盖余尚论弘、正之际，而窃有叹于文章之道与世相污隆也。国家文治显融，无逾敬皇帝朝，以及今兹，而于时修诗赋古文词，北地、信阳首树坛帜，是后康德涵、崔仲凫、郑善夫、薛君采、杨用修诸君子接武而起，皆彬彬有闻，则其时实风之矣。渔人自舞象从父观察公游京师，师何仲默，而友诸君子，声应气求，耳目渐濡久，归而中丞（许宗鲁）、太仆（乔世宁）先后督楚学，并倡古文，宏奖切劘，而业益就。其绪余以应制举乎？乃其志意常在千古，屡罢南宫，辄去之。夫以渔人其材，何爱不至崇钜，而弃若敝屣不以易吾好。献吉诗主法，渔人得之，故其诗有深沉莽宕、顿挫抑扬，能运古而未尝不规于古。仲默诗主情，渔人得之，故其诗有元本天倪、纵横物变，即象缘情而态度自溢。康德涵之诗质，渔人得之，故其诗有直举胸臆气质，为体朴厚，有先进之遗。杨用修之诗博，渔人得之，故其诗多识旁采、网佚搜奇，其材则六经诸史，以至诸子百氏、稗官家乘，无所不采，而其体则自《三百篇》以至屈宋、汉魏六朝近体，无所不构。仲凫（崔铣）言雅，善夫（郑善夫）思澹，君采（薛蕙）语邃，渔人得之，故其诗有法经植旨、绳古崇辞，穷理极境而各擅其所长。夫文人相轻，习贯若性，即何与李名相高也，而持议不相下，其徒各私其绪，若敌国然，渔人两相师而无所倚，其材足笼盖一世，而向往名流，若从旷代之士，而旦暮遇之，故能缅缅洋洋成一家言，足张楚矣。……万历丙申（1596）冬日，年家子九畹居士邹观光撰。"（《国立中央图书馆善本序跋集录》）《列朝诗集小传》丙集：孙宜"字仲可，为儿时得侍仲默（何景明），长而颂慕其风流，举于乡，上春官不第，肆力词赋，以不朽自命，自称洞庭渔人。与滇人张含、秦人左国玑、吴人黄省曾，皆以老举子有名于时。仲可《洞庭渔人集》诗多至三千八百余首。王元美评诗云：'华容孙宜得杜肉。'余观其诗，剽拟字句，了无意味。求杜之半鳞片爪不可得，而况其肉乎？"《静志居诗话》卷十四《孙宜》："洞庭渔人，胡氏《诗薮》称其学杜，然实源于大李。故论诗绝句云：'我爱风流太白豪，万言珠玉在挥毫。'特其运笔痴重，斯与'谪仙人'不类耳。其于空同、大复、少谷、太初、迪功、西原皆其所取法，滔滔莽莽，下笔不休，亦楚产之杰出者。《秋日歌》云：'秋风忽吹洞庭草，万壑千崖觉秋早。江边白日回波涛，湖上苍云乱昏晓。少年日月易摇落，即目繁华已枯槁。人事天时合并催，风尘何必长安道。'次章云：'秋风淅淅吹茆屋，东流之水西日速。地连南极北极云，叶落千山万山木。江上渔人罢钓归，临风抛掷绿荷衣。黄尘碧海真漂泊，白石沧波谁是非？'《同诸友游郭曲》云：'地胜因湖得，堂幽对野开。晚风吹笛起，秋水抱城回。溪友留鱼去，邻翁送酒来。为言九日近，引客试登台。'《十三夜月柬谢子》云：'今夕江楼月，能添昨夜明。苑云寒自敛，城角雾尤清。露警花间鹤，风微树杪萤。百壶高兴在，端坐待君倾。'"《明诗纪事》戊签卷十六录孙宜诗五首。

**万表**（1498—1556）卒。《静志居诗话》卷十四《万表》："万表，字民望，鄞县人。正德末，中武进士，累官都督同知，金书南京中军都督府。晚号鹿园居士。有《玩鹿亭稿》。鹿园裒带翩翩，志存开济，好从方外游。间与罗达夫、唐应德诸公，讲性天之学。值倭寇为患，守土者力不能，公远结少林寺僧，传格斗之法。倭猝犯赭山，公使释孤舟统其徒二百人，薄倭营，纵火前击，败之。俄太仓来乞师，公别募月空等十八僧，选经师天吴为将，战于翁家港，诸僧衣锦袈裟，持杖，口含淀蓝，遇贼以蓝涂面，自地跃起，若倮鬼前搏，倭大惊，以为神，遂大败倭，追及嘉兴之白沙滩，尽歼焉。后迁官留都，道出苏州，卒遇寇杨泾桥，孤军与战，得出，身中流矢，以书报家人曰：'家世死战，唯吾持文墨论议，未尝身将兵。今晚年增一箭瘢，可无憾矣。'盖万氏自武略将军斌战死阿鲁完河，子指挥佥事钟与靖难兵战死花园，孙明威将军武从征交趾，师次檀舍江，陷阵死。武弟文，袭兄爵，守桃渚，有龙夜戏潮，浮水面，遥望两炬光，以为贼火，引强弩射之，应弦落其一炬，不知为龙目也。龙负痛腾跃，文船漂没，人称射龙将军。三世不得裹骨归葬，故鹿园书云然。鹿园子达甫仲章，镇国将军。孙邦孚汝永，都督佥事。皆材兼文武。达甫有《皆非集》。邦孚有《一枝轩稿》。《题江心寺》云：'清磬龙听法，空阶月送潮。'此仲章警句也。"《四库全书总目》著录万表《海寇议》一卷、《万氏家抄济世良方》六卷、《玩鹿亭稿》八卷。《玩鹿亭稿》提要云："万氏世以勋绩显。表独才兼文武，每与唐顺之等讲学。御倭亦有功绩，号为儒将。然其诗文，气格稍弱，故终不能与一时文士角逐词坛。是集凡诗三卷，文六卷，末附录赠答诗启及行状墓志。乃其子达甫所编，其孙邦孚所刻。"《明诗纪事》己签卷十八录其诗二首，陈田按语云："鹿园居士诗如'抱病却嫌辞禄晚，入山犹厌识僧多'，'深村未雨四山暝，樵径无人一鸟鸣'，尤有幽趣。"

**公元1557年（世宗嘉靖三十六年　丁巳）**

## 正月

**王世贞抵青州任。在任行保甲法,群盗屏迹。**王锡爵《太子少保刑部尚书凤洲王公神道碑》云:世贞以哭杨继盛故,"分宜(严嵩)遂大衔公。铨司两推公为督学副使,皆格之。补青州兵备副使。青故多盗。盗之党多游于掾史为耳目,吏莫能问。公至,行保甲法,重悬购资之赏。闾里轻侠少年皆收募为用,群盗屏迹。尝按捕罪人雷龄不得。龄故善捕盗。公心疑吏王尉匿之。一日试使尉诘盗,具得主名。公大喜曰:是何神也,吾得盗媒矣。立召尉,责龄所在。果得龄。有豪徐进道被讼,罪不至死,而进道恃其宗强党与众,阴谋勒兵反。公闻,故缓其狱,令捕盗自效。而进道谋渐解,遂缚之,尽散其党。青人相与手额颂公。"

## 三月

**宿应麟重刊徐阶《少湖先生文集》。**宿应麟为徐阶门人。其《刻少湖先生文集跋》云:"少湖徐老先生文集,予得之南宇高太史氏,拜而读之,皆发前圣之蕴,信其言之载道,而传之可永也。乃重梓之,以与同志者共勉焉。同志之士苟读先生之言而有得,其尚服膺勿失也哉!嘉靖丁巳三月甲子,门下晚学东莱宿应麟谨识。"

## 春

**何良俊(1506—1573)、薛应旂(1500—1570 后)相见于南京,以文相质。**何良俊《薛方山随寓录序》:"丁巳春相见于青溪之上,各出示其所为文,相顾大笑。"《随寓录》另有黄佐序,署"嘉靖己未(1559)仲春既望,泰泉山人黄佐才伯甫撰"。序云:"方山先生薛君仲常既有《文录》行于世矣,厥后视师关中,避寇白下,旋归江左,在处有作,门人弟子则以次校刻,故曰《随寓录》云。"

**宗臣以为文祭杨继盛忤严嵩,由吏部稽勋员外郎外补福建布政司参议。**欧大任《广陵十先生传·宗臣》:"杨太仆继盛论劾严嵩,触上怒,严党罗织成狱,以冤死。臣率诸同舍郎之亢节扶义者,为文以祭之。嵩不悦。丁巳春外补臣福建参议。"王世贞《明中宪大夫福建提刑按察司提学副使方城宗君墓志铭》:"君强敏,于职不废,亦时时佐其长,有所推进。而其好为古文辞日益甚。会李公(李默)与相严交恶见法,而君又尝赙故杨忠愍公,杨亦以纠相严坐论,严恨君甚,几欲用考功令斥之,有救者获免,然亦竟出为福建布政司参议。君取道省太公于金陵,游燕子矶,为文记之。复偕子与(徐中行)游茅山,题诗刻石,愀然长啸,有终焉之志。"杨继盛于 1555 年十月以论劾严嵩被杀。

## 四月

**张珩作《寒村集序》。**《寒村集》,苏志皋诗文集。志皋(1497—1569),字德岷,别号寒村,又号岷峨山人。固安人。嘉靖壬辰进士,历官刑部主事、山西参议、陕西副使、山西按察使、右副都御史等官。有《寒村集》。《寒村集》另有汪来序,"嘉靖丁巳秋"撰。序云："公弱冠能诗文，文皆类秦汉，不作秀才语，诗祖风骚，宗汉魏，尤长于赋，赋《纪行》等篇，可等《长杨》、《上林》诸作。诗二卷，文二卷，《巡抚奏议》十八卷，《译语》、《画跋》、《恒言》各一卷，余皆藏之箧中，独斯集得传刻，因得于少司马家。仆尝知庆阳，昔于公为属吏，故赘数言于后。"序所云"巡抚奏议"以下各书，今已失传。《明诗纪事》戊签卷十八录苏志皋诗四首，陈田按："寒村诗，风调自佳，北平诗人，品在顿鸥汀之次。"顿锐，号鸥汀。郭秉谦有《明通议大夫都察院右副都御史食从二品俸致仕寒村苏公暨配恭人温氏合葬墓志铭》。

## 六月

吕高（1505—1557）卒。李开先《江峰吕提学传》："吕君名高，字山甫，号江峰。镇江山在江上，有峰而高，名与字号，因以类取之耳。其为丹徒人也，自其父宗美，祖经，曾祖昂，以及始祖子实，盖七世矣。……母太宜人邬氏，以弘治乙丑十二月十九日生君。""戊子，年二十四，举应天乡试。次年己丑，举进士，选授户部主事"，"已而改差淮南，监视常盈仓，初以为事闲，可得肆力读书，奈有望客延客之劳，然文事由此日工，文名由此日起。调转兵部武选司主事，值大同戍卒再称乱，敕往辽阳募兵，足以壮观而资用，升任本司员外郎"，"山东提学员缺，余初任文选，即推君以副使往司其事"，甲辰考满，"已而升行太仆之命下，罢官之命继又下矣"，"十余年，极尽林泉之乐，偶感寒疾，汗下之，更不快，不数日遽卒，时则丁巳六月十六日也，寿止五十二。""所著有《湖南训规》，所辑有《校艺录》、《勘定三城录》，其《江峰漫稿》，余将序而刻传于世。"《明诗纪事》戊签卷九录其《暮秋述怀》一首。

杨慎长子同仁卒，时年22岁。杨慎不胜伤心。据李调元所撰杨慎年谱。

## 七月

《闲居集》付刻，李开先作《后序》。《闲居集》为李开先诗文集。序云："中麓子屏居以来，其所著作，词多于文，文多于诗；以啸歌之日多，而诵读之日少，故文不及词，又求文者多，而诗者少，故又诗不及文。然皆随笔随心，不复刻苦，常言常意，无有可传。文词十余册，诗则三四册而已。古人有一句一首得名者，虽三四册亦赘矣。丁巳七夕中麓子再书。"李开先号中麓子。

## 八月

望日，李开先作《六十子诗》诗序。"六十子"依次为：刘玑、马昊、韩福、王九思、康海、李廷机、何瑭、马理、吕柟、陆深、崔铣、顾鼎臣、王廷相、张茂兰、段炅、蔡昂、马汝骥、王教、毛良、崔元、吴仕、张治、沈麟、伦以训、潘潢、童承叙、崔桐、胡侍、林文俊、罗辂、高叔嗣、廖道南、左国玑、姚涞、翁万达、张诗、吕橺、李学诗、左思忠、江以达、岳伦、李宗枢、王廷陈、袁褧、苏清、罗虞臣、皇甫涍、谢少楠、白悦、陈束、袁冕、张应禄、林大钦、左镒、陈节之、田汝耒、冯惟健、杜楠、梁谷、陈篪。序云："予自嘉靖己丑入仕途，幸不见弃于贤士、名臣、骚卿、墨客。虽会有久暂，交有浅深，然其不逆于心，而相期以道者，可但百人。林居细数，半已物故。间有志已伸而功可述者，然不得志者众，而赫然可述者少。五咏八哀，今古同怀，病中不能长诗，各为五言绝句。或举其一事，或概其一生，而叙交情者为多，总之共六十人，而诗数亦如之。"序署"丁巳八月望日中麓子题"。

许相卿（1479—1557）卒。相卿字台仲，海宁人。正德丁丑进士。官至兵科给事中。事迹具《明史》本传。冯皋谟《云村许先生传》谓其终年 79 岁。许闻造《礼科给事中许公相卿行述》谓其嘉靖十七年（1538）60 岁，去世时"八月十日也"。其生卒年据以推定。《明史·艺文志》著录许相卿《革朝志》十卷、《许相卿全集》二十六卷。《四库全书总目》史部正史类存目著录许相卿《史汉方驾》三十五卷，史部杂史类存目二著录许相卿《革朝志》十卷，集部别集类二五著录许相卿《云村文集》十四卷。兹选录诸家评语附后。《静志居诗话》卷十一《许相卿》："云村澹于宦情，居紫云山四十年，风花雪瀑，游屐遍于岩椒，而不一入城市。其卒也，闻人嘉言挽以诗云：'平生城市无双屐，何物荣衰到两眉。'盖实录也。诗取适意，集出其手删，《自序》谓：'弃其脱遗不可读者，存其余可读者。'《自题》绝句云：'云村病老语多嗫，造次诗成杂宋腔。还溯开元论风格，拾遗坛上树旌幢。'由今诵之，诸体亦自清润，不全杂以宋腔也。若'老如旧历浑无用，病恋残灯亦暂明'，此则宋腔之佳者。《霁色》一律云：'霁色林庐晚，愁吟野水湾。断云虹外雨，残日鸟边山。海宇堪流涕，朝班只强颜。独嗟身世拙，早见鬓毛斑。'"《明人诗钞续集》卷七："吾乡崔峰，清节称张黄门靖之，云村来，遂与并重。紫云山故居，尚存流风余韵，迄今过之，令人低徊不忍去。"《四库全书总目》集部别集类二五著录许相卿《云村文集》十四卷，提要曰："是集为相卿所自定，简择颇精。自序谓弃其脱遗不可读者，存其余可读者。其《自题》绝句有曰：'云村病老语多嗫，造次诗成绝宋腔。还溯开元论风格，拾遗坛上树旌幢。'盖自以所学为未足，欲进而求之唐人也。今观其诗，大抵近体居多，五言有大历之调，七言出入于陈师道、陈与义间，可谓自知之审矣。章疏切实，杂文体裁雅洁，亦多有道之言，无明季士大夫求名若渴之习。殆笃实君子欤？其归田后与王子扬书，称时虑更切，不敢以归为幸。乃今传闻日骇，事势日危，旦夕念北，如昔之思南。其惓惓君国之意，视所谓'去国一身轻似叶，高名千古重于山'者，相去盖不啻倍蓰也。"《明诗纪事》戊签卷十三录许相卿诗六首，陈田按："云村以直谏名，乞归后，入西村诗老小瀛洲社。又为孙太初置鹤田，可称好事。诗格不甚高，而人品既超，自无俗韵。"

## 秋

**王世贞编所为诗文为《金虎集》**。据徐朔方《晚明曲家年谱》。《王氏金虎集》自序云："取旧所著撰次而书之，以俟他日删定。凡赋哀一卷、四言古诗一卷、古乐府三卷、五言古三卷、七言古二卷、五言律四卷、七言律三卷、五六七言排律二卷、五六言绝一卷、七言绝一卷、传一卷、序记五卷、志铭行状一卷、书赞诔祭杂著一卷、赤牍三卷，题曰《金虎集》。金虎，西方之精也。于时为秋。余郎官时署治西。其著述咸

在焉。"（《弇州四部稿》卷七十一）

**汪来为苏志皋**（1497—1569）**诗文集《寒村集》作序。《寒村集》已于此前刊行。**据郭秉聪《明通议大夫都察院右副都御史食从二品俸致仕寒村苏公暨配恭人温氏合葬墓志铭》："甲寅（1554）吏部会推，（苏志皋）晋都察院右金都御史，巡抚辽东地方，兼赞理军务。"知《寒村集》刊于1554—1557年间。又张珩《寒村集序》："《寒村集》，寒村苏公所著，其属辽东□□许卿庭元辈得而刻之。"则刊行者为许庭元。

**宗臣赴福建布政司参议任。在任集其五七言近体成集，寄王世贞。**王世贞《徐子与》（《弇州四部稿》卷一一八）："某以残腊辞二尊人。接浙东首，谷日抵青州任。……燕中贵人举旧隙齿颊间，几入窜籍。子相外补矣。又欲削明卿籍，其傅强庇之得免。"则王世贞、宗臣之外补，均出于"燕中贵人"（指严嵩）之意。《艺苑卮言》卷七："吾友宗子相，天姿奇秀，其诗以气为主，务于胜人，间有小瑕及远本色者，弗恤也。……子相自闽中手一编遗余，乃五七言近体，予摘其佳句书之屏间，虽沈侯采王筍之华，皮生推浩然之秀，不是过也。世言古今不相及，殊聩聩，有识者当辨之耳。中联寄赠予者，如'万里蘼芜色，秋风一夜深'，又'一身诗作癖，万事酒相捐'，'枕簟疏秋雨，江山隔暮烟'，又'金山一柱立，沧海万波随'，又'愁来失俯仰，书去畏江湖'，又'屡书心尽折，一字眼堪枯'，又'袖中芳草寒相负，马首梅花春自怜'，'孤角千家沧海戍，故人双鬓蓟门烟'。他作如'开尊销夜烛，听雨长春蔬'，又'尔辈甘云臣，吾生岂陆沉'，又'宦情疏病后，世事得愁先'，又'青山移病远，白雁寄书轻'，又'忽雨新枫橘，如云长蕨薇'，又'江树低从密，溪流曲更分'，又'雨气千江入，秋声万木多'，又'日落中原紫，天高北斗垂'，又'夜立残砧杵，园行久薜萝'，又'江平低雁翼，潮落近渔竿'，又'星河双杵夕，风雨七陵秋'，又'战伐乾坤色，安危将相功'，又'白雪孤调世，黄金巧识人'，又'种橘开新溜，寻芝数落霞'，又'生难看白发，死岂负青山'，又'谁家羌笛吹明月，无数梅花落早春'，又'愁边鸿雁中原去，眼底龙蛇畏路多'，又'冲泥匹马时时立，入座寒云片片孤'，又'绝壁昼开风雨色，断虹秋挂薜萝长'。结句如'登楼知有赋，莫向众人传'，又'浮生同远近，斟酌向鸱鹚'，又'泰陵千古泪，一洒翠华东'，又'吾将付风雨，片片作龙鳞'（赋笋）。又'自知寒色甚，不教怨明珠'，又'蓟门旧侣能相忆，八月双鸿起太湖'，'衣裳岁暮吾将换，好与青山长薜萝'，又'浮生转觉江湖窄，难把衣裳任芰荷'，又'醉来偃蹇三湘里，更是何人《白雪篇》'，又'江门十里垂杨色，莫把时名负钓纶'，精言秀语，高处可掩王、孟，下亦不失钱、刘。"宗臣（1525—1560）字子相。吴国纶（1524—1593）字明卿。

## 十月

**沈炼**（1507—1557）**以忤严嵩被杀。**沈炼字纯甫，号青霞山人。有《青霞集》传世。王世贞《明故锦衣卫经历赠奉议大夫光禄寺少卿青霞沈公墓志铭》：沈炼字纯甫，会稽人。"辛卯（1531）举乡试。又七年（1538）成进士，为溧阳令。其治以搏击豪强卫赤子为急，用忤倨忤御史，得调茌平，以父忧归，服除，补清丰令。愈自刻苦，有惠爱声。故锦衣帅陆炳闻而贤之，请吏部，得公为经历，至则与均礼，不敢以分加公。公愈益发舒，尝从世蕃酒所，世蕃虐所狎客给事，饮非其任，强灌之，公即以灌世蕃，曰：'吾代客酬也。'当寇掠近郊，时都门闭，公急谓陆公：'勿闭门，闭门予敌民矣。'陆公为言于上而许之，所入男女以巨万计。公既谪保安，而属岁大侵，倾橐装作粥粥饥者，收百里内骸，买地而瘗之。其人相率而为祠生祀公。公于诗文援笔立就，奇丽甚，而不能尽削其牢骚愤激之气，往往多楚声，竟以是获祸。其传者十不能一二，人读而怜之。沈公讳炼，字纯甫，别号青霞山人。其死以丁巳之十月十七日，距其生丁卯得年五十有一。""沈公当田保安，仓卒寄妻子广柳车，未有舍，而保安贾某者傍睨公曰：'公非上书请诛严氏人耶？'揖之入，徙家而家沈公，公始有居矣。里长老问知沈公状，咸大喜，助薪粲而遣其子弟来从学。公稍与语忠义大节，则又大喜。而塞外人鸷，争为公署相嵩以快公，公亦大喜，日相与詈嵩父子以为常，至为偶人三，象唐相林甫、宋相桧及相嵩而射之，语稍稍闻，嵩父子衔之切骨，思有以报公。而侍郎杨顺来总督，顺故嵩客也。前大帅某业以选愞避敌，俟其解则纵吏士取死人首，甚者夜徼避兵人僇之以为功。沈公廉得其首主名，贻书诮之，前大帅恚，既得代，即以属顺曰：'是故挠乃公事者。'丁巳（1557）寇大入，破应州堡四十余，顺见以为失事当坐，益纵吏士杀僇避兵人，上首功以自解。而公复廉得其状，贻书诮顺，语加峻，且赋诗及乐府者二。或谓公迁人，非有言责，毋为尔，公怒曰：'吾向者岂亦有言责耶？若视眼在否？而欲盲我！夫杀人而欺其君以要赏，吾誓不与共天。'顺闻益恚，以其私人经历金绍鲁、指挥罗铠走嵩子世蕃所，曰：'是夫也，结死士击剑习射，将以间而取若父子。'世蕃曰：'吾固知之。'即以属巡按御史李凤毛。凤毛谬为谢曰：'有之，窃阴已解散其党矣。'凤毛得代归，迁为光禄少卿。而御史路楷来，楷又嵩客也。世蕃为酒寿楷，而使谓顺曰：'幸为我除吾疡，事成，大者侯，小者卿。'顺则与楷合策捕诸白莲教通敌者，窜公名籍中，以谋叛闻。而前大帅时理兵部，无异，取中旨僇公，籍其家，而予顺一子锦衣千户，楷候选五品卿寺。顺犹怏怏曰：'丞相负我，薄我赏，犹有所不足乎？'谋之楷，取公二子杖杀之，而移檄越，逮公长子诸生襄，至则日掠治，困急且死。会给事中吴君时来上疏论顺、楷误国大罪，上怒，相嵩不及为之地，急下缇骑捕顺、楷，而襄得释。"杨顺本年总督宣大军务。沈炼所著《青霞集》，有茅坤序，撰序时间不详；《行戍稿》有王世贞序，《幻往十记》有李日华序，作序时间不详。《列朝诗集小传》丁集中："纯甫雄于文，下笔辄万言，作《筹边赋》、《吊死战诸将》文，及纪事诸诗，尤愤懑用壮。"《四库全书总目》卷一七二集部别集类二五著录《青霞集》十一卷《年谱》一卷，提要云："其文章劲健有气，诗亦郁勃磊落，肖其为人。以词藻论，虽不及《钤山堂集》之工，然嵩集至使天下不欲读，当时为作集序者如湛若水诸人，至以为文章之玷，而诵炼集者至今肃然起敬。此则流芳遗臭，视所自为，人心是非之公，有不知然而然者矣。""杀生报主意何如"一诗，沈炼作，题为《感怀》。《明诗纪事》录其诗一首。

十一月

**281**

**胡宗宪诱擒海盗王直**（或作汪直），**徐渭预其谋**。《明史纪事本末》卷五十五云："（去年八月），徐海等既死，汪直复纠众三千余人宁波岑港，大掠四境。汪直，徽人也。宗宪亦徽人，乃以金帛厚赂诱之，云：'若降，吾以若为都督，'置海上，通互市，乃迎直母与其子入杭厚抚之。而奏遣生员蒋洲往谕，与之盟……遂诣军门请罪，具言自效状。宗宪待以宾礼，使指挥为其馆主。给舆夫出入，复出蔬米酒肉供馈其舟人，日费数百金，且交质为信。因具状闻，请赦之。科臣王国祯力持不可。疏入，上谓'直元凶不可赦'。宗宪乃密檄按察司收直等斩之……然直虽就诛，而三千人皆直死士，无所归，益恚恨，复大乱。"袁宏道《徐文长传》云："文长自负才略，好奇计，谭兵多中。凡公所以饵汪、徐诸虏者，皆密相议然后行。尝饮一酒楼。有数健儿亦饮其下，不肯留钱。文长密以数字驰公。公立命缚健儿至麾下，皆斩之。一军股栗。有沙门负赀而秽。酒间偶言于公。公后以他事杖杀之。其信任多此类。"

**乔世宁为许宗鲁**（1490—1559）**《少华先生续集》作序**。序曰："诗文各以类定次，凡十五卷，是为续集云。嘉靖丁巳孟冬之吉，嘉议大夫、四川按察司按察使、华原乔世宁撰。"许宗鲁，字伯诚，一字东侯，咸宁人。正德丁丑（1517）进士，改庶吉士。官至都察院右副都御史。有《少华》等集。

## 本年

**王世贞为何景明《何大复集》作序**。见《弇州四部稿》卷六十四。按，此文或有以李（梦阳）、何（景明）关系喻李（攀龙）、王（世贞）关系之意。

**唐顺之起为兵部主事，力邀罗洪先**（1504—1564）**出山，罗婉言谢绝**。徐阶《明故左春坊左赞善兼翰林院修撰赠奉议大夫光禄寺少卿谥文恭念庵罗公墓志铭》："少师分宜公既推毂荆川起家为兵部主事，遂以书致意于公，公对以愿毕志林壑。荆川邀公会齐云岩，将强与偕出，公辞曰：'天下事，为之非甲则乙，某所欲为而未能者，得兄为之，即比自效可也。'罢赞善归（1540年），足未尝入城市，继辟莲花洞作正学堂，读书其间，益与世削迹，然闻民所疾苦，辄蹙额思去之。"《戒庵老人漫笔》卷四《唐中丞》："唐荆川罢官家居，颇自特立，知命之后，渐染指功名，因赵甬江以逢合严介溪，遂得复职，升至淮扬巡抚，殊失初志。乡人以诗吊之：'海门潮涌清淮水，燕塞云埋白羽旄。子美文章空寄世，孔明事业等轻毛。避人焚草宁辞谏，策马先师不惮劳。莫讶今朝归未得，出山何似在山高？'又有《送行》一诗云：'与君廿载卧云林，忽报征书思不禁。登阁固知非昔日，出山终是负初心。青春照眼行应好，黄鸟求朋意独深。默默囊琴且归去，古来流水几知音。'此为越中余师龙溪王公所作。"《静志居诗话》卷十二："荆川开济之才，闳揽百家，靡不融会，毅然自任天下之重。倭人构患，志在捍牧圉以保乡曲。是时督师之权，惟甬江、梅林是寄，公舍当局二人，谁可与谈方略者？顾不知者，以公为甬江所荐，介溪所知，因此薄公。岂惟昧于知人，并不识时务者矣。其建平倭之策，谓当御之海外。故北自崇明，南至蛟门，乘桴破浪，身作先锋，积劳而殒。是岂专驰骛于功名者邪？襄文之谥，允符公论也已。公初与遵岩论文，两不相下，既乃舍所学从之。窃怪集中五言古诗特少，殆退舍以避遵岩也。至于律诗，质不伤文，丽而有体。”

顾名儒为田汝成《行边纪闻》作序。严嵩为孙堪等《忠烈编》作序。据四库提要。

**乔世宁**（1503—1563）撰《耀州志》。《千顷堂书目》卷六：“乔世宁《耀州志》十一卷（嘉靖三十六年修）。”

**徐中行**（1517—1578）擢为临汀太守，防倭之责甚重。徐献忠《龙湾徐先生出守临汀序》：“龙溪徐先生既恤刑南省之明年，为岁丁巳，擢为临汀守。方是倭夷寇海上，实始于漳泉负贩之豪，江淮以南被其祸者，殆千余里，士大夫积苦兵间，未有宁息。天子悯念闽中诸郡恐或骚动，乃命铨部慎选良守牧镇拊其民。而临汀与潮赣接壤，时有门庭之寇，尤为要地，乃属之先生。先生吴兴文学士也，而有长者之德。”李攀龙曾致函徐中行（《与徐子与》），嘉其诗艺大进。

**潘恩**任刑部右侍郎。**张瀚**任都御史。**林廷机**任国子祭酒。据王世贞《弇山堂别集》。

**董应举**（1557—1639 年后）生。应举字崇相，闽人。万历戊戌（1598）进士，除广州教授。迁南国子博士，就迁吏部主事，改北，历员外、郎中，迁南大理丞。历太常少卿、太仆卿，迁右副都御史，进工部侍郎。有《董崇相集》。

## 公元 1558 年（世宗嘉靖三十七年　戊午）

### 正月

**方显**刊行刘绘（1505—1564）诗集《玄湖先生春咏集》，并作刻序。刻序云：“甲寅（1554）以来，遇春和多偕客携壶郊游，行三五十里，朝出暮归，笑谈尽日，抚景纾怀，间发歌诗，显及同门辑录成帙，盖十之二三也。谋之长公玄子，手书锓梓以传，题为《嵩阳先生春咏集》。……嘉靖三十七年，岁在戊午孟春谷旦，门人方显撰。”刘绘，号玄湖先生。《列朝诗集小传》丁集有传。喻时《嵩阳集序》作于今年六月。《嵩阳集》，刘绘撰。

### 三月

**唐顺之**赴南京职方员外郎任。未几升协司郎中。赵时春《明督抚凤阳等处都察院右金都御史荆川唐先生墓志铭》：“荆川唐先生字应德，讳须之。……庚戌（1550），迁职方郎中。”唐顺之《祭有怀府君文》：“丧期内外，两承朝命，臣子之义，不敢逡巡，谨于三月间赴京。”《列朝诗集小传》丁集上：“甲寅（1554），倭寇蹒东南，用赵文华荐，起职方郎中，巡视蓟镇。”

**皇甫冲**（1490—1558）卒。皇甫汸《华阳长公行状》：“公讳冲，字子浚……号华阳山人。……丁巳（1557），忽寝瘵，赖刀圭延息。……越明春杪，偶灌园，觉腹痛，如厕，足委顿不支，疾作竟卒。……时嘉靖戊午三月丁丑也，距生弘治庚戌正月乙丑，年六十有九。”“庚戌（1550）归，悔其再误，因号不庵叟，而揭铭座右，杜门著书，湛思味道，若将终身焉。……乃溯风雅之源，究作者之意，删辑所为词赋诗歌四十卷，序记传志杂文二十卷，总曰《华阳集》，而编目先行。武宗即位（1505），政法凌迟，撰《绪言》及《申法》。车驾南征（1519），撰《己庚小志》。睹《靖难录》，撰《壬午刑赏志》。思广左氏，摘奇撰《纂言》。今上继统（1521），崇尚文德，撰《周易大传疏》。余领曲周，恐不习为吏，撰《政准》。大同之变，撰《几策》。幼好谈兵，撰《兵统》。辑经子要语、诸史法行，撰《左测》、《右测》。晚年闻见日益，撰《因子》。因记边兵犯阙，京邑骚动，撰《靖边经》。海寇突起，当事无策，撰《枕戈杂言》。世系攸邈，闵其涸索，撰《家谱》。凡七十余卷，数十万言，而《北游》、《游虞》、《还山》、《倦游》诸集，别行于世云。大较穷愁孤愤，抚骚拟玄，词丽指眇，使人不能加也。"《静志居诗话》卷十三："四皇甫诗，源出中唐，兼取材于潘、左、江、鲍，清音亮节，净扫氛埃。高苏门、华鸿山、杨梦山而外，无有及之者。《送刘朝甫还吴》云：'同游心事已成非，忍向都亭复送归。二月浑河水尚合，三春禁柳色犹微。旧来道路愁能记，此去音书忆到稀。极目轻舟云水上，别君那得不沾衣。'"《明诗别裁集》卷七："吴中诗品，自高季迪、徐昌谷后，应推皇甫兄弟，以造诣古澹，无一点秾纤之习。时二黄三张，空存名目耳。"《明诗纪事》戊签卷五录皇甫冲诗八首，陈田按："子浚诗五言与诸弟合辙，歌行独得变风变雅遗意。子浚《舟中读杨兵部疏》诗云：'谁读杨公疏，闻之感慨生。无从得借剑，空使欲沾缨。填狱人谁惜？投沙已独清。须知直臣志，九死一毛轻。'吊椒山之死，义愤勃发。乃弟《司勋集》中《寿介溪序》、《谢严相公分惠大官攒品》、《谒钤麓书院》、《严公解相还豫章追送松陵》诸诗，过于放翁之赋《南园》。在山出山之咏，能不于兹三叹！""乃弟"谓皇甫汸。官至云南按察佥事。有《司勋集》等。

### 春

海瑞擢浙江淳安县知县。五月初到任。至嘉靖四十一年十一月，在淳安任。据王国宪《海瑞年谱》。

### 四月

徐渭作《代初进白牝鹿表》。代胡宗宪作。时徐渭已入胡宗宪幕。《松窗梦语》卷五："浙直总制胡宗宪进仙芝一、玉龟二，谓产自天目，芝生其上，龟潜于下，亦得温旨。后龟死其一，世宗作一联云：'玉恩降世增余寿，龟使升霄显尔灵。'仍命工部以杉为秘器，与白兔同葬。后宗宪复进白鹿二，上表云：'皇上凝神沕穆，抱性清真。德迈羲皇之上，龄齐天地之长。乃致仙鹿，遥呈海峤。奇毛洒雪，岛中银浪增辉；妙体抟冰，天上瑶星应瑞。千载余而色白，七星戴而道成。曜质名都，呈祥瑞世。缟质霜毛，变林虞之兽族；殊资驯性，光云缟之龙媒。实表寿征，名章天鹿。呦呦当宴，混玉佩以齐鸣；皎皎来游，共瑶章而一色。'表语精工，一时称最。由是臣下各进表文，赞颂功德，不可胜计矣。"《万历野获编》卷十《四六》云："四六虽骈偶余习，然自是宇宙间一种文字。今取宋人所构读之，其组织之工，引用之巧，令人击节起舞。本朝既废词赋，此道亦置不讲。惟世宗奉玄，一时撰文诸大臣，竭精力为之，如严分宜、徐华亭、李余姚，召募海内名士几遍，争新斗巧，几三十年，其中岂少抽秘骋妍可垂后世者。惜乎鼎成以后，概讳不言。然戊辰庶常诸君尚沿余习，以故陈玉垒、王对南、于谷峰辈，犹以四六擅名，此后遂绝响矣。又嘉靖间倭事旁午，而主上酷喜祥瑞。胡梅林总制南方，每报捷献瑞，辄为四六表，以博天颜一启。上又留心文字，凡俪语奇丽处，皆以御笔点出，别令小臣录为一册。以故东南才士，荐绅则田汝成、茅坤辈，诸生则徐渭等，咸集幕下，不减罗隐之于钱镠。此后大帅军中，亦绝无此风矣。"陶望龄《徐文长传》云："胡少保宗宪总督浙江。或荐渭善古文词者，招致幕府，管书记。时方获白鹿海上，表以献。表成，召渭视之，渭览罢，瞠视不答。胡公曰：生有不足耶？试为之。退具稿进。公故豪武，不甚能别识，乃写为两函。戒使者以视所善诸学士董公份等，谓孰优者即上之。至都，诸学士见之，果赏渭作。表进，上大嘉悦。其文旬月间遍诵人口。公以是始重渭。宠礼独甚……渭性通脱，多与群少年昵饮市肆。幕中有急需，召渭不得。夜深，开戟门以待之。侦者得状，报曰：徐秀才方大醉嚎嚣，不可致也。公闻，反称甚善。时督府势严重，文武将吏庭见，惧诛责，无敢仰者。而渭戴敝乌巾，衣白布瀚衣，直闯门入，示无忌讳。公常优容之。而渭亦矫节自好，无所顾请。然性豪恣，间或藉气势以酬所不快。人亦畏而怨焉。"

杨铎为施峻（1505—1561）《琏川七言律诗百首》作小序。序署"嘉靖戊午四月望日"。李敏德序署"嘉靖乙未（1559）六月朔"，序云："琏川施先生少负异才，即能为盛唐诗。暨乙未登进士第，历官南北省，得益肆力，凡诸家体裁，罔不备极。自青州挂冠归，遂妙悟上乘。嘉靖戊午（1558），稿已充栋矣，乃先梓七言近体百首以传。"

## 五月

文徵明为梁辰鱼《鹿城集》作序。序云："伯龙今将游帝都，携此编以交天下士。则天下之士接其人，玩其词者，人人知有伯龙矣，又何以序为？虽然，以一书生，南游会稽，探禹穴，历永嘉、括苍诸名山而还，既又溯荆巫，上九疑，泛洞庭、彭蠡，登黄鹤楼，观庐山瀑布，寻赤壁周郎遗迹，篇中历历可见。伯龙又云：余此行，非专为毕吾明经事也。盖远追子长芳轨，欲北走燕云，东游海岱，西历山陕，览观天下之大形胜，与天下豪杰士上下其议论，驰骋其文辞，以一吐胸中奇耳。"末署"嘉靖戊午中夏既望衡山文徵明序"。梁辰鱼（1521—1594）字伯龙。

冯惟讷辑《诗纪》，历十四年之久，终于竣稿。张四维为作《诗纪序》。另有甄敬序、王世贞序、汪道昆序。甄序作于嘉靖庚申（1560）孟春，汪序作年不详。王序系为万历间重刊本作。序云："嘉靖中，故光禄卿北海冯惟讷氏，集古诗诸《三百篇》之所逸而不载，以至孔子没而逮秦者凡十卷，汉十卷，魏九卷，吴一卷，晋二十卷，自是而南宋十一卷，齐八卷，梁三十四卷，陈八卷，北则魏一卷，齐二卷，周八卷，复合而为隋十卷，又外集四卷，则仙真神鬼之什焉。人各叙其略，与诗之所由作矣。已又采昔人之所统论及品藻杂解辨证，而复志其遗凡十二卷，合之而名之曰《诗纪》，共得百五十一卷。惟讷竭生平之精力为此书，书成，而御史甄敬刻之陕西行台。其刻既不能精，又无为之校订者，豕鱼之误相属，盖至万历中，而古郿吴琯氏与其乡人谢陛氏、江都陆弼氏、吴郡俞策氏相与雠校而复刻之金陵。大约吴氏居其资，而谢氏、陆氏、俞氏居其力，其书遂完好无遗憾，属不佞贞序之。"《四库全书总目》集部总集类著录《古诗纪》一百五十六卷，提要云："明冯惟讷撰。惟讷字汝言，临朐人。嘉靖戊戌进士。官至江西左布政使，加光禄寺卿致仕。事迹附见《明史》冯琦传。其书前集十卷，皆古逸诗。正集一百三十卷，则汉、魏以下，陈、隋以前之诗。外集四卷，附录仙鬼之诗。别集十二卷，则前人论诗之语也。时代绵长，采摭繁富，其中真伪错杂，以及牴牾舛漏，所不能无。故冯舒作《诗纪匡谬》以纠其失。然上薄古初，下迄六代，有韵之作，无不兼收，溯诗家之渊源者，不能外是书而别求。固亦采珠之沧海，伐木之邓林也。厥后臧懋循《古诗所》、张之象《古诗类苑》、梅鼎祚《八代诗乘》，相继而出，总以是书为蓝本。然懋循书虽称补此书之阙，而捃拾繁猥，珠砾混淆，又割裂分体，不以时代为次，使阅者茫不得正变之源流。之象书又以题编次，竟作类书。鼎祚书仅汉、魏全录，晋、宋以下皆从删节，已非完备之观，而汉、魏诗中如所增苏武妻诗之类，又深为艺林之笑噱。故至今惟惟讷此编为诗家圭臬。初，太原甄敬为刊版于陕西，一依惟讷原次，而剞劂甚拙，复间有舛讹。此本为吴琯等重刊，虽去其前集、正集、外集、别集之名，合并为一百五十六卷，而次第悉如其旧，校雠亦较甄本为详。故今从吴本录之。惟讷别有《风雅广逸》十卷，核其所载，即此编之前集。盖初辑古逸诸篇，先刊别行，后乃续成汉、魏以下，并为一编，实非有二。今特别存其目，而其书则不复录焉。"

## 六月

**王世贞作《艺苑卮言自叙》。** 时已完成《艺苑卮言》初稿。叙云："（去年）既承乏，东晤于鳞济上。思有所扬扢，成一家言。属有军事未果。会偕使者按东牟，牍殊简。以暑谢吏杜门，无赍书足读，乃取掌大薄蹄，有得辄笔之，投篚箱中。浃月，篚箱几满。已，淮海飞羽至，弃之。昼夜奔命，卒卒亡所记。又明年（1558年），复至东牟。篚箱者宛然尘土间。出之，稍为之次而录之。合六卷。凡论诗者十之七，文十之三。"叙署"戊午六月"。按，此书后续有增补。第一次在嘉靖四十四年，第二次在隆庆六年。

## 夏

**倭犯福州，宗臣守西门，纳乡人避难者万人，与主事者共击退来犯之贼。** 欧大任《广陵十先生传·宗臣》："戊午夏，倭夷直犯福州，城中嗷嗷，都御史阮鹗被逮已去，三司大夫日议守城事。臣监西门，西门者，芋原横塘南台之所取道也。先是，有司悉部勒诸父老子弟守陴，臣登西陴，则罢诸贫者疾者幼而懦者，留其壮，与之约曰：'昼则家，夜则陴，击柝鸣铙而悬火陴睨上，不如约者以军法从事。'会报寇至，六门咸闭矣，而城外人数十万大呼祈入。臣开西门坐，诘而入之。复为檄召城外百里所蓄薪谷悉徙之城中，不徙者纵兵焚之，而壮夫有不肩薪谷而入吾西门者，不得入。于是城外薪谷入城者日以万计。议者谓城边有树，恐寇至登树窥我，民庐逼城者恐贼至焚之，以攻吾门。于是护戎者持斧环城伐树六门外，辄焚城下民庐，烟㶳㶳起。臣独止西门不焚庐，不伐树。时又议毁城上屋以便击寇，臣笑曰：'兵不能雄之行间，而雄之屋上哉！且雨浸城外，奈何？'遂止不毁。寇攻西门急，臣袖中出俸金，多制火药，寇被伤者千余，咬指戒不敢犯西门。未几寇犯兴泉，而先寇镇东者尚屯海上，适臣所部兵二千人自外郡入援，而督府王□□驰至，则檄兵数千连数十舰要击之，弩砲乱发，擒斩俘获，无一东还者，沉贼舲数十于海中。捷至，臣悉罢诸守陴之卒与外兵入援者，始归署中餐沐也。"王世贞《故福建按察司副使宗君子相祠碑》专叙此事。宗臣于己未（1559）春升按察副使。

**谢榛偕浙江莫子明游嵩山少林，得"飞泉漏河汉"之句。**《诗家直说》卷三："嘉靖戊午岁夏日，予偕浙江莫子明游嵩山少林，及至芦岩，观泉奔流界壁，泠然洒心，因得'飞泉漏河汉'之句。子明曰：'此全袭太白"飞流直下三千尺，疑是银河落九天"，略无点化。'予曰：'约繁为简，乃方士缩银法也。'附诗云：'才探二室胜，又过一禅家。净爱莓苔色，香怜蒼卜花。飞泉漏河汉，叠嶂拥烟霞。心自有天竺，西方行路赊。'"莫子明，号左江，浙东人。秀才。谢榛有《宿少林寺同莫、陈二秀才》、《游嵩山同莫子明》、《寄莫左江茂才》诗。

## 七月

**唐顺之奉敕往核蓟镇兵额，九月还奏，谓蓟镇兵员不足，羸老不任战，总督王忬、总兵欧阳安、巡抚都御史马佩等贬秩。**据马美信《唐宋派文学活动年表》。李慈铭《越缦堂读书记》："阅《荆川文集》。荆川为人，王弇州极诋之，至谓其父民应之死，由荆川谮于分宜所致。野史中遂有谓王氏兄弟于荆川为不共之仇，其卒于泰州舟中，乃王氏兄弟所鸩，此固无稽。而荆川晚出从戎，骤膺节钺，则人多议之。然荆川立身自有本末，其官翰林而忤时两黜，直声炳然，盖亦负气之士，思欲自见于天下。既久不用，则遁而讲学以自高，一旦得效尺寸之地，遂攘袂而起，力疾驰驱，经营海上，指臂不应，尽瘁以殁，此其遇亦可悲而心亦良苦矣。是时当国者严分宜，视师者赵文华，凶德参会。荆川方思自效，不得不委蛇其间，形迹疑似，易生嫌谤。观其集中有《与赵甬江司空书》，力辞其修葺先墓，则亦皭然不滓。《与杨椒山书》推以豪杰，而劝其含蓄沉几，少养其锐，其相爱亦甚挚。《答曾石塘总制书》亦极致推许，而微劝止其河套之役。（目录中又有答夏桂州相公书，而无其文。）与胡宗宪素相善，又共事行间，而集中有与胡梅林总督十三书，皆惓惓兵事，未尝及私。其与白伯仑仪部书，有云三十余年中第一老翁，偶得一淮扬都堂，世间便有许多摇撼，其牢骚不平之气，溢于言外。而今之论者，尚讥其媚权躁进，或谓其轻出无功，徒累晚节，皆责备过甚者也。惟荆川本文士近名之流，而自谓悟道，妄思以讲学名，遂过为高论，唾弃一切，此固文人之通病，而荆川尤为其拙者欤？七月二十二日。"按，唐顺之往核蓟镇兵额期间，数致函严嵩父子，汇报相关情形，此事在当时即颇受非议。皇甫汸致顺之子鹤征书云："承惠《使集》二册（指《南北奉使集》）……其上宰相及司空书，窃有惑焉。宰相书如云：'临行时奉尊教，所传言王总督已一一致之'，又云'王总督相去已远，容更托人转达尊教'。司空书云：'向会思质，已道尊意矣。昨承教示，容更转达也'，又云'思

287

质处，亦以尊意寄示之矣'。夫人臣义无私交，奉使出疆，便宜从事，自我专之，虽君命有所不受，何得以宰相之意致总督乎？况总督者，即令先君所勘失事人也。其是与非，当独断于心，其功与罪，可反复于宰相，岂应有意示之？而勘官又岂应唯唯奉之？夫宰相当国，或有帷幄之筹，密勿之议，所言公，宜公言之。若以天子之怒激发总督，令其省愆改过，为总督良善矣。如漏泄省中何，殆非忠也。至司空者，彼何人哉，不过挟君父之威，恐赫臣下，欲其重赂以逞己私耳。"（《皇甫司勋集》卷四十八《与唐子书》）唐顺之致严嵩书，见《荆川先生文集》卷八，致严世蕃书，集中未存。明年三月，唐顺之升太仆寺少卿。

## 八月

**董份、高拱等任乡试主考。**《弇山堂别集》卷八十三《科试考三》："戊午，太常太卿兼翰林院学士董份、侍读高拱主顺天试。翰林院侍读瞿景淳、陈升主应天试。"

## 十一月

**冯琦（1558—1603）生。**冯琦字用韫，临朐人，万历丁丑进士，改庶吉士，授编修，历侍讲、右谕德、右庶子、少詹事，升吏部侍郎，卒，赠吏部尚书，谥文敏。有《北海集》。

## 十二月

**顾梦圭（1500—1559）卒。**（卒年据公历标注）归有光《中奉大夫江西右布政使致仕雍里顾公权厝志》云："公讳梦圭，字武祥，世居昆山之雍里，故以为号。……公始入仕，年尚少，授刑部浙江司主事，改南京吏部稽勋司主事，迁验封司郎中。会诏下求言，公上疏言六事，皆时政之要，而罢去中官镇守，当世施行焉。高陵吕仲木、吉水邹谦之皆海内名流，同在郎署。一日会饮，吕公撷梅花谓公曰：'武祥如此花矣。'其见推重如此。尝与吕公泛舟清溪，公亦忻然自以为得焉。擢广东布政司参议，行部至遂溪，道喝，县令跪献茶瓜，公知令贪，不受，竟劾去之。……寻迁江西左参议。丁外艰，服除，升山东按察司副使，改提学河南……升福建布政司左参政……擢本省按察使，升江西右布政使。行至建宁病作，上疏恳乞致仕，得俞旨。……以年少登科，爱嗜文学，宜在清华之地，而久滞外省，非其所乐。尝语所亲曰：'北河棹船者，邪许之声曰腰弯折，此今人以喻两司官者也。'其不能无望如此。虽位崇岳牧，以强年解组，优游林麓，有子又皆才俊，能绍其业，人望之以为不可及，然竟默默不自得以亡。呜呼！世之能成其志者，盖少矣。其所遭际，何可一概而论也，如公者岂不悲哉！公卒于嘉靖三十七年十二月二十三日，年五十有九。"（《震川先生集》卷之二十二）潘恩《江西右布政使雍里顾公墓志铭》："归田十五年，屏迹不见达官，非公事不入郡县之庭，亲朋以游宴招者，辞不赴。日楗户坐一斋中，取所读经史及濂洛关闽诸儒书深味其旨，时有新得，则疾书简编。或夜分忘寝，见诸子学习古文词，则谕之曰：'文速韩柳，诗逮李杜，亦文士诗人耳，不有所谓身心之学，得之则为圣为贤者乎？'又曰：
'程氏有言，不学便老而衰。少时漫读之，今信然矣。'为文一主于理，不求研字句。
为诗格韵逼古，亦非模拟得之。平生著述，绎经传之旨，则《就正篇》，纪当代事有
《迩言》，持宪恤刑有《服念录》，其他《海北》、《齐梁》、《武平》、《还山》等稿各若
干卷，藏于家。"《静志居诗话》卷十一："武祥清约自居，有同寒素。当参议粤藩，赋
诗云：'夏月行部至雷州，思制一葛且复休。冬月行部至廉州，思制一裘且复休。故衣
虽穿尚可补，秋毫扰民民亦苦。'胡威之清，何以过此。吕仲木撷梅花赠之曰：'武祥
如此花矣。'闻者以为美谭。"

## 本年

陕西按察司提学副使李攀龙辞官东归，构白雪楼于华不注、鲍山之间，日以觞咏
为事。王世贞《李于鳞先生传》："寻擢陕西按察副使，视其学政。……亡何，其乡人
殷中丞（殷学）来督抚，以檄致于鳞，使属文，于鳞不怿曰：'副使而属视学政，非而
属也，且文可檄致耶？'会其地多震动，念太恭人老，家居，遂上疏乞骸骨，拂衣东
归。吏部才于鳞而欲留之，度已发，无可奈何，为特请予告。故事：外臣无予告者。
仅于鳞与何仲默二人耳。于鳞归，则构一楼田居，东眺华不注，西揖鲍山，曰：'它无
所溷吾目也。'绣衣直指、郡国二千石，干旄屏息巷左，纳履错于户，奈于鳞高枕何？
去亦毋所报谢。以是得简贵声。而二三友人，独殷（殷士儋）、许（许邦才）过从靡
间。时徐中行亦罢官家居，坐客恒满。二人闻之，交相快也。于鳞乃差次古乐府拟之，
又为录别诸篇及它文，益工，不胫而走四裔。然居恒邑邑，思一当世贞兄弟，曰：'大
儿孔文举，小儿杨德祖，吾其季孟间哉！'而世贞则挹损不敢以雁行进也。"殷学，山
东东阿人。据《明督抚年表》，殷学于嘉靖三十六年三月至陕西巡抚任，三十八年四月
去职。殷士儋《墓志铭》：丙辰（1556）"擢陕西按察司提学副使。……于鳞为人素赢
顿，不习西土。西土当地裂后，犹时时动摇数，心悸，又念太恭人独家居，遂乞骸骨
归。故事：仕在外者无以病告，即乞身，罢耳，不复叙。时铨部怜公才，特取旨予告，
疾已且复叙。异日独何仲默视此，以方于鳞，实异数也。归构一楼于华不注、鲍山之
间，曰白雪楼。于鳞为人高亢，有合己者，引对累日不倦，即不合，辄戒门绝，造请
数四，终不幸一见之。既而于鳞亦不自驾修请谢也。其楼居时，余方在告家居，独殷
卿（许邦才）及余时往来觞咏其间，他曾不得一当于鳞。"《明三十家诗选》："《西山
日记》曰：李于鳞解组后，构白雪楼。楼三层，最上其吟咏处；中以居一爱姬；最下
延客。四面环山水，有来谒者先请投其所作诗，许可方以小艇渡之。否则遥语曰：'丞
归读书，不烦枉驾也。'"《明诗纪事》己签卷一录李攀龙《酬李东昌写寄白雪楼》诗，
诗序曰："楼在济南郡东三十里许鲍城，前望太麓，西北眺华不注诸山，大河、清河交
络其下，左瞰长白、平陵之野，海气所际，每一登临，郁为胜观。东昌李使君子未，
以读《白雪楼集》于广川马中丞家，咄然壮之，归为图以寄。而攀龙赠焉如此。"诗
云："诗名东郡沈隐侯，那复擅奇顾虎头。江湖槃薄有能事，画我山中白雪楼。推毫已
惊海色立，无乃兼驱蛟蜃游。须臾百里岱阴合，咫尺疑闻清河流。华不注山得非雨，

平陵山西胡独秋？松风似欲卷绢起，良久看云失去留。丹青快意痴如此，丘壑过人老即休。使君实解郢中调，为尔深知宋玉愁。"陈田引《香祖笔记》曰："李按察攀龙白雪楼，初在韩仓店，所谓'西揖华不注，东挹鲍山'者。后改作于百花洲，在王府后、碧霞宫西，许长史诗所谓'湖上楼'也。今趵突泉东有白雪楼，乃后人所建，以寓仰止之意，非旧迹也。"《明诗纪事》己签卷一陈田按："于鳞七律、七绝，格韵、风调，不愧唐人，惟负气量狭，射洪谢中丞选明诗，吴明卿以诗寄中丞，不由于鳞介绍，遂疑其有外交而欲绝之。明卿婉转自诉，始得免。与谢茂秦论诗不合，戏作《绝交书》，极力诋排。晚年高坐白雪楼，取古乐府一一比拟，遂欲凌驾古人，卒贻后来口实，非矜气之过乎？"

**刑部主事张翀（1525—1579）与吴时来、董传策同日疏劾大学士严嵩，逮下诏狱拷讯，谪戍贵州都匀。**《明史》吴时来传："翀及时来皆徐阶门生，传策则阶邑子，时来又官松江，于是嵩疑阶主使"，因密请究主使者，下诏狱穷治，三人终不承，帝乃不问而慰留嵩，然渐亲徐阶。按，三人同日谪戍烟瘴，后穆宗即位，又同时复官。而三人行品，各有不同。时来晚节不坚，委蛇执政间，卒后且遭夺谥。传策涉受贿，又绳下过急，竟为家奴所杀。独张翀出处分明，始终一节，为公论所重。《国朝献征录》卷四七载郭裴撰《刑部侍郎张公翀传略》，谓翀著"《鹤楼集》十二卷，传于时"。《明诗综》卷四十四录张翀诗三首，俱见《鹤楼集》卷五，而略有改动。

**张九一以宗臣介绍，与王世贞定交。时张九一为吏部郎。**过庭训《张九一传》："张九一（1533—1598）字助甫，新蔡人，嘉靖癸丑（1553）进士，授黄梅令，以治最擢吏部验封司主事。是时李于鳞、王元美、吴明卿诸君方结社谈艺，九一游处其间，睥睨一世。"《明诗纪事》己签卷三录张九一诗十八首，陈田按："助甫之得交元美，以宗子相为介绍，子相与元美书云：'上蔡张九一其人大奇，昨读我《古剑》、《二华篇》，遂作数十奇语，令人留目。鄙人《湖上杂言》，张君乃能为我和之，寄览为渠作赞。'助甫能作奇语，与子相略同，古体不及子相，近体秀拔流逸，乃复过之。"

**翰林院孔目何良俊（1506—1573）致仕，诸友朋以诗赠行。**《四友斋丛说》卷二十六："余友朱射陂（曰藩）最工诗。但平生所慕向者，刘南坦、杨升庵二人，故喜用僻事，时作险怪语。余戊午年致仕，南都诸公押衡山莺字韵诗见赠，射陂后一联云：'烟灌野阴滋畎蕙，宫城曙月响山莺。'其前一句余不能解，盖有所本，必非杜撰语，但余偶不能省耳。终是欠妥。其七言律之学温李者，可称入律。莺字韵诗，独许石城一联云：'买得曲池堪斗鸭，种成芳树好藏莺。'殊有雅思。"何良俊字元朗，华亭人。嘉靖中官翰林院孔目。《明史·文苑传》附见文徵明传中。《四库全书总目》著录作《四友斋丛说》三十八卷、《何氏语林》三十卷、《世说新语补》四卷、《何翰林集》二十二卷。许谷字仲贻，上元人。嘉靖乙未进士。官至尚宝司卿。《四库全书总目》卷一七七集部别集类存目著录其《省中稿》二卷、《二台稿》二卷、《归田稿》十卷。

**朱曰藩（1501—1561）在南礼部主客郎中任，与留都人士诗酒往还，蔚然称盛。**《列朝诗集小传》丁集上《朱九江曰藩》："曰藩字子价，宝应人。按察使应登字升之之子也。幼而博学攻诗，父友顾华玉称赏不已。年四十四，举嘉靖甲辰进士，知乌程县。刘元瑞免大司空，结社岘山，子价往从之游。幅巾布衣，壶觞啸咏，人不知其为邑宰也。历南京刑、兵二部，转礼部主客郎中。留都事简，闭户读书，词翰倾动海内。居三年，出知九江府，有惠政。辛酉景王之国，病惫，犹从卧榻上调度，以是秋卒于官。囊无余赀，文编充溢，有《山带阁集》三十卷。当李、何崛起之日，南京文士与相应和者，昌谷、华玉、升之三人，而升之尤为献吉所推许。子价承袭家学，深知拆洗活剥之病，于时流波靡之外，另出手眼。其为诗，取材《文选》、乐府，出入六朝、初唐，风华映带，轻俊自赏，宁失之佻达浅易，而不以割剽为能事。其于升之，可谓诤子矣。杨用修评定其诗，得七十四首，比于唐人箧中之集，其为序，极言近世蹈袭之弊，而深许子价之诗，以为异于世之学杜者，则用修、子价之诗，其流派别于献吉，从可知矣。嘉靖戊午、己未间，子价在南主客，何元朗在翰林，金在衡、陈九皋、黄淳甫、张幼于皆侨寓金陵，留都人士金子坤、盛仲交之徒，相与选胜征歌，命觞染翰，词藻流传，蔚然盛事，六朝之佳丽，与江左之风流，山川文采，互相映发，不及百年，荡为禾黍。西京之欢娱，东都之燕喜，邈然不可以再睹矣！录子价诗，冠于金陵诸贤之首，不能不为之一叹云。"

徐渭、王骥德比邻而居，时徐渭三十八岁，王骥德十七岁。据徐朔方《晚明曲家年谱》。王骥德《曲律》卷四《杂论》第三十九下云："（徐渭）先生居与余仅隔一垣。作（《四声猿》）时每了一剧，辄呼过斋头，朗歌一过，津津意得。余拈所警绝以复，则举大白以醻，赏为知音。中《月明度柳翠》一剧系先生早年之笔，《木兰》、《祢衡》得之新创，而《女状元》则命余更觅一事，以足四声之数。余举杨用修所称《黄崇嘏春桃记》为对，先生遂以春桃名嘏。"

陈文烛得汪道昆赏识。时汪道昆任襄阳知府。汪道昆《五岳山人后集序》："岁戊午，不佞以楚守吏预楚宾兴，幸得遍观楚材，乃大奇玉叔。"陈文烛，字玉叔，号五岳山人。（黄省曾亦号五岳山人）

胡缵宗（字孝思）以作诗被王联讦告，下锦衣狱，寻得释。其事当在今年。《艺苑卮言》卷七："胡孝思尝为吾吴郡守，才敏风流，前后罕俪。公暇多游行湖山园亭间，从诸名士，一觞一咏，题墨淋漓，遍于壁石。后迁御史中丞，抚河南，肃皇幸楚，为一律纪事云：'闻道銮舆晓渡河，岳云缥缈护晴珂。千官玉帛嵩呼盛，万国衣冠《禹贡》多。锁钥北门留统制，睿聪南极扈羲和。穆天八骏空飞电，湘竹英皇泪不磨。'刻之石。后以他事坐罢家居者数载矣。尝扑一贪令王联，其人为户部主事，以不职免，杀人下狱当死。乃指'穆天'、'湘竹'为怨望咒诅，而所由成狱，及生平睚眦，皆指为孝思奸党。奏上，上大怒，悉捕下狱，欲论死。分宜相、陶真人力救解，久之，乃罢免，犹摘杖孝思三十。当是时，孝思将八十矣，了不怖慑，取锦衣狱中柱械之类八，曰制狱八景，为诗纪之。众争咎孝思，掣其笔曰：'君正坐诗至此耳，尚何吾伊为？'孝思澹然咏不辍，曰：'坐诗当死，今不坐诗，得免死耶？'出狱时，谢茂秦贻之诗，有云：'白首全生逢圣主，青山何意见骚人？'孝思方病杖创甚，呻吟间，犹口占以谢。人谓孝思意气差胜苏长公，才不及耳。"

郭世霖撰《使琉球录》。据四库提要。

鄢懋卿任都察院右副都御史。据王世贞《弇山堂别集》。

陕西雩县民王金献仙应万年芝一座，以祝圣寿。《万历野获编》卷二十九《献芝》：

"嘉靖中叶以后，大小臣工进白鹿、白兔、白雁者固多，而后乃以芝草为重，下至细民亦竞上献。如三十七年，陕西零县民王金，进芝山一座，聚芝一百八十一本，曰仙应万年芝，以祝圣寿。其间径一尺八寸者凡数本。上悦，赍以金帛。是年冬，礼部类奏四方所进芝一千八百四本，诏犹以径尺上者尚少，命广求以进。于是命辅臣严嵩、李本等炼以为药。且诏次辅徐阶曰：'卿政本之重，不以相溷也。'阶惶恐，请炼药如辅臣，上始悦。自是督臣胡宗宪献芝与白龟同进，上以之谢玄坛告宗庙，赐宗宪鹤袍，而陕西抚臣程轨，按臣李秋，献白鹿芝草，云得之部内书堂万寿宫中，盖诡为美名以媚上也。二臣各拜币钞之赐，仍命谢玄告庙。至四十一年，王金者又进灵芝五色龟。上大喜，谕礼部，龟芝五色俱全，五数又备，岂非上元之赐。仍告太庙，百官表贺。拜金为御医。四十三年，太医院御医王金，又进万寿香山三座，聚芝三百六十本为之者。是岁天下臣民进法秘仙桃瑞芝，及为上祝厘建醮者不绝，各承赏赉。又一年，而上鼎成龙去。王金坐进药损上躬，论大辟，高新郑为政贷出。"

**陈继儒**（1558—1639）生。据陈梦莲《眉公府君年谱》。陈继儒，字仲醇，松江华亭人。有《眉公全集》。

**薛三省**（1558—1634）生。光绪《镇海县志》卷二二《人物传三》："薛三省字鲁叔，别字天谷……崇祯改元，起为南京礼部尚书兼翰林院学士、协理詹事府，疏辞不拜。七年（1634），再起原官，命下而三省卒已月余，年七十七。"三省为万历二十九年进士，《明史稿》有传。

# 公元 1559 年（世宗嘉靖三十八年　己未）

## 正月

**朱曰藩等瞻礼杨慎画像，作《人日草堂诗》寄杨慎。时杨慎在滇，已七十二岁。**朱曰藩《人日草堂诗引》："升庵先生在江阳，以厥像托玉泉陈君寄我白下。予即揭于白下寓斋，日夕虔奉，如在函丈之下。乃己未人日，积雨稍霁，西城金子、东海何子、吴门文子黄子郭子、秣陵盛子顾子相约过予，觞之斋中。宾主凡八人，斋南向，先生像在壁间，诸君不肯背之坐，各东西其席，如侍侧之礼。先是，比丘圆澜自焦山来，罂中泠泉见饷，罂未启，置在墙脚，乃觅得阳羡贡茶一角，烹泉为供。茶熟，以宣瓯注之，焚沉水香于炉，作礼毕，就坐，各瞻仰，啧啧叹曰：'幸甚！今日乃得睹升庵先生之像。'郭子曰：'先生长耳重颐，寿者之相，今甲子几何矣？'予屈指曰：'戊申甲子乙丑庚辰，今年七十有二。'金子曰：'先生风骨癯然，而胸中蕴蓄如此，殆所谓芥子纳须弥者耶？'盛子曰：'博哉精哉，宋以来无此人。'予曰：'先生此中如大圆镜，烛理精莹，不以纤毫臆见自覆，岂宋人之学可语？'文子曰：'今日之会奇矣，讵可无述，予当勉作人日草堂图以寄先生，庶几因像见像，如子所谓大□□重重发光也。'予不觉欣然，拊掌大笑，因歌'人日题诗寄草堂，遥怜故人思故乡'之句，择其平声，去其重字，令童子作八阉散诸君前，约曰：'请各赋一篇拜寄先生，见吾辈万里驰仰之怀，何如？'于是诸君各欣然拊掌大笑曰：'幸甚！'越二日，文子图告成。又二日诸君诗次第成。予乃为之引，复以诸君姓字乡里及生平列于后，仿佛季伦金谷之叙、□乐邺中之拟云尔。"所举七人，分别为西域金大舆、东海何良俊、吴门文伯仁、黄姬水、郭子第、秣陵盛时泰、顾应祥。时朱曰藩任南礼部郎中，何良俊在翰林，金大舆、黄姬水等侨寓金陵。朱曰藩字子价。王士禛《带经堂诗话》卷二十五："杨升庵先生在滇，有张半谷含辈从游，时谓杨门六学士，以比黄、秦、晁、张诸人。半谷即愈光，余则杨弘山士云、王纯庵廷表、胡在轩廷禄、李中溪元阳、唐池南锜，又有吴高河懋为七子，以拟廖明略，升庵谓'七子文藻皆在滇南，一时盛事'是也。按朱曰藩《射陂集·人日草堂诗引》云：……牧斋曰：'嘉靖己未，先生年七十二，以是年六月卒于永昌，诗画邮致之时，先生已不及见矣。'按先生集有《己未六月病中诀李张唐三君》诗，所谓'魑魅御客八千里，羲皇上人四十年'是也。当时先生流离颠沛，远在天末，而远近为人企慕如此，何殊东坡，惜身殁南荒，不及玉局之生还耳。彼谗人者遗臭万年，岂止与烟草同腐而已哉！""升庵客滇，游其门者自六学士外，又有隐士董难。难字西羽，太和人，尝辑转注古音，著《韵谱》，《滇志》列《隐逸传》。曾见其《题玉局寺》一诗极佳，录之：'杜鹃枝上春可怜，杜鹃声里雨如烟。萋萋满目芳草碧，杳杳一发青山悬。忽悲麦秀客游次，却忆楝风花信前。惆怅池塘绿阴树，惊心一曲南薰弦。'风格宛似升庵。"（《居易录》）

**李舜臣**（1499—1559）卒。李开先《大中大夫太仆寺卿愚谷李公合葬墓志铭》："愚谷于嘉靖己未正月八日长逝。据状，生于弘治己未九月十七日，甲子才一周耳。""愚谷名舜臣，字懋钦，一字梦虞，号愚谷。"乐安人，嘉靖癸未（1523）会元。"所著有《户部集》、《符台集》、《梦虞诗集》，而《五经字义》则成于闲居日。诗似枯削而有古意，文极精细而得古法。晚年尤刻苦，片纸数字亦不苟。余尝以书戏之曰：'君作原去皮存肉，去肉存筋；今则筋肉俱尽，而独存其骨矣！毕竟如画易卦而后已乎？'""余为文，窃愿效唐荆川明畅，熊南沙该博，王遵岩委曲，而简古则愚谷。愚谷但有作，必走使相示，甚至半篇亦来，急不待脱稿。生前既以文交，身后宜以文托也。欲步其简古体，以慰君地下，力不逮，况可兼唐、熊、王众体哉？"《静志居诗话》卷十一《李舜臣》："李舜臣字懋钦，一字梦虞，乐安人。嘉靖癸未会试第一，由户部主事，改吏部，历考功员外郎，出为江西提学佥事，改南国子司业，转尚宝卿，久之召为太仆卿。有《愚谷集》。李献吉有《九子诗》，李伯华仿之，亦作《九子诗》，以懋钦为首。次以刘子素，又次罗达夫，余则吕山甫、熊叔仁、唐应德、赵景仁、王道思、潘子抑也。"《四库全书总目》卷一十二集部别集类二五著录《愚谷集》十卷，提要曰："明李舜臣撰。舜臣字懋钦，号愚谷，又号未村居士，山东乐安人。嘉靖癸未进士。官至太仆寺卿。是集诗四卷，曰《部署稿》，曰《金陵稿》，曰《江西稿》，曰《归田稿》。文六卷。前有王世贞、孔天胤二序。诗格雅饬，而颇窘于边幅。所长所短，皆在于斯。文皆古质，而稍觉有意谨严，或铲削太过。故王世贞尝有体制纤小之讥。然于时北地、信阳之学盛行于世，方以钩棘涂饰相高。而舜臣独以朴直存古法。其序记多名论，而《西桥逸事状》一篇，触张璁、桂萼之锋，直书不讳。文出之日，天下咋舌。抑亦刚正之士矣。据集所载诸序，所著有《易卦辱言》、《诗序考》、《毛诗出比》、《礼经读》、《春秋左传考例》、《谷梁三例》、《左传读古文考》、《三经考》、《籀文考》、《六经直音》诸书。今皆未见。然亦足见其文有根柢也。"《明诗纪事》戊签卷十五录李舜臣诗二首。

**李攀龙、王世贞会于济南，相与论诗。**王世贞《书与于鳞论诗事》云："己未正月，余以台谒之济上。"记与李氏论诗文云："（李曰）'吾于骚赋未及为耳。为，当不让足下。足下故卢柟俦也。吾拟古乐府少不合者，足下时一离之。离者，离而合也。实不能胜足下。吾五言古不能多，足下多，乃不胜我。歌行其有间乎？吾以句，若以篇耳。诸近体靡不敌者，谓绝句不如我妄，七言律遂过足下一等。足下无神境，吾无凡境耳。'余时心伏者久之。已，前谢于鳞曰：'吾于足下即小进，固雁行也。岂敢以秦齐之赋而匹盟主。吾之为歌行也，句权而字衡之，不如子远矣。虽然，子有待也，吾无待也。兹其所以埒敌……更子而千篇乎，无极我之变，加吾十年，吾不能长有子境矣。'"（《弇州四部稿》卷七十七）后于鳞被酒以孔子自喻，以左丘明比世贞，世贞"瞠目直视之不答。李遽曰：吾失言，吾失言，向者言老聃耳。"见《艺苑卮言》。

## 二月

**文徵明（1470—1559）卒。**文嘉《先君行略》："盖如是者三十余年，年九十而卒。卒之时，方为人书志石未竟，乃置笔端坐而逝，翛翛若仙去，殊无所苦也。是岁为嘉靖己未，二月二十日。"黄佐《将仕佐郎翰林院待诏衡山文公墓志》："寿届九十，嘉靖己未二月二十日与严侍御杰书其母墓志，执笔而逝，翛然若仙，人皆叹异。"王世贞《文先生传》："先生好为诗，傅情而发，娟秀妍雅，出入柳柳州、白香山、苏端明诸公。文取达意，时沿欧阳庐陵。"《四友斋丛说》卷十八："戊午年到家，返南京过无锡，与华补庵约来岁同至苏州与衡山先生做九十。时余尚在南京。己未三月，依期而发，至无锡已昏黑，即差人往补庵家问讯，云老爹往苏州去了。余曰：岂补庵负约，乃先期而往耶？再往问之，曰：文老爹作故，我老爹待老爹不至，已往吊丧去了。次日早发。抵暮到射渎口，遇补庵，即过补庵舟，相与伤叹者久之。补庵命置酒，复回舟至虎丘，携壶榼饮剑池上。余时携一善筝歌者。补庵令人遍至伎家觅筝，竟不能得。留连倾倒，半夜别去。"王世贞《文先生传》："先生事其兄奎恭甚，内行尤淳固，与吴夫人相庄白首也。生平无二色，足无狭邪履。贫而好施，周人之急甚于己，见以为峻洁自表，而待人温然，无少长无敢慢。至九十犹矍铄不衰，海内习文先生名久，几以为异代，而怪其在，谓为仙且不死。己未，为御史严杰母书墓志已，掷笔而逝，翛然若蜕者。诸生奔讣上其事，台使者祀先生于学宫。先生诗文集若干卷，有《甫田集》行于世。丈夫子三人，彭为国子博士，嘉为吉水训导，台先卒。诸孙、曾中多贤者"。顾元庆《夷白斋诗话》："衡山文先生徵明有《病起遣怀》二律，盖不就宁藩之征而作也。词婉而峻，足以拒之于千里之外。诗云：'潦倒儒宫二十年，业缘仍在利名间。敢言冀北无良马，深愧淮南赋小山。病起秋风吹白发，雨中黄叶暗松关。不嫌穷巷频回辙，消受炉香一味间。''经时卧病断经过，自拨困愁对酒歌。意外纷纭知命在，古来贤达患名多。千金逸骥空求骨，万里冥鸿肯受罗。心事悠悠那复识，白头辛苦服儒科。'后宁藩败，凡应辟者崎岖万状，公独晏然。始知公不可及也。"《列朝诗集小传》丙集《文待诏徵明》："二子曰彭、嘉，皆名士。嘉尝撰行略曰：'公生平雅慕赵文敏公，每事多师之。'又曰：'公于诗，兼法唐宋，而以温厚和平为主。或有以格律风骨为论者，公不为动。'先生诗文书画，约略似赵文敏，嘉之所拟，庶几无愧辞。论诗而及于格律气骨，有微词焉。厥后吴门之诗，抽黄对白，日趋卑靡，皆名为文氏诗，嘉固已表其微矣。"《明史·文苑传》："吴中自吴宽、王鏊以文章领袖馆阁，一时名士沈周、祝允明辈与并驰骋，文风极盛。徵明及蔡羽、黄省曾、袁袠、皇甫冲兄弟稍后出。而徵明主风雅数十年，与之游者王宠、陆师道、陈道复、王谷祥、彭年、周天球、钱谷之属，亦皆以词翰名于世。"《静志居诗话》卷十一《文徵明》："先生人品第一，书、画、诗次之。脣台袁氏《十怀》诗，其一云：'内翰小子师，卓行古人杰。辞金抗幼龄，解组修晚节。丹青纷云烟，篇翰烂虹蜺。瑚琏世所珍，昭代表三绝。'可谓片言中伦矣。先生尝语何孔目元朗云：'我少年学诗，从陆放翁入，故格调卑弱。不若诸君，皆唐音也。'然则文之佳恶，先生得失自知。岂与左虚子辈，妄自夸诩者比哉！今《甫田集》诗十五卷，集外流传者尚多。盖先生作书最勤，兼画必留题，予尝见所写朱竹，即以朱书题诗其上。惜无好事者，广搜为续集也。曩从父维木公治别业于碧漪坊北，池荷岸柳，有轩三楹，悬先生手书于壁，即《池上》一诗，云：'杨柳阴阴十亩塘，昔人曾此咏沧浪。春风依旧吹芳杜，陈迹无多半夕阳。积雨经时荒渚断，跳鱼一聚晚波凉。渺然诗思江湖近，便欲相携上野航。'少时讽诵，至今犹未遗忘，因附录之，视集中所载，尤出尘埃之表。拾遗珠于沧海，天下之宝，当与天下共之矣。"《四库全书总目》卷一七二集部别集类二五著录《甫田集》三十五卷，提要曰："明文徵明撰。徵明初名璧，以字行，更字徵仲，号衡山，长洲人。以岁贡荐授翰林院待诏。事迹具《明史·文苑传》。是集凡诗十五卷，文二十卷。附录行略一卷，其仲子嘉所述也。徵明与沈周皆以书画名，亦并能诗。周诗挥洒淋漓，但自写其天趣，如云容水态，不可限以方圆。徵明诗则雅饬之中，时饶逸韵。朱彝尊《静志居诗话》记其告何良俊之言曰：吾少年学诗，从陆放翁入，故格调卑弱，不若诸君，皆唐音也。此所谓如鱼饮水，冷暖自知，皎然不诬其本志。然周天怀坦易，其画雄深而苍莽，诗格如之。徵明秉志雅洁，其画细润而潇洒，诗格亦如之。要亦各肖其性情，不尽由于所仿效也。朱彝尊《明诗综》录徵明诗十五首。其《池上》一诗，得诸墨迹，为本集所不载。且称其集外流传者甚多，惜无广搜为续集者。然缣素流传，半真半赝。与其如吴镇、倪瓒诸集多收伪本，固不如据其家集，犹不失本来面目矣。"《明诗别裁集》卷六录文徵明诗二首。《明诗纪事》丁签卷十一录文徵明诗三十四首，陈田按语云："衡山诗，弇州辈动以吴歈少之。余谓和平蕴籍，于风雅为近，奚必以模宋范唐，自矜优孟衣冠耶！书画亦精绝过人，为世宝重。名德大年，林见素、王宗贯于艺事外推之，可称具眼。"

## 三月

丁士美等进士及第。《弇山堂别集》卷八十三《科试考三》："己未，命吏侍郎兼翰林学士掌詹事府事李机、太常寺少卿兼翰林院学士掌院事严讷为考试官，取中蔡茂春等。廷试，赐丁士美、毛惇元、林士章及第。"《松窗梦语》卷五："世宗朝骆太常者，浙之永嘉人也。与故相张文忠同邑里，精堪舆术。张时已举于乡，将上春官，邀骆祖莹登览。骆一望诧曰：'此地十年当出宰辅。'乃辅张背曰：'惜公之齿长已，尚未登第，何能应之？'次年，张成进士，任南部郎，以议献庙礼称上意，乃召入，不次擢用。六年之间，晋陟宰辅，因荐骆于世皇。令卜宫，即今永陵，骆所卜也。骆官止太常少卿，用其术而不显其官，张之意念深矣。后骆自北来归，将至清河，睹山峦秀拔，指示舆人绕山而行，登山麓一冢，云：'此中大有佳处。'询为谁氏墓，土人曰：'丁秀士父茔也。家贫无依，墓傍之庐，即其居矣。'骆造庐请见，语之曰：'来岁大魁，属之君矣。'即如所言。丁名士美，己未状元，官至亚卿。夫丁以寒士起家，何所营求，亦会逢其适耳。"

**同榜进士有石星**（1538—1599）、**王世懋**（1536—1588）等。王世懋为王世贞弟。去年举顺天乡试。今年举进士，试政兵部。王世贞《亡弟中顺大夫太常寺少卿敬美行状》云："弟生而秀颖，异凡儿，眉目如画。三岁即善操切其下，家人重足而立，父母绝怜爱之。稍长益务为宽厚，出就外傅读书，辄成诵，应对机警蜂出。八岁而不谷举于乡，弟五鼓披衣起坐，大司马公怪而问之，曰：'吾有忧耳。''何忧？'曰：'忧他日之后吾兄举也。'大司马公大悦，每为人说之。居四载，不谷守刑部郎燕中，而公由御史骤迁中丞，南北御圉倭寇无宁月，弟皆从，其忧虞艰险百端，独弟与太恭人共之。始弟甫十龄而病，损先天气，几成瘵，戢其身医药间。大司马公怜之，甚不欲强以占哔，任之而已。弟病小间，忽忽不自得，因取迩时程序经义诵而仿之，别成一篇置案头。大司马公见而心异焉。谓太恭人：'几失此儿。'乃始教以属文，而延乡进士茂才先后授经塾中，非久辄辞去，曰：'某不任师也。是能见鞭影而驰。'中间尝一归就州试，即冠诸弟子。大司马公念而促使去，不竟试，以学籍进补国子诸生，祭酒郭公盘试而奇之，擢置前列。乙卯当应顺天试，其文已藉藉人耳，而会有忌大司马公者，摘书题小误，独其文不入内棘。弟乃归侍公使院。公故以经术擅诸生名，晚而益精其业，为弟日切磋者三载。比再游太学，试屡第一，尤为祭酒敖公铣所称赏。遂试顺天，举乡书，然诵其程式文者，犹以为屈。而大司马公意尤惜之，欲伸之于南宫，课业益笃，弟所构《易》义，亦益精。明年登己未会试，当射策公车，其文与书皆工，受卷者欲上之大相所。故事：首甲必大相分读。而大相严时嫉大司马公甚，相客时与弥封者知其指，掣去之，遂得三甲，肄事兵部。弟驰谒大司马公于使院，泛澜久之。盖北兵方深入，公帅励将士，逐走塞外，而大相方媒公以纵敌弗击，虽坐仅镌二秩，而诸将校皆捕系论死。公谓弟曰：'吾祸止镌秩耶？'弟叩首泣曰：'未敢必也。'公谓弟：'去从朝夕升散，吾得老田里，作编氓，足矣。'时方议拔进士为庶吉士，人谓大司马公：'以郎君才，诸进士中谁俪者？取之若承蜩耳。'公意为动。弟独曰：'奈何作此念？非独慕止足也。人方鱼肉公不免，而欲变化风雨耶？'谢弗往。俄而御史之白简上矣。盖是时御史，受相严客鄢中丞指，中丞受相严指，以是上而得天子怒，逮下狱，以失守论。"

**赵贞吉为严嵩《钤山堂集》作序**。序署"嘉靖己未三月望。嘉议大夫、南京工部右侍郎，蜀东后学赵贞吉顿首撰"。时赵贞吉任南京工部右侍郎。唐顺之亦作有《钤山堂诗集序》。序云："少师介溪严公，少称神童，弱冠举进士，入翰林。在正德间，同时诸僚莫不优游玉庐，而公独引身钤山之隩，坚苦绩学，以邃其所蓄。如是者十有馀年，故其为诗多道岩壑幽居之趣，而公之迹则疑于隐。至嘉靖初，公起南院，历迁南吏书，是时公负相望久矣。往时诸僚及后辈，多已联翩秉钧轴，而公犹回翔散地。如是者又十五六年，故其为诗多纪留都冠盖之盛。公虽已位上卿，而志未大得也，则又疑于隐显之间。皇上御极垂二十年，顾前所用内阁诸臣，罕能称上心者，而独注意于公，遂自南宫入内阁，未几遂首内阁。上下之交深，故其积之也久，经纶之业厚，故其发之也迟。自是礼乐典章，属公协赞，焕然以备。北虏南倭，时有兵革，举贤授能，密授庙算，罔不奏功。往往自为诗以记其盛。至于一时人才，公所奖拔而布列者，亦彬彬毕见于公之诗。……公于诗文各极其工，而尤喜为诗，公所寓必有诗，若以自纪其进退隐显之迹，而读诗者则以论世也。……某窃以文词受知于公，公颇谓可与言诗者。尝侍公于苑直，公示之近稿曰：'吾少于诗务锻炼组织，求合古调，今则率吾意而为之耳。'某对曰：'公南都以前之诗，犹烦绳削也，至此则不烦绳削而合矣。'公领之，已而曰：'吾不与后辈谈诗，恐以诗人目我，而敝精于无益语也。'夫公之诗雄深古雅，浑密天成，有商周郊庙之遗，知音者自当得之。然公既不欲以此自著，而某又敢以此仰赞于公哉！"（《荆川先生文集》卷十）

**归有光会试下第南还。人言藉藉，有光乃作《解惑》一文，将七试不第归之于天命。**归有光《己未会试杂记》云："诸考官命下之日，相约必欲得予。及在内帘，共往白两主考，常熟严学士讷因言，天下久屈此人，虽文字不入格，亦须置之第一人，人必无异议。金坛曹编修大章尤踊跃，至与诸内翰决赌，以为摸索可得。然尽阅落卷中，无有也。揭晓后，曹使人来，具道如此。而人有后来言予卷为乡人所忌，不送誊录所，盖外帘同官言之。然此乃命也，'臧氏之子，焉能使予不遇哉？'""常熟瞿谕德景淳为博士弟子时，予常识之白下。及登第，两为礼闱同考，在内帘，对诸学士未尝不极口推奖。一日过访，道及平生，以予不第，诸公尝以为恨，为吾江南未了之事。因言，为考官亦有难者。盖内中有一榜，外间亦有一榜，必内榜与外榜合，始无悔恨。方在内时，惓惓未尝不在公也。又为予同年义兴杨准道予少时之梦。予少梦吴文定公授以文字一卷，予岁贡乡举皆与之同，故瞿每对人言之，实以文定公见待云。""己未礼闱《易》题，节六四爻象，予讲安字之意，大略云：使圣人之制礼不出乎其心，而欲驱率天下以从我，则必龃龉而不合；天下之由礼不出乎其心，而欲勉强以从圣人，则必劳苦而不堪。龃龉不合，劳苦不堪，秦汉间语，眉山苏氏文多有之。今某人摘此八字，极加丑诋，以数万言中用此八字为罪诟，亦太苛矣。前浙省元姜良翰久不第，高时为给事中，每论其文，切齿。姜后亦登第。予老矣，能望姜君乎？惜乎，某之以高时自处也。嘉定金乔送予出国门，偶道此。乔自徐祠部所来，祠部与予旧相知，因书寄之，然勿与他人道也。……盖今举子剽窃坊间熟烂之语，而五经、二十一史，不知为何物矣！岂非屈子所谓'邑犬群吠，吠所怪也'软？"（《震川先生别集》卷之六）至是归有光凡七试不第，人言藉藉，乃作《解惑》："嘉靖己未，会闱事毕，予至是凡七试，复不第。或言：翰林诸学士素怜之，方入试，欲得之甚，索卷不得，皆缺然失望。盖卷格于帘外，不入也。或又言：君名在天下，虽岭海穷徼，语及君，莫不敛衽。独其乡人必加诋毁：自未入试，已有毁之者矣；既不第，帘外之人又摘其文毁之。闻者皆为之不平。予曰：不然。……昔年张文隐公为学士主考。是时内江赵孟静考《易》房，赵又为公门生，相戒欲得予甚，而不得。后文隐公自内阁复出主考，属吏部主事长洲章楑实云：'君为其乡人，必能识其文。'而章亦自诡必得，然又不得。当是时，帝外谁挤之耶？子路被愬于公伯寮。孔子曰：'道之将行也与，命也；道之将废也与，命也。'孟子沮于臧仓，而曰：'吾之不遇鲁侯，天也。'故曰有天命焉。……今或者之言，皆杯中之蛇类也，作《解惑》。"（《震川先生集》卷之四）

## 五月

逮总督蓟辽右都御史王忬（王世贞父）下狱。《弇山堂别集》卷六十三《总督蓟辽保定都御史年表》："王忬，直隶太仓人。由进士，三十四年以兵部侍郎兼佥都御史（任），三十五年以军功加右都御史，仍前任，三十八年罢。"《明史》王忬本传云："二月，把都儿辛爱数部屯会州，挟朵颜为向导。将西入，声言东。忬遽引兵东，寇乃以其间由潘家口入，渡滦河而西。大掠遵化、迁安、蓟州、玉田，驻内地五日。京师大震。御史王渐、方辂，遂劾忬、（总兵欧阳）安及巡抚王轮罪。帝大怒，斥安贬轮于外，切责忬，令停俸自效。至五月，辂复劾忬失策者三，可罪者四。遂命逮忬及中军游击张伦下诏狱。刑部论忬戍边，帝手批曰：诸将皆斩，主军令者顾得附轻典耶？改论斩。明年冬，竟死西市。忬才本通敏，其骤拜都御史及屡更督抚也，皆帝特简。所建请无不从。为总督数以败闻，由是渐失宠。既有言不练主兵者，益大患，谓忬怠事，负我。（严）嵩雅不悦忬，而忬子世贞复用口语积失欢于嵩子世蕃。严氏客又数以世贞家琐事构于嵩父子。杨继盛之死，世贞又经纪其丧。嵩父子大恨。滦河变闻，遂得行其计。"又《明史纪事本末》卷五十四云："严嵩以忬愍杨继盛死，衔之。忬子世贞又从继盛游，为之经纪其丧，吊以诗。嵩因深憾忬。严世蕃尝求古画于忬，忬有临幅类真者，以献。世蕃知之，益怒。会滦河之警，鄢懋卿乃以嵩意为草，授御史方辂，令劾忬。嵩即拟旨逮系。爰书具，刑部尚书郑晓拟谪戍。奏上，竟以边吏陷城律弃市。"《万历野获编》卷八《严相处王弇州》云："王弇州为曹郎，故与分宜父子善。然第因乃翁思质忬方总督蓟辽，姑示密亦防其忮，而心甚薄之。每与严世蕃宴饮，辄出恶谑侮之，已不能堪。会王弟敬美继登第，分宜呼诸孙切责，以不克负荷诃诮之。世蕃益恨望，日譖于父前。分宜遂欲以长史处之，赖徐华亭（阶）力救得免。弇州德之入骨，后分宜因唐荆川（顺之）阅边之疏，讥切思质，再入鄢剑泉懋卿之赞决，遂置思质重辟……当华亭力救弇州时，有问公何必乃尔。则云：此君他日必操史权，能以毛锥杀人。一曳裾不足锢才士，我是以收之。人咸服其知人。"王世贞《上太傅李公（春芳）》："严氏所以切齿于先人者有三。其一，乙卯（嘉靖三十四年）冬，仲芳（杨继盛）兄且论报，世贞不自揣，托所知为严氏解救，不遂。已见其嫂代死疏，辞戆，少为笔削。就义之后，躬视含敛，经纪其丧。为奸人某某文饰，以媚严氏。先人闻报，弹指唾骂，亦为所诇。其二，杨某（顺）为严氏报仇，曲杀沈炼，奸罪万状。先人以比壤之故，心不能平，间有指斥。渠误谓青琐之抨，先人预力，必欲报之而后已。其三，严氏与今元老相公（徐阶）方水火，时先人偶辱见收荄荽之末。渠复大疑，有所弃就，从中构，牢不可解。"同卷《上太宰杨公（博）》，其辞略同。《霞外攟屑·弇州山人四部稿》："凤洲文模拟史公者最可厌，余则殊多佳构，惜无人标举之也。如卷九十八《先考思质府君行状》云：相嵩与其子世蕃业得之，冀以中府君，而即有某生（唐荆川）者久废，暴从幸臣文华起，乃以谓相嵩。相嵩复阳惊曰：边事弊乃尔耶？于是指授兵部，疏令某生出按蓟卒所以不练状。而某生至，则风府君曰：足下何所失相君指耶？府君唯唯。既行，驻昌平，再书贻府君曰：不佞将入矣，何辞以复相君？府君曰：吾业已失相指，何复为？且某长者，吾不敢以污请。竟不答。而某生入为疏，则盛言戍卒当练，不宜以调发疲各边，而毁府君不事事。相嵩当拟诏，故盛其罪，宽其罚，要府君以后效。又卷一百二十三《上太傅李公书》云：至于严氏所以切齿于先人者有三：其一，乙卯仲冬，仲芳兄且论报，世贞不自揣，托所知（丁未房师王材）为严氏解救，不遂，已见其嫂代死疏，辞懑，少为笔削。就义之后，躬亲含敛，经纪其丧，为奸人某某文饰，以媚严氏。先人闻报，弹指唾骂，亦为所诮。其二，杨某（顺）为严氏报仇，曲杀沈炼，奸罪万状。先人以比壤之故，心不能平，间有指斥。渠误谓青琐之抨，先人预力，必欲报之而后已。其三，严氏与今元老相公（徐阶）方水火时，先人偶辱见收葭莩之末，渠复大疑，有所弃就。奸人从中构，牢不可解。以故练兵一事，于拟票内，一则曰大不如前，一则曰一卒不练，所以阴夺先帝之心，而中伤先人者深矣。二段文，于分宜奸构，思质守正，荆川谗陷，曲曲传出。而笔力劲挺，直可屈铁，皆从龙门《田窦列传》得来。虽欲不目为佳文，不得矣。奸人某某，汪师韩《读书录》云：刑部员外况叔祺，劾忤失机者巡按方恪，皆嵩党也。（一卒不练四字为唐疏原文，见《荆川集》。）"

## 六月

诏赐陶仲文白金、彩币等以示眷怀。陶仲文以方术为嘉靖帝所宠幸。《弇山堂别集》卷十三《皇明异典述八》"八十恩数"："嘉靖三十八年正月，少师、大学士严嵩八十，同官徐阶等上闻，诏苑直出入得乘肩舆，岁支伯爵禄，赐白金百两、彩币八表里、宝钞羊酒，赐宴礼部。其年六月谕礼部：'秉一真人、恭诚伯陶仲文，职掌玄教，屡尽忠诚。在告年逾八十，其降敕遣锦衣卫千户一人往存问。赐白金一百两、彩币四表里、宝钞羊酒，以示眷怀。'按二臣所遭殊为隆渥，特以名德不昌，终从削夺，故不足道也。"又卷十四《皇明异典述九》"真人之赏"："嘉靖前后赐真人陶仲文银十余万两，大红、金彩、绣织、蟒龙、斗牛、云鹤、麒麟、飞鱼、孔雀段罗纱绢无虑数百袭，狮蛮玉带、白玉带五围、金带一围、玉印二、金嵌宝冠、浑金冠、累丝冠、如意七宝簪宝石、金银水盂、金盘银盘各十余副。"

天池道人作《南词叙录》小序。序署"嘉靖己未夏六月望，天池道人志。"一般以为天池道人即徐渭。骆玉明、董如龙所见上海图书馆藏本，"己未"作"乙未"，即嘉靖十四年。《复旦学报》一九八七年第六期骆玉明、董如龙《南词叙录非徐渭作》推定天池山人为陆采。据《南词叙录》，明代南戏中这时已有四种腔调（弋阳腔、余姚腔、海盐腔、昆腔）流行："今唱家称弋阳腔，则出于江西，两京、湖南、闽、广用之。称余姚腔者，出于会稽（绍兴），常（常州，今武进）、润（润州，今丹徒）、池（池州，今贵池)、太（太平，今当涂）、扬（扬州，今江都）、徐（徐州，今铜山）用之。称海盐者，嘉（嘉兴）、湖（湖州，今吴兴）、温（温州，今永嘉）、台（台州，今临海）用之。惟昆山腔止行于吴中，流丽悠远，出乎三腔之上，听之最足荡人；妓女尤妙此。如宋之嘌唱，即旧声而加以泛、艳者也。"叶德均《戏曲小说丛考·明代南戏五大腔调及其支流》据以总结说："这四种腔调的地域分布情况是：流传最广的是弋阳腔，它从发源地的江西向四周发展；东至南京，西到湖广省南部；南至福建、广西两省；北到北京。其次是余姚腔，分布于南直隶的六府。再其次是海盐腔，只流行于浙江省内。最后是昆山腔，那时还局限于苏州一隅之地。然而，徐渭所说是静态的，不全面的，实际各种腔调在嘉靖间已经有了很大的变化（详下）。发展到后来，情况就完全不同了。"

**杨慎作《六月十四日病中感怀》。时杨慎病寓佛寺。**诗云："七十余生已白头，明明律例许归休。归休已作巴江叟，重到翻为滇海囚。迁谪本非明主意，网罗巧中细人谋。故园先陇痴儿女，泉下伤心也泪流。"李调元《升庵先生年谱》："己未春，还戍所。六月遘疾，《感怀诗》曰：……又《诀李张唐三公诗》云：'魑魅御客八千里，羲皇上人四十年。怨诽不学《离骚》侣，正葩仍为风雅山。知我罪我《春秋》笔，今吾故吾《逍遥》篇。中溪（李元阳）半谷（张含）池南叟（唐锜），此意非公谁与传。'"杨慎之还戍所，系出于被迫。《艺苑卮言》卷六："杨用修自滇中戍暂归泸，已七十余，而滇士有谗之抚臣昺（王昺）者。昺俗戾人也，使四指挥以银铛锁来。用修不得已至滇，则昺已墨败。然用修遂不能归，病寓禅寺以没。"清王士禛《陇蜀余闻》则以为此巡抚乃游居敬。

## 七月

**杨慎（1488—1559）卒。**杨慎卒年采通行说法。另有1562、1568二说，参见丰家骅《杨慎评传》。李调元《升庵先生年谱》："卒于七月六日，年七十有二。时巡抚云南游公居敬，命殡归新都。庚申（1560）冬，祔葬石斋公墓侧。丁卯，穆宗皇帝即位，奉遗诏追赠光禄寺少卿。长子同仁先卒，次子宁仁时寓泸州。公卒之年，夫人黄至泸迎归，抚教则夫人任之也。"升庵著述甚富。《玉堂丛语》卷一："明兴，称博学饶著述者，无如用修。所撰有《升庵全集》、《升庵诗集》、《升庵玉堂集》、《南中集》、《南中续集》、《南中集抄》、《七十行戍稿》、《升庵长短句》、《长短句续集》、《陶情乐府》、《续陶情乐府》、《洞天玄记》、《月节词》、《升庵诗话》、《诗话补遗》、《丹铅录》、《丹铅总录》、《丹铅续录》、《丹青要录》、《丹青余录》、《丹青摘录》、《丹青闰录》、《丹青别录》、《丹铅赘录》、《墨池琐录》、《转注古音略》、《古音丛目》、《古音猎要》、《古音复字》、《古音骈字》、《古音余录》、《古音略例》、《五音拾遗》、《古音附录》、《古文音释》、《韵林原训》、《奇字韵》、《杂字韵宝》、《金石古文》、《六书索隐》、《六书练证》、《六书探赜》、《六书统摘要》、《篆韵索隐》、《古篆要略》、《隶骈书品》、《词品》、《铭心神品》、《书画神品目》、《书画名跋》、《筌筷新咏》、《檀弓丛训》、《墐户录》、《希姓录》、《清暑录》、《瀑布泉行》、《滇程记》、《滇候记》、《滇载记》、《录异记》、《异鱼图赞》、《夏小正录》、《升庵经说》、《经书指要》、《杨子卮言》、《卮言闰集》、《敝帚病榻手吷》、《晞篯飐笔》、《四诗表证》、《山海经补注》、《水经补注》。所编纂有《蜀艺文志》、《选诗拾遗》、《选诗外编》、《皇明诗抄》、《皇明诗续抄》、《五言律祖》、《李诗选》、《宛陵六一诗选》、《五言三韵诗选》、《五言别选》、《六言绝选》、《苏黄诗髓》、《禅藻集》、《风雅逸编》、《唐音百绝》、《唐绝精选》、《唐绝搜奇》、《唐绝增奇》、《绝句演义》、《绝句辩体》、《宋诗选》、《元诗选》、《千里面谈》、《交游诗录》、《交游余录》、《词林万选》、《百琲明珠》、《草堂诗余补遗》、《填词选格》、《古今词英》、《填词玉屑》、《词选增奇》、《韵藻》、《古谚》、《古隽》、《诗林振秀》、《古今风谣》、《古韵诗略》、《说文选训》、《文海钓鳌》、《禅林钩玄》、《艺林伐山》、《群书丽句》、《哲匠金桴》、《群公四六节文》、《赤牍清裁》、《赤牍拾遗》、《谢华启秀》、《经义模范》、《古文韵语》、《古文韵语别录》、《管子叙录》、《引书晶托》、《逸古编》、《寰中秀句》、《苍珥纪游》、《谭苑醍醐》、《素问纠略》、《群艳传神》、《唐史要偶语》、《经子难字》、《脉位图说》、《连夜吟卷》、《各史要语》、《晋史精语》、《庄子阙误》、《江花品藻》、《群书琼敷》、《群公四六丛珠》、《舆地碑目》、《春秋地名考》、《批点瀛奎律髓》、《批点文心雕龙》、《古今柳诗》、《名奏菁英》、《写韵楼杂录》、《晴雨历》、《龙字杂俎》、《韵语阳秋》、《琼屑》。"《诗薮》续编卷一《国朝上》："杨用修格不能高，而清新绮缛，独掇六朝之秀，合作者殊自斐然。如《题柳》七言律云：'垂杨垂柳绾芳年，飞絮飞花媚远天。金距斗鸡寒食后，玉蛾翻雪暖风前。别离江上还河上，抛掷桥边与路边。游子魂销青塞月，美人肠断翠楼烟。'风流蕴藉，字字天成，如初发芙蓉，鲜华莫比。第此等殊不多得，大概错采缕（镂）金，雕缋满眼耳。滇中作如《春兴》八首，语亦多工。""杨五言律'高柳分斜月，长榆合远天'、'新水催飞鹢，微霜度早鸿'等句，置齐、梁不复可辨。""用修才情学问，在弘、正后，嘉、隆前，挺然崛起，无复依傍，自是一时之杰。第诗文则饾饤多而镕练乏，著述则剿袭胜而考究疏。大概议论太高者力常不副，涉猎太广者业苦不精，此古今通病，匪独用修也。"《诗源辩体》后集纂要卷二："杨用修（名慎）诗，多填故实，而讹字复多，入录者则取明显也。薛君采序其诗，言才与学；元美谓：'用修如暴富儿郎，铜山金埒。'俱可见矣。予尝谓：用修骋博，元美夸多。然元美深贬用修而阴法之，又不可不知。用修五言古学汉、魏者亦能稍变，然学齐、梁以后者为最工。胡元瑞谓'清新绮缛，独掇六朝之秀'是也。用修七言古多出齐、梁、初盛，而初唐尤工。用修五言律多出初唐，七言律多用杜语，后半截似多流丽，其俊亮高华者已启七子之调，但不若七子之精工耳。余篇亦无弱调，变体最工。"《列朝诗集小传》丙集《杨修撰慎》："用修垂髫赋黄叶诗，为茶陵文正公所知，登第又出门下，诗文衣钵，实出指授。及北地哆言复古，力排茶陵，海内为之风靡。用修乃沉酣六朝，揽采晚唐，创为渊博靡丽之词，其意欲压倒李、何，为茶陵别张壁垒，不与角胜口舌间也。援据博则舛错良多，摹仿惯则瑕疵互见。窜改古人，假托往籍，英雄欺人，亦时有之，要其钩索渊深，藻彩繁会，自足以牢笼当世，鼓吹前哲。肤浅末学，趋风仰止，固未敢抵隙蹈瑕，横加訾謷也。王元美曰：'用修工于证经，而疏于解经；详于稗史，而忽于正史；详于诗事，而不得诗旨；求之宇宙之外，而失之于耳目之前。'斯言也，庶几杨氏之诤友乎！"

《香祖笔记》卷五："明诗至杨升庵，另辟一境，真以六朝之才，而兼有六朝之学者。其诗如《咏柳》'垂杨垂柳绾芳年'一篇，世共知之。又《古意凌波洛浦遇陈王·鹧鸪词》'秦时明月玉弓悬'，《关山月》'迢迢贱妾隔湘川'，《出关拟唐人》'狼弧芒角正弯环'，《塞下曲》'长榆塞上接龟沙'诸篇，工妙天成，不减前作。又《清蛉行寄内绝句》亦绝妙，大抵皆自古乐府出。益都王遵坦太平论明诗，独推新都为性之者，亦自有见。"《四库全书总目》卷一七二集部别集类二五著录杨慎《升庵集》八十一卷，提要曰："慎以博洽冠一时，其诗含吐六朝，于明代独立门户。文虽不及其诗，然犹存古法，贤于何、李诸家窒塞艰涩、不可句读者。盖多见古书，熏蒸沉浸，吐属自无鄙语，譬诸世禄之家，天然无寒俭之气矣。至于论说考证，往往恃其强识，不及检核原书，致多疏舛。又恃气求胜，每说有窒碍，辄造古书以实之。遂为陈耀文等所诟病，致纠纷而不可解。考《因树屋书影》有曰……其语颇为左袒，然亦未始非平心解斗之论也。"《说诗晬语》卷下："杨用修负高明伉爽之才，沉博绝丽之学，随物赋形，空所依傍。读《宿金沙江》、《锦津舟中》诸篇，令人对此茫茫，百端交集。李、何诸子外，拔戟自成一队。"《明诗别裁集》卷六录杨慎诗十五首。《明诗纪事》戊签卷一录杨慎诗 59 首。

**王慎中**（1509—1559）**卒**。李开先《遵岩王参政传》："王仲子，讳慎中，字道思，初号南江，后改遵岩，名盛而两号并称，海内不知其为王仲子也。""嘉靖乙酉（1525）举于乡，连第进士，年才十八。归娶陈澹斋女，赴选户部主事，监兑通州。""改官礼曹，更得一意文事，交游如众称八才子外，更有今大司马李克斋、给谏曾前川、提学江午坡、学士华鸿山、屠渐山，相与切磋琢磨，各成其学。""升任户部主事，再升礼部员外，俱在留都闲简之区，益得肆力问学。""丙申（1536），升山东提学佥事"，"年余，转江西参议"，官至河南布政使参政。"卒在嘉靖己未七月十七日，生则正德己巳九月二十七日"，"寿止五十一"。王惟中《河南布政司参政王先生慎中行状》："先生讳慎中，字道思，别号遵岩居士，惟中之仲兄也。""除礼部祠曹，尽交天下雄俊。同时如李克斋遂、华鸿山察、唐荆川顺之、屠渐山应埈、陈后冈束、陆石溪铨、江午坡以达、李中麓开先、曾前川忭数公，才学文章之美，以道谊义气相莫逆。而先生尤为诸公所引重，学日富，才日益昌，文日益有名。""先生不苟于作，虽勉应文字，亦反复沉思，特出新意，调高义古，他人莫知如何造端，而一经玩味，又若得其意之所欲言，而发其心之所未有，故篇出皆足垂之琬琰，为世盛传。如所刻《玩芳堂摘稿》、《家居集》，仅十之二三，近刻于吴中嘉兴建州三本，亦十之七八，然为海内知言之士脍炙讲诵，皆谓其独超匠心，振起前哲。盖先生于文字醇深古雅，冲澹纤余，而光晶霍烁，奇变百见，卒归于道德仁义，蔼如也。至其考前人之是非，正诸家之谬误，皆足以发千古学术之数，使其人复生，将有质之自愧，当之可以不惭者。尤长于序述表志之体，读其文，而其人与事，形貌色相神情气韵，宛然如在目睫间。"其生平略见《列朝诗集小传》丁集上《王参政慎中》："慎中，字道思，晋江人。嘉靖丙戌进士。年十八，授户部主事，改礼部祠祭司。上方兴礼乐，改建四郊。道思博通典故，以称职闻。朝议取部属充馆职，谢弗往，改吏部，历验封郎中，为永嘉所恶，谪判常州。稍迁南户、礼二部，升山东提学佥事，转江西参政、河南左参政。辛丑外计，又为贵溪所恶，内批不谨，罢归。年五十一而卒。"所作诗文，诸家评议甚多，兹择要附录于后。《明诗评》卷三《王参政慎中》："道思声誉赫然，缙绅歆慕。初年诗格艳丽，虽寡天造，良极人工。归田以后，恃才信笔，极其粗野。一时后进靡识，翕然相师，遂成二竖之病，重起万障之魔。"《静志居诗话》卷十二《王慎中》："刘渊材憾曾子固不能诗，余尝见宋人所辑《唐宋八家诗韵》，则子固与焉，不得谓非诗家矣。评明人诗者，不及王道思，然道思五古文理精密，足以嗣响颜、谢。而论者辄言：'文胜于诗。'非知音识曲者也。《十二夜月与张子同玩感述》云：'高旻荡浮翳，仲冬淑气清。良夜何未央，憩坐临前楹。舒景扬云端，皓魄委广庭。灏英鲜瑶席，华彩鉴雕楹。稍稍风露重，微微河汉明。眷兹泰宇宽，展席谐芳朋。抚景遗俗迫，节事寡氛婴。岂惟祛烦积，亦以湛心灵。戒盈君子德，和光达士情。葆曜贞《有孚》，养晦善自名。'"《四库全书总目》集部别集类二五著录王慎中《遵岩集》二十五卷、《玩芳堂摘稿》四卷。《遵岩集》提要曰："明王慎中撰。慎中字道思，晋江人。嘉靖丙戌进士。官至河南布政使参政。事迹具《明史·文苑传》。正嘉之际，北地、信阳声华藉甚，教天下无读唐以后书。然七子之学，得于诗者较深，得于文者颇浅。故其诗能自成家，而古文则钩章棘句，剽袭秦汉之面貌，遂成伪体。史称慎中为文，初亦高谈秦汉，谓东京以下无可取。已而悟欧、曾作文之法，乃尽焚旧作，一意师仿，尤得力于曾巩。唐顺之初不服其说，久乃变而从之。壮年废弃，益肆力于文，演迤详赡，卓然成家，与顺之齐名，天下称之曰王、唐。李攀龙、王世贞力排之，卒不能掩也。其诗则初为藻艳之格，归田以后，又杂入讲学之语。颓然自放，亦与顺之相似。朱彝尊《明诗综》乃谓其五言文理精密，嗣响颜、谢。而论者辄言文胜于诗，未为知音。今考集中五言，如《游西山普光寺》、《睡起登金山》、《游大明湖》诸篇，固皆邃穆简远。七言如：'每夜猿声如舍里，四时山色在城中。''万井遥分初日下，群山微见远烟中。''琴声初歇月挂树，莲唱微闻风满川。'亦颇有风调。然综其全集之诗，与文相较，则浅深高下，自不能掩。文胜之论，殆不尽诬。彝尊之论，不揣本而齐其末矣。慎中集旧有《玩芳堂摘稿》，遵岩家居诸刻，率杂以少作。是本乃隆庆辛未慎中子同康及婿庄国祯稍为芟削重锓，较为精整。惟简端洪朝选序称诗文四十卷，此本止二十五卷，目录卷数亦多改补，未喻其故。或刻成之后又为简汰欤？"卷一七七集部别集类存目四著录《蔡可泉集》十五卷，提要曰："明蔡克廉撰。克廉字道卿，晋江人。嘉靖己丑进士。官至户部尚书。其文每篇皆系以时地，末缀以各体诗及案牍之文。万历初，其子应龙、应麟录而梓之。克廉少与乡人王慎中齐名，而其文乃远不及慎中。苏浚序称：克廉秉枢执钺时，慎中已跧伏故园，日寻欧、曾之绪。而克廉方锐意事功。论者谓慎中阒寂丘园，故文独工云云。是当时已有定评矣。"《明诗别裁集》卷七录王慎中诗二首，评曰："遵岩以古文传，然五言古亦窥颜、谢堂庑，无一浅语滑语。"《明诗纪事》戊签卷九录王慎中诗十三首，陈田按："道思五律与同时皇甫子安、华子潜辈相较，略无愧色。陈卧子《明诗选》不录道思一篇，毋亦为弇州、历下之论所慑欤！"

**张九一以存问王世贞忤严嵩，由吏部验封事主事出为南尚宝卿。**《艺苑卮言》卷七："余自遭家难，时橐饘之暇，杜门块处，独新蔡张助甫为验封郎，旬一再至。余固却之，张笑曰：'足下乃以一吏部荣我乎？'余归，张亦竟左迁以去。自是吾党有'三甫'，肖甫之雄爽流畅，助甫之奇秀超诣，德甫之精严稳称，皆吾所不及也。"张佳胤字肖甫，张九一字助甫，余曰德字德甫。过庭训《张九一传》："会元美父中丞公失分宜相欢，构下诏狱，九一数过存问，坐是出为南尚宝卿，再谪广平丞，寻迁湖广佥事，驻节岳阳。"

## 八月

**王永美邀归有光游海，未至而还。**拟游海者十人而一人中途不行，九人虽至海口，终因连日风雨未至大海。归有光《游海题名记》："嘉靖己未，中秋前二日，王永美邀予游海。午后登舟，至太仓。明日午，出州东门，遂行。……余与张德方、陆希皋同自昆发，永美子一夔、余子福孙从。至州，希皋不行。刘大伦、杨正学以沙船至。杨百户，海上弹琴者也。李旌未冠，皆同行。凡七日，竟不见月，亦不至大海而还。"

## 九月

**唐顺之**（1507—1560）**升都察院右佥都御史，巡抚淮阳。**时唐顺之病势颇为沉重。赵时春《明督府凤阳等处都察院右佥都御史荆川唐先生墓志铭》："己未（1559）三月，迁太仆寺少卿。……九月，擢都察院右佥都御史，巡抚淮阳。表谢有曰：'被发缨冠之救。'时先生疾日甚，因便以示余。余以庚申（1560）三月读其书，壮而悲之。"

**王世贞以家难休官。**其父王忬今年五月被逮下狱。王世贞《亡弟中顺大夫太常寺少卿敬美行状》："俄而御史之白简上矣。盖是时御史受相严客鄢中丞指，中丞受相严指，以是上而得天子怒，逮下狱，以失守论。当是时，变出叵测，太恭人跳（逃）而之燕中邸，与弟抱首哭。亡何，不谷解青齐绶，亦至，欲与弟上书请代。而大司马公间而曰：'上怒方炽，是沃之膏也。毋速我死。'而客亦撼相严意，更以危言胁之，不果上，第相与楚服奔走博颊诸政地，涂炭委顿以间橐饘，或入而视疾，强颜以进，含辛而出，盖无日不若形影偕矣。会事小挺，几且得长系，弟始从不谷操管为诗，悲歌憔悴，大司马公见之，为泣数行下。已而破颜曰：'而乃得从而兄雁行，吾愿奢矣，何必膏腴其门也。'盖明年之庚申，而公竟不免。"

## 本年

**吴维岳数访李攀龙，李谢病不见。**时吴在山东提学副使任，持论与唐顺之相近，而与李攀龙相左。王世贞《吴峻伯先生集序》："盖又数年，峻伯始由驾部郎拜臬佐，视山东学政。……于鳞亦自关中弃官归，为其乡人，而峻伯数使候于鳞，辄谢病不复见。余得交关期间，以谓于鳞。于鳞曰：'夫是膏肓者，有一毗陵在，而我之奈何？为我谢吴君，何渠能舍所学而从我？'"（《弇州续稿》卷五十一）按，李攀龙拒见吴维岳，既与吴追随唐顺之（毗陵）有关，亦与李辞官归、"绝不见官"的作派有关。王世贞有诗，题为《于鳞归，绝不见客，而独见余，饮之酒，又走使饷绒褐，予以吴丝答之，而侑以诗》。李攀龙拒见魏裳，是其"绝不见客"的又一例证。王世贞《魏顺甫传》云："最后为济南知府。时于鳞已弃官里居，一切谢客。顺甫三及门而不见，以一苍头报谢。人或谓曰：与若部民何倨也。顺甫益往候之。于鳞不自得，乃出饮谈诗，甚欢……顺甫为人温温长者，而性特介，于取予辨毫发不苟。所善如于鳞、明卿及吴兴徐子与，顺甫皆兄事之。所最庄事于鳞，亦以于鳞故推东郡谢生。一日，谢生（谢榛）恨于鳞，数其郡（居）不法事。众默然。顺甫独前质曰：为先生见之耶，抑闻之人耶？生遽曰：亦闻之人耳。顺甫曰：于鳞之善先生，天下莫不闻，先生宜得之久。今以人言而遂信之，则不明；有所闻而不以告于鳞则不忠；不以告鳞，而告之士大夫显者则不厚。裳请改事矣。遂拂衣去。谢生潜乃败。"魏裳字顺甫。

**黎民表**（1522—1582）**任制敕房中书。**黎民表字维敬，或作惟敬，从化人。嘉靖甲午（1534）举人。授翰林院孔目，迁吏部司务。以能文用为制敕房中书。后加官至参议。王世贞取为"续五子"之一。《明史·文苑传》附见黄佐传中。欧大任《黎惟敬两诗卷跋》："诗皆嘉靖己未后典秘时所作，回首已二纪余。"陈文烛《瑶石山人稿序》："嘉、隆之际，黎惟敬在秘书，以著作供奉称上意，公卿怜才者往往推毂惟敬。汉儒待诏金马门，持论白虎观，不是过也。时与历下（李攀龙）、东吴（王世贞）、兴国（吴国伦）、长兴（徐中行）、铜梁（张佳胤）、新蔡（张九一）赫然号海内才士，而惟敬晚交不佞，在诸君子去国之后。"

**顾起纶迂道岭表拜访黄佐**（1490—1566）**。欧大任、黎民表等皆黄佐弟子。时黄佐赋闲家居。**顾起纶《国雅品》士品四："黄詹事才伯，性尚冲和，韵含芳润，玄览鳌洲，藏珍琼海，为一代名家。其诗譬之龙跃悬河，凤鸣阿阁，辉映高绝。屠谕德（屠应埈）谓其'利若刺刃，光如巨贝'，故词林宗匠也。如《虎丘》云：'夫椒先自败，於越谁能军。月落苧罗冷，花深麋鹿群。'《兴安道》云：'密云虚碍马，芳草远随人。'《夜坐》云：'野色入河汉，钟声连翠微。'《洞庭》云：'未央月转芙蓉殿，太液波涵翡翠楼。'《采莲》云：'青山亦有飞来日，何事萧郎未见还？'《并头花》云：'十年不到芙蓉阙，坐对双红听曙鸡。'"并得开元风格、大历情兴，足以接武曲江、追驾岭表矣。余早岁羁旅都下，尝因张文肃交公，其风度弘朗，闲素超脱。丙午（1546）间，少宰员缺，廷推忤忌者。一日罢二侍一詹，公与少宗伯崔、许二公也。公遂不旋踵，飘然解龟去都。余追至通会送之，把余臂曰：'子有胜致，他日能访我罗浮之巅乎？'后十有三载，余自郁迂道一造其门，值飓风大作，遂筋余五层之楼，遥览罗浮秀色，宛在浮白间，弥日而别。公雅有古谊，将无以言掩之。"黄佐字才伯，号泰泉，香山人。

**陈有守等历时三年，编定《徽郡诗》八卷。**《四库全书总目》卷一九二集部总集类存目二著录《徽郡诗》八卷，提要曰："明陈有守、汪淮、李敏同编。有守字达甫，淮字禹乂，敏字功甫，皆休宁人。是编创始嘉靖丁巳（1557），成于己未，共得作者一百四十六人，计诗七百五十四首。皆断自明初，而有守等三人之诗亦附于末。"

**陈鹤、梅鼎祚作唱和诗近百篇。**朱孟震《与玄草序》云："初，参知公喜延接方外士。陈山人鹤、王山人寅，皆以诗鸣江湖间，来辄留数月，禹金皆从之游。陈山人来游时，禹金方舞象。二山人顾心服禹金，为忘年交。在宛陵所交而最昵者，则沈太史君典一二辈尔。"《嘉庆宁国府志》卷三十一云："嘉靖己未，（陈鹤）寓宣城，与梅守德倡和诗近百篇。凡岁余去，之金陵卒。"

秦鸣雷、高拱、陈升任讲读学士。高仪以讲读学士领南院。郑晓任刑部尚书。据王世贞《弇山堂别集》。

**潘季驯**（1521—1595）巡按广东。《四库全书总目》卷五五史部诏令奏议类著录潘季驯《潘司空奏疏》六卷，其中含巡按广东奏疏一卷。

**卢柟当卒于今年**（？—1559）。王世贞《卢柟传》："卢柟字少楩，一字子木，大名浚人也。"少楩或作次楩。太学生。"柟死时，世贞方坐家难，浮系长安邸中，不得其状也。"王世贞之父王忬于今年五月被逮，明年十月以边将陷城律弃市。顾起纶《国雅品》士品四"卢少楩"："晋渡江来，赋几亡矣。自兹而作，有卢生焉，涉屈宋之华津，步班扬之高衢，弘音夕振，恍乎渔阳操挝，渊渊有金石声，眇觌创制，亦一代之赋手也。至所为诗，稍有短长，余尝评之：其古体如寒流出谷，婉若调轸，音随意适，近体如夕禽触林，矫于避缯，象逐思驰。读《蠛蠓集》所载《幽鞫赋》并狱中所上诸书，迹类韩囚，情同魏械，摅愤郁之辞，于钳赭之顷，号哀迫切，良亦勤矣。竟大困十余年而始脱。斯人也，乃有斯厄。平反甫释，而年算靡永，卒槁橾于空门。此天之未定者也。假令置之金马石渠间，则《上林》、《羽猎》，不足润色鸿业邪！嗟夫！世之不遇者，岂特一卢生哉？余尝一识生于邑之南濠，因详附王元美尝悼其亡之什，生也遗爽，颇复赏此否？王云：'北风吹松柏，下与飞藿会。词人厄阳九，卢生亦长逝。桐棺不敛胫，寄殡空山寺。蝼蚁与乌鸢，眈眈出奇计。酒家惜余负，里社忻安食。孤女空抱影，寡妾将收泪。著书盈万言，一往恐失坠。惟昔黎阳狱，弱羽因毛鸷。幸脱雉经辰，未满鬼薪岁。途穷百熊攻，蛮触新语至。词场四五侠，往往走余锐。大赋少见赏，小文仅易醉。醉后骂坐归，还为室人詈。我昔报生札，高材虚见忌。自取造化余，何关世途事？呜呼卢生晚，竟无戬身地。哭罢重吞声，皇天有深意。'"《列朝诗集小传》丁集上《卢太学柟》："柟骚赋最为王元美所称，诗律不如茂秦（谢榛）之细，而才气横放，实可以驱驾七子。幸其早死，不与时贤争名，故诸人皆久而惜之。"《明史·文苑传》："柟骚赋最为王世贞所称，诗亦豪放如其为人。"《四库全书总目》卷一七二集部别集类二五著录卢柟《蠛蠓集》五卷。《明诗纪事》己签卷四录卢柟诗十六首，陈田按："浮丘山人五古质厚气劲，有左记室、阮步兵之遗风。七古神似青莲，七子中惟元美据其上游，余子不及也。近体多疏野之致，殆才有短长耳。"

**许宗鲁**（1490—1559）卒。乔世宁《都察院右副都御史许公宗鲁墓志铭》："嘉靖己未，少华许公卒。……公生弘治庚戌，今年盖七十岁云。""公名宗鲁，字东侯，号少华，咸宁人也。……正德丁丑（1517）举进士，选翰林庶吉士，己卯（1519）授云南道御史，嘉靖壬午（1522）按宣大，癸未（1523）升金事湖广提学，三年（1526）升副使兵备霸州，丁亥（1527）复改湖广提学，己丑（1529）升太仆少卿，壬辰（1532）升大理少卿，未几升金都御史巡抚保定，自保定归十七年，而当庚戌（1550）之冬，复金都御史驻昌平，已又升副都御史巡抚辽东，壬子（1552）乃致仕归。""归时会虏入，公部将斩首虏甚众，亦以常奏不报捷，于是士论益归重公，日望公起，公顾益放情山水。已即别构草堂，积图书其中，日□故所与游者置酒赋诗，亦时时作金元人词曲为乐。所著《少华集》、《续集》与《陵下》、《辽海》、《归田》诸集数十卷。

其诗足继唐音，文复精典有汉魏风。而作字又精诣古法，诸行草大小楷书杂置法帖中，人莫能辩。公即老犹能作小楷字。当其得意时，一挥辄数十纸不倦，得公诗翰者咸珍玩藏之，谓当代二绝云。"《列朝诗集小传》丙集："家本秦人，承康王之流风，罢官家居，日召故人，置酒赋诗，时时作金元词曲，无夕不纵倡乐。关中何栋，西蜀杨石，浸淫成俗。熙朝乐事，至今士大夫犹艳称之。"《静志居诗话》卷十《许宗鲁》："少华诸体皆工，寓和婉于悲壮之中，譬之秦筝，独无西气。足与边廷实、王子衡并驱。《东岳》云：'秩祀严东土，明禋冠五宗。金函神鬼篆，玉简帝王封。海涌中宵日，岩留上古松。何时凌巇嵝，飞举跨苍龙。'《清溪泛舟》云：'清溪澹无色，客子放归舟。浦暗黄花雨，江行白露秋。故人惜远别，奠酒话中流。渐近铜陵县，青山动我愁。'"《明诗别裁集》卷六录许宗鲁诗四首。《明诗纪事》戊签卷七录许宗鲁诗三十二首，陈田按："东侯固是关中之俊，音亮气遒，对山、渼陂皆在下风。"

**叶向高**（1559—1627）生。叶向高，字进卿，福清人。万历癸未进士，选庶吉士，授编修，历官坊局，南吏部侍郎，召为礼部尚书，入直东阁，以少傅予告。再召为少师，兼太子太师，吏部尚书，中极殿大学士。卒，赠太师，谥文忠。有《苍霞草》。

## 公元 1560 年（世宗嘉靖三十九年　庚申）

### 正月

**冯惟讷辑《诗纪》初次刊行，是为嘉靖本。**甄敬《诗纪序》："《诗纪》者北海冯氏辑也，起上古，迄隋末，搜括靡遗矣。又较其差谬，次其紊乱，诗以人分，人以世系，斯亦勤且精也，余读之有慨焉。……肆命诸梓，兼附众评，匪徒曰将资艺薮之博洽也。嘉靖岁次庚申孟春，赐进士第、文林郎、巡按陕西监察御史兼提督学校事，太原甄敬叙。"《诗纪》成书于1558年。另有万历重刊本。

### 二月

**南京振武营兵变，杀总督黄懋官。**此即王世贞乐府《石头变》本事。

**袁宗道**（1560—1600）生。袁中道《石浦先生传》："先生生，实嘉靖庚申三月十六日也。"袁宗道，字伯修，号石浦，公安人。万历丙戌进士，改庶吉士，授编修，历中允，洗马，庶子，赠礼部右侍郎。有《白苏斋集》。

**宗臣**（1525—1560）卒。王世贞《明中宪大夫福建提刑按察司提学副使方城宗君墓志铭》："嘉靖庚申之二月，宗君子相卒于闽……君得年仅三十六。""君讳臣，子相其字，尝自称方城山人。其先世居吴郡，寻迁盱眙，最后迁兴化，遂为兴化人。"庚戌登进士第，授刑部主事。改吏部，历员外，郎中，出为福建参议。己未（1559）春"迁其省按察副使，督学校，君每出按部校士，坐堂皇上，取试题为程义，以夕及旦日阅卷，以又次日进退诸生，无不人人厌服。已徐出所谓程义示之，又无不人人厌服也。诸生贫者，调学田租赡之，不给则为捐月俸减供具继之，以为常。君既精强于其职，而两台使者诸司道大夫用名重故造请，文事填委，君又以其间刿意骚雅讴吟，非丙夜不已。遂寝瘵，日以亟，乃稍次其生平著述凡十余卷梓之。疾革，衣冠坐厅事，手书三诗于帙，飘飘然有御风凌虚意，已掷笔而逝。讣闻，两使者哭于台，诸司道大夫哭于其署，博士弟子哭于学，士女哭于巷，曰：'谁为社稷赎宗君也？'则曰：'谁为赎宗君师我也？'则又曰：'谁为赎宗君父母我也？'御史献科下诸郡祠君名宦，春秋祭勿绝。君于诗好建安及李白、杜甫，于文好司马迁、北地李梦阳，然自以其才气胜之，不屑屑取似也。其横放雄厉，莫可得而羁笼，高者凌太虚，秀者夺万色，务出意气之表以自愉快，宁瑕而璧，宁蹶而千里。至于论说千古成败，慷慨击节，宁为籍，毋宁为季，此岂局蹐辕下老土壤者哉！乃其孝友洁廉，一试于闽，称循良首，差为文士吐气矣！"欧大任《广陵十先生传·宗臣》："臣尝言：人世只有二道，上焉者乘青云，弄紫霞，而次则宏词丽句，照耀千古，名并日月。其临终三诗在武夷山止止庵中，殆仙乎仙乎，麟凤不羁，翩翩霄汉，孰得而究竟之哉。臣无子，仅有诗文集十五卷传于世。"《明史·艺文志》著录《宗臣诗文集》十五卷。《四库全书总目》集部别集类二五著录《宗子相集》十五卷，集部别集类存目五著录《子相文选》五卷。兹选录诸家评语若干则附后。王世贞《吴明卿》："子相集序，勉尔奉命。中间评骘不相假，无论二三君子，即子相地下闻之，亦未首肯。然仆以为吾曹宜据实，毋轻许，轻许将使年少有以窥人。李献吉序《徐迪功集》云：'大而未化。'吴子辈谓献吉忌昌谷，此非也。昌谷偏工，虽在至境，要不得言具体，何论化乎？吾以为献吉为浮，未见其忌也。叙子相如是，是足不朽矣。"（《弇州四部稿》卷一百二十一）《诗薮》续编卷二："宗子相以歌行自负，虽超忽飞动，而啙决相半。人多惜宗早夭未成，余谓不然。昌谷三十三，仲默三十九，年才与宗上下，皆卓然名家，何得以未成论！"《诗源辩体》后集纂要卷二："宗子相名臣。五言古多出汉魏，较于鳞精纯不如，而才力则胜庭实。七言古，短篇多类太白，于诸体为优；长篇如《二华》、《金山》、《庐山》，颇多奇纵，而怪诞处则似任华、卢仝，此不善用其才者。五七言律，意在匠心，故不成语者多，入录者十之一，而多非本相。七言律，变体为胜。""元美言：'子相从吴生论诗，不胜，覆酒盂啮之裂，归而淫思竟日夕，至呕血。'又言：'子相诗足无憾于法，乃往往屈法而伸其才'云云。愚谓：子相覆盂啮裂，有不自安意，淫思至呕血，乃求通而入也。其合作者，未必不因悔怆而得。若今之趋异吊诡者，则傲然自信，岂复能啮盂呕血耶！"《明诗别裁集》卷九录宗臣诗三首。《四库全书总目》集部别集类二五著录宗臣《宗子相集》十五卷，提要曰："（宗）臣尝与吴国伦论诗不胜，归而精思累日夕，卒能卓然成家，为嘉靖七子之一。其诗跌宕俊逸，颇能取法青莲。而意境未深，间伤浅俗。《静志居诗话》谓使其不遇王、李，充之不难与昌谷、苏门伯仲。自入七子之社，渐染习气，日以窘弱，最可惋惜。所言诚切中其病。然天才婉秀，吐属风流，究无剽剟填砌之习，本质犹未尽漓也。惟《竹间》诸篇，体近纤仄，未免汩没于时趋耳。至其《西门》、《西征》诸记，指陈时弊，反复详明。盖臣官闽中时，御倭具有方略，故言之亲切如是，是又不可以文字论矣。"《明人诗钞续集》卷八："子相诗，元美以为上掩王、孟，下亦钱、刘，誉之过当。然天才秀逸，超越恒蹊，生不永年，故所就止此。论者谓为李、王习气所汨，非然也。"《明诗纪事》己签卷二录宗臣诗十三首，陈田按："李于鳞初作诗操齐音，以仄为平，有窃笑者，即啮舌血滴杯中吞之，自是一变，无复龃龉。宗子相与吴明卿论诗不胜，覆酒盂啮之裂，归而淫思竟日夕，至喀喀呕血。苦心吟事如此。子相古体，短篇时有合作，长篇叫嚣拉杂，有画虎不成之诮。五七言律，对句变幻，故作突兀，气脉不贯，有隽句而鲜完篇。五绝极有神韵。七绝轩爽，少弦外之音。元美《卮言》仅择子相佳句，可谓善匿其短。子相卒后，元美为作集序云：'宁瑕无碔'，又云：'以子相之诗，足无憾于法，乃往往屈法而伸其才'，颇有微辞，又《答吴明卿书》云：《子相集序》评骘不相假，吾曹宜据实，毋轻许，使年少有以窥人。此可谓是非之公，不作英雄欺人语。"

## 四月

湛若水（1466—1560）卒。（《弇山堂别集》云湛今年十月卒）《明儒学案·甘泉学案一·文简湛甘泉先生若水》：湛若水字元明，号甘泉，广东增城人。"从学于白沙，不赴计偕，后以母命入南雍。祭酒章枫山试睟面盎背论，奇之。登弘治乙丑（1505）进士第。初杨文忠、张东白在闱中，得先生卷，曰：'此非白沙之徒，不能为也。'拆名果然。选庶吉士，擢编修。……升侍读，寻迁南京祭酒，礼部侍郎，历南京礼、吏、兵三部尚书，致仕。""庚申四月丁巳卒，年九十五。先生与阳明分主教事，阳明宗旨致良知，先生宗旨随处体认天理。学者遂以良知之学，各立门户。其间为之调人者，谓'天理即良知也，体认即致也，何异？何同？'然先生论格物，条阳明之说四不可。阳明亦言随处体认天理为求之于外，是终不可强之使合也。"《明史·儒林传》："若水生平所至，必建书院以祀献章。年九十，犹为南京之游，过江西，安福邹守益，守仁弟子也，戒其同志曰：'甘泉先生来，吾辈当宪老而不乞言，慎毋轻有所论辨。'若水初与守仁同讲学，后各立宗旨，守仁以致良知为宗，若水以随处体验天理为宗。守仁言若水之学为求之于外，若水亦谓守仁格物之说不可信者四。又曰：'阳明与吾言心不同。阳明所谓心，指方寸而言。吾之所谓心者，体万物而不遗者也，故以吾之说为外。'一时学者遂分王、湛之学。湛氏门人最著者，永丰吕怀、德安何迁、婺源洪垣、归安唐枢。怀之言变化气质，迁之言知止，枢之言求真心，大约出入王、湛两家之间，而别为一义。垣则主于调停两家，而互救其失。皆不尽守师说也。怀，字汝德，南京太仆少卿。迁，字益之，南京刑部侍郎。垣，字峻之，温州府知府。枢，刑部主事，疏论李福达事，罢归，自有传。"《四库全书总目》著录湛若水《二礼经传测》六十八卷、《春秋正传》三十七卷、《古乐经传》三卷、《格物通》一百卷、《心性书》（无卷数）、《杨子折衷》六卷、《遵道录》八卷、《甘泉新论》一卷、《甘泉集》三十二卷。《甘泉集》提要曰："据若水门人洪垣所记，其集本四十八册，刊以行世者十五册。此本凡樵语一卷，新论一卷，雍语一卷，二业合一训一卷，书一卷，新泉问辩录一卷，新泉问辩续录一卷，问疑录一卷，问疑续录一卷，金陵问答一卷，金台问答一卷，书问二卷，古乐经传或问一卷，序记章疏三卷，讲章一卷，杂著一卷，约言一卷，语录一卷，杨子折衷略一卷，非老子略一卷，诗二卷，归来纪行略一卷，岳游纪行略一卷，祭文、碑铭二卷，外集一卷。盖语录居十之九，诗文其余赘耳。"《艺苑卮言》卷五评其诗曰："湛元明如乞食道人，记经呗数语，沿门唱诵。"《明诗纪事》丁签卷十三录湛若水诗三首，陈田按："甘泉诗莫名其体，似道家演诀而非诀，似禅家说偈而非偈，盖参合宋击壤、明定山诸派而成者也。若'北风吹湖船，帆挂南岳树'，'桃李默不言，流莺语春风'，'溪陂名胜在，不欠杜陵诗'，'夜瓮分江水，春茶煮楚云'，何尝不清脆，但集中不可多得耳。"

**淮阳巡抚唐顺之**（1507—1560）**力疾巡海，至通州卒。**李开先《荆川唐都御史传》："顺之，字应德，号荆川。"武进人。"戊子（1528）乡试第六名，己丑（1529）会试第一名，廷试二甲第一名"，"试政吏部，选除兵部主事，未久，以僚长卢襄难处，因病告归。继丁母忧。""服阕，改补吏部考功司主事"，十二年（1533）改翰林院编修，称病致仕，起为右春坊右司谏，上疏请朝东宫，夺职为民。起兵部郎中，视师浙直，超拜右佥都御史，巡抚淮扬。"嘉靖庚申四月望后，得其起后第三书，……计其书乃三月念又八日，付封四月一日，发行即日，竟以蛊胀旧疾，卒于扬州舟中"，"生则正德丁卯十月初五日，至是年五十四。""所著《荆川集》十二卷，所辑名贤策论及《左编》等数百卷，俱行于世。" 李开先《荆川诗卷跋》："荆川唐子，晚年诗似信口，有意味，有心思；书似信手，有骨力，有神气。……或者谓其窜入恶道，流为俗笔，其亦浅之乎知唐子者哉！"《明诗评》卷一："弘、正间何、李辈出，海内学士大夫多师尊之。迨其习弊者，音响足听，意调少归，剽窃雷同，正变云扰，太史稍振之为初唐。即其宏丽该整，咳唾金璧，诚廊庙之羽仪，文章之瑚琏。然欲尽废二家之业，殆犹溺嗜海错而废八珍者也。归田以后，又见别纪。"又卷三："此评其归田以后之诗也。评曰：太史近亦滥觞，互相标榜，所谓有狐白之裘，而反袭饰嫫母以为西子者也。如道思旧作，本可二三，仆故抑之，使世人罔掇其糟，毋曰蚍蜉撼树也。"《列朝诗集小传》丁集上："顺之，字应德，一字义修，武进人。嘉靖己丑，会试第一人，授兵部武选主事，改吏部稽勋，调考功。嘉靖初更制，取外僚入翰林，改翰林院编修，称病乞归。永嘉恶其远己，票以原官致仕。皇太子立，简宫僚，起右春坊司谏，与罗洪先、赵时春上疏，请朝东宫，夺职为民。甲寅，倭寇蹂躏东南，用赵文华荐，起职方郎中，巡视蓟镇，还视师浙直，又用胡宗宪荐，超拜佥都御史，巡抚淮扬，力疾巡海，卒于广陵舟中。崇祯初追谥襄文。应德于学无所不窥，大则天文、乐律、地理、兵法，小则弧矢勾股、壬奇禽乙、刺枪拳棍，莫不精心扣击，究极原委，以资其经济有用之学。晚而受知分宜（严嵩），僇力行间，身当倭寇，转战淮海，受事未几，遂以身殉，可谓志士者也。正、嘉之间，为诗者踵何、李之后尘，剽窃云扰，应德与陈约之辈，一变为初唐，于时称其庄严宏丽，咳唾金璧。归田以后，意取辞达，王、李乘其后，互相评砭，吴人评其初务清华，后趋险怪，考其所撰，若出二辙，非通论也。为文始尊秦汉，颇仿空同，已而闻王道思之论，洒然大悟，尽改其少作。其语详载文集序中，不具列于此。"《四库全书总目》著录其《广右战功录》一卷、《右编》四十卷、《史纂左编》一百二十四卷、《两晋解疑》一卷、《诸儒语要》二十卷、《武编》十卷、《荆川稗编》一百二十卷、《荆川集》十二卷、《南北奉使集》二卷、《文编》六十四卷。《荆川集》提要曰："顺之学问渊博，留心经济。自天文、地理、乐律、兵法以至勾股壬奇之术，无不精研，深欲以功名见于世。虽晚年再出，当御倭之任，不能大有所树立，其究也仍以文章传，然考索既深，议论具有根柢，终非井田封建之游谈。其文章法度，具见《文编》一书。所录上自秦汉以来，而大抵从唐宋门庭沿溯以入。故于秦、汉之文，不似李梦阳之割剥字句，描摹面貌。于唐宋之文，亦不似茅坤之比拟间架，掉弄机锋。在有明中叶，屹然为一大宗。至其末年遁而讲学，文格稍变。集中如《与王慎中书》云，近来将四十年前伎俩，头头放舍，四十年前见解，种种抹杀，始得见些影子云云。则薰蒸语录，与之俱化，分别观之可矣。"《明诗别裁集》卷七录唐顺之诗三首。《明诗纪事》戊签卷九录唐顺之诗八首，陈田按："嘉靖初学初唐者，如薛君采、皇甫子安，七古诗便不能佳，无论余子。盖其调圆转流利，须择题而施。惟何大复《明月篇》最为杰出，以其才自度越寻常也。五律一体，人握隋珠，君采、子安兄弟、高苏门、袁永之、唐应德、陈约之辈，不可胜数。应德古文自是明一代大家。诗学初唐，律体自有佳篇。厥后谈兵讲学，不能复唱《渭城》，潦倒颓放。弇州、卧子之论具在，不必为之讳也。"

**刘绘作诗挽唐顺之**，题为《挽唐荆川》。诗云："扈跸当年染玉毫，山中校猎挽乌号。英魂一夜归何处？怒涌江潮百丈高。"挽唐顺之诗文甚多，此首较为出色。刘绘字子素，光州人。嘉靖乙未（1535）进士，授行人。迁户科给事中，转刑科右给事中，出为重庆知府。有《嵩阳先生传》二十卷。

## 七月

**叶山**（1504—?）《八白易传》成书。据四库提要。

**陈勋**（1560—1617）生。叶向高《明绍兴府知府景云陈公偕配詹安人合葬墓志铭》："其生为嘉靖庚申七月十二日，没于万历丁巳三月十五日，得年五十八。"陈勋字元凯，闽县人。郑善夫外曾孙。万历辛丑（1601）进士。官至户部郎中。《福建通志》载《元凯集》四十卷。《四库全书总目》所著录《元凯集》凡五卷，含文三卷、诗二卷，其同年吕纯如所刻。

## 九月

**胡缵宗**（1480—1560）卒。《国朝献征录》所载佚名《通议大夫都察院右副都御史可泉胡公缵宗墓志铭》："公讳缵宗，初字孝思，后更世甫，秦人也，号可泉，亦号鸟鼠山人。……中陕西辛酉乡试。继登正德戊辰吕柟榜进士三甲第一人。"特授翰林检讨。出为嘉定州判，迁潼川知州。入为南户部郎中，改吏部，出知安庆府。改苏州，迁山东参政。改浙江，历河南布政使，以右副都御史巡抚山东。改理河道，复改河南，乞归。以作诗下狱，寻得释。"庚申九月三日，方执简对宾，倏忽告逝。据生成化庚子，享年八十一岁。公才气英发，对客挥毫，诗赋立就，宛若宿构。然隽爽豪逸，上追古人，凡海内贤达及艺文之士，望形影从，听声响赴，欣欣纳交，而骫骳诡随之徒，未免含嫉睨视焉。虽大位屡滞，不究厥施，而功实词华，流传远迩，虽百世不泯也。有《辛巳集》、《丙辰集》各四卷，《鸟鼠山人小集》八卷，《拟汉乐府》二卷，《拟西涯古乐府》、《家谱》各一卷，《安庆志》三十卷，《秦安志》二卷，《巩郡记》三十卷，《秦州志》三十卷，《春秋本义》十二卷，并汇选《唐雅》、《雍音》等篇，皆已行于世，其《河嵩》、《归田》诸集，未梓者尚多。"《明史·艺文志》著录胡缵宗《仪礼郑注附逸礼》二十五卷、《春秋本义》十二卷、《安庆府志》三十一卷、《汉中府志》十卷、《巩郡记》三十卷、《秦州志》三十卷、《鸟鼠山人集》十八卷、《拟古乐府》四卷、《诗》七卷。《四库全书总目》史部地理类存目二著录胡缵宗《嘉靖安庆府志》三十卷，子部儒家类存目一著录胡缵宗《愿学编》二卷、《近取编》二卷，集部别集类存目三著录胡缵宗《鸟鼠山人集》二十九卷、《拟涯翁拟古乐府》二卷、《拟汉乐府》八卷，集部总集类存目一著录胡缵宗《雍音》一卷。兹选录诸家评语附后。《四库全书总目》之《鸟鼠山人集》提要曰："其诗激昂悲壮，颇近秦声。无妩媚之态，是其所长，多粗厉之音，是其所短。"又《拟汉乐府》提要曰："一名《舆上集》，以其多成之舆上也。汉乐府多声词合写，不能复辨，沈约《宋书》言之甚明。缵宗乃揣摩题意为之，殊类于刻舟求剑。况唐人歌诗之法，宋人不传。惟《小秦王》一调，勉强歌之，尚须杂以虚声，乃能入律。宋人歌词之法，元人亦不传。白石道人歌曲自度诸腔，所注节拍，今皆不省为何等事矣。缵宗乃于千年以外，求汉乐府之音节，不愈难而愈远乎？"《明诗别裁集》卷六录胡缵宗诗一首。《明诗纪事》戊签卷十录胡缵宗诗二首。

## 十月

**方逢时（？—1596）《白冶集》刊行，梅守德作序。** 序云："《白冶集》者，吾郡刺史樗野方公之所赋也。……是集出，郡中士人争相传诵，邑侯右池杨君以儒术饰吏治者，爰付之梓，贻诸同好，用广其传，公顾弗预闻焉。嘉靖庚申孟冬望日，宛陵梅守德撰。"方逢时字行之，一字兆行，嘉鱼人。嘉靖辛丑进士，除宜兴知县。官至兵部尚书，加太子少保，太子太保，进少保。有《大隐楼集》十六卷。

**赵康王朱厚煜卒。** 朱厚煜，成祖第三子赵简王高燧来孙。自号枕易道人。正德十六年袭封，嘉靖三十九年卒。有《居敬堂集》。《明诗纪事》甲签卷二录朱厚煜诗二首，陈田按："王文采丽都，延接士类，藻韵连翩，应教叠作。读孙太初之集，恨不同时；奏谢茂秦之歌，拥姬出拜。至今谈者津津，艳流口齿，斯极朱邸之风流，艺林之韵事也。"谢榛以赵康王去世，归东海。

**王忬（1507—1560）以边将陷城律斩于西市。王忬为世贞、世懋之父。** 王世贞《先考思质府君行状》云："初府君就逮时，二子独世懋在，而世贞为山东按察副使自劾解印绶去。与世懋谋为伏阙请代者。府君力止之，曰：'我于国家无少负。上幸念我，或庶几忘之，奈何复激之耶？且严氏为阱深，蹈其一矣，若兄弟奈何行复蹈也。'世贞等不得已，则时时从相嵩门蒲伏泣请解。相嵩亦时时为谩辞相宽，戒以毋激上意。上意亦无他，第不欲遽释，死边臣心耳。而辽左核功状至，相嵩阴摄削府君名。兵部郎徐君善庆复以练兵出。相嵩嗾之，令追论府君。徐坚不从。久之，移病归。相嵩既已陷府君，谋为下石益切。然愈益诡秘，世贞兄弟不知也。"《明诗纪事》庚签卷十录王祖嫡诗三首，陈田按语云："时人有议王元美父忬之祸为元美激之者，胤昌作书辨之曰：'人言分宜父子甘心杨忠愍，元美时为郎，与二三君子哭之痛，相嗣闻而恶之，谓所亲曰：'胡不移此哭乃公？'由此司马公不免。呜呼！司马公冤，不系元美哭与不哭也。昔汉暴彭越尸，有哭者夷三族，而栾布哭之，后世且多其义。兹忠愍非越比，又无禁令，乃于不可知之事、不可测之祸傅仁人孝子耶？至于沉湎纵饮，必分宜当国时元美畏祸，故以此自污，不则泄愤宣郁，昔人所谓长歌之痛者耳。'元美引之四十子之列，且赠诗云：'倾盖岂必深，慨焉成辩谤。'即此谓也。胤昌诗长于咏古。"王祖嫡字胤昌，信阳州人。隆庆辛未进士，选庶吉士，授检讨。迁国子司业，历洗马，进侍读。有《师竹集》三十七卷。杨忠愍，杨继盛。王世贞字元美。相嗣，严嵩子严世蕃。司马公，王忬。分宜，严嵩。

## 十一月

王世贞、王世懋扶榇归里，李攀龙单骑出吊。李攀龙有《挽王中丞》组诗。王世贞《亡弟中顺大夫太常少卿敬美行状》："盖明年之庚申，而公（指其父王忬）竟不免。吾兄弟痛极，濒死者数矣。步扶丧车下潞河，且哭且踬，乃以一塞卫更代行。又虞太恭人之毁伤也，时时慰问。已得民舟，凡两月而抵家，各不自意全。时方苦大水灾，乡居盗四起，抵暮火光与噪声应不绝，乃谋请太恭人偕父子辈城居，而诛茅构丙舍于藁葬之侧，三时进食，哀号中夜，叹咤誓以蔬素辅粥。时余兄弟皆尫瘵，而弟以夙疾故，尤甚。每月朔入城起居太恭人，太恭人怜而忧之，手和肉羹以畀弟，泣弗忍领也。凡二十七月而始茹荤，毕三载始除服，然犹被白帢单衣，不敢预宴会，听声乐，与人间庆吉礼，唯于诗酒，夙所嗜，不免时时濡首相与，畅怫郁浇磊块而已。""大司马公之丧过济宁，于鳞单骑出吊，弟哭不能言，而且拜且睨，于鳞亦目属之。"李攀龙字于鳞。有《挽王中丞》组诗。共八首，其二云："司马台前列柏高，风云犹自夹旌旄。属镂不是君王意，莫作胥山万里涛。"王忬曾任右都御史，其职位略相当于汉之御史中丞，故称"王中丞"。《明诗别裁集》卷七收入此诗，评曰："为中丞吐气，而忠厚之意宛然。"

## 十二月

东圃主人为汪道昆《大雅堂杂剧》作序。时汪道昆在襄阳知府任。序云："襄王孙曰：国风变而为乐府，乐府变而为传奇，卑卑甚矣。然或谭言微中，其滑稽之流与。乃若江汉之间，湘累郢客之遗，犹有存者。顷得两都遗事而文献足征，窃比吴趋，被之歌舞。宾既卒爵，乃令部下陈之。贵在属餍一脔足矣。彼或端冕而卧，其无求多于予哉。"末署"嘉靖庚申冬十二月既望，东圃主人书"。徐朔方《汪道昆年谱》以为东圃主人即襄王孙——镇宁恭靖少子朱厚柯。潘之恒《亘啸小品》卷三《曲余》云："汪司马伯玉守襄阳，制《大雅堂》四目：《画眉》、《泛湖》以自寿，《高唐》、《洛浦》以寿襄王，而自寓于宋玉、陈思之列。戏语人曰：太上吾不能，功言吾不逮，其次致曲，或庶乎？"《画眉》即《远山戏》（或作《京兆记》），《泛湖》即《五湖游》，《高唐》即《高唐梦》，《洛浦》即《洛水悲》。《远山堂剧品·雅品》："《高唐梦》（南一折）：名公钜笔，偶作小技，自是庄雅不群。他人记梦以曲尽为妙，不知高唐一梦，正以不尽为妙耳。《五湖游》（南北一折）：五湖之游，是英雄退步，正不可作寂寞无聊之语。此剧以冷眼写出热心，自是俗肠针砭。《远山戏》（南一折）：他人传张夫人，不免妩媚，此则转觉贞静。所以远山一画，乐而不淫。《洛水悲》（南一折）：陈思王觌面晤言，却有一水相望之意，正乃巧于传情处，只此朗朗数语，摆脱多少浓盐赤酱之病。"明年四月，汪道昆升福建按察司副使。

## 本年

朱宣墙作《诗心珠会》自序。高拱《日进直讲》成书。据四库提要。

胡宗宪升兵部尚书，总督浙、直兼督江西、福建加升。潘恩任刑部尚书。王廷任南京户部右侍郎。严讷任礼部右侍郎。高拱掌国子监事。据王世贞《弇山堂别集》。时徐渭仍在胡宗宪幕。

陶仲文卒，年八十余。世宗痛悼，葬祭视邵元节，特谥荣康惠肃。据孟森《明史讲义》。

孙升（1501—1560）卒。《四库全书总目》卷一七七集部别集类存目四著录《孙文恪集》二十卷，提要曰："明孙升撰。升字志高，余姚人，燧之子也。嘉靖乙未进士。官至南京礼部尚书。是集文十四卷、诗六卷，其子鑛等所编。有《与人论诗文书》云：李空同步武古人。学李瞽则燕途入秦，车辙所历，可循而至。又云：空同与何大复辩论，诋其好词乖法之失；何氏亦尝诋李，谓其作疏卤，间涉于宋。总之，负气求胜，各不相下。观于是言，可以知其瓣香所在矣。附录一卷，乃其继室杨文俪作。文俪，仁和人。工部员外郎应獬之女。诸子成进士者四人，鑛、铤、镶皆至尚书，鋽至太仆寺卿，皆文俪教之。盖有明一代以女子而工科举之文者，文俪一人而已。诗其余事也。"

晁瑮（？—1560）卒。晁瑮为明代目录学家，所著《宝文堂书目》颇为知名。《四库全书总目》卷八七史部目录类存目著录《宝文堂分类书目》三卷，提要曰："明晁瑮撰。瑮字君石，号春陵，开州人。宋太子太傅迥之后。嘉靖辛丑（1541）进士。官至国子监司业。其子东吴，字叔权，嘉靖癸丑进士。选翰林院庶吉士。父子皆喜储藏，尝刊行诸书，有饮月圃、百忍堂诸版。此本以御制为首。上卷分总经、五经、四书、性理、史、子、文集、诗词等十三目。中卷分类书、子杂、乐府、四六、经济、举业等六目。下卷分韵书、政书、兵书、刑书、阴阳、医书、农圃、艺谱、算法、图志、年谱、姓氏、佛藏、道藏、法帖等十五目。其著录极富。虽不能尽属古本，而每书下间为注明某刻，亦足以考见明人版本源流。特其编次无法，类目丛杂，复见错出者不一而足，殊妨检阅。盖爱博而未能精者也。"对小说史研究亦颇具参考价值。

徐复祚（1560—1629 或稍后）生。据徐朔方《晚明曲家年谱》。徐复祚，字阳初，常熟人。著有杂剧《一文钱》，传奇《红梨记》、《投梭记》、《宵光剑》和笔记《三家村老委谈》（《花当阁丛谈》），《曲论》即从《三家村老委谈》分出。

龙膺（1560—1617 后）生。龙膺字君善，后改字君御，号朱陵，别号漼公、纶叟，合称纶漼先生，又号太虚里人，偃骨无学人、漼人、醒翁、渔仙长，湖广武陵人。万历八年进士，历任山西参政、南太常寺卿等。有《纶漼文集》等。据叶德均《读曲小纪》。

徐媛（1560—1619）生。陈继儒《白石樵真稿》卷八《祭范长白学宪元配徐安人》："去岁己未，春秋六十。祝者奏词，铿金戛石。何期灵驭，遽返真宅。"董斯张《静啸斋遗文》卷二《祭范夫人文》："岁己未之二月，徐姊范宜人以疾卒。"己未为万历四十七年（1619），其生卒年据此确定。

## 公元 1561 年（世宗嘉靖四十年　辛酉）

### 三月

王国桢为董玘《董中峰先生文选》作后序。序云："予入闽之明年，予友守寻甸董君约山贻书曰：先大夫集旧刻舛漶已甚，闽善梓者，谨谋君改图之，传诸家塾，幸甚。吾将乞徐少傅公序之矣。无何，君忽辞世。痛贻言之在耳，忍旧诺之可宿？于是躬事雠阅，厘为卷凡若干，畀之梓人。先生平生所为文词甚富，是编出唐太史公荆川选，兹惟诠次伦类，改正讹谬，仍其名曰《中峰文选》。刻成，谨上书乞少傅公文，成君志也。"序署"嘉靖辛酉三月既望，后学山阴王国桢谨书于闽藩忠爱堂。"董玘（1483—1546）字文玉，会稽人。弘治乙丑第二人及第，授编修。官至吏部侍郎，有《中峰稿》。

### 春

归有光作《思质王公诔》。"思质王公"即王忬。诔云："思质王公，讳忬，字民应，吴郡太仓人，南京兵部右侍郎倬之次子。历官至兵部右侍郎，兼都察院右佥都御史，总督辽、蓟军务。嘉靖三十八年，以吏兵之辞有连，其明年十月朔，被祸京师。长子山东按察使司副使世贞，次子进士世懋，并解官号踊，冤痛数绝。明年春，丧还吴，吴士大夫哀之，佥谓余宜为词，载于素旐，乃作诔曰：……"（《震川先生集》卷三十）有光今年尚有《奉熊分司水利集并论今年水灾事宜书》、《世美堂后记》、《自徐州至吕梁述水势大略》等文。

### 五月

初四，李开先作《园林午梦院本》自跋。初六，李开先作《打哑禅院本》自跋。据跋末题署。

### 闰五月

施峻（1505—1561）卒。徐献忠《青州府知府施公配沈安人行状》："嘉靖辛酉闰五月二十二日，璚川施公卒。""公讳峻，字平叔，以明经发解浙省，登乙未（1535）进士，授南刑部广西司主事，迁本部员外至郎中，升知山东青州府。濒行，适遇考察，为人所悬忌，去其官。""公生于弘治乙丑正月十四日，仅五十有七岁。"光绪《归安县志·文苑》："施峻字平叔，号璚川，归安人。嘉靖十四年进士，授南京刑部主事，升郎中，以晓畅典刑，掌封事。刚毅自持，既不畏强御，又不避嫌，凡议有不合，即欲投劾去。出知青州，未几罢归，不与公事。所居城楼如斗，典籍敦彝甚具，外列岘山浮玉诸胜，署之曰：'甲秀'，非莫逆不与登。每引词客对酒歌诗，自言诗外不问家人产，然能置田以赡其族之贫者。著有《琜川集》，王元美尝称之，谓其神器逸迈，如其人之釜奇焉。"《千顷堂书目》卷二三著录施峻《琜川集》八卷，《钦定续文献通考·经籍考》著录施峻《琜川诗集》八卷。兹录诸家评语附后。《艺苑卮言》卷五："施平叔如小邑民筑室，器物俱完。"《明诗综》卷四七："徐伯臣云：平叔诗随时上下，而格调浑厚，体裁平实，固一代之良。茅顺甫云：施青州诗，音响兴寄与荆川相上下。"顾应祥、徐献忠、杨铎、李献德等作有琜川诗序。参1556年、1558年。

## 八月

**裴宇、胡正蒙等任乡试主考。**《弇山堂别集》卷八十三《科试考三》："四十年辛酉，命司经局洗马裴宇、翰林院侍读胡正蒙主顺天试。命右春坊右谕德兼翰林院侍读吴情、翰林院侍读胡杰主应天试。""礼部都给事中丘岳等奏：应天录文既已传布，而考试官吴情屡行更易，胡杰不行救正，乞分别究治。得旨，俱调外任。情遂调广东市舶提举，杰广平府通判。吴君，无锡人，其邑之预荐者凡十余人，以是籍籍，而胡之家僮有泄题而遁者，未必皆有徇也。其后胡旋起，亦竟不利，而吴以老不赴官。自是南畿之在翰林者不得入南试，以为例。"

## 九月

**王衡（1561—1609）生。**王衡为王锡爵之子。王衡《将游泰山九日在道有感作》诗题下自注："予生日是重九。"又王衡《王文肃公年谱》："丁丑万历五年，府君四十四岁，时衡年十六。"赵景深《明清曲谈》据《太仓州志》记王衡"（万历）三十七年（1609）病疡卒，年四十九"。其生卒年据此推定。王衡字辰玉，别号缑山先生。太仓人。万历辛丑（1601）廷试第二人，官编修。有《缑山先生集》及戏曲作品《郁轮袍》等。

**徐渭秋试失利，自此病狂日甚，不复应试。**徐渭《畸谱》云："四十一岁。取张。应辛酉科，复北。自此祟渐赫赫。予奔应不暇，与科长别矣。"陶望龄《徐文长传》云："及被遇胡公，值比岁，公思为渭地。诸帘官人谒，属之曰：徐渭，异才也。诸君校士而得渭者，吾为报之。时胡公权震天下，所出口，无不欲争得以媚者。而偶一令晚谒，其人贡士也。公心轻之，忘不与语。及试，渭牍适属令。事将竣，诸人乃大索。获之，则弹摘遍纸矣。人以是叹渭无命。"

## 秋

**朱曰藩（1501—1561）卒。**其父朱应登诗仿李梦阳，曰藩则效法杨慎。欧大任《广陵十先生传·朱曰藩》："朱曰藩字子价，宝应人。中大夫应登子也。……年四十四始举嘉靖甲辰（1544）进士，为浙之乌程令。……无何，擢南京刑部主事，遭母忧不赴。服阕，仍补南刑部，转兵部车驾司员外郎、礼部主客司郎中。……居三年所，乃升九江知府。……辛酉（1561）景王之国，曰藩病惫，犹从卧榻中调度凡费，心劬神瘁，竟以是秋卒于官。""平生诗文有《山带阁集》三十卷，论者谓《成汤陵庙碑》、《朱氏世录序》足称名家云。"《明史·艺文志》著录《山带阁集》三十三卷。《四库全书总目》集部别集类存目四著录《山带阁集》三十三卷，提要曰："曰藩字子价，号射陂，宝应人。云南布政司参政应登之子。嘉靖甲辰进士。官至九江知府。是集诗十五卷，杂文十八卷。应登诗仿李梦阳。曰藩则法杨慎，尝因所知，通讯滇南，慎为选其诗七十余首品题之。其在金陵，悬慎画像于寓斋。集中有《人日瞻礼升庵公像》诗是也。然其诗秾丽，仅得慎之一体。王世贞《艺苑卮言》谓其如高座道人，忽作番语。则诋之太甚矣。"《明诗纪事》己签卷八录朱曰藩诗十五首。

## 本年

张佳胤由膳部郎谪陈州同知，与徐中行（子与）、吴国伦（明卿）相会。时徐中行服除，补河南汝宁太守。吴国伦迁河南归德司理。王世贞《光禄大夫太子太保兵部尚书赠少保居来张公墓志铭》："亡何（以户部主事）出榷闽广金帛，公洗手出入，毫发无所私。道改兵部职方主事，盖太宰建宁李公知之也。俄以南溧公丧归，一切裁之古礼，而哀独至。服除，至京师，时蜀当有吏部阙，而太宰嘉禾吴公难其人，闻公且至，曰：'此佳吏部郎也。'至则补故官，而少日以司勋郎请。时权相分宜子前已知之，风公略而不得，乃睨谓吴公：'是子故太宰私人，今太宰亦私之耶？'吴公持之不得，乃迁公膳部郎以自解。而公故社中友，皆徙谪无在者，第与南海黎惟敬、汝南张助甫、濮阳李伯承、庐陵胡正甫多所倡和。侧目者谗之分宜子曰：'故王李社中白眼而讥执政者，此子尚无他。'于是假风霾变察诸官僚，而公得谪矣。谪而同知陈州。是时子与守汝宁，而明卿由谪迁归德司理，三人相会自愉快。然公独不自处迁客，勤修其干揪，盗奸慑息。中丞吴兴蔡公尝宴是三人者，备主客礼，时人称之。"蔡公，蔡汝楠也。

许邦才始读李攀龙《拟古乐府》。时李攀龙颇以其《拟古乐府》自豪，可见一时风气。许邦才《拟古乐府序》云："李于鳞氏拟古乐府辞殆二十年，所计得凡若干篇；未尝以示人也，间示于一二同志，亦先后错出，无睹其全者。往辛酉岁，予始请而历读之，则集端实自为序，其末简引《易辞》云：拟议以成其变化，日新之谓盛德。噫嘻！此二言者，其于鳞之善乎为拟者哉！盖拟尚肖似，弗似，无贵于拟；似寓神情，非神则徒摹袭仿佛，如勤攘然，徒贻讥笑尔，故刻楮叶虽工，然比之造化，只见其劳而无益，学孙叔敖而无抵掌笑谈之妙，必无复生之感动，斯曰拟曰新之辨也。"按，于鳞拟古乐府备受时人关注，明清两代议论纷纷，是者有之，非者亦有之，而以非者居多。王世贞《艺苑卮言》卷五："于鳞拟古乐府，无一字一句不精美，然不堪与古乐府并看，看则似临摹帖耳。五言古，出西京、建安者，酷得风神。大抵其体不宜多作，多不足以尽变，而嫌于袭，出三谢以后者，峭峻过之，不甚合也。七言歌行，初甚工于辞，而微伤其气；晚节雄丽精美，纵横自如，烨然春工之妙。五七言律，自是神境，无容拟议。绝句亦是太白、少伯雁行。排律比拟沈、宋，而不能尽少陵之变。志传之

317

文，出入左氏、司马，法甚高，少不满者，损益今事以附古语耳。序论杂用《战国策》、《韩非》诸子，意深而词博，微苦缠扰。铭辞奇雅而寡变，记辞古峻而太琢，书牍无一笔凡语。若以献吉并论，于鳞高，献吉大；于鳞英，献吉雄；于鳞洁，献吉冗；于鳞艰，献吉率。令具眼者左右袒，必有归也。"《诗源辩体》后集纂要卷二："于鳞拟古乐府杂言、七言，语或逼真，复有得于拟议之外者。七言古声调全乖，无一语合作。予尝谓：'七言古仲默无篇，于鳞无句。'黄介子谓'此语无人能道。'""拟古惟于鳞最长，如《塘上行》本辞云：'念君常苦悲，夜夜不能寐。莫以贤豪故，弃捐素所爱。莫以鱼肉贱，弃捐葱与薤。莫以麻枲贱，弃捐菅与蒯。'于鳞则云：'念妾平生时，岂谓有中路。新人断流黄，故人断纨素。新人种兰苕，故人种桂树。新人操《阳春》，故人操《白露》。'格仿本辞而语能变化，最为可法。若《相逢行》中添一二段，格虽稍变，然宛尔西京，自非大手不能。譬如临古人画，中间稍添树石，亦是作手。惟《陌上桑》但略换字句，则甚无谓耳。""李于鳞乐府五言及五言古多出汉魏，世或厌其摹仿。然汉魏乐府五言及五言古，自六朝、唐、宋以来，体制、音调后世邈不可得，而惟于鳞得其神髓，自非专诣者不能。至于摹仿饾饤或不能无，而变化自得者亦颇有之。若其语不尽变，则自不容变耳；语变，则非汉魏矣。所可议者，于古乐府及《十九首》苏李《录别》以下，篇篇拟之，殆无遗什，观者不能不厌耳。""于鳞学汉魏，盖于六朝及唐体古诗初未尝习，逮予告而归，始差次古乐府及《十九首》《录别》以下诸诗拟之，而尽力于汉魏。是于鳞学古初无所染，又能专习凝领，渐渍岁月，故遂得其神髓耳。王元美云：'西京、建安似非琢磨可到，要在专习凝领之久，神与境会，忽然而来，浑然而就，无歧级可寻，无色声可指。'元瑞亦言：'两汉诗非苦思力索所办，当尽取其诗，玩习凝会，风气性情，纤屑具领。若楚大夫子身处庄岳，庶几齐语。'试观于鳞学古，则二子之言信有征也。"《静志居诗话》卷十三《李攀龙》："于鳞乐府，止规字句，而遗其神明，是何异安汉公之《金縢》、《大诰》，文中子之续经乎？惟相和短章，稍有足录者。五言学步苏李曹刘，如'浮云从何来，焉知非故乡。来者自为今，去者自为昔。'差具神理，然新警者寡矣。七古五律绝句，要非作家，惟七律人所共推，心摹手追者，王维、李颀也。合而观之，句重字复，气断续而神偭离，亦非绝品。"《明人诗钞正集》卷九："《沧溟集》最可笑者乐府，最可称者七律。乐府摹拟形似，自比胡宽之营新丰，而牧斋以为寿陵余子之学步，竹垞以为安汉公之《金縢》、《大诰》，殊不足存。若七律气体高华，音节宏亮，固是一代作手。且亦未尝不因题立制，逐境生情，牧斋谓举其字则三十余字尽之，举其句则数十句尽之，岂其然乎？'万里'、'中原'、'浮云'、'落日'等字，非必悬为禁例，亦看运化如何。如或有心矫枉，过求新异，堕入鬼国，其为诗病更复不小。"《说诗晬语》卷下："李于鳞拟古诗，临摹已甚，尺寸不离，固足招诋諆之口。而七言近体，高华矜贵，脱去凡庸，正使金沙并见，自足名家。过于回护与过于掊击，皆偏私之见耳。"《明诗别裁集》卷七："历下诗，元美诸家推奖过盛，而受之掊击，喧呼叫呶，几至身无完肤，皆党同伐私之见也。分而观之，古乐府及五言古体临摹太过，痕迹宛然。七言律及七言绝句高华矜贵，脱弃凡庸，去短取长，不存意见，历下之真面目出矣。七言律已臻高格，未极变态，七言绝句有神无迹，语近情深，故应跨越余子。"

王稚登作《采真篇》自序。该集收王稚登游茅山所作诗文。序曰："《采真篇》者，太原王子游茅山作也。王子故多病，忧病即死，不获游人间名山，死且有遗恨。问所在灵区阆壤，若饥渴之于饮食，愿杖策遍游，然以病不能远去。惟是茅山近在五百里内，中多异迹，秦汉以降，至人间出，茅君炼金丹成，藏山中，得之可却老，茅君又长来，今上初临御海内，人在山中焚香，见茅君驾白鹤来，仙衣下垂，叶叶如白云，良久乃去。于是王子歆艳其事，谓茅君真可遇。戊午岁，遂裹粮往寻茅君，茅君竟不遇。明年又往又不遇。辛酉春日复往，与陆丈自金鼎发舟，初过无锡，次过昆陵。昆陵吴子幼元，年少有玄赏，谓王子寻茅君，宜先谒张果先生，先生在荆溪近麓中，有白驴能行苍烟中，借之去寻茅君，不难。吴子乃亦买舟，迂路同入荆溪谒张先生，至则先生骑驴他出。王子怅怅，与吴子别去，游茅山，登陶（贞白）墓，松风谡谡如江涛，买酒酹陶公，呼不起，茅君亦不见。所谓云中仙衣，亦茫昧不可即。呜呼，岂神仙者世固无有耶？抑有之未睹邪？抑希夷虚无，难以形求耶？是皆不可知。余独悲夫青鬓生寒霜，红颜化黄土，使茅君果可遇，金丹果在，可不死，虽数十往，庶几遇之。凡山中泉石所历，道路所由，或为诗，或为文章，积之成帙，命曰'采真'，授匠梓之。他日鸾鹤既驾，留之人间，如陶弘景故事。时嘉靖辛酉岁也。"

王稚登游昆陵，作《雨航纪》。陆承宪《雨航纪序》："岁辛酉，江南大雨水，水溃堤稽陆，涉者非航弗利。入秋雨益大，航益多，而纪雨航者，独百谷王子。人谓王子为昆陵十日游耳，记且满帙，即有万里行，可胜记乎？余曰：不然。游无远近，逍遥一也。而谓昆陵非万里耶？王子为十日游能纪，即他日纪万里可知矣。"

王骥德就其祖《红叶记》改为《题红记》。屠隆有《题红记叙》。据徐朔方所撰年谱。

顾从义等八人同游荆溪，成唱和诗一卷，俞允文合而刊之，题名《荆溪唱和诗》。《四库全书总目》集部总集类存目二著录《荆溪唱和诗》一卷，提要云："明俞允文编。是编为嘉靖辛酉顾从义、姚昭、董宜阳、冯迁、朱察卿、姚遇、姚遂、沈明臣八人同游荆溪所作，允文为合而刊之。从义字汝和，上海人。昭字知晦，宜阳字子元，迁字子乔，察卿字邦宪，遂字以良，遇字以奇，皆从义之里人。明臣有《通州志》，已著录。"

茂苑树瓠子作《燃犀集》自序。陈其力《芸心识余》成书。何迁作《琴谱正传序》。桑乔撰《庐山纪事》。据四库提要。

赵贞吉为户部右侍郎。郭朴任吏部尚书。潘恩任左都御史。李春芳、董份任礼部右侍郎。林廷机任南京礼部右侍郎。据王世贞《弇山堂别集》。

黄省曾（1487—1561）卒。黄省曾号五岳山人，行辈稍晚之陈文烛亦号五岳山人，宜区以别之。《明诗综》卷五三："皇甫子循云：勉之思剧沉幽，语罕仍袭，宿构非工，食时为敏。徐绍卿云：勉之才藻富捷，笃尚深华。徐子元云：勉之诗宗六朝，如空江月明，独鹤夜警。王元美云：黄勉之如假山池，虽尔华整，大费人力。穆敬甫云：山人从空同游，刻意为诗，遂成一家。岳东伯云：五岳游览之余，操觚靡倦，剪剔绮绣，咀嚼琼英，每篇辍笔，粲然警目。"《明诗别裁集》卷一录黄省曾诗一首。《明诗纪事》戊签卷十七录黄省曾诗四首，陈田按："勉之《与献吉书》云：'诗歌之道，天动神解，

319

本于情流，弗由人造。故《虞书》显为言志，泗夏标之嗟叹。古人构唱，直写厥衷。如春蕙秋蓉，生色堪把，意态各畅，无事雕模。末世风颓，矜虫斗鹤，递相述师。如图绘剪锦，饰画虽妍，割强先露；故实虽富，根荄愈衰，千葩万蕊，不如一荣之真也。'勉之所作，正坐斯蔽。所谓叹他人之未工，忘自己之已拙。至其文，序事颇复彬彬，亦学人之雅制也。"王世贞、皇甫汸有《五岳山人集》序。

刘麟（1474—1561）卒。《静志居诗话》卷九《刘麟》："刘麟字元瑞，本安仁人，先世以武功袭南京广洋卫副千户，遂家焉。中弘治丙辰进士，除刑部主事，历员外郎中，出知绍兴府。削籍，徙居湖州。起知西安府，擢云南按察使，谢病归。寻起太仆寺卿，迁副都御史，巡抚直隶，复引疾。再起大理寺卿，改刑部右侍郎，升工部尚书。卒，谥清惠。有《南坦老人集》。尚书由二千石登三九之列，数弃官以去，好为山水之游，流寓长兴之南坦，自号坦上翁。与孙山人一元、龙金事霓，及苕中名士吴琥、施侃等结诗酒社，号'苕溪五隐'。年八十余，被褐坐小舟，赴岘山会，人不知为巨公也。尝请浚川预作墓铭，可云达天知命者矣。顾华玉赠诗云：'琴鹤居何定，莼鲈味独偏。'王履吉寄诗云：'鸾鹤谐真赏，瑶华赠远人。'孙太初诗云：'闭门句好香残后，捣药声高月上初。'其风流可想见也。"《四库全书总目》卷一七一集部别集类二四著录刘麟《刘清惠集》十二卷，万历丙午刻本。《明诗纪事》丁签卷七收其诗四首。

## 公元 1562 年（世宗嘉靖四十一年　壬戌）

### 正月

天下诸司官员朝觐，吏部会同都察院举行考察，令致仕、闲住、为民、酌调者近五千人。李开先曾以此制作灯谜。黄元吉《诗禅跋》："嘉靖四十一年春王正月，例该天下诸司官员朝觐。吏部会同都察院堂上官举行考察，堪任者存留管事，不堪者分列等第，开具职名，奏请发落；年老有疾者致仕；罢软无为及素行不谨者，冠带闲住；贪酷并在逃者为民，才力不及者酌量调用。太宰郭东野，左右少宰严养斋、张临溪，院长潘笠江，院副李罗村，司功正郎吴少泉，副郎罗月岩，刘养且、邰北溪二主政，河南道则李沽渠，及蒋浙江等布、按二司，及苑马、行太仆二寺，南北直隶各府州县等衙门，在任与夫升迁、丁忧、任满、降调、听勘各项各色，凡在三年以内者，遵照旧例查据抚按开送考语，先令论劾奏抄，参以询访舆论，从公考察，四千九百五十五人，兼拾遗冒滥京堂十余人，几有五千之数。世传抌官，盖一笔抌去者也。邸报到日，值中麓延客，即席以此作灯谜：在《西厢记》中，一句九字，中者免酒，不则罚一巨觥。至末座一少年，厉声曰：'笔尖儿横扫了五千人。'中麓笑曰：'是也。'众客各抚掌大笑哄堂。三年一次，去官如是之多，此朝廷大典，无非为民而已。因详述之，聊作《诗禅》一跋。前《壬戌会试录序》，备陈考察事由，今复壬戌矣，有感于中，小跋亦窃效之云耳。邑人孔村黄元吉跋。"《诗禅》，李开先所编谜语集。

### 三月

申时行等进士及第。申时行（1535—1614）为进士第一，授修撰。王锡爵

（1534—1610）**举会试第一，廷试第二，授编修。**《弇山堂别集》卷八十三《科试考三》："四十一年壬戌，命太子太保户部尚书武英殿大学士袁炜、吏部左侍郎兼翰林院学士掌詹事府事董份为考试官，取中王锡爵等。廷试，赐徐时行、王锡爵、余有丁及第。是岁炜承恩，特赐白金文绮御膳于棘院，份亦与焉，盖异数也。少保兵部尚书杨博、左都御史潘恩以子中式，辞读卷，不许；工部尚书雷礼以督工辞读卷，许之，仍敕列名于录。又特用吏部左侍郎李春芳，不为例。""是岁考庶吉士，得旨行矣，以科疏乞严核，罢不复考。"徐时行，即申时行。申时行初冒徐姓。《松窗梦语》卷六："《吴郡记》云：'国朝大魁，前甲戌张信无闻；丙戌林环、戊戌李琪、庚戌林震，皆终修撰；壬戌刘俨、甲戌孙贤，终太常卿；丙戌龚用卿，终祭酒；戊戌曾彦，终侍讲；庚戌钱福、壬戌康海、丙戌罗伦、甲戌唐皋，皆修撰；丙戌杨维聪，太常卿；戊戌茅瓒，吏侍；庚戌唐汝楫，修撰；无一登台辅者。'至今壬戌申时行，入殿阁年未五十，在位极久。且一甲三人，余有丁、王锡爵同时入阁，俱至一品，为一时之胜事云。"去年十一月，袁炜由礼部尚书改户部尚书兼武英殿大学士，预机务。

**同榜进士有余有丁**（1507—1584）**、戚元佐、郑履淳、沈玄华、王叔杲、穆文熙、钱贡等。**《静志居诗话》各有小传。归有光仍不第。

## 春

**胡松为赵时春**（1509—1567）**诗文集《浚谷先生集》作序。**序署"时嘉靖壬戌春殿，赐进士、钦差巡抚江西等处地方，兼理军务、都察院右副都御史，滁阳柏泉胡松序"。另有李开先序，作序年月未详；徐阶、周鉴二序均作于万历庚辰（1580）。赵时春字景仁，平凉人。嘉靖丙戌会元。八才子之一。有《浚谷集》。《列朝诗集小传》丁集上："景仁慷慨磊落，抵掌谈天下事，靡不切当。以边才自负，遇战阵，被甲跃马，身当虏冲。屏废家居，每闻警，未尝不投袂而起也。《浚谷集》诗六卷，大率伸纸行墨，滚滚而出，伉浪自恣，不娴格律，李中麓云：'浚谷诗有秦声。'信然。"《明文授读》卷二六："先夫子曰：……浚谷之文，奇崛顿挫，精神透于纸背，在唐亦杜樊川流亚。"

## 五月

**严嵩以罪罢免，其子世蕃谪戍雷州卫。徐阶秉政。**据《明史》世宗本纪及严嵩传。《弇山堂别集》卷四《皇明盛事述四》"直庐应制年久"："世宗于西苑躬醮事，一时文武大臣后先赐直庐于无逸殿庑，俾供应青词门联表疏之类庶务，从便取裁，后先凡二十人，然多有迁革及物故者。独少师严嵩以辛丑（1541）入，至壬戌始出，凡二十年。少师徐阶以乙酉（1549）入，至丁卯（1567）出，凡十九年。太师成国公朱希忠，入同严，出同徐，凡二十五年，首尾恩赐最为优渥。而严、徐后别赐居舍，银器什物，皆出尚方。"

## 七月

高攀龙（1562—1626）生。吴中行《资德大夫正治上卿都察院左都御史赠太子少保兵部尚书谥忠宪高公神道碑铭》："生于嘉靖壬戌七月十三日，距其殁，得年六十有五。"高攀龙字存之，号景逸，南直无锡人。万历己丑进士，历任行人、揭阳典史、光禄寺丞、光禄少卿、太常少卿、大理少卿、太仆卿、刑部侍郎、左都御史等官，谥忠宪。崇祯初赠太子太保、兵部尚书。有《高子遗书》。

## 八月

汝南何大复先生祠建成。何景明号大复。徐中行代前任郡守作《创建大复何先生祠记》。时徐中行初赴汝南太守任，李攀龙作有《送汝南太守徐子与序》。序云："汉所谓良二千石者，政平讼理，庶民亡叹息愁恨之心也。即黄次翁为颍川，宣布诏令，令民皆知上意，而宽和为名。龚少卿为渤海，悉罢逐捕盗贼史，非使胜之，将安之也。而已各称天下治行第一矣。乃今良二千石犹难之，每坐以为不可及，何哉？岂无智能？用非其数耳。方且从旁谓我二三兄弟，文辞相矜，不达于政，虽摛藻如春华，何益于殿最。世务龃龉，所居废乱，安在其以经术润饰吏事也？超然自以为一辈而幸我之败以甘心，则何用我二三兄弟为矣。往者元美以玺书按察青州诸军事，所部亡命采山煮海之徒，长矛距踊之士，翕然解散，使有司无复沉命生累之尤。子相参议闽中，身在围城，谈笑却虏，因计偕博士弟子员，条上御倭策，宰相至读不能置。即有谒闽中诸军事者，未尝不曰：此策具是矣。明卿三黜，在去就之间，所居称平，似洁似辱。我二三兄弟，岂为不效哉？"时人颇议后七子"文辞相矜，不达于政"，故后七子亦各勉于政事，徐中行亦然。

## 秋

孔天胤（1505—1578后）以《孔文谷先生诗集》寄赵讷，赵讷作序。孔天胤号文谷。此集为洪朝选（号芳洲）所刻。赵讷序曰："始讷自范阳移广陵，过汾上，校吾师文谷先生之集以行，将捐俸刊布。会温陵芳洲洪公过，则语讷：已刻置晋省。盖先生不欲以文示人，乃芳洲公请而得之者。是秋先生以刻本寄示，讷得读而叙之。"序署"嘉靖四十一年壬戌九月既望，门人赵讷顿首撰书于江都之体信轩"。《千顷堂书目》著录孔天胤《汾州志》八卷、《孔文谷集》十六卷、《诗集》十四卷。《四库全书总目》集部别集类存目四著录《孔文谷诗集》十四卷，提要曰："明孔天胤撰。天胤字汝锡，号文谷，又号管涔山人。汾州人。嘉靖壬辰进士第二。于故事当授编修。以藩戚，外补陕西提学佥事，官至浙江布政司参政。朱彝尊《静志居诗话》云：'管涔山人如新调鹦鹉，虽复多言，舌音终强。'盖深不取之。此集为同安洪朝选所刻。内《履霜集》一卷、《泽鸣稿》一卷。《渔嬉稿》以编年为次，自隆庆丁卯（1567）至万历戊寅（1578）十二年所作，分十二卷。校以浙江采进之本，佚缺尚多，非其完帙。考《千顷堂书目》亦载《天胤诗集》十四卷。则黄虞稷所见，即此本矣。"又著录《孔文谷文集》十六卷《续集》四卷《诗集》二十四卷，提要曰："此本较其家刻多文集二十卷，而诗则惟有《履霜集》、《渔嬉稿》，阙《泽鸣稿》一卷。所作《霞海篇》亦不在其中。

相其诗集版式，盖随作随刻，故传本多少不定也。焦竑《国史经籍志》载《天胤集》仅三卷，是即多所续增之明验矣。"又《霞海篇》一卷："是编乃其督学浙江时案临台州所作，故以霞海为名，凡诗三十四首，力摹三谢而未成。如《望司成程公》诗起句曰：'瞻涂胚来旌，邂逅欣遽斯。'以胚字为引领而望之意，是不止'札达鸿休'矣。"《文谷孔先生文集》有赵讷序，署"隆庆五年辛未（1571）三月吉'"；林大春《孔文谷集跋》署"嘉靖四十五年（1566）岁在丙寅秋九月既望，潮阳林大春撰"；赵讷《请刻孔文谷先生全稿书》，撰写时间不详。

　　**梁辰鱼游杭越金华，欲入胡宗宪幕未果。徐渭等作诗送其还山。**据徐朔方所撰年谱。

## 十一月

　　**总督兵部尚书胡宗宪被逮，旋释令闲住。徐渭归越。**《明史·胡宗宪传》："南京给事陆凤仪劾其党严嵩及奸欺贪淫十大罪，得旨逮问。及宗宪至，帝曰：'宗宪非嵩党。朕拔用八九年，人无言者。自累献祥瑞，为群邪所疾。且初议获直予五等封，今若加罪，后谁为我任事者。其释令闲住。'"

　　**邹守益（1492—1562）卒。守仁传王阳明之学，诗文皆阐发心性之语。**罗洪先《明故南京国子监祭酒致仕东廓邹公墓志铭》："母周夫人，以弘治辛亥二月一日生先生。""明年（1562年）壬戌偶病不愈……十一月十日，无言而卒。""先生名守益，字谦之，号东廓，姓邹氏。"安福人。正德辛未（1511）第三人及第，授编修。官至南京国子监祭酒。《明史》入《儒林传》。《明史·艺文志》著录《道南三书》三卷、《明道录》四卷、《东廓集》十二卷、《遗稿》十三卷。《东廓先生文集》有马森序，署"隆庆壬申（1572）仲新之吉"。《四库全书总目》集部别集类存目三著录《东廓集》十二卷，提要曰："守益传王守仁之学，诗文皆阐发心性之语。其门人陈辰始编录所作为《东廓初稿》。东廓，山名，守益讲学处也。诸门人又梓其切要者一百二十四篇，名曰《摘稿》，而晚年著述则未之备。是编为嘉靖中所刊，题建宁府知府刘佃汇选，同知董燧编次，通判黄文明抢集。又题门人周怡、宋仪望、邵廉续编，孙德涵等十八人重辑。错互颠舛，莫知竟出谁手也。"《明诗纪事》戊签卷十一录邹守益诗三首。

　　**茅坤致书相国袁炜，述胡宗宪平倭之功。**详见《茅鹿门先生文集》卷三《上袁元峰相公书》。

## 十二月

　　**海瑞调任兴国知县。至嘉靖四十三年九月，在兴国任。**据王国宪海瑞年谱。

## 本年

　　**沈懋学、梅鼎祚等从罗汝芳（1515—1588）游。罗汝芳以讲学知名。时罗在宁国知府任。**《罗近溪先生全集》附杨起元作《墓志铭》云：罗汝芳"至宁国……建志学书院，与郡之乡先生及诸生沈子懋学、徐子大任、萧子彦、詹子沂、赵子士登、戚子恢、郭子忠信、梅子鼎祚等讲学不倦。"

**闽人祝时泰游杭州，与其友人结诗社于西湖。**《四库全书总目》集部总集类存目二著录《西湖八社诗帖》，提要云："明嘉靖壬戌，闽人祝时泰游于杭州，与其友结诗社西湖上，凡会吟者八。曰紫阳社，曰湖心社，曰玉岑社，曰飞来社，曰月岩社，曰南屏社，曰紫云社，曰洞霄社。时泰与光州知州仁和高应冕、承天府知府钱塘方九叙、江西副使钱塘童汉臣、诸生徽州王寅、仁和刘子伯、布衣仁和沈仕等分主之，以所作唱和诗集为此编。分春社、秋社二目。明之季年，讲学者聚徒，朋党分而门户立。吟诗者结社，声气盛而文章衰。当其中叶，兆已先见矣。"

**汤显祖从徐良傅学古文词。**据汤显祖诗《负负吟》小序。

**葛涧撰《嘉靖江都府志》。王应辰撰《仙岩志》。**据四库提要。

**黄训《读书一得》成书，卷二有《读如意君传》一篇。《如意君传》，文言体之艳情小说。**《四库全书总目》子部杂家类存目四著录《读书一得》四卷，提要云："此编盖每读一书，即摘取其中一两事，论其是非。积久编而成帙，共一百九十三条。亦有一书数见者，虽各题曰读某书，实非如序录题跋类也。其书议论多而考证少，近乎王世贞之《读书后》，而又不逮焉。"《读书一得》卷二有《读如意君传》，云："呜呼，唐之昏风甚哉！太宗淫巢王妃，知有色不知有弟；高宗烝武才人，知有色不知有父；玄宗淫寿王妃，知有色不知有子：兄不兄，子不子，父不父，可以为人乎？况可以为君乎？此三君者□也，太宗盖英明君也，乃亦知有色不知有弟，况高宗之下愚，玄宗之中才乎？信色之大惑人也哉！朱子曰：'晋阳启唐祚，王明绍巢封；垂统已如此，继体宜昏风。'呜呼，唐之昏风甚哉！太宗首恶之名，不可逭矣！予观三尤物者，巢王杨妃之于太宗，太宗之淫妃也，非妃之敢淫太宗也；寿王杨妃之于玄宗，玄宗之淫妃也，非妃之敢淫玄宗也。敢淫者，武才人乎！才人年十四事太宗，至高宗以为昭仪，时年三十一矣。前年尼感业，见高宗之是举而泣，泣雉奴奇贺也，而高宗故悦之，心动焉。心也阴先阳唱，禽兽行成，敢者武才人乎？才人而昭仪，而皇后，而皇帝，改唐而周，改李而武，置控鹤，置奉宸，敢淫者，岂惟雉奴外五、六郎已乎？史传谁传如意君矣，言之污口舌，书之污简册，可焚也已。然如意君，薛敖曹其人也。武氏九年，改元如意，不知果为敖曹否？敖曹曰如意者，盖淫之也，武氏果有敖曹其人乎？可读武氏传，殆绝幸僧怀义者欤？不然，何伟岸淫毒佯狂等语似敖曹也。不曰怀义曰敖曹者，岂谓姿体雄异，昂藏敖曹与？于敖曹者，嫪毐之谓与？呜呼！传之者，淫之也，甚之也已！夫武氏敢淫于终，恃势也，无足怪；予独怪夫始之淫高宗也，群焉女比，武敢泣著爱，厥烝心动，昔之云如董如也，将何恃乎？人谓恃有高宗目成之好在。予谓亦恃有太宗家法在，弟死不难于淫其妻，父死岂难于烝其妾。不然，鹑之奔奔，不可道也，何敢思乐聚麀而淫焉如此哉？太宗首恶之名，固不逭矣。"黄训，字学古，号鉴塘，歙县（今属安徽）人，嘉靖八年（1529）进士，官至副都御史。著有《名臣经济录》五十三卷。《如意君传》，又名《阃娱情传》，文言小说，凡九千余字。作者不详。叙武则天称帝以后，以薛敖曹为男宠，戏封为"如意君"，国号亦改为"如意"。色情描写较多。万历刊《金瓶梅词话》欣欣子序已提及此书。美国国会图书馆藏本不题撰人，首有

"甲戌秋华阳散人题序"一篇，末页题《阊娱情奇传》，并庚辰春相阳柳伯生跋语一则。日本藏本内封双行大字：《则天皇帝如意君传》，右上"吴门徐昌龄著"，左下"清阊阁梓"。正文卷端题《阊娱情传》，亦有相同序跋各一。有台湾天一出版社影印本。

**冯惟敏**（1511—约 1580）**以举人谒选，授涞水知县。**咸丰《青州府志》卷四四："嘉靖十六年举于乡，谒选授直隶涞水知县。清静不扰，每出行县，以壶飧自随，民无丝粟之费。缮学宫，浚城隍，树以榆柳，行旅歌颂之。邑去京师近，豪右杂处，中贵人势尤赫灼，兼并地无算，多逋租，惟敏请托不行，摘其最负者惩之以法，贫民德之，而势族群不便，谤诉腾起，坐谪镇江教授。"冯惟敏谪镇江教授在嘉靖四十四年（1565）。

**瞿景淳、裴宇任讲读学士。高拱任吏部左侍郎。**据王世贞《弇山堂别集》。

**何良傅**（1509—1562）**卒。**何良傅为何良俊之弟。何良俊《弟南京礼部祠祭郎中大墅何君行状》："君讳良傅，字叔皮，华亭柘林里人也。"嘉靖辛丑（1540）进士，除行人。迁刑部主事，改南礼部，历员外、郎中。"君生正德己巳，卒嘉靖壬戌，享年五十四。""君少有隽才，自弱冠时即锐志于古人之学，尝与今奉化令徐长谷献忠、浙江按察知事张王屋之象及余四人者，买地一区，欲构精庐数间，相与结社读书。尽取古人文章，研穷秘奥，朝夕观摩讨论，以几造作者堂室。故君诗一出，人皆摘句嗟赏，以为使进而不已，则可以上窥魏晋，下视唐宋诸人矣。后有出仕者，会遂废。君又以精力赢乏，不竟其业，今虽有集数十卷，然非其至也。"所著《何礼部集》有徐献忠序。序曰："礼部祠祭郎中叔皮何君集十卷，其兄元朗命其子玄之刻之家塾。其诗出自曹魏间，视汉人稍加藻缋，而浑成和厚，可称作者。七言歌辞在沈宋后，得其激叹流美之致。律亦蕴藉可读。其文实原于汉，而语稍详缓，似唐代词人。至于宛曲序事，以雅致发之，则其自得也。二君才相伯仲，如士衡茂政兄弟，称两何君。自少同张子玄超与予交甚密，遂相订为古文辞，元朗雄深俊拔，玄超婉切，叔皮幽迈，皆非予所及。独叔皮气体赢乏，中遭轗轲，幽愁尤甚。既又为仕宦所牵，稿本遂多散失，故所刻仅此。倭乱后自金陵归，方将寻理旧业，乃不幸奄然化矣。嗟乎，风人凋谢，雅道离拆，室在人远，文传迹息，可胜悲哉！"《明史·艺文志》著录何良傅《礼部集》十卷。《明诗纪事》戊签卷八录何良傅诗一首，陈田按："分宜官南祭酒时，叔皮以文受知。厥后分宜入政府，元朗因得官翰林。观叔皮《致分宜书》，可见二何集中感恩之作不一。余谓此等著作为玷不小。二何宦亦不达，为此琐琐，徒贻千古笑端。"

**徐㷆**（1562—1600）**生。**《列朝诗集小传》丁集下《徐举人㷆布衣爝》："㷆，字惟和；爝，字惟起，又字兴公。闽县人。永宁令榥之子也。兄弟皆擅才名，惟和举万历戊子乡荐，十余年不第，风流吐纳，居然名士。其诗为张幼于、王百谷所推许，有《幔亭集》，屠长卿序之。兴公博学工文，善草隶书，万历间与曹能始狎，主闽中词盟，后进皆称兴公诗派。嗜古学，家多藏书，著《笔精》、《榕阴》、《新检》等书，以博洽称于时。崇祯己卯，偕其子访余山中，约以暇日，互搜所藏书，讨求放失，复尤遂初、叶与中两家书目之旧。能始闻之，欣然愿与同事。遭时丧乱，兴公、能始俱谢世，而余颓然一老，无志于斯文矣。兴公之子延寿，能读父书。林茂之云，劫灰之后，兴公鳌峰藏书尚无恙也。"徐爝生于 1570 年，卒于 1642 年。

徐光启（1562—1633）生。徐光启字子先，号玄扈，上海人，万历三十二年进士。著有《农政全书》等。《明史》有传。

陶望龄（1562—1609）生。陶望龄字周望，号歇庵，会稽人。万历己丑探花，历任编修、中允、谕德、国子祭酒等官。谥文简。有《歇庵集》、《水天阁集》。

## 公元1563年（世宗嘉靖四十二年　癸亥）

### 正月

茅坤为沈炼《青霞先生文集》作序。序署"嘉靖癸亥孟春望日，归安茅坤拜手序"。王世贞有《沈纯甫行戍稿序》，作序年月不详。沈炼（1507—1557），字纯甫。

### 三月

余杭蒋灼为田汝成（1503—1563后）《田叔禾小集》作序。序云："夫先生年始逾六旬，身不满六尺，官不过四品，听其言不能出诸口，而海内之爱慕悦服之者，咸觇其衰壮以为欣戚，岂非豪杰之所蕴，自有不可泯者存焉。是集也，其子蘅裒其三之一以应人之求录者也。然世之惜先生之文而不忍其或遗者，又可因是以会其全矣。"据田艺蘅《家大夫小集引》，是集编定于嘉靖四十二年三月，收田汝成五十岁以前之作。《列朝诗集小传》丁集上载："汝成，字叔禾，钱塘人。嘉靖丙戌（1526）进士，授南京刑部主事，历礼部祠祭郎中，出为广东佥事，谪知滁州，迁贵州佥事，转广西右参议，罢归。叔禾在仪制，肇举南郊籍田亲蚕，西苑省耕课桑诸大礼，各有颂述。归里盘桓湖山，穷探浙西诸名胜。所著书凡一百六十余卷，而《西湖游览志》、《炎徼纪闻》，为时所称。"《列朝诗集小传》所云一百六十余卷，汝成之子艺蘅《家大夫小集引》列有细目。参见1553年。《明诗纪事》戊签卷十六录田汝成诗四首，陈田按："叔禾宦游所至，撰《炎徼纪闻》；归田后，撰《西湖游览志》及《志余》，可谓好事。诗格不甚高，时有俊语。"

### 春

欧大任（1516—1595）以明经入贡，旅寓北京，成《旅燕稿》四卷。欧必元《家虞部公传》："公讳大任，字桢伯，广州顺德人。以岁荐起家，历仕至南京工部虞衡司郎中，故又称虞部公。……夫公八战棘闱，俱弗获隽。当世庙癸亥春，以明经入贡，需次于阙下，一时天下郡邑士千八百余人，待试大廷。瞿文懿公景淳为宗伯，读公卷，大惊曰：'此一代才也，必当以古文词登坛艺苑。'特进御览，列名第一。都人士无论识不识，无不知南海有欧桢伯先生。已值太仓相国王文肃公读书中秘，固麟经宗匠，深赏公经艺，延归家塾，与其弟督学公元驭结社课文，更索览其所为家乘而序之，语详其序中。"徐枢《旅燕集后序》："吾师欧桢伯先生，早以经学闻粤中，部使者及督学诸公莫不称重为五岭以南第一人也。嘉靖壬戌（1562）岁荐北上，文赋翩翩起，一日名动燕市。馆阁部台诸称文章家者，辐辏毂接于旅食之馆，而海内翰卿词客畸人逸士，什久论交焉。先生通而介，乐于过从，倦于请谒，不以一褐自惭，不为千金动色。游于诸公间，引觞谈艺，逄逄如也。汇其所作为《旅燕稿》四卷。"《顺德县志》欧大任传："当大任北游时，历下（李攀龙）、琅琊（王世贞）诸大夫主盟词坛，见大任，争推毂严重之，日相唱和，名益起，与七才子并驱，才或过焉，海内无不知有大任者。"

## 四月

**季本**（1485—1563）**卒**。徐渭有《师长沙公行状》。

**王一鸣**（1563—?）**生**。王一鸣字子声，黄冈人。万历丙戌（1586）进士，除太湖知县，改临漳。有《朱陵洞稿》。一鸣为王廷陈（稚钦）从孙。

**胡松为罗洪先《念庵罗先生文集》作叙。罗洪先在明代以讲学著称。**叙曰："盖往年山中，尝见罗子冬夏两游诸记，所与诸贤论难酬答，时涉斯津，窃自叹曰：贤者亦为是语乎？盖尝贻书以请，而罗子不余忤也，报书曰：愿以子言为时砭石。比年盗起闽广，言抚斯邦，提兵往来，辄式其庐，因以就正，且索比所撰著。间出数篇，若所与蒋、聂、王、钱诸君子论学诸书，与其记正学书院、序《困辩录》，若良知、复古、异端诸论，所以忧堕溺、救诐离、正人心、端士习，而防其淫且荡者，真复抉肾肠、呕心肺，其心更切于余之所感。此与仲尼之伤贤智、孟子之放陂陀异乎哉？其有功斯世学者侈矣。顾其说时以示相知，而不以告人人，余惧士之学之日流于诐且遁也，则从其友人王子昭明所钞得数帙，爰付抚守刘子刻之郡阁，庶其传可以广乎！孟子曰：'予岂好辩哉？予不得已也！'读者其尚知罗子不得已之心乎！若其集中，歌行似杜子美，近律似王摩诘、刘长卿，序、论、表、志诸文似欧阳永叔、曾子固，则览者当自得之，斯又不足为贤者道矣。集凡十有三卷，内书二卷，杂著一卷，序、记、传、状、铭、表各一卷，祭及杂文二卷，古律诗二卷。嘉靖癸亥夏四月，同年友滁阳胡松序。"本年胡松任兵部左侍郎。另有俞宪序，署"是岁五月"；陈于廷序，万历丙辰仲冬作；邹元标、祁承㸁序，万历丁巳作；罗大纮后序，作序年月未详。《静志居诗话》卷十二《罗洪先》："达夫远师《击壤》，近仿白沙、定山，然爽气尚存，未堕尘雾。《独坐》云：'数月不出户，庭前多夕阴。闲看芳树色，一倍旧年深。'《山中杂诗》云：'问我家何在？山深多白云。岩前飞瀑下，对语不相闻。'《后园续咏》云：'棠梨花开深浅黄，燕子初飞日渐长。草亭坐久客不到，半雨半风春太狂。''南村云起北村晴，晴鸠雨鸠更互鸣。东风吹雨衣不湿，我在桃花深处行。'"《四库全书总目》集部别集类二五著录罗洪先《念庵集》二十二卷，提要曰："洪先不及见王守仁，而受学于其乡人李中。中之学出于杨珠，故其说仍以良知为宗。后作守仁年谱，乃自称曰门人，不免讲学家门户之习。其学惟静观本体，亦究不免于入禅。然人品高洁，严嵩欲荐之而不得，则可为凤翔千仞者矣。其集初刻于抚州，再刻于应天。最后诸门人编为此本，而门人胡直序之。称其学凡三变，文亦因之。初效李梦阳。既而厌之，乃从唐顺之等相讲磨。晚乃自行己意。其答友人书取譬于水，谓古之人有能者，必其中有自得实见，斯道之流行，无所不在，虽欲不为波涛湍澜之致不可得。斯亦有见之言也。此本为雍正癸卯其六世孙继洪等重刻。洪先之裔，乃名继洪，理不可晓。岂误解不逮事则不讳耶？"

《明诗纪事》戊签卷十七录罗洪先诗十一首，陈田按："达夫五言诗具有体格，擅清远之致。惟语参讲学，时入《击壤》一派。"

## 六月

　　康大和、黄国卿为许谷（1504—1586）《省中稿》作序。《省中稿》收许谷任职省中期间之撰述。康序云："明兴，人文炳蔚，诗教大兴。弘、德以来，擅名江左者，则有若顾华玉氏、徐昌谷氏、刘元瑞氏，号江东三才，与关中李献吉、信阳何景明齐名当代，今见诸集中者可考也。嘉靖以来，则又有余同年陈玉泉氏、许石城氏，亦擅诗名于江东，沨沨乎接武顾、徐，希踪何、李者也。陈诗已有刻，而许公之著述为尤富，今所刻省中之作特十之二三尔。……嘉靖癸亥夏六月，赐进士出身资善大夫南京工部尚书致仕前南京礼部右侍郎翰林院学士掌院事右春坊太子谕德兼侍讲同修国史会典莆阳砺峰康太和书。"（《省中稿》卷首）黄序云："《省中稿》者，吾师石城许先生官天曹时酬赠游衍之所撰述，积久而成帙也。"许谷著有《二台》、《武林》、《省中》、《归田》诸稿。《二台稿》有许谷嘉靖辛亥（1551）九月自序，《归田稿》有万历丁亥（1587）仲春吴自新序。《静志居诗话》卷十二："石城诗，颇近'大历十子'，《画鹿行》云：'古来写鹿谁最贤？邪律以后皆无传。吾乡近推快园叟，毫端物态俱天然。快园野叟气豪荡，此图全得山林象。疑从灵囿翻然来，走入君家锦堂上。元囿平开药草生，灵泉倒泻溪流清。溪边跂跂似求侣，草畔牲牲如有声。野叟风流不可见，采笔贻君足珍玩。霜毫岂羡芙蓉园，铜牌未数宜春苑。怜君自是全生者，百年意兴惟原野。世路逃名不受羁，云厓结伴宁相舍。予本江南一散人，悔将书剑误风尘。披图便欲捐簪佩，共采蕨蒿乐性真。'《偶成》云：'新作鱼盐吏，遥辞龙虎都。乾坤无弃物，江汉有潜夫。短笠三山雨，扁舟八月鲈。兹怀何日遂，把酒意踟蹰。'"《四库全书总目》集部别集类存目四著录许谷《省中稿》二卷《二台稿》二卷《归田稿》十卷，提要曰："诗格颇爽俊，当其合处，时得古人之意。而失于芟择，多参以应俗之作，遂不免沙中金屑之憾。"

## 七月

　　吴子孝（1496—1563）卒。皇甫汸《明朝列大夫湖广布政使司右参议吴公墓表》："公讳子孝，字纯叔，别号海峰，晚更龙峰。自延陵而降，世为长洲山塘里人。……壬午（1522）举应天。越己丑（1529），皇上临御之八年也，天下士举于南宫者三百二十人，吾苏十有六人，公为之首。及赐第，选为翰林庶吉士。"出为工部主事，历光禄寺丞，迁湖广参议，提督太和山，"癸亥之春，忽染痰疾，步履稍艰，言语遗误，窃为忧之。七月八日，避暑虎丘，再宿疾作，返舍危坐，挥乐不御，申旦长逝矣。距生弘治丙辰正月十一日，春秋六十有九。""所著有《说守》、《问马》、《集仁》、《恕堂日录》、《玉涵堂集》、《明珠集》、《防敌论》及序记碑铭若干卷，行于世。重修《宋史》，杀青未久，以俟后人。字学虞欧，稍变戈法。词宗晁晏，尤长小令。下笔辄成，倚马可待，得之者列开府之屏，题截山之簏，照乘掩辉，径尺非宝也。""凡有述造，示余商榷评定之。《玉涵集》余所选次，并《明珠集》皆为之序。"《列朝诗集小传》丁集上："为文章弘衍浩博。《玉涵堂稿》十卷，皇甫子循点定，摘其佳句数十联，以为无谢英灵。"《静志居诗话》卷十二："纯叔籍甚诗名，特格未高耸。其论诗云：'世之尧童牧竖，知而成章，田翁野妪，发声而中节。彼盖不知何者之为诗，况诗之所以妙。何也？天地之机，泄之于人者，不知其所以然而然也。夫诗以言传，亦以言隐，求之于迹者，非也。求之于音者，亦非也。求之于揣摩拟议者，亦非也。'数语，足当正、嘉诗人针砭。"《四库全书总目》卷二〇〇集部词曲类存目著录吴子孝《玉霄仙明珠集》二卷，提要云："《江南通志》称其议论英发，为文章宏肆浩博。此乃所作词集，凡一百八十余阕。颇具悽惋之致，而造诣未深，不能入宋人阃奥也。"《明诗纪事》戊签卷十七录吴子孝诗十首，陈田按："纯叔诗语清新，亦嘉靖中词人之隽。"

**许学夷**（1563—1633）生。陈所学《诗源辩体跋后》记："外父生嘉靖四十二年癸亥七月十四日亥时，卒崇祯十六年正月十四日酉时，享年七十有一。"许学夷，字伯清，江阴人。著有《诗源辩体》三十八卷。

## 八月

**俞宪编吴维岳《吴霁寰集》入《盛明百家诗》。**卷首识语题"是岁癸亥秋仲，默庵散人俞宪识，时在读书园清省处"。《国雅品·士品四》："吴中丞峻伯、俞廉宪汝成二公，初官西曹，比余舍，为社，每怜其高才深致。及归田，吴每自丰中相讯不废，俞同里，赓唱尤密，倏尔后先观化，抚兹遗编，重余嗟慨。吴句云：'斋钟微出坞，涧水曲穿林。猿愁巴峡夜，草暗洞庭春。驿路峰腰折，江流雪后深。'又：'花月九衢澄夜色，关山一雁动秋声。'俞句云：'花密藏溪路，峰危带石楼。''戍苦寒花发，庭闲露草深。'并堪大历十才子羽翼。"俞宪字汝成，嘉靖十七年（1538）进士，官至山东按察使。《国雅品》作者顾起纶，字更生，号元明，无锡人。官郁林州州判。《四库全书总目》著录顾起纶《句漏集》四卷、《赤城集》三卷、《国雅》二十卷、《续国雅》四十卷。

## 九月

**茅坤访胡宗宪于绩溪南山，颇为胡宗宪之赋闲家居抱不平。**茅坤《南山行五首》诗序云："大司马胡公之被谗也，圣天子怜其才而悯其功，特下明诏放归田里。予以癸亥秋九月二日访公南山之深，兴寄所及，即事赋词，为《南山行》五章，薄附古者风人之义，以系予之慷慨愤咽云。"（《白华楼吟稿》卷二）徐阶于今年任内阁首辅、东阁大学士。茅坤对徐阶积怨颇深。

## 十月

**李攀龙《白雪楼诗集》刊行，魏裳作序。**时李攀龙颇以其拟古乐府自豪，而后来受诟厉者亦惟古乐府为甚。序云："余为郎时，与历下李于鳞同舍。于鳞雅好为诗，诗不为近代语，古所称作者非耶？于鳞诗虽多，重示人，怀瑾握瑜，光不可秘，即其意不欲传于时，海内兄弟同声相应，盖洋洋盈耳矣。诸曹郎欲得其诗，多不获，余与二三兄弟得其一二，和而歌之相乐也。于鳞厌承明早，余与相失者十年余，不谓今日欢复得为畴昔舍中语也。于鳞归自关中，结楼鲍山，鲍山故管、鲍论交地，于鳞楼居，俯海岱之胜，美人四方，侧身遥望，为白雪之歌，念二三兄弟何尝一日置哉！余以尊酒过从，和歌楼上，相得欢甚亡厌，乃名楼白雪，并索其全诗刻之，题曰《白雪楼诗集》。诗凡若干首，分体为卷，其所以传，则自有知音者在。嘉靖癸亥冬十月朔日，楚人魏裳顺甫氏书。"汪时元《书刻白雪楼诗集后》作于1570年，陈文烛《白雪楼诗序》作序年月未详，序中有"假令于鳞不死"语，知其作于李攀龙身后。汪时元《书刻白雪楼诗集后》云："嘉靖间，历下李沧溟先生称诗上国，我天目徐师与俱，比六七公，踔厉词林，论者以为风雅中兴，殆犹建安、开元时也。天下士莫不欣慕其风，趋而还之古，可为有明庆矣。先生寻解秦宪，归卧鲍山十年，谢客楼居，吟啸自适，哀积篇章凡若干卷。楚有魏使君分符兹郡，以碣石旧侣，时造酬歌，殊惬心赏，出集相示，使君遂以白雪楼名集，授诸梓。今上即位，诏起先生持宪浙江，人皆亟欲闻白雪音，莫之应。元介师氏拜先生，凡三上，即谓孺子勤勤可教，欣然赋长律赉之，并以后稿属元，续前集校刻。既拜命之辱，归以请叙中丞汪公，传布海内，元资适逢世，得附骥尾，其布靓哉！隆庆四年正月，门人新都汪时元识。"《四库全书总目》卷一七七集部别集类存目著录李攀龙《白雪楼诗集》十卷，提要曰："此集刻于嘉靖癸亥，犹在《沧溟集》之前。前有魏裳（裳）序。又有《拟古乐府序》二篇，一为历城许邦才撰，一为攀龙自序。盖当时特以乐府相夸，然而后来受诟厉者亦惟乐府最甚焉。"李攀龙有《酬李东昌写寄白雪楼》诗。《明诗纪事》己签卷一："楼在济南郡东三十里许鲍城，前望太麓，西北眺华不注诸山，大河、清河交络其下，左瞰长白、平陵之野，海气所际，每一登临，郁为胜观。东昌李使君子未，以读《白雪楼集》于广川马中丞家，咄然壮之，归为图以寄。而攀龙赠焉如此。"

与李攀龙同时，何东序、王养端诸人亦喜拟古乐府，足见一时风气。《四库全书总目》卷一七八集部别集类存目五著录《九愚山房诗集》十三卷，提要曰："明何东序撰。东序字崇教，号肖山，猗氏人。嘉靖癸丑（1553）进士。官至右佥都御史，巡抚延绥。其诗未能入格，而尤喜作古乐府。凡郭茂倩《乐府诗集》古题，拟之几遍，甚至郊庙乐章亦仿为之。然唐人已不能拟汉魏，而东序欲为唐人所不能，不亦难乎？"又著录《震堂集》六卷，提要曰："明王养端撰。养端字茂成，遂昌人。嘉靖乙卯（1555）举人。是集为其乡人何镗所删定，而遂昌知县池明刻之。其时王、李并驰，海内响应。故养端所作，亦沿二家之波。大都一字一句必似古人，而意趣则罕所自得。冠以拟古乐府一卷，望其标目，古色斑然，核其文章，乃多无取。如《李延年歌》、《汉武帝李夫人歌》，皆偶尔神来，遂成绝调。即作者亦不能再为。而皆衍为长篇，味如嚼蜡。《焦仲卿妻诗》、《木兰诗》，正以委曲琐屑入妙，而缩为数句，又似断鹤。至于乐府诸篇，古词仅在，如曰摹其音节，则无诏伶人，事谢丝管，刘勰言之矣。非夔非旷，谁能于千百年后得其律吕？如曰阐其意义，则标名既每难详，词句尤多讹阙。吴兢所解，已多在影响之间，今安得知其本旨？《钓竿》、《竹鹭》之类，尚多缘题成文，至《东光》、《翁离》诸篇，题既不明，词又不解，一概描摹不已，实不知何所见而云然矣。"

**孙应鳌为乔世宁（1503—1563）《丘隅集》作序。乔世宁今年去世。**序曰："三石子乔公世宁卒，友人孙应鳌志其墓矣，再叙其诗文。叙曰：……明兴，当弘治、正德间文治郁起，是时北地空同李子、信阳大复何子为之宗，三石子与空同子同产于秦，相距甚迩，少即慕效焉。稍长为诸生，适大复子来秦为督学使，首目三石子必且鸣世，必且耀后，于是立召前立，与语无常时，口授三石子意义，谈必移日。自是三石子文思益伟，拔迈流俗，遂赫然以诗文雄关中，斯师承之正辙也。三石子既仕，官主事……三石子诗文具在斯集，文不作汉以后语，诗不作唐以后语，尽洗剟敚繁陋之习，一裁于造化性情之真，传也必远。以三石子异禀，其成一家言必若此。文章之道信其难乎！三石子未没，人人仰服德行，比于光岳，凡侍坐听论议，皆得所未有，再三叹嗟而去。诸交游与关中新进旧门下士，无不迂道来访，罔虚日。洎没，临哭数百千人，奔吊相属于道途。其人如此，其集之出，其传之必远抑又可知。士多惜三石子官至按察使，遂自靳其用。嗟嗟！空同子、大复子官止督学使，视按察使又稍亚，今二子所传何似邪？集曰《丘隅》，本三石子所自命。《诗》云：'绵蛮黄鸟，止于丘隅。'小丘，三石子隐居所也，然其命意抑又澹莫远矣。嘉靖癸亥阳月，如皋孙应鳌书。"阳月即农历十月。《静志居诗话》卷十二《乔世宁》曰："乔世宁字景叔，耀州人。嘉靖戊戌（1538）进士，由南京刑部郎中，迁四川按察佥事，历湖广提学副使，河南参政（1550），终四川按察使。有《丘隅集》。何仲默视学秦中，景叔亲受诗法，谭必移日。故其诗整而不浮，可与许少华肩并，余蔑有过焉者。《长安道》云：'长安道，直以迂。环五城，开九衢。外罗天市拱皇居，中悬日月耀金枢。朱轮骢马如流水，长安道上禁驰驱。谁家少年侠邪徒，雄豪去天尺五余，白日杀人当路衢。司隶过不问，况乃执金吾。人言辇毂之下，朝犯法，暮伏诛。吁嗟此徒天日无！霍家奴，卫家奴。'《春雁》云：'春风才几日，江雁已春声。关路何时返，乡愁为尔生。望穷遥汉影，不尽倚楼情。却忆金河北，人同出塞行。'"《明诗纪事》戊签卷二十录乔世宁诗十七首，陈田按："景叔论诗云：'七言律起于唐，沈、杜为宗，而律体尤难工。'独取苏颋《望春》格律完粹，冠于诸子，与李、何持论稍不同。五律有唐人格意，清圆宛转，不愧作者。"

## 十二月

**沈珠读薛蕙（1489—1541）遗著，感慨其操履峻洁，一与其所言相符。**其《读薛西原先生遗书》云："予生也不甚后于先生，而学也视先生为后觉，先生逝矣，安得潜通于死生之外求一印可？先生将无有取于予言乎？心体之感不能无无穷之思。若先生之操履峻洁，一与其所言相符。而死生大事已自得乎寂然不动之实，盖足以征所学之究竟，犹若不足以尽之也。嘉靖癸亥腊月甲子，江都沈珠敬书。"

**王稚登《晋陵集》由吴幼元刊行，陈崇庆作序。**序曰："《晋陵集》者何？王君百谷所自著也。君吴产也，集何以晋陵名？溯其先世为江阴金凤里人，自常而徙于吴者也。君能不忘所自出，少即补常郡博弟子员，翱翔于常学，用益茂，斯集之所由作也。"序署"嘉靖癸亥岁一阳既望"。

## 本年

**王世贞、王世懋咏读于离薋园、鹠适轩中。**王世贞《亡弟中顺大夫太常寺少卿敬美行状》：服除，"弟既以大司马公（指其父王忬）冤不白，与不谷皆绝意进取，治小圃居第之右，余名之曰'离薋'，一轩曰'鹠适'，庋经史古文图籍之类，充牣其中。盖又无一朝夕而不形影偕也。其从兄曰世望，从甥曰曹昌、先昌，先尤有文，皆善排调，有淳于东方风。弟出其险奇语以相角，久而厌之，澹辞取适而已。"今年九月，王世贞、王世懋服除，稍与吴中友人周天球、黄姬水、袁尊尼、张献翼、张凤翼、俞允文等酬唱。

**徐渭避雨读归有光文，以归为明之欧阳修。**《列朝诗集小传》丁集中《震川先生归有光》云："嘉靖末，山阴诸状元大绶官翰学，置酒召乡人徐渭文长。入夜良久乃至。学士问曰：何迟也。文长曰：顷避雨士人家，见壁间悬归有光文。今之欧阳子也。回翔雒诵，不能舍去，是以迟耳。学士命隶卷其轴以来。张灯快读，相对叹赏，至于达旦。四明余翰编分试礼闱。学士为具言熙甫之文，意度波澜所以然者。熙甫果得隽。"诸大绶为嘉靖三十九年状元，徐渭今年晋京，归有光后年举进士，据上述事实推论，徐渭读归文一事，以系于今年为宜。

**王世贞、戚继光由汪道昆绍介而定交。**王世贞《寿少保兼太子太保左都督南塘戚公六十序》云："往余与左司马汪公伯玉为石交，而伯玉实进今少保兼太子太保左都督戚公元敬于余，则竿尺时往返焉，盖嘉靖之癸亥也。"今年十月，汪道昆升福建按察司按察使。

**汤显祖补县诸生，于帖括之外，并能为古文词。**邹迪光《临川汤先生传》："先生名显祖，字义仍，别号若士。豫章之临川人。生而颖异不群。体玉立，眉目朗秀。见者啧啧曰：'汤氏宁馨儿。'五岁能属对。试之即应，又试之又应，立课数对无难色。十三岁，就督学公试，举书案为破。曰：'形而上者谓之道，形而下者谓之器。'督学奇之。补邑弟子员。每试必雄其曹偶。彼其时，于帖括而外，已能为古文词，五经而外，读诸史百家汲冢《连山》诸书矣。"

**宜黄腔在本年前后开始形成。**汤显祖《宜黄县戏神清源师庙记》："至嘉靖而弋阳调绝，变为乐平，为徽青阳。我宜黄谭大司马纶闻而恶之，自喜得治兵于浙，以浙人归范其乡子弟，能为海盐声。"又郑仲夔《冷赏》卷四《声歌》："宜黄谭（大）司马纶，殚心经济，兼好声歌。凡梨园度曲皆亲为教演，务穷其妙，旧腔一变为新调。至今宜黄子弟咸尸祝谭公惟谨，若香火云。"叶德均《戏曲小说丛考·明代南戏五大腔调及其支流》就上两段文字解释说："这种新调就是宜黄腔。谭纶是嘉靖间和戚继光共同抵抗倭寇侵略的将领。据谭纶生平事迹推知，他从浙江回宜黄'以浙人归范其乡子弟'，约在嘉靖四十年至四十二年间（1561—1563），也就是宜黄腔创始的年代。谭纶把唱海盐腔的伶人带到故乡宜黄去，是由于他厌恶流行的乐平、徽州等通俗戏曲，而爱好清柔婉折的海盐腔，而海盐腔也正适合官僚们的兴味。他主观上虽是为了声色之娱，但客观上对宜黄腔戏曲的形成有一定的推动作用。宜黄腔虽是源于海盐腔，但经过宜黄子弟传唱，就会和原有海盐腔有出入。而早在江西本省流行的弋阳腔，乐平腔和它也不可能完全绝缘。"按，汤显祖《牡丹亭》等即是供宜黄演员演唱的脚本。

**王廷刊刻薛蕙《西原遗书》。**据四库提要。

**俞宪编傅汝舟诗集《傅山人集》入《盛明百家诗》。**据卷首题识。此正德间之傅汝舟，非明末之傅汝舟。

**楼楷《通书捷径》成书。**据四库提要。

**陈以勤任讲读学士。严讷任吏部尚书，四十四年入阁。尹台任南京礼部尚书。董份任吏部侍郎。蔡汝楠任兵部右侍郎。**据王世贞《弇山堂别集》。

**归子慕（1563—1606）生。**归子慕字季思，号陶庵先生，昆山人。归有光季子。万历辛卯（1591）举人。崇祯初，追赠翰林待诏。有《陶庵集》。

**丁元荐（1563—1628）生。**丁元荐字长孺，长兴人。万历丙戌进士。官至尚宝司少卿。事迹具《明史》本传。有《尊拙堂文集》、《西山日记》。

**孙承宗（1563—1638）生。**承宗字稚绳，高阳人。万历甲辰第二人及第，授修撰。官至兵部尚书，兼东阁大学士。福王时赠太师，谥文正。乾隆中赐谥忠定。有《高阳集》。

## 公元 1564 年（世宗嘉靖四十三年　甲子）

### 二月

**张翀为吴维岳（1514—1569）《天目山斋岁编》作序。**该集收吴维岳读书天目山期间所作诸诗。序曰："《天目山斋岁编》者何？霅寰吴公读书天目山，日所吟咏唱和诸作也。公自弱冠举进士第，下笔数千言，追先秦、两汉之作，而诗则颉颃盛唐，所至辄籍籍有文声。曩余窃禄为秋官时，即仰公名，未及一坐春风，以叩大雅，怏怏于今十年矣。癸亥（1563）中公为御史大夫，控制三省间，适至贵阳，当抚绥之暇，偶出是编来示余。余既以十年怏怏之怀，而今得其诗于一旦之际，……遂书以序。嘉靖甲子春仲月柳州张翀谨撰。"《四库全书总目》卷一七七集部别集类存目四著录《天目山斋岁编》三十四卷，提要曰："明吴维岳撰。岳字峻伯，孝丰人。嘉靖戊戌进士。官至右都御史，巡抚贵州。《明史·文苑传》附见王世贞传中。为嘉靖广五子之一。是集皆其读书天目山时吟咏倡和之作。分年编次，起嘉靖己亥（1539），讫壬戌（1562）。朱彝尊《静志居诗话》谓峻伯诗如铅刀土花，不堪洒削。虽诋之太过，然复核斯集，其论亦非无因也。"

**王世贞、王世懋往长兴访徐中行。**徐中行去年丁忧回里。王世贞致吴国伦书云："仆二月间走雪上吊子与，念其宦日拙，归橐萧条，不忍久溷，遂行矣。"（《弇州四部稿》卷一二一《吴明卿》）徐中行以"宽然长者"、"轻财好施"见称于时人。今年夏，徐中行服除谒选，改补长芦转运判官。又三月，迁江西瑞州同知。明年九月，升山东按察佥事，以丁母忧归，未赴任。

## 三月

谢榛行年七十，孔天胤为作《寿谢四溟行年七十》诗。诗云："一片野云闲素心，懒将诗卷易朝簪。床头酒有仙人送，门外车多长者寻。到处东山且携妓，竭来梁父独行吟。今年七十身逾健，笑酌桃花春满林。"见孔天胤《孔文谷诗集·渔嬉稿》。孔天胤另有《三月初九日寿四溟赋》，谢榛生日当在三月间。

## 春

蔡汝楠（1516—1565）以貌寝不为世宗所喜，由兵部侍郎出为南京工部侍郎。朱炳如《简末别纪》："今年甲子春，先生改南，道经维扬，炳如先以督辖至，再见，先生授以《自知堂集》一帙，今日观省焉，为行台旅况之一助。"茅坤《通议大夫南京工部侍郎白石蔡公行状》："召为兵部侍郎，典戎政。嘉靖壬戌（1562），会虏犯京邑，天子稍厌司马以下。会公从诸公卿祝厘西斋宫，上从帷中望见公貌寝，出公为南工部侍郎，寻卒于官。"

礼部复南道御史官所陈两京乡试革弊事宜。《弇山堂别集》卷八十三《科试考三》："四十三年甲子春，礼部复南道御史官所陈两京乡试革弊事宜。一、今后两京主考，不用本省人，如资序挨及，南人用北，北人用南，以别嫌疑。一、同考用京官进士出身者，《易》、《诗》、《书》各二员，《春秋》、《礼记》各一员，其余参用教官，以便览察。一、誊录用书手，对读用生员，以防洗改。但此三试专为两京乡试而设，其各省及会试，亦当因其说而广之。因更上六事：一、会试及两京乡试，监试官预于二十日前选差，以便防范。一、巡视搜检，务加严慎，以杜奸弊。一、各省务精选才望内帘官，无令外帘干预，应举生儒二十五名中一名，中式之文，务崇简易，凡浮繁冗杂诡僻不经，悉行黜汰，仍参取后场，以采实学。一、解原卷到部，以凭稽查，不用公据。得旨，各乡试但照旧规。今监临公同考官揭书出题，提调监试等官不得干预。余皆如议行。命司经局洗马兼翰林院侍讲林燫、右春坊右赞善兼翰林院检讨殷士儋主顺天试。命左春坊左谕德兼翰林院侍读汪镗、右春坊右中允兼翰林院编修孙世芳主应天试。世芳以病卒于贡院，舆尸而出，同考官吏部主事蔡国珍代为后序。""是岁诏'自今两京乡试，同考官仍择文行俱优年力精壮教职充之，罢部臣勿遣'。时给事中辛自修、邓楚望，御史罗元祐，交章摘发科场奸弊，冒籍生员章礼等五人，关节监生项元深等三人，元深乃礼部主事戚元佐所荐同里人也。于是自修等并劾元佐。曹栋复言：'户部尚书高耀荐属官陈洙为考官，托其子高堂，遂得中式，而外帘为之关节者即宛平县丞高灿，耀之亲弟也。踪迹显然，人所共知，俱请论如法，以振颓纲。'疏下礼部查议，独黜冒籍陈道箴、吕祖望回籍充附，礼等各行原籍勘实，堂、元深等以复试文可俱准中式，耀、元佐、洙俱不坐，灿以始不引嫌调外任。于是罢部僚与试，而行提学御史徐爌通查在京冒籍生员，斥遣有差。复诏增拓举场前地，临入试时，增遣监场御史二员先于场门外检阅以进，著为令。"

王稚登以射策北上，友人吴履谦刻其《晋陵集》以赠。吴履谦《晋陵集》序："余常思百谷不可见，即诵其居晋陵时所为文章诗赋，每为怅恨不能已已。今年春，百谷以射策北上，余益惜其远别，请于家君太仆及广西佥宪陈公，编次其言两卷，刻为《晋陵集》贻之。……嘉靖甲子重阳日。"

## 五月

周思廉《学道记言》竣稿。据四库提要。

## 七月

吴子孝（1496—1564）卒。皇甫汸《明朝列大夫湖广布政使司右参议吴公墓表》："公讳子孝，字纯叔，别号海峰，晚更龙峰。自延陵而降，世为长洲山塘里人。"嘉靖己丑进士。"（甲子岁）七月八日，避暑虎丘，再宿疾作，返舍危坐，挥乐不御，申旦长逝矣。距生弘治丙辰正月十一日，春秋六十有九。""所著有《说守》、《问马》、《集仁》、《恕堂日录》、《玉涵堂集》、《明珠集》、《防敌论》及序记碑铭若干卷，行于世。重修《宋史》，杀青未就，以俟后人。字学虞欧，稍变戈法。词宗晁晏，尤长小令。下笔辄成，倚马可待，得之者列开府之屏，题戴山之箬，照乘掩辉，径尺非宝也。"《四库全书总目》集部词曲类著录吴子孝《玉霄仙明珠集》二卷，提要曰："《江南通志》称其议论英发，为文章宏肆浩博。此乃所作词集，凡一百八十余阕。颇具凄惋之致，而造诣未深，不能入宋人阃奥也。

## 八月

罗洪先（1504—1564）卒。罗洪先为明代著名理学家，亦能诗。徐阶《明故左春坊左赞善兼翰林院修撰赠奉议大夫光禄寺少卿谥文恭念庵罗公墓志铭》："公讳洪先，字达夫，念庵其号。厥初豫章人，三徙而居吉水。""以弘治甲子十月十四日生公。公年十五即下视举子业，得《传习录》，手抄而读之，昼夜不置。嘉靖己丑（1529）举进士第一，世宗批其文曰：'学正有见，言说而意必忠，宜擢之首者。'授翰林院修撰。壬辰（1532）以病痊起，充经筵展书官。己亥（1539）召拜赞善，充经筵讲官。凡三立朝，皆不逾岁而归。甲子八月十五日，卒于松原之新第，年六十一。""自阳明先生倡致良知之说，学者始知舍闻见而求知于心。然其传之讹也，语心体而遗工夫，则日入于高虚而无益。其又讹也，概举夫不待学习者以为良知，而不复究爱亲敬长之本指，则以欲为理，以任情为率性，以戒慎恐惧为庹于自然，而去道日益以远。左春坊左赞善兼翰林院修撰念庵罗公有忧之，数正色言曰：'近时传良知之学，语知矣而不必良，语良知矣而不必能致，往往闻用功语辄生诧讶，其弊将多于晚宋支离之失。'又曰：'阳明先生良知之教本之孟子，故尝以入井怵惕孩提爱敬平旦好恶为证。然以三者皆其一端之发见，而未即复乎全体。故言怵惕必以扩充继之，言好恶必以长养继之，言爱敬必以达之天下继之。孟子之意可见矣。先生得孟子之意者也，故亦不以良知为足，而以致知为功。'公家居，弟子四远而至，其为教恒主《易》所谓寂然不动，周子所谓无欲故静者而申告之，曰：'能静寂然后见知体之良能，收摄保聚然后能主静而归寂。'

又曰：'儒者之学在经世，而以无欲为本。夫惟无欲，然后用之经世，知精而力钜。'阶昔未冠，即幸受业双江聂公之门。及举进士，与南野欧阳公为同年，益得相切磋于问学。二公先生高第弟子也。又后六年，始获识公。公于时所交游尽一世名士，而与予言独相入。未几公请告，予亦以论孔子祀典谪，不相见者十年。已乃同召为宫僚（1539）。明年夏，予遭先夫人忧归，其冬公及荆川唐公、浚谷赵公论东宫朝仪罢为民，自是不复见以卒。每忆与公对榻剧谈，宛然前日事，未尝不泫然而泣也。"其集序跋颇多，胡松《念庵罗先生集叙》署"嘉靖癸亥（1563）夏四月，同年友滁阳胡松序"；陈于廷《石莲洞罗先生文集叙》署"万历岁次丙辰（1616）仲冬之吉，赐进士出身、文林郎、巡按江西监察御史，阳羡陈于廷撰"；邹元标《石莲洞罗先生文集序》署"万历丁巳（1617）孟夏月，同邑姻家后学邹元标尔瞻父顿首拜撰"；祁承煠《石莲洞罗先生文集跋》署"丁巳（1617）清和日，吉安守、山阴后学祁承煠漱手书于五云舟中"；罗大纮《选石莲洞罗先生文集后序》、俞宪《重刻念庵罗先生集序》作序时间不详（俞序署"是岁五月朔后"，未知"是岁"为何年）。《盛明百家诗·罗赞善集》："念庵罗君，雅志功名，兼攻翰墨，诗多纯雅可采。……居家转尚理学，寓情山水。尝遗予诗文至盈卷册，予亦尝叙其集。"《明史·艺文志》著录《罗洪先全集》二十五卷、《易解》一卷、《增补朱思本广舆图》二卷。《四库全书总目》集部别集类存目四著录《别本罗念庵集》十三卷，为嘉靖癸亥其同年胡松所刻。盖初刻之本，非其全帙也。

**张凤翼与弟燕翼同举乡试，凤翼为解元。**《万历野获编》卷二十三《张幼于》："吴中张幼于献翼，奇士也。嘉靖甲子，与兄凤翼伯起、弟燕翼浮鹄，同举南畿试。主者以三人同列稍引嫌，为裁其一，则幼于也。归家愤愤，因而好怪诞以消不平。晚年弥甚。慕新安人之富而妒之，命所狎群小呼为太朝奉，至衣冠亦改易，身披彩绘荷菊之衣，首戴绯巾，每出则儿童聚观以为乐，且改其名曰敉。予偶过伯起，因微讽之曰：次公异言异服，谅非公所能谏止，独红帽乃俘囚所顶，一献阙下，即就市曹，大非吉征，奈何？伯起曰：奚止是？其新改之名亦似杀字，吾方深虑之。未几而有蒋高私妓一事，幼于罹非命，同死者六七人。伯起挥泪对余叹狂言之验。先是幼于堂庑间挂十数牌，署曰张幼于卖诗或卖文，以及卖浆、卖痴、卖呆之属。余甚怪之，以问伯起曰：此何意也？伯起曰：吾更虞其再出一牌，云幼于卖兄，则吾危矣。余曰：果尔再出一牌，云卖友，则吾辈将奈何？相与抚掌大咍。同时吴中有刘子威凤，文苑耆宿也。衣大红深衣，遍绣群鹤及獬豸，服之以谒守土者。盖刘曾为御史，迁外台以归，故不忘绣斧。诸使君以其老名士，亦任之而已。此皆可谓一时服妖。幼于被难为辛丑年（1601）。时虎丘僧省吾者嗜酒，忽一日醉死。孝廉与姻家比邻，偶大失资重。或疑孝廉与盗通，因捕死狱中。时税事再兴，市人葛成倡义，遍拆毁诸富家，有殴毙者，当事置之死法。适幼于又以妓致殒。俱一两月内事。吴人遂以凑酒色财气四字云。"

## 九月

**皇甫濂（1508—1564）卒。**皇甫濂为四皇甫之一，以诗名。皇甫汸《水部君墓志铭》："皇甫水部君者名濂，字子约，一字道隆，中宪公第四子也。……甲午（1534）

举于乡。……甲辰（1544）试南宫第二，赐进士，拜缮部主事，非其好也。越岁居黄恭人忧。……戊申起复，太宰闻公渊知其贤，将授本曹，同乡忌之，仍拜水部。……岁当察吏，考功郎又尝所忌者，议欲黜之。少宰建宁李公默哗于众曰：'吾知水部清介士也。世擅才名，安得枉错以坏铨体！'仅调河南藩司理官。……居无何，稍迁兴华倅。……丙辰代守人觐归，即投劾不赴。……嘉靖甲子秋，忽患痢，不治而卒，九月廿九日也。生正德戊辰十月初八，年五十有七。""所著有《道德经解》、《校辑玄晏高士传》。中宪藩府政令，以昭先业，余收其遗草，选为《水部集》二十卷行于世。"其去世原因，《列朝诗集小传》丁集上云："习吐纳延化术，得黄帝房中秘方，谓可登真度世，以交接致病遽卒。有《水部集》二十卷。"《水部集》有皇甫汸序，题为《子约弟水部集序》。序曰："《皇甫水部集》者，季弟子约所撰也。……总得乐府五十一首，五言古诗一百七首，七言古诗三十四首，五言律四百六首，排律三十四首，七言律一百五首，五七言绝句一百六十首，杂文十三首，勒为二十卷，传诸词苑。始自甲辰（1544）之后，附以癸卯（1543）之前，由仕始也，子约可以不死矣。昔人谓'诗人例作水曹郎'，吾家世为工官，而皆长于诗，岂其数欤？"《明史·艺文志》著录皇甫濂《逸民传》二卷、《道德经解》三卷、《水部集》二十卷。《列朝诗集小传》丁集上："有《水部集》二十卷。黄德水曰：'水部诗意玄词雅，律细调清，长于造景，务在幽绝，山藏水阒，披露良多。'孙七政曰：'水部诗清复罕俪，其志意亦复玄旷，故其文乃尔。悼子两篇，令人拊心痛绝。'"《明诗别裁集》卷七录皇甫濂诗二首。《明诗纪事》戊签卷五录皇甫濂诗九首，陈田按："子约诗步趋晋、宋、盛唐，善于言情，读之令人增骨肉之重，近体微伤局促。"

### 秋

栗应麟饯送谢榛，以诗志别，分韵得"秋"字。谢榛此行，历游晋阳、五台山等处。《诗家直说》卷四："甲子岁秋日，予赴晋阳故人之招，栗晋川留饯园亭，以诗志别，分韵得'秋'字，援笔立就，一气浑成。涌若长江大河，滔滔拍天，而划然中断，其意见于言表，清雅不减刘文房，气格过之。附诗云：'盍簪方燕晤，引簪复西游。草白晋阳路，霜清汾水秋。诗名无去住，客计有淹留。心在浮云外，飘然不系舟。'"栗应麟，字仁甫（或作仁夫），号晋川。山西长治人。嘉靖己丑（1529）进士。有《去陈集》。谢榛有《龙山万松歌题栗别驾道夫书斋，兼呈乃兄佥宪仁夫》诗。

### 十月

海瑞升户部主事。据王国宪海瑞年谱。

### 十一月

蔡汝楠为陈霆《水南集》作序。序署"嘉靖甲子岁仲冬之吉，赐进士第、南京工部右侍郎，同邑白石山人蔡汝楠序"。时蔡汝楠在南京工部右侍郎任。陈翀有《水南集后跋》，未详作跋年月。跋云："叔父水南先生，养高林下四十余祀矣，故其著述较多，所板行者《两山墨谈》、《唐余纪传》、《诗词二话》、《琐语》而已，若《绿乡笔义》、《水南续集》，则嗣兄梦征刻于官邸，携就倭火矣，惜哉！"《水南集》，陈霆（？—1550）撰。《四库全书总目》集部别集类存目三著录陈霆《水南稿》十九卷，提要曰："是集所载诸诗，意境颇为萧洒。而才气坌涌，信笔而成。故往往不暇检点。古文大致朴直，而少波澜顿挫之胜。惟诗余一体较工，其豪迈激越，犹有苏辛遗范。末附诗话一卷，中间论词一条，谓明代骚人多不务此，间有知者，十中一二。则其自负亦不浅矣。"

## 冬

**王世贞等聚会于虎丘寺，送张凤翼等北上会试。**王世贞有诗，题为《虎丘寺同子与（徐中行）、孔嘉（彭年）、淳父（黄姬水）、公瑕（周天球）、伯龙（梁辰鱼）、舍弟送别袁鲁望（尊尼）、张伯起会试北上，得阳字》。（《弇州四部稿》卷三十七）据《列朝诗集小传》丁集上《袁金事裒》，袁尊尼明年举进士。

**吴扮谦为王稚登《采真篇》作序。**《采真篇》收王稚登游茅山往返诸作。序署"嘉靖甲子冬月吉。兰陵三峰子吴韬扮顿首谨识"。

## 本年

**王世懋（1536—1588）以诗见推于李攀龙、王世贞诸人。李攀龙称之为"小美"，谓"小美真才子也"。**《艺苑卮言》卷七："吾弟世懋，自家难服除后，一操觚，遂尔灵异，神造之句，凭陵作者。唯未为古乐府耳，其他皆具体而微。吾偶遣信问于鳞，漫及之曰：'家弟轶尘而奔，咄咄来逼人，赖其好饮，稍自宽耳。'于鳞亦云：'敬美视助甫辈自先驱，视元美雁行也。尝取谢句"花萼嘤鸣"标君家兄弟，不然耶？'又一书云：'敬美乃负包宗含吴之志，称天下事未可量，眈眈欲作江南一小英雄。寻将火攻伯仁，奈何不善备之也。'其见赏如此。"王世贞字元美，李攀龙字于鳞，王世懋字敬美，张九一字助甫，宗谓宗臣，吴谓吴国伦。所云"家难"，指王忬庚申（1560）十月以边将陷城律被斩。又王世贞《亡弟中顺大夫太常寺少卿敬美行状》："弟之始为诗，用不谷故，因习知不谷之友，故李于鳞、徐子与、宗子相、余德甫、张肖甫及今吴明卿、张助甫，而其所心服乃于鳞。""弟既服除，请于太恭人，与不谷间过俞仲蔚及吴中周公瑕、黄淳父、袁鲁望、张伯起兄弟，薄游名山水，有所酬唱，出一语必翕然叹服，而录以叩于鳞，又为书盛相推挹。于鳞大惊赏，呼之小美，至曰'小美真才子也'，又谓不谷：'阿奴咄咄，火攻伯仁，不虞燎须耶？'不谷报之：'赖其尔来好米汁，得少宽耳，不然，何所逃逼。'汪伯玉余同年兄也，其文辞与于鳞并擅名海内，自闽以书先余，余为言敬美，且出其近诗数十章，伯玉亦大惊赏过望，书问遗不绝。当是时，子与官不达，多卧雪中，于过从易。而明卿为通家兄弟，诗邮往来，稍不落寞矣。"

**徐献忠（1483—1559）《长谷集》由其门人董宜阳编定，松江府知府袁汝是与其乡士大夫醵金刊行。**其生卒年据《明人传记资料索引》。王世贞《奉化知县徐先生献忠墓志铭》："嘉靖己巳秋八月三日，吴兴寓公、前奉化县长谷徐君捐馆舍，春秋七十有七。""己巳"或为"己未"之误。《湖州市文化艺术志》第二章《人物简介》标其生卒年为（1469—1545），断"己巳"为'乙巳（1545）'之误，似太早。《静志居诗话》卷十四《徐献忠》："徐献忠字伯臣，松江华亭人。嘉靖乙酉举人，知奉化县，及卒，友人私谥曰贞宪先生。有《长谷集》。长谷以作者自期，持论谓：'诗人之作，代出意匠，以增前人之能。'旨哉言也。其比六朝声偶，品唐诗，原乐府，皆有功后学，惜其书不盛行。诗亦冲澹无累句，特少警拔耳。"《四库全书总目》著录徐献忠《吴兴掌故集》十七卷、《水品》二卷、《长谷集》十五卷、《乐府原》十五卷、《金石文》七卷、《六朝声偶》七卷。《长谷集》提要云："是集赋一卷，诗三卷，文十一卷。嘉靖甲子，松江府知府袁汝是与其乡士大夫醵金刻之。编次者，其门人董宜阳也。朱彝尊《诗话》称其诗冲澹无累句，所少者警拔。足为定评。至其论松江加耗、守备、钱法、水利诸书，条析利弊，皆颇详悉，在一乡亦足资考核焉。"《明诗纪事》戊签卷十五录徐献忠诗一首。

**茅坤请王宗沐序其《白华楼集》。**王序云："甲子岁，余谢病归西湖，而君又适来会。因出其子所裒刻《白华楼集》若干卷，曰：'余平生竭力在此，何如作者？君为我序之。'"王宗沐（1523—1591）字新甫，号敬所，浙江临海人，嘉靖甲辰进士。茅坤《白华楼集》，另有陈文烛《白华楼稿序》，作于万历戊子（1588）秋七月。《四库全书总目》卷一十七集部别集类存目四著录茅坤《白华楼藏稿》十一卷《续稿》十五卷《吟稿》八卷《玉芝山房稿》二十二卷《耄年录》七卷，提要曰："坤刻意摹司马迁、欧阳修之文，喜跌宕激射。所选《史记钞》、《八家文钞》、《欧阳史钞》，即其生平之宗旨。然根柢少薄，摹拟有迹。秦、汉文之有窠臼，自李梦阳始。唐、宋文之亦有窠臼，则自坤始。故施于制义则为别调独弹，而古文之品终不能与唐顺之、归有光诸人抗颜而行也。至《耄年录》则精力既衰，颓唐自放，益非复壮盛之时刻意为文之旧矣。"

**王稚登北游太学，得大学士袁炜青目。**王稚登《袁文荣公诗略序》："嘉靖末，文荣公居右相，左相方恶言诗，公卿朝贵相顾以诗为戒，登高能赋之士莫能见其所长，风雅道几丧矣。袁公独喜谈诗，时时召稚登谈，未尝不解颐也。是时天子在西苑求神仙，左右相与四五贵臣皆入直，百官入谒者麇至，吐握倒屣，皆不暇休沐，还邸中者岁不能再三。而人每读公诗，无不敛手推服曰：'是冥搜玄览之言，而夙夜在公者饶为此乎？'问授简相倡和者谁何？惟王生一人在傍耳。由是益咤：'相君贵倨，鲜许可，何物鲰生，能令乃公喜也？'稚登名遂起长安中。他日公以诗草授稚登，曰：'一瑜一瑕，子为政矣。'稚登谢主臣不敢当。公谓：'曹子桓不云乎，后世谁相知定吾文者？我将季重子，子奚谢？'既不获请，则携其草置广柳车中归。"李维桢《征君王百谷先生墓志铭》："时申少师时行、王文肃锡爵、余文敏有丁初入翰林，文荣数举先生文视之：'吾得王生与若辈同称门下士，幸甚。'"申时行、王锡爵均为嘉靖四十一年进士。《列朝诗集小传》丁集中《王校书稚登》："稚登，字伯谷，先世江阴人。移居吴门。十岁为诗，长而骏发，雕香刻翠，名满吴会间。嘉靖甲子，北游太学，汝南公方执政，阁试《瓶中紫牡丹》诗，伯谷有'色借相君袍上紫，香分太极殿中烟'之句，汝南赏叹击节，呼词馆诸公，数之曰：'公等以诗文为职业，能道得王秀才十四字耶？'引入为记室，较书秘阁，将令以布衣领史事，不果而罢。"《明史·文苑传》："吴中自文徵明后、风雅无定属。稚登尝及徵明门，遥接其风，主词翰之席者三十余年。嘉、隆、万历间，布衣、山人以诗名者十数，俞允文、王叔承、沈明臣辈尤为世所称，然声华炬赫，稚登为最。申时行以元老里居，特相推重。王世贞与同郡友善，顾不甚推之。及世贞殁，其仲子士骕坐事系狱，稚登为倾身救援，人以是重其风义。万历中，诏修国史，大学士赵志皋辈荐稚登及其同邑魏学礼、江都陆弼、黄冈王一鸣。有诏征用，未上，而史局罢。卒年七十余。子留，字亦房，亦以诗名。"《明诗纪事》己签卷十六录王稚登诗二十一首。袁炜于今年八月以户部尚书特加少傅，兼太子太傅建极殿大学士尚书如故。明年三月致仕。

**耿定向典学南畿，作诗戏评焦竑、杨淳二人诗。**《耿天台集》卷一《评白下杨焦两生诗》小序云："余素不为诗，嘉靖甲子岁，典学南畿，白下杨、焦二生呈诗以观。余览已，援笔书此评之。二生诧曰：'先生不为诗，即此评若深于诗矣。'予莞尔曰：诗然乎哉？嗣间有作，自是启也。"诗云："淳也雅而淡，竑乎简且狂。翩翩鸾鸟雄，哕哕鸣高冈。交口媚泗沂，意指凌虞唐。各各有自得，我心亦已降。林壑已足共，何以报明王？愿言惜光景，努力再梯航。淡勿入枯槁，狂更诣中行。先师有遗训，用行舍乃藏。"焦竑今年二十四岁，参加应天府乡试中举。

**王世贞为戚继光《纪效新书》作序。**据序末题署。今年二月，倭犯仙游，总兵官戚继光大败之。福建倭平。

**胡正蒙任讲读学士。陈以勤掌国子监事。瞿景淳掌南京国子监事。**据王世贞《弇山堂别集》。

**刘绘（1505—1564）卒。**张佳胤《中宪大夫重庆府知府嵩阳刘公暨配胡孺人墓志铭》："先生讳某，字汝（子）素，一字少质，""其徙光州自七世祖始。"嘉靖乙未进士，授行人，选户科给事中，改刑科右给事，出守重庆，罢归。"撰《易勺》四卷，《春秋管》十二卷，作《通论》四十篇，著诗赋序记杂文二十卷，学者尊为嵩阳先生，而不敢氏。"《列朝诗集小传》丁集上："子素文章雄健可喜，其诗才气奔腾，而风调未谐，多生狞彘兀之致。皇甫子循叙其集云：'先生应诏诸疏，经术文章，可谓兼之，若骚赋诗歌，则固北海余声，宣城寄兴，非所专好也。'知言哉！"《四库全书总目》集部别集类存目四著录刘绘《嵩阳集》（无卷数），提要曰："是集首赋，次诗，次书，次疏，复以诗赋殿后，而不分卷帙。盖编次未定，旋作旋刊，明人文集，往往如是也。其诗局度颇宏整，而乏深致。文不加修饰，畅所欲言。如《春秋补传序》云：'古之注经者务简，后之注经者务繁。古之注经者务简而经益明，后之注经者务繁而经益晦。六经之注，莫不皆然，而《春秋》为甚。'持论颇为平允。至劾夏言一疏，但以不戴所赐香叶冠激世宗之怒，则非谏臣之体。案《明史》夏言本传称，赐香叶束发巾，言谓人臣非法服不受。帝积愤欲去言，严嵩因得间之。至言得罪下狱，帝犹及前不戴香冠事。据此，则绘是疏或当有所受之欤？"《明诗纪事》戊签卷十九录刘绘诗五首，陈田按："山阴周祚、吴县黄省曾作书推挹李空同，空同刻集，以其书附后。刘子素亦作书推服杨升庵，《升庵集》亦附子素书云：'仆之仰足下者有年，方其挟策西蜀，赐对明光，垂虹掣电，振耀宇内，知足下为相如、扬雄其人也。至操觚艺苑，校书秘府，辞调敌乎金石，颂声叶于《韶濩》，知足下为刘向、王褒其人也。至撄时吐气，舒悃飞章，叫阊阖于五奏，攀琅玕而九死，知足下为贾谊、晁错其人也。及今成集所著，士人所传，伤时述怀，其孤愤结忧之声，悯流离、叹琐尾者，又竞英缀彩，粲玄珠而流华实；凌踪乎七子，飞盖乎四杰，又知足下为鲍明远、谢玄晖其人也。'子素文章宏丽，足称作者。诗则有伟特之句，而鲜完善之篇。艳曲丽歌，尤为猥下。赵彦复《梁园风雅》舍李川甫而录子素，非识曲听真者也。"

**雷思霈（1564—1611）生。**雷思霈字何思，夷陵人。万历辛丑（1601）进士，选翰林院庶吉士，授检讨。庚戌（1610）分考会试，卒于家。《千顷堂书目》著录《雷检讨文》一卷、《诗》一卷、《岁星堂集》四卷。

## 公元1565年（世宗嘉靖四十四年　乙丑）

### 三月

**李日华（1565—1635）生。此嘉兴李日华，非吴县之戏曲作家李日华。**谭贞默《明中议大夫太仆寺少卿李九疑先生行状》："李九疑先生讳日华，实君实，号九疑，别号竹懒。九疑者，拟汉武所见九疑山采蒲仙人以托志也。"万历壬辰（1592）进士，除九江推官。谪汝州判官，迁西华知县，以忧归。起南礼部主事，乞归。起北礼部主事，未赴，进尚宝司丞，迁太仆少卿。"先生生嘉靖四十有四年乙丑三月十三日丑时，终崇祯八年乙亥九月十一日丑时，年七十有一。"著有《紫桃轩杂缀》、《六研斋笔记》、《恬致堂集》、《竹懒画媵》等。

**范应期等进士及第。**《弇山堂别集》卷八十三《科试考三》："四十四年乙丑，礼部会试天下举人，命御史李邦珍、鲍承荫、监试周弘祖、顾廷对场外搜检。诏申严怀挟传递之禁，犯者执送法司问罪，仍于礼部前枷号一月。已，邦珍等条上革弊四事：一，举人试卷，礼部印钤既完，送提调官收领。临期，举人入场，至大门内验票领，以防洗改脚色及彼此交换之弊。一，请留朝觐二司及府县官，临期督集所属举人，照依省份及府县次第挨次点验序进，以防冒替代笔之弊。一，请增军三百余名，严密搜检场外，仍选差参将官一员，带领官军昼夜巡逻，俟揭晓乃止，以防怀挟透漏之弊。诏皆允行。命吏部左侍郎翰林院学士掌詹事府事高拱、翰林院侍读学士胡正蒙主试。初场进题，上以'民之秉彝'为忌，问少师阶，欲究治拱等。阶解释之乃已。取中陈栋等四百人，廷试，赐范应期、李自华、陈栋及第。是岁读卷，工部尚书管吏部左侍郎事董份，亦用李春芳例也。份迁礼部，坐事为民，与大学士袁炜以病，故登科录不载。""是岁，进士陶大顺、子允淳同科，亦奇事也。""改进士许国、陈懿德、戴洵、沈渊、周子义、严用和、韩楫、杨允中、吴学诗、李存文、王湘、沈鲤、张秩、高启愚、何洛文、陈思育、陈行健、林皆春、杨一桂、陈经邦、王嘉言、钟继英、李良臣、管大勋、成宪、王玺、王弘诲、麻永吉为庶吉士，命吏部左侍郎兼翰林院学士高仪教习，仪迁官，礼部左侍郎兼学士陈以勤代之。"《弇山堂别集》卷十七《输粟三元》："嘉靖乙丑廷试第一人范应期，癸丑会试第一人曹大章，成化丙午顺天乡试第一人罗玘，皆以输粟入国子监者。大章廷试复第二人，而与应期宦皆不达。玘入翰林，以文行显，至大官。其后正德丙子（1516）为周光宙，嘉靖戊子（1528）为马一龙，辛卯（1531）为马从谦，庚子（1540）为沈绍庆，戊子（1588）为王衡，而皆中顺天，皆南直人。"《万历野获编》卷十六《嘉靖三丑状元》："四十四年乙丑科，状元范应期，浙江乌程人。以祭酒罢官归。乃子不肖，牟利殖货，敛怨乡曲。巡按御史彭应参憎之，募民讦其过，里中奸豪因百端窘辱之，应期不能堪，遂自缢死。"王世贞《明特进光禄大夫柱国少师兼太子太师吏部尚书建极殿大学士赠太师谥文贞存斋徐公行状》（中）："新郑公（指高拱）之主乙丑会试也，上以进题字有所触不怿，以问公，公为剖析本义乃解。盖前是乙卯（1555）主应天试者，亦以文义有所触，赖公而解，人谓非公则逮谪如累岁故事矣。廷试当读卷，公令诸受卷者参伍其数，而分授读卷大臣，诸读卷大臣铨其可读者以授首臣，与众共之，第其甲乙而进之上，宿弊尽革。寻奉命选庶吉士，公具如廷试。既开馆，所颁条教至今以为式。"（《弇州续稿》卷一百三十七）

**同榜进士有袁尊尼、陈文烛等。归有光亦为是榜进士。**王锡爵《明太仆寺寺丞归公墓志铭》："其后八上春官，不第。盖天下方相率为浮游泛滥之词，靡靡同风，而熙甫深探古人之微言奥旨，发为义理之文，洸洋自恣，小儒不能识也。于是读书谈道于嘉定之安亭江上，四方来学者常数十百人。熙甫不时出，或从其子质问所疑。岁乙丑，四明余文敏公当分试礼闱，予为言熙甫之文意度波澜所以然者。后余公得其文，示同事，无不叹服。既见熙甫姓名，相贺得人。主试者新郑高公，喜而言曰：'此茶陵张公所取以冠南国者，今得之，有以谢天下士矣。'廷试，入三甲，选为湖州长兴县令。"归有光《见南阁记》："嘉靖十九年，余为南京贡士，登张文隐公（张治）之门。其后十年，沔州陈先生为文隐公所取进士。余为公所知，公时时向人道之，先生由是知余；而无从得而相见也。其后十五年，先生以山西按察副使罢，家居。久之而余始与先生之子文烛玉叔同举进士。在内庭遥见，相呼问姓名，甚欢。知先生家庭父子间道余也。因与之往来论文，益相契。间属余记其所居见南阁者。"（《震川先生集》卷十五）梁章钜《制义丛话》卷五："《明史·文苑传》云：归有光字熙甫，昆山人，嘉靖十九年举乡试。八上春官不第，徙居嘉定安亭江上，读书谈道，学徒常数百人，称为震川先生，四十四年（1565）始成进士。有光制举业，湛深经术，卓然成大家。后德清胡友信与齐名，世并称归胡。友信博通经史，学有根柢。明代举子业最擅名者，前则王鏊、唐顺之，后则震川、思泉。思泉，友信别号也。"此系节录《明史·文苑》之文。

**王圻中进士。所著《稗史汇编》、《续文献通考》等，颇有建树。**王圻字元翰，上海人。嘉靖乙丑进士。官至陕西布政司参议。《明史·文苑传》附见陆深传中。《四库全书总目》著录王圻《东吴水利考》十卷、《谥法通考》十八卷、《重修两浙鹾志》二十四卷、《稗史汇编》一百七十五卷、《续文献通考》二百五十四卷、《三才图会》一百六卷、《洪州类稿》四卷。《稗史汇编》提要曰："是书搜采说部，分类编次。为纲者二十八，为目者三百二十。所载引用书目凡八百八种，而辗转稗贩，虚列其名者居多。如《三辅决录》、《吴录》、《三齐略记》、《太原记》、《湘中记》、《鸡林志》、《甲子》、《尸子》之类，圻虽博洽，何由得见全帙。又卷首虽列书名，卷中乃皆不注出处。是直割裂说部诸编，苟盈卷帙耳。"《续文献通考》提要曰："是编续马端临之书，而稍更其门目。大旨欲于《通考》之外兼擅《通志》之长，遂致牵于多岐，转成舛驳。盖《通考》踵《通典》而作，数典之书也。《通志》具列朝为纪传，其略即志，其谱即表，通史之属也。其体裁本不相同。圻既兼用郑例，遂收及人物，已为泛滥。而分条标目，又复治丝而棼。如各史有不臣二姓之人，不过统以忠义。圻则别立忠隐一门。各史于忠孝节烈之妇女，不过统以列女。圻则别立忠妇、孝妇、节妇、烈妇诸门。各史于笃行畸节，不过统以孝义。圻则别立顺孙、义夫、义女、义母、义妾、义仆诸门。均乖史法。至于义物一门，孝释一门，尤为创见罕闻。各史但有儒林，《宋史》别出道学传，已为门户之私。圻更立道统考，而所收如楚元王之类，不过性喜聚书；范平、王接之类，不过隐居高尚。去取更为不伦。此皆牵于《通志》纪传之故也。他如田赋考内所载免租，当列于赈恤门；贵州盐引课，宜列于盐铁门；打青草、喂养、马匹事例，宜列于兵考；而皆误载于田赋、国用考内。漕运门载金天兴元年运饷汝州兵，此乃用兵转饷，非漕运也。又海运已自列一门，而杂出于漕运之内。所载海道远近，尤为不详。运官选补属选举考绩之事，更不当列于漕运门。土贡考内所载明制，其时虽已归折于一条鞭之法，然尚有解赴内府之项，载于《明会典》者甚详。乃皆脱略。选举考内所载邵元节、李孜省，乃一时恩倖，不当别立方伎。选举一门学校考内所载州县书院，元制官置山长，犹属学校之支流。明则处处私置，志书尚不能悉登。此书乃泛载之，殊为冗滥。职官考内载元职官仅本《元史》。其上京分置载于《析津志》诸书甚详，见元人集者尤伙。乃皆漏略。谥法考只引《史记》，余多挂漏。即朱谋㙔所辑诸篇，万历初尚存，不容嘉靖末不见，亦为挂漏。经籍考内所载南宋诸人文集，尚不及文渊阁书目之半。金人文集载于《中州集》小传者百有余家，所载仅十之一二。而《琵琶记》、《水浒传》乃俱著录。宜为后来论者之所讥。六书考全抄郑樵《六书略》，又录《唐韵》及宋礼部韵略各序，毫无断制。所载法帖，仅明代所刻宝贤堂帖十数则。又既立经籍考一门，复于六书考内复载字学、书法各书，更为舛杂。至于释家一门，本可不立。既已立之，而宗、律二门未能分晰。列释家法嗣一门，而二祖六祖以下旁出法嗣，又未能详叙。殆进退无据矣。自明以来，以马氏书止于宋嘉定中，嘉定后事迹未有汇为一编者，故多存圻书以备检阅。"提要后附注曰："案此书虽续《文献通考》，而体例迥殊。故《文献通考》入故事，此则改隶类书。"清《钦定续文献通考》即以王圻书为工作底本。

**严世蕃伏诛。时郭谏臣任袁州推官，密籍严世蕃诸奸逆不道事，因御史林润上之，严世蕃遂伏法。**据《四库全书总目》卷一七一集部别集类二五《郭鲲溟集》提要。按，去年十一月，南道御史林润奏严世蕃、罗龙文网罗盗贼和王直余党，"有负险不臣之志，聚众至四千余人，变且不测。疏入，诏以世蕃、龙文即付润逮捕至京问。"（《明世宗实录》）

## 春

俞宪编沈恺（1492—1571 后）诗集《沈凤峰集》入《盛明百家诗》。卷首题识署"乙丑春日，无锡俞宪识"。

张士瀹辑《国朝文纂》成书。张士瀹《国朝文纂序》曰："《国朝文纂》，纂国朝之文也。曷纂乎？惧遗也。居山林者惮庙廊之袭，秉制作者略旁察之真，文斯遗之矣。……士瀹海窟庸才，幼耽六籍，遂叨艺苑传名，士林不弃。避寇建康，颇存余暑，竟忘芜贱，博采诸家，上自庙廊，下极方外闺中之秀，手自编摩，稍加檃括。自癸丑冬迄乙卯春十三年间，得诗文总若干卷，缮写成帙，以备观风考政者之一助云。"（《皇明文范》卷三十一）

李开先为赵时春《赵浚谷诗文集》作序。李开先、赵时春均在"嘉靖八才子"之列。序云："浚谷赵子诗文集，刻传久矣，尚未有序，序集非难，而为浚谷子序集则难耳。浚谷子年十四魁关中，十八大魁天下，入读中秘书，出补武部，与诸名士讲学为文，文学日益宏肆，而闻望惊耀人耳目。不得见其人，得见其集，则幸矣。虽集不可无序，而序岂可易为哉？邑人有薄宦平凉者，浚谷子每寄声云：'诗文词论，俱未有序，在交游知爱，莫有如中麓者，四序幸勿退托。'呜呼！予以多疾，久欲不作劳心事，一序已难，而况四序邪？词论姑待，先为一诗文总序贶之。曰：……诗非徒作，文非浪言；诗有秦声，文有汉骨；朴厚而近古，慷慨而尚义，此三秦风气。浚谷子锺山川之灵，而又充之以问学之久，幼则为脱羁天马，长则为济时人龙云。集凡十五卷，诗六卷，文九卷，续有作者，当续入之。嘉靖乙丑春，太常寺少卿，章丘中麓李开先叙。"

## 四月

吏部尚书严讷、礼部尚书李春芳并兼武英殿大学士，预机务。《弇山堂别集》卷十七《皇明奇事述二》"甲子二相"："嘉靖甲子，少师华亭徐公阶居首揆，而常熟严公讷、兴化李公春芳次之，三公皆南直隶人。严、李二公同日应制撰文，同日进学士，同日加太常少卿，同日转侍郎，同日转吏部尚书，同日入直，同日加太子太保，同日进内阁，又同有老父母，同于林下侍养以终。今年甲申（1584），同岁捐馆，盖无所不同者。"按，"甲子二相"之"甲子"，乃从徐阶居首揆之年而言。《弇山堂别集》卷四十五《内阁辅臣年表》："徐阶字子升，直隶华亭人。由嘉靖癸未及第，三十一年以少保、东阁学入，后改谨身殿为建极殿，四十三年进建极殿，隆庆三年以少师致仕，卒年八十一。""严讷字敏卿，直隶常熟人。由嘉靖辛丑进士，四十四年以太子太保、武英殿学入，本年以疾乞归，卒，年七十四。""李春芳字子实，直隶兴化人。由嘉靖丁未状元，四十四年以太子太保、武英殿学入，后改华盖殿为中极殿，隆庆五年以少师、中极殿致仕，卒年七十五。"

俞宪编左国玑《左中川集》入《盛明百家诗》。卷首题识署"乙丑夏四月，锡山俞宪汝成父识"。

袁炜（1508—1565）卒。《弇山堂别集》卷四十五《内阁辅臣年表》："袁炜字文明，浙江慈溪人。由嘉靖戊戌（1538）及第，四十年以太子太保、武英殿学入，后改谨身殿为建极殿学，四十四年以少傅养病，道卒，年五十八。"日本《光禄大夫柱国少傅兼太子太傅户部尚书建极殿大学士赠少师谥文荣袁公墓志铭》："按公状，讳炜，字懋中，别号元峰。其先出自汉太尉安之孙遇，避乱居句章之南乡，即今所居三峰也。"
"嘉靖丁酉（1537）举乡试第一。明年会试第一，廷试卷呈上览，已批第一，中言边将
事过直，文华读卷后，易置第三，授翰林院编修。是年端居公卒，守制还，用礼襄事，
癸卯（1543）起复。甲辰（1544）同考会试，乙巳（1545）充纂修会典官。丁未
（1547）充唐府册封副使，尽却所馈遗，唐王改容礼之。已酉（1549）九载秩满，迁侍
讲。辛亥（1551）公以疾赐告归，丁继母张夫人忧。乙卯（1555）起复，八月主顺天
乡试，十月上简词臣撰文，公在列。上见公所为文独称善，遂有袭衣白金之赐。十月
命代拜文华殿先圣先师。丙辰（1556）二月，内阁以公资序深，题掌南京翰林院事。
公上疏，愿留供文撰，上嘉悦，擢为侍讲学士，寻命陪祀帝社稷。四月上特进公礼部
右侍郎，兼原官。丁巳（1557）八月进太子宾客兼学士，赐仙鹤一品服。已未（1559）
三月三载秩满，进阶通议大夫，诰封二代，荫子大轮为国子生。庚申（1560）八月转
礼部左侍郎。十月赐飞鱼服。二三载间，公之荐历清华，皆出自圣衷。辛酉（1561）
二月，改吏部左侍郎。……适上于吏部题缺疏中，进公太子少保礼部尚书翰林院学士，
越五日召入直。……皆殊特之恩，前此所未有也。……五月分献北郊，十一月分献南
郊。礼成，疏请祈雪，上谕谓公敬顺天时，达礼成性，加太子太保户部尚书武英殿大
学士，同介溪严公、存斋徐公内阁办事。……（甲子，1564）八月，特加少傅，兼太
子太傅建极殿大学士尚书如故。建极殿乃上新制，首以授公，令中书赐敕行。""公才
识博洽，问学渊奥，辨析疑义，河悬冰解，援笔千百言立就。为诗文富丽庄重，卓然
成一家言。所著有文若干卷，诗若干卷。娶管氏，累封一品夫人。有淑行，无出，立
从侄大輗、伯兄仲子大辂为嗣。公卒于嘉靖乙丑年四月某日，距生正德戊辰十月十八
日，享年五十有八。"《千顷堂书目》卷二三著录《袁文荣公诗集》八卷，《明史·艺
文志》著录袁炜《诗集》八卷。《四库全书总目》卷一七七集部别集类存目四著录
《袁文荣诗略》二卷，提要曰："是编首题门人王稚登校。盖稚登以山人游炜之门也。
申时行序称炜所为诗甚多，岁久散逸。其孙景祖、景高搜遗草，得若干首，名之曰
《诗略》。案《明史·艺文志》，袁炜诗集八卷。是炜别有全集。此其选本，故题曰
'诗略'耳。集中佳句寥寥，不识何以狂傲如是。又两卷无一应制之作，殆稚登削之
耶？"袁炜以撰青词得宠，故后世多所非议。《静志居诗话》卷十二《袁炜》："永陵自
壬寅（1542）宫婢之变，即移御西苑万寿宫，不复居大内。先是嘉靖二年四月，太监
崔文等于钦安殿，修设斋供，请驾拜奏青词，此金箓青词之萌芽也。其后斋醮日盛，
一时词臣，以青词受宠眷者甚众，而最称旨者，莫若袁文荣炜、董尚书份。如世所传
醮坛对联云：'洛水元龟初献瑞，阳数九，阴数九，九九八十一数，数原于道，道通元
始天尊，一诚有感；岐山威凤两呈祥，雄声六，雌声六，六六三十六声，声闻于天，
天生嘉靖皇帝，万寿无疆。'此则文荣所撰也。时禁中有猫，微青色，惟双眉莹洁，名
曰霜眉。善伺帝意，帝甚怜爱之。猫死，命以金棺葬万寿山，荐以斋醮文。荣撰词，
有'化狮为龙'语，因题碑曰虬龙冢云。王秀才逢年上文荣书曰：'阁下以时文发甲
科，以青词位辅相，安知世有所谓古文者哉？'快意之言，然未免直而无礼矣。"《袁文
荣诗略》四库提要曰："史称炜才思敏捷，帝半夜出片纸，命撰青词，举笔立成。遇中
外献瑞，辄极词颂美。帝畜一猫死，命儒臣撰词以醮。炜词有'化狮作龙'语，帝大

喜。其诡词媚上多类此。时谓李春芳、严讷、郭朴及炜为青词宰相。又称炜自负能文，见他人所作，稍不当意，辄肆诋诮。馆阁士出其门者，斥辱尤不堪。故人皆畏而恶之。"《明诗纪事》戊签卷二十录袁炜诗一首。

## 七月

蔡汝楠（1516—1565）卒。董份《明通议大夫南京刑部右侍郎白石蔡公墓志铭》："其先上蔡人，宋迁都，而秘书郎源者扈车驾抵浙，因徙德清家焉，遂为德清人。""公名汝楠，字子木，号白石，生正德□（十一）年十月初六日，卒嘉靖四十四年七月三十日。""年十八举进士，为行人。……自行人为郎凡十二年所，而转归德守。……以母忧去，起而得衡州。……自衡转四川副使，以父且老乞终养，不报，又转江西参政，再乞养不报，竟以父忧去，又转山东按察使，江西左右布政使，晋都察院副都御史，河南巡抚。……又晋兵部右侍郎，掌京营，理戎政。……徙南刑部右侍郎（据茅坤《行状》，当为南工部侍郎），"卒。"始其于诗喜鲍谢，多拟齐梁，如珠玑错陈，藻绘在目，外无遗景，内无乏思，亦天下美丽之极矣。而公顾耻其雕刻，晚节声律益平，与钱、刘并驱，高、岑接踵，然要之精诣各有至者。文亦力追古昔，成一家言，引绳墨，切事情，春容雅醇，有足观览。今所著《自知堂稿》七卷，《枢筦集》若干卷，《白石文集》八十卷，嗟乎多矣哉！称才子不虚哉！然公生八岁，则其父尝携之大儒湛先生帷中，见先生论道辄首肯，其天性固有合也。及仕而与江西邹先生、罗先生、吾师唐先生益质微言，究指趣，学遂日进。观别著《五经札记》，足明其潜心于道矣。即未及公所至，而向令不死，其学当何如哉？悲夫！"茅坤《通议大夫南京工部侍郎白石蔡公行状》："予尝按公学凡三变，而其莅官持政，亦数与学相上下。初释褐时，竞为声诗，然镂刻藻丽。过南省，则洗去铅华，合响郎、刘诸大家矣。归德以后，稍稍进经术，然所至犹不能不以才指相高。守衡州，则寝寝近古循吏矣。已而由戎政来归，予察公貌而扣之，其息深深如也。又若泠然万物之外，而世之升沉显晦，不以侵斗其心者，殆庶几乎古之有道者已。此其学，于江西所得为多。"（《茅鹿门先生文集》卷之二十八）《明史·艺文志》著录蔡汝楠《说经札记》八卷、《舆地略》十一卷、《自知堂集》二十四卷。《明诗别裁集》卷七录蔡汝楠诗一首，误将"蔡汝楠"书为"蔡楠"。参1554年。

## 八月

中秋，李开先作《塞上曲》自序。序署"嘉靖乙丑中秋中麓病叟漫题"。

## 十月

复逮胡宗宪至京，十一月死于狱中。诏免勘。据《明史·胡宗宪传》：胡宗宪"以万寿节献秘术十四，帝大悦，将复用矣。会御史王汝正籍罗龙文家，上宗宪手书，乃被劾时自拟旨授龙文以达世蕃者，遂逮下狱。"查《明世宗实录》，于今年十月云："先是，浙直总督胡宗宪以侵盗军饷为言官所劾，宗宪以书抵所亲罗龙文贿求严世蕃为内援，书中自拟旨以属世蕃。会世蕃被罪，书未达，仍匿龙文所。及龙文伏诛，巡按御史王汝正奉诏籍其家，得宗宪所与龙文、世蕃书，上疏献之。因言宗宪昔与王直交通，每藉龙文为内援，相与诇事世蕃，故事久不发。今蒙恩放归之后，不思补过，愈猖狂招集无赖，暴横乡里，其罪不减于世蕃……又闻龙文长子六一者，素称大猾，且习通倭。初匿宗宪家，今不知所向。使六一得亡，南走倭，臣恐江南之事有大可虑者。疏下都察院参覆。得旨：令锦衣卫执宗宪来京诘问；革宗宪子锦衣卫千户松奇职为民；六一下抚按缉捕。已而宗宪疏辩，历叙平贼功，并节年献瑞蒙恩，以致言官忌嫉；且讦汝正私受所属赃。上心怜之，亦下法司并讯。刑部因请将汝正、宗宪互讦事情行巡抚操江都御史勘报，从之。宗宪寻死于狱，诏免勘。"

　　**海瑞上疏"请直言天下第一事"。疏凡千余言，多慨激之辞。**王弘诲《海忠介公传》："已升户部主事。时肃皇帝恭尚玄修，大小臣工，率勉强道服从事。公慷慨上言天下大计，谓：'今日君道不正，臣职不明，欲洗数十年君道之误，则莫如以尧、舜、禹、汤之治责君；欲洗数十年臣道之误，则莫若以皋、夔、稷、契之辅责臣。'疏凡千余言，多慨激。"

### 冬

　　**何良俊（1506—1573）《何翰林集》初刊本问世。莫如忠作序。**序云："《何翰林集》凡二十八卷，予友柘湖君著也。君名良俊，字元朗，与弟良傅世所称两何君者。集刻于今岁嘉靖乙丑冬。工既竣，予得而览焉。……君于文法刘向、司马迁氏，诗本苏、李，而近体出高、岑间。至其酝酿群籍，勒成一家，意匠纵横，不假绳削，或直陈事理，陶写胸臆，累数百言，要归于质厚，倘所谓醇庞沨穆之气，其在治古者，不自是可想见哉！……嘉靖乙丑冬，友人莫如忠撰。"何良俊生平，略见《国朝献征录》所收佚名《南京翰林院孔目何公良俊传》："良俊字元朗，松江华亭县人，以所居，自称柘湖居士。少与弟良傅皆负俊才，或以云间二陆比之。良傅举进士，为南部郎，良俊偃蹇场屋不售，久之贡入太学，当事者重其才名，授南翰院孔目。良俊故负胜情，喜南都山水奇丽，日与名人韵士相追随，品题殆遍。会赵文肃公来视院篆，一见相契合，引与深语，良俊谈当世之务亹亹然，不觉膝之前于席也。后王谕德维桢至，待良俊亦如之，每出游必挟与俱，唱和篇章俱载集中。二公既去，不乐与碌碌者处，辄弃去。其学无所不窥，下笔波委云属，千立言就。于金石古文书画词曲精于鉴赏。卜居金陵十年始归。所著有《何翰林集》二十八卷，《何氏语林》三十卷，《四友斋丛说》三十卷，《书画铭心录》一卷。"《何翰林集》，除莫序外，另有何全、王文禄、皇甫汸序。何序作于"嘉靖丙寅（1566）之秋重阳日"，皇甫序作于嘉靖丙寅，王序作于"隆庆元年（1567）丁卯长至"。《四库全书总目》卷一七八集部别集类存目五著录何良俊《何翰林集》二十二卷，提要曰："良俊在当时，颇有文名。所作纵横跌宕，亦时有六朝遗意。而落笔微伤太快，殆亦才人轻脱之习欤？"

　　**俞宪编王宠（1494—1533）《王履吉集》入《盛明百家诗》。**卷首题识署"嘉靖乙丑冬，邻郡是堂山人俞宪识"。

**俞宪编张凤翔《张伎陵集》入《盛明百家诗》。**卷首题识署"嘉靖乙丑冬无锡是堂俞宪识"。参 1526 年。

## 本年

**陈文烛与黎民表（1522—1582）游。**黎民表为续五子之一。陈文烛《瑶石山人诗序》："肃皇帝朝，海内治安，学士大夫修经国之业，吴中王元美、历下李于鳞、武昌吴明卿、临清谢茂秦、岭南梁公实、黎惟敬相与结社都亭，名赫赫遍宇内。后乙丑余举进士时，五子散去，而惟敬以户曹郎掌敕诰，优游中秘，间与余投合，引为忘年交。每一谈艺，思谢朝华于已披，启夕秀于未振。又兢兢古人成度，盖垂老未变云。惟敬著作昌明于嘉、隆之交，而其意常在弘、德之际，北地、信阳尤所寤寐。……今读惟敬诸作，指事造形，穷情写物，或缓发如朱弦，或急张如跃栝，或慷慨以任壮，或悲歌而引泣。命意则夺造化而感鬼神，摛辞则照三才而丽万有，乃其型范质诸建安之杰、太康之英、开元大历之宗，往往而合美哉！泱泱乎几于古之能言者矣。昔人谓公干、仲宣，陈思之辅也，安仁、景阳，陆机之辅也。国家前有李、何，后有王、李，乃辅之者非惟敬而谁耶？"（《二酉园文集》卷五）序作于万历戊子（1588）秋，所云"乙丑余举进士时"情形，则为今年事。黎民表，字惟敬，号瑶石，从化人。《明人诗钞续集》卷十："嘉靖中举乡试，久不第，授翰林孔目，迁吏部司务。执政知其能文，用为制敕房中书，供事内阁，加官至参议。民表与王李交，称续五子，其四则阳曲王道行、东明石星、南昌朱多煃、常熟赵用贤也。有《瑶石稿》。（瑶石诗雄骏处少逊桢伯，而清华雅赡，实无所短长。）"

**湖广布政司参议张九一**（1533—1598）**以忧归，构绿波楼于淇河之滨，讽诵其中。**过庭训《张九一传》："寻迁湖广佥事，驻节岳阳。……迁布政司参议。以忧归，于淇河之滨构绿波楼，积书万卷，讽诵其中。"张九一有《绿波楼集》。

**陈暹重订《广中五先生诗选》。**广中五先生指孙蕡、王佐、黄哲、李德、赵介。《四库全书总目》卷一九二集部总集类存目二著录《广中五先生诗选》二卷，提要曰："明陈暹编。暹爵里未详。五先生者，孙蕡、王佐、黄哲、李德、赵介也。五人之中，孙、王、黄、李皆仕宦，赵则隐居不出，所谓《临清集》者亦不传。嘉靖丁巳（1557），无锡谈恺刻五先生诗，仅得孙、王、黄、李四家。以汪广洋尝为广东行省参政，因合而刻之，以足五人之数。朱彝尊《诗话》云：伯贞集虽不传，然名在五先生之列，刊诗者去伯贞而冠汪忠勤于卷首，可为失笑。即指谈刻也。此本乃嘉靖乙丑陈暹重订，谓得旧本《赵临清集》，命工刻之，以补五先生之阙，而以汪右丞诗别自为集。于是五先生之诗始复其旧。五人集前各有小传，爵里行事略具。惟孙蕡传云：洪武二十一年，以事谪戍辽东。时梅思祖节镇三韩，迎置家塾。是年竟以党祸见杀。考《明史·文苑传》，蕡坐累戍辽东。已大治蓝玉党，蕡尝为玉题画，遂论死。而梅思祖本传，十五年与平章潘元明同守云南，是年卒。安得有二十二年镇辽东之事。暹盖据黄佐《广州人物传》所载，未及详考耳。"

俞宪编薛应旂（1500—1559 后）诗集《薛宪副集》入《盛明百家诗》。卷首题识署"是岁嘉靖乙丑，是堂散人俞宪识"。《明诗纪事》戊签卷十九录薛应旂诗一首。

　　胡松任吏部左侍郎。吴岳任都察院左副都御史。洪朝选任南京都察院右佥都御史。高仪、胡正蒙掌国子监事。据王世贞《弇山堂别集》。

　　顾元庆（1487—1565）卒。《四库全书总目》著录顾元庆《云林遗事》一卷、《瘗鹤铭考》（无卷数）、《夷白斋诗话》一卷。《云林遗事》提要曰："明顾元庆撰。元庆字大有，号大石山人，长洲人。都穆之门人也。此书皆纪倪瓒事迹。分高逸、诗画、洁癖、游寓、饮食五门。崇祯间，常熟毛晋别有刻本。云从天竺僧寮见之，不著作者名氏。较此本所载稍繁。而此本后附赠诗及志铭二首，则毛本无之。江宁李蘅尝刻其本于所辑《琐探》中，题云顾元庆撰。虽未知所据，然考元庆所著，尚有《瘗鹤铭考》、《夷白斋诗话》，盖亦雅士。《苏州府志》载其兄弟皆纤啬治产，惟元庆以图书自娱。王稚登往访之，年七十五，犹酬对不倦。是其志趣与瓒相近，或辑此编以明所尚，亦事理所有矣。"《夷白斋诗话》提要曰："是编论诗多隔膜之语。如秦韬玉诗'地衣镇角香狮子，帘额侵钩绣辟邪'，可谓寒酸穷眼。元庆乃称其状富贵之象于目前，品题殊误。所录明诗多猥琐。至议蔡邕《饮马长城窟行》，谓鱼腹中安得有书，尤高叟之为诗矣。"所刊《顾氏文房小说》颇著名。

　　顾应祥（1483—1565）卒。《静志居诗话》卷九《顾应祥》："顾应祥，字惟贤，长兴人。弘治乙丑进士，累官南京刑部尚书。卒，赠太子少保。有《崇雅堂集》。尚书仕不废学，含经约史，维日孜孜。其在滇藩刊草庐吴氏《尚书纂言》，万里遗书郑端简，以序文商榷。手迹予及见之，端简为涂乙数语，并疏大旨于简端，本今藏予家。集中诗不无芜累，王元美许其似白太傅，亦微辞也。"《四库全书总目》著录顾应祥《人代纪要》三十卷、《南诏事略》一卷、《测圆海镜分类释术》十卷、《弧矢算术》一卷、《惜阴录》十二卷。《惜阴录》提要曰："此书乃其致仕以后所作，时年八十有二矣。自序谓古今人物之贤否，政治之得失，笔之于册。前数卷论理、论学诸篇，皆主良知之说。首附录《礼论》一篇，盖嘉靖初议大礼时所作。其说欲但尊以天子之号，而别立一庙，与桂萼初议相同。其论曾为王守仁所取，故弁于首卷。盖守仁于大礼亦以张、桂为是也。《明史·艺文志》列之儒家。然其中颇及杂说，不专讲学，今改入杂家类焉。"《明诗纪事》丁签卷十录顾应祥诗二首，陈田按语云："吾黔安庄白水瀑布不减庐山三叠，尚书官滇藩时，取道于此，有句云：'青天作雨千蛟舞，白日行空万骑屯。砰动雷声山欲裂，撼摇坤轴地应翻。'差足得其仿佛也。"

　　许应元（1506—1565）卒。侯一元《广西右布政使许公应元墓志铭》："嘉靖乙丑茗山许公卒。……得年仅六十，悲夫！"嘉靖壬辰（1532）进士，除泰安知州。改泰州，征授刑部员外。历郎中，出为夔州知府，迁四川按察副使，改广西，进布政使。"所著曰《水部稿》，曰《隋堂稿》，所撰次曰《春秋内传列国语》，曰《史记抄》，曰《汉语》，今若干卷。"《千顷堂书目》著录许应元《春秋内传列国语》、《史隽》和《隋堂摘稿》十六卷。《四库全书总目》集部别集类存目四著录《许水部稿》三卷，提要曰："明许应元撰。应元字子春，钱塘人。嘉靖壬辰进士。官至广西布政使。是集乃应元官夔州知府时所自刊。以皆官郎署时所作，故仍以水部名集。凡诗一卷，文二卷。"《明诗纪事》戊签卷十八录许应元诗十一首，陈田按："嘉靖初，薛君采、陈约之辈，倡初唐之体，一时七古颇少劲健之篇。陷堂《杨参军歌》声调颇壮，惜集中此例不可多得耳。五律亦流动自然。《诗综》仅录二篇，不足尽所长也。"

**程嘉燧**（1565—1643）生。嘉燧字孟阳，休宁人，侨居嘉定。与娄坚、唐时升、李流芳并称"嘉定四先生"。有《松圆浪淘集》、《偈庵集》、《耦耕堂集》。

**顾起元**（1565—1628）生。顾起元名顾培，以字行。又字太初，号邻初。万历戊戌（1598）进士。官至吏部左侍郎。卒谥文庄。有《客座赘语》、《懒真草堂集》等。

## 公元 1566 年（世宗嘉靖四十五年　丙寅）

### 正月

徐缵为张献翼《纨绮集》作序。序曰："《纨绮集》，张子幼于题其绮岁之作也。"序署"嘉靖丙寅孟陬三日"。孟陬，正月也。

### 二月

梁辰鱼作《春夜宴离鳌园别王元美敬美二表叔》。王世贞《赠梁伯龙北游歌》、王世懋《送梁伯龙壮游歌》或为此次宴别作。按，梁辰鱼年长于王世贞七岁。据徐朔方所撰年谱。

世宗得海瑞疏大怒。逮海瑞下诏狱，寻移刑部论死。《明史》海瑞本传："四十五年二月，瑞独上疏曰：……帝得疏大怒，抵之地，顾左右曰：'趣执之！无使得遁。'宦官黄锦在侧曰：'此人素有痴名，闻其上疏时，自知触忤当死，市一棺，诀妻子，待罪于朝，僮仆亦奔散无留者。是不遁也。'帝默然。少顷，复取读之，日再三，为感动太息，留中者数月。尝曰：'此人可方比干，第朕非桀纣耳。'会帝有疾，烦懑不乐，召阁臣徐阶议内禅，因曰：'海瑞言俱是，朕今病久，安能视事。'又曰：'朕不自谨惜，致此疾困，使朕能出御便殿，岂受此人诟詈耶！'遂逮瑞下诏狱，究主使者，寻移刑部论死，狱上，仍留中。户部司务何以尚者，揣帝无杀瑞意，疏请释之。帝怒，命锦衣卫杖之百，锢诏狱，昼夜榜讯。越二月，帝崩，穆宗立，两人并获释。"

### 三月

王世贞作《寒食志感示儿辈》。时王世贞之父王忬被处极刑已历六年。诗云："六度逢寒食，肝肠寸寸哀。岂无悬日月，难拟到泉台。岁每惭新鬼，春从冷旧醅。儿曹须老大，莫忘介山哀。"王世贞之父王忬于嘉靖三十九年（1560）被处死刑，历时已六年，故云"六度逢寒食"。作此诗时，严嵩已败，但王忬尚未获昭雪，故有"岂无"二句。穆宗即位，王忬始复原官，万历十五年（1587）方赐祭葬，赠兵部尚书。

### 春

俞宪编王维桢（1507—1555）诗《王祭酒集》入《盛明百家诗》。卷首题识署

"岁丙寅春中，无锡是堂俞宪识"。

## 五月

沈明臣、余寅、沈一贯唱和诗集《吴越游稿》编成。欧大任《吴越游稿》序："鄞人沈嘉则、余君房、沈肩吾，海岳之幽居者也。乙丑之秋，览游吴越，著为歌诗。丙寅仲夏，余与肩吾邂逅近江淮之间，出其草为余诵之，篇篇奇绝，信可以写揽胜之逸韵，抒怀古之幽情矣。卞长卿因遂刻焉，来问余序。"《四库全书总目》集部总集类存目二著录《吴越游稿》一卷，提要曰："明沈明臣、沈一贯、余寅唱和之诗也。明臣有《通州志》，寅有《同姓名录》，皆已著录。是编乃嘉靖丙寅三人结伴于钱塘，北游至扬州，积途中题咏得诗五十首，因合刻之。考一贯登隆庆戊辰进士，寅登万历庚辰进士，时皆未第，故与明臣同游也。后有扬州卞蓑跋，一贯亦有《卞长卿园燕集诗》一首。长卿殆即蓑字欤？"

## 六月

皇甫汸为其兄皇甫涍《少玄外集》作序。序曰："《少玄外集》者，兄仲子枢所选次也。……得乐府古选歌行一百二十一首，五七言近体一百六十二首，排律绝句三十八首，赋三首，杂文十六首，勒为十卷，题曰《外集》。"署"嘉靖丙寅季夏朔日"。皇甫枢《少玄外集跋》作于"嘉靖丙寅八月望日"。皇甫汸另有《司直少玄集叙》，不详作序年月。王稚登《少玄外集序》署"嘉靖丙寅上春晦日"。

沈束为董玘《董中峰先生文选》作序。序署"嘉靖丙寅岁六月初九日谨书"。董玘（1483—1546），号中峰。

## 夏

王稚登经纪袁炜后事，往返道途，成《客越志》二卷。朱察卿《客越志序》："《客越志》二卷，王子百谷有事于故相袁公之丧，往返道里所作也。……故相袁公与百谷一语便合，不以公仪格之，礼为重客，京师名论所归，震动远近。及袁死，百谷为之经纪其事，事多人所不知。今夏持病，轻千里走冢次而临其穴，百谷其翟公客哉！"童珮《客越志序》："《客越志》二卷，太原王子百谷撰。……去年夏大雨弥月，百谷有事于故相国袁公家，道出西湖，渡钱塘，过会稽勾章，其间兽蹄鸟迹，盘纡岪郁，荡云沃日，目之所触，耳之所遇，咸发之以为声歌。"

俞宪编张诗《张昆仑集》入《盛明百家诗》。卷首题识曰："方君九叔辈为梓其集，今采七十余首。嘉靖丙寅长夏锡山是堂俞宪识"。

## 七月

俞宪编卢柟（？—1559）《卢次楩集》入《盛明百家诗》。卷首题识曰："故有集三卷，吴人王宪副序之详矣。序称赋二卷、诗一卷，及考集中无诗，与序不合。今就诸赋撮取一十二篇，附以古诗三章。三诗者，山人出狱后经游吾锡而赠锡人之与游者也。嘉靖丙寅秋七月是堂俞宪识。"

## 九月

洪朝选（号芳洲）刊行孔天胤（1505—1578 后）《孔文谷集》，林大春作跋。时洪朝选在南京都察院右佥都御史任。跋云："始先生仕浙中，尝著《霞海篇》二千余言。……其后入关陕，游河洛，退居汾曲，于是复有《履霜》、《泽鸣》、《渔嬉》诸稿，为别集若干卷。……先生始著《霞海篇》，传之已久，为词林所宗。今大中丞芳洲洪公复取前后诸集合而刻之，譬如连珠累璧，见者靡不宝矣。大春辱交先生于十年之前，而公之刻是集也，特遗书千里之外，是以得具论之如此。嘉靖四十五年，岁在丙寅秋九月既望，潮阳林大春撰。"《明诗纪事》戊签卷十八录孔天胤诗四首，陈田按："文谷刻意摹古，五律亦自清拔。"

## 秋

周天球访李攀龙于白雪楼。李攀龙有诗《秋夜白雪楼赠周公瑕》。

俞宪编徐问《徐尚书集》入《盛明百家诗》。卷首题识曰："养斋徐公名问，字用中，吾常武进人。清苦恬恬之士也。弘治壬戌进士，仕至南京礼书。乞归，年七十余卒。无子。平生敦尚实行，志探理学，尝谓予曰：'近见有夷齐其行，鞅斯其心，坚事苦节而猎取虚誉者，它日若出，必为世患。'而卒不言其人。固问之，曰：'行当自见耳。'其用意忠厚又如此。间作辞赋，不刻镂以为工，然词旨平正，足以讽人。唐荆川叙其集，当矣。今刻六十余首。嘉靖丙寅秋，锡后学俞宪识。"《明诗纪事》丁签卷九录徐问诗六首，陈田按："庄裕抚吾黔时，与黔人讲学，著《读书札记》八卷。能以儒术润饰吏治。其论诗云：'弘、正间李、何、王三子起于北，徐子起于南。肆笔覃精，驰骋跌宕，力追汉、魏，远轶《风》、《骚》，其律则几于杜矣，然感思沉郁，少戾性情。唯白沙、定山不拘体裁，触物成声，因言见性，辞弗求尽，识则超然。'故其早岁所作颇讲格律，晚乃专宗陈、庄。《山堂续稿》中有句云：'近得定山诗样子，阒然吹我到无怀'，乃颓然自放矣。"

诏顺天抚按官严禁僧尼至戒坛说法。余继登《典故继闻》卷十七："嘉靖四十五年秋，诏顺天抚按官严禁僧尼至戒坛说法，仍令厂卫巡城御史通查京城内外僧寺，有仍以受戒寄寓者，收捕下狱。四方游僧，悉听所在有司递回原籍当差。"

## 闰十月

冯有经（1566—1615）生。杨守勤《奉议大夫左春坊左庶子兼翰林院侍读冯孝子源明先生行状》："先生讳有经，字正子"，"系出四明，故号源明云。""先生生嘉靖丙寅闰十月十六日，享年五十。"钱谦益《慈溪冯氏先茔节孝碑》："公讳有经，字正子，五岁而孤……年二十，举乡试。又三年己丑（1589），举进士，选翰林院庶吉士。甲午

（1594）除编修。戊戌（1598），升右春坊右中允。庚子（1600），充东宫讲读官。"事母孝。母丧，不胜悲痛而卒。《明诗纪事》庚签卷十六录冯有经诗二首。

## 十二月

**庚子日，嘉靖帝（1507—1567）大渐。（卒年据公历标注）**庙号世宗，葬永陵。据《明实录》。

**壬子日，裕王朱载垕嗣位，是为穆宗。**《弇山堂别集》卷三十一《帝系》："穆宗庄皇帝讳载垕，世宗第三子。嘉靖十六年正月二十三日生，母曰孝恪太后杜氏。十八年三月初一日册封为裕王，四十五年十二月二十六日即皇帝位，改元隆庆。六年五月二十六日崩于乾清宫，寿三十六。是年六月二十七日上尊谥曰契天隆道渊懿宽仁显文光武纯德弘孝庄皇帝，庙号穆宗。本年九月十九日葬昭陵。"

**大赦天下。释户部主事海瑞于狱，免明年天下田赋之半及嘉靖四十三年以前逋赋。**《万历野获编》卷二十一《昼夜用刑》："嘉靖四十五年，户部主事海瑞上疏规切上过，已下锦衣拷问，刑部拟绞，其疏留中久不下。户部司务何以尚者疏请宽宥之。上大怒，杖之百，下锦衣镇抚司狱，命昼夜用刑。初意用刑不间昼夜，不浃日必死矣。后以尚逢穆宗登极赦出，仕宦又二十余年。心尝疑之，以问前辈仕人，云此刑以木笼四面攒钉内向，令囚处其中，少一转侧，钉入其肤，囚之膺此刑者，十二时中但危坐如偶人。噫，此亦不堪其苦矣。史谓以尚探知上无杀瑞意，故上此疏钓奇博名，且疏内云：臣已收买龙涎香若干，为醮坛祝延圣寿之用。其词诡佞，故上烛其奸，而深罪之。此史，张江陵笔也。以尚后起，从部郎得光禄寺丞，又外转四川佥事，寻以考察降调，亦江陵意也。其后又从谪籍起为南户部郎。时海瑞已拜南少宰，以尚欲与讲钧礼不许，大诟而出，不复再见，海亦不悔谢。盖二人俱负气士也。《五代史》记闽臣薛文杰为王鏻造槛车，谓古制疏略，乃更其制，令上下通中以铁芒内向，动辄触之。既成而首罹其毒。今何以尚所入者，正与此同。"

## 冬

俞宪编湛若水（1466—1560）诗集《湛甘泉集》入《盛明百家诗存后编》。卷首题识署"嘉靖丙寅冬，门人俞宪谨识"。

## 本年

归有光辑此前作品为《都水稿》四卷，其为人持去不存者尚多。《都水稿》自序云："余在都水，散堂后，即还寓舍。稍欲闭门读书，顾人事往还不暇，尝恐遂至泪没。会得长兴令，忻然有山水之思。临行，检所为文稿，以尘坌丛沓之中，率尔酬应，多有可丑。顾又有不忍弃者。先是，宫傅司空公命曾郎中取去一卷，今辑为四卷，其为人持去不存者尚多。名之曰《都水稿》，以识一时所从事云。"（《震川先生集》卷二）今年二月，归有光赴长兴知县任。

王世贞以《艺苑卮言》第一次修订本寄李攀龙。该修订本于去年刊行。李攀龙致许邦才书颇示不满。书云：“适姑苏梁生以元美书至，出《卮言》以示。大较俊语辩博，未敢大书。英雄欺人，所评当代诸家，语如鼓吹，堪以捧腹矣。梁生亦致元美书足下，并《卮言》云。且付长君。生今东探海市。计南旋，足下恐不及作问。”（《沧溟集》卷二十九《许殿卿》）许邦才，《列朝诗集小传》丁集上有传。传云：“邦才，字殿卿，历城人。嘉靖癸卯解元，官永宁知州，迁德周二府长史。隆庆初，相周藩。六年，周王崇易序其诗曰《梁园集》，鲁藩观㸒曰：‘殿卿与李于鳞同调相唱和，气格不逮，然于鳞诗多客气，而殿卿温厚或过之。’殿卿与于鳞相友善，著《海右倡和集》，因于鳞以闻于当世。今之尊奉济南者，视殿卿直附骥之蝇耳。而齐鲁间之论乃如此。于鳞与人书云：‘殿卿《海右集》，属某中尉为序。不佞尝欲畀诸炎火，元美亦以为然。’一时文士护前树党，百年而后，海内人各有心眼，于鳞亦无如之何也。”《静志居诗话》卷十四《许邦才》：“殿卿如锐头年少，骋猎平原，耳后生风，鼻头出火。长歌有云：‘长卿慕人千载前，何似与君俱少年？子云慕人千载后，何似与君俱白首？’爽气殊伦，令张正言为之，不过此也。王元美赠诗云：‘是时历下李攀龙，往往道汝文章伯。’乃《卮言》评诗，竟不之及，又夷之‘四十子’之列，取舍似未公也。《寄怀元美》云：‘鸿雁惊秋海上还，片云孤月蓟门关。如何昨夜西窗梦，不道千山与万山。’”

李开先为吕高《吕江峰集》作序。据序末题署。吕高（1505—1557），字山甫，镇江府丹徒人。嘉靖八年进士，历官户部主事、山东提学副使、太仆少卿。“嘉靖八才子”之一。有《江峰稿》。

欧大任（1516—1595）谒选，授江都博士。任内致书汪道昆订交。徐枢《旅燕稿序》：“丙寅，先生为江都博士。”《欧虞部集·文集》卷二十一《寄汪伯玉书》云：“任岭南章句之士也。久承风问，诵义有年。往在都下获览公襄阳诸作，严而有法，每惊诧以为枚马迁固之流，独未见闽中撰著也。友人陈道襄侍御按部入闽，曾蒙问及姓名，索观鄙句，则任不可谓之不受知于公矣。兹窃禄江都，与新安颇近。闻公暂解兵柄，闭关著书，恨末由一造。”欧大任（1516—1595），字桢伯，广州顺德人。陈王道《游梁集跋》：“嘉靖乙丑（1565）获交桢伯于燕京，余时始释褐出守郑州，而桢伯亦拜江都博士去。”欧必元《家虞部公传》：“甲子秋就大京兆试，亦几入彀复罢，遂谒铨曹，循资授直隶江都文学掾。是时济南李观察于鳞、琅琊王司寇元美、吴兴徐方伯子与、武昌吴大参明卿、新都汪司马伯玉、豫章余宪副德甫、铜梁张大司马肖甫、上蔡张中丞助甫并建旗鼓，雄视中原，皆从邮筒中缄致诗札，各愿得交欢。于广陵开竹西社，群诸弟子陆无从弼及山人茅平仲、郭次甫、程子虚、李季常、陆华甫、吴叔承、朱仲开、邵长孺、吴虎臣、康裕卿日相倡和。王元美、李于鳞、徐子与三先生又联骑过访其学宫，苜蓿留欢，数日乃别，题咏诸什，几与广陵涛争胜，人皆夸以为盛事云。虽不及追宗督学子相游，而受命部使者为宗臣立传，李于鳞称其有良史才，洵不诬也。”

谈恺据钞本重刻《太平广记》。肆力雠校，堪称善本。胡应麟《少室山房笔丛》卷三五《二酉缀遗上》：“《广记》稍前刻于锡山谈中丞，谈于此书颇肆力雠校，又藏书家有宋本，故虽间有舛讹，视《御览》则天渊，第中缺啮鄙类二卷、无赖类二卷、轻薄类一卷，而酷暴缺胡湑等五事、妇女缺李诞等七事，谈谓遍阅诸藏书家悉然，疑宋世已亡。"《四库全书》所用即谈刻本。

无名氏《荔镜记》传奇由福建建阳麻沙镇崇化里余新安书坊刊行。封面题作"班曲荔镜戏文"。书尾附刻一段文字："因前本《荔枝记》字多差讹，曲文减少，今将潮泉二部增入颜臣勾栏诗词北曲，校正重刊，以便骚人墨客闲中一览，名曰《荔镜记》。"可知更早还有《荔枝记》剧本刊行，《荔镜记》是以《荔枝记》为底本，"校正重刊"的。剧本系据闽南、粤东一带流传的陈三、五娘故事编演。据《中国大百科全书》戏曲曲艺卷。

俞宪编李濂（1489—1566 后）《李嵩渚集》入《盛明百家诗》。卷首题识署"是岁丙寅，无锡俞宪识"。

胡应麟游长安，得万安朱公等赏识。胡应麟《四知篇序》云："四知者，歙汪司马、汝张中丞、濠李通侯、闽苏参伯，皆不佞生平知己之最也。始余年十六游长安，遘万安朱公赏识，则惟寅业已上座延之。中国士两琅琊，而伯玉司马、助父中丞，咸以倾盖定千秋之契。暮途却扫，则君禹以督学踵建安滕公，至却卤簿，践蓬蒿，卑卑执问字之礼焉。即余匪其人，而四君子之知余，允谓平生之最矣。余既没林莽，为一蠹群书间，方凭藉诸先辈宠灵，以自见异代，而十载以还，二王滕朱相率殒逝，越三载而四君子又相率而继之，盖不佞生平知己，于是垂尽，而老泪临风，有不知其恸绝者。卧病岩居，永昼如岁，详述颠末，为四知之篇。於戏，伯牙之弦，自兹永绝，而君苗笔研亡所用，其焚如已矣。"

林烈作《乡射礼仪节》自序。据四库提要。

瞿景淳任南京吏部右侍郎。万士和任南京户部右侍郎。张瀚任刑部右侍郎。谭纶总督两广军务。据王世贞《弇山堂别集》。

李贽赴京，补礼部司务。以宏父自命，有志于学。李贽《焚书》卷三《卓吾论略》："至京，补礼部司务。人或为居士曰：'司务之穷，穷于国子；虽子能堪忍，独不闻'焉往而不得贫贱'语乎？盖讥其不知止也。居士曰：'吾所谓穷，非世穷也。穷莫穷于不闻道，乐莫乐于安汝止。吾十余年奔走南北，只为家事，全忘却温陵、百泉安乐之想矣。吾闻京师人士所都，盖将访而学焉。'人曰：'子性太窄，常自见过，亦时时见他人过。苟闻道，当自宏阔。'居士曰：'然。予实窄。'遂以宏父自命，故又为宏父居士焉。"《明儒学案》卷十四《徐用检传》："（用检）在都门，从赵大洲讲学，礼部司务李贽不敢赴会，先生（用检）以手书《金刚经》示之曰：'此不死学问也。若亦不讲乎？'贽始折节向学。尝晨起候门，先生出，辄摄衣上马去，不接一语。如是者再，贽信向益坚，语人曰：'徐公钳锤如是。'"自本年至隆庆四年，李贽均在礼部任职。

董炳撰《避水集验要方》。据四库提要。

姚汝循作《至游子》序。姚汝循字叙卿，江宁人。嘉靖丙辰进士。官至大名府知府，终于嘉州知州。据四库提要。

徐渭杀继妻张氏，后屡次自杀不遂。徐渭《畸谱》："四十六岁。易复，杀张下狱。隆庆元年丁卯。"

张居正任讲读学士。胡松任吏部尚书。据王世贞《弇山堂别集》。

黄佐（1490—1566）卒。《明史》入《文苑传》。《明史·艺文志》著录黄佐《泰泉集》（六十卷）、《翰林记》（二十卷）、《南雍志》（二十四卷）等计十九种。《泰泉集》有屠应埈序、欧大任后序。欧大任后序云："《泰泉先生集》六十卷，嗣子在素、在宏刻既成，大任归自河洛，俾序末简。嗟乎！抠衣授业，四十年于兹，无所发明，奚足以窥先生之蕴也。……今自先生集观之，其于阴阳律历之变，山川舆地之广，性命道德之原，帝王经纶之业，备于论著。逊志好古，日新富有。圣以为的，道在人伦，故耻于标立门户。心以为师，学弘天则，故究于参赞玑衡。盖笃信乎洙泗之实学，而发挥乎西京之鸿裁，视玄虚靡曼之徒，度越万里矣。惜鼎铉未登，著蔡已没，天不慭遗，哲人其萎，车服礼器故在精庐，徒能与诸生诵河东之篚而已。先生所著又有《乐典》、《通历》、《庸言》、《乡礼》、《小学》、《古训》、《姆训》、《诗经通解》、《春秋传意》、《六艺流别》、《革除遗事》、《翰林记》、《南雍志》、《广东通志》、《广西通志》、《广州志》、《香山志》、《罗浮山志》，不在集中。百世之下论著述者，于先生之书可按睹矣，小子谫劣，诚奚足窥先生之蕴哉！"《列朝诗集小传》丁集上："佐，字才伯，香山人。……岭南人在词垣者，琼台、香山，后先相望，而梁公实、黎惟敬皆出才伯门下，于是南越之文学彬彬然比中土矣。才伯有《漫兴》诗，落句云：'倦游却忆少年事，笑拥如花歌《落梅》。'自注云：'欲尽理还之喻。'王元美云：'此公作美官讲学，恐人得而持之故也。'今刻《泰泉集》，不入此注，故附记之。"《静志居诗话》卷十一："文裕撰体颇正，而取材太陈，故格虽耸高，而气少奔逸。然岭表自'南园五先生'后，风雅中坠，文裕力为起衰，如黎维（惟）敬、梁公实辈，皆其弟子。嘉靖中，'南园后五先生'，二子与焉。盖岭南诗派，文裕实为领袖，不可泯也。《春夜大醉言志》云：'拔剑起舞临高台，北斗插地银河迴。长空赠我以明月，天下知心惟酒杯。门前马跃箫鼓动，栅上鸡啼天地开。倦游却忆少年事，醉拥如花歌《落梅》。'"《明诗纪事》戊签卷七录黄佐诗二十一首，陈田按："才伯论诗云：'吾见近世古诗以绮靡为精工，律诗以粗豪为气格。然则徐、庾之《玉台》优于苏、李之河梁；苏颋之"轻花捧觞"，岑参之"柳拂旗露"，反不如罗隐之"天地同力"、韦庄之"万古坤灵"矣。'持论甚精。《泰泉集》古体微伤堆砌，律体与七言断句，极得唐人格意。"《四库全书总目》著录黄佐《泰泉乡礼》七卷、《乐典》三十六卷、《革除遗事节本》六卷、《嘉靖广西通志》六十卷、《翰林记》二十卷、《南雍志》二十四卷、《庸言》十二卷、《泰泉集》六十卷、《六艺流别》二十卷。

郑晓（1499—1566）卒。《静志居诗话》卷十一《郑晓》："郑晓字窒甫，海盐人。嘉靖癸未进士，累官南京吏部尚书，寻以右都御史协理戎政，改刑部尚书。卒，赠太子少保，谥端简。有集。端简公家法甚严，遗训子孙，倡优不许入门，违者以不孝论，屏诸宗谱之外。筑别业于城东北隅，穿池中央，四面种蔬药。宾客至者，燕于池上百可亭。亭阴有牡丹数本，尝与夫人玩花，豚一蹄，鱼一尾，鸡子四枚，酒三行而已。嗣先姚孺人，为公来孙。予尝读书其地，芋魁芥孙，豆棚瓜堰，恍若深村，今已属之他姓矣。公锐意经史学，韵语不多作。然曾刊《鸣唐万选绝句》以行，非不留心风雅也。"《四库全书总目》著录郑晓《禹贡图说》一卷、《禹贡说》一卷、《四书讲义》（无卷数）、《征吾录》二卷、《今言》四卷、《古言》二卷、《端简文集》十二卷。《端简文集》提要曰："是编第一卷为说经，第二卷为诗，第三卷至八卷为杂文，第九卷至十二卷为奏疏。于奏疏中又分三类。首淮扬，次兵部，次刑部。晓熟谙典故，通达国体，志在经世，于韵语颇不多作。其文亦直抒所见，不以词藻求工。前有万历庚子彭梦祖序，称晓著作甚富，没后惧累界火，存者未及十一。其孙敬仲始为搜集付梓云。"《明诗纪事》戊签卷十五录郑晓诗三首，陈田按语云："端简博通掌故，所著《吾学编》、《今言》、《九边志》，悉可奉为典要。诗非所长，纪事之篇，风藻不匮。"

**叶宪祖**（1566—1641）生。据徐朔方《晚明曲家年谱》。叶宪祖字美度，号六桐，一作桐柏，别署㵎园居士。余姚人。万历己丑进士，除新会知县，考选左迁大理评事，转工部主事，坐建魏珰祠不肯督工削籍。崇祯初起南京刑部郎中，出为湖广按察副使，历官广西按察使。著有《玉麟记》、《寒衣记》等戏曲作品。

## 嘉靖年间

**洪楩编刊《六十家小说》**（《清平山堂话本》）。凡分《雨窗》、《长灯》、《随航》、《欹枕》、《解闲》、《醒梦》等六集，每集十篇，共六十篇。洪楩字子美，荫詹事府主簿。清平山堂是其刊书所用堂名。田汝成《西湖游览志》卷二云："湖心亭……鹄立湖中，三塔鼎峙……《六十家小说》载有西湖三怪，时出迷惑游人，故厌师作三塔以镇之。"（据嘉惠堂本）据清顾修《汇刻书目初编》，六家小说（当作六十家小说）分《雨窗》、《长灯》、《随航》、《欹枕》、《解闲》、《醒梦》等六集，每集十篇，共六十篇。现存 27 篇，残存 2 篇。这是现存最早的话本小说总集。

**顾元庆**（1487—1565）刊行顾氏文房小说。顾氏文房小说为文言小说丛书，今存嘉靖间顾氏夷白斋刊本及 1925 年商务印书馆影印本。收汉魏至宋文言小说计四十种，有小说集，亦有单篇传奇。如《续齐谐记》、《汉武帝别国洞冥记》、《海内十洲记》、《博异志》、《集异记》、《开元天宝遗事》、《白猿传》、《周秦行纪》、《高力士外传》、《虬髯客传》、《梅妃传》、《杨太真外传》等，均为小说史名篇。《小尔雅》、《诗品》等，今人一般不视为小说。

**中篇传奇小说《怀春雅集》二卷有单行本流传。**嘉靖间《百川书志》云《怀春雅集》为"国朝三山凤池卢民表著，又称秋月著"，万历本《金瓶梅词话》欣欣子序则云系前代骚人"卢梅湖"作。据此，或推断卢民表，号梅湖，别署秋月，福州人。其他无考。写元朝至正初年苏道春与潘玉贞、桂英之悲欢离合。其中约二十首诗词为《金瓶梅》袭用。

**余邵鱼撰长篇历史小说《列国志传》。**余邵鱼为余象斗族叔。孙楷第《中国通俗小说书目》卷二著录，云："《列国志传》，存。明余邵鱼撰。书不分回，每本随事立题。开端为武王伐纣事。邵鱼字畏斋，福建建宁府建阳县人。余象斗万历时重刻此书，呼为'先族叔翁'，盖嘉、隆时人也。此书万历前本未见。今所见万历本有二本。一为八卷本，名《新刊京本春秋五霸七雄全像列国志传》。一为十二卷本，名《新镌陈眉公先生批评春秋列国志传》。"余邵鱼《题全像列国志传引》云："士林之有野史，其来久矣。盖自《春秋》作而后王法明，自《纲目》作而后人心正。要之，皆以维持世道，激扬民俗也。故董、丘以下，作者叠出。是故三国有志，水浒有传，原非假设一种孟浪议论惑世诬民也。盖骚人墨客，沉郁草莽，故对酒长歌，逸兴每飞云汉；而扪虱谈古，壮心动涉江湖。是以往往有所托而作焉。凡以写其胸中蕴蓄之奇，庶几不至湮没焉耳。奈历代沿革无穷，而杂记笔札有限。故自《三国》、《水浒传》外，奇书不复多见。抱朴子性敏强学，故继诸史而作《列国传》。起自武王伐纣，迄今秦并六国，编年取法麟经，记事一据实录。凡英君良将，七雄五霸，平生履历，莫不谨按五经并《左传》、《十七史纲目》、《通鉴》、《战国策》、《吴越春秋》等书，而逐类分纪。且又惧齐民不能悉达经传微辞奥旨，复又改为演义，以便人观览。庶几后生小子，开卷批阅，虽千百年往事，莫不炳若丹青；善则知劝，恶则知戒，其视徒凿为空言以炫人听闻者，信天渊相隔矣。继群史之遄纵者，舍兹传其谁归！时大明万历岁次丙午孟春刊。后学畏斋余邵鱼谨序。"

**黄瑜笔记小说集《双槐岁钞》刊行。**《四库全书总目》卷一四三子部小说家类存目一著录《双槐岁钞》十卷，提要曰："明黄瑜撰。朱国桢《涌幢小品》曰：黄瑜字廷美，香山人。景泰丙子（1456）举人。长乐县知县。有惠政，以劲直去官。手植槐二，构亭吟啸其间。自称双槐老人，作《双槐岁钞》。即此本也。所记洪武迄成化中事，凡二百二十条。黄虞稷《千顷堂书目》称其孙佐以春坊谕德掌南京翰林院事，于院堂书簏中得吴元年故简，因足成之。按佐有目录跋语，则所补者为洪武初科第及永乐庶吉士姓名二条是也。其书首尾贯串，在明人野史中颇有体要。然亦多他书所载，无甚异闻。至于神怪报应之说，无关典故者，往往滥载，亦未免失于裁剪矣。"

**周复俊编《全蜀艺文志》。嘉靖中，复俊官四川按察司副使，博采汉魏以降诗文之有关于蜀者，汇为此书。**《四库全书总目》集部总集类四著录《全蜀艺文志》六十四卷，提要云："明周复俊编。复俊有《东吴名贤记》，已著录。初，宋庆元中，四川安抚使袁说友属知云安县程遇孙等八人哀《成都文类》五十卷，中间尚有所未备。嘉靖中，复俊官四川按察司副使，复博采汉魏以降诗文之有关于蜀者，汇为此书。包括网罗，极为赅洽。所载如宋罗泌《姓氏谱》、元费著《古器谱》诸书，多不传于今。又如李商隐《重阳亭铭》为《文苑英华》所不录，其本集亦失载。徐炯、徐树谷笺注义山文集，即据此书以补入。如斯之类，皆足以资考核。诸篇之后，复俊间附案语。如汉初平五年周公礼殿记载洪适隶释，并载史子坚隶格。详略异同，彼此互见，亦颇有所辨证。其中若曹丕告益州文与魏人檄蜀文，伪词虚煽，颠倒是非，于理可以不录。然此志搜罗故实，例主全收。非同编录总集，有所去取。善恶并载，亦未足为复俊病。惟篇末不著驳正之词，以申公义，是则义例之疏耳。"

**申时行《书经讲义会编》成书。是编乃申时行官翰林直日讲时所进。**《四库全书总目》卷一三经部书类存目一著录《书经讲义会编》十二卷，提要曰："明申时行撰。时行字汝默，号瑶泉，长洲人。嘉靖壬戌进士第一。官至大学士。谥文定。事迹具《明史》本传。是编乃时行官翰林直日讲时所进。其说皆恪守蔡传，务取浅近易明。考徐允锡作郑晓《禹贡说》跋云：尝属徐瑶泉作《虞商周书说》，以补所未备。徐瑶泉者，即谓时行，盖时行初冒徐姓。允锡跋作于隆庆二年，时犹未复姓也。据其所言，时行盖深于《尚书》者。然其《书说》竟不及成，惟此编存于世云。"

## 公元 1567 年（穆宗隆庆元年　丁卯）

### 五月

高拱罢归。详见孟森《明史讲义》第二编第四章。

### 六月

俞宪编高应冕（1503—1569）《高光州集》入《盛明百家诗》。卷首题识署"隆庆元年长夏，是堂山人俞宪识"。长夏即农历六月。

### 夏

俞宪编茅坤（1512—1601）诗《茅副使集》入《盛明百家诗存后编》。卷首题识署"隆庆改元夏，是堂山人俞宪识"。

### 七月

谢肇淛（1567—1624）生。谢肇淛《小草斋文集》卷末附曹学佺《明通奉大夫广西左方伯武林谢公墓志铭》："君生于隆庆元年丁卯七月廿九日，卒于天启四年甲子十月廿三日，享龄五十有八。"谢肇淛字在杭，别号武林，长乐人。万历壬辰进士，除湖州推官，移东昌，迁南京刑部主事，调兵部，转工部郎中，出为云南参政，升广西按察使，历左布政使。有《小草堂集》、《五杂俎》等。

### 八月

王世贞、王世懋于今年春上疏为父讼冤，历八阅月，至是始得请南归。汪道昆《太函集》卷六十七《明中顺大夫南京太常寺少卿琅琊王次公墓碑》云："越三年（1562）袁州（严嵩）败，徐文贞（阶）相穆宗，与海内更始。两人始赴阙白父冤。即而新郑（高拱）左文贞，不宜暴先帝过。羁八阅月，新郑免归，边臣勘功状闻，冤始白。"王世贞《亡弟中顺大夫太常寺少卿敬美行状》："盖三载而相嵩父子败，又六载而庄皇帝登极，为隆庆丁卯，相国徐文贞公（徐阶）辅之，涤冤滞，旌直臣，拔遗佚，一切与天下更始，不谷苦疡几死，小间，与弟泣告太恭人，将伏阙下上疏辨雪。时弟甫举一子，未弥月而殇，不顾也。疏既上，属新郑相（高拱）有所不平于徐公，谓徐公多洗丹书，暴扬先帝过，其语外流，太宰杨襄毅公，甚冤大司马公而离新郑，事几格。弟与不谷相对洒涕萧寺中。会新郑去国，而边臣行勘者以功状闻，盖八阅月而始获伸。"按，世贞兄弟伏阙上疏在正月，得请在八月。《万历野获编》卷八《严相处王弇州》云："后严败，弇州叩阍陈冤。时华亭（徐阶）当国，次撼新郑（高拱）已与之水火，正欲坐华亭以暴扬先帝过，为市恩地，因昌言思质（王忬）罪不可原。终赖徐主持得复故官，而恤典毫不及沾。"《明史》王世贞传："隆庆元年八月，兄弟伏阙讼父冤，言为嵩所害，大学士阶左右之，复忤官。世贞意不欲出，会诏求直言，疏陈法祖宗、正殿名、广恩义、宽禁例、修典章、推德意、昭爵赏、练兵实八事，以应诏。无何，吏部用言官荐，令以副使莅大名。迁浙江右参政、山西按察使。母忧归，服除，补湖广，旋改广西右布政使，入为太仆卿"。按，高拱于今年五月罢归。六月，授王世贞山东按察司副使旧职，辞不就。

丁士美、张四维等任乡试主考。《弇山堂别集》卷八十三《科试考三》："隆庆元年丁卯，命右春坊右谕德兼翰林院修撰丁士美、右春坊右中允兼翰林院编修张思维主顺天试。命左春坊左谕德兼翰林院侍读王希烈、左春坊左中允兼翰林院编修孙铤主应天试。""初，上用议者言，两京乡试监生卷各革去皿字号，于是南监中式者仅数人，亏旧额四分之三。既揭晓后，考试官王希烈、孙铤等至国学谒文庙，而监生下第者数百人喧噪于门外，伺希烈等出，遮诉，语甚不逊。巡城御史、操江都御史各使人呵止之，久之方解。事闻，诏南京法司逮治，其为首沈应元等数人如法发遣，祭酒吕调阳莅任未几，且勿论。守备魏国公徐鹏举以闻变坐视，夺禄米，司业金达以钤束不严，夺俸各二月。监生编号如旧行。"吴国伦任福建乡试主考。大计入京，便道返乡。

## 秋

梁辰鱼等结社于南京鹫峰禅寺。梁辰鱼字伯龙。莫是龙《石秀斋集》卷三《怀友七首》序云："丁卯秋，余游白下。与四方文学同志诸君结社于鹫峰禅寺。每集辄以觞咏共适，穷日乃罢。不异兰亭、洛水之致，甚乐也。自余下第南还，诸君一时亦多沦落。秋暮，独坐思玄斋中，心有眷然。因各赋一诗，以存别后之怀云尔。"七人为梁伯龙、殷无美（都）、孙齐之（七政）、王君载、吴宗高（嵚）、沈道章、尹教甫。

## 十月

起原任陕西按察司副使李攀龙为浙江副使。王世贞有诗，题为《于鳞赴浙臬，邂逅吴门有赠，凡四首》。殷士儋《墓志铭》：李攀龙嘉靖三十七年（1558）辞官东归，"凡十历年所，今天子用言者起为浙江副使。"今年十二月，李攀龙于赴任途中，与王世贞兄弟会于吴门。

## 十一月

海瑞升南京通政司右通政使。本年内，海瑞凡数迁：正月擢尚宝司司丞，四月擢大理寺右丞，七月转左丞。据王国宪海瑞年谱。

## 十二月

赵时春（1509—1568）卒。（卒年据公历标注）徐阶《明故巡抚山西都察院右佥都御史浚谷赵公墓志铭》："隆庆元年冬十二月二十七日，巡抚山西都察院右佥都御史浚谷赵公以疾卒于家。""公讳时春，字景仁，浚谷其号"，"年十四举陕西乡试，十八试礼部，襄然为举首。""初举进士，改庶吉士，授户部主事，调兵部武库主事，即疏请禁谀佞以正士风，又疏录用谏官、明善恶、辟异端等七事，下诏狱为民。暨改编修，兼司经局校书，疏请正东宫朝会礼仪，备文武官僚以崇国本，又罢为民。""世宗皇帝用予荐，召为兵部职方主事，迁山东按察佥事，领民兵，转副使，迁巡抚山西都御史，提督雁门诸关，庶几用当其才矣。然公在职，方坐议马市非策，又以能兵为逆鸾（仇鸾）所忌，几得谤死。在山西檄将士御虏代州，身甲胄督兵继进，斩虏若干级，而总兵李涞乘胜入虏伏中，败没，诏解公官听调，迄今十五年，予日思荐起焉，乃竟不克遂。""其志专在攘夷狄，复祖宗之疆宇，遗后世以长治永安，而卒不获试，此予所以深慨于负公也。""公卒时年五十九。"周鉴《明御史中丞浚谷赵公行实》："公讳时春，字景仁，号浚谷。浚谷者，平凉东南隅水名也。""公所著《平凉府志》、《浚谷文集》九卷、《诗集》六卷及《稽古绪论》、《洗心亭诗余》已锓刻。其前后奏疏公牍关政教者尚广，当续付诸梓。世之知公者，叙其诗文有曰：豪如太白而不淫，雄如子美而多变，疏畅跌荡如司马子长、班叔皮，至其卒泽于道德仁义之归、典礼中正之粹又非诸君子之所能造。又曰：诗有秦声，文有汉骨，朴厚而近古，慷慨而尚义。观其所称述，公之制作，可识其大都矣。"所云"世之知公者"，指李开先、胡松。胡松《浚谷集序》署"嘉靖壬戌（1562）春殿"，有"豪如太白而不淫"等评；徐阶《浚谷赵先生集序》署"万历庚辰（1580）仲冬望日"，周鉴《重刻赵浚谷先生集序》署"万历庚辰"；李开先《赵浚谷诗文集序》未详作序年月，序曰："诗非徒作，文非浪言，诗有秦声，文有汉骨，朴厚而近古，慨慷而尚义，此三秦风气，浚谷子钟山川之灵，而又充之以问学之久，幼则为脱羁天马，长则为济时人龙云。集凡十五卷，诗六卷，文九卷，续有作者，当续入之。"《静志居诗话》卷十二《赵时春》："赵时春字景仁，平凉人。嘉靖丙戌进士，选庶吉士，改兵部主事，以建言下狱。寻补翰林编修，又以上疏放归。会边警，起领民兵，自副使超拜右佥都御史，巡抚山西。有《浚谷集》。景仁慨当以慷，如击唾壶，不必中节。《送陶虞卿赴神机参将》云：'宋殿三衙帅，唐环十六军。官联参斗柄，旌旆俨星文。羽卫迎黄道，龙光觐紫云。时时仙仗入，清跸早应闻。'《留滞》一律云：'留滞沧洲已浃旬，鹖冠终日满风尘。浮云何事来还往，岁月无情秋复春。海甸中宵来驿使，天涯尽处未归人。不堪对酒翻惆怅，翠篠黄花几度新。'"《明史·艺文志》著录赵时春《平凉府志》十三卷、《浚谷集》十七卷。《四库全书总目》著录赵时春《平凉府通志》十三卷、《赵浚谷集》十六卷，《赵浚谷集》提要曰："是集诗六卷，文十卷，皆编年而不分体。徐阶序称十六卷，与此集合。李开先序则谓诗六卷，文九卷，凡十五卷。续有作者，当续入之。盖开先序在嘉靖乙丑，而阶序在万历庚辰，时春没后十五年，又有所续入也。""时春素以将略自命，不屑屑以诗文名。然《明史》本传称其读书善强记，文章豪肆，与唐顺之、王慎中齐名。今观其诗文，多慷慨自喜，不可拘以格律。胡松序所谓秦人而为秦声，亦其风气然也。然则史所谓文章豪肆者，长短俱在是矣。"又著录《别本浚谷集》十七卷，提要曰："明赵时春撰。此本凡诗二卷，赋及杂文十五卷。有其甥周鉴序。《明史·艺文志》载时春集作十七卷，即据此本也。"《明诗纪事》戊签卷九录赵时春诗一首。

## 本年

**严嵩**（1480—1567）**老病，寄食墓舍以死**。据孟森《明史讲义》第二编第四章。《国雅品·士品三》："严相公惟中，先辈评公诗者颇多，如仪封王司马曰'冲邃闲远'，成都杨修撰曰'冲澹朗秀'，兰溪唐文襄曰'澹而远'，长洲皇甫司勋曰'调高律细'，四公其知言哉！其《灵谷》云：'窈然深谷里，疑与秦人逢。涧底藏余雪，窗间列秀峰。'《登岳》云：'仙家鸟道迥莫到，石壁猿声清忽闻。幽泉树杪飞残滴，瑶草岩中吐异芬。'真境与秀句竞胜，杂之《极玄》，亦足矜赏。其集大率多类钱、刘语。"《列朝诗集小传》丁集中："少师初入词垣，负才名，谒告还里，居钤山之东堂，读书屏居者七年，而又能倾心折节，要结胜流，若崔子钟、杨用修、王允宁辈，相与引合名誉，天下以公望归之。已而凭藉主眷，骄子用事，诛夷忠良，颓败纲纪，遂为近代权奸之首，至今儿童妇人，皆能指其姓名，戟手唾骂。万眉山以后所仅见也。少师在钤山，有诗赠日者云：'原无蔡泽轻肥念，不向唐生更问年。'为通人所称。其诗名'钤山集'者，清丽婉弱，不乏风人之致。直庐应制之作，篇章庸猥，都无可称。王元美为郎时，讥评其诗，以为不能复唱渭城者也。余录其诗，冠于嘉靖中年以来将相之首，使读者论其世，知其人，庶几有考焉，亦有戒焉云尔。世传少师当国时，江西士绅以生辰致贺，少师长身耸立，诸公俯躬趋谒，高新郑旁睨而笑，少师问其故，新郑曰：'偶思韩昌黎斗鸡诗"大鸡昂然来，小鸡竦而待"，是以失笑耳。'京师市语，谓江西人为鸡，相与哄堂而散。先辈风流雅谑，政府词林，形迹无间，此亦近世馆中嘉话也。"王夫之《明诗评选》卷六评严嵩《无逸殿直舍和少师夏公韵》："和浃之甚。在嘉靖中，嚣陵狂率之习成，此为先进遗响矣。分宜自匪人，诗固出弇州上，弇州妄为讪诮，祸延天亲，亦不自量者之戒也。"《四库全书总目》卷一七六集部别集类存目三著录严嵩《钤山堂集》三十五卷，提要曰："嵩虽怙宠擅权，其诗在流辈之中乃独为迥出。王世贞《乐府变》云：'孔雀虽有毒，不能掩文章。'亦公论也。然迹其所为，究非他文士有才无行，可以节取者比。故吟咏虽工，仅存其目，以明彰瘅之义焉。"《石洲诗话》卷八："王文简《戏仿元遗山论诗绝句三十五首》一三：十载钤山冰雪情，青词自媚可怜生。彦回不作中书死，更遭匆匆唱《渭城》。惟此一首，婉约有致，骂严嵩有味，又不着迹，此即所谓'羚羊挂角'之妙也。但以愚意，如严嵩者，纵使其能诗，亦不直得措一词以骂之。若果通加选辑明诗诸家而及之，或可云不以人废言耳；今于上下古今作《论诗绝句》，乃有论严嵩一首耶？"《越缦堂读书记·严介溪文集》："明严嵩撰。阅《严介溪文集》。其中碑志诸作虽平弱，然颇简洁，无芜冗之病。吾乡若陶庄敏公（谐）、孙忠烈公夫人杨氏墓碑，皆其所作，当时固以元老大手笔为荣，今日几同佛头着粪，可为忾叹！观其自撰先茔诸碑，历叙孤寒之迹，时已为少师，世荫亦为太常少卿，请假修墓，而词气抑然，自称不肖无以副先德，亦似非丧心昧良者，使不及败而早死，复无奸子，亦足安其邱垄。所谓名德不昌，乃复有期颐之寿也。其前列湛文庄诸人序文凡十余篇。朱竹垞尝言甘泉一序，尤令人张目；又谓道学者贡谀乃如是。然则如升庵、荆川，固不足责矣。咸丰庚申（一八六〇）十月初六日。"

**王世贞作《袁江流钤山冈当庐江小妇行》，以讽严嵩。**《明诗纪事》己签卷一收录此诗，陈田按："元美父蓟辽总督忬，以分宜陷死。考其构祸之由：元美为刑曹郎，故与分宜父子善，每与严世蕃宴饮，辄出恶谑侮之，已不能堪。会王弟敬美继登第，分宜呼诸孙切责，以不克负荷诃诮之。世蕃益恨望，日潜于父，分宜遂欲以长史处元美，赖徐华亭力救得免。杨忠愍之死，元美兄弟经纪其丧，嵩父子大恨。后严氏搜括海内书画，元美家故有张择端《清明上河图》，严索取，王以临笔与之。严宴客，出此图赏玩，客指摘为赝本，世蕃大惭怒。会唐荆川阅兵蓟镇，讥切一卒不练。及寇由潘家口入，京师大震。帝怒，分宜从帝旁怂臾之，遂置忬重辟。元美《钤山冈》诗，可以怨矣。"

李蓘编定宋诗选集《宋艺圃集》二十二卷。后又续编元诗选集《元艺圃集》四卷。所选不免漏略，但去取不苟，颇见识力。李蓘字于田，内乡人。嘉靖癸丑（1553）进士。官至提学副使。《四库全书总目》著录李蓘《黄谷琐谈》四卷、《李于田文集》四卷、《宋艺圃集》二十二卷、《元艺圃集》四卷。《宋艺圃集》提要曰："是集选录宋人之诗，殚力搜罗，凡十三载，至隆庆丁卯而后成。所列凡二百三十有六人。而核其名氏，实二百三十有七人。盖编目时误数一人。末卷附释衲三十三人，宫闱六人，灵怪三则，妓流五人，不知名四人，通上当为二百八十八人。而注曰共二百八十四人，则除不知姓名四人不数耳。王士祯《香祖笔记》称所选凡二百八十人，亦误数也。书中编次后先，最为颠倒。如以苏轼、苏辙列张咏、余靖、范仲淹、司马光前，陈与义、吕本中、曾几列蔡襄、欧阳修、黄庭坚、陈师道前，秦观列赵抃、苏颂前，杨万里列杨蟠、米芾、王令、唐庚前，叶采、严粲列蔡京、章惇前，林景熙、谢翱列陆游前者，指不胜屈。其最诞者，莫若以徽宗皇帝与邢居实、张栻、刘子翚合为一卷。夫《汉书·艺文志》以文帝列刘敬、贾山之间，武帝列蔡甲、倪宽之间，《玉台新咏》以梁武帝及太子诸王列吴均等九人之后，萧子显等二十一人之前，以时代相次，犹为有说。至邢居实为邢恕之子，年十八早夭，在徽宗以前，刘子翚为刘韐之子，张栻为张浚之子，皆南宋高、孝时人，在徽宗以后。乃君臣淆列，尤属不伦。殆由选录时随手杂抄，未遑铨次欤？至于廖融、江为、沈彬、孟宾于之属，则上涉南唐，马定国、周昂、李纯甫、赵渢、庞铸、史肃、刘迎之属，则旁及金朝。衡以断限，更属未安。王士祯之所纠，亦未尝不中其失也。然《香祖笔记》又曰：隆庆初元，海内尊尚李、王之派，讳言宋诗。而于田独阐幽抉异，撰为此书，其学识有过人者。则士祯亦甚取其书矣。"《元艺圃集》提要曰："此集续宋诗而选。所录凡一百九人，诗六百二十五首。自序称地僻少书籍，无以尽括一代之所长。今观所录，有虞集、范梈、揭傒斯，而无杨载，即一代名人号为四家者，已阙其一。是漏略诚所不免。又刘辰翁乃宋人，王庭筠、高克恭、元好问乃金人，僧来复乃明人，一例载入，颇失断限。其编次则倪瓒、宋无、余阙等皆元末人，而名在最前，戴表元、白珽等皆元初人，而名在最后。其他亦多先后颠倒，颇无伦序。似亦随见随抄，未经勘定之本，与《宋艺圃集》相同。殆惮于排纂，遂用唐无名氏《搜玉小集》不拘时代之例欤？然其自序谓宋诗痼于理，元诗邻于词，则深中两代作者之弊。故其去取之间，颇为不苟。以云备一代之诗，诚为不足；以云鉴别，则较之泛滥旁收，务盈卷帙者，精审多矣。"

传奇剧《鸣凤记》或成于今年。《鸣凤记》作者，或云无名氏，或云王世贞，尚无定论。吕天成《曲品》卷下："《鸣凤记》纪诸事甚悉，令人有手刃贼嵩之意。词调尽畅达可咏，稍厌繁耳。江陵时亦有编《鸾笔记》，即此意也。"清王昶等纂《直隶太仓州志》卷六十："《凤里志》云：唐仪凤，吾州凤里人。才而艰于遇，弃举子业。撰《鸣凤记》传奇，表椒山公等大节。……传奇之成也，曾以质弇州先生（王世贞），先生曰：'子填词甚佳，然谓此出自子，则不传；出自我，乃传。盖势有必然，吾非欲掠美，正以成子之美耳。'仪凤许之，乃赠以白米四十石，而刊为己所编。然吾州皆知出自唐云。"（转录自一九八〇年三月《江苏师范学院学报》：王永健《关于＜鸣凤记＞的几个问题》）

晁瑮《宝文堂书目》成书。该书为著名目录学著作。《四库全书总目》卷八七史部目录类存目著录《宝文堂分类书目》三卷，提要曰："明晁瑮撰。瑮字君石，号春陵，开州人。宋太子太傅迥之后。嘉靖辛丑进士。官至国子监司业。其子东吴，字叔权，嘉靖癸丑进士。选翰林院庶吉士。父子皆喜储藏，尝刊行诸书，有饮月圃、百忍堂诸版。此本以御制为首。上卷分总经、五经、四书、性理、史、子、文集、诗词等十二目。中卷分类书、子杂、乐府、四六、经济、举业等六目。下卷分韵书、政书、兵书、刑书、阴阳、医书、农圃、艺谱、算法、图志、年谱、姓氏、佛藏、道藏、法帖等十五目。其著录极富。虽不能尽属古本，而每书下间为注明某刻，亦足以考见明人版本源流。特其编次无法，类目丛杂，复见错出者不一而足，殊妨检阅。盖爱博而未能精者也。"

俞邦时撰《一书》。"一书"者，以一为本也。据四库提要。

王稚登复游京师，自认袁炜门人不讳。李维桢《征君王百谷先生墓志铭》："文荣（袁炜）贵时傲倪公卿，其卒也，门人故吏，掉臂不顾，先生千里往临，部署丧事，上书请赠恤，政府修隙者引大义与争。每岁省袁夫人于家，终其身不替。隆庆初载再入试京兆，而太学中式者已溢额，复不收。先生引镜自笑：'若故非食肉相，无庸仆仆道路也。'姜宗伯宝、林文恪镰留之，不可：'吾有千载之业，宁在一第。'归卜一亩宫，名庵半偈，名堂解嘲，读书与著书日富。"《列朝诗集小传》丁集中《王较书稚登》："汝南卒，伯谷渡江往哭其墓。丁卯复游长安，华亭（徐阶）当国，颇修姚张之怨，客或戒伯谷毋自白袁公门人，伯谷谢曰：'冯驩、任安，彼何人哉！'刻《燕市》、《客越》二集，备书其事，所以志也。"袁炜谥文荣。

王世贞、欧大任初会于扬州。王世贞有诗，见《四部稿》卷三十九，题为《余与南海欧子相慕久矣，北归过维扬，访余舟次，喜不自胜，投诗见赠，且多劝驾之语。惜无何遂别，情见乎辞》。大任时任江都（属扬州）训导。王世贞列其为广五子之一。

邢侗年十七，得督学使赏识，谓其异日当以文名天下。李维桢《陕西行太仆寺少卿邢公墓志铭》："十四为诸生，十七，督学使安福邹公首录之：异日当文名天下。召读书济南司衡堂，邹公亲行冠礼，东方传为盛事。"

南京礼部尚书林庭机致仕。赵贞吉任南京礼部尚书，二年改掌詹事府。殷士儋、诸大绶任讲读学士。吕调阳任南京礼部右侍郎。谭纶任兵部右侍郎。洪朝选任刑部右侍郎。张瀚总督两广军务。据王世贞《弇山堂别集》。

葛一龙（1567—1640）生。《列朝诗集小传》丁集下："卒于崇祯庚辰（1640），年七十有四。"其生年据以推定。葛一龙字震甫，吴县人。由资生选授云南布政司理问。有《尺木斋》等集。

**康彦登**（1567—1602）生。谢肇淛《康元龙诗序》："元龙与余居同闾，生同岁，业又同塾，相善也。"《列朝诗集小传》丁集下："彦登，字元龙，……年三十六，贫困以死。"其生卒年据以推定。生平略见《列朝诗集小传》丁集下："彦登，字元龙，又字孟担，闽县诸生。为人慷慨负气，一言不合，辄拂袖去。尝游历边塞，无所遇。有《朔方游稿》。年三十六，贫困以死。赋诗好自改窜，不成篇辄弃去。万历间称福州七才子，彦登其一也。"

## 公元 1568 年（穆宗隆庆二年 戊辰）

### 正月

民间哄传朝廷取绣女，年十三以上者惟求得婿，不暇择人。《戒庵老人漫笔》卷五《讹言取绣女》："隆庆二年戊辰春正月十二日，哄传朝廷取绣女，民间年十三岁以上无不婚配，霎时惟求得婿，不暇择人。且有瞯于门首，见总角经行者，拥之而入，遂以女配焉。凡数日而止，竟不知何自起而有此异也。"

### 二月

**李开先**（1501—1568）卒。开先为"嘉靖八才子"之一。殷士儋《李开先墓志铭》："公以隆庆二年二月望卒于家……公故尝病脾，间岁作，不至剧。丁卯秋乃大作，逾年竟不起。距生弘治壬戌八月二十八日，凡六十有八岁。"《列朝诗集小传》丁集："开先字伯华，章丘人。嘉靖己丑（1529）进士，授户部主事，调吏部，历文选郎中，擢太常少卿，提督四夷馆。罢归家居，近三十年。隆庆戊辰岁卒。伯华七岁能文，博学强记，弱冠登朝，奉使银夏，访康德涵、王敬夫于武功、鄠杜之间，赋诗度曲，引满称寿，二公恨相见晚也。嘉靖初，王道思、唐应德倡论，尽洗一时剽拟之习；伯华与罗达夫、赵景仁诸人，左提右挈，李、何文集，几于遏而不行。雅负经济，不屑称文士。在铨部，谢绝请托，不善事新贵人。已迁太常，会九庙灾，上疏自陈，竟罢归。归而治田产，蓄声妓，征歌度曲，为新声小令，搊弹放歌，自谓马东篱、张小山无以过也。为文一篇辄万言，诗一韵辄百首，不循格律，谈谐调笑，信手放笔。尝自序《闲居集》曰：'年四十，罢官归里，既无用世之心，又无名后之志。诗不必作，作不必工。'自称其集曰'闲居'，以别于居官时苦心也。所著词多于文，文多于诗。改定文人传奇乐府数百卷，搜辑《市井艳词》、《诗禅》、《对类》之属，多流俗琐碎，士大夫所不道者。尝谓古来才士，不得乘时柄用，非以乐事系其心，往往发狂病死，今借此以坐销岁月，暗老豪杰耳！世宗皇帝幸承天，命少傅翟銮巡九边，议自辽东始。伯华请间曰：'京师密迩边塞，藩篱单弱，虏飙迅可至。今车驾在江汉，公奈何远去京师，令缓急不相及，岂主上倚任之意乎？公宜往自宣、大，次及诸边，此声实相副万全之画也。'翟公瞿然，拊手谢曰：'老悖不知大计，微君幸教，几失之。'卒改行，如其策。曾两使上谷、西夏，访问军情苦乐，武备整废，慨然欲以功名自见。罢归，衰老，不胜慨叹，作《塞上曲》一百首。又通集古人塞上诗为一编，其老而益壮，不甘自废如此。"吕天成《曲品·具品》："李开先，铨部贵人，蔡丘隐吏。熟誊北曲，悲传塞下之吹；间著南词，生扭吴中之拍。才原敏赡，写冤愤而如生；志亦飞扬，赋通囚而自畅。此词坛之雄将，曲部之美才也。"《四库全书总目》卷一七七集部别集类存目四著录《闲居集》十二卷，提要曰："嘉靖初，开先与王慎中、唐顺之、熊过、陈束、任瀚、赵时春、吕高称八才子。其时慎中、顺之倡议尽洗李、何剽拟之习，而开先与时春等复羽翼之。然开先雅以功名自负，既废以后，犹作《塞上曲》一百首，以寓其志。又末卷有《苏息民困或问》及《颜神事宜》、《浚渠私议》、《漯议》诸篇，亦尚汲汲于经世，不甚争文苑之名。故所作随笔挥洒，一篇或至数十千言。其诗亦往往叠韵至百首。其持论确于李、何，而终不能夺李、何之坛坫，盖有由矣。"道光《章邱县志》卷十："字伯华，淳之子。生而卓异，七岁能文。嘉靖进士。是时，北地李献吉、信阳何仲默先后去世，而晋江王道思、毗陵唐应德倡论，谓献吉即名高一代，然于文章正法藏，不免仍隔一尘。于是尽洗诘元之调，而一归恬雅。开先与吉水罗达夫、平凉赵景仁复左右之。李、何集几于遏而不行，一时有九才子之目。又工为金元诸曲，尝使关中，康德涵、王敬夫辈凤擅才名，意不可一世。见开先词，皆折节倒屣，不敢居前辈。初除户部，以才望改吏部，至文选郎，转太常寺少卿，为夏相所忌，罢归。优游林下近三十年。开先才敏捷，每为文一篇辄万言，为诗一韵辄百首，皆纵笔而成。不为巉岩刻深语，而有天然自在之趣。性好客，座上常满。所著《闲居集》、《揭要集》、《经义待质》诸书行于海内，称为中麓先生。"《明诗纪事》戊签卷九录李开先诗二首。

## 三月

**俞宪辑《盛明百家诗》刊行。明诗总集选洪武初讫嘉靖末年之诗。**《葚园说诗》卷三："《盛明百家诗》起洪武初，讫嘉靖末年，凡百人，人各一集，每集首各为小传，前有赋，后有诗。隆庆二年三月，无锡俞宪汝成氏选刻，计百本。"嗣后续有增补。参见1570年。

**罗万化等进士及第。**《弇山堂别集》卷八十三《科试考三》："二年戊辰，命少傅太子太师吏部尚书建极殿大学士李春芳、掌詹事府礼部尚书兼翰林院学士殷士儋主试，取中田一俊等四百人。廷试，赐罗万化、黄凤翔、赵志皋及第。先是，内阁所取李长春、王家屏、田一俊已定矣，内旨忽于二甲前进呈卷用万化等，而李长春三人居二甲前。是岁少傅大学士陈以勤以子陈于陛、通政使李一元以弟一中辞读卷，许之，登科录亦不列姓名。""改进士徐显卿、陈于陛、张一桂、沈一贯、李长春、韩世能、贾三近、王家屏、田一俊、朱赓、沈懋孝、张位、李熙、林景旸、徐秋鹗、张道明、邵陛、何维楀、沈位、李维桢（1547—1626）、郭庄、王乔桂、刘东星、于慎行（1545—1607）、范谦、张书、李学一、习孔教、刘应麒、郑国仕为庶吉士。"同榜进士有沈思孝（1542—1611）、朱孟震、蔡文范（1543—？）、沈位、帅机（1537—1595）、顾大典（1541—1596）等。《万历野获编》卷十六《戊辰公卿之盛》："弇州以一榜四相为盛事，此未足异。惟戊辰一榜，则赵少师志皋、张少师位、沈少师一贯、朱少保赓、陈宫保于陛、王宗伯东阁家屏、于宗伯东阁慎行，先后宰相七人，真是极盛。若尚书则十八人。亚卿、中丞、三品京堂五十二人。而七相中五人一品，二人赠一品。尚书中四人一品，二人赠一品。凡系玉者十三人。此制科以来，未有之盛也。弇州又以弘治乙丑一榜七玉为最盛，盖未见戊辰之十三也。若嘉靖壬戌（1562）则亦七玉，为少师申时行、李汶、少傅余有丁、王锡爵、萧大亨，少保杨俊民，太子太保蹇达，亦可媲美。今名硕辈出，劳烈孔彰，圣主酬功，将来更不胜记矣。"又《同科同时宗伯》："万历戊子至丁酉十年间，凡五易宗伯。初为朱山阴赓忧去，于东阿慎行代之。于致仕，李富顺长春代之。李致仕，罗会稽万化代之。罗卒，范丰城谦代之。俱戊辰科也。同时掌詹者，陈南充于陛亦带礼书，而南宗伯又有黄晋江凤翔、沈鄞县一贯。凡八人。亦云盛矣。是时张新建位以及陈南充、沈鄞县，相次以礼书带阁衔，首揆则赵兰溪志皋，合之又得宗伯二人。而先任礼书东阁，又有王山阴家屏。自来宗伯之多，无如此一榜者。罗，甲子戊辰探花。"《静志居诗话》卷十五《罗万化》云："罗万化，字一甫，会稽人。隆庆戊辰赐进士第一，历官礼部尚书。赠太子太保，谥文懿。有《世泽编》。唐、宋科目繁多，至明而始终所重惟甲第。志科名盛事者，首述吉水莆阳，而於越山阴，自诸文懿大绶而后，榜五发，邑人居其三焉。传闻三公俱同席砚之友，不可谓非盛事已。文懿《拟此日不再得》云：'落景无返轮，奔星少回光。绿发不恋人，转眼化为苍。所以志士心，努力及方刚。恒恐岁迟暮，兰蕙不得芳。膏火还自煎，山木亦自戕。我谋一以乖，终身失其臧。大道本希声，至人贵含章。岂其鱼目珍，而登君子堂。登高岂无梯？济深岂无航？愚者贵速至，圣人宝其常。虚牖展素书，古人未云亡。无为守踌躇，徒贻过时伤。'"

张瀚（1511—1593）乞恩移赠本生大父母，奉旨俞允。张瀚字子文，号元洲，仁和人。去年张瀚由右副都御史改督两广军务。据张瀚《松窗梦语》。冯梦祯《张太宰恭懿公传》："公幼卓荦，敏惠异常儿。年二十四举于乡，为嘉靖甲午；明年成进士。历两京郎署、郡守、藩、臬而至大官，所至辄有声绩。自少至老，猎猎宦途者四十余年，中间再居忧、一谢归，而最后以南工部尚书入为冢宰。……无几何而江陵夺情事起。初，廷对冢宰，公名在三，上越次用公，而江陵相自以为德，不无希公报。遂微上中旨，属公谕留。而公毅然不可，然不欲显居其名，乃偕三尚书密晤江陵，动以微言，因流涕。江陵滋不悦，卒中公以归。……公年六十三为冢宰，六十七罢归，归十有八年而终，年八十有三。"所著除《松窗梦语》外，另有诗文集《萤囊蠹余》二十卷、奏疏《台省疏稿》八卷等。

## 春

戴枢拜谒归有光，托有光为其父戴楚望集作序。戴径字伯常，号楚望，虽为锦衣卫军官，却敬儒者，习诗文，颇为士大夫所称道。《戴楚望集序》云："隆庆二年春，朝京师。楚望之子枢，哀其平生所为文百卷，谒予为序。盖楚望之于道勤矣。始，楚望先识增城湛元明。是时年甚少，已有志于求道。既而师事泰和欧阳崇一、聂文蔚。

至如安成邹谦之、吉水罗达夫，未尝识面，而以书相答问。及其所交亲者，则毘陵唐应德、太平周顺之、富平杨子修，并一时海内有道高名之士。予读其所往来书，大抵从阳明之学，至于往复论难，必期于自得，非苟为名者，噫！道之难言久矣。有如前楚望所为师友，皆以卓然自立于世，而楚望更与往来上下其议论，则楚望之所自言者可知矣。予之初识之，特谓其典诏狱，为国家保护善人，以为武臣之慕义者也。及稍与之亲，观其论诗，欲上追古作者，又以为学士大夫之好文者也。盖不知楚望之于道如此。"欧阳德（1496—1554）字崇一。聂豹字文蔚。湛若水字元明。邹守益字谦之。罗洪先字达夫。唐顺之字应德。周怡字顺之。杨爵字伯珍，一字子修。

## 四月

**王世懋除南京礼部仪制司主事，以其暇肆力于诗文。** 王世贞《亡弟中顺大夫太常寺少卿敬美行状》："弟居闲无事，益刻意于诗，诗益工。是时留都之台垣，当有所论荐，而弟及不谷与焉。不谷谓弟：'汝当出，以慰我先公地下。吾留侍太恭人。'襄毅公固欲俱起之，而太恭人果欲趣弟谒吏部选，于法当得郡邑，弟行至河间道中，而报除南京礼部仪制司主事，不之吏部选，而径为京朝官，皆异数也。而不谷业已召守故官天雄部，杨公贻书不谷谓南，而弟欲以近供养存者而始北，且报国而慰逝者。不谷再疏辞，俱见寝。于是与弟俱勉之官，而南仪曹职务简，弟得以其暇肆力于古文章，而六季之绮丽名胜，觞酒词笔，无所不领会。居无何，以郎中羪病，摄曹事。"王世贞上疏辞官，系今年六月间事。本月，王世贞起为河南按察司副使，整饬大名兵备。八月抵大名视事。

## 五月

**戚继光（1528—1587）以都督同知总理蓟、昌、辽、保练兵事务，节制四镇，与总督同。** 自是在镇长达十六年，边境赖以晏然。任内作《盘山绝顶》诸诗。《静志居诗话》卷十四："少保平倭之功，战胜攻克，撰有《纪效新书》。在蓟日，与总督谭公纶，樽俎折衝，撰有《练兵实纪》。论者比之孙、吴、韩、白焉。军中有暇，辄与文士接席赋诗，集名《止止》，稿曰《愚愚》，居曰梦梦，是亦好奇矣。《盘山绝顶》云：'霜角一声草木哀，云头对起石门开。朔风卤酒不成醉，落叶归鸦无数来。但使雕戈销杀气，未妨白发老边才。勒名峰上吾谁与，故李将军舞剑台。'《度梅岭》云：'溪流百折绕青山，短发秋风夕照间。身入玉门犹是梦，复从天末出梅关。'"《明诗评选》卷六评《盘山绝顶》："寄慨不激，南塘自非粗官。"《明诗别裁集》卷九亦评曰："无意为诗，自足生趣。郭定襄直于诗坛中位置之。"按，《度梅岭》作于万历十一年（1583）七月赴粤途中。戚于万历十一年二月调广东镇守。

## 六月

**归有光自长兴知县迁顺德府通判，具疏乞致仕，辇下诸公不为上。** 王锡爵《明太仆寺丞归公墓志铭》："长兴在湖山间，多盗而好讼。熙甫平生之论，谓为天子牧养小民，宜求所疾痛，不当过自严重，赫赫若神，令闾阎之意不得自通。故听讼时，引儿童妇女与吴语，务得其情，事有可解者，立解之，不数数具狱。出死囚数十人，旁县盗发而无故株连者，为洗涤复百人。有重囚，母死当葬，熙甫纵之归，治葬事毕，还就狱。有劝之逸去者，囚不忍相负也。然宿贼四五十家，窟宅联络，依山嶅中，数名捕之，不能得。熙甫率吏士掩之，贼蜂起格斗，矢石满前，熙甫目不为瞬，竟服其辜。大户鱼肉小民者，按问无所纵舍。尝梦两人头飞来啮臂，若有所诉。明日，有提两人头，自言奴通其妾，辄斩以闻。熙甫令罢去，潜踪迹之，实欲纳奴妾耳，遂论如法。先生自以负海内之望，明习古今成败，即令召公、毕公为方岳，必且参与谋议，不令北面受事而已。故尝直行其意。县有勾军之令，每阙一人，自国初赤籍所注，一户或数百人，及邻保里甲，人人诣县对簿。熙甫不忍骚动百家，尝寝其事，大吏弗善也。又长兴多田之家，往往花分细户，而贫户顾充里甲。熙甫心知不可，乃取大户所分子户为里甲，因以充粮长。小民安居自如，而豪宗多怨之。有蜚语闻，将中以考功法。公卿大臣多知熙甫者，得通判顺德。具疏乞致仕，辇下诸公不为上。"

## 七月

首辅徐阶致仕。李春芳、陈以勤、张居正秉政。据孟森《明史讲义》。

王世贞作《祭宗子相文》。时宗臣卒已九年。祭文曰："维隆庆二年戊辰秋七月戊申朔越二十四日辛未，友人吴郡某谨以斗酒炙鸡哭告于故宗君子相之灵，曰：呜呼！礼有朋友，不哭宿草。子之逝矣，其草九夭。胡为过之，使我心捣。……"

## 九月

邵正魁刊行欧大任（1516—1595）《韬中稿》，汪道昆作序。序署"隆庆戊辰秋日，新安汪道昆著"。时欧大任（1516—1595）在江都博士任。

## 秋

俞宪编莫止《莫南沙集》入《盛明百家诗存后编》。卷首题识署"隆庆戊辰秋，晚生俞宪识"。

## 十二月

李攀龙自浙江布政使司左参政升河南按察使。王世贞由河南按察司副使升浙江布政使司左参政。殷士儋《墓志铭》：隆庆元年（1567），攀龙"起为浙江副使，二年稍迁参政"。

初六，袁宏道（1568—1610）生。宏道，字中郎，万历壬辰进士，除吴县知县。县繁难治，能以廉静致理。逾年，称病投劾去。遍游吴、会山水，作《锦帆集》、《解脱集》。改国子助教，迁礼部仪制郎。归卧柳浪湖上，凡六年。以清望推择，改吏部，

由文选考功迁稽勋郎中。移病休沐，不数月卒于家。年四十有三。

## 冬

王世贞为欧大任《浮淮集》作序，赞其于书无所不读，而大要以汉、魏古诗、盛唐律诗为宗。序曰："当世宗时，六七大夫讲业燕中，而不佞谬名能私其绪。居无何，相继得罪斥谪，或自引去，天下操觚之士，避之吻齿外。而南海欧大任先生独好其言，以为足当我。欧先生于书无所不窥，其大要非西京、建安而下至开、天亡述也。其屡屡遍户阈，业非以六七大夫亡当也。欧先生受经为南海诸生甚著，竟不第而游燕，一日而倾燕之士人，而竟无能荐之者。为学官江都，会淮以南鲜雅慕，欧先生默默不自得，益肆其力于文章。其文章益高，然度以自愉快而已。而会不佞强起过江都，六七大夫非故物则亦起，旬日而过江都者二三辈，欧先生欢甚，……淮以南有宗子相臣者，是六七大夫中人也而殀。往御史檄欧先生采淮贤大夫业，欧先生檄诸邑学官，顾独遗子相，欧先生意不怿也，曰：'岂可以当世而失子相！'乃为《宗臣传》上太史，具集中。呜呼，欧先生无负淮矣。隆庆戊辰冬，吴郡王世贞撰。"《浮淮集》，欧大任著。

## 本年

衡阳欧希稷以行人奉使朝鲜，返国，朝鲜辛应时等有诗赠行。《静志居诗话》卷二十四："辛应时，官校书馆校理。隆庆元年，以即位颁诏朝鲜，歙县许公国、南昌魏公时亮持节以往。是时恭宪王峘又薨，两公返命，共成诗一卷，国中属而和者，止工曹判书朴忠元一人。议政府左赞善，兼知书筵春秋馆事洪暹序之曰：'小邦不幸，两公之来，适丁大戚，满目愁惨，无意于览物辄题，逐篇和进，亦非有丧者所当为，所以倡少而和之寡也。'于此足征其为秉礼之国矣。明年，衡阳欧希稷以行人奉使，馆伴辛应时、朴淳等，始复有赠送诗焉。《送欧大行还朝》云：'鸭绿江头送棹声，东风吹泪若为情。人间离别伤今日，天上音容隔此生。衡浦雁回惊远梦，洞庭春尽渺归程。遥知万里相思处，南斗横斜片月明。'"

辽王宪㸅以罪降庶人，国除。宪㸅娴于文墨，而荒淫无度。王世贞作《江陵伎》诗。《明诗纪事》己签卷一录《江陵伎》，陈田按："《江陵伎》咏辽王宪㸅事也。宪辽简王六世孙，沉湎荒淫，娴于文墨，时时作艳曲以鸣得意。会永陵好道，亦假崇事道教，得赐号清微忠孝真人，并赐黄金印、法衣、法冠。遇人家设醮，亲来上章。每出以妓女数十，导灯行，珠翠成围。醮毕，主人献金钱或馈酒食，无论多寡悉款纳之。锐意丰殖，恣行渔猎于其国，国人苦之。凡宗仪有犯者，笞辱之，必索赂而后已，贫者不能得赂，则幽囚之，或致死，恶名传四方。适有鞭死荆州库吏雷大夏事。隆庆元年，青阳人施笃臣自工部郎来为荆州分察使，榜诸门曰：'有怨辽王不法事者，许不时陈状。'诸宗仪辐辏施门而投之牒。施为人阴贼，度一雷大夏事未足倾一王国，乃诡摭其不轨事数端，密揭之巡按御史陈省。陈即日奏之，下法司议，遣刑部侍郎洪朝选诣荆州按验。时江陵为次揆，故有憾于辽，洪承江陵指，锻炼其狱，入告得旨，废为庶人，安置凤阳高墙，国除。宪㸅日画一猫，易米以自给，寻死。时谓宪㸅少年所为，荡然不轨，淫黩贪吝，恣睢椎埋，事多有之，事皆在赦前。第晚已不能近妇人者业二十年，且折节有司，国无护军，其反谋何自而起？即暂废其身，须之悛而复其国，如万历间处代府事足矣。而施与洪务为深文，致馁六王之鬼，诚为过当云。弇州此诗'一半枝撑天，一半无爨处'，盖伤之也。"宪爌，辽庄王致格子，简王晜孙，太祖仍孙。初封句容王。嘉靖十九年袭封，隆庆二年以罪降庶人，国除。有《味秘草堂集》。《明诗纪事》甲签卷二录其诗一首。

邓世芳为杨向春《皇极经世心易发微》增订本作序。姜元为方盱《研山山人漫集》作序。据四库提要。

熊过《熊南沙文集》八卷由严清刊行。《四库全书总目》卷一七七集部类存目四著录熊过《熊南沙文集》八卷，提要曰："是集乃隆庆戊辰严清所刻。前四卷为疏、序、书、记，后四卷为题跋、引传、碑铭、祭文、杂著。过留心经学，其文章亦列名八才子中。然集中诸作，大抵应酬之文也。"

徐师曾修订、重刻《今文周易演义》一书。据四库提要。

邢侗入太学。同辈招游狭邪，不往。李维桢《陕西行太仆寺少卿邢公墓志铭》："隆庆戊辰，诏简诸生高等，入太学，毋论年资。子愿应诏，同辈招游狭邪，不往，屏居下键，诵声达旦。"邢侗字子愿。

高拱以大学士掌吏部事。瞿景淳、万士和、吕调阳任礼部侍郎。姜宝任南京国子监祭酒。谭纶任总督蓟辽保定都御史。据王世贞《弇山堂别集》。

## 公元 1569 年（穆宗隆庆三年　己巳）

### 正月

王世贞南下赴任，与北上赴任之李攀龙会于齐河。《弇州四部稿》卷四十有诗《正月十六日于鳞会于齐河，挟一生为姑布术者》，卷二十有诗《齐河行，与于鳞醉别作》。《沧溟集》卷十一有诗《早春元美自大名见枉齐河》，原注："时元美代余浙中。"李攀龙《寄别元美》作于稍后。诗云："谁怜伏阙上书还，国士衔冤动帝颜。杀气始应高碣石，飞霜犹自满燕山。风尘双泪绨袍尽，湖海扁舟白发闲。却念十年携手地，不知春色在吴关。"可见李攀龙七律风格之一斑。《艺苑卮言》卷七："于鳞自弃官以前，七言律极高华，然其大意，恐以字累句，以句累篇，守其俊语，不轻变化，故三首而外，不奈雷同。晚节始极旁搜，使事该切，措法操纵，虽思探溟海，而不堕魔境。世之耳观者，乃谓其比前少退，可笑也。歌行方入化而遂没，惜其不多，寥寥绝响。"王世懋《艺圃撷余》："李于鳞七言律，俊洁响亮，余兄极推毂之。海内为诗者，争事剽窃，纷纷刻鹜，至使人厌。予谓学于鳞不如学老杜，学老杜尚不如学盛唐。"

王锡爵为郑若庸（1489—1577）《北游漫稿》作序。《北游漫稿》所收为郑若庸晚年之诗。序云："一日，山人甥文学归子大显持汪子良迪所镌是编谒余叙……山人今年已八十，其违赵而居清源又且数年。"序署"隆庆三年正月既望，赐进士及第翰林院编修文林郎经筵讲官纂修实录兼理诰敕太仓王锡爵撰"。《四库全书总目》卷一七八集部别集类存目五著录《北游漫稿》二卷，提要曰："明郑若庸撰。是辑为歙人汪良迪所辑。前有王锡爵序，称山人今年已八十，违赵而居清源又已数年。故今集中清源之诗不一而足，乃其晚年作也。《明诗综》载若庸有《蛞蜞集》，不及此稿。然所录诸诗具在此集。盖《蛞蜞集》诗止一卷，良迪并入此稿耳。"《北游漫稿》有汪良迪《记虚舟先生北游稿后》。据《记后》，"先生与余宗人益多雅善，故余童髫时已得侍先生于吴门。既而先生以赵王聘，居邺中，与余稍不相闻。嘉靖庚申（1560），王薨，国乱，先生遂去赵，出居清源。"则郑若庸出居清源在1560年后。

## 二月

**姚山人以吴国伦诗一帙赠俞宪。俞宪刻入《盛明百家诗》，名曰《续吴川楼集》。**卷首识语曰："吴川楼诗成，隆庆己巳二月，姚山人复以抄本一帙见遗，云得自棣川长秦次山所，遂又刻之，名曰《续吴川楼集》。时川楼以邵武守，调陈之高州。"

**吴维岳（1514—1569）卒。**汪道昆《明故中宪大夫都察院右佥都御史霁寰先生吴公行状》："隆庆三年春二月甲子，故都察院右佥都御史霁寰先生卒于家，春秋五十六耳。……先生讳维岳，字峻伯，孝丰人，姓吴氏。""嘉靖丁酉（1537）乡试，先生以执礼举第五人，明年举进士，除江阴县令，……三载应召得刑部尚书郎。……丧毕补驾部，寻转按察司副使，督学山东。……居五年，进湖广布政司右参政，寻进江西按察司按察使。已复拜都察院右佥都御史，巡抚贵州。"先生家世盖州，顾折节务恭俭，年少娴于文学，终其身不衰。始从宦京师，执举子业，师事袁郎衮、庄郎用宾。既而讲德修辞，师事昆陵唐太史应德。从昆陵诸令，善临川徐良傅、临朐冯惟讷。从诸尚书郎，善济南李攀龙、江东王世贞、武昌吴国伦、广陵宗臣、朱曰藩。当是时，济南、江东并以追古称作者，先生即逶迤师古，然犹以师心为能。其持论宗昆陵，其独操盖有足多者。乃今遗文具在，大都载奏议及《岁编》中。"《明史·艺文志》著录《天目山斋稿》二十八卷。《四库全书总目》集部别集类存目四著录《天目山斋岁编》二十四卷。其集有王世贞序，作序时间不详。《静志居诗话》卷十四："峻伯如铅刀土花，不堪洒削。然其五律，颇具岑嘉州、张司业风格。句如'关河春雁少，风雨暮钟多'，'细雨来因晚，空山到已秋'，'清飙凉带叶，零雨细沾沙'，'乱水穿林响，残星缀岭低'，'剪藤舒柏树，茭草出瓜苗'，'暮雨初收市，秋江正长潮'，'潮生风听急，江远雨看无'，'涧水斜牵筏，林烟远出村'，'沙头飞燕子，市上卖樱桃'，'钟残寒雨外，雁没远烟中'，较之明卿、子与辈，故自胜之。"《明诗纪事》己签卷四录吴维岳诗二首。

## 五月

**归有光抵顺德通判任，实司郡之马政，以承奉太仆寺上下文移为主。**归有光《顺德府通判厅记》："余以隆庆二年秋，自吴兴改倅邢州。明年夏五月莅任，实司郡之马政。今马政无所为也，独承奉太仆寺上下文移而已。"邢台为顺德府治所，古称邢州。

## 六月

苏志皋（1979—1569）卒。郭秉聪《明通议大夫都察院右副都御史食从二品俸致仕寒村苏公暨配恭人温氏合葬墓志铭》："隆庆己巳夏六月三日，致仕都察院右副都御史苏公卒。""公生于弘治丁巳十月二十四日，享年七十有三。""公讳志皋，字德明，别号寒村，又号岷峨山人。其先直隶延庆州人。国初徙顺天之固安县，遂为固安人。""嘉靖辛卯领顺天乡荐第三人，明年壬辰登进士第。"知浏阳、进贤二县，迁刑部主事，历郎中，出为佥事副使，皆宣府、潼关、泾邠冲边要地。庚戌（1550）虏警，会推雁门兵备，历升布政使，以右佥都御史巡抚辽东，升右副都御史。"所著有《益知录》三十卷，皆御虏、平倭、治河、弭盗等策，咸当今要务。其用世之志，不以老衰困沮如此，固振古之豪杰哉！又有《创修固安县志》、《寒村集》、《巡抚奏议》、《战守图法》、《译语》、《恒言》、《画跋》各若干卷。"《列朝诗集小传》丁集上："右都才情富丽，沾沾自喜，好作长短句，有《寒村集》。"《四库全书总目》集部别集类存目四著录《寒村集》四卷，提要曰："此集凡诗二卷，杂文二卷。有汪来后序，称其尚有《巡抚奏议》十八卷，《译语》、《画跋》、《恒言》各一卷。今并不传。"《明诗纪事》戊签卷十八录苏志皋诗四首，陈田按："寒村诗，风调自佳，北平诗人，品在顿鸥汀之次。"

张时彻辑《皇明文范》成，作自序。《皇明文范》录明洪武至嘉靖之文凡四百四十二家。序曰："余既辑《皇明文苑》成，……爰复加评骘，稍为汰黜，跅弢不录，靡滥不录，无当于事不录，无根于理不录，无关于风刺不录，摘其尤异者若干篇，题之曰《皇明文范》云。夫范者，以范范金也，文而云范，何以范？范文也。……余于国朝之文，盖铨综者积祀焉，其始也，十而取六七焉；其继也，十而取四五焉；又其继也，十而取二三焉；迄今存者，裁十之一二耳！间有宗工学士扬镳艺林，乃余未及遭见，亦或采其浮华而遗其粹美，则限于疆域之殊渺，蔽于藻鉴之冥昏，非妄有所昂抑也。……皇明隆庆己巳夏六月朔，明州张时彻序。"另有皇甫汸《皇明文范序》，署"万历三年（1575）岁在乙亥秋重阳日，赐进士第、天官、司勋大夫、敕金云南宪使，吴郡皇甫汸子循撰。"《四库全书总目》集部总集类存目二著录《明文范》六十六卷，提要曰："明张时彻编。时彻有《善行录》，已著录。是集成于隆庆己巳，录明洪武至嘉靖之文凡四百四十二家。初名《文苑》，病其太繁。乃复加芟削，以成此本。自序称铨综者积祀。其始也，十而取六七焉。其继也，十而取四五焉。又其继也，十而取二三焉。迄今存者，裁十之一二焉。故自序又曰：'苑者无所不蓄，范者如以范范金也。'然于正、嘉之文，尚病其少所别裁焉。"张时彻（1500—1577），字唯静，鄞县人。嘉靖癸未（1523）进士，授兵部主事，改礼部，出为江西提学副使，历福建参政，云南按察使，山东右布政使，河南左布政使，以佥都御史，抚四川，再抚江西，迁南京刑部侍郎，改兵部，进尚书。有《芝园集》。

## 夏

俞宪编秦金（1467—1544）《秦端敏公集》入《盛明百家诗》。卷首题识署"隆庆己巳夏日，晚生俞宪谨识"。《明史·艺文志》著录《秦金诗集》十卷。

## 八月

**高应冕**（1503—1569）**卒。**张瀚《光州知州高颖湖墓志铭》："高光州者，讳应冕，字文中，自号颖湖。其先由汴徙浙，转徙仁和。""甲午举于乡，三上春官不遇。"试吏绥宁，秩满进刺光州。"岁当大计，上官多不协，乃解绥归，放情湖山，结庐傍林处士故墟，榜曰白云山房，读书其中。兴至豪饮长吟，研词斫句，力追古雅，一以盛唐诸名家为矩矱。晚益博浃，喜老庄之言道德，诗亦归于性情，著为论叙，岿朗超脱，类若寓言生平。萧散冲和与悒怅不平之气，感时触物，对景怀人，一属意于吮毫舒简□□□□间。……殁隆庆己巳八月二十八日，生弘治癸亥三月十一日，不满七十者仅三岁。"《续文献通考·经籍考》著录高应冕《白云山房集》二卷，《千顷堂书目》卷二三著录《光州诗选》二卷。《四库全书总目》集部别集类存目四著录高应冕《白云山房集》二卷，提要曰："是集序记杂文凡八十七篇。中如游闲公子、白云先生、羲皇上人诸传、虞秦对曹交篇诸文，大抵构虚托喻、游戏笔墨。惟纵囚一辨，差为有见云。"《明诗纪事》戊签卷十八录高应冕诗五首，陈田按："文中五字诗清稳，有韦、王遗意。归田后，与闽县祝汝亨时泰、新安王仲房寅、钱唐方禹绩九叙、童仲良汉臣、仁和刘安元子伯、沈懋学仕结社于西湖，曰'紫阳'、'湖心'、'玉岑'、'飞来'、'月岩'、'南屏'、'紫云'、'洞霄'，凡八社。今所传《西湖八社诗帖》是也。"

**俞宪编金銮**（1494—约1583）**诗集《金白屿集》入《盛明百家诗存后编》。**金銮，或作金鏊。卷首题识云："陇西金白屿氏名銮，字在衡，详观集中，盖以布衣寓居金陵，而久游吴楚淮阳之间者。计其时当在嘉靖间。集内赠蒋南泠（山卿）二、赠胡可泉（缵宗）四、赠顾东桥（璘）一、赠谢与槐一、赠徐东园二、赠许平湫二、赠马西玄一、赠程渰溪一，其往复皆嘉靖间人也。又闻尚健在，年已逾老望耋矣。诗刻上、下并续集共三卷，姻友华少岳所贻，大都诗多远思，别于常调。隆庆己巳秋仲，锡山是堂山人俞宪识。"梅鼎祚《陇西金隐居銮》："在衡家金陵，亦称诗。而北乐府犹工，有《萧爽斋词》。余时以调宫微字阴阳相质难，然年已九十，不能正言矣。"《列朝诗集小传》丁集上："诗不操秦声，风流宛转，得江左清华之致。""洞解音律，酒酣，据几高吟长咏，中节可听，四坐忘疲。……何元朗曰：'南都自徐髯仙后，惟金在衡最为知音，善填词，嘲调小曲极妙。每诵一篇，令人绝倒。'尝取古词，辨其字句清浊，为一书，填词者至今祖之。"徐髯仙指徐霖。《明诗纪事》戊签卷二十二录金鏊诗十七首，陈田按："山人诗清圆浏亮，无当时叫嚣之习。词曲亦是当家，有《萧爽斋词集》，惜少传本。"

## 十一月

**徐枢为欧大任《旅燕集》作后序。**欧大任今年由江都博士迁光州学正。序云："吾师欧桢伯先生早以经学闻粤中，部使者及督学诸公莫不称重，为五岭以南第一人也。嘉靖壬戌（1562），岁荐北上，文赋翩翩起，一日名动燕市。馆阁部台诸称文章家者，辐辏毂接于旅食之馆，而海内翰卿词客、畸人逸士什九论交焉。先生通而介，乐于过从，倦于请谒，不以一褐自惭，不为千金动色，游于诸公间，引觞谈艺，逶逶如也。

汇其所作，为《旅燕稿》四卷。丙寅（1566）先生为江都博士，枢习毛诗，章句士耳，先生授之《诗说》，为之讲解，而不以告文辞教人，亦不立门户讲学，伦理甚笃，行谊最著，盖鞠躬君子哉！近岁弟子之于师，受举业者，每刻课文，谈心性者，则刻语录，枢不能也。获侍斋中三年，今（1569）先生随牒光州，门墙日远，惧负朝夕之教，因即邵生所录《旅燕稿》刻焉。若夫先生诗词之高古，已著海内矣，枢岂敢评品哉！隆庆三年十一月长至日，江都门生徐枢顿首书。"欧必元《家虞部公传》："隆庆己巳，漕运中丞方公濂首荐于朝，迁河南光州学正。……所历中岳大河，吊汉宋故墟，至今传诵其光武庙、朱仙镇诸作。"《旅燕集》另有徐中行序，作于隆庆六年（1572）。序云："欧桢伯将之燕，访余汝南郡中，乃谒何仲默祠，寻李献吉河上草堂，遇谢茂秦于邺下。居燕（1562—1565），吴明卿至与游，余以待谪公车，读其旅中集，将序之未遑也。其为江都文学（1566—1569），王元美过之，有《浮淮》而为之序。所传宗子相辈十先生，则李于鳞过而序之。比入金陵，采世宗故实，有《轺中集》，序则介绍于汪伯玉。当余过之，请曰：'大任不敢忘羁旅，愿大夫毋忘公车。'余何辞于燕？"

俞宪编徐渭《徐文学集》入《盛明百家诗》。卷首题识署"隆庆己巳冬十一月朔是堂山人锡山俞宪汝成父识"。

## 十二月

高拱复入阁，以大学士兼掌吏部事。乃尽反徐阶所为，凡先朝得罪诸臣，以遗诏录用赠恤者，一切报罢。据孟森《明史讲义》。高拱于嘉靖丙寅入阁，兼掌吏部事者凡二年。其先后疏稿编为《纶扉内稿》一卷、《外稿》一卷、《掌铨题稿》十四卷，《四库全书总目》卷五六史部诏令奏议类存目著录。《掌铨题稿》提要曰："史称拱在吏部，欲遍识人材，授诸司以籍，使署贤否，志爵里姓氏，月要而岁会之。仓卒举用，无不得人。盖其才固有足取者矣。"

## 本年

戚继光作《盟忠楼》诗。《止止堂集·横槊稿上》："隆庆己巳，日躔鹑火，余阅边至石门，时参将和州李信，辽东入卫，游毂崇明，刘沄引杯为誓，不负朝廷。副总兵句容胡守仁，嘉其义而成之，各截其襟藏幕府，余遂命其楼曰'盟忠'，复系之以诗：'绝顶开高阁，雄规壮北门。侧身见辽海，举首接天阍。击楫前贤志，裁襟国士恩。叮咛二三子，毋负此盟言。'"

李攀龙编定《古今诗删》。是编选录历代之诗，每代各自分体。始于古逸，次以汉、魏、南北朝，次以唐，唐以后继以明，而宋、元诗不录，以彰显宋、元无诗之旨。王世贞有《古今诗删序》，作于攀龙去世之后。序云："李攀龙于鳞所为《古今诗删》成，凡数年而殁，殁而新都汪时元谋梓之，走数千里以序属世贞曰：是唯二君子之有味乎诗也，不有存者，谁与任殁者？世贞谢不敏，已喟然而叹曰：……夫以孔子之于诗，犹不能废游夏，而于鳞取其独见而裁之，而遽命之曰删，彼其见删于于鳞而不自甘者，宁无反唇也？虽然，令于鳞以意而轻退古之作者间有之，于鳞舍格而轻进古之作者则无是也，以于鳞之毋轻进，其得存而成一家言，以模楷后之操觚者，亦庶乎可矣。盖于鳞之所最善为世贞，其属存于鳞删者不少，然自戊午而前，及它倡和之什耳。其人雅自信，落落寡与，家僻处济上，则于鳞之于今贤士大夫，多所与而少所见可知也，问为继于鳞志者如之何？曰代益之，不失所以精之意而已矣。友人吴郡王世贞撰。"《诗源辩体》卷三六："李于鳞《古今诗删》，首古逸诗，次汉、魏、六朝乐府，次汉、魏、六朝诗，次唐诗，次国朝诗。其去取之意，漫不可晓。大要黜才华，尚气格，而复有不然。姑摘其最异者，如汉、魏诗录《柏梁台联句》及应璩《百一》后二首，而曹、刘佳者多遗；长篇取蔡琰《悲愤》而遗《焦仲卿》；'日暮秋云阴'乃六朝人诗，不能辨也。唐五言古'感遇'，不取陈子昂而取张九龄；七言歌行，高适取十二篇而岑参五篇，孟浩然一篇，不取《鹿门歌》而取《送王七尉松滋》；七言律，太白一篇，取《凤凰台》而遗《送贺监》。国朝诗，则伯温多而季迪少。五言古，季迪止短篇二首，而七言不录。献吉七言古止三篇，其二为初唐体。仲默有六篇，而初唐体不录。五言律，仲默三十首，多非所长；昌谷止一篇而已。其它不能悉论也。王元美云：'始见于鳞选明诗，余谓如此何以鼓吹唐音？及见唐诗，谓何以衿裾古选？及见古选，谓何以箕裘《风》《雅》？乃至陈思《赠白马》、杜陵李白歌行，亦多弃掷。岂所谓英雄欺人，不可尽信耶？'"《四库全书总目》卷一八九集部总集类四著录李攀龙编《古今诗删》三十四卷，提要曰："是编为所录历代之诗。每代各自分体。始于古逸，次以汉、魏、南北朝，次以唐，唐以后继以明，多录同时诸人之作，而不及宋、元。盖自李梦阳倡不读唐以后书之说，前后七子，率以此论相尚。攀龙是选，犹是志也。江淹作杂拟诗，上自汉京，下至齐、梁，古今咸列，正变不遗。其序有曰：'蛾眉讵同貌而俱动于魄，芳草宁共气而皆悦于魂。'又曰：'世之诸贤，各滞所迷，莫不论甘而忌辛，好丹而非素。岂所谓通方广恕，好远兼爱。'然则文章派别，不主一途。但可以工拙为程，未容以时代为限。宋诗导黄、陈之派，多生硬权桠。元诗沿温、李之波，多绮靡婉弱。论其流弊，诚亦多端。然钜制鸿篇，亦不胜数。何容删除两代，等之自郐无讥。王士禛《论诗绝句》有曰：'铁崖乐府气淋漓，渊颖歌行格尽奇。耳食纷纷说开宝，几人眼见宋元诗。'其殆为梦阳辈发欤？且以此选所录而论，唐末之韦庄、李建勋，距宋初阅岁无多。明初之刘基、梁寅，在元末吟篇不少。何以数年之内，今古顿殊，一人之身，薰莸互异。此真门户之见，入主出奴，不缘真有限断。厥后摹拟剽窃，流弊万端，遂与公安、竟陵同受后人之诟厉，岂非高谈盛气有以激之，遂至出尔反尔乎？然明季论诗之党，判于七子。七子论诗之旨，不外此编。录而存之，亦足以见风会变迁之故，是非蜂起之由，未可废也。流俗所行，别有攀龙《唐诗选》。攀龙实无是书，乃明末坊贾割取《诗删》中唐诗，加以评注，别立斯名。以其流传既久，今亦别存其目，而不录其书焉。"明末刊行之《唐诗选》，有陈文烛序。《诗源辩体》卷三五："李于鳞《唐诗选序》，本非确论，冒伯麐极称美之，可谓惑矣。《序》曰：'唐无五言古诗，而有其古诗。陈子昂以其古诗为古诗，弗取也。'愚按，谓子昂以唐人古诗而为汉魏古诗弗取，犹当；谓唐人古诗非汉魏古诗而皆弗取，则非。（汉、魏、李、杜，各极其至。见李杜总论。）观其所选唐人五言古仅十四首，而亦非汉魏之诗，是以唐人古诗皆非汉魏古诗弗取耳。曰：'七言古，太白纵横，往往强弩之末。'太白光焰万丈，古今慑伏，不知于鳞视为何物。曰：'五言律、排律，诸家概多佳句。'曰'多佳句'，则无佳篇可知。不太罔耶？曰：'七言律体，诸家所难。王维、李颀，颇臻其妙。'予意嘉州未可少也。""予尝谓：学诗者当取古人所长，济己之短，乃为善学。（见前卷。）于鳞谓'唐无五言古诗'、'太白七言古，往往强弩之末'，此虽意见有偏，亦是己不能骋而忌人之骋耳。观其所选唐人五、七言古，是岂足以知唐人，又岂足以知李、杜哉？"又卷三六："李于鳞《唐诗选》，较《诗删》所录益少，中复有《诗删》所无者。其去取之意，亦不可晓。元美、元成既尝论之，而敬美之序，亦寓诋讽。如太白五言古，止录'长安一片月'、'子房未虎啸'二篇；七言古，止录'黄云城边'、'木兰之枻'二篇，若以此法选李，是欲扰龙而缚虎也。初唐五言律，沈宋为正宗，今止录二篇，而沈不录。张燕公五、七言律各三篇，可无录也。其它谬戾颇多，不能一一致辩。今初学但以于鳞所选，辄尊信之，实以于鳞名高一代，要亦未睹诸家全集耳。胡元瑞云：'于鳞选唐诗，与己作略无交涉。'英雄欺人，不当至是。""尝与黄介子伯仲言于鳞选唐诗似未睹诸家全集，介子伯仲曰：'向观于鳞《诗选》所录，不出《品汇》。如《品汇》五言古以崔颢为'羽翼'，故次韦柳'名家'之后。七言古，张若虚、卫万无世次可考，故次'余响'之后；骆宾王以歌行长篇，故又次张、卫之后。今于鳞既无分别，而次序亦如之，是可证也。'予因而考之，信然。""予尝谓：选诗者须以李选李，以杜选杜，至于高、岑、王、孟，莫不皆然。若以己意选诗，则失所长矣。故诸家选诗者多任己意，不足凭据。若于鳞《诗选》，又与己作略无交涉，良可怪也。""于鳞《诗选》，其害甚于中郎、伯敬。盖中郎、伯敬尚偏奇、黜雅正，一时后进虽为所惑，后世苟能反正，其惑易除。于鳞似宗雅正，而实多谬戾，学者苟不睹诸家全集，不免终为所误耳。孔子恶似而非，予于于鳞亦云。"心斋居士《而庵诗话跋》："明人选唐诗为世所通行者：一曰李于鳞《唐诗选》，一曰钟、谭《诗归》。二者廊庙山林，未免偏有所重。偏有所重，则必偏有所废矣。毋惑乎后人纷纷聚讼也。今而庵说唐诗则不唯其文而唯其体，又为选家辟一蹊径。观其《诗话》所云，盖胸中确有所见，非徒为大言以欺世者，读者当自得之也。心斋居士题。"

沈孟柈《钱塘湖隐济颠禅师语录》（不分卷）现存最早版本于今年刊行。沈孟柈，仁和人。小说系据民间济公故事连缀成篇。具体成书年代不详。孙楷第《中国通俗小说书目》卷三著录："《钱塘湖隐济颠禅师语录》一卷。存，明隆庆刊本。（日本内阁文库）题'仁和沈孟柈叙述'。按，田汝成《西湖游览志余》引平话有《济颠》，云近世拟作。此沈氏编次本，虽演以俚语，似尚非话本。"孙楷第《日本东京所见小说书目》卷四著录更为详备。

王世懋由南京礼部仪制司主事升比部仪制员外郎。会其母病重，请急归。王世懋在南京一年有余，成《白门集》一书。黎民表《白门稿略序》："《白门集》者，盖游金陵诸诗也。敬美是时方壮齿盛气，铦锋括羽，以摩作者之垒，肆笔命篇，则已瑰玮跌宕，骊括便丽，轹开元、大历而上之，匪惟才挚，亦渐渍使然也。……万历丁丑秋七月，友人岭南黎民表书。"

王世贞《凤洲笔记》由黄美中刊行。《凤洲笔记》为王世贞诗文选集。《四库全书总目》卷一七七集部别集类存目四著录《凤洲笔记》二十四卷，续集、后集各四卷，提要云："是集乃隆庆己巳黄美中所编。前有美中序，称：世贞著作不能尽见，会从其侄孙少川子得此集，因编刻以公天下。盖当时摘选之本也。然命诗文曰笔记，其称名可谓不伦矣。"今年四月，王世贞抵浙江布政使司左参政任，分守湖州。十二月升山西按察使。

**汤显祖始读《文选》，颇以六朝情寄声色为好。**汤显祖尺牍《与陆景邺》云："仆少读西山《正宗》，因好为古人诗，未知其法。弱冠始读《文选》，辄以六朝情寄声色为好，亦无从受其法也。规模步趋，久而思路若有通焉，年已三十、四十矣。"（《汤显祖诗文集》卷四十七）西山，学者称真德秀（1178—1235）为西山先生，著有《文章正宗》。邹迪光《临川汤先生传》："公于书无所不读，而尤攻汉魏《文选》一书。至掩卷而诵，不讹只字。"

**陈耀文《正杨》成书。是书凡一百五十条，皆纠杨慎之讹。**《四库全书总目》卷一一九子部杂家类三著录《正杨》四卷，提要曰："明陈耀文撰。耀文有《经典稽疑》，已著录。是书凡一百五十条，皆纠杨慎之讹。成于隆庆己巳。前有李蓘序及耀文自序。慎于正德、嘉靖之间，以博学称，而所作《丹青录》诸书，不免瑕瑜并见，真伪互陈，又晚谪永昌，无书可检，惟凭记忆，未免多疏。耀文考正其非，不使转滋疑误，于学者不为无功。然蚌起争名，语多攻讦，丑同恶谑，无所不加。虽古人挟怨构争如吴缜之纠《新唐书》者，亦不至是，殊乖著作之体。又书成之后，王世贞颇有违言，耀文复增益之，反唇辨难，喧同诟詈，愤同寇仇。观是书者取其博赡，亦不可不戒其浮嚣也。朱国桢《涌幢小品》曰：自有《丹铅录》诸书，便有《正杨》，又有《正正杨》。古人、古事、古字，此书如彼，彼书如此，散见杂出，各不相同。见其一，不见其二，哄然纠驳，不免为前人所笑。是亦善于解纷之说。然博辨者固戒游词，精核者终归定论。国桢之病是书，竟欲取考证而废之，则又矫枉过正矣。"陈耀文字晦伯，确山人。万历庚戌进士。官至按察司副使。

**俞大猷《洗海近事》成书。**据四库提要。

**浙江布政使司右布政使莫如忠（1509—1589）辞官归，自此绝意荣进，不再出。**林景旸《明故通奉大夫浙江布政使司右布政使中江莫公行状》：莫如忠庚戌（1550）升贵州提学副使，投劾归，家居十五年。至丙寅（1566），"会庄皇帝即位，征召耆硕，言者复荐公。是时滁阳何柏泉先召入为冢宰，宣言莫公不起，何以称得人？而选部曹见台，欲以莆田蔡公例超拜公祭酒，不果，补湖广副使，未几擢河南参政，分署京粮。……戊辰（1568）升浙江右布政，军政士风丕变。己巳入贺万寿，太宰杨虞坡雅器公，会光禄卿需次，疏且上，而乡人龁龂之，不果。比公亦病疝，浩然有归志。"遂乞归，得请。

**吕调阳任吏部右侍郎。杨巍任兵部右侍郎。邹应龙任都察院左副都御史。**据王世贞《弇山堂别集》。

**邓渼（1569—？）生。**邓渼，字远游，新城人。万历戊戌（1598）进士，除浦江知县，调秀水，召为河南道御史，巡按云南，出为山东副使，历参政按察使，以佥都御史巡抚顺天。天启乙丑，为逆奄所恶，遣戍贵州。崇祯初，敕还，未及用而卒。有《留夷馆》、《南中》、《红泉》诸集。

胡震亨（1569—1645）生。胡震亨字孝辕，海盐人。万历丁酉（1597）举人，除固城教谕。历合肥知县，迁德州知州，不赴，改定州，擢兵部员外。有《赤城山人稿》。辑《唐音统签》一千余卷。

汪廷讷（约 1569—1628 后）约生于今年。据徐朔方《汪道昆年谱》。汪廷讷字去泰，徽州休宁人。有《坐隐先生集》。所作传奇已知有十五种，今存《狮吼》、《种玉》、《三祝》、《投桃》、《彩舟》、《天书》、《义烈》等七种。

## 公元 1570 年（穆宗隆庆四年　庚午）

### 正月

李攀龙为欧大任《广陵十先生传》作序。序云："明兴二百年，广陵多文学之士，乃今始有宗臣云，今勿论其所得，即自储公，已力图复古，推毂献吉、仲默辈，而伯时、子云、叔鸣、升之亦各以声艺翱翔李、何间矣！子相后出，相劝而成者乎，翩翩孔璋之流也。"序署"隆庆四年春正月，济南李攀龙撰"。时李攀龙在河南按察使任。

### 四月

薛应旂为俞宪编《盛明百家诗》作序。《盛明百家诗》为明诗总集。序云："余友是堂俞公，谢宪长家居，杜门温绎旧所读书，不屑屑于鄙琐事，间乃尽索我明诸名人诗，汇次成编，凡数百家。家为删定，缀以小序，题曰《盛明百家诗》，以彰昭代人文之盛。刻成，属余序之。余谓俞公平生，经纶方略，欲大有为于时，而弗克究其志以归。掩关渊潜，于世若无涉，而中实耿耿。凡所以维持世风，警切时事者，有不能以但已也。其为是者，盖自附于古人陈诗采风之义，而岂为骚人墨士立赤帜哉！"序署"隆庆四年庚午夏四月望，武进薛应旂顿首书于太虚草堂"。俞宪编《盛明百家诗》已于此前刻行，嗣后陆续增补。另有皇甫汸序，署"隆庆庚午长至日前进士司勋大夫吴郡友人皇甫汸子循撰"。长至日或为五月，或为十一月。俞宪《刻盛明百家诗总序》署"隆庆辛未秋九月朔"，则作于明年。《盛明百家诗》卷帙颇繁，晚明华淑曾据以删选增补，成《盛明百家诗选》一书，有陈继儒、李维桢、邹迪光序。《四库全书总目》总集类存目三著录《明百家诗选》三十四卷，云明朱之蕃编，或别为一本。按，《盛明百家诗》在明代流传颇广，编者俞宪亦颇为自负，然在清代，则时遭诟厉。《围炉诗话》卷六："余之深恨二李也有故：天启癸亥，年始十三，自不知揣量，妄意学诗，得何人所刻《盛明诗选》，陈朽秽恶之物，童稚无知，见其铿锵绚丽，竟以盛明直接盛唐，视大历如无有，何况开成！自居千古人物，李、杜、高、岑乃堪为友，鼻息拂云者十年。癸酉冬，读唐人全集，乃知诗道不然，返观《盛明诗选》，无不蜡卮其外，败絮其中；自所作诗与平日言论，如醉后失礼于人，醒时思之，惭汗无地。吴地有秋根之名，谓本无所知能，而自以为甚知甚能者也。如吴乔者，秋根何辞！年七八十，一句不办，始谋不藏致之也。'曾为荡子偏怜客'，是以不遮丑态而极陈之。辛未、壬申，余于欧、苏稍有一隙之明矣，犹谓明人文不合宋，诗不违唐；次年始知其谬。邪说之易于惑人，下愚之难于改步如此。"《静志居诗话》卷十二《俞宪》："汝成手辑《盛明百家诗》，足称好事。而甄综未当，舍彼兰蕙，反存葭蓕。卷首题识，都不成文。"《四库全书总目》卷一九二集部总集类存目二著录《盛明百家诗》三百卷，提要曰："明俞宪编。宪字汝成，无锡人。嘉靖戊戌进士。官至湖广按察使。世传李攀龙《送俞臬使赴湖广》诗，有'江汉日高天子气，楼台秋敞大王风'，以为似陈友谅僭位柱联者，即其人也。是编所录诸集，每人各冠以小序，略如殷璠《河岳英灵集》例。然其学沿七子之余波，未免好收摹仿古调、填缀肤词之作。又务以标榜声气为宗，不以鉴别篇章为事。故略于明初，而详于同时。至以其子渊、沂之诗列为二家，殆有王福畤之癖矣。"

## 五月

**袁中道**（1570—1623）生。中道字小修，公安人。万历三十一年始举于乡，又十四年乃成进士，官徽州教授，历国子博士、南京礼部主事。天启四年进南京吏部郎中，卒于官。有《珂雪斋集》。

## 八月

**李攀龙汇次徐中行**（1517—1578）**诗为《青萝馆诗集》，由汪时元刻行。**陈有守《青萝馆诗集序》："子与崛起东南，藉甚有名，时而省觐，时而待次，游客过从，日尝满坐，为诗赠答，益以蕃多。于鳞每见，则推毂子与，流传方国，脍炙士林，假以岁年，超诣化境，可俟英雄于异世也。乃为次以成帙，题曰《青萝馆诗集》。子婿汪时元，余尝□之学诗有年，请而刻之，以传同好。……隆庆庚午秋八月，六水山人陈有守撰。"王世贞《青萝馆诗集序》："于鳞盖尝铨子与诗，得十五之一而行之，且许为之叙，而无何于鳞没矣。"李攀龙字于鳞。《四库全书总目》卷一七八集部别集类存目五著录《青萝馆诗》六卷，提要曰："明徐中行撰。是集乃隆庆中其婿汪时元所刻。其守汝宁以后之诗居三分之一。汰其古文，又汰其少作，较前集为精简。然中行于北地之学渐染既深，时元能删其枝蔓，不能变其根柢也。"

**李攀龙**（1514—1570）卒。殷士儋《墓志铭》："于鳞李氏，攀龙名……庚子（1540）乡荐第二人。甲辰（1544）赐同进士出身，试政吏部文选司。乙巳（1545）以疾告归……丙午（1546）还京师，聘充顺天乡试同考试官，简拔多奇士。丁未（1547）授刑部广东司主事……三年升员外郎。明年迁山西司郎中……癸丑（1553）出守顺德……比三岁，有十数最书，擢陕西按察司提学副使。……凡十历年所，今天子用言者起为浙江副使，二年稍迁参政，入贺，过家觐省。将南，寻升河南按察使，遂奉太恭人俱。越四月而太恭人卒，于鳞持丧归，甚毁，及小祥而渐平，无何暴疾，再日而绝。岁庚午八月二十日也，年五十有七。所著有《白雪楼集》行世，他诗尚若干首，文若干首，或问于殷子曰：王元美谓律至仲默而畅，献吉而大，于鳞而高，要之有化境在。古惟子美，今或于鳞。虽于鳞亦自谓拟议以成其变化矣。于鳞信才，意不至如所称乎？殷子曰：夫亲见扬子云者，肯信桓谭之论非私哉！夫于鳞雄浑劲迅，掉鞅于诗坛，彼其视献吉诗，犹傅会庞杂，文菶菶寡灏灜鸿洞之气，所为推献吉者，多其划除草昧功也。故曰：能为献吉辈者，乃能不为献吉辈者。然于鳞方且痛人诋其文辞相矜，不达于政，游刃引割，所至弦歌亦治，操概凛洁，耻为色泽，称其为文。于鳞独文士乎哉？"《艺苑闲评》："李于鳞诗多'风尘'，人呼为'李风尘'。其卒也，偶因举笔作文，心痛陡毙。嗟嗟，人称文士刳肠刿肺，不其然乎！"《四库全书总目》集部别集类二五著录《沧溟集》三十卷、附录一卷；集部别集类存目四著录《白雪楼诗集》十卷、《李沧溟集选》四卷；集部总集类四著录李攀龙编《古今诗删》三十四卷，集部总集类存目二著录旧题李攀龙编《唐诗选》七卷；子部类书类存目一著录旧题李攀龙撰《诗学事类》二十四卷、旧题李攀龙撰《韵学事类》十二卷、旧题李攀龙撰《韵学渊海》十二卷。后世之于攀龙，评论重点有二：一是其历史地位；一是就其不同诗体的成就作出判断。兹择要选录数则。王世贞《李于鳞先生传》："大司空朱公衡时巡抚，司于鳞间迫起之，为置酒欢甚，自是诸公推毂于鳞者相踵。而会今上初大征召耆硕，于鳞复用荐起浙江按察副使（1567）。尝视海道篆，按核军实，一切治办。俄迁布政司左参政，奉万寿表入贺，道拜河南按察使（1569）。中州士大夫闻于鳞来，鼓舞相庆，而于鳞亦能摧亢为和，圆方互见，其客稍稍进。无何而太恭人捐馆，扶服还里，不胜毁，病困，久之小间，寻暴心痛，一日卒，年五十七。所著《白雪楼集》三十卷行于世。子驹，博学能文章，有父风。王子曰：世能名于鳞，莫能名于鳞所以。其旁睨千古，欲凌而上之，乃至不得尽废其遗。要之，创获之语，烺烺象表者，不虚负也。或谓其声不畅实，位不配望，寿不竟志，以为恨。夫漆园、玄亭，杜门著书而生，寥寥者岂一于鳞也？籍令台鼎足重李生，彼夫屈、宋两司马，几先得之矣。无涯之智，结为大年，月日经天，光彩常鲜。呜呼，何恨哉！"（《沧溟集》附录）王世懋《艺圃撷余》："子美而后，能为其言而真足追配者，献吉、于鳞两家耳。以五言言之，献吉以气合，于鳞以趣合。夫人语趣似高于气，然须学者自咏自求，谁当更合。七言律，献吉求似于句，而求专于骨；于鳞求似于情，而求胜于句。然则无差乎？曰：噫，于鳞秀。"屠隆《论诗文》："于鳞诗丽而精，其失也狭；元美诗富而大，其失也杂。若以元美之赡博，加之于鳞之雄俊，何可当也？……于鳞才高而不大，元美才大而少精。于鳞所乏深情远韵，元美所乏玄言名理。……元美大家，于鳞为大家不足。子相名家，公实、子与、明卿为名家不足。（《鸿苞节录》卷六上）《诗薮》内编卷六《近体下·绝句》："仲默不甚工绝句，献吉兼师李、杜及盛唐诸家，虽才力绝大而调颇纯驳。惟于鳞一以太白、龙标为主，故其风神高迈，直接盛唐，而五言绝寥寥，如出二手，信兼美之难也。张助父太和七十绝，足可于鳞并驱。"《诗源辩体》后集纂要卷二："于鳞七言律，冠冕雄壮，俊亮高华，直欲逼唐人而上之。其俊亮处或有近晚唐者，余子亦然。然二十篇而外，句意多同，故后人往往相诋。然唐人七言律，李颀诸公仅得数篇，尚足不朽，于鳞严选可得二十余篇，顾不足以传后耶？但后进初学，志尚奇僻，于其高华雄壮处实不相投，故托之温雅以抑其雄壮，托之清淡以抑其高华，既未足以压服人心，则直以句意多同，并乾坤、日月、紫气、黄金等字责之矣。如'自许铁冠冲瘴疠，兼携白笔扫风霜。''弹章气借山河壮，执法秋临节钺寒。''白日自流荒徼外，青山不尽夜郎西。''百粤大云摇海色，九峰寒雨壮秋阴。''千乘旌旗分羽卫，九河春色护楼船。''腾装杀气三江合，吹角长风万里生。''鼓角疑从天上落，轺车真自日边来。''地拆黄河趋碣石，天回紫塞抱长安。''山连大陆蟠三晋，水划中原散九河。'

'苍龙半挂秦川雨，石马长嘶汉苑风。''大壑秋阴生蜃气，扶桑日色照楼台。''巴山渐出云连楚，剑阁回看雪照秦。''千峰曙色开金掌，并马寒光照锦袍。''漳河雨雪襜帷黑，大漠风尘燧火青。''青樽夜倒滹沱月，紫马秋嘶大陆云。''黛色总疑天目雨，寒声不辨浙江潮'等句，冠冕雄壮者也，但较之献吉，则着意贾勇耳。五言律，体虽宏大，而警绝者少，间有俊语，乃七言剩余。七言绝入录者，较律声调虽同，而意实宽裕，足配龙标。""于鳞七言律，冠冕雄壮，诚足凌跨百代，然不能不起后进之疑者，以其不能尽变也。唐人五七言律，李杜勿论，即王孟诸子，莫不因题制体，遇境生情。于鳞先意定格，一以冠冕雄壮为主，故不惟调多一律，而句意亦每每相同，元美谓'守其俊语，不轻变化'是也。然或厌其一律而录其别调，则又失其所长，非复本相矣。余子亦然。"王士祯《师友诗传录》："问：'李沧溟先生尝称唐人无古诗，盖言唐人之五古，与汉、魏、六朝自别也。唐人七言古诗，诚掩前绝后，奇妙难踪；若五古似不能相颉颃。沧溟之言，果为定论欤？'阮亭答：'沧溟先生论五言，谓："唐无五言古诗，而有其古诗。"此定论也。常熟钱氏但截取上一句，以为沧溟罪案，沧溟不受也。要之，唐五言古固多妙绪，较诸《十九首》、陈思、陶、谢，自然区别。七言古若李太白、杜子美、韩退之三家，横绝万古；后之追风蹑景，惟苏长公一人而已。'"《明诗别裁集》卷八录李攀龙诗三十五首。《四库全书总目》集部别集类二五著录李攀龙《沧溟集》三十卷、附录一卷，提要曰："明代文章，自前后七子而大变。前七子以李梦阳为冠，何景明附翼之。后七子以攀龙为冠，王世贞应和之。后攀龙先逝，而世贞名位日昌，声气日广，著述日富，坛坫遂跻攀龙上。然尊北地，排长沙，续前七子之焰者，攀龙实首倡也。殷士儋作攀龙墓志，称文自西汉以来，诗自天宝以下，若为其毫素污者，辄不忍为。故所作一字、一句，摹拟古人。骤然读之，斑驳陆离，如见秦汉间人。高华伟丽，如见开元、天宝间人也。至万历间，公安袁宏道兄弟始以赝古诋之。天启中，临川艾南英排之尤力。今观其集，古乐府割剥字句，诚不免剽窃之讥。诸体诗亦亮节较多，微情差少。杂文更有意诘屈其词，涂饰其字，诚不免如诸家所议。然攀龙资地本高，记诵亦博。其才力富健，凌轹一时，实有不可磨灭者。汰其肤廓，撷其英华，固亦豪杰之士。誉者过情，毁者亦太甚矣。"《明诗纪事》己签卷一录李攀龙诗八首。

**欧大任作诗哭李攀龙**，题为《哭李于鳞》，颇蕴藉动人。诗云："梁园归去老菟裘，闻道先生不下楼。太白星沉沧海夜，岱宗云散大荒秋。歌风东国泱泱后，作赋西京楚楚流。千古巫阳招莫返，青山何处挂吴钩。"《明诗纪事》己签卷四收入此诗，陈田按："哭于鳞诗作者多矣，惟此诗蕴藉动人。"

**丁士美、申时行等任乡试主考**。《弇山堂别集》卷八十三《科试考三》："四年庚午，命右春坊右谕德兼翰林侍读丁士美、翰林院修撰申时行主顺天试。进乡试录有重页者，夺府丞宋纁、谕德丁士美、修撰申时行俸各两月。命司经局洗马兼翰林院侍讲马自强、翰林院侍读陶大临主应天试。""时江西提学副使陈万言以科举校士遗落者悉诣巡按御史刘思问求复校，几四万人，思问与期会都司署中，且日思问未至，士争门入，骈杂喧乱。都指挥王国光呵叱之，退相蹂践，死者六十余人。是岁乡试，南昌知县刘绍恤主弥封，绍恤在县中有素所奖拔士试而中者二人，士论哗然，谓绍恤私二人，从落卷搜出，改洗冒中。于是南科道官请谪思问、万言，罢绍恤，并黜二生。下吏礼二部议，思问无罪，国光行抚臣逮问，二人中式，绍恤实不私，然不应招致门下，以起事端，其与万言俱以不及调用。奏可。"

汤显祖以第八名中举。邹迪光《临川汤先生传》："庚午举于乡，年犹弱冠耳。见者益复啧啧曰：此儿汗血，可致千里，非仅仅蹀躞康庄也者。彼其时于古文词而外，能精乐府歌行五七言诗，诸史百家而外，通天官、地理、医药、卜筮、河渠、墨、兵、神经、怪牒诸书矣。公虽一孝廉乎，而名蔽天壤，海内人以得见汤义仍为幸。"汤显祖《上马映台先生》："庚午之秋，所录者弟子某一人而已。"马千乘，字国良，号映台，时任试官。

## 九月

吴岳（1504—1570）卒。《国朝献征录》卷四二佚名《南京兵部尚书吴岳传》："南京兵部尚书吴岳，山东汶上人，嘉靖壬辰（1532）进士。初授户部主事，历员外郎郎中，升庐州知府，移保定，擢山西按察司副使，累升都察院右佥都御史，巡抚保定，移疾请告者十余年，起家副都御史，巡抚贵州，寻协理院事，吏部左右侍郎，南京□礼兵部尚书，以考满如京师，过家病卒，时隆庆四年九月。讣闻，予祭葬如例。岳居官清介，而质直简易有古风，士论重之。"又卷二七佚名《南京吏部尚书吴公岳传》："吴岳字汝乔，其先东阿人也，迁汶上三世生岳。……卒年六十有七。……工为诗歌，沉深典雅，屏去色泽，而耻以自炫。著述不多，梓行诗集二卷。"《千顷堂书目》著录吴岳《诗集》二卷，《明史·艺文志》著录吴岳《礼考》一卷。《明诗纪事》戊签卷十八录吴岳诗二首，谓吴岳有《望湖遗稿》，又引《海岳灵秀集》曰："冢宰诗隽逸清丽，入盛唐蹊径。"

## 十月

汪道昆为徐中行（1517—1578）《青萝馆诗集》作序。序署"隆庆四年冬十月朔"。时汪道昆在兵部右侍郎任。《青萝馆诗》，徐中行著。序表彰中行在七子内部与诸人关系融洽，此一事实为众所公认。《青萝馆诗集》另有陈有守序，作于"隆庆庚午秋八月"；有王世贞序，作于1576年，时中行年已六十。王序云："记不佞初识子与，时子与业已壮，有游大人名，而一旦见于鳞而悦之，尽弃其学而学焉。即有构，而亡近于建安三谢开元大历弗出也，出而亡当于于鳞之首肯，弗存也。凡与子与故倡和者，或挽之，或摄之，或訾笑之，而子与嚣嚣然而弗顾者，三十年一日矣，则子与之自信孰甚焉？度子与生平诗，今铨者仅十五之一，而其所谓十五之一，则皆其见于鳞以后者也。其见于鳞前而脍炙学士大夫口者，余犹能忆之，子与削而亡所吝也。王世贞《中奉大夫江西布政使司左布政使天目徐公墓碑》亦云："公孝友敦睦，宽然长者，其舌有臧而无否。轻财好施，不为帑藏，泛爱亲仁，久而弥笃。所庄事李攀龙，盖不敢以友进者终身矣。吾曹若宗臣、梁有誉早死，攀龙高简少延纳，国伦与世贞不耐毋口语，而世贞性复脱疏，即操觚者思甘心焉。而于公靡间言，以故得醍醐称，一日国老，和而甘且善剂也。"

点苍山人《平黔三记》成书。据四库提要。

## 十二月

俞宪编骆文盛《骆两溪集》入《盛明百家诗》。卷首题识署"是岁十二月既望，锡山俞宪汝成甫识"。

## 本年

王世贞作《太保歌》诗。太保指陆炳。炳以锦衣卫副千户，官至太保兼少傅掌锦衣卫。《明史》卷三〇七本传云："三公无兼三孤者，仅于炳见之。炳任豪恶吏为爪牙，悉知民间铢两奸。富人有小过，辄收捕没其家。积赀数百万，营别宅十余所，庄园遍四方，势倾天下。时严嵩父子尽揽六曹事，炳无所不关说。文武大吏争走其门，岁入不赀。结权要，周旋善类，亦无所吝。帝数起大狱，炳多所保全。折节士大夫，未尝构陷一人。以故朝士多称之者。（嘉靖）三十九年卒官。赠忠诚伯，谥武惠。祭葬有加。官其子为本卫指挥佥事。隆庆初，用御史言追论炳罪，削秩，籍其产。夺绎及弟太常少卿炜官。坐赃数十万，系绎等追偿，久之赀尽。"《穆宗实录》云，陆炳庄田达三千余顷。《实录》又云，今年九月以御史张守约之劾，陆炳"本当戮尸尽法，第身故既久，姑削其官职，追夺诰命，（子）绎、（侄）绪、（弟太常卿）炜俱革职，发原籍为民"，籍其家，党恶于边卫充军。事在今年九月。按，王世贞去冬调任山西按察使，今年六月到任。王世懋去年由南京礼部仪制司员外郎迁北京礼部仪制司员外郎。今年九月，王世贞、王世懋丁母忧去职。

高濂作《玉簪记》传奇。据徐朔方《晚明曲家年谱》。《今乐考证·著录五·明院本》："高濂二种：《节孝》、《玉簪》。《古今女史》载：'宋女贞观陈妙常尼年二十余，姿色出群，诗文俊雅，工音律。张于湖授临江令，宿女贞观，见妙常，以词调之，妙常亦以词拒。词载《名媛玑囊》。后与于湖故人潘法成私通情洽，潘密告于湖，以计断为夫妇。即俗传《玉簪记》是也。'濂，钱塘人。"

汪道昆结丰干诗社。与会者有陈仲鱼、方献成、方羽仲、方君在、方元素、谢少廉、程子虚，称七君子。汪道昆《太函集》卷七十二《丰干社记》云："往余家食，窃称诗徒中，二仲雅从余游……遂盟七君子为会丰干。七君子则孝廉陈仲鱼、文学方献成、方羽仲、方君在、方元素、谢少廉、程子虚。会吴虎臣将游江淮，愿以布衣来会。盟既合，虎臣行，适余起家徒中，虚无人矣。诸君子讲业丰干之上，修故约如初。既余以归省入徒中……不佞故不能诗，仅以经术进。五十将至，犹然无所成名。"今年二月，汪道昆起为郧阳巡抚，七月到任。

李先芳《读诗私记》成书。所释多依从毛、郑，毛、郑有所难通，则参之吕氏《读诗记》、严氏《诗缉》诸书。《四库全书总目》卷一六经部诗类二著录《读诗私记》二卷，提要曰："明李先芳撰。先芳字伯承，号北山，监利人，寄籍濮州。嘉靖丁未进士。官至尚宝司少卿。《明史·文苑传》载王世贞所定广五子，先芳其一也。是书成于隆庆四年。所释大抵多从毛、郑，毛、郑有所难通，则参之吕氏《读诗记》、严氏《诗缉》诸书。其自序曰：文公谓小序不得小雅之说，一举而归之刺。马端临谓文公不得郑、卫之风，一举而归之淫。胥有然否？不自揣量，折衷其间云云。盖不专主一家者，故其议论平和，绝无区分门户之见。如说《郑风·子衿》，仍从学校之习，则不取朱说。谓国风、小雅初无变正之名，则不从汉说。至《楚茨》、《南山》等四篇，则小序与《集传》之说并存，不置可否。盖小序皆以为刺幽王，义有难通。而《集传》所云，又于古无考。故阙所疑也。虽援据不广，时有阙略，要其大纲，则与凿空臆撰者殊矣。朱彝尊《经义考》载先芳有《毛诗考正》，不列卷数，注曰未见，而不载此书。其为一书两书，盖不可考。然此书亦多辩订《毛传》，或彝尊传闻未审，误记其名欤？"

张昶《吴中人物志》成书。黄汴《图注水陆路程途》成书。石邦政《丰润县志》成书。《隆庆永州府志》成书。李栻《困学纂言》刊行。据四库提要。

徐师曾（1517—1580）《文体明辨》成书。该书系据明初吴讷《文章辨体》增损而成。《文体明辨》八十四卷，凡纲领一卷，诗文六十一卷，目录六卷，附录十四卷，附录目录二卷。《四库全书总目》卷一九二集部总集类存目二著录，提要云：《文体明辨》"盖取明初吴讷之《文章辨体》而损益之。讷书《内编》仅分体五十四，《外编》仅分体五，前代文格，约略已备。师曾欲以繁富胜之，乃广《正集》之目为一百有一，广《附录》之目为二十有六。首以古歌谣词，皆汉以前作，真伪不辨，而以李贺一诗参其间，岂东京而后只此一诗追古耶？次四言诗，以分章者为正体，以不分章者为变体。次楚辞，分古赋之祖、文赋之祖、摹拟楚辞三例。次赋，分古赋、俳赋、文赋、律赋四例；又有正体而间出于俳，变体流于文赋之渐二变例。次乐府，全窃郭茂倩书，而稍益以《宋史·乐志》，其不选者，亦附存其目。次诗，取《文选》门类稍增之，所录止于晚唐，宋以后无一字。次诏诰诸文，皆分古体、俗体二例。次为书表诸表，则古体之外，添唐体宋体。碑则正体变体之外，又增一别体。甚至墓志以铭之字数分体。其余亦莫不忽分忽合，忽彼忽此，或标类于题前，或标类于题下，千条万绪，无复体例可求，所谓治丝而棼者欤！"徐师曾重视体类特征和各体文章的写作"准则"，认为"文章之有体裁，犹宫室之有制度，器皿之有法式也"。"苟不合制度法式，而率意为之，其不见笑于识者鲜矣，况文章乎？"（徐师曾《文体明辨序》）其分体虽嫌琐碎，但条分缕析，颇有助于文章体类的研究。

周天球（1514—1595）初游北京。其诗为胡应麟所称赏，而诗名颇为书法所掩。于慎行《周幼海先生小传》："周幼海先生者，吴门高隐也，名天球，字公瑕。其少时游文待诏（文徵明）门下，习为书法，待诏亟许可之：'他日得吾笔者周生也。'及籍诸生，不喜治帖括语，治亦不工。顾独好古文辞，诸同舍少年相与窃笑先生，先生益自喜不顾。以故游日益困，度终不能委蛇逐时，则谢诸生去，深自闭，绝外交，陈百家所论著，日夜切劘，求一当古作者。久之其业乃成，而书法亦日有名，为吴人所宗。于是先生曰：'嗟乎，吾有以自见矣！'乃出……隆庆庚午，大司空朱公、御史大夫王公使使奉书，迎先生游长安，先生为一来。当是时，成国弟太傅好客，舍先生上舍，日造门下，供具甚恭，客皆严事先生。而台省贵游，日相与过谒先生，舆骑罗户外。先生幅巾大带，出与语，至移日夕。或操斗酒与游湖山间，先生亦间往。然不自驾修谒候，即平生故人甚昵者，亦未尝请间有言也。"《列朝诗集小传》丁集中：天球"隆庆中，游长安，燕集唱酬之作，一时词客皆为让坐，而诗名颇为书法所掩。胡应麟《诗薮》，盛称其《观象台》诸作，以为绝伦。大率声调雄壮，规摹王、李，去吴中风雅远矣。"钱谦益所称胡应麟语，见《诗薮》续编卷二《国朝下》："周公瑕以书名一代，诗五言律沉婉有致，七言律尤工，合作处高华整丽，足上下嘉、隆诸子，而世率以书名掩之。如《游燕》诸作，《毗卢阁》、《观象台》等篇，皆必传于后世者，异世自当有定论也。朱司空、汪司马、王长公、次公，咸亟称其诗。以公瑕不近名，故其语罕传云。"汪司马谓汪道昆，王长公谓王世贞，次公谓王世懋。

**丁士美任讲读学士。诸大绶任吏部右侍郎。靳学颜、邹应龙任工部右侍郎。董传策任大理寺卿。魏学曾任都察院右副都御史。**据王世贞《弇山堂别集》。

**归有光升南京太仆寺丞。**王锡爵《明太仆寺寺丞归公墓志铭》："熙甫至顺德，为土室蓬户，读书其中，不类居官者。庚午入贺，太仆寺留熙甫纂修寺志。以熙甫判顺德，所掌者马政也。会新郑高公、内江赵公，皆平生爱慕先生，时相次入政府，遂引先生为南京太仆寺寺丞。而惟扬李公，复留先生掌制敕，修《世庙实录》。"

**陈文烛（1535—?）任淮安知府。**康熙《淮安府志》卷三秩官知府："陈文烛，沔阳人，进士，四年任，有传，有祠。邵元哲，贵阳（贵，疑当作桂）人，进士，万历二年任，有传，有祠在龙兴寺。"隆庆四年至万历二年，陈文烛均在淮安知府任，与吴承恩颇多交往。陈文烛《吴射阳先生存稿序》："往陈子守淮安时，长兴徐子与过淮，汝忠往丞长兴，与子与善。三人者，呼酒韩侯祠内，酒酣论文论诗不倦也"。徐中行字子与，吴承恩字汝忠。

**徐渭在狱中。**据徐渭《畸谱》。

**张民表（1570—1642）生。**张民表字林宗，一字武仲，中牟人。万历辛卯（1591）举人。有《原圃》、《塞庵》诗集。

## 公元1571年（穆宗隆庆五年　辛未）

### 正月

**归有光（1506—1571）卒。**王锡爵《明太仆寺寺丞归公墓志铭》："先生生于正德元年，卒于隆庆五年，享年六十有六。""先生于书无所不通，然其大指，必取衷于《六经》，而好《太史公书》。所为抒写怀抱之文，温润典丽，如清庙之瑟，一唱三叹，无意于感人，而欢愉惨恻之思，溢于言语之外，嗟叹之，淫佚之，自不能已已。至于高文大册，铺张帝王之略，表章圣贤之道，若《河图》、《大训》，陈于玉几，和弓垂矢，并列珪璋黼黻之间，郑、卫之音，蛮夷之舞，自无所容。呜呼！可谓大雅不群者矣。然先生不独以文章名世，而其操行高洁，多人所难及者，余益为之叹慕云。"归有光著述，自明代起即评议甚多。兹择要选录，罗列于后。王世贞《吴中往哲像赞》："故太仆寺丞直文仪制敕归震川先生，讳有光，字熙甫，昆山人也。生而美风仪，性渊沉，于书无所不读，而尤邃经术，长于制科之业。自其为诸生，则已有名，及门之屦恒满。而先生方以久次膺贡，寻举应天乡试第二人。故相张文毅公治时主试，得先生文而奇之，大以国士相许。然至公车，则报罢。行年六十而始登第。又不得馆选，出令湖之长兴，逾三载，仅迁判顺德府。高新郑（高拱），其座主也，以大相秉铨，怜先生屈，拔为太仆丞。寻以太仆入司制敕，气稍发舒。而浙之台使复苛摘之，先生方属疾，郁郁不乐，遂卒。先生于古文词，虽出之自《史》、《汉》，而大较折衷于昌黎、庐陵。当其所得，意沛如也。不事雕饰而自有风味，超然当名家矣。其晚达而终不得意，尤为识者所惜云。赞曰：风行水上，涣为文章。当其风止，与水相忘。剪缀帖括，藻粉铺张。江左以还，极于陈、梁。千载有公，继韩、欧阳。余岂异趋？久而始伤。"钱谦益《嘉定四君集序》："《嘉定四君集》者，嘉定令四明谢君所刻唐叔达、娄子柔、程孟阳、李长蘅之诗文也。嘉靖之季，吾吴王司寇以文章自豪，祖汉祢唐，倾动海内。而昆山归熙甫昌言排之，所谓一二妄庸人为之巨子者也。当司寇贵盛之时，其颐气涕唾，足以浮沉天下士。熙甫穷老始得一第，又且前死，其名氏几为所抑没。二十年来，司寇之声华烜赫、烂漫卷帙者，霜降水涸，索然不见其所有；而熙甫之文，乃始有闻于世。以此知文章之真伪，终不可掩，而士之贵有以自信也。熙甫既没，其高第弟子多在嘉定，犹能守其师说，讲诵于荒江寂寞之滨。四君生于其乡，熟闻其师友绪论，相与服习而讨论之。如唐与娄，盖尝及司寇之门，而亲炙其声华矣。其问学之指归，则确乎不可拔，有如宋人之瓣香于南丰者。熙甫之流风遗书，久而弥著，则四君之力，不可诬也。四君之为诗文，大放厥词，各自己出，不必尽规摹熙甫。然其师承议论，以经经纬史为根柢，以文从字顺为体要，出车合辙，则固相与共之。"归庄《重刻先太仆府君论策跋》："太仆府君之文章，久为世所宗师，制举业则艾千子先生推为三百年来第一，古文则钱牧斋先生推为三百年来第一，后人更无容赞一辞矣。"戴名世《书归震川文集后》："震川好《史记》，自谓得子长之神。夫子长之神即班固且不能知，吾观《汉书》，其于子长文字删削处，皆失子长旨，而后之学《史记》者，句句而摹之，字字而拟之，岂复有《史记》乎？震川独得其神于百世之下，以自奋于江海之滨，当是时，王、李声名震动天下，震川几为所压，乃久而其光益著，而是非以明，然后知伪者之势不长，而真者之精气照耀人间而不可泯没也。顾今之知震川者少，而今之为震川者，其孤危又百倍震川，以俟后之为震川者知耳。"《明史·归有光传》："有光为古文，原本经术，好《太史公书》，得其神理。时王世贞主盟文坛，有光力相诋排，目为妄庸巨子。世贞大憾，其后亦心折有光，为之赞曰：'千载有公，继韩、欧阳。余岂异趋，久而自伤。'其推重如此。……有光制举义，湛深经术，卓然成大家。后德清胡友信与齐名，世并称归、胡。"《四库全书总目》著录归有光《三吴水利录》四卷、《震川文集》三十卷《别集》十卷、《震川文集初本》三十二卷。《震川文集》提要曰："初，太仓王世贞传北地、信阳之说，以秦汉之文倡率天下，无不靡然从风，相与剿剟古人，求附坛坫。有光独抱唐宋诸家遗集，与二三弟子讲授于荒江老屋之间，毅然与之抗衡，至诋世贞为庸妄巨子。世贞初亦抵牾，迨于晚年，乃始心折。故其题有光遗像赞曰：'风行水上，涣为文章。风定波息，与水相忘。千载惟公，继韩、欧阳。余岂异趣，久而自伤。'盖所持者正，虽以世贞之高名盛气，终无以夺之。自明季以来，学者知由韩、柳、欧、苏沿洄以溯秦汉者，有光实有力焉，不但以制艺雄一代也。"《明诗纪事》己签卷十五录归有光诗五首，陈田按："熙甫五古得古人遗韵，据事敷辞，皆有关系。王阮亭笑汪钝翁注熙甫诗:'人之嗜好,实有不可解者。'犹不免词人之见。"

## 二月

卜世臣(1572—1645)生。卜世臣字大匡,一字大荒,又字蓝水、孝裔、长公,号大荒逋客。秀水人。沈璟嫡传弟子。康熙《嘉兴府志》卷十四谓其"磊落不谐俗,日扃户著书。有《挂颊言》、《玉树清商》、《多识篇》、《乐府指南》、《卮言》及《山水合谱》。"另有传奇《冬青记》等。

## 三月

张元忭等进士及第。《弇山堂别集》卷八十三《科试考三》:"五年辛未,命少傅太子太傅史部尚书建极殿大学士张居正、掌詹事府事吏部左侍郎兼翰林院学士吕调阳主会试,取中邓以赞等四百人。廷试,赐张元忭、刘珹、邓以赞及第。""改进士赵用贤、黄洪宪、盛讷、刘虞夔、吴中行、公家臣、萧崇业、宋儒、张程、王祖嫡、宋范、赵燿、刘谐、史钶、石应岳、赵参鲁、王守成、王懋德、李盛春、秦燿、熊敦朴、赵鹏程、刘元震、何汝成、刘楚先、刘克正、孙成名、张应元、盛彬、孙训为庶吉士。"

同榜进士有郭子章(1542—1618)、吴中行、冯时可、刘伯渊、管志道(1536—1608)等。《戒庵老人漫笔》卷五《张太岳善鉴文》:"隆庆五年辛未科,张太岳居正以大学士为正主考,王荆石锡爵以右中允为第二房考。荆石得一奇卷,进之太岳,欲荐为魁列,再三言之,太岳曰:'此必轻狂淫荡之士,当非令器。'随抹两三行。荆石不获已,袖而藏之。至填四十名外,又固请,乃填中四十八名。拆出,乃休宁人曹诰也。曹赴会试,行囊不挟书册,惟携戏锣鬼面头子一箱耳。与诸举子宴寓舍,席间作僵尸,令人抬身走数遍,以为乐。闻者皆服太岳之鉴云。余闻一下第友说如此。"

王世贞为文祭李攀龙。王世懋亦有《哭于鳞先生》八首。王世贞《祭李于鳞文》:"维隆庆四年八月十九日,河南按察司按察使沧溟李先生于鳞卒于苫次,其友人山西按察司按察使孤子王世贞闻讣之一日,不及为位而以家艰归,至明年之三月壬戌朔哀毁小定,乃始能为诗百二十韵以哭之。"

赵讷等刊刻孔天胤(1505—1578后)《文谷孔先生文集》于家塾,赵讷作序。序署"隆庆五年辛未三月吉,赐进士第承德郎户部署郎中眷门生赵讷顿首撰"。洪朝选号芳洲,曾于1562、1566年分别刊行孔天胤《孔文谷先生诗集》、《孔文谷集》。

## 五月

王世贞作《〈重刻尺牍清裁〉小序》,叙重刻本编纂情形颇详。《尺牍清裁》卷首小序署"辛未夏五月望王世贞书"。序云:"杨用修氏所纂《尺牍》,仅八卷。余始益之,得廿八卷,颇行世。世有蔡中郎者,爱之,恨不得为帐中之秘耳。然余时时觉有挂漏,业已付梓,卒忽不复及。而会归自太原,幽忧之暇,稍露隙日。于鳞一旦奄成异代,邮筒永废,风流若扫。青灯吊影,不无山阳之慨;散帙暴晴,更成蜀州之叹。

俯仰今昔，责在后死。高文大篇，勒之琬琰矣。兹欲使间阔寒暄之谈，竿尺往复之致，附托群骥，以成不朽。爰广昔传，末及兹士。凡一千七百五十一条，一十三万一千三百六十二言，前后得六十卷。较之余刻十益其六，比于用修十益其九，亦云瀚博矣。……用修初名'赤牍'，无所据，或以古'尺''赤'通用耳。……改从'尺牍'。"

**张佳胤升任山西按察使。** 谢榛有《纪胜歌寄赠张廉宪肖甫》诗。廉宪，即提刑按察使。本年十月，张佳胤（字肖甫）升都察院右佥都御史，巡抚应天等处地方。

## 六月

**靳学颜（？—1571）卒。**《国朝献征录》所收佚名《吏部侍郎靳学颜》："吏部左侍郎靳学颜，隆庆五年六月卒，以三年未满，赐祭一坛，给半葬。学颜山东济宁州人，嘉靖乙未（1535）进士。初授南阳府推官，累官至左布政使，入为太仆光禄卿，都察院副都御史，巡抚山西，晋工部侍郎，改吏部，以病乞归，至是卒。学颜为人淳谨，内行修洁，文学气节俱为士论所重云。"所著《靳两城先生集》，有王圻刻序，署"万历岁次乙酉（1585）秋九月朔旦"；有于若瀛序，署"万历己丑（1589）春三月"。《四库全书总目》集部别集类存目四著录《两城集》二十卷，提要曰："是集前有于若瀛序，称所著有《闲存集》、《两城集》、《荒稿园志》等部。没后所存，仅十之二三。其子需等复裒辑为诗十四卷，文六卷，即此本也。其诗格律清整，而蹊径尚存，不脱历下流派。文则偶然挥洒而已"。

## 七月

**徐中行《青萝馆诗》刊行，俞允文作序。**序署"隆庆辛未秋七月"。

## 八月

**王世贞为沈恺（1492—1571后）《环溪草堂集》作序。**时沈恺已年届八十。序曰："沈翁后先所为诗文数十万言，凡若干卷，因其居而名之曰《环溪草堂集》，属不佞为之序。于是沈翁年八十矣。……隆庆辛未秋八月之望，赐进士出身、嘉议大夫、山西提刑按察司按察使，琅琊王世贞撰"。《环溪集》另有徐阶、张时彻、顿锐三序。徐序署"嘉靖岁己亥（1539）孟秋之吉"，张序、顿序作序年月不详。《四库全书总目》集部别集类存目四著录《环溪集》六卷，提要曰："是集皆所著杂文，乃其门人任子龙所编。前有徐阶序，题曰《凤峰杂集序》。又有文徵明序，亦题曰《凤峰子诗稿序》。疑今名为后来所追改，而又佚其诗集欤？考《千顷堂书目》别载《环溪集》二十六卷。则此非其全也。恺文章颇尚古雅，不肯作秦汉以下语。而模仿太甚，遂与北地同归。"《明诗纪事》戊签卷十七录沈恺诗四首，陈田按："环溪论诗，皈依何、李，五言亦爽脱有致。"

389

**朱观㷆选刻谢榛诗，收入《海岳灵秀集》。**朱观㷆选辑《海岳灵秀集》卷十七《谢四溟》："谢榛，字茂秦，号四溟。东昌之临清人。以布衣游缙绅间，多重之。其为诗刻苦，有语不惊人死不休之志。画李、杜像，朝夕焚香事之，故所作竟成家。语法盛唐而气格不逮。……隆庆辛未孟秋朱观㷆识。"

## 九月

**俞宪作《刻盛明百家诗总序》。**据序末题署。

**苏祐（1492—1571）卒。**于慎行《明故资政大夫兵部尚书兼都察院右都御史谷原苏公行状》："公讳祐，字允吉，初号舜泽，谷原其更号也。世为东昌濮人，居北王赵之原。"嘉靖丙戌进士。官至兵部尚书兼都察院右都御史。"辛未，仲子澹都试，卒京师，公遂於邑发病，以其年九月二十九日薨于正寝，距生弘治壬子七月九日，得寿八十岁。""博览群籍，游心千古，为文辞歌诗，遒丽典雅，海内以为名家。所著有《孙吴子集解》、《三关纪要》、《法家衰集》、《谷原诗文草》、《奏疏逌㳺》、《琐言》等书。"《列朝诗集小传》丁集上："侍郎诗，丽豪伉浪，奔放自喜，今人不复详其风格，徒以其声调叫号，近于雄浑，遂谓关塞之篇，不愧横槊，何相者之举肥也？鲁王孙观㷆评曰：'格不高而气逸，调不古而情真。'又谓其二子青出于蓝，盖齐鲁间之论如此。"《明人诗钞续集》卷七："谷原诗卧子极推重之，谓沉雄雅练，边塞之篇，不愧横槊。七言律格律精严，声调清亮，咄咄逸群而上。牧斋乃引鲁王孙观㷆之评，以为其二子青出于蓝。此论未公。谷原长子通判濂字子川，次子举人澹字子冲，咸有诗名。子川《大明湖》云：'风物湖中好，家家白板扉。浮云去水近，返照入林微。潮落渔矶浅，江寒雁影稀。晚来砧韵起，是处捣征衣。'子冲《暮秋夜宿紫荆关》云：'驿路飘黄叶，关门薄紫荆。上都瞻处近，北斗坐来平。塞冷明箛断，原荒野烧明。终军虽老大，还欲请长缨。'诗皆到格，以较乃公气魄力量，相去实远。"《四库全书总目》集部别集类存目四著录苏祐《谷原草》十卷，提要曰："此编乃其诗集。大旨宗李攀龙之说，不肯作唐以后格，而亦不能变唐以前格。故音节琅琅，都无新意。"《明诗别裁集》卷七录苏祐诗三首。《明诗纪事》戊签卷十六录苏祐诗八首，陈田按："舜泽诗是李、何成派。《昭圣太后挽章》，忠爱悱恻，不愧诗史，可与朱必东《谏慈寿诞辰疏》并传。"

## 秋

**陈芹等在金陵结青溪社。**先后入社者有唐资贤、姚淛、胡世祥、华复初、锺偉、黄乔栋、周才甫、盛时泰、任梦榛、吴子王、魏学礼、莫是龙、邵应魁、张文柱等。《静志居诗话》卷十四《陈芹》载："陈芹，字子野。系出交南国王，永乐中避黎氏之乱来奔，遂家南京。中嘉靖甲午（1534）举人，六试礼部不第，谒选知奉新县，调简得宁乡，之官九十日谢病归，结青溪社。有《陈子野集》。钱氏序金陵社集诗云：'海宇承平，陪京佳丽，仕宦者夸为仙都，游谈者指为乐土。弘、正之间，顾华玉、王钦佩以文章立埠，陈大声、徐子仁以词曲擅场。江山妍淑，士女清华，才俊歆集，风流宏长。嘉靖中年，朱子价、何元朗为寓公，金在衡、盛仲交为地主，皇甫子循、黄淳父之流为旅人，相与授简分题，征歌选胜，秦淮一曲，烟水竞其风华，桃叶诸姬，梅柳滋其妍翠。此金陵之初盛也。万历初年，陈宁乡芹解组石城，卜居笛步，置驿邀宾，复修青溪之社。于是在衡、仲交以旧老而莅盟，幼于、百谷以胜流而至止。厥后轩车纷遝，唱和频烦，虽词章未娴大雅，而盘游无已太康。此金陵之再盛也。其后二十余年，闽人曹学佺能始，回翔棘寺，游宴冶城，宾朋过从，名胜延眺。缙绅则臧晋叔、陈德远为眉目，布衣则吴非熊、吴允兆、柳陈父、盛太古为领袖，台城怀古，爰为凭吊之篇，新亭送客，亦有伤离之作，笔墨横飞，篇帙腾涌。此金陵之极盛也。戊子中秋，余以银铛隙日，采诗旧京，得金陵社集诗一编，盖曹氏门客所撰集也。嗟夫，日中月满，物换星移，舟壑夜趋，饮猎旦改，白门有乌，无树枝之可绕，华表归鹤，怅城郭之并非，撰文怀人，吁其悲矣。谓我何求，亦无薯焉。'览其文者，谓淋漓尽致，盛衰今昔之感，具于是矣。然钱氏考之未得其详。'青溪社'集，倡自隆庆辛未，而非万历初年也。朱秉器《停云小志》云：'青溪自后湖分流，与秦淮合，当桃叶、淮清之间，有邀笛步者，晋王徽之邀桓伊吹笛处也。陈明府芹，即其地为阁焉。俯瞰溪流，颇有幽致。岁辛未，费参军懋谦约余为诗会其上。于是地主则明府，次则唐太学资贤、姚典客涮、胡民部世祥、华广文复初、锺参军倬、黄参军乔栋、周山人才甫、盛贡士时泰、任参军梦榛先后游。而未入会者，则张太学献翼、金山人鸾、黄山人孔昭、梅文学鼎祚、莫山人公远、王山人寅、黄进士云龙、夏山人曰瑚、纪亳州振东、陈将军经翰、汪山人显节、江文学道贯、道会、沈太史懋学、程文学应魁、周文学时复。癸酉（1573）复为续会，则吴文学子王、魏广文学礼、莫贡士是龙、邵太学应魁、张文学文柱，每月为集，遇景命题，即席分韵，同心投分，乐志忘形，间事校评，期臻雅道。前会录诗若干，刻之，命曰《青溪社稿》，许石城先生叙其首。续会录诗若干，吴瑞谷序之。会余领渝郡符，任参军入兴都，稿遂散逸。后方民部沆、叶山人之芳入焉。余驰书社中，期稍收辑。无何，胡民部、费参军以诖误谪，黄参军以领郡行。已，方户部亦因事出。盛会不常，良朋星散，回首江东，云树在望，秦淮烟月，黯尔销魂。因记旧游，略次其姓氏篇什如左。'按，此'青溪社'集之本末始备。钱氏止睹曹氏门客撰本，而未见秉器《小志》故也。《折栏会和周银台》云：'新岁诗家集，深更兴未阑。共怜今夜月，仍似去年看。社主欢投辖，车徒怨折栏。采梅红对酒，忘却外边寒。'《秦淮烟月》云：'秦淮烟暝水长流，明月空悬万古愁。春去秋来风景别，鸣笔夜夜酒家楼。'"陈芹，其生平略见《国朝献征录》所收佚名《宁乡县知县陈芹传》："陈芹字子野，景泰中隶羽林前卫，家金陵，自幼颖秀过人，十岁能赋小诗，领嘉靖甲午乡试，屡上春官不第，乃往来天台、摄山之间，日与黄冠缁衣为方外游。壬戌（1562）乃就选教谕崇仁，升尹奉新，调宁乡，非其好也。三上书求归，归而绝意世事，起邀笛阁五柳斋于秦淮水上，日与侪辈临流觞咏。居家十五年，未尝履公庭及谈时政。所著有《子野集》、《凤泉堂稿》、《忠孝说义》行于世。郡守姚汝循尝评其诗清婉幽澹，有陶、韦、王、孟风度。"《玉笥诗谈》卷上载："陈子野名芹，金陵人，为长沙令九十日，解印归，卜居凤凰泉之左，又构别业新林浦，时垂纶其上。浦有横垾，因自题曰'横垾小隐'，又即邀笛步为阁其上，云'邀笛阁'，而引骚人倡咏为乐。尝取古高士，自巢许而下迄于宋元，得七十余人，人为之诗，以自见其志，号《思古吟》。其《喜诸君子人社》诗云：'邀笛亭前舍钓竿，丹枫林外候金鞍。吟边绿酒今逾暖，花底幽盟久未寒。才子一时追邺下，故人几载隔云端。诸君莫更轻离别，萍迹应怜此会难。'"《千顷堂书目》卷二三著录陈芹《陈子野集》、《凤凰堂稿》。《明诗纪事》戊签卷十八录陈芹诗二首，其一即《喜诸君子人青溪社》，"今逾暖"作"秋初暖"，知社集在秋季。又《静志居诗话》卷十五《朱孟震》："朱孟震，字秉器，新淦人。隆庆戊辰（1568）进士，除南京刑部主事，历郎中，出知重庆府，升河南按察副使，累官通政使，以右副都御史，巡抚山西。有《郁木生全集》。秉器津津以诗家自许，其在南曹，结'清（青）溪社'，一时名士声应气求。所辑《楮谈》、《续谈》、《余谈》，述先哲之旧闻，综同人之丽句，可谓好事也已。《春日金沙寺访罗孝廉元我》云：'春水金沙是旧游，春风黄鸟况相求。马蹄一径穿云人，花气千林带雨浮。词客雄文巴蜀檄，故人清兴剡溪舟。草堂踪迹今犹昔，好为狂夫十日留。'"《明诗纪事》庚签卷九录朱孟震诗十二首，陈田按："秉器诗音节浏亮，选词隽雅，与张助甫品格相似。"

## 十月

**严镃为王慎中《遵岩先生文集》作序。**序署"隆庆辛未岁十月之吉，赐进士出身、中顺大夫、知嘉兴府事，顺天府严镃撰"。王慎中（1509—1559）号遵岩。《遵岩集》由王慎中子王同康、婿庄国祯刊行。

## 本年

**汪道昆**（1525—1593）**编集所作诗文为《副墨》。**据徐朔方《晚明曲家年谱》。《四库全书总目》卷一七七集部别集类存目四著录《副墨》五卷，提要曰："明汪道昆撰。是集刻于《太函集》之前。《千顷堂书目》载作二十四卷。此本五卷，殆非完帙。又载道昆尚有《太函遗书》二卷，今亦未见传本。"按，《太函集》刻于1591年。今年五月，汪道昆自郧阳巡抚调任湖广巡抚。

**飞来山人作《古今名贤说海》、《名贤汇语》自序。**《四库全书总目》卷一三一子部杂家类存目八著录《古今名贤说海》二十二卷，提要曰："不著编辑者名氏。前有隆庆辛未自序一首，题曰飞来山人。所录皆明人说部，分为十集，以十干标目。自陆粲《庚巳编》以下凡二十二种，种各一卷。皆删节之本，非其完书。考明陆楫有《古今说海》一百四十二卷，此似得其残缺之板，伪刻序目以售欺者也。"又著录《名贤汇录》二十卷，提要曰："不著编辑者名氏。前亦有隆庆辛未自序，亦称飞来山人。序词鄙陋，疑为坊贾之笔。其书节录明人小说二十种，种为一卷，皆题曰某地某人言。尤为杜撰。殆又从《古今名贤说海》而变幻之耳。"

**冯保作《经书音释》自跋。**据四库提要。

**海瑞罢官家居。**至万历十二年十月，未出仕。据王国宪海瑞年谱。

**秦鸣雷任南京礼部尚书。张瀚任南京都察院右都御史，掌院事。**据王世贞《弇山堂别集》。

## 公元 1572 年（穆宗隆庆六年　壬申）

### 二月

王宗沐撰《海运详考》。据四库提要。

### 三月

陈王道刊行欧大任《浮梁集》并作跋。跋云："嘉靖乙丑（1565）获交桢伯于燕京，余时始释褐出守郑州，而桢伯亦拜江都博士去。隆庆庚午（1570）余补光州，桢伯先以被荐典教于此，握手欢甚。……余雅重桢伯，不徒以文人视之也。因捐俸为刻于郡斋，梁楚之墟，精光火烛，殆由此哉！壬申三月东吴陈王道书。"

胡心得刊刻吴国伦（1524—1593）《天簌子拟古乐府》并作序。序署隆庆壬申三月朔日，赐进士出身中宪大夫知广州事武林胡心得撰"。

### 四月

兵科右给事中刘伯燮为胡宗宪讼冤。"丁丑，复故总督浙直太保兵部尚书胡宗宪官，予祭。"据《国榷》卷六七。

### 五月

穆宗驾崩。大学士高拱、张居正、高仪受顾命。高拱有《病榻遗言》一书，述顾命语及其时日，不甚可信。据孟森《明史讲义》第二编第四章。

### 六月

朱翊钧即位，是为神宗。以明年为万历元年。高拱罢归，以张居正为首辅。《弇山堂别集》卷三十一《帝系》："今皇帝御名翊钧，穆宗第三子。嘉靖四十二年癸亥八月十七日生，母曰慈圣皇太后李氏。隆庆二年三月十一日册为皇太子，六年六月初十即皇帝位，改元万历。"参见孟森《明史讲义》第二编第五章。

嵇元夫作《立秋日芦沟送新郑少师相公》诗，一时传诵，谓《阳关》三叠，《河满》一声，无此凄楚。《静志居诗话》卷十八《嵇元夫》载："嵇元夫字长卿，归安人。有《白鹤园集》。长卿父编修世臣，嘉靖辛丑分校礼闱，高文襄出其门。长卿少年简傲，获罪嘉兴某推官，坐死，文襄营救获免，招入都，执其手语朝士曰：'此天下才也。'及文襄去位，乘牛车出国门，次日，始有驰传后命。长卿《芦沟送新郑相公》诗云：'单车去国路悠悠，绿树鸣蝉又早秋。燕市伤心供帐薄，凤城回首暮云浮。徒闻后骑宣乘传，不见群公疏请留。三载布衣门下客，送君垂泪过芦沟。'盖纪其实也。一时传诵，谓《阳关》三叠，《河满》一声，无此凄楚。比还里，困甚，岁暮大雪，李给事乐语家人曰：'此时嵇公子必大困。'因载酒炽炭棹舟从之，见嵇方坐涯次酌水，相与剧饮而别。莒中传为佳话云。"新郑少师相公，指高拱。高拱（1512—1578）字肃卿，新郑人。嘉靖辛丑进士。官至吏部尚书，中极殿大学士。谥文襄。事迹具《明史》本传。今年六月，高拱以两宫诏旨罢官，谓其擅权，蔑视幼君。

梅鼎祚辑成《宛雅》。《宛雅》收唐至明正德间宛陵诸家之诗，凡九十一人，六百五十九首。其自序云："梅季子辑宛陵诸家诗，告大人订之，命名《宛雅》。"署"万历纪元前一岁壬申长至日汝南梅鼎祚禹金撰"。书凡八卷，自唐至明正德，凡九十一人，六百五十九首。

神宗命冯保掌司礼监，胡渃上疏请严驭近习，削籍罢为民。冯保既掌司礼监，又督东厂，总理内外，势益张。详见孟森《明史讲义》第二编第五章。胡渃字原荆，无锡人。嘉靖乙丑进士，除永丰知县。改安福，征授广西道御史，以建言落职为民。有《采真堂集》。《明诗纪事》己签卷十五录其《寒日山中》诗一首，陈田按语云："原荆擢御史时，神宗即位六日，命冯保掌司礼监。疏请严驭近习，毋惑谄谀，亏损圣德。冬，妖星见，慈庆宫后火灾。又疏请遍察掖廷，有蒙先朝宠幸者，体恤优遇，其余无论老少，一概放遣。疏中有唐高、则天语，几丽大辟。辅臣宛转解救，乃削籍罢为民。诗好作奇语，似其为人。"

## 夏

王世贞《艺苑卮言》第二次修订完毕。凡正编八卷，附录四卷。其题记云："余始有所评骘于文章家曰《艺苑卮言》者，成自戊午（嘉靖三十七年）耳。然自戊午而岁稍益之，以至乙丑（四十四年）而始脱稿。里中子不善秘，梓而行之。后得于鳞所与殿卿书云：'姑苏梁生出《卮言》以示。大较俊语辩博，未敢大尽。英雄欺人，所评当代诸家，语如鼓吹，堪以捧腹矣。'彼岂遂以董狐之笔过责余，而谓有所阿隐耶？余所名者《卮言》耳，不必白简也，而友人之贤者书来见规曰：以足下资，在孔门当备颜闵科，奈何不作盛德事，而方（谤）人若端木哉！余愧不能答。已而游往中二三君子，以余称许之不至也，恚而私訾之。未已，则请绝讯讯，削名籍。余又愧不能答。嗟夫！即其人幸而及余之不明而以拙收，不幸而亦及余之不明而以美遗。余不明，时时有之，然乌可以恚訾力迫而夺也。夫以余之不长誉仅尔，而尚无当于于鳞。令余而遂当于鳞，其见恚宁止二三君子哉！……盖又八年，而前后所增益又二卷，黜其论词曲者，附它录为别卷，聊以备诸集中。壬申夏日记。"姑苏梁生即梁辰鱼。周亮工《书影》卷一云："（王世贞）又常题《西涯乐府》后云：余向者于李宾之（东阳）先生拟古乐府，病其太涉议论，过尔剪抑，以为十不得一。自今观之，奇旨创造，名语迭出，纵未可被之管弦，自是天地间一种文字。若使但求谐于《房中》、《铙吹》之调，取其字句断烂者而模范之，以为乐府如是，岂非西子之颦，邯郸之步哉！余作《艺苑卮言》时，年未四十，方与于鳞辈是古非今，此长彼短，未为定论。至于戏学《世说》，比拟形似，既不恰当，又伤儇薄。行世已久，不能复秘，姑随事改正，勿令多误后人而已。钱牧斋（谦益）宗伯曰：嘉隆之际，跻北地而挤长沙者，元美为之职志。至谓长沙之启何李，犹陈涉之启汉高。及其晚年，气渐平，志渐实，旧学销亡，霜降水落，自悔其少壮之误，而悔其不能改作也。于论西涯乐府三致意焉。今之谈艺者，尊奉弇州《卮言》以为金科玉条，引绳批根，恐失尺寸。岂知元美固晚而自悔，以其言为土苴唾余。"

## 七月

张佳胤为李攀龙《沧溟先生集》作序。序署"隆庆壬申七夕，西蜀友人张佳胤撰"。

## 秋

梅鼎祚（1549—1615）游金陵，作《遵南赋》。朱孟震《与玄草序》："隆庆壬申秋来游金陵，左顾右盼，凭轼抽毫，有《遵南》之赋，一时纸价为之顿高。余时守西曹，与禹金相过从，挥麈剧谈，四座风动，肤玉色朗朗照人。无何别去。"

## 十二月

徐渭经多方营救获释。徐渭自嘉靖四十五年下狱，至是首尾凡七年。其间伸以援手者，主要有张元忭、徐贞明（山阴知县）、朱篁（按察使）、杨节（会稽知县）、俞咨（里人）、诸大绶（侍郎）、朱赓（翰林编修）、李维桢（翰林编修）等，而以张元忭为最。陶望龄《徐文长传》："卒以援者力获免。既出狱，纵游金陵，比客于上谷，居京师者数年。狱事之解，张宫谕元忭力为多，渭心德之，馆其舍旁，甚欢好。然性纵诞，而所与处者颇引礼法，久之，心不乐，时大言曰：'吾杀人当死，颈一茹刃耳，今乃碎磔吾肉！'遂病发，弃归。"

张居正进《帝鉴图说》。唐太宗有"以古为鉴"之语，此书名所据。《四库全书总目》卷八九史部史评类存目二著录《帝鉴图说》（无卷数），提要曰："明张居正、吕调阳同撰。居正有《书经直解》，已著录。调阳，临桂人。嘉靖庚戌进士。官至建极殿大学士。谥文简。事迹具《明史》本传。是编乃二人奏御之书。取尧舜以来善可为法者八十一事，恶可为戒者三十六事，每事前绘一图，后录传记本文，而为之直解。前有隆庆六年十二月进疏一篇，盖当神宗谅闇时也。疏云：善为阳为吉，故数用九九，恶为阴为凶，故数用六六。取唐太宗'以古为鉴'之语名之。书中所载皆史册所有。神宗方在冲龄，语取易晓，不免于俚俗。"今年六月，高拱罢相，张居正为首辅。

## 冬

陆树声（1509—1605）赴礼部尚书任，兼翰林学士。时张居正当国，陆引礼不稍假借。于慎行《明故资政大夫太子少保礼部尚书兼翰林院学士赠太子太保谥文定平泉先生陆公墓志铭》：陆树声字与吉，华亭人。嘉靖辛丑会试第一人，选庶吉士，授编修，壬子（1552）请告归。丁巳（1557），即家拜南京国子监司业，未几又请告归。乙丑（1565）进太常卿。其年秋进吏部右侍郎，引疾不就。"己巳（1569）再起原官，兼翰林院学士，掌詹事府，教习庶吉士，赴召抵淮，复请告返。时同年高新郑公在政府，公弟中丞居省中，新郑（高拱）遇事不如意，辄语中丞曰：'吾甚愧平泉。'赵文肃公至谓中丞：'举朝俣公，正欲主上新政，一见风采，知先朝培养，有此伟人耳。'其为名流推重如此。壬申陪推内阁，即家拜礼部尚书兼学士，疏辞不允。时今上初嗣服，公以硕德清节，首膺简召，中外动色相贺，公亦感激上恩，不忍终辞，乃以是冬诣阙。时江陵（张居正）当国，喜得引公为重。及见公，相对湛然，意无所接，则大失望。公之莅部，率正僚属，引经谊以裁典礼，操持凛凛，无敢干以私。虏酋邀增岁币，枢臣将许之，公以职力争不可，枢臣竟不能夺。尝以公事谒江陵，适冢宰先谒出，入见客坐甚偏，江陵亟引正之，公乃就坐。同列或讽公：'以相君尊重，宜少委蛇。'公默不应，盖已浩然有归志矣。"

## 本年

**谢廷杰刊行王守仁**（1472—1528）**《王文成全书》三十八卷**。据四库提要。

**李贽游金陵，与耿定理交谈，颇受赏识**。李贽《焚书》卷四《耿楚倥先生传》："先生讳定理，字子庸，别号楚倥，诸学士所称八先生是也。……岁壬申，楚倥游白下（即金陵）。余时懵然无知，而好谈说。先生（指楚倥）默默无言，但问余曰：'学贵自信，故曰："吾斯之未能信"；又怕自是，故又曰："自以为是，不可与入尧、舜之道。"试看，自信与自是，有何分别？'余时骤应之曰：'自以为是，故不可与入尧、舜之道；不自以为是，亦不可与入尧舜之道。'楚倥遂大笑而别，盖深喜余之终可入道也。余自是而后，思念楚倥不置。又以未得见天台为恨。"耿定理为黄安人，耿定向（天台）之仲弟，李贽挚友之一。

**徐中行为欧大任《旅燕集》作序**。序署"隆庆六年岁次壬申，赐进士出身，奉议大夫、云南布政司左参议，吴兴徐中行顿首撰"。

**王篆增补《江防考》一书**。据四库提要。

**沈明臣为顾从德《印薮》作序**。据四库提要。沈明臣（1518—1595），字嘉则，鄞县人。有《丰对楼集》。

**保定通判冯惟敏**（1511—约1580）**辞官归田**。咸丰《青州府志》卷四四："久之自免归。结茅熏冶水上，名其亭曰即江南，日与朋辈觞咏其中，自号海浮山人。每当天日清澄，风雪暝蔼，时棹烟艇上下，自歌所为北调新声，见者以为神仙中人。时知县王家士创修县志，延惟敏主纂，为详著三大害，语在《名宦传》。旧志谓为凿凿远猷，惜王志今不存，无从甄录。"冯惟敏于隆庆三年（1569）迁保定通判。

**冯惟讷**（1513—1572）**卒**。《静志居诗话》卷十三："冯惟讷字汝言，惟健季弟。嘉靖戊戌（1538）进士，历官江西左布政使，以病请老，特进光禄寺卿，致仕。有《光禄集》。光禄，亦华整可观。三冯并称，其贾氏之伟节乎？《秋日寄怀家兄》云：'燕山木落雁来迟，远客南归未有期。明月双悬江海泪，秋风一寄鹡鸰诗。淹留贾谊才无敌，漂泊冯唐鬓欲丝。最是昭王遗恨处，黄金台上草离离。'"《明史·艺文志》著录冯惟讷《青州府志》十八卷、《光禄集》十卷、《诗纪》一百五十六卷、《风雅广逸》

七卷。《四库全书总目》卷一八九集部总集类四著录冯惟讷纂《古诗纪》一百五十六卷。《明人诗钞续集》卷六："汝言撰《汉魏六朝诗纪》，网罗散佚，有功艺苑。三冯皆负才名，鲁王孙（朱）观熰撰《海岳灵秀集》，首推汝强，陈卧子《明诗选》，独收汝言。镂金错采，汝言诗颇似颜光禄，是三冯之铮铮者，宜卧子独收之也。"

谭纶任兵部尚书。万士和起南京礼部左侍郎。董传策任南京工部右侍郎。据王世贞《弇山堂别集》。

韩上桂（1572—1644）生。上桂字孟郁，番禺人。万历甲午（1594）举人。除易州学正，迁南国子博士，历助教，监丞，改永平通判，迁建宁同知。甲申京师陷，悲愤不食死。乾隆中赐谥节愍。有《朵云山房诗文稿》十二卷。

宋懋澄（1572—1622）生。吴伟业《宋幼清墓志铭》："崇祯十有三年，吾友云间宋辕生、辕文兄弟葬其先君幼清公配杨孺人、施孺人于黄歇浦之鹤泾，……公之亡，距今十八年矣。"陈子龙《宋幼清先生传》："如期竟死，年五十一。"其生卒年据以推定。或云生于 1569 年，见徐朔方《宋懋澄年谱》。宋懋澄，字幼清，又字稚源、自源，号叔意，华亭人。万历四十年举于乡。三上春官，不第卒。有《九籥集》、《别集》。

## 隆庆年间

田艺蘅撰《留青日札》三十九卷。是书仿《容斋随笔》、《梦溪笔谈》体例，而失于芜杂。《四库全书总目》子部杂家类存目五著录《留青日札》三十九卷，提要曰："是书欲仿《容斋随笔》、《梦溪笔谈》，而所学不足以逮之，故芜杂特甚。其中《诗谈》初编、二编各一卷，《玉笑零音》一卷，《大统历解》三卷，《始天易》一卷，皆以所著别行之书编入，以足卷帙，尤可不必。"田艺蘅，字子艺，钱塘人。以岁贡生官休宁县学训导。《明史·文苑传》附见其父汝成传中。

胡应麟辑《百家艺苑》，分类抄合六朝唐宋以"异"名书之志怪小说。胡应麟《少室山房笔丛》卷三十六《二酉缀遗中》云："幼尝戏辑诸小说，为《百家异苑》，录其序云：自汉人驾名东方朔作《神异经》，而魏文《列异传》继之，六朝唐宋，凡小说以'异'名者甚众。……余屏居丘壑，却扫杜门，无鼎臣野处之宾，以遣余日，辄命颖生，以类抄合，各完本书，不惟前哲流风，藉以不泯，而遗编故帙，亦因概见大都，遂统命之曰《百家异苑》。作劳经史之暇，辄一披阅，当抵掌扪虱之欢。昔苏子瞻好语怪，客不能则使妄言之。庄周曰：'余故以妄言之，而汝姑妄听之。'知庄氏之旨，则知苏氏之旨矣。"

嘉、隆间，《闹五更》、《寄生草》等民歌时调兴盛一时。《万历野获编》卷二十五《时尚小令》："嘉、隆间，乃兴《闹五更》、《寄生草》、《罗江怨》、《哭皇天》、《干荷叶》、《粉红莲》、《桐城歌》、《银纽丝》之属，自两淮以至江南，渐与词曲相远，不过写淫媟情态，略具抑扬而已。"

# 第三章

## 明神宗万历元年至万历二十八年（1573—1600）共28年

## ·引 言·

邹迪光《王懋中先生诗集序》：今上万历之初年，世人谭诗必曰李何，又曰王李，必李何、王李而后为诗，不李何、王李非诗也。又谓此四家者，其源出于青莲、少陵氏，则又曰李杜，必李杜而后为诗，不李杜非诗也。自李杜而上，有沈有宋有卢骆有王杨，再上有阴何有江有鲍有颜，再上有曹刘有稽（稽）阮有潘陆有左有韦有束有苏李，无暇数十百家，悉置不问，而仅津津于少陵、青莲、献吉、仲默、元美、于鳞六人，此何说也？青莲、少陵笼挫百氏，包络众汇，以两家尽诗则可。李何、王李有专至而无全造，以四家尽诗，可乎？三十年中，人持此说，謷然横议，如梦未醒。近稍稍觉悟矣，而又有为英雄欺人者，跳（逃）汉唐而之宋，曰苏子瞻，必子瞻而后为诗，不子瞻非诗也。夫长公言语妙天下，其为文章吾不敢轻訾，至于诗，全是宋人窠臼，而欲以子瞻尽诗，可乎？后进之士，惑溺其说，狂趋乱走，动逾矩矱，以是求诗，诗乌得不日远？（《调象庵稿》卷二十七）

王惟俭《林孝廉集序》：往在都下时，从客问诗，则世之论诗者已掊击吴下、济南矣。数十年来，并北地、信阳几无完章，而弹射所及，浸及盛唐诸君子。其立论岂不甚高，及取其所作读之，往往不本中情，务矜险绝。初读之，茫如堕云雾中，细解之，政平平耳。夫自上溯《三百》，下迄李唐，何尝不敷事说景，而亦岂尽如宣王之鼓，岣嵝之碑，幻怪恍忽不可为句也者，不佞之所未喻。故不佞论诗，以阐发性灵为主，而振以气韵，畅以神情，故于初文之诗有深取焉。（《诗慰》）

袁中道《阮集之诗序》：国朝有功于风雅者，莫如历下。其意以气格高华为主。力塞大历后之窦，于时宋元近代之习为之一洗。及其后也，学之者浸成格套，以浮响虚声相高，凡胸中所欲言者，皆郁而不能言，而诗道病矣。先兄中郎矫之，其志以发抒性灵为主，始大畅其意所欲言，极其韵致，穷其变化，谢华启秀，耳目为之一新。及其后也，学之者稍入俚易，境无不收，情无不写，未免冲口而发，不复检括；而诗道又病矣。（《珂雪斋集》）

《万历野获编》卷二五《时尚小令》：比年以来，又有《打枣竿》、《挂枝儿》二曲，其腔调约略相似，则不问南北，不问男女，不问老幼良贱，人人习之，亦人人喜听之，以至刊布成帙，举世传诵，沁入心腑。其谱不知从何来，真可骇叹。

　　李若讷《徐文长袁中郎二集序》：万历间诗文之体大变，楚中袁中郎为倡其说，主于齮龁七子，自标其牙慧，而所急推而表章者徐文长氏。文长先进未甚著，由中郎以著，齿颊芬流，海内无不袭之。不二十年，又为后来齮龁，其习顿衰，然一时诩尚自在，即后来不为中郎者，亦不为七子，窃以此明诗文一大变耳。诗文至明，始沿胜国之遗，诗稍变而唐中晚，文稍变而唐韩柳，如刘诚意、宋学士以逮杨文贞、解太史诸公，足考览，未大变也。至成、弘间，李献吉、何仲默、徐昌谷诸公一大变，大约以摹古。暨李于鳞、王元美、汪伯玉诸公，益加斤削駧绘矣。至近日又一大变。则大约以不摹古与不摹七子，而李、王者正七子中领袖也。中郎贬其摹古，而索一文长掎角焉。后中郎者掎角中郎矣，而亦若曰即摹古不摹七子之摹。噫，诗文总之为声也，李何王李先后一摹，乃更数十年而始稍改其弦以求其调焉，未有如近日为中郎不为中郎，先后未二十年，弦揆已非指法屡换也者，何近日多变乎？（《四品稿》卷五）

　　《曲品》卷上：此二公（沈璟、汤显祖）者，懒作一代之诗豪，竟成千秋之词匠，盖震泽所涵秀，而彭蠡所毓精者也。……予谓：二公譬如狂、狷，天壤间应有此两项人物。不有光禄，词硎不新；不有奉常，词髓孰抉？倘能守词隐先生之矩矱，而运以清远道人之才情，岂非合之双美者乎？而吾犹未见其人；东南风雅蔚然，予且旦暮遇之矣。予之首沈而次汤者，挽时之念方殷，悦耳之教宁缓也。略具后先，初无轩轾。

　　王骥德《曲律》卷四：临川之于吴江，故自冰炭。吴江守法，斤斤三尺，不欲令一字乖律，而毫锋殊拙。临川尚趣，直是横行。组织之工，几与天孙争巧。而偕曲聱牙，多令歌者齚舌。吴江尝谓：宁协律而不工，读之不成句，而讴之始协，是为中之之巧。曾为临川改易《还魂》字句不协者，吕吏部玉绳（郁蓝生尊人）以致临川，临川不怿。复书吏部曰：‘彼恶知曲意哉！余意所至，不妨拗折天下人嗓子。’其志趣不同如此。郁蓝生谓临川近狂而吴江近狷，信然哉！

　　又：客问今日词人之冠。余曰：余于南词得二人。曰吾师山阴徐天池先生，瑰玮浓郁，超迈绝尘。《木兰》、《崇嘏》二剧，刳肠呕心，可泣鬼神。惜不多作。曰临川汤若士，婉丽妖冶，语动刺骨。独字句平仄，多逸三尺。然其妙处，往往非词人工力所及，惜不见散套耳。又问体孰近？曰：于文辞一家得一人，曰宣城梅禹金。摛华掞藻，斐亹有致。于本色一家，亦惟是奉常一人。其才情在浅深、浓淡、雅俗之间，为独得三昧。余则修绮而非埒则陈，尚质而非腐则俚矣。

　　《列朝诗集小传》丁集上《赵侍郎用贤》：公强学好问，老而弥笃，午夜摊书，夹巨烛，窗户洞然，每至达旦，为文章博达详赡，少年颇訾謷弇州，晚而北面称弟子，弇州亦盛相推挹，作续五子诗及之，而末五子居首焉。其四人则云杜李维桢、南乐魏允中、四明屠隆、金华胡应麟也。

　　《列朝诗集小传》丁集中《袁稽勋宏道》：万历中年，王、李之学盛行。黄茅白苇，弥望皆是。文长、义仍岿然有异。沉痼滋蔓，未克芟薙。中郎以通明之资，学禅于李龙湖（贽）。读书论诗，横说竖说，心眼明而胆力放，于是乃昌言排击，大放厥辞。以为唐自有诗，不必选体也。初、盛、中、晚皆有诗，不必初、盛也。欧、苏、陈、黄各有诗，不必唐也。唐人之诗，无论工不工，第取读之，其色鲜妍，如旦晚脱笔研者。今人之诗虽工，拾人钉饾，才离笔研，已成陈言死句矣。唐人千岁而新，今人脱手而旧，岂非流自性灵与出自剽拟者所从来异乎！空同未免为工部奴仆，空同以下皆重儓也。论吴中之诗，谓先辈之诗，人自为家，不害其为可传。而诋诃庆、历以后，沿袭王、李一家之诗。中郎之论出，王、李之云雾一扫，天下之文人才士始知疏瀹心灵，搜剔慧性，以荡涤摹拟涂泽之病。其功伟矣。机锋侧出，矫枉过正，于是狂瞽交扇，鄙俚公行，雅故灭裂，风华扫地。竟陵代起，以凄清幽独矫之，而海内之风气复大变。譬之有病于此，邪气结轖，不得不用大承汤下之。然输泻太利，元气受伤，则别症生焉。北地、济南，结轖之邪气也；公安泻下之，劫药也；竟陵传染之，别症也。余分闰气，其与几何！庆、历以下，诗道三变，而归于凌夷熸熄，岂细故哉！

《列朝诗集小传》丁集下《邹提学迪光》：隆、万间，王弇州主文章之盟，海内奔走翕服。弇州殁，云杜回翔羁宦，由拳潦倒薄游，临川疏迹江外，于是彦吉与云间冯元成乘间而起，思狃主晋楚之盟。长卿游戏，推之义仍，亦漫浪应之。二公互相推长，有唐公见推之喜，彦吉沾沾自负，累见于词章；而又排诋公安，并撼眉山，力为弇州护法，盖欲坚其坛墠，以自为后山瓣香之地，则尤可一笑也。长卿通脱，多可而少怪，义仍孤峭，心薄王李，鄙其尸盟，次睢之社，朱弓之祥，归于不知何人，颔之而已，非其所屑意也。二公晚交于余，而义仍有微词相闻，并及云杜，词坛争长，等于蛮触，今皆成往劫事矣。彦吉之诗，优于元成，点缀风雅，亦复可观。余故录其诗以稍别之。

《列朝诗集小传》丁集下《谢布政肇淛》：余观闽中诗，国初林子羽、高廷礼，以声律圆稳为宗；厥后风气沿袭，遂成闽派。大抵诗必今体，今体必七言，磨砻婆娑，如出一手。在杭，近日闽派之眉目也。在杭故服膺王李，已而醉心于王伯谷，风调谐合，不染叫嚣之习，盖得之伯谷者为多。在杭之后，降为蔡元履，变闽而之楚，变王李而之钟谭，风雅凌夷，闽派从此熸矣。

《因树屋书影》卷二：新建徐世溥曰：癸酉以后，天下文治向盛。若赵高邑、顾无锡、邹吉水、海琼州之道德丰节，袁嘉兴之穷理，焦秣陵之博物，董华亭之书画，徐上海、利西士之历法，汤临川之词曲，李奉祀之本草，赵隐君之字学；下而时氏之陶，顾氏之冶，方氏、程氏之墨，陆氏攻玉，何氏刻印，皆可与古作者同敝天壤。而万历五十年无诗；鉴［滥］于王、李，佻于袁、徐，纤于钟、谭。

《静志居诗话》卷十六《袁宗道》：嘉靖七子之派，徐文长欲以李长吉体变之，不能也；汤义仍欲以尤、萧、范、陆体变之，亦不能也。王百谷、王承父、屠长卿，虽迭有违言，然寡不敌众。自袁伯修出，服习香山、眉山之结撰，首以"白苏"名斋，既导其源，中郎、小修继之，益扬其波，由是公安流派盛行。

戴名世《庆历文读本序》：呜呼，有明一代之文盛矣！当其设科之始，风气未开，其失也朴遫而无文。至成化、弘治、正德、嘉靖以来，趋于文矣，而其盛犹未极也。迨于天启、崇祯之间，文风坏乱，虽有一二钜公竭力撑挂，而文妖叠出，波荡后生，卒不能禁止。故推有明一代之文，莫盛于隆、万两朝，此其大较也。当是时，能文之士相继而出，各自名家，其体无不具而其法无不备，后有起者，虽一铢累黍毫发而莫之能越。在天启、崇祯中，休宁金氏、临川陈氏两家，奋然特兴，横绝一世，而其源流指归，未有不出于先辈者。然则为文而不本之于先辈，则必破坏其体，灭裂其法，其卑者蹈常习故，既奄奄而不能振，而好高者又钩奇索隐，失之于怪迂险贼而不可以训，无惑乎文之愈变而愈下也。

《明史·文苑传》：袁宏道，字中郎，公安人。与兄宗道、弟中道并有才名，时称"三袁"。宗道，字伯修。万历十四年会试第一。……中道，字小修。……先是，王、李之学盛行，袁氏兄弟独心非之。宗道在馆中，与同馆黄辉力排其说。于唐好白乐天，于宋好苏轼，名其斋曰白苏。至宏道，益矫以清新轻俊，学者多舍王、李而从之，目为公安体。然戏谑嘲笑，间杂俚语，空疏者便之。其后，王、李之风渐息，而钟、谭之说大炽。钟、谭者，钟惺、谭元春也。

康熙《徽州府志》卷十二：道昆以诗文名世，比肩王、李。自李攀龙之没，遂与王世贞狎主齐盟，海内徵文者不东走吴，则西走新都，并称两司马焉。

《说诗晬语》卷下：王、李既兴，辅翼之者，病在沿袭雷同；攻击之者，又病在翻新吊诡。一变为袁中郎兄弟之诙谐，再变为钟伯敬、谭友夏之僻涩，三变为陈仲醇、程孟阳之纤佻。回视嘉靖诸子，又古民之三疾矣。论者独推孟阳，归咎王、李，而并刻论李、何为作俑之始。其然，岂其然乎？

《说诗晬语》卷下：万历以来，高景逸攀龙、归季思子慕五言，雅淡清真，得陶公意趣。仁义之人，其言蔼如也。

《四库全书总目》卷一七九集部别集类存目六：显祖于王世贞为后进，世贞与李攀龙持上追秦汉之说，奔走天下。归有光独诋为庸妄，显祖亦毅然不附，至涂乙其《四部稿》，使世贞见之。然有光才不逮世贞，而学问深密过之。显祖则才与学皆不逮，而议论识见则较世贞为笃实，故排王、李者亦称焉。

《明诗纪事》庚签序：万历中叶，王、李之焰渐熸，公安、竟陵狙起而击。然公安之失，曰轻，曰俳；竟陵之失，曰纤，曰僻。其始作之俑者，中郎俊脱，尚有才颖可喜；伯敬幽秀，尚有思致可赏。极其放失，轻佻变为俚音，纤僻流为鬼趣，亡国之音，有识所叹。其变而多歧者，如关西文太青、浙江王季重、楚北尹宣子，牛鬼蛇神，支离怪诞。然独唱无和，世鲜讥弹。若专与弇州为难者，江右汤若士，变而成方，不离大雅。显砭于鳞之失者，山左于无垢、公孝与，识虽绝特，才乏殊尤。论者遂一概抹杀，谓万历一朝，无诗可采。夫"风雨如晦，鸡鸣不已"，贤人君子不为世变而改操；"十步之内，必有芳草"，骚人韵士不因晚季而绝迹。岂有上下数十年，纵横一万里，而谓抗音以歌，《白雪》绝响；陈诗而采，彤管无辉，岂通论哉！余博览篇章，精核艺薮，若区海目之清音亮节，归季思之澹思逸韵，谢君采之声情激越，高孩之之骨采骞腾，并足以方轨前哲，媲美昔贤。汤若士、李伯远、谢在杭、程松圆、董遐周、吴凝父、孙宁之、晋安二徐抑其次也。至万历人才接迹，天启奄祸滔天，秽浊一世。其与于逆案者，概屏不录，窃附《巷伯》之义焉。宣统己酉仲秋，黔灵山樵陈田。

《明诗纪事》庚签卷十六《陶望龄》陈田按：公安楚咻，始于伯修。黄平倩、陶周望与伯修同馆，声气翕合。中郎稍晚出，推波助澜，二人益降心从之。是时台阁中惟于文定、冯文敏雅能自持，然才稍不及黄、陶，世论惜之。

## 公元 1573 年（神宗万历元年　癸酉）

正月

妖人王大臣之狱起。冯保欲藉以倾陷故辅高拱，吏部尚书杨博、左都御史葛守礼诣张居正力解，拱获免。详见孟森《明史讲义》第二编第五章。

## 二月

徐渭等游广孝寺。寺门有古树五六，皆十寻。《徐文长佚草》卷六《纪游》："清明日，景纯书竟笺，时与门人国图马生寓宛委山龙瑞宫之东若耶溪上樵舍，适吴承甫、胡应斗携笋茗来访，烧灯夜坐，约明日步阳明洞天，从郡山中越陟广孝寺。明日至广孝，一登看竹楼而下，饮于平水溪桥梨花树下之酒家。寺门有古树五六，皆十寻。土人云：'盘古皇之社基。'树苍苔点点，皆入云际。时万历改元二月之二十六日。"

顾起纶《国雅品》由姚咨细校完毕。《国雅》为明诗总集，所选诸家之诗，上起洪武，下迄隆庆。首列品目一卷，即《国雅品》。卷末姚咨识语云："岁癸酉二月之望，雨阁清燕，爇香瀹茗，细细覆校一过，似无讹舛矣。斯编信可传之百世，当与殷璠、高仲武、元结、姚合辈颉颃，匪佞匪佞。先是同校友人周天球、童珮、朱在明、俞渊、叶之芳、成淳，其从子道瀚、子祖源祖河祖汉也，并列之。同里皇山人姚咨识。"《四库全书总目》卷一九三集部总集类存目三著录顾起纶编《国雅》二十卷《续国雅》四十卷，提要曰："是编选明诸家之诗，上起洪武，下迄隆庆。首列品目一卷，仿钟嵘《诗品》、殷璠《河岳英灵集》、高仲武《中兴间气集》例。但《诗品》不载诗，此则载诗。《英灵》、《间气》二集分列诸家姓名下，此则总冠卷首耳。所录诗篇，采摭颇富。然起纶当嘉、隆之际，太仓、历下声价方高，故唯奉《艺苑卮言》为圭臬。持论似乎精诣，而录诗多杂庸音。又声气交通，转相标榜。其入品者洪武至正德仅七十九人，嘉靖两朝乃至五十二人，而附见名姓者尚不在其数。大抵与起纶攀援唱和，有瓜葛者居多。卷末附书牍二十篇，皆答征诗谢入选者，其大略可睹矣。"

## 三月

张居正进讲《帝鉴图说》，至汉文帝劳军细柳事，因奏请选任将帅之"忠勇"者。乃诏内外官各举将才。详见孟森《明史讲义》第二编第五章。

## 春

许谷（1504—1586）七十大寿。许谷于 1551 年以大察被论而致仕，家居三十年，寄情于山水文酒。万士和《寿许石城太常七十》："古稀称寿正临春，曾是南宫第一人。地聚衣冠星动象，岁逢甲子岳生申。凤凰台畔烟霞句，燕雀湖边云水身。更有丹书传石室，肯输黄阁画麒麟。"朱孟震《玉笥诗谈》卷上："予师许石城先生，家金陵，以尚宝卿政致，家居三十年，游情山水，文酒自娱。性喜客，客来命酒必醉，夜漏下五鼓不辍也。金陵当吴楚之会，每门生故人，来访先生，必留连信宿。诸官留都者，率以岁诞日，奉酒为先生寿，先生辄赋诗张宴为乐。予一夕诣先生，时王太仆在上元，先生折束招与共饮，自日午洗酌，烧灯竟夕，仍起浮大白三，出门曙矣。尝举所为诗笑谓余曰：'平生爱我无如酒，凡事输人不但棋。'先生之寄兴远而达矣。钱塘周银台兴叔，工为诗，每称说先生诗曰：'今称诗者，仅得一二，辄自谓过人。若清新俊逸，雄浑古雅，无所不有，则石城之在白下，当称大家矣。'予领渝州，先生赠之诗云：'久游宪部飞清誉，新拜名邦惬壮心。来往词林听戛玉，飞腾云路羡横金。节过巫峡才逾健，堂对泯江泽共深。从此登台瞻渐远，几时重和白头吟。'"

## 六月

何良俊（1506—1573）卒。王世贞《悲七子篇》序："明年万历改元。六月，余之楚臬过吴门。……传云间何翰林元朗物故。"张仲颐《四友斋丛说重刻本序》："内翰何先生撰《丛说》三十卷，以活字行有年矣。岁癸酉（1573），续撰八卷。先生虑板难播远而说有改定，议捐长水园居重缮雕梓，不意是岁先生遭疾不起。"序署"万历己卯（1579）春三月"。卒年据以确定。《明史·艺文志》著录何良俊《语林》三十卷、《丛说》三十八卷、《柘湖集》二十八卷。《柘湖集》即《何良俊集》，《四库全书总目》所著录本仅二十二卷，已非完书。参 1565 年。《列朝诗集小传》丁集上："元朗风神朗彻，所至宾客填门。妙解音律。晚畜声伎，躬自度曲，分刊合度。秣陵金阊，都会佳丽，文酒过从，丝竹竞奋，人谓江左风流，复见于今日也。吴中以明经起家官词林者，文徵仲、蔡九逵之后二十余年，而元朗继之。元朗清词丽句，未逮二公，然文以修谨自励，蔡以黠刻见讥，而元朗风流豪爽，为时人所叹羡，二公殆弗如也。元朗集累万言，皇甫子循为叙，又有《何氏语林》、《四友斋丛说》行于世。"《明文授读》卷三二："先夫子曰：何良俊，字元朗，松江之柘林人，嘉靖时以贡为翰林孔目，风流儒雅。其文有两派，一仿《选》体，主于浓艳；一平淡直叙，尽所欲言。又曰：柘湖文不落时趋，郁然可观。"《静志居诗话》卷十二《何良俊》："元朗早岁入南都，随顾东桥游宴，多习旧闻。东桥每宴集，辄用教坊乐，以筝琶侑觞。当康陵南巡日，乐工顿仁随驾至北京，得金、元人杂剧，元朗妙解音律，令家中小鬟尽传之。置酒留宾，恒自度曲。有李节者善筝歌，元朗品为教坊第一，于时名彦咸赋诗留赠，黄淳父诗所云'十四楼中第一声'也。其后引归海上，倭乱，避地青溪，旋徙吴门。然文酒之会，未尝废丝竹也。诗颇率意，其《买宅》句云：'一须焦革邻舍，二要秦青对门。'兴固自豪，第乖好乐无荒之义矣。"《四库全书总目》著录何良俊《四友斋丛说》三十八卷、《何氏语林》三十卷、《世说新语补》四卷、《何翰林集》二十二卷。《四友斋丛说》提要曰："明何良俊撰。良俊字元朗，华亭人。嘉靖中官翰林院孔目。《明史·文苑传》附见文徵明传中。是书分十六类。一经，二史，三杂记，四子，五释道，六文，七诗，八书，九画，十求志，十一崇训，十二尊生，十三娱老，十四正俗，十五考文，十六词曲。又附以续史一卷，杂引旧闻而论断之，于时事亦多纪录。然往往摭拾传闻，不能核实。朱国桢《涌幢小品》尝辨王守仁实以宸濠付张永，而此书云责中官领然。章懋卒于嘉靖元年，守仁征广东在嘉靖六年，其归而卒于南安舟中在嘉靖七年。而此书乃云守仁广东用兵回，经兰溪见懋，懋有所请托。又懋卒时其侄拯方为布政使。拯为工部尚书，忤旨归里时，懋已卒十余年。此书乃称拯致仕时有俸余四五百金，为懋所责。所记全为失实。又文徵明官翰林院待诏日，为姚涞、杨维聪所侮一事，朱彝尊《静志居诗话》亦力辨之，引涞所作送徵明序以证其诬。则其可以征信者良亦寡矣。"《何氏语林》提要曰："是编因晋裴启《语林》之名，其义例门目则全以刘义庆《世说新语》为蓝本，而杂采宋、齐以后事迹续之。并义庆原书共得二千七百余条，其简汰颇为精审。其采掇旧文，剪裁镕铸，具有简澹隽雅之致。视伪本李垕《续世说》剽掇《南》、《北》二史，冗沓拥肿，徒盈卷帙者，乃转胜之。每条之下又仿刘孝标例自为之注，亦颇为博赡。其间摭拾既富，间有牴牾。如王世懋《读史订疑》所谓以王莽时之陈咸为汉成帝时之陈咸者，固所不免。然于诸书舛互，实多订正。如第二十二卷纪元载妻王韫秀事，援引考证，亦未尝不极确核。虽未能抗驾临川，并驱千古，要其语有根柢，终非明人小说所可比也。"《世说新语补》系托名之书。《明诗纪事》戊签卷八录何良俊诗二首，陈田按："柘湖放诞不羁，赖有才情，足以济之。"

## 夏

王世贞除母服，赴湖广按察司提学副使任。王世贞《邹彦吉玄岳游稿序》："余昔癸酉之夏，由京口抵武昌臬，以一青雀受江山之胜，颇寓之诗，且有纪行一序。"八月到任。十月升广西布政使司右布政。岁暮得擢太仆寺卿之报。

## 八月

赵伊（1512—1573）卒。戚元佐《赵上莘先生行状》："上莘先生讳伊，字子衡，平湖人，陕西参政讳汉之第四子。……嘉靖辛卯，年二十，举于乡。明年（1532）登进士第。又明年授刑部主事，以文誉简置本科，未几以病归。病起乞南，遂改南京兵部职方司。已迁员外郎郎中。甲辰（1544）丁母陆淑人艰，服阕补武选郎中。持例严，上官惮其正。而逼于权贵人之请，每冀有所迁就，终不相下，遂谢归。壬子（1552）复补车驾郎中，执愈厉，嗔者众，出为广西副使。既就官，以父春秋高，日夜念不置，乞致其仕归。……卒虚诏旨以老且死，万历元年八月六日也，年六十二。""先生始刻意诗文，于《文选》、唐音及少陵、昌黎、愚溪诸集，皆手自注释，易稿者几矣。当其未得作者之意，辄数日求之，不得不止。至时俗所尚珞珠石室神仙修炼堪舆家言，不好也。既至南都，获遇湛文简、邹文庄、罗文恭、王汝中、唐应德、钱德洪诸公，闻性命之说，则心骤喜，谓圣人可立至，遂欲以躬践之，向所为诗若文尽弃去。"所著《序芳园稿》有皇甫汸序和刘子伯后序。刘序云："《序芳园稿》乃当湖上莘赵先生所作也。属予校刊，凡得古歌诗律绝句若干首，诠次成帙，汇为二卷。"皇甫序云："君有《序芳园稿》晚成，为刘君子伯所铨次，又加点品题之。夫刘盖深于诗者，言足徵矣。余观其诗，咸发乎性情，止乎礼义。其调冲澹隽永，其音温润和平，每切事情而寓规讽，不徒雕藻也。今时求反关洛，愈乖风雅，蜀中杂就，历下诞章，诗几无矣。"序署"万历甲戌（1574）仲春朔"。《四库全书总目》集部别集类存目四著录《序芳园稿》二卷，提要曰："明赵伊撰。伊字子衡，平湖人。嘉靖壬辰进士。官至广西按察司副使。是集为其甥沈懋孝所选，附以刘子伯批点。其诗时有清脱之致，而酝酿未深。"

《明诗纪事》戊签卷十八录赵伊诗五首，陈田按："子衡初与皇甫子安兄弟、蔡子木、王维桢谈诗。及官南都，与湛甘泉、邹东廓、罗念庵讲学。诗特轻脱，时近宋派。"

**王锡爵、范应期等任乡试主考。**《弇山堂别集》卷八十三《科试考三》："万历元年癸酉，命右春坊右谕德兼翰林院侍读王锡爵、左春坊左中允兼翰林院编修陈经邦主顺天试。命左春坊左中允兼翰林院编修范应期、右春坊右中允兼翰林院编修何洛文主应天试。""是岁少师张居正子嗣文在湖广者得荐，其试顺天者懋修不得荐。沈璟、臧懋循乡试中式。

**林章（1553—1599）中举，此后屡试不第。**《列朝诗集小传》丁集中："万历元年，以《春秋》举于乡，累上不第。尝走塞上，从戚大将军游，座上作《滦阳宴别序》，酒未三巡，诗序并就，将军持千金为寿，缘手散去，挈家侨寓金陵。"林章为福清人。

**梅鼎祚乡试落第。**朱孟震《与玄草序》：鼎祚"癸酉复来，已又下第去"。

**陈文烛为朱曰藩（1501—1561）《山带阁集》作序。**序署"万历癸酉秋日，汉阴陈文烛玉叔撰"。

## 十月

**王世懋（1536—1588）起补祠曹，寻迁尚宝丞，与黎民表、李维桢、欧大任、沈思孝等相与征逐诗酒之社。**王世贞《亡弟中顺大夫太常寺少卿敬美行状》："明年（1573）正月服除，以四月抵都下，十月始补祠曹，意泊如也。祠曹诸郎王君象坤、刘君应麒、孙君鑨博雅名士，弟皆与之善，以志行相砥砺，悉取古今子史益于经济者，朝夕讨论不倦。寻迁尚宝丞。盖是时同年故人有莅其上者，意不自安，而弟事之益恭，以是得谨厚声。尚宝居闲无事，益以其间致力古文辞，而故人黎惟敬在东掖，李本宁在玉堂，欧桢伯在成均，丘齐之、沈纯甫在郎署，李惟寅在环卫，刘子大、史元秉在缇帅，日相与征逐诗酒之社，而弟时时握牛耳。又善书，所挥染篇翰流艳人目，忌者缘饰，有'游闲公子'之称。"

## 十一月

徐渭赴张元忭招，饮于张家寿芝楼。据徐朔方《晚明曲家年谱》。

## 十二月

**王锡爵作《袁文荣公文集序》，论台阁文字宜"华富温密"，以润饰鸿业。**袁炜（1508—1565）谥文荣。序曰："公初以明经上春官，籍第一，既及第，守翰林二十年，而天子知公名日深，延入侍帷幄，晋参大政，皆不卜不谋，然恨得公晚，虽公亦自谓千载一遇也。故平生著作，于代言应制为多。上数有所征问。夜分出片纸禁中，使中贵人刻烛受公对，对成以属其傍侍史，封题记岁月而已。乃其出入风议，数千百言，自天子左右兰台石室外，阒灭不传者岂少哉？公没后且数岁，而厥嗣中书君荷佩手泽，搜采废遗，得什一二于四方好事者刻之。嗟乎！此亦禁鼎一脔，尝者可以知味已。而锡爵间颇闻世儒之论，欲以轧茁骹骸、微文怒骂，闯然入班扬阮谢之室。故高者至不可句，而下乃如虫飞蟀鸣，方哓哓鸣世，以谓文字至有台阁体而始衰。尝试令之述典诰铭鼎彝，则如野夫闺妇强衣冠揖让，五色无主，盖学士家溺其职久矣。自锡爵游公门下，公所为文章，皆肆意冲口，对客立就，古辞古事，如鬼神输运以供佐使，而华富温密，卒泽于仁义，炳如也。身不出长安门，螭头余沘，所在成霖，故无吻颊鸣悲之态。非三代两汉之书不观，非尔雅方闻之士不接，非咸夏韶钧之音不听，故无棘塞诡众之词。夫天球缀璐陈列广庭，大剑高冠班侍左右，然后知鱼目之无光，面墙之至困也。公壬戌（1562）策士有云：'古之帝王建鸿德者，必有鸿笔之臣褒颂纪载，鸿德乃彰。'盖若以自谓云。时锡爵忝为公高第弟子，服义未深，而公已升为列星，故于中书君之请序，书以志感，非敢曰知文也。万历元年冬十二月，赐进士及第、奉直大夫、右春坊右谕德兼翰林院侍读、充实录副总裁、经筵讲官，门生王锡爵顿首拜书。"

## 冬

　　**王世贞作《悲七子篇》，不胜物是人非之感。**序云："隆庆壬申（六年）初冬，梁礼部思伯以使事访我，还南海。明年万历改元。六月，余之楚臬，过吴门。文博士寿承（彭）丧归自燕，余往吊。传云间何翰林元朗（良俊）物故。寻访陆少卿子传（师道），以疾不能出见。许太仆元复送余闾门，王茂才君载至枫桥，沈山人道祯抵金山乃别。未几，得家信，君载别余之次日暴卒。寻马宪副某以元复、子传讣来。余迁岭藩，还抵九江，遇张生，复以思伯讣来。冯参议某以道祯讣来。盖四月余而六人者次第逝。并寿承七矣……乃不半载而尽失之。"（《弇州四部稿》卷十五）

　　**谢榛复游彰德，赵穆王宾礼甚备。**《明史·文苑传》："万历元年冬，（谢榛）复游彰德，王曾孙穆王亦宾礼之。酒阑乐止，命所爱贾姬独奏琵琶，则榛所制《竹枝词》也。榛方倾听，王命姬出拜，光华射人，藉地而坐，竟十章。榛曰：'此山人里言耳，请更制，以备房中之奏。'诘朝上新词十四阕，姬悉按而谱之。明年元旦，便殿奏伎，酒止送客，即盛礼而归姬于榛。榛游燕、赵间，至大名，客请赋寿诗百章，成八十余首，投笔而逝。"潘之恒《亘史》载：赵王雅爱茂秦诗，从王客郑若庸得《竹枝词》十章，命所幸琵琶妓贾，扣度而歌之。万历癸酉冬，茂秦从关中还，过邺，偕若庸见王，王宴之便殿，酒行乐作，王曰："止。"命緪瑟以琵琶佐之，声繁屏后，王复止众妓，独奏琵琶，方一阕，茂秦倾听，未敢发言，王曰："此先生所制《竹枝词》也。谱其声，不识其人可乎？"命诸伎拥贾姬出拜，光华射人，藉地而竟《竹枝》十章。茂秦谢曰："此山人鄙俚之辞，安足污王宫玉齿？请更制《竹枝词》，以备房中之乐。"王曰："幸甚。"茂秦老不胜酒，醉卧山亭下，王命姬以衽代荐，承之以肱。明日，上《新竹枝》十四阕，姬按而谱之，不失毫发。元夕，便殿奏技，酒阑送客，即盛礼而归贾于邸舍，茂秦载以游燕、赵间。逾二年，至大名，客请赋寿诗百章，至八十余，投笔而逝。乙亥之冬月也。姬率二子，奉柩停古寺之旁，每夜操琵琶一曲，歌茂秦《竹枝词》，必恸绝而罢。已乃以千金装付二子，令归葬，自破乐器，归老于阛阓间。后三十余年，客访旧宿寺中，寺僧犹能道其遗事。

## 本年

**诸朝士撰文为张居正之父称寿，独汪道昆文深当居正之意。**《列朝诗集小传》丁集上："嘉靖末，历下、琅琊，掉鞅词苑，伯玉慕好之，亦刻镂为古文辞，而海内未有闻也。万历初，江陵为权相，其太公七十称寿，朝士争为颂美之词，元美、伯玉皆江陵同年进士，咸有文称寿，而伯玉之文独深当江陵意，以此得幸于江陵，元美乃迁就其辞，著于《艺苑卮言》曰：'文繁而有法者，于鳞；文简而有法者，伯玉。'伯玉之名从此起矣。厥后名位相当，声名相轧，海内之山人词客，望走啖名者，不东之娄东，则西之歙中，又或以其官称之，曰两司马。昔之两司马以姓也，今以官，元美亦心厌之，而无以禁也。元美晚年，尝私语所亲：'吾心知绩溪（胡宗宪）之功，为华亭所压，而不能白其枉；心薄新安（汪道昆）之文，为江陵所胁，而不能正其讹，此生平两违心事也。'"《明史》汪道昆传云："（张居正）父七十寿，道昆文当其意，居正亟称之。（王）世贞笔之《艺苑卮言》曰：文繁而有法者于鳞（李攀龙），简而有法者伯玉。道昆由是名大起。晚年官兵部左侍郎，世贞亦尝贰兵部，天下称两司马。世贞顾不乐，尝自悔奖道昆为违心之论云。"《四库全书总目》集部别集类存目四著录《太函集》一百二十卷，提要曰："沈德符《敝帚轩剩语》云：王李初起，道昆尚未得与其列。后以张居正心膂骤贵。其《副墨》行世，暴得时名。世贞力引之，世遂称元美、伯玉。汪文刻意摹古，时援古语以证今事，往往扞格不畅。其病大抵与历下同。世贞晚年甚不服之。尝云：予心服江陵之功而不敢言，以世所曹恶也；予心诽太函之文而不敢言，以世所曹好也。无奈此二屈事何云云。其论颇为切中。"

**茅坤作《浙直分署纪事本末》六卷。**《茅鹿门先生文集》卷十五有《浙直分署纪事本末序》。《四库全书总目》卷八〇著录。

**盛时泰谒王世贞于小祇园，和元美拟古七十章，三日而毕。时王世贞丁母忧家居。**《列朝诗集小传》丁集上《盛贡士时泰》："时泰，字仲交，南京人。以诸生久次，贡于廷，卒业成均。年五十而卒。仲交才气横溢，每有撰述，舐笔伸纸，滚滚不休，纸尽则已。善画水墨竹石，居近西冶城，家有小轩，文徵仲题曰'苍润'，以仲交画法倪迂，沈启南有'笔踪要是存苍润，画法还应入有无'之句也。骯髒历落，不问家人生产，卜筑于大城山中，又爱方山祈泽之胜，咸有结构，杖策跨驴，欣然独往，家人莫能迹也。尝为子娶妇，其妇戒勿他往。薄暮，友人邀往城南古寺，阅数日乃归，妇愠而詈之，干笑而已。张肖甫开御史台于句容，仲交大醉，挝县鼓于戟门，肖甫曰：'安得有此狂生？必盛仲交也。'邀入痛饮，达旦而别。万历改元，以陪贡试吴下，肖甫曰：'子过姑苏，必谒王元美。'仲交遂携所著《两都赋》，谒元美于小祇园，元美赠之诗曰：'遂令陆平原，不敢赋三都。'又和元美拟古七十章，三日而毕，元美殊气夺也。"

**李贽任南京刑部主事，始聚友讲学。**焦竑《焦氏笔乘》卷四"读书不识字"："宏甫为南比部郎，日聚友讲学，寮友或谓之曰：'吾辈读书，义理岂有不明，而事讲乎？'宏甫曰：'君辈以高科登仕籍，岂不读书？但未识字，须一讲耳。'或怪问其故。宏甫曰：'《论语》、《大学》，岂非君所尝读耶？然《论语》开卷便是一"学"字，《大学》

开卷便是"大学"二字。此三字，吾敢道诸君未识得。何也？此事须有证验始可。如何自负识得此字耶？'其人默然不能对。"自今年至万历乙亥，李贽均在南京刑部主事任。

黄文华辑《鼎镌昆池新调乐府八能奏锦》刊行。此为昆腔、池州腔合选本。黄儒卿辑《新选南北乐府时调青昆》，亦为昆腔、池州腔合选本，万历初刊行，具体年月不详。据叶德均《明代南戏五大腔调及其支流》。

杨表正《琴谱大全》初刊本问世。据四库提要。

申时行以少詹事兼讲读学士。万士和任礼部尚书。丁士美任礼部右侍郎。董传策任南京礼部侍郎。据王世贞《弇山堂别集》。

## 公元 1574 年（神宗万历二年　甲戌）

### 三月

孙继皋（1550—1609）等进士及第。《弇山堂别集》卷八十三《科试考三》："万历二年甲戌，命太子太保礼部尚书武英殿大学士吕调阳，吏部左侍郎兼翰林院学士掌詹事府事王希烈主会试，取中孙𬸚（1542—1613）等三百人。廷试，赐孙继皋、王应选、余孟麟及第。张嗣文与中式。"同榜进士有李化龙（1554—1611）、邢侗（1551—1612）、赵南星（1550—1627）、邹迪光（1550—1626）、沈璟（1553—1610）、李三才（？—1623）、吕坤（1536—1618）、陈与郊（1544—1611）等。

邢侗（1551—1612）除南宫知县。邢侗行谊甚高，以书法文章驰声万历间。李维桢《陕西行太仆寺少卿邢公墓志铭》："庚午（1570）举京兆，甲戌成进士，授南宫令。请于父：'若何为政？'父曰：'吾家故温，不需若养，被除其心，以和惠民。'子愿敬诸。之官，一切供亿，率取诸家。削邑市货者籍，不复用问遗。训咨故实，不干不犯。民有讼，悉其聪明尽之，两造俯首无言。……南宫今特以廉令祠。征拜山西道御史。"《池北偶谈》卷七："吾乡太仆邢公子愿（侗），以书法文章名神宗朝，然其行谊甚高。初知南宫县，同年渭南南公（宪仲，工书，居益之父。）为枣强令，会御史按真定，皆在郡候察，而南公病殁，后事一无所备。先生直入白御史曰：'南枣强死，无为经纪后事者，某愿请旬日之假，驰往治丧，毕事后，赴郡听察。幸甚！'御史素重公名，许之，竟为停察事，听往治丧。至今南氏子孙感公高谊不忘。御史亦贤者，惜逸其姓字。"

沈璟会试第三名，廷试第二甲第五名赐进士出身。观政兵部，授该部职方司主事。据凌敬言所撰年谱。

### 春

沈懋学（1539—1582）与张凤翼（1527—1613）、张燕翼〔字叔贻〕兄弟同登济阴太白楼，狂歌问酒。沈懋学《与张伯起孝廉》："客岁足下过济阴，闻不佞登第，今未及期，弟复过此，诵足下诗，神悠然向往矣。且忆甲戌春与足下之畏伯仲，登太白楼，狂歌问酒，今美人各天，叔贻之口，且化为异物，死生聚散，真等云萍，眷此隙驹，堪同丘□，向贻足下书，尚欲足下勉作经生语，由此致身，不负经纶之具，乃今世道可忧，辟世金马门者，且欲深逃，学吴门市卒，何敢复望足下混世也。"张凤翼字伯起。

**冯梦龙**（1574—1646）生。据徐朔方《晚明曲家年谱》。冯梦龙字犹龙，一字子犹，别署墨憨斋主人。长洲人。崇祯三年（1630）贡生，授丹徒教谕。崇祯七年任寿宁知县。编撰"三言"，修订出版《新列国志》，改刻戏曲作品多种。以文人而兼出版家，在晚明通俗文化领域影响甚大。

## 五月

**华察**（1497—1574）卒。王世贞《明故翰林院侍读学士掌南京翰林院事奉训大夫华公墓碑》："公讳察，字子潜，常之无锡人也。""公以弘治丁巳季夏之六日生，卒以万历之甲戌仲夏二十七日，春秋七十有八。所著有《碧山堂》、《知退轩》、《翰苑》、《留院》、《东行纪兴》、《岩居》诸稿，及纂《华氏家乘》九卷，《续传芳集》六卷。东璧兰台之撰，春容雅丽为宗，一壑三径之辞，简远玄澹为主。虽黼芾人伦，脍炙群吻，俱擅珪璋，靡惭竹素，而《岩居》一集，迥乎超矣。"王世贞《翰林院侍读学士鸿山华公寿藏记》："公生而颖秀岐嶷，十二工属文，为邑诸生，寻补太学生。先帝之元年（1522），举应天乡试，明年（1523）会试不第归，而其学益邃，遂再举进士高等（1526），以选入翰林为庶吉士。"改户部主事，历兵部郎中，再改翰林院修撰，迁侍读学士，掌南院。"公为诗故多应制赠送之什，以宏丽典则称。而自其归，绝不守故武，务汰其色泽而陶洗之，天骨自露，萧澹简远，冲融悠隽，出入彭泽、襄阳之间。世所传《岩居稿》是也。""不佞尝读《岩居稿》，窃意公蝉蜕宇外，不屑屑者，及获私公事行，抑何惇笃宛至，精人理也。"王慎中《岩居稿序》："《岩居稿》者，吾同年无锡鸿山华君子潜罢翰林家居所著诗也。丙戌（1526）赐第，当今上图治之始，方招延茂异，思与翊赞鸿猷、黼黻大业之意甚盛，于是选其隽彦，养之馆中，得二十人，盖其慎也。子潜与姑苏陆浚明、袁永之、槜李屠文升在选中，尤以才名最于同馆，皆吴人也。会大臣异意，正邪相轧之机未决，朝议靡所定，馆中所养并除他官，无复留者。浚明、永之又以谴谪久废，而子潜与文升最后乃由郎中改授修撰。陆、袁二君废既久，著书益多，君与屠君以文学进用清显，为上左右顾问讲读之臣，复善为诗歌，而吴中之才虽或废或用，要为有盛名于时。然文升竟以疾自免，君亦继以谗贬，自疏乞休，词学之士反锢于右文之朝，良有不可知者。……所为诗，顾洒然自立于尘埃情累之表，意象之超越，音奏之凄清，不受垢氛，而独契溟滓，若木居草茹，服食导练，沦隐声迹者之所为言，非世人语也。"作序时间不详。另有龚用卿《题重刻岩居稿》，撰写时间亦不详。龚与华察系嘉靖丙戌（1526）同年。《列朝诗集小传》丁集上："诗名《岩居稿》，王道思序之，以谓意象之超越，音韵之凄清，不受垢氛，而独契溟滓，若木居草茹，隐遁栖息者之所为言，非世人语也。王元美亦称之，曰：'刊洗浮华，独见本色。清淡简远，远胜玉堂之作。'"《明诗别裁集》卷七录华察诗六首，评曰："学士五言冲淡，有陶韦风。然垢氛已离，未穿溟滓。"《明诗纪事》戊签卷四录华察诗二十二首，陈田按语云："子潜出使朝鲜，有《皇华集》。诗不足存。惟《岩居》一稿，五言最胜，有柴桑遗韵。以此知存诗不在多也。"华察，《明史·文苑传》有传。

**黄姬水**（1509—1574）卒。黄姬水字淳父，长洲人。省曾子。有《白下》、《高素斋》二集。《艺苑卮言》卷七："黄淳父如北里名姬作酒纠，才色既自可观，时出俊语，为客所赏。"《静志居诗话》卷十四录其《送汪太学游江都》诗："千里王孙归未能，风云意气每超腾。年来裘马遨游处，不是金陵即广陵。"《四库全书总目》著录黄姬水《贫士传》二卷、《白下集》十一卷、《高素斋集》二十九卷、《黄淳父集》二十四卷。《白下集》提要曰："是集诗六卷，赋一卷，文四卷，姬水自吴门徙居金陵所作，故以白下为名。王世贞序谓姬水始务以清丽宏博自喜。中年游白下，稍趋淡辞雅调。晚节益自喜为工语，东南诸诗人也，不能先淳父而指屈也。其文则不复置论。然观姬水自序，似所编实止各体诗。其余数卷，为其子后来增入也。姬水本五岳山人省曾子，而世贞序谓省曾为姬水之王父。同时之人不应有误，殆刊本衍一王字欤？"《高素斋集》提要曰："是集凡赋一卷，诗十二卷，杂文十六卷。王世贞《艺苑卮言》称其诗如北里名姬作酒纠，时出俊语。褒中寓贬，已足见其一斑矣。"《黄淳父集》提要曰："是编乃万历乙酉（1585）其婿顾大思衷《白下》、《高素斋》二集及所未刊者并梓之。凡赋颂赞诗十六卷，杂文八卷。"《明诗纪事》己签卷二十录黄姬水诗四首，陈田按："勉之（黄省曾）北面空同（李梦阳），致失故步，不如其子淳父为轻俊语，吴人而吴歈也。观其自序《白下集》云：'壮心不死，素发易生，云霞郁思，江山洒泣。昔人有游楚者，病且为吴吟；予悲予之游楚而吴吟也。'可以知其旨矣。"

## 六月

**魏裳**（1519—1574）卒。王世贞《魏顺甫传》："魏顺甫者，名裳，世为蒲圻人。岁癸酉九月，余起家为楚按察使，以书报顺甫。顺甫来武昌，而余有岭南迁，且发，顺甫追及之。夜饮于汉阳之晴川阁，俯视二江环流，挟月如璧，意欢甚，谓余曰：'自吾登天门视日出，而于鳞实偕，并是乐为再哉！弗可三矣。'余少于顺甫七岁，而须发强半白。顺甫甚鬓，气充然若少年子。余谓：'大匠庀楚材殆遍，将无及子耶？'笑弗答。盖别之八阅月而顺甫卒矣。……得年五十六。"王世贞生于1526年，去年十月升广西布政使司右布政，魏裳生卒年月据以推定。余曰德、魏裳、汪道昆、张佳胤、张九一并称后五子。传又云："顺甫所习，自经典子史，诸天官、卜筮龟策、地理家靡不精究。其诗虽善近体，沉郁劲壮，有河朔风。于文尤精刻削，法森森立，不以藻竞。夫冶饰澹辞，侈靡为市门妆者，见顺甫可愧死已。"

## 七月

**钟惺**（1574—1625）生。据崔重庆、李先耕《钟惺简明年表》。钟惺字伯敬，竟陵人。万历三十八年进士。授行人，稍迁工部主事，寻改南京礼部，进郎中。擢福建提学佥事，以父忧归，卒于家。有《隐秀轩集》等。

**《穆宗实录》成，王锡爵升侍讲学士。**焦竑《澹园集》续集卷十六《光禄大夫少保兼太子太保吏部尚书建极殿大学士赠太保谥文肃荆石先生行状》："癸酉，领右春坊事，主顺天，《乡试录》十九出其手，学者争传诵。甲戌，复充会试同考官。七月，《穆宗实录》成，升侍讲学士，加四品服。八月，升国子祭酒。"

## 八月

蒋以忠作《刻震川先生文集序》。归有光，学者称震川先生。序署"万历甲戌八月上浣，赐进士第、承直郎、南京刑部主事，海虞后学蒋以忠顿首拜撰"。

谢榛作《诗家直说自序》。《诗家直说》，又名《四溟诗话》。序云："诗本无说，古人独妙在心，所蕴深矣。汉、魏有诗而无法，托之比兴不浅。魏、晋诸家同一源流，各见体裁，铿然声律之渐。至鲍、谢辈，对偶已工，绮丽相炫，骎骎乎唐初调矣。暨李、杜二老并出，以骨为主，以气为辅，其机浑涵而不露。晚唐以来，谈诗者纷纭，互以雄辩相高，使人愈趋愈远，不得捷要故尔。予梓《诗说》若干篇，譬诸筑基起楼，势必高大，所思不无益也。……万历甲戌仲秋念四日寓汾阳七十九岁山人谢茂秦甫识于天宁兰若。"

## 九月

王世贞由太仆卿升右副都御史，巡抚郧阳，提督军务。是冬赴任。《王文肃公文草》卷六《太子少保刑部尚书凤洲王公神道碑》云："郧阳在楚西南，无兵马财赋之重，前中丞皆卧而治之，公独刻意振刷。甫下车，劾一守一令，墨吏望风多自引去。前中丞尝奏留边饷，备郧缓急。公以九州一家，忧在边鄙，令通核所部屯田，以本色备荒，折色充饷，不必须边饷而给也。而郧又适少事，奈何辍所急以事无用。奏罢之。公又以楚地再震，荆州坏庐舍尤多。疏引京房占，有'臣道太盛'语。又尝遗京师人书，言江陵（张居正）浸淫耳目之好，非社稷福。其人泄之，而江陵积不能平，数言于人，然公才高行清，犹隐忍收人望，稍迁南大理。"《明史》王世贞传："万历二年九月，以右副都御史抚治郧阳，数条奏屯田、戍守、兵食事宜，咸切大计。有奸僧伪称乐平王次子，奉高皇帝御容、金牒，行游天下，世贞曰：'宗藩不得出城，而诳张如此，必伪也'。捕讯之，服辜。"乾隆《下荆南道志》卷十五："万历甲戌，抚治郧阳，披卷读书，辟清美堂、牡丹亭，题春雪楼，出帑金购书于三吴、两浙、秦楚间，得数百卷，贮于清美堂中，俾士人肄习，文风丕变。"嘉庆《郧县志》卷五、同治《郧县志》卷五："万历二年任，数条奏屯田、戍守、兵食事宜，咸切大计。"王世懋迁尚宝司丞。

## 秋

吴继茂刊行欧大任（1516—1595）《思玄堂集》并作跋。《思玄堂集》收欧大任家居期间之作。跋云："欧先生就公车待诏，居都下，有《游燕集》；为学官始居江都，予辈得属和竹西，先生有《浮淮集》、《辀中集》；随牒光州，又有《游梁集》，业已传之艺林。予因请曰:'夫桐柏为淮之源,言有本也,先生之诗岂独始于待诏时耶? 愿闻其家居之作。'先生辞让弗与,乃后邵长孺入梁索得是集,用以寄余。余因与倪惟思分任校雠,托之梓氏,其卷目则仍其旧,俾海内得睹欧氏全书,亦以知源流之所自也。万历甲戌秋日,新安吴继茂书。"

## 十月

潘豫之刊行欧大任 (1516—1595) 《雍馆集》,集有皇甫汸序。潘豫之《雍馆集跋》:"……间从记室录雍馆诸草,归授梓人,适陆无从氏自广陵以皇甫司勋所为序寄至,并刻之而附著焉。……戊寅十月朔,门下通家子潘豫之百拜识"。按,皇甫汸序作于今年七月,序云:"尝读《思玄堂集》,其自叙幼时趼弛,好击剑蹴踘,故其诗往往有英风侠气。晚折节砥行,诗亦温柔隽永。若相如《上林》之篇自击剑来,而嫖姚树勋塞外,岂蹴踘足病耶? 古豪杰之致为类如此。先生不远千里,移尺牍令门下士陆生无从乞余为序,并漫及之。万历戊寅秋七月既望,赐进士吏部稽勋郎吴郡皇甫汸子循撰。"

## 十一月

王世贞为郑若庸 (1489—1577) 《类隽》作序。《类隽》仿《艺文类聚》体例,凡分二十门。《弇州四部稿》卷六十八《类隽序》:"吾友郑山人,年三十余即厌经生业,弃之而杜门为古文辞……中年而其所为古文辞称于中原。赵康王闻而聘山人……曰:生为我成一书。其概若徐坚之《初学记》、欧阳询之《艺文类聚》。已给笔札,颇出其所藏书。每奏一篇辄称善。而会山人以二府辟,北游京师。见少师华亭徐公而语之故。徐公复大贤之。……又二十年而书成,名之曰《类隽》……则康王久捐国矣。"按,赵康王卒于嘉靖庚申 (1560)。《四库全书总目》卷一三八子部类书类存目二著录《类隽》三十卷,提要曰:"明郑若庸撰。若庸字虚舟,昆山人。少为诸生,以任侠不羁见斥。客赵康王厚煜邸中。厚煜给以笔札,令其仿《初学记》、《艺文类聚》,越二十年而成此书。凡分二十门。《江南通志·文苑传》谓若庸为赵王著书,采掇古文奇字类千卷,名曰《类隽》。盖传闻失实之词,不足据也。沈德符《敝帚轩剩语》称其书与俞安期《唐类函》俱有功艺苑。安期亦雅慕郑书,以不得见为恨。久之而太学生汪珙者始为梓行。然征引太简,叙事多不得首尾,未足以为善本。"

## 十二月

皇甫汸作《皇甫司勋集自序》,述其诗学发展历程甚详。序云:"余七龄而能诗,中宪公课之,辄得奇句,父友讶而传之,以大父祠部公治《诗》,亦治《诗》。时伯氏、仲氏与中表黄鲁曾、省曾、洞庭徐繗、秦人孙一元、越人方太古谈《诗》,余髫而旁侍,窃耳之,腹私诽焉。一日,中宪公召问《易》,茫不知对,怒曰:小子欲述祖业,殆所谓糟粕也,汝父兄咸治《易》,犹有占哔存取,法孰近乎? 余退而学《易》,期月径以《易》举于乡，乃心未尝忘《三百篇》也。及登进士，游京师，山人张诗为语，孝武朝长沙有开阁之风，海内群彦云集，为拊髀焉，时方推毂李、何、徐、边、熊、薛，皆其选也。一日早朝，夏给事言偕比部李遂、江以达物色余，得之班联中，握手谈艺，出而定交焉。因与诸曹郎吴檄、田顼、高叔嗣、兄仲嗣、邹守愚、王慎中、周给事祚、胡给事尧时、李侍御宗枢竞为诗，由外至者，方宪副豪、邝参知灏、弟汴、李别驾士允、闽山人傅汝舟、高灝、同年吴子孝、唐顺之、任瀚、杨祐、陈束、李开先、吕高、栗应麟、弟虹谈，未尝不少让我也。于是为关洛之音。浸淫上逮诸曹卿，严公嵩、李公廷相、霍公韬、陆公深、马公汝骥、大中丞王公廷相、刘公翮、许太仆宗鲁、郑光禄宪、黄学士佐、房考李公默，引为忘年友，互相酬和焉。顾文康曰：子晚进，奈何与先达并列？余曰：列诗非列官也，彼索之而我应之，奚僭乎？竟以才见忌，于是乎承谴齐安矣。至则与王子廷陈、廖子道南、冯子世雍倾盖如故。此三人者咸楚材也，间为楚音，此其一变也。居中宪公忧，起补南署，时与许子谷、蔡子汝楠、施子竣、王子廷干、侯子一元、中山徐京竞为诗，多江左之音，此又一变也。后免太夫人丧，赴阙补职，时比部郎王世贞、李攀龙及诸进士、谢山人并辱造余，其言与关洛稍异，乃独为燕赵之音，又其一变也。自澶州移栝，迁滇臬，遐陬罕晤，仅得张子含、李子元阳，若杨太史慎先已徙泸，数移书相诏示，而观察周满、贵州学宪谢东山亦以诗交，有渊云之余风焉，则又间为蜀音。嗟乎！余殆东西南北之人也。本之二京，参之列国，变亦尽矣，心良苦矣，非一朝一夕也，程材效伎，折衷于作者，亦多矣。解官归则返吾初服，从吾所好耳，乃尽取箧中稿检阅之，诗如辞极绮靡而兴寄未深，删之；格或不古，调或不高，删之；或龃龉不当，蹉跎无常，删之；语非绝俗，句非神来，删之；十存其七。文非由衷应物而作，乖于名理，乏于讽喻，删之，十存其五。嗟乎！余有志慕古，而力不逮心，耻时尚而薄不为。文如马迁，高矣美矣，余惧画虎之诮而不敢为，胡魏晋而下，无二史公也？诗如杜甫，美矣善矣，余惧拆洗者易流于宋而不欲为，胡唐诸名家不皆少陵也？断可识矣。吾与我周旋，久自成一家言，愧不足以传诸后，然呕心裂肝，虽腐秽，恶忍弃哉？姑存之，以考见岁月云。总得赋六首，四言骚体十首，五言古诗一百二十三首，乐府四十一首，七言古诗五十九首，七言歌行十六首，五言律诗六百四十六首，排律六十七首，七言一首，七言律诗二百九十七首，五言绝句五十一首，六言一首，七言二百五十九首，凡三十三卷，颂赞铭十首，序集四十首，宴赠三十三首，碑版四首，书牍十九首，记十首，杂著五首，传三首，志铭十三首，碑表五首，家志五首，哀诔六首，告祭十六首，跋语文疏十一首，凡二十七卷，总六十卷云。万历甲戌闰腊既望，沕识。"

朱多煃为欧大任《思玄堂集》作序。序署"万历甲戌腊日，淮甸朱多煃用晦甫撰"。

## 本年

徐渭作《万历二年，翰林院中白燕双乳，辅臣以献进两宫，并赏殊瑞，闻而赋之》诗。诗末四句云："自古生贤佐，多因尔兆祥。试看今稷契，还奉旧虞唐。"见《徐文长三集》卷十一。

罗珏《地理总括》刊行。陈所蕴为顾成宪《艺林剩语》作序。据四库提要。

邹元标（1551—1624）从胡直游，是为"闻道"之始。《四库全书总目》卷一七二集部别集类二五著录邹元标《愿学集》八卷，提要曰："元标有祭诸儒文，自称甲戌闻道。盖是时年方弱冠，即从泰和胡直游也。其学亦阳明支派，而规矩准绳持之甚严，不堕二王流弊。"

周天球（1514—1595）再入北京。中贵人欲其给事兰台，谢不受。于慎行《周幼海先生小传》："万历甲戌，成国即世，太傅以束帛加璧请先生勒石，先生又为一来，则太傅亦已逝。门下客皆散去，空无人，故舍惟先生在。则起策一骑往游渔阳塞，望见大漠萧条，医巫闾诸山横绝海上，戚将军呼健儿走马射生，使观之。先生扼腕谈，发上指，自以为壮游焉。往先生入都，诸公重其才行，欲以师待诏（文徵明）故事，奏令给事兰台，先生谢不受也。至是一二中贵人复欲白上，官先生，先生又谢不受。"周天球曾于隆庆庚午（1570）入都。嘉靖初文徵明曾待诏翰林院。于慎思有《赠周幼海山人》诗，或作于此行。诗云："陌上相逢意颇真，长安我亦未归人。奚囊有锦还成趣，幸舍无鱼未是贫。客梦但迷三径雨，野心谁惯六□尘。渔竿莫讶无归处，浩荡烟波伴此身。（周诗有'五湖无地着渔竿'之句，故云。）"

礼部尚书陆树声（1509—1605）得请致仕。陆以清望为时所重，不屑受张居正笼络。于慎行《明故资政大夫太子少保礼部尚书兼翰林院学士赠太子太保谥文定平泉先生陆公墓志铭》："会明年甲戌当会试，江陵（张居正）营诸子入毂，欲援公正人以塞物议。公微知之，请去益决。疏上，温旨勉留，遣中使问赍及门，江陵复托中丞挽公，微示将有别命，公笑曰：'一史官，去国二十年始一出山，岂为树桃李希捷席耶？'疏五上，乃得赐告乘传归。濒行，疏陈十事，皆关大计，而辨宫府、抑戚倖、斥貂珰尤触时忌，江陵益大咈。顷之就公邸诀，公踞床见之，抗手谢曰：'病甚，负公推毂，奈何？'翌日出都，倾城祖送，皆谢不见，相与望尘叹羡，以为长安道上，数十年所未有也。先是，江陵询公：'公即去，谁为代者？'公举宜兴万文恭及闽林文恪。万为公友，文恪则公丁未（1547）礼闱所举士也。两公皆世所称端人，然皆与江陵有忤，而江陵徒心重公，竟用文恭以代。公归，而江陵贻书，犹以不究用公，恐后世不能无咎于执政以为恨。"万士和谥文恭。

丁士美任吏部右侍郎。余有丁任南京国子监祭酒。据王世贞《弇山堂别集》。

柯维骐（1497—1574）卒。张时彻《柯希斋传》："公生于弘治丁巳，卒于万历甲戌，享年七十有八。""公名维骐，奇纯其字，别号希斋，莆阳望族，徽州知府西坡公英第四子。"嘉靖癸未（1523）进士，授南户部主事。"以非其好，不禄也，而移疾请告，归乌石山中，聚旧业而抽绎之，别淆乱，订是非，会万于一，可以辍食而不可以辍学，可以却名利而不可以涸性灵。及门之士执经而问难者日益云集，先后至四百余人，传授靡倦，要以躬行为先。慨近世学者乐径悟而惮积累，窃禅家之说以掩孤陋，作右龙二铭以明其意。著讲义二卷，以辨心术端趋向为实志，以存敬畏密操履为实功，而其极以宰理人物成能天地为实用。至为学之次第，恳恳致意于诚之一字，谓心与理一之谓诚，言与行一之谓诚，终与始一之谓诚，公益允蹈之也。又录所答问厘为《心解》、《学解》、《经解》、《上下传解》、《史解》六卷，多儒先所未发，门人共服膺之，梓而传焉。宋旧史：契丹、女直与宋并帝，时号宋、辽、金三史，盖出于元儒所修。冠屦莫辨，褒贬不公。公乃著《宋史新编》二百卷，会三史为一而以宋为正统，辽、金刊于外国传，以尊中国。""又作《史记考要》十卷，""又以莆阳文献自嘉靖以来屡经兵火，惧其遂湮也，乃撰次为二十卷，以接山斋郑公岳之笔，曰《续莆阳文献志》。""著有诗文集十卷，续集四卷，杂著二卷，总六籍之膏腴，会百家之型范，跨唐凌汉，彬彬大雅矣。乃公不欲以此自名，故名曰《艺余》云。"《静志居诗话》卷十二《柯维骐》："柯维骐字奇纯，莆田人。嘉靖癸未进士，官南京户部主事。有《艺余集》。宋、辽、金、元四史，惟《金史》差善，其余潦草牵率，岂金匮石室之所宜储？希斋撰新编，会宋、辽、金三史为一，以宋为正统，辽、金附焉。升瀛国公益、卫二王于帝纪以存统，正亡国诸叛臣之名以明伦，列道学于循吏之前以尊儒，历二十载而成书，可谓有志之士矣。其诗文曰《艺余》者，编《宋史》之暇作也。先是揭阳王昂撰《宋史补》，台州王洙撰《宋元史质》，皆略焉不详，至柯氏而体稍备。其后临川汤显祖义仍、祥符王维俭损仲、吉水刘同升孝则，咸有事改修。汤、刘稿尚未定，损仲《宋史记》沉于汴水，余从吴兴潘氏钞得，仅存。然三史取材，纪传则曾巩、王偁、杜大圭、彭百川、叶隆礼、宇文懋昭。编年则李焘、杨仲良、陈均、陈桱。礼乐则聂崇义、欧阳修、司马光、陈祥道、陈旸、陆佃、郑居中、张昪。职官则孙逢吉、陈骙、徐自明。舆地则乐史、王存、欧阳忞、税安礼、王象之、祝穆、潘自牧。著录则王尧臣、晁公武、郑樵、赵希弁、陈振孙。类事则徐梦莘、孟元老、李心传、叶绍翁、吕中、马端临、赵秉善、刘祁。述文则赵汝愚、吕祖谦。诸书具在，以予浅学，亦曾过读。其他宋、金、元人文集，约存六百家。郡县山水志，以及野史说部文又不下五百家。及今改修，文献尚犹可徵。予尝欲据诸书，考其是非同异，后定一书。惜乎老矣，未能也！"《明史·艺文志》著录其《宋史新编》二百卷、《史记考要》十卷、《艺余集》十四卷。《明诗纪事》戊签卷十五录柯维骐诗四首，陈田按："奇纯撰《宋史新编》，竭二十余年之力，可谓精专。诗亦蕴藉，不染尘氛。"

**陆师道**（1511—1574）卒。《明史·文苑传》载："陆师道，字子传。由进士授工部主事，改礼部，以养母请告归。归而游徵明门，称弟子。家居十四年，乃复起，累官尚宝少卿。善诗文，工小楷古篆绘事。人谓徵明四绝，不减赵孟頫，而师道并传之，其风尚亦略相似。平居不妄交游，长吏罕识其面。女字卿子，适赵宧光，夫妇皆有闻于时。"

**钱德洪**（1496—1574）卒。德洪为阳明弟子。《明史·儒林传》有传。

**曹学佺**（1574—1646）生。曹学佺，字能始，侯官人。万历乙未（1595）进士，除户部主事，移南大理寺副，转南户部郎中，出为四川右参政，浙江按察使，降广西参议，迁陕西副使，留任桂平道。天启中，除名为民。崇祯初复官，不赴。家居殉节死。有《石仓全集》。

## 公元 1575 年（神宗万历三年　乙亥）

二月

李维桢由翰林院修撰出为陕西左参议。李维桢在翰林院与许国齐名。钱谦益《南京礼部尚书太子少保李公墓志铭》："公讳维桢，字本宁，其先豫章人，高祖九渊，徙楚之京山。……年十八，举于乡。二十一，上进士第，选翰林院庶吉士，除编修。穆庙《实录》成，升修撰。在史馆，与新安许文穆公齐名，同馆为之语曰：记不得，问老许。做不得，问小李。仁圣皇太后修胡良臣马桥，词臣撰碑进御，江陵公独取公文，同馆皆侧目焉。乙亥内计，遂出为陕西参议，迁提学副使。自是浮湛外僚，凡三十年，始稍迁至南太常。"

张九一亦于今年起补凉州参议。张九一字助甫，王世贞所称"三甫"之一。李维桢《张中丞集序》："嘉靖朝，七子、三甫言语妙天下。张助甫先生者，三甫之一也。余髫年属文，父执高右史伯宗谬许：'是可希张助甫。'余因请先生所撰著读之，欣若有会者。万历乙亥，先生起家西宁，余承乏陇西。先生长十五年，负重若，又以天官郎尚玺卿左迁，意不可一世，过而昵就不佞。其后同官长安，余复仕大梁，倡和酬往益稔。"过庭训《张九一传》：乙丑（1565）"以忧归。……凡十年，起补凉州，升副使兵备甘州。"

## 春

王世贞任郧阳巡抚。本年升南京大理寺卿，未任。王世贞《邹彦吉玄岳游稿序》："乙亥春，叩郧襄节，用间涉玄岳，礼北门贵神，则有一赋四记，它古近体若而篇。余赋颇时时落人口，余蔑称也。"《弇山堂别集》卷六十《卿贰表》"南京大理寺卿"："王世贞，直隶太仓人。由进士，（万历）三年郧阳巡抚升，未任。"

## 五月

欧大任（1516—1595）由南康府教授升国子监助教，与沈懋学、王世懋、邢侗等交往颇密。《广州乡贤传》："欧大任字桢伯，顺德人。……万历乙亥国子监助教。"欧必元《家虞部公传》："隆庆己巳（1569），漕运中丞方公濂首荐于朝，迁河南光州学正。……迁邵武府教授，以孔太宜人丧归，服除补南康府，未任，即擢国子监助教，专以作人劝学为本，六馆诸生大半执经门下，人谓韩愈四门、胡瑗直讲不能过也。值显皇帝幸太学，赐衣一袭，公赋《临雍颂》以纪盛事。上亦先闻公才名，一日万几稍暇，亲沥宸翰，躬作'不二'二字赐之，字大如斗，笔法遒劲，字画楷整。时上犹冲龄也。公日夕焚香披对，致政归里日，特筑宝翰楼藏之，以为世珍。时馆阁诸公，称诗者云集辇毂，如许歙县、张新建、沈四明、赵兰溪四相国，王定安、刘丘任、何信阳三宗伯，沈君典、赵汝师、王胤昌、范伯桢、黄懋中数太史，王奉常敬美、方银台允治、丘计部谦之、邢侍御子愿、汤尧文、韦显纯两国子、李宛平袭美及吾岭南梁舍人思伯，争相把臂。至郢中大司空曾公则最为瞁好，称尔汝交。其后有张羽王、魏懋权、喻邦相、沈纯甫、胡元瑞、田子艺、胡孟弢、屠长卿、郭建初、莫云卿、张元易、马用昭，门人则程无过、程虞仲、潘子朋，诗僧如镇继、正秀、德清、如序，间引为方外交。都市诗坛，曾无虚日，亦一时之盛也。公有季弟入燕访兄，亦以诗画鸣，得阃人社会，称为大小欧。"张鸣凤序欧大任《南翥集》，署"万历乙亥长至"，提及大任"迁（太学）今官"，其任命时间据以推定。"长至"兼指夏至或冬至，即农历五月或十一月。

欧大任南归服丧期间，成《南翥集》，本月由张鸣凤作序。序署"万历乙亥长至始安张鸣凤撰"。

## 六月

顾存仁、范惟一等为皇甫汸（1498—1582）《皇甫司勋集》作序。顾序署"赐进士第、大中大夫、太仆寺卿、乞恩致仕、前礼科给事中、钦奉世宗遗诏起任南京通政司参议、顺天府府丞、大理寺少卿，郡人顾存仁题于文学书院，岁在万历乙亥六月望日"。范序署"万历三年岁次乙亥季夏朔日，赐进士出身、大中大夫、南京太仆寺卿、前江西布政使司左布政使致仕，郡人范惟一撰"。《皇甫司勋集》另有刘凤序，署"万历乙亥春仲"；有黄文禄序，作序时间不详。《四库全书总目》集部别集类二五著录《皇甫司勋集》六十卷，提要曰："其诗文有《政学》、《还山》、《奉使》、《寓黄》、《家居》、《南都》、《禅栖》、《澶州》、《梧州》、《南中》、《山居》、《副京》、《来兔》、《司勋》、《北征》、《南署》、《赴京》、《浩歌亭》、《安雅斋》诸集。晚年手自删削，定为赋一卷，诗三十二卷，杂文二十七卷，冠以《集原》一篇。其诸集之名仍分注各卷之末。朱彝尊《静志居诗话》称汸集六十卷，即此本也。"

## 夏

沈懋学为梅鼎祚《游白岳诗》作引。据沈引题署。王寅《游白岳诗引》作年不详。王引云："宣城梅禹金，抱性洞灵，笃嗜山水，翛然吟咏，门断俗宾。以余识尊人参知公久，因获缔忘年交云。即往游余郡中，每主余潭上园，不独多郡中山水吟咏交，凡若精技谈兵者，盖且多识之。是岁春始侍参知公游白岳，倡和诸人得诗近五十首，君典爱而命梓之，寄余潭上。余读既大赏曰：'选律具才，风格恪守，奇宕时作，乖僻不生。可谓一意正宗，善鉴其权度者也。'噫，我明作者叠起，至今殆一小变焉。"

## 八月

窦宝泉重刊卢柟（？—1559）遗著《蠛蠓集》，穆文熙作《重刻蠛蠓集引》。末署"万历乙亥岁中秋八月，赐进士第、吏部考功员外郎，魏郡少春穆文熙撰"。《蠛蠓集》尚有万历壬寅（1602）张其忠重刊本。

## 九月

皇甫汸作《皇明文范序》。序署"万历三年岁在乙亥杪秋重阳日，赐进士第、天官、司勋大夫、敕金云南宪使，吴郡皇甫汸子循撰"。《皇明文范》，张时彻编。

## 十月

周诗为归有光《归先生文集》作小引。小引署"万历三年十月既望，门生周诗拜书"。

## 冬

谢榛（1495—1575）卒。谢榛为明代著名布衣诗人。潘之恒《亘史》艳部贾扣传："（谢榛）载（贾扣）与周行逾二年，名山胜地无不遍历。经大名，监司、太守咸负弩（弩）迎。或请赋寿诗百首，至八十三，与阮嗣宗《咏怀》数合，遂绝笔。郑若庸赋十七章足之。贾姬率二子奉枢停大寺之旁舍。学博毘陵吴伯高赋诗挽之，实乙亥冬月也。"或以为谢榛生卒年为（1499—1579），见《谢榛全集校笺》李庆立《前言》。江苏古籍出版社 2003 年版。《四库全书总目》集部别集类二五著录谢榛《四溟集》十卷，集部诗文评类存目著录谢榛《诗家直说》二卷。《诗源辩体》后集纂要卷二："茂秦五言律，浅稚者十之三，生涩者十之二。入录者高壮雄丽，为诸子冠。如'风云随凤辇，日月动龙袍。''黄沙连塞近，黑水入荒流。''日翻龙窟动，风扫雁沙平。''乱山通驿道，残日照边楼。''云出三边外，风生万马间。''旌旗摇海月，箛鼓振边风。''雁逐边声起，鲸翻海色来。''草枯驰马地，霜冷射雕天。''塞日嘶天马，边风落皂雕。''海月窥龙剑，沙云接雁山。''城连岱云起，地接海天浮'等句，皆高壮雄丽者也。至如'旧馆残孤烛，秋原老百虫。''落叶全疑雨，明河半隔云。''倚杖海天近，听泉云壑重。''潭龙乘月色，山鬼傍松阴。'（《听儿弹琴》）'钵盂知旧物，钟磬会余音。'（《瞽僧》）'风飘五更笛，月照万家霜'等句，则又沉深而有余韵。排律，采录可得三十余篇，气格雄浑，足配初唐，实国朝诸家所无。""茂秦七言律，浅稚者十之二，生涩者十之四。入录者冠冕雄壮，足继于鳞。如'胡虏几窥青海戍，烽烟又上百登台。''画角悲凉孤馆夜，黄榆摇落九边秋。''天横落照明孤垒，地入穷荒接万山。''黄河荡日寒声转，嵩岳连空远色开。''胡笳遥动黄云暮，塞马长嘶白草秋。''雨过羊城春浩浩，云连鲸海夕冥冥。''大野暝烟沉汉垒，乱山秋雨滞戎衣。''箛吹夜月军门静，剑倚秋天虏障空。''蒲海风声连鼓角，葱山云色乱旌旗。''北望云开燕道路，中原天划晋河山。''汉阙晴云低抱树，海门凉月半浮天。''居庸北去胡霜下，碣石东临海日寒。''马经滹水鱼龙避，霜下恒山道路清。''路出三吴兵火后，帆归百粤海云边。''能驱瘴疠霜威远，直压波涛海势平。''天开鸟道三秦外，地入蚕丛万井西。''塞门列阵山云合，幕府听箛海月悬。''秦云晓度三川水，蜀道春通万里桥。''地出三峰雄陕服，天分八水杂秦声。''平地波涛吞涧谷，极天云雾失峰峦'等句，皆冠冕雄壮者也。至如'秋草空迷长乐苑，夕阳犹傍集灵台。''湘雁晚低彭蠡泽，楚云春澹豫章天。''昙云不作空山雨，祇树还生象外花。''海上有云连蜃气，岭南无雪到梅花。''楚棹正逢归塞雁，汉云遥送渡江人。''月明绿酒当年共，秋老黄花近赏违。''宫中烛映西山雪，笛里梅传上国春。''云间不辨银河色，楼外空传玉笛声。''光临凤阙清钟断，寒入龙庭画角悲。'（《秋月》）'早朝尚忆嘶风去，夜醉犹怜踏月回'（《悼马》）等句，则声调和平，较于鳞格稍能变。变体四首，在诸子之上。七言绝十余首，可配龙标。大抵七子之诗以才气胜，至锻炼之功，则让茂秦。但多工句而不工篇，故高壮者或未融洽耳。""严沧浪云：'唐人好诗，多是征戍、迁谪、行旅、离别之作，往往能感动激发人意。'愚按：茂秦五七言律、绝，其妙处正在于此。今人不惟厌其诗，且厌其题矣。"《皇明诗选》卷六："舒章曰：茂秦诗神简健发，如摩天俊鹘，每击必中。卧子曰：茂秦沉练雄浑，法度森然，真节制之师也。又曰：茂秦地位于鳞之下、徐吴之上，元美评其所制最当，而未免以萧朱之嫌，左祖济南，抑之太甚，此文人之交，不足重也。辕文曰：《四溟集》余所细阅，五言古学少陵而加以俗，了无可取，七言古亦具体耳。惟五七言律切实衡当，是其所长，然法律束之，不无微恨。又曰：茂秦近体在元美之上，于鳞能以变化胜之。"又卷九："辕文曰：茂秦五言律，似胜诸名家，然句法篇法，未免束缚，神情不能出四十字外，此其所不及也。要之空同、大复、昌谷、于鳞外，亦无其伦。"又卷十二："辕文曰：茂秦七言律，源于岑嘉州。"《列朝诗集小传》丁集上："茂秦今体，工力深厚，句响而字稳，七子、五子之流，皆不及也。茂秦诗有两种：其声律圆稳持择矜慎者，弘、正之遗响也；其应酬牵率排比支缀者，嘉、隆之前茅也。余录嘉靖七子之咏，仍以茂秦为首，使后之尚论者，得以区别其薰莸，条分其泾渭。"沈德潜《说诗晬语》卷下："谢茂秦古体，局于规格，绝少生气。五言律句烹字炼，气逸调高。集中'云出三边外，风生万马间'、'人吹五更笛，月照万家霜'、'绝漠兼天尽，交河荡日寒'、'夜火分千树，春星落万家'，高、岑遇之，行当把臂。七言《送谢武选》一章，随题转折，无迹有神，与高青丘《送沈左司》诗，并推神来之作。"《明诗别裁集》卷八录谢榛诗二十六首，评曰："四溟五言近体，句烹字炼，气逸调高，七子中故推独步。古体局守规格，有宗法而无生气，弗取也。"《明诗纪事》己签卷二录谢榛诗二十三首，陈田按："弇州《卮言》评五子诗多有溢美，惟评茂秦诗至当不易。大抵以声气合者语多假借，惟于茂秦始合终离，故公论出耳。茂秦之见拒于王、李，以论诗不相下。观于鳞《与顾季狂书》云：'季狂著述，俨然吴中名家，而生平推重惟元美一人，何至如茂秦生遇不佞不仁之甚也。'《弇州四部稿》有《与宗子相书》云：'眇君子竟不为我和五子诗！'又明卿自邵武还，投书茂秦，述汪中丞玉卿意欲招定居闽、越。茂秦答诗云：'延士堪为主，移家岂在人？渔樵今自适，龙凤古难驯。'茂秦崛强，差足为布衣吐气。"

**张献翼诗文集《文起堂集》成书，属徐縻作序。**卷首徐縻序云："乙亥冬仲，（献翼）以所撰集十卷缄寄山中，且以书属曰：子为我序之，以成胜事。"皇甫汸亦有序。序云："集凡十卷，总得诗文若干首，万有千言，手自删定，仅存十之三四耳。尝自谓八十高年已逾其半，窃比元长，然则后之著作，宁可量乎？序所未概，以俟他日。吏部司勋大夫、敕金宪使，皇甫汸撰。"

**朱胤梢有感于宣大修边，死于劳役之民甚多，作《七哀诗》。**朱胤梢字逊轩，陵川王孙。有集。《七哀诗》引云："万历三年甲戌冬，宣大修边，三晋受役民兵四千余人。而死是役者，千五百有奇。乃为夫妇之词，凡七章。命曰《七哀》，取古题以记今事。董斯役者，可闻而念之也。"《明诗纪事》甲签卷二下录胤梢诗三首。

**张燕翼（1543—1575）卒。**张凤翼《处实堂集》卷七《哭弟叔贻文》云："万历乙亥冬，叔贻卒。"《花当阁丛谈》卷四《三张》云："（燕翼）十三工属文，十七为郡诸生。遂偕伯氏领乡荐，一时才名籍倾吴中。三试春官三不利，而其最后司试得其文，称善，且见录，用小不及格罢。归而取其巾服及书笥焚之于庭。识者知非吉兆。遂以其明年感末疾卒。仅三十三岁。"张燕翼为徐复祚岳父。

茅维（1575—）生。茅维为茅坤第四子，一名国纪。据张攀新《茅坤年谱》。《明史·茅坤传》："少子维，字孝若，能诗，与同郡臧懋循、吴稼竳、吴梦阳（旸）并称四子。"生平简介见下卷。

<br>

### 本年

王世贞编定其诗文集《弇州四部稿》，次年刊行。凡八十卷。据徐朔方《晚明曲家年谱》。时王世贞在郧阳巡抚任。

茅坤《史记钞》刊行。是编系删削《史记》之文而成，略施评点。据茅坤《刻史记钞引》。《四库全书总目》史部史钞类存目著录《史记钞》六十五卷，提要曰："是编删削《史记》之文，亦略施评点。然坤虽好讲古文，恐未必能刊正司马迁也。"

姚翼《玩画斋杂著编》八卷，所录文截止于今年。《汇苑详注》成书。据四库提要。

申时行任礼部右侍郎。王宗沐任刑部左侍郎。据王世贞《弇山堂别集》。

王思任（1575—1646）生。李流芳（1575—1629）生。左光斗（1575—1625）生。魏大中（1575—1625）生。生平简介见下卷。

范凤翼（1575—1655）生。《范勋卿集》附录《太蒙先生补传》："先生姓范氏，名凤翼，字异羽，别号太蒙……先生成进士，年甫二十有四，可谓清年。"范凤翼为万历二十六年（1598）进士，时年二十四，其生年据以推定。其卒年据《明诗纪事》庚签卷十九范凤翼小传。

## 公元1576年（神宗万历四年　丙子）

### 春

朱孟震由南京刑部郎中知重庆府，金銮作诗送别。时金銮（1494—1583）已年逾八十。《玉笥诗谈》卷下："金山人在衡，名銮，陇西人。从其父宦金陵，因占籍为金陵人。在衡初为诸生，才名籍籍，后刻意为诗及乐府诸词曲，一时名辈咸服其工。所著有《徙倚轩集》、《萧爽斋词稿》。年八十二，犹能作细书。余领渝州，山人赠之诗云：'万里桥边忆旧游，野云江树接天浮。悬知别路初经暑，只恐归鸿已报秋。涪水东来通剑阁，岷山西望达夔州。武侯相业文翁化，千古巴人颂未休。'又云：'遥忆青溪社，于今又五年。放歌明月底，长醉落花前。山气平分楚，江云半入川。不知垂老日，雁足几回传。''夕林初霁后，春服既成时。桃李含情久，琼瑶报德迟。青尊怜远别，白首幸深知。明月梅花梦，相思未有期。'又寄余云：'清世文章早见知，湖山踪迹各天涯。荒芜马色劳延伫，细雨蘋香入梦思。江馆正逢新酿酒，僧堂犹寄旧题诗。迩来料得文翁教，历遍春风又几时。'"青溪社集在1571年秋，诗云"遥忆青溪社，于今又五年"，知作于今年。

## 六月

王世懋得新刊《弇州四部稿》一部。时王世贞在郧阳巡抚任。王世懋由尚宝丞改江西参议，取道郧阳言别。《奉常集》卷四十七《遗伯兄元美》云："世懋以丙子岁六月受《四部稿》于郧邸。"《诗源辩体》后集纂要卷二："王元美《四部稿》前后集共四百五十四卷，古今文集未有若是之多者。窃谓：刘向、张华学称博矣，而著述未尝多；太白、子美诗称工矣，而文章未尝富；今元美诗数倍于李杜，文数倍于韩苏，且于天地、人物、文章、政事、释老、九流以及书画、工技，靡所不通，而侈言之，此势之必不能兼，而理之必不能精者。但其陵轹中原，气盖一世，又能奖借后生；后生出其门者皆一时之杰，咸以谓诗兼李杜，文胜韩苏，古今集大成者，一人而已。后人何敢措一喙焉。"周亮工《因树屋书影》卷三："艾南英曰：王世贞前后《四部稿》及其外集，多载嘉、隆时事，臣尝读其书，窃以为世宗肃皇帝之英武，威福操纵，无所旁贷，而世贞于其大诛赏，一则曰相嵩，再则曰世蕃；是视其君如汉献、孺子婴也。世贞父死国法，公论已明，非真怨毒之于人也。媚时相而要赠恤，遂知有时相而不知有君。甚矣哉！汉武穷兵征讨，虚耗海内，史迁据事直书，非以李陵腐故，修怨于其君也。读史迁之书，汉武不失为好大喜功，读世贞之书，天下后世以世庙为何如主！世贞雅有文名，又喜猎《史》、《汉》之皮毛，以序饰时政；爱其文者，既溺而不察，士子生长草野，不及见嘉、隆故老，以审知是非之实；而一时著述编录之人，不过据近代文集，吠声附和，而世贞之集又最著。臣故敢书其后曰：近代文士以修怨而无君者，太仓王世贞也；以横议而非圣者，温陵李贽也。"《四库全书总目》集部别集类二五著录《弇州山人四部稿》一百七十四卷、《续稿》二百七卷，提要曰："此乃所著别集，其曰四部者，赋部、诗部、文部、说部也。《正稿》说部凡七种，曰《札记内篇》，曰《札记外篇》，曰《左逸》，曰《短长》，曰《艺苑卮言》，曰《卮言附录》，曰《宛委余篇》。皆世贞为郧阳巡抚时所自刊。《续稿》但有赋、诗、文三部，而无说部。则世贞致仕之后，手衰晚岁之作以授其少子士骏，至崇祯中其孙始刊之。考自古文集之富，未有过于世贞者。其摹秦仿汉与七子门径相同。而博综典籍，谙习掌故，则后七子不及，前七子亦不及，无论广、续诸子也。惟其早年自命太高，求名太急，虚骄恃气，持论遂至一偏。又负其渊博，或不暇检点，贻议者口实。故其盛也，推尊之者遍天下。及其衰也，攻击之者亦遍天下。平心而论，自李梦阳之说出，而学者剽窃班、马、李、杜。自世贞之集出，学者遂剽窃世贞。故艾南英《天佣子集》有曰：'后生小子不必读书，不必作文。但架上有前后《四部稿》，每遇应酬，顷刻裁割，便可成篇。骤读之，无不浓丽鲜华，绚烂夺目。细案之，一腐套耳'云云。其指陈流弊，可谓切矣。然世贞才学富赡，规模终大。譬诸五都列肆，百货具陈。真伪骈罗，良楛涌杂，而名材瑰实，亦未尝不错出其中。知末流之失可矣。以末流之失而尽废世贞之集，则非通论也。"

王世贞自郧阳巡抚升南大理寺卿，不就，归里。《明史》本传："万历二年九月以右副都御史抚治郧阳，数条奏屯戍守兵食事宜，咸切大计。有奸僧伪称乐平王次子，奉高皇帝御容金牒行游天下。世贞曰：宗藩不得出城，而诟张如此，必伪也。捕讯之，服辜。张居正柄国，以世贞同年生，有意引之，世贞不甚亲附。所部荆州地震，引京房占，谓臣道太盛，坤维不宁，用以讽居正。居正妇弟辱江陵令，世贞论奏不少贷。居正积不能堪，会迁南京大理卿，为给事中杨节所劾，即取旨罢之。"九月，以荐举涉滥夺俸。自是栖息于弇山园（即小祇林）。

## 八月

何洛文、戴洵等任乡试主考。《弇山堂别集》卷八十三《科试考三》："万历四年丙子，命右春坊右中允兼翰林院编修何洛文、右春坊右赞善兼翰林院检讨许国主顺天试。命右春坊右中允兼翰林院编修戴洵、右春坊赞善兼翰林院检讨陈思育主应天试。""是岁，内阁大学士张居正次子懋修中顺天式，吕调阳子兴周中广西式，张四维次子嘉征中山西式。南都主试者戴洵，以故中允孙世芳为厉中之，病甚，阅卷事皆属之思育。"

屠隆、胡应麟、孙如法等乡试中式。魏允中乡试第一。王世贞《魏懋权时义序》："余治魏郡兵，识魏子允中于诸生中。魏子年尚少，所为文义奇甚，然不能俯就格。而又善诗，先后奏余诗数章，往往有少陵氏风。余异之，赠以五言长韵，致代兴意，今在集中。余既已去魏，则数闻魏子小试辄居首，而独不利于乡。又有李化龙者晚出，而与之角，相甲乙，至癸酉（1573）秋，李子举乡之第二人。又三年为丙子（1576）秋，而余解郧节还，晤吾郡兵使者永嘉王公。王公实后余而守魏，亦尝奇二子，迎而顾余曰：'吾向者谓李当遂举，举不能第一人也。谓魏迟之，是必第一人矣。使急足当孔道得试目，即魏子第二人，毋以涠我。'而亡何试目至，果如公所属。余怪问之，王公曰：'凡为文义而尚辞者，华而远其实，尚理者，质而废其采，洁则病藻，短则病气，此四者未有能剂者也。今骤而求魏子长，则备之，苟而求魏子短，无是也。凡为时义者，则未有能超魏子乘者也。'寻又有传魏子所试文及它试与居平之业若干篇至者，余得而读之，而后知王公之所得于魏子者深也。余不暇他举，以耳目所睹记，吾省之王文恪、储文懿、钱与谦，是三四君子，一试而其所自期与试之者之期之，若取诸寄不爽。夫固一时之操觚者少，而人自披靡，然亦以试者有定诣，而试之者有定识也。"魏允中，字懋权。

## 十二月

沈明臣、黎民表、张献翼访王世贞于弇州园，诗酒唱和。沈氏《丰对楼诗选》卷三十二有诗《丙子嘉平月十一日王廷尉元美弇州园值南海黎秘书惟敬、闽中马任子用昭同通州卢山人子明、姑苏张太学幼于、周太学懋修、太仓陆山人楚生、曹山人子念分南字》。王世贞《祭黎惟敬少参文》："丙子之冬，纳节归耕，君时起告，访我园亭。短屐轻刀，一二友生。"弇州园即弇山园。

## 本年

何维柏得旨归老，作《乞休》诗。《四库全书总目》卷一七七集部别集类存目四著录《天山草堂存稿》八卷，提要曰："明何维柏撰。维柏字乔仲，南海人。嘉靖乙未（1535）进士。改庶吉士，授监察御史。坐劾严嵩廷杖除名。隆庆初复原官，累迁南京礼部尚书。谥端恪。事迹具《明史》本传。是集文六卷、诗二卷。文集中有讲义、语录二种，皆以白沙绪论为宗。其诗亦多讲学语，盖维柏尝从陈献章游也。朱彝尊《明诗综》谓其《乞休》诗云：'乐事尚饶新岁月，胜游不改旧云山。'乃侍其父与乡人为九老会时所作。今考《乞休》诗为万历丙子得旨归老之作。而和其父与九老韵七律二首，则作于嘉靖戊申（1548），乃劾严嵩后削籍归里时作。彝尊征引偶误，殆亦未见此集欤？"

徐渭作《廿八日雪》诗，其中数句为谢榛鸣不平，不满于李攀龙等人之排挤谢氏。徐渭与谢榛同为明代布衣诗人。诗云："……谢榛既与为友朋，何事诗中显相骂。乃知朱毂华裾子，鱼肉布衣无顾忌。即令此辈忤谢榛，谢榛敢骂此辈未？回思世事发指冠，令我不酒亦不寒。须臾念歇无些事，日出冰消雪亦残。"（《徐文长三集》卷五）按，李攀龙有《寄谢榛茂秦》诗、《戏为绝谢茂秦书》等，调侃谢榛曳裾王门之状。《列朝诗集小传》丁集中《沈记室明臣》云："万历间，山人布衣豪于诗者，吴门王伯谷（稚登）、松陵王承父（叔承）及嘉则（沈明臣）三人为最。王元美（世贞）继二李之后，狎主词盟，引同调，抑异己。谢茂秦故社中老宿，有违言于历下，则合纵以摈之，用以立懂示威。海内词人有不入其门墙，不奉其坛墠者，其能自立者亦鲜矣。伯谷才名故与乌衣马粪相颉颃，承父早多贵游，嘉则晚依宗衮。三人者，其声势皆足以自豪，元美与之雅故，在异同离合之间。夷三君于四十子，而登胡元瑞于末五子，虽未能一切抹杀，其用意轩轾犹前志也。徐文长独深愤之。自引傲僻，穷老以死，终不入其牢笼。于论谢榛诗见志焉。"

郑汝璧《明功臣封爵考》成书。据四库提要。郑汝璧，缙云人。隆庆戊辰进士。官至兵部侍郎，兼佥都御史，总督宣大。

张元忭为徐贞明《潞水客谈》作序。据四库提要。

施显卿《古今奇闻类记》成书。《四库全书总目》卷一一四子部小说家类存目二著录《古今奇闻类记》十卷，提要曰："明施显卿撰。显卿字纯甫，无锡人。嘉靖壬子举人。官新昌县知县。是书成于万历丙子。分天文、地理、五行、神祐、前知、凌波、奇遇、骁勇、降龙、伏虎、禁虫、除妖、咸毒、物精、仙佛、神鬼十六门。兼及明代近事，颇取史传，而掇拾稗官小说者为多。"

高拱《本语》成书。据四库提要。高拱字肃卿，新郑人。嘉靖辛丑进士。官至吏部尚书，中极殿大学士。谥文襄。事迹具《明史》本传。

徐缡（1491—1576）卒。《列朝诗集小传》丁集上《徐处士缡》："缡，字绍卿，世居吴之洞庭山。祖德辉，富敌国。父天常，有游闲公子之习，以轻财损其家。父卒，其母蔡，携绍卿依同母弟羽以居，所谓九逵先生者也。绍卿少为诸生，受学于其舅氏，诗文皆得指授。长与黄省曾兄弟善，绍卿少省曾一岁，鲁曾顾兄事之。初名陵，字少卿，慕李陵之为人，跌宕自喜，时时从少年为狎游，耽曖倡乐，尽废其产。挟策游建业，遍览形胜，召秦淮歌姬，命酒剧饮，酒酣以往，援笔赋诗，感叹六代兴亡之际，高歌长啸，引声出萧寥间，视举世无如也。数射策不中，遂弃去。晚年食贫丧子，一老女寡居。逾年一入城市，寄浮屠舍，萧然旅人，前所与游者咸逝。皇甫子循及张牧、刘凤扫室布席，争延致之，虽笃老，盘案杯斝间，雅谑迭奏，至漏下卒不倦，间有所不可，论辩蜂涌，意气勃发，坚悍少年弗如也。年八十六而卒。绍卿少为诗，与二黄及皇甫子安，互相摩切，晚而称同调者，则子循与二黄之子河水、姬水也。河水称其诗贵华彩、尚标致，经营用思，愈老愈深，吟讽再三，真赏自得。子循为醵金刻其集，序而传之。"《龙性堂诗话续集》："子安同时，有徐绍卿繗者，五言幽逸耐赏，尽有可采。如'怨别清江路，相看暮发人'，'岁华看逝水，心事见残灰'，'荻花明翠渚，云叶散华天'，'暮山飞霭遍，春岭挂星疏'，'月白鸿声切，花寒露气多'，'暮窗行翠岫，春槛抱沧流'，'芜绿烟催暝，花寒雨作愁'等语，皆不落嚣凌习气，所谓心醉殷璠之鉴者也。"《明诗纪事》戊签卷二十二录徐繗诗六首，陈田按："绍卿与皇甫子安兄弟游。皇甫长于五律，故绍卿此体亦最胜。"

**王锡爵任礼部右侍郎。**据王世贞《弇山堂别集》。

**赵贞吉**（1508—1576）卒。《四库全书总目》卷一七七集部别集类存目四著录《文肃集》二十三卷，提要曰："明赵贞吉撰。贞吉字孟静，内江人。嘉靖乙未（1535）进士。官至文渊阁大学士。谥文肃。事迹具《明史》本传。是集凡诗六卷，文十七卷。贞吉学以释氏为宗。姜宝为之序曰：今世论学者，多阴采二氏之微妙，而阳讳其名。公于此能言之，敢言之，又讼言之，昌言之，而不少避忌。盖其所见真，所论当，人莫得而訾议也。其持论可谓悍矣。"

**王志坚**（1576—1633）生。**宋珏**（1576—1632）生。生平简介见下卷。

## 公元 1577 年（神宗万历五年　丁丑）

### 二月

**定冯梦祯**（1548—1605）**为今年会元。张四维、申时行为今年主考。**李维桢《冯祭酒家传》："祭酒冯公梦祯，字开之，秀水人也。……举于乡。……再上春官不第，尽弃故时所为举子业，而邀游云间。稠人广坐中，时垂首不言。或独居，如共人语笑，歌踊跃。里之大家礼为子师。大家豪举，众宾阿邑取容，而公兀直自如。大家北上，驺从传呼甚宠，公蹇驴躄蹩，尾其后，夷然不屑也。至都，嘉善袁坤仪负才名甚盛，独召公居郊寺论文，一洗铅华，归之大雅。凡百日，言如石投水，饥则出袖中一二钱，市胡饼共啖而罢。遂会试第一人，廷试二甲第三人，选为庶吉士。"《制义丛话》卷五："冯开之会场前作文稿，凡五易，卒冠南宫。刻苦慎重以求必售也如是。既授庶常，旋请假归，补职十年，又复乞罢，官止翰林，悠然自足。夫古人重科名而轻爵位，重科名所以验其学，轻爵位所以励其守。开之居馆中，遇江陵子无加礼，江陵抑之，欲使别署。张蒲州备致悃款，乃留史职。方明之盛时，天下固犹重翰林哉！袁了凡曰：冯开之作文，深构妙想，寂如老禅，常至呕血，有三日方得一首。人诘其故，曰：不如此，场中不得力。又闻孙月峰与人会文，终日不成一字，曰：未得文机，姑置之，不可纵吾手。噫，二公之于文精矣，良工心苦，人谁知之。"

## 三月

**沈懋学等进士及第。**《弇山堂别集》卷八十三《科试考三》："五年丁丑，命礼部尚书东阁大学士张四维、詹事府詹事兼翰林院侍读学士掌院事申时行主会试。取中冯梦祯等四百人。懋修、兴周复与焉。""廷试，少师兼太子太师吏部尚书中极殿大学士张居正、少保太子太傅户部尚书武英殿大学士吕调阳、少保太子太保刑部尚书王崇古以子嫌辞读卷，不许。赐沈懋学、张嗣修、曾朝节及第。""是岁，读卷官拟宋希尧为第一，而嗣修在第二甲第二，上拆卷得之，擢置嗣修第二，且谓居正曰：'朕无以报先生功，当看先生子孙。'后始知慈寿及大珰冯保意也。宋希尧遂二甲第一。""改进士沈自邠、杨起元、杨德政、敖文祯、何洛书、张鼎思、甘雨、高尚忠、张养蒙、万象春、马象乾、姚岳祥、余继登（1544—1600）、顾绍芳、史继辰、曹一鹏、王国、费尚伊、张志、张文熙、陆可教、汪言臣、冯梦祯、林休徵、李植、庄履丰、吴尧弼、冯琦（1558—1603）为庶吉士。"又卷十六《皇明奇事述一》"二相公子科第"："嘉靖甲辰（1544）翟文懿銮居首揆，二子试中书舍人汝俭、贡士汝孝俱登第。当读卷，上疑之，为启封，则汝孝果在首甲，汝俭亦进呈，因而抑之。后给事中王交等言其弊，上大怒，勒文懿死，汝俭、汝孝俱除名。万历丁丑，江陵公首揆，次子嗣修登第，既进呈，上亦启封，特擢为第二人。庚辰（1580），叔子懋修复登第，进呈，上复启封，特擢为第一人，而伯子敬修亦前列。所遇之不同乃尔。其后俱削籍却同。"

**同榜进士有邹元标（1551—1624）、严一鹗、魏允贞（1546—1585）、徐桂、陈泰来（1559—1594）、沈九畴、吴安国、徐重、张敬、朱应毂、屠隆（1542—1605）、傅光宅（1547—1604）等。**《松窗梦语》卷一："甲戌春，奉命入阅进士廷试卷。时江陵柄国，以有子在列，避不阅卷。亚相张蒲州拟定序次：首江西宋希尧，次浙江陆可教，次宁国沈懋学，为一甲；次湖广张嗣修，为二甲首。嗣修，江陵仲子也。暨上御中极殿，九卿以次读卷，时方以陆卷上彻宸聪，而江陵潜通大珰，遽传命免读。乃取沈、张未读卷置宋、陆上，送御几前。于是首沈次张，而宋、陆抑置二甲。时缙绅咸为不平，而江陵犹向余曰：'蒲州吾所引用，何吝于一甲，不以畀吾子耶？'""甲戌"当为"丁丑"之误。《罪惟录·志》卷十八云：万历"五年丁丑试贡士，得冯梦祯等三百五十人。赐沈懋学、张嗣修、曾朝节等及第出身有差。时拟宋希尧一甲第一，嗣修二甲第一。及拆卷，上特置嗣修第二，盖慈寿太后及大珰冯保意也。希尧遂居二甲第一而易懋学。"《列朝诗集小传》丁集中《汤遂昌显祖》云：若士"尝下第，与宣城沈君典薄游芜阴，客于郡丞龙宗武。江陵有叔，亦以举子客宗武，交相得也。万历丁丑，江陵方专国，从容问其叔：公车中颇知有雄骏君子晁、贾其人者乎？曰：无逾于汤、沈两生者矣。江陵将以鼎甲畀其子，罗海内名士以张之。命诸郎因其叔延致两生。义仍独谢弗往，而君典遂与江陵子懋修偕及第。"谈迁《枣林杂俎》和集《丛赘·汤显祖》云："乡人姜□宰宣城。万历丙子，义仍过访。宿□寺。识梅鼎祚禹金，得交沈孝廉懋学，尝同课寺中。有楚客，角巾葛衣通候。问里氏，曰江陵张某，今相国父行也。疑之，然不敢忤，留饮且赆焉。客辞曰：二孝廉入京，相国期一晤。意颇勤切。至期，并寓燕。前客果来，劝谒相国，各未决。客曰：第访我，相国自屏后觇之耳。沈独往而退。客又至，语沈曰：相国善足下文，谓福薄耳。招义仍，终不往。寻沈隽南宫对策，进士第一，义仍下第。然深服江陵之知人，能下士，为语常熟许子洽云。"

**丁丑科考生杨起元始以禅说入制义，八股文风气自是大变。**顾炎武《日知录》卷十八《举业》："东乡艾南英《皇明今文待序》曰：呜呼！制举业中，始为禅之说者，谁与原其始？盖由一二聪明才辩之徒，厌先儒敬义诚明穷理格物之说，乐简便而畏绳束。其端肇于宋南渡之季，而慈湖杨氏之书为最著。国初功令严密，匪程朱之言弗遵也。盖至摘取良知之说，而士稍异学矣。然予观其书，不过师友讲论，立教明宗而已，未尝以入制举业也。其徒龙溪（王畿）、绪山（钱德洪），阐明其师之说，而又过焉，亦未尝以入制举业也。龙溪之举业不传，阳明、绪山，班班可考矣。衡较其文，持论矜重，若未始肆然欲自异于朱氏之学者。然则今之为此者，谁为之始与？吾姑为隐其姓名，而又详乙注其文，使学者知，以宗门之糟粕为举业之俑者，自斯人始（万历丁丑科杨起元），呜呼！降而为传灯，于彼教初说，其浅深相去已远矣。又况附会以援儒入墨之辈，其鄙陋可胜道哉！今其大旨不过曰：耳自天聪，目自天明。犹告子曰生之谓性而已。及其厌穷理格物之迂而去之，犹告子曰不得于言，勿求于心而已，任其所之，而冥行焉，未有不流于小人之无忌惮者，此《中庸》所以言性不言心，孟子所以言心而必原之性，《大学》所以言心而必曰正其心，吾将有所论著，而姑言其概如此，学者可以废然返矣。"梁章钜《制义丛话》卷五："俞桐川曰：以禅入儒，自王龙溪诸公始也，以禅入制义，自杨贞复起元始也。贞复受业罗近溪，辑有《近溪会语》一书，故其文率多二氏之言，艾东乡每以为訾。乃文之从禅入者，其纰缪处固不堪入目，偶有妙悟精洁之篇，则亦非人所及，故归、胡以雄博深厚称大家，而贞复与相颉颃，其得力处固不可诬也。贞复尝入侍经筵，崇志勤学，几于醇儒。又以扶丧哀毁，感寒成疾，近于笃行，其可议者独在文耳。然披沙得金，凿石成璞，宝光自著于宇宙，乌得以一家之论掩之哉？"

**张凤翼第四次会试下第，自此绝意仕进。**据清徐晟《续名贤小纪·孝廉张伯起先生》。

**汤显祖下第南归，作《别沈君典》诗。**邹迪光《临川汤先生传》："丁丑会试，江陵公属其私人唳以巍甲而不应。"沈懋学，字君典，宣城人。曾与汤显祖同受学于罗汝芳。今年及第，授修撰。万历六年请告归，十年卒。年四十四。

**屠隆除颍上知县，十一月抵任。在任颇关心民生疾苦。**《由拳集》卷十三《与沈君典》："九月去国，十月渡淮，仲冬始奉老母涉颍。"乾隆《颍州府志》卷六：屠隆"号赤水，浙江鄞县进士。万历五年知颍上。甫下车，讯民疾苦，无如东门河决之患，乃建长堤以卫之。洁己爱民，兴学造士。解任后复过颍上，父老子弟，倾城迎之。"

五月

**方逢时**（？—1596）**以所著诗集《十二吟稿》赠艾穆，艾穆作序**。序署"万历五年中夏，刑部广西清吏司主事平江熙亭艾穆谨叙"。另有陈述龄序，署"万历己卯（1579）孟春，承德郎礼部精膳清吏司主事沔阳陈述龄顿首书"。序云："《十二吟稿》者，今大司马樗野方先生诗也。先生甫冠绾邑绶，且踬且腾垂四十年，由三大镇晋本枢，所扬历感辄吟，闲则吟，酬酢而纪撰则吟，系地若事，区得十二焉。"

　　**吴守淮、田艺蘅为梅鼎祚《黄白纪游》作叙**。吴叙署"丁丑仲夏"，田序署"丁丑皋月"，"仲夏"、"皋月"均为五月。

## 夏

　　**余曰德为欧大任《北辕集》作序，欧大任为王世贞所定广五子之一**。序曰："岭南之称诗者亡虑百数，大抵宗五先生而上下之也。自吾友梁公实、黎惟敬与桢伯迭起，则快然曰：斯盖揭日月于吾南者矣，即五先生安能当三先生于今之世哉！夫世之有取于桢伯也如此，桢伯非取之也，则亦未为不遇矣。万历丁丑夏，豫章余曰德撰。"欧大任字桢伯。

## 闰八月

　　**汪道昆为王世贞《弇州四部稿》作序**。序署"万历五年闰月望日新都汪道昆序"。序以司马相如、司马迁两司马比李攀龙、王世贞。今年闰八月。

## 九月

　　**张居正闻父讣而不奔丧，台省复会疏请留，夺情事起**。瞿汝稷《嘉议大夫吏部左侍郎定宇赵公行状》："公讳某，字汝师，别号定宇。……辛未举进士，应馆试，典衡者第之居六，穆皇帝拔置首。未几萧恭人卒，丧之如丧参议公、张恭人。甲戌（1574）服除，授翰林院检讨。丙子（1576）纂修会典。丁丑（1577）分典会试。是冬，江陵故相（张居正）闻父讣不奔丧，台省复会疏留，公太息曰：'子我欲短丧，宣尼不可，况不丧乎？是不独当为斯时纲常惜，亦当为相国进退惜矣。'而是时彗出西南，长竟天，公遂上疏论曰：'臣闻天人相与之际微矣，故人君欲求天心之格，必求诸人心之安。人心之所安，即天理之所合。其机幽渺，而实捷于桴鼓，是不可不慎也。项自天文示异，彗出西南，皇上竟惕弗遑，下敕臣工，同加省惧，一时言事者藉藉，或以纠察大臣，或以修举庶务，固犂然具矣。然臣犹以为详于小而未睹其大者也。臣请不避斧钺之诛，为陛下一正言之。……顷者辅臣张居正，以父忧请制，疏之再三，而陛下留之再四。……夫父子君臣均人道所最重，父死不奔丧，同声附和为是，脱不幸异日有不肖者乘势而窃位，亦将循故事而为此附和乎？臣诚不知其可也。臣以为，人纪之所以植，国是之所以定者，固不特一时治安之计，实万世治安之计也。陛下不可不垂察于此。……臣愚昧，莫测于天人之际，窃以为当人心而合天心者，其事莫大于此，敢昧死以闻。'时翰林院编修吴公中行、刑部员外郎艾公穆、主事沈公思孝亦皆具疏论不奔丧非是。初，上在冲龄，江陵翊赞颇著声望，而其人实忮刻，以智驭一世，席宠侈肆，其欲无涯，御史傅公应祯、刘公台尝窥其微，具章纠之，悉奉旨杖戍遐荒，刘竟为所贼杀。巨珰冯保便给善数计，仁圣慈圣皆眷倚之。保自谓有阿保功，与江陵深相结纳，两人者盖并目而视、合喙而鸣者也。朝廷政务运之掌上，虽无居摄之名而握其势，人莫敢选视。保之养子徐爵、江陵家奴尤七，与纡组悬龟者见，皆分庭抗礼，奔走爵与七者，蹄毂恒丙夜不绝，何论江陵。其闻父丧，阳虽疏请如制，而阴图固位，中外羽翼之者林林也。四公疏上，同时诏杖于朝，公与编修（吴中行）杖六十，削籍，两刑部（艾穆、沈思孝）杖八十，戍。公杖肉糜至骨，提扑胁几摺。当四公之杖也，进士邹公元标号哭于旁，翼日即疏论江陵，且申救四公，旋奉旨杖百戍。盖五公之名一日而烨煟寰宇，虽刍牧筓帏，靡不敬慕。”赵用贤（1535—1596）字汝师。

**张时彻（1500—1577）卒**。沈一贯《南京兵部尚书东沙张公行状》：“一日而病不起，实丁丑九月十日也。生弘治庚申，享年七十有八。”“张公讳时彻，字惟静。先宋魏国忠献公浚、南轩先生栻为蜀人，四世有讳原者，家于鄞槎湖，是为槎湖始。……二十（1519）举于乡，二十四（1523）进士高等，为郎八年，皆从留都转。始膳部主事，迁武选员外郎、仪部郎中。……三十二（1531）以副使督学江西”，历福建参政、云南按察使，山东、河南布政使，以佥都御史巡抚四川，改江西。入为南刑部侍郎，改兵部，进尚书。“公虽学于文定公（张邦奇），而其归殊。文定密而醇，公鸿而概。文定之学长于六经，公长于诸子。文喜东西京之际，诗腴而和。性好士，门无留客，即少年寒畯，苟力能胜觚者，辄引以资己，故后进之士称东沙先生。始为进士时，有骑马来定交者，曰王激子扬，快士也。子扬死，为刻《鹤山集》。丰考功道生贫囊簏，接于途，死，为刻《考功摘集》。陈束约之死，公勒石墓门，刻《后冈集》。其高谊如此。所著有《芝园集》、《外集》、《别集》，所铨定本朝文为《皇明文范》，别为《文苑》，又为《宁波府志》、《定海县志》。”余寅《南大司马张公传》：“司马公者，鄞槎湖里人，姓张氏，名时彻，字惟静。”“既投老，日取娱宾，至拳拳接引其后进生。其后进生竟日侍，而直容庄语足师也，以故后进生称东沙先生云。性颖异，为文博赡尔雅，诗色泽腴，格力夷典，所著《芝园集》、外集、别集行世。铨定本朝文若干卷为《皇明文范》，又辑《宁波府志》、《定海县志》。”参见余有丁《张司马先生时彻传》。《列朝诗集小传》丁集上：“尚书诗学殖富有，工力深重，乐府古诗，标举兴会，时多创获。七言今体，尘坌芜秽，若出两手。杨用修评其诗云：‘顷得纵观全集，自四言以至六言，冲澹秾粹，沈郁雄壮，匠意铸词，色具体备。七言之什，自郐无讥。’用修可谓能言矣。”《明文授读》卷三六：“东沙文近板实，独其序丰考功，描写曲尽，若俱如此，便为作家矣。”《静志居诗话》卷十一《张时彻》：“芝园乐府，不规摹古人，较之济南觉胜。五律颇近初唐，七律潦倒粗疏，无讥焉已。《长安道》云：‘月晓开长乐，风清绕建章。龙媒驰道出，凤吹彩旌扬。绣陌生朱雾，铜沟映绿杨。渭桥春水涨，日日浴鸳鸯。’《斋居》云：‘紫阁风云迥，彤庭日月临。明禋昭代典，肃戒小臣心。雨露春偏渥，星河夜不沉。长安千万里，应献太平吟。’《明史·艺文志》著录张时彻《宁波府志》四十二卷、《说林》二十四卷、《芝园全集》八十五卷、《明文范》六十八卷。《四库全书总目》著录张时彻《善行录》八卷、《续录》二卷、《摄生众妙方》十一卷、

《急救良方》二卷、《芝园定集》五十一卷《别集》十一卷、《明文范》六十六卷。《芝园定集》《别集》提要曰："是集凡分二编。一曰《定集》，为赋诗二十卷，杂文二十七卷，史论四卷。一曰《别集》，为奏议五卷，公移六卷。诗文皆分体，而律诗中又分《两京》、《藩臬》、《归田》三稿。《明史·艺文志》载《芝园全集》八十五卷。考《浙江通志》，时彻尚有《芝园外集》。史盖合而总计之。然《浙江通志》载《芝园定集》五十六卷，《别集》十一卷，《外集》二十四卷，与此卷数亦不合。或《定集》当为五十一卷，《别集》当为十一卷，《外集》当为二十四卷，共八十六卷，史误八十六为八十五，《通志》误五十一为五十六欤？其诗文不出常格。乐府喜用古题，而所拟诸篇，皆舍其本词而拟其增减入乐之词，未免逐影而失形。史论尤多偏驳。"《明诗纪事》戊签卷七录张时彻诗二十六首。

副都御史庞尚鹏致函张居正，论夺情事极为切直，居正深衔之。《四库全书总目》卷一七八集部别集类存目五著录《百可亭摘稿》九卷，提要曰："明庞尚鹏撰。尚鹏字少南，南海人。嘉靖癸丑（1553）进士。官至副都御史，巡抚福建。天启初，追谥惠敏。事迹具《明史》本传。是集奏疏四卷，杂文三卷，诗二卷，凡分三编。《千顷堂书目》作三卷，盖仅据其杂文一种也。诗文皆朴实，惟奏议颇为明畅。其与张居正小简尤切直，居正复书附焉。盖论万历四年九月居正夺情事也。史称居正深衔之，嗾吏科给事中陈三谟以给由岁月有误劾之，遂罢去。家居四年而卒云。"提要所云"万历四年"，当作"万历五年"。

## 秋

顾大典（1541—1596）作《清音阁集自叙》。自叙末署"万历丁丑秋望尚书南吏部司勋郎中顾大典识"。清音阁在顾大典谐赏园内，因取以名集。康熙《吴江县志》卷十八："谐赏园，明提学佥事顾大典宅在城内。"光绪《震泽县志》卷三六："顾大典《谐赏园记》：'清音阁在园之一隅，登楼远眺，则粉堞雕甍，逶迤映带，俯视则园景可得十之八九，竹树交戛，不风而鸣，琤琤琤琤，天籁自发，因以名吾阁，盖取左思《招隐》语也。'"《清音阁集》据以命名。

## 十月

赵用贤、吴中行、邹元标、艾穆、沈思孝等以论张居正"夺情"事相继罢黜谪戍。礼部侍郎王锡爵求解于居正无果。焦竑《澹园集》续集卷十六《光禄大夫少保兼太子太保吏部尚书建极殿大学士赠太保谥文肃荆石先生行状》："丁丑，升礼部右侍郎。是岁，江陵父死，谋夺情视事，编修赵用贤、检讨吴中行疏劾之，先生忧祸叵测，约秩宗而下数十人诣江陵求解，拒不见。先生径造丧次，切让之，江陵不知所对，泣且拜曰：'上强留我，而诸子力逐我，我何以处？第有自到而已。'竟入不顾。卒取中旨廷答此两人。先生持之大痛，且首倡赈赠，皆人所缩朒不敢前者。"《静志居诗话》卷十七《艾穆》："艾穆字和甫，一字纯卿，岳州平江人。嘉靖中举人，初仕为国子监助教，万历初迁刑部主事，历员外郎，抗疏论张居正夺情，廷杖，遣戍西宁。久之，起补光

禄少卿，转鸿胪寺卿，再转太仆寺卿，以都察院右佥都御史，巡抚四川。有《终太山人集》。艾公与吾乡沈纯甫先生，同论江陵夺情，其谪戍一西一南。艾公《出都》诗云：'病向西风一促装，寥寥征雁寒云长。流沙万里无愁远，去国孤踪信若狂。楚客江鱼身可葬，汉臣马革骨犹香。青山到处皆吾土，岂必湘南是故乡。'是亦达人之言。西窜之后，诗律颇效空同，自公而后，南风多死声矣。"沈思孝字继山，一字纯父，嘉兴人。隆庆戊辰进士。官至都察院右副都御史，兼兵部侍郎。事迹具《明史》本传。《四库全书总目》著录沈思孝《秦录》一卷、《晋录》一卷、《溪山草堂》四卷。琅琊四十子之一。《明诗纪事》庚签卷九录其诗一首，陈田按语云："江陵在位，安内攘外，功自不可没。而暴戾恣睢，挫辱正人。纯父与艾和父合疏论其夺情，廷杖八十。逮系之辰，蔡伯华入视纯父，雪涕言曰：'消息危甚。吾必弃官扶而櫬还。'侦者瞪目视之，伯华神色自若。纯父被杖后，血肉淋漓。下狱三日，始金解戍神电卫。巡抚刘尧诲者，江陵党也。以尺符召之，且牒尾手署曰：过期一日，并逮卒杖之死。纯父行至恩平，病不能前，县令促之。纯父袖一匕首示令曰：'中丞必欲杀我，我与之俱毙耳。不然即伏尸军府中，令天下士大夫皆知中丞杀我也。'尧诲闻之气阻，得不死。伯华作《壮哉行》以纪其事。纯父之行也，王弇州、胡元瑞、袁景从有诗送之。其抵戍所也，讲经授徒，蔡郡丞懋昭为构借山亭，海刚峰有文，朱宗良有诗纪之。其召还也，弇州辈复为歌诗以张之。弇州诗云：'万死投荒不自嗟，片鸿惊我白鸥沙。神交岂必从倾盖，身在何须复论家。过岭清霜披瘴色，怀人古戍有梅花。江山处处堪文苑，莫遣穷愁负岁华。'元瑞诗云：'一夜飞章动紫宸，衣冠回首避龙鳞。千秋愁溅孤臣血，万死犹存逐客身。燕峤雪霜悬疏草，日南花鸟候行旌。遥知到日罗浮夜，独倚吴钩望北辰。'景从诗云：'谪去君何意？临行解佩刀。忧危甘鼎镬，忠信涉波涛。岭海风烟直，江云瘴疠高。天王自明圣，行矣莫辞劳。'宗良诗云：'百粤群山尽郁盘，草亭孤倚白云寒。高情不为投荒憾，绝徼翻同胜境看。瘴海烟霞聊拥膝，蓬庐天地一凭栏。传闻已下岩廊召，回首铜鱼路渺漫。'弇州《歌送纯父北上兼讯艾光禄赵宫赞》云：'纯父自捧金鸡赦，归奉严亲五湖社。闭户初怜此身得，傍人再讶除书下。毋论当路急需贤，我自凿坯犹劝驾。繁霜腊作吴门冰，劲节与之斗崚嶒。畴当鼓枻如渔父，谁不呼舟并李膺。此时绛灌须辟易，此际屈贾仍凭陵。承明玺郎初俵直，万里天颜今咫尺。臣直转彰人主仁，君肥却虑吾民瘠。光禄艾卿赵宫赞，握手生还玉门色。赵子凤昔同襟期，艾卿亦忝文字知。但令朝著有三益，容我衡门歌四维。君不见发弩健儿纵鼷鼠，又不见埋轮使者宁狐狸。丈夫有才莫小用，他日舜世肩皋夔。'元瑞《闻纯父内召作》云：'南过铜柱绝风尘，北望金门恋隐沦。豆蔻花前千里梦，桃榔树底十年人。骖鸾尽阅名山色，驱鳄长流大海春。闻道天鸡来旦暮，可令宣室迟孤臣。'"王弇州，王世贞；胡元瑞，胡应麟；蔡伯华，蔡文范。

冬

　　**汤显祖作《寄宣城梅禹金》诗。梅鼎祚字禹金，宣城人。**诗前小序云："禹金秋月齐明，春云等润。全工赋笔，善发谈端。"

　　许国为吴中行、赵用贤饯行，镌玉杯一、犀杯一以赠。时吴、赵以论江陵夺情被谪。《静志居诗话》卷十五《吴中行》："江陵夺情，事在万历五年七月，迨十月之朔，彗星见，大内火。于是既望三日，吴公疏上，次日，赵检讨用贤疏上，又次日，艾员外穆、沈主事思孝疏上，江陵怒不可止，而诸公均受杖矣。方杖时，邹进士元标疏复上，一时士气持正若是。许文穆以庶子充日讲官，为吴、赵二公饯，镌玉杯一，铭曰：'斑斑者何卞生泪，英英者何蔺生气。追之琢之永成器。'以赠吴公。犀杯一，铭曰：'文羊一角，其理沉黝。不惜剖心，宁辞碎首。黄流在中，为君子寿。'以赠赵公。玉杯今不见，犀者为吾乡何少卿蕤音所得，余尝饮此作歌。"许国字维桢，歙人。嘉靖乙丑进士，改庶吉士，除检讨。官至礼部尚书，兼东阁大学士。谥文穆。《明诗纪事》戊签卷十五录其诗一首。吴中行字子道，号复庵，武进人。隆庆辛未进士。官编修时，与赵用贤等论张居正，廷杖削籍。后屡起屡废，卒不大显，终于侍讲学士，掌南京翰林院事。事迹具《明史》本传。《四库全书总目》卷一七九集部别集类存目六著录其《赐余堂集》十一卷。《明诗纪事》庚签卷十录其诗二首，陈田按语云："子道集中《植纲常疏》，为江陵发也。《正朝廷疏》，为吴门发也。是时吴门为言路所诋求去，九卿多上疏留之者。子道疏云：'借留贤之名而保辅臣，此谄谀之极也，甚可耻也。'上言'大臣德政，律有明条。辅臣者股肱也。或因事乞归，被言投劾，宜去宜留，听之朝廷。何迩年以来，每遇辅臣辞位，必群然起而留之，颂功赞德，累牍联章，此其心何心哉'？其言甚正。子道与赵用贤论江陵夺情被杖。江陵死后起官，上颇向用。史称用贤性刚，负气傲物，数訾议大臣得失。言官江东之、李植辈争向之。大学士申时行、许国等忌焉。会植、东之攻时行，国遂力诋植、东之，而阴斥用贤、中行谓：'昔之专恣在权贵，今乃在下僚；昔颠倒是非在小人，今乃在君子。意气感激，偶成一二事，遂自负不世之节，号召浮薄喜事之人，党同伐异，罔上行私，其风不可长。'盖国先与吴、赵同官翰林，刻玉杯、犀杯赠之，其词激烈。厥后国入政府，附和吴门，又吴、赵为上所向用，心忌之，遂肆口诋訾，不遗余力，利害切肤，与向所赠之词，先后刺谬。君子于此观人品焉。"吴门指申时行。时行长洲人。赵用贤（1535—1596）字汝师，常熟人。隆庆辛未进士，选庶吉士，除检讨，以建言杖谪为民。起春坊赞善，历南国子监祭酒，进南礼部侍郎，改北，再改吏部。卒赠礼部尚书，谥文毅。王世贞列之末五子之首。有《松石斋文集》三十卷、《诗》六卷。

　　**翰林院侍讲于慎行（1545—1607）以论夺情事忤张居正。逾年，遂引疾归。**叶向高《太子太保礼部尚书兼东阁大学士赠太子太保谥文定于公墓志铭》："公讳某，字无垢，一字可远，别号谷山。其先世出登州，即史所称高门之系。入明始徙东阿。……辛酉（1561）举省试第六人，……戊辰（1568）进士及第，选庶吉士，师殷文庄、赵文肃二公。殷言词章，赵言经济，趣操不同，而皆深器公。庚午（1570）授翰林院编修，纂修肃皇帝实录。明年请急归。又明年召修穆皇帝实录。甲戌（1574）同考礼闱。穆史成，以劳赐金币，晋翰林院修撰。……丙子（1576）晋翰林院侍讲。明年世史成，加俸一级。江陵相欲夺情，公与同官兰溪赵公、新建张公辈七人共为疏，力言其不可，而疏草则公与张公所创。其时毗陵吴公、姑苏赵公以言夺情事杖北阙下，公疏入，而桂林吕公从中止勿奏。江陵以讲臣故，未敢显斥，乃佯以他事致公丧次，字谓公：'子吾所厚，而欲从人为此耶？'公正色曰：'以公厚我，故为此相报耳。'江陵艴然。再逾年己卯（1579），公遂引疾归。"

　　**田一隽有感于张居正夺情事，作《无题》诗**。诗云："两朝勋业列旂常，连正台阶十五霜。功格皇天谁可比？只应前世有空桑。"《明诗纪事》庚签卷九引《国史唯疑》："田一隽《无题》诗，为江陵夺情事发也。又《春日偶感》诗云：'两夜东风作意吹，桃红李白冠当时。多情却恨春光少，底事同林隔一枝。'似指张懋修、嗣修兄弟，若云'曷少渠家一探花'耳。情见乎辞。"田一隽字德万，大田人。隆庆戊辰进士，选庶吉士，授编修。进侍讲，屡迁礼部侍郎。赠礼部尚书。有《钟台遗稿》十二卷。

　　**沈懋学**（1539—1582）**拟救建言诸臣，疏格不得上**。《静志居诗话》卷十五《沈懋学》："沈懋学字君典，宣城人。万历丁丑赐进士第一，授翰林修撰，追谥文节。有《郊居遗稿》。君典少任侠，兼精技勇，能上马舞丈矟。尝出塞纵观飞狐、花马险塞，突为虏骑追至幕南，君典挟一矢命中，其党乃不敢追。既登状头，是年第二人，即江陵相君子嗣修。江陵方欲引以相助，会夺情之举，君典贻书嗣修谓：'相君天子师表，奈何弃纲常，饱人以口实。'嗣修恧不能答也。又贻书李尚书养河，辞颇激切，养河发书，嘻笑而已。君典乃与吴编修子道、赵检讨汝师谋，各上疏，吴、赵受杖，而君典疏草，为人所持，不果进。然江陵业恨其异己，而海内皆服其风节矣。"《明诗纪事》庚签卷十二录沈懋学诗三首，陈田按语云："江陵夺情，五君子抗论，先后被杖。君典拟救建言诸臣，疏格不得上，今疏存集中。论者谓非拟书之难，上疏之难。既未上矣，存之何为乎？其贻江陵子嗣修书，余见之于沈纯甫《南征录》中，婉转开陈，不失忠告之义，集反失载。君典豪隽之士，余阅朱竹垞《诗综》、施愚山《宛雅》所录，均不惬意。特从《郊居稿》中，甄录三诗，庶几见君典之豪情逸韵耳。"

　　**邹元标以论张居正夺情谪戍都匀，黔士从游者甚众**。《明诗纪事》庚签卷十二《邹元标》陈田按语云："忠介以论江陵夺情，谪戍吾黔。黔士之从公游者若陈给谏尚象、余鞏县显凤、吴解元铤，各有成就。都匀为公戍所，匀守段孟贤茸鹤楼、张公读书楼以居。公朝夕课诸生，暇则寻龙山、盘谷诸胜迹，几忘其为万里戍客也。一夕江夫人酿酒尽赤，夫人曰：'吾乡谓酿赤为"红娘子"，主大吉利事，黔亦有此语，吾夫妇可幸生还也。'未几，果有给事之召。公去匀十五年，门人思之，即其讲学处，建南皋书院祠之，至今俎豆不衰。"邹元标（1551—1624），字尔瞻，吉水人。万历丁丑进士。观政日，以建言谪戍都匀。召授吏科给事中，复以言事，降南刑部照磨，升南兵部主事，改吏部，历员外、郎中，罢官，起大理寺卿，升刑部右侍郎，终都察院左都御史，卒，赠太子太保，吏部尚书，谥忠介。有《邹南皋语义合编》四卷、《愿学集》八卷。事迹具《明史》本传。《静志居诗话》卷十五《邹元标》载："先生晚总西台，入朝而颠，御史前纠失仪。先文恪公进言曰：'元标在先朝，直言受杖，至今余痛未除也。'德陵意解。此事实录不载，附识于此。《简罗公廓给谏》云：'老去交情重，怀君意转深。廿年青琐客，同赋白头吟。突兀千秋意，蹉跎万古心。嘤嘤闻好鸟，相唤出幽林。'"

　　**本年**

**朱孟震大计入京，造访国子监助教欧大任**（1516—1595）。朱孟震《玉笥诗谈》卷下："欧桢伯博士，名大任，南海人。少与梁比部公实、黎秘书惟敬、梁廷评彦国结社山中。以贡入京，授江都教谕，迁光州学正。闻母疾弃官归，服除，迁国子博士。为人慨忼，不为儒生寻摘章句。其大概具王中丞《浮淮序》中。余丁丑入计，谒桢伯绣佛斋中，邵长孺适在寓，桢伯出酒为欢，意气甚相许可，赠余诗云：'新年逢计吏，大郡得雄才。学岂巴渝曲，歌从燕蓟来。臻秋将入对，旦夕且衔杯。知奏文翁最，诸生待尔回。'余还蜀，赠诗云：'前殿春开五丈旂，诸侯班瑞宠行时。政成小苑栽桃竹，赋就东楼擘荔枝。巴岳雪消飞骑远，岷江涛起挂帆迟。翰音朱博君差胜，更有风流蜀郡诗。'《都下和答潼关见寄》云：'百二关城借使权，河山半在节楼前。仙人掌上浮云过，玉女池头片月悬。旧好几家留笔札，中原何地问橐鞬。侧身西望骅骝远，沉陆金门只自怜。'桢伯虽以诗自见，然海鹤云鸿，神志固远。会惟敬挂冠南还，意落落，尝拟拂衣去。然今公卿爱才礼贤，知桢伯者不少，恐当不得赋《遂初》也。桢伯诗有《浮淮》、《韶中》、《南纛》、《北辕》诗稿，多不录，录所未刻数章及《浮淮集序》，可以知桢伯矣。"

　　**王衡作《和归去来辞》，劝父王锡爵辞官。或以为有讽张居正意。**陈继儒《王太史辰玉集叙》："初，江陵夺情，文肃公争丧次，救吴、赵两太史，祸叵测，辰玉和《归去来辞》以招之，文肃公持以谓人曰：'吾不归，将无为孺子所笑。'辰玉方十四（当作十七），名动京师。"《列朝诗集小传》丁集下："作《和归去来词》，以讽江陵，馆阁中争相传写。"

　　**沈明臣《通州志》成书。王一化撰《万历应天府志》。谢廷谅等撰《千金堤志》。章潢《图书编》成书。郭元鸿《壶史》成书。**据四库提要。

　　**凌迪知《太史华句》成书。**《四库全书总目》卷六五史部史抄类存目著录《太史华句》八卷，提要曰："明凌迪知编。是编成于万历丁丑。《明史·艺文志》著录，卷数与此本相同。皆摘《史记》字句，以类编次。司马迁史家巨擘，其文岂可以句摘？句又岂可以华目？盖王、李割剥秦、汉之风，至明季而未殄，故书肆尚镂此等书，以投时好耳。"

　　**潘之恒寄寓常州，与昆山腔艺人徐宗南、潘大、褚养心等过从甚密。**据潘之恒《鸾啸小品》卷三。

　　**朱睦㮮举宗正，领宗学事。朱睦㮮为有明宗室，著述甚丰。**《列朝诗集小传》闰集："镇国中尉睦㮮，字灌甫，自号西亭，高皇帝七世孙，周定王之裔也。父奉国将军安㳠，以孝行闻。灌甫被服儒素，覃精经学，从河洛间宿儒游。奉手抠衣执经函丈，受礼于睢阳许先。章分句释，辨析疑义。达旦不寐，三月而尽其学。年二十遂通五经，尤邃于《易》、《春秋》。家故饶资财，僮奴数百人，皆逐赢车屑麦，执业自给，逐什一之利，其家益大起。访购图籍，请绝宾客。倾身游贵显间，通怀好士，内行修洁，筑室东陂之上，延招学徒，与分研席，用是名声籍甚。万历初，举文行卓异，为周藩宗正十余年。国中大制作，皆出其手。修《河南通志》，撰《中州人物志》，中州之文献征焉。谓本朝经学，一禀宋儒，古人经解残缺放失，访求诸海内通儒，缮写藏弄，若李鼎祚《易解》、张洽《春秋传》，皆叙而传之。丁丑领宗学，约宗生以三、六、九日午前讲《易》、《诗》、《书》，午后讲《春秋》、《礼记》，虽盛寒暑不辍。命诸生刺举同异，撰《五经稽疑》若干卷、《授经图》及传四卷。观陶九成《辍耕录》载前元《十九帝统系》，作《大明帝系世表》一卷、《周国世系表》一卷。感建文革除，记录失实，作《逊国记》、《褒忠录》五卷。考《史记》以来谥法，作《较定谥法》一卷。合沈约、吴棫韵，举正误缪，撰《韵谱》五卷。其诗文有《陂上集》二十卷。文尤典雅可诵。有明之宗室，宪圉比肩闲平，而灌甫媲美子政，洵昭代之盛事，唐宋所希觏也。海内藏书之富，近代推江都葛氏、章丘李氏，灌甫倾资购之，竭四十年之力，仿唐人四部法，用各色牙签识别，凡一万二千五百六十卷。起万卷堂，讽诵其中，圈点雠勘，丹铅历然。"《四库全书总目》著录朱睦㮮《易学识遗》一卷、《春秋诸传辨疑》四卷、《五经稽疑》六卷、《革除逸史》二卷、《圣典》二十四卷、《镇平世系记》二卷、《谥苑》二卷、《授经图》二十卷、《经序录》五卷、《异林》十六卷。《异林》提要曰："此乃摘百家杂史中所载异事。分为四十二目，颇为杂糅。如防风、僬侥之类，世所习闻，不足称异。而他书稍僻者仍不无挂漏。惟详注所出书名，在明末说家中体例差善耳。"《明诗纪事》甲签卷二下录朱睦㮮诗二首。按，朱睦㮮与胡应麟交往甚久，《诗薮》有记载。

**申时行任吏部左侍郎。陆光祖起南京大理寺卿。张岳任南京都察院右佥都御史。**据王世贞《弇山堂别集》。

**李贽赴云南姚安太守任。途次黄安，见耿定理，并见其兄耿定向。此时已有弃官留住黄安之意。**据李贽《耿楚倥传》。自今年至万历七年，李贽均在姚安。

**郑若庸（1489—1577）卒。**据徐朔方《郑若庸年谱》。《静志居诗话》卷十三："郑若庸字中伯，昆山人。有《蜻蜓集》。中伯曳裾王门，妙擅乐府，尝填《玉玦词》，以诮院妓，一时白门杨柳，少年无系马者。群妓患之，乃醵金数百行薛生近兖，作《绣襦记》以雪之，秦淮花月，顿复旧观。承平胜事，虽小堪传。今之秋兔寒鸦，想像昔年之酒旗歌扇，良足艳也。《秋涉》诗云：'苍山崔巍照秋渚，红树离离夕阳渡。行人涉水更看山，马足凌兢来复去。云际人家望欲迷，松关萝径隔烟扉。山僧卧稳西岩寺，时有钟声落翠微。'"《玉玦记》传奇约作于嘉靖六年（1527）。王骥德《曲律》卷二《论韵》第七："南曲自《玉玦记》作，而益工修词，质几尽掩。"《四库全书总目》著录郑若庸《类隽》三十卷、《蜻蜓集》八卷、《北游漫稿》二卷，《蜻蜓集》提要曰："蜻蜓生其所自号，因以名集。凡文七卷，诗一卷。其诗与谢榛齐名。然材力逊榛之富健。文又其余事矣。"《明诗纪事》己签卷二十录郑若庸诗一首。

**文翔凤（1577—?）生。王鑨（1577—1646）生。**生平简介见下卷。

## 公元 1578 年（神宗万历六年　戊寅）

正月

王世贞、梁辰鱼等宴集周氏园中。王叔承《后吴越游》卷四有诗《上元日雪，王元美梁伯龙宴集昆山周公子园楼》。诗编于戊寅年。

## 二月

梅鼎祚作《与玄草自序》。《与玄草》收梅鼎祚早年诗作。序云："家大人嘉靖时郎司农，已给事中，尝从万章甫、赵鼎卿诸君子为诗，是时余甫生。余生十岁，而大人匄身归。数岁，余见客，客多大父行，其能诗至者，令习为客和，家大人诗成，亦辄令和之，属相率以为常。逮岁丁丑（1577），先难作矣！其明年春，乃籍丁丑以前诗若赋……稍存其什伍械之，名《与玄草》云。"序署"万历戊寅二月既望，汝南梅鼎祚书于鹿裘石室"。"与玄"用扬雄童乌典。

十九日，立皇后王氏。据《明史·神宗本纪》。汤显祖有诗《二月十九日恭闻大昏礼成，长秋道始，普天之下莫不欣跃舞抃歌谣》。

## 三月

梅守箕作《校次与玄草题辞》。梅守箕为梅鼎祚从叔。题辞云："禹金盖年三十而三草成，此为'与玄'，其初草也。《与玄草》凡八卷。余生也后禹金，而从禹金，且及从太中兄游，因得列其大都而校之。余时尚未称诗，故集中无与余诗。……是草为丁丑而前，皆及其先太中之存，多庭间倡和，而以'与玄'名草云。"末署"万历戊寅春三月望日，从叔守箕季豹撰"。

马自强以礼部尚书兼文渊阁大学士，申时行以吏部左侍郎兼东阁大学士，预机务。据《宰辅年表》。

## 五月

谢廷谅为汤显祖作《刻汤临川问棘堂邮草叙》。汤显祖为江西临川人。叙曰："刻其丁丑以来诗赋，或有所附，题曰邮草，所传答四方，驰示余者也。君名显祖，字义少。长我半年耳。万历六年端阳日友人谢廷谅可甫书于问棘堂。"

## 七月

皇甫汸为欧大任《雍馆集》作序。序署"万历戊寅秋七月既望，赐进士、吏部稽勋郎，吴郡皇甫汸子循撰"。

## 秋

茅坤等人为西湖之游，诗酒唱和。共游者有马松里、沈仕、李奎、高应冕等。茅坤《明高处士松里马先生墓表》云：马三才，号松里，"独耻世俗所沉酣，不欲淹澳濡以奔走之。绝与世不相闻，数共山人沈仕、李奎，千户施经及乡大夫高光州应冕、沈郁林诏、陈中丞洪濛、沈太常淮、赵溧阳应元、陈鹤庆师，携榼湖山间，为社游，分曹赋诗相倡和，不以寒暑风雨间。已而予过西湖，则又移书招之。予亦共诸君子宴酣淋漓，相为悲歌慷慨。"茅坤作有《西湖秋社诗序》（见《白华楼文集补录》），序云：

"乐莫乐于佳山水，尤莫乐于分曹而赋诗。晋永和兰亭以后，殆寥寥矣。顷过西湖，纳言马松里公及某某、某某、某某辈共觞予于湖之上，即故光州高颖湖公所社游而吟处。光州尝属予碑记其事，及光州没，而社之故庐且他属，并予故所碑者，无复览睹之矣。诸君属予首韵，予为唏嘘者久之，譬则古之闻雍门之曲、山阳之笛，而不能不峭然以悲者。于是悲与乐相仍，而诸君于予之留西湖也，日为携壶以社而游，则亦日为分韵以社而吟。前后所得，凡若干什。诸君且谋之曰：'兰亭之社而祓也，得王右军为文以记之，世之图而绘之者，传之到今，赫赫若昨日事；而光州公，则不数年间没且零落无闻矣。古今胜事之同不同何如也？'于是刻而传之，题之曰'西湖秋社'，并系之以'戊寅'，所以共期我辈之社而游当不特今日，且以别异日者之某与时尾而继之者之无已也。"

## 十月

　　**许自昌**（1578—1623）生。据徐朔方《晚明曲家年谱》。

　　**徐中行**（1517—1578）卒。王世贞《中奉大夫江西布政司左布政使天目徐公墓碑》云："卒以万历戊寅十月十三日，距其生正德丁丑，得寿六十有二。"徐中行字子与，长兴人。嘉靖庚戌（1550）进士，除刑部主事。历员外、郎中，出为汀州知府。改汝宁，谪长芦运判，迁瑞州同知，擢山东佥事，改湖广。历云南参议、参政、按察使，进江西布政使。"有《青萝馆集》、《续集》若干卷，《天目山堂前集》若干卷。《青萝馆集》则汪司马序之矣。""公于诗，格高而调逸，近体宏丽悲壮，读之神耸。文步趋古昔，所立卓尔。"《诗薮续编》卷二国朝下："徐子与七言律闳大雄整，卓然名家，惜少沉深之致耳。品格在明卿左、子相右。"《诗源辩体》后集纂要卷二："子与交欢于鳞、元美，遂取旧草焚之，自是诗非开元、文非东西京毋述。此正与昌谷见献吉，改其所为相似。二徐舍己从人，卒能方驾二李，今人溺于偏衷，而反于雅正者嗤之，欲垂名后世，难矣！""徐子与（名中行）七言律，才气豪迈，较明卿和平处虽少，而光焰峥嵘胜之，元美称其'宏丽悲壮，读之令人神耸'是也。但雷同处过于鳞。如'楼船迥自三江下，玉帛还当万国先。'（《送罗大参自滇南先期入贺万寿》）'九衢避马风霜旧，三殿飞龙日月新。''风云六传从天下，鼓角千群出塞行。''强虏千群俘馘尽，将军五道凯歌归。''记室半倾天下士，戈船曾系日南王。''一上岱宗歌郢调，遂令东海失齐风。'（《元美借兵山东》）'宪府秋开千徼月，楼船南尽百蛮天。''天南气色高铜柱，日下声名壮铁冠。''嘘气何劳惊日月，排空忽自壮风雷。'（《渡淮大风》）'盘江明月千山出，衡岳浮云一日开。''云梦火明秋校猎，兰台风起昼披襟。''骢马晓从三殿出，虬峰秋映九江寒。''高秋落木千江下，天阔寒云七泽来。''猎猎悲风连九塞，苍苍秋色遍诸陵。''百蛮天隔盘江雨，万里秋生日观峰。''风云自郁千秋色，星斗常寒百粤天。''秋阴晓散千帆雨，海色晴连万里潮。''王气却连玄武署，钧天犹振洞庭湖。'（《元美自郧台拜留京廷尉》）'一日星辰分五岳，十年风雨滞双龙。''万里戈船归百粤，九关刍粟转三河'等句，皆冠冕雄壮，足继于鳞者也。其他用事属对，极为精切。"《皇明诗选》卷四："卧子曰：合观子与，虽规摹古哲，而心慕手追，尝在济南，遂能名家，此古人贵乎多闻之友也。又曰：元美云：子与已是境地，精思便达。旨哉！舒章曰：子与秀爽精明，如骅骝登道，更无蹇步。辕文曰：子与如空谷翠竹，楚楚幽致。"又卷九："卧子曰：子与排律，颇得沈宋之法。舒章曰：子与排律，似春水潺湲，玉山明媚，情中景外，皆堪怀想。"《明人诗钞续集》卷八："子与长者，接人无贤愚贵贱，必使尽其情而去，元美目之为蔼蔼吉士。……其诗步武济南，左准右绳，未能振拔。"《四库全书总目》卷一七八集部别集类存目五著录徐中行《天目山堂集》二十卷附录一卷，提要曰："中行为后七子之一。王世贞《艺苑卮言》亟称之，以为左准右绳，靡所不合。胡应麟《诗薮》则惜其少沉深之致。陈子龙《明诗选》复有摹古太似之讥。是非恩怨，辗转相争。要之，或褒或贬，各有所当。合而观之，则中行之定评出矣。杂文亦有意矫揉，颇失浑雅。盖当时风尚，七子同一轨辙，非如是不能预坛坫也。"《明诗别裁集》卷九录徐中行诗二首。《明诗纪事》己签卷二录徐中行诗八首，陈田按："子与七律爽健。于鳞称其'风云一日卧龙来'，大自气格，要不如'北上萧关太白高'、'建业山青法署高'为雄骏也。"

## 本年

**屠隆致书王世贞订交。屠隆为世贞所列末五子之一。** 屠隆《与王元美先生》书云："先生推毂济南（李攀龙）亦至，而愚以为无当先生。""先生尝谓李王孙（白）奇过则凡，老过则稚。嗟嗟，独王孙哉！于鳞之奇，驰骋周汉，固非子云（扬雄）敢望，然言言若此，终堕好奇。""先生何所不有也。有于鳞，有献吉，又兼有往哲，而又自有元美。广大变化，斯其所以极玄也。"

**顾起纶游赤城，作《赤城集》三卷。上卷为诗六十一首，下卷为游记一篇，而以赠答唱和之作为中卷。** 顾起纶字更生，号元名，无锡人。官郁林州州判。《四库全书总目》卷一七八集部别集类存目五著录《赤城集》三卷，提要曰："明顾起纶撰。是集乃万历戊寅起纶游赤城时所作。上卷为诗六十一首，下卷为游记一篇。而以赠答唱和之作间于上下卷之间，别为中卷，似别集而非别集，似总集而非总集，体例颇为未善。然中卷有附录字，知以起纶为主矣。故仍入之别集类焉。"同卷另著录顾起纶撰《句漏集》四卷，提要曰：顾起纶曾"官郁林州州判。是集即在郁林所作。前二卷皆游览诗。三四卷名感知篇，乃历叙素所相知者，各赋一诗，系以小序，凡四十首。中间人品亦甚为杂糅。如于赵文华，乃称其雅志豪迈，名冠英流。序其罪废事，则曰感激罢官去。而于方士陶仲文，亦以风神端恪，恭诚一至称之。皆不免阿私所好也。"

**陆律为陆西星《南华经副墨》作序。《南华经副墨》为诠次《庄子》之作，《南华经》即《庄子》。** 《四库全书总目》卷一四七子部道家类存目著录《南华经副墨》八卷，提要曰："明陆西星撰。西星字长庚，号方壶外史。不知何许人。焦竑作《庄子翼》，引西星之说颇多，则其人在竑以前。书首有其从子律序，作于万历戊寅，则与竑相距亦不远也。是书编次一依郭象本，而以《天道》篇'虚静恬淡寂寞无为'八字分标八卷。每篇逐节诠次。末为韵语，总论一篇之旨。其名'副墨'，即取《大宗师》篇'副墨之子'语也。大旨谓《南华》祖述《道德》，又即佛氏不二法门。盖欲合老、释为一家。其言博辨恣肆，词胜于理。其谓《天下》篇为即《庄子》后序，历叙古今道术，而以己承之，即《孟子》终篇之意。则颇为有见。故至今注《庄子》是篇者，承用其说云。"

夏树芳《法喜志》或成书于本年。据四库提要。夏树芳字茂卿，江阴人。万历乙酉举人。

乔懋敬作《古今廉鉴》自序。据四库提要。

余有丁任礼部右侍郎。陆光祖任工部右侍郎。许国任南京国子监祭酒。据王世贞《弇山堂别集》。

童佩（1524—1578）卒。生卒年据缪咏禾《明代出版史稿》。《四库全书总目》卷一七八集部别集类存目五著录《童子鸣集》六卷，提要曰："明童佩撰。佩字子鸣，龙游人。世为书贾。佩独以诗文游公卿间，尝受业于归有光。其殁也，王世贞为作传，王稚登为作墓志，盖亦宋陈起之流也。诗格清越，不失古音，而时有累句。如《读李博士集》，'绕屋梅花然'句，盖用沈约诗'山樱红欲然'语，以之品梅殊不类。又如《观魏知古告身歌》，'高斋试展竹满墙'句，上四字下三字邈不相贯。他如'囊琴挟水流，客鬓带山苍'之类，皆失之纤巧；'公牍无盈案，私钱不入囊'之类，皆失之拙俚；'川原呈伎俩'之类，尤失之儇佻。旧序称其闭户属草，必屡易而后出，出则使人弹射其疵，往往未惬，并其稿削之，不留一字。殊不尽然也。"

王象春（1578—1632）生。沈德符（1578—1642）生。张慎言（1578—1646）生。生平简介见下卷。

## 公元 1579 年（神宗万历七年 己卯）

### 正月

诏毁天下书院。时士大夫竞相讲学，张居正恶之，尽改为公廨。据《明史》神宗本纪。

### 二月

帅机（1537—1595）《帅惟审诗》刊行，李时英作《刻帅惟审诗引》。引云："惟审以髫年举孝廉，崛起大江之西，即天禄石渠奥篇隐帙，往往成诵，及释褐，味薄燕市，官我祠曹，剩日闭户，读未读书，发为诗章，沉着细密，冲澹闲雅，略毛发而相精神，洗皮肤而寻骨髓。大抵古诗抉康乐之藩篱，律诗窥辋川之堂奥。昔人谓韦苏州绝意高髻，故诗品轶青莲而上之，千古神交，殆有深契者。……万历七年己卯岁二月既望，赐进士出身南京礼部祠祭郎中钱塘李时英含之甫书。"帅机（1537—1595），字惟审。

茅坤编成《唐宋八大家文钞》，作《八大家文钞总序》。序署"万历己卯仲春归安鹿门茅坤撰"，见四库全书本。其论文宗旨与唐顺之相同。序曰："世之操觚者，往往谓文章与时相高下，而唐以后且薄不足为。嘻！抑不知文特以道相盛衰，时非所论也。其间工不工，则又系乎斯人者之禀，与其专一之致否何如耳。……孔子之所谓'其旨远'，即不诡于道也；'其辞文'，即道之燦然，若象纬者之曲而布也。斯固庖牺以来人文不易之统也，而岂世之云乎哉！我明弘治、正德间，李梦阳崛起北地，豪隽辐辏，已振诗声，复揭文轨，而曰吾《左》吾《史》与《汉》矣，已而又曰吾黄初、建安矣。以予观之，特所谓词林之雄耳，其于古六艺之遗，岂不湛淫涤滥，而互相剽裂已乎！"（《唐宋八大家文钞》卷首）茅坤同时作《韩文公文钞引》、《柳柳州文钞引》、《欧阳文忠公文钞引》、《苏文公文钞引》、《苏文忠公文钞引》、《苏文定公文钞引》、《曾文定公文钞引》、《王文公文钞引》（《茅鹿门先生文集》卷三十一），就八大家之文分别予以评议。《唐宋八大家文钞》之编纂，其宗旨与唐顺之《文编》相通，茅坤致唐鹤征书对此已有说明。（《茅鹿门先生文集》卷四《与唐凝庵礼部书》）《明史·文苑传》亦云："坤善古文，最心折唐顺之。顺之喜唐、宋诸大家文，所著《文编》，唐、宋人自韩、柳、欧、三苏、曾、王八家外，无所取，故坤选《八大家文钞》。其书盛行海内，乡里小生无不知茅鹿门者。鹿门，坤别号也。"《唐宋八大家文钞》出，"唐宋八大家"才成为一个流行术语，虽然此前已有这一说法。《静志居诗话》卷十二《茅坤》："世传唐、宋八大家之目，系鹿门茅氏所定，非也。临海朱伯贤定之于前矣。彼云六家者，合三苏为一尔。今文抄本，大约出于王道思、唐应德所甄录。茅氏饶于资，遂开雕以行。即其评语，称关壮缪为关寿亭，不亦刺谬甚与？文既卑卑，诗亦庸钝。观其酬酢，多医卜星相之流，知非意所存也。"袁枚《书茅氏八家文选》："凡类其人而名之者，一时之称也。如周有八士，舜有五人，汉有三杰，唐有四子是也。未有取千百世之人而强合之为一队者也。有之者，自鹿门八家之目始。明代门户之习，始于国事，而终于诗文。故于诗则分唐、宋，分盛、中、晚，于古文又分为八，皆好事者之为也，不可以为定称也。夫文莫盛于唐，仅占其二。文亦莫盛于宋，苏占其三。鹿门当日其果取两朝文而博观之乎？抑亦就所见所知者而撮合之？且所谓一家者，谓其蹊径之各异也。三苏之文，如出一手，固不得判而为三。曾文平钝，如大轩骈骨，连缀不得断，实开南宋理学一门，又安得与半山、六一较伯仲也。若鹿门所讲起伏之法，吾尤不以为然。六经、三传，文之祖也，果谁为之法哉？能为文，则无法如有法。不能为文，则有法如无法。霍去病不学孙吴，但能取胜，是即去病之有法也。房琯学古车战，乃致大败，是即琯之无法也。文之为道，亦何异焉。或问有八家，则六朝可废软？曰：一奇一偶，天之道也。有散有骈，文之道也。文章体制，如各朝衣冠，不妨互异。其状貌之妍媸，固别有在也。天尊于地，偶统于奇，此亦自然之理。然而学六朝不善，不过如纨袴子弟，熏香剃面，绝无风骨，止矣。学八家不善，必至于村妪呜呜，顷刻万语，而斯文滥焉。读八家者，当知之。"《柳南续笔·茅选唐宋八家》："世传所谓唐、宋八大家者，系归安茅氏所定，而临海朱伯贤实先之。朱竹垞则谓大约出于唐应德、王道思所甄录，茅氏饶于资，遂刊之以行耳。余观此书，颇斤斤于起伏照应、波澜转折之间，而其中一段精神命脉不可磨灭之处，却未尽着眼，有识者恒病之。吾邑陶先生子师答汤西岩书云：'江右有魏叔子者，以古文负盛名，及吾郡前辈，高自标榜，倾动人主。然尝循览其旨，俱宗茅鹿门。鹿门批点唐、宋八家，不能推论其本，而沾沾于其末。浅学从此入手，规模节奏，自谓已得。每与学者论此，未尝不叹息也。孔子曰：'辞达而已矣。'本也者，其所由达也。一生二，二生三，三生四五，以至什佰千万，莫可纪极，是谓有本。生有起灭，数有消息，万物自然，与化往来，作长敛藏，皆中程度，是谓能达。是故君子明理以知要，极情以尽利，趋归以定方。是故理生事，事生变，几成章，意象卷舒，自然合节。今不求其本，而急求于合节，末之乎为文矣。'此数行议论极佳，其所谓吾郡前辈者，盖指尧峰而言也。而余姚黄太冲评尧峰文，以六字括之，曰：'无可议，必不传。'此言虽未免过当，然所谓'无可议'者，非指其节奏之已合乎？所谓'必不传'者，非指其根本之未探乎？殆与子师所言若合符节矣。"《四库全书总目》集部总集类四著录《唐宋八大家文钞》一百六十四卷，提要曰："《明史·文苑传》称坤善古文，最心折唐顺之。顺之所著《文编》，唐宋人自韩、柳、欧、三苏、曾、王八家外，无所取。故坤选《八大家文钞》。考明初朱右，已采录韩、柳、欧阳、曾、王、三苏之作为八先生文集，实远在坤前。然右书今不传，惟坤此集为世所传习。凡韩愈文十六卷，柳宗元文十二卷，欧阳修文三十二卷，附《五代史钞》二十卷，王安石文十六卷，曾巩文十卷，苏洵文十卷，苏轼文二十八卷，苏辙文二十卷。说者谓其书本出唐顺之，坤据其稿本，刊版以行，攘为己作，如郭象之于向秀。然坤所作序例，明言以顺之及王慎中评语标入，实未讳所自来。则称为盗袭者诬矣。其书初刊于杭州，岁久漫漶。万历中，坤之孙著，复为订正而重刊之，始以坤所批《五代史》附入欧文之后。今所行者，皆著重订本也。自李梦阳《空同集》出，以字句摹秦汉，而秦汉为窠臼。自坤《白华楼稿》出，以机调摹唐宋，而唐宋又为窠臼。故坤尝以书与唐顺之论文，顺之复书有尚以眉目相山川，而未以精神相山川之语。又谓绳墨布置，奇正转折，虽有专门师法，至于中间一段精神命脉，则非具今古只眼者不足与此云云。盖颇不以能为古文许之。今观是集，大抵亦为举业而设。其所评语，疏舛不可枚举。黄宗羲《南雷文定》有答张自烈书，谓其韩文内孔司勋志，不晓句读。贞曜先生志所云来吊韩氏，谓不知何人。柳文内与顾十郎书，误疑十郎为宗元座主。欧文内薛简肃举进士第一让王严，疑其何以得让。又以张谷墓表迁员外郎知阳武县为当时特重令职。又孙之翰志学究出身进士及第为再举进士。皆不明宋制而妄为之说。又谓其圈点批抹，亦多不得要领，而诋为小小结果。皆切中其病。然八家全集浩博，学者遍读为难。书肆选本，又漏略过甚。坤所选录，尚得烦简之中。集中评语虽所见未深，而亦足为初学之门径。一二百年以来，家弦户诵，固亦有由矣。"

## 春

**梅鼎祚感时抚事，作诗赠沈懋学。**其《讼诗贻沈子》序云："己卯春，予与沈子君典，感时抚事，有悄悄之忧，因以自讼，而并贻之。"去年，沈懋学以翰林修撰请告归里。按，鼎祚与懋学（字君典）自幼为好友。《列朝诗集小传》丁集下："鼎祚，字禹金，宣城人。云南参政守德之子。禹金舞象时，陈鸣垫、王仲房皆其父客，故禹金少即称诗。长而与沈君典齐名。君典取上第，禹金遂弃举子业，肆力诗文，撰述甚富。"

**汤显祖作传奇《紫箫记》（未完稿）。**其情节取自唐人蒋防之传奇小说《霍小玉传》。据徐朔方《晚明曲家年谱》。

## 五月

朱孟震为梅鼎祚《与玄草》作序。序署"万历己卯夏五月朔，友人新淦朱孟震撰"。该序《朱秉器文集》卷一收入，题为《梅禹金诗叙》。又曾以随笔形式收入《玉笥诗谈》。

## 夏

屠隆、沈明臣寄诗邀王世贞同赋乐府五七言绝句。屠隆时在颍上知县任。屠隆《由拳集》卷十六《与王元美先生》云："沈嘉则先生甫至自盐官，县斋得此，操白雪而下神物也……署中无事，戏为二十咏，隆与沈先生同赋成……敬要先生同赋之……（沈）且云，八月中旬过弇园访先生也。"王世贞《弇州四部稿》卷一六〇《徐长孺诗卷》云："屠明府长卿于县斋清暇，约沈山人嘉则为乐府五七言绝句各廿章，而命不佞嗣响焉。"

## 七月

王世贞和屠隆、沈明臣诗。见《弇州续稿》卷二十三《沈嘉则屠长卿相约为古乐府杂题廿绝句索和。余以言激之，谓长卿之高华，嘉则之雄浑，信是当家，若情事或须让老夫一步。两日内都能成此。二君得无笑其语之不儷也》。

## 八月

陈思育、高启愚等任乡试主考。《弇山堂别集》卷八十三《科试考三》："七年，命左春坊左谕德兼翰林院侍读陈思育、司经局洗马兼翰林院修撰周子义主顺天试。命右春坊右中允兼翰林院编修高启愚、翰林院侍读罗万化主应天试。故事，中允与讲读对品，中允得入问序揖，前导双呵，讲读不得也。然至主两京试及修史列衔，则皆讲读前而中允后，行之二百余年不易，至是忽改命启愚主试，万化副之，云自政府意也，是岁，首辅居正子懋修湖广乡试中式。"《静志居诗话》卷十六《高承祚》："高承祚，初名承禅，字元锡，号鹤城，松江华亭人。万历壬辰中会试，乙未赐同进士出身，改庶吉士，授检讨。有《知古堂集》。太史生时，父梦高僧入其门，因名之曰承禅。及万历己卯，铜梁高中允启愚，会稽罗侍读万化主考南畿，以'舜亦以命禹'发题。监临者方怀舜、禹传授之嫌，内江阴长卿为应天府尹，改填榜作祚。后主司以党附江陵获罪，鹤城以更名，免挂吏议。鹤城廉介自持，官翰林二十年，田不加半亩，屋不改一椽。予闻之李高士延罡云。《聚首》一绝云：'人生聚首难，离别何可久。去日三春花，今朝九秋柳。'沈覃九云：'语不在深，诗家合作。'"

袁宗道（1560—1600）中举。袁中道《石浦先生传》："二十举于乡。不第归，益喜读先秦、两汉之书。是时、济南（李攀龙）、琅琊（王世贞）之集盛行，先生一阅，悉能熟诵。甫一操觚，即肖其语。弱冠已有集，自谓此生当以文章名世矣。性耽赏适，文酒之会，夜以继日。"

**俞允文**（1513—1579）卒。顾章志《明处士俞仲蔚先生行状》："万历七年己卯八月四日，昆有隐君子俞仲蔚卒。……其生以正德八年癸酉六月十七日，距其卒，享年六十有七。""按君姓俞氏，初名允执，更名允文，仲蔚其字也，世为昆山人。"年三十五，谢去诸生，以处士终。列广五子之首。"呜呼！国家悬爵禄以待天下士，岂不欲得贤者而用之？顾今所用士率以科目重，而应试者一失有司之程度，即往往弃去不惜，虽有长才异能，无以自效于世。若仲蔚者，以彼其才而竟沦落草莽，岂非以科目失之邪？"王世贞《俞仲蔚先生墓志铭》："夫以仲蔚之空室蓬户褐衣疏食不厌，以托于著述也，夫岂为刺促以希一旦名？名就而实不衰，志行不稍削，乃真仲蔚哉！夫安得不布衣冠也？子与之与仲蔚通也以不佞，乃其相善殆甚矣。仲蔚于今诗不甚推于鳞，而其于古也，行不满郭有道，书不满怀素，识者疑之。虽然，是不为假傀吊诡者哉！"《明史·艺文志》著录《俞允文诗文集》二十四卷、《名贤诗评》二十卷。程善定《刻俞仲蔚先生集后序》云："乃收其全稿归，校梓于西野书屋。集凡廿四卷，王先生复序于首。其行状、志铭、传、表，咸附集后。先生人品之高，诗文之粹，则载在诸公文中，余何敢赞？第述其生平之与余交者如此。万历壬午（1582）春友人程善定书。"《明史》所著录或即此本。《四库全书总目》集部别集类存目五著录《俞仲蔚集》亦为二十四卷。《列朝诗集小传》丁集上："允文，字仲蔚，昆山人。年十五，为《马鞍山赋》，援据该博，长老皆推逊之。未及强，谢去诸生，读书汲古，年六十七而卒。仲蔚白皙，美丰神，秀眉目，腻颊飘须，病头风，暑月恒御毡裕，稍寒加以貂帽，客至隐几焚香，竟日无凡语。工于临池，正书规模欧阳，行笔出入襄阳，应酬挥洒，顷刻数十函，无凡笔。以善病不能远游，以故虽食贫而能保其志。王元美与仲蔚交最善，列诸广五子之首，称其五言古诗，气调殊不卑，所乏精思耳。歌行绝句，如披沙拣金，往往见宝。又言其于今诗不满李于鳞，于书不满怀素，于古人不满郭有道，盖仲蔚之持论，不苟为同异如此。"《静志居诗话》卷十三："七子之教，五言必宗《河梁》、建安。窃优孟之冠，学寿陵之步，求其合而愈离。当日二子，于五古极口仲蔚。然仲蔚殊少神解，余意尚在卢次楩下。二子之言，出一时之好，未为定论也。然仲蔚于归熙甫文名未盛之时，结契最先。又论诗不心服于鳞，亦有识之士。《捣衣诗》云：'重关月色早凉分，夜夜砧声逐塞云。泪尽天南与天北，悲筇同是月中闻。'"《四库全书总目》集部别集类存目五："《明史·文苑传》附载王稚登传中。允文与王世贞善，故与卢楩、李先芳、吴维岳、区大任，世贞目为广五子。然允文论诗，乃深不满李攀龙。特才地差弱，终不能与之抗衡耳。大抵广五子中，楩最挺出。大任次之。先芳、维岳及允文又其次也。"《明诗纪事》己签卷四录俞允文诗十一首，陈田按："仲蔚早弃诸生，名品既高，吐属隽雅。五字诗，吴中如皇甫昆季、王雅宜辈，皆以此擅长；仲蔚稍弱，亦堪把臂入林。"

### 秋

**尹台**（1506—1579）卒。胡直《宗伯尹洞山先生传》："己卯秋感疾，既革无惰容，晨兴栉发，瞑目而薨，年七十有四。""洞山先生尹氏，讳台，字崇基，吉永新人也。

其取号以居左有石山空洞故，咸称洞山先生云。"嘉靖乙未进士，改庶吉士，授编修，官至南礼部尚书。"先生早极崇信紫阳，趣泰和罗文庄公，独至中年，因有寤于《大学》知本之旨，浸与邹、罗二公语合。晚年益以明学术为首务，读书至老不倦。为文概主六经，而体裁一准西京，盖自廷对已然。诗歌侪建安、天宝间。无辨四方，谒文者充户所。著诗文及《永新志》凡若干卷。暇则偕田畯野老谈笑，或乘笋舆棹小艇夷犹江畔，睹者不知故上卿也。"《明史·艺文志》著录尹台《洞麓堂稿》三十八卷。有邹元标序，署"万历丁未（1607）季夏月"。《四库全书总目》集部别集类二五著录《洞麓堂集》十卷，提要曰："明尹台撰。台字崇基，号旧山，永新人。嘉靖乙未进士。官至南京礼部尚书。《明诗综》称其有《洞山集》。此作《洞麓堂集》。考集首邹元标序，称《洞麓堂稿》，大宗伯洞山尹公所撰。去公家里许，有奇洞，峰峦卓诡，遂以名堂，且名其稿。然则洞山其号，洞麓则其堂名，实一集也。台以护持杨继盛一事，为清议所归。集中如与罗念庵书，谓近世宗良知家者，心说沸扬，只缘金溪错认孟子'先立乎其大者'一语。又极论即心即理之非，谓即实有所得，亦只此心灵觉之妙，盖非所见之理。释氏有见于心，无见于性。陆氏之学，大率类是。又谓程子之徒当时且有失传，如昌氏、游氏，浸入禅学。朱子没后，勉斋汉卿仅足自守，不再传尽失其旨。如何、王、金、许，皆潜畔师说，不止草庐一人。其攻击姚江之学甚力，亦可谓屹然不移。惟集中有《祭陆东湖文》一首，推其望重朝廷，功盛社稷云云。东湖，陆炳号也。炳名列《明史》佞幸传中，与台殊非气类。考史称炳岁入不赀，待权要，周旋善类，亦无所斥。世宗数起大狱，炳多所保全。折节士大夫，未尝构陷一人。以故朝士多称之者。台之假借，或以是故欤？然君子论公义，不论私交，究不免为白璧之瑕也。集凡文六卷，诗四卷。元标序称其诗数百首，力推唐雅。制疏书序记铭状表数百篇，出入汉宋，阐绎名理，不屑绮语。虽乡曲之词，例皆溢美。今核其所作，尚不尽诬云。"乾隆《吉安府志·大臣》："公读书至老不倦，为文体裁一准西京，诗歌侪建安、天宝间。"《明诗纪事》戊签卷十九录尹台诗十二首，陈田按："尚书不附和武定、分宜。其官南都铨部，保全谭襄敏，直西苑撰青词，时有讽谏，大节可谓不阿。当时不以诗名，撷其佳作，雅质风藻，不愧名家。"

## 本年

陈良谟（1482—1573）《见闻纪训》由许琳刊行。据石昌渝主编《中国古代小说总目》。《四库全书总目》卷一四四子部小说家类存目二著录《见闻纪训》一卷，提要曰："明陈良谟撰。良谟字中夫，安吉人。正德丁丑进士。官至贵州布政司参政。是书杂记见闻，多陈因果。虽大旨出于劝戒，而语怪者太多。"陈良谟号栋塘，事迹见《弇州四部稿》卷九四《陈公墓表》。

沈明臣《越草》一卷作于今年。《四库全书总目》卷一七八集部别集类存目五著录沈明臣《越草》一卷，提要曰："明臣屡试不第，与山阴徐渭同入胡宗宪幕。宗宪逮系卒于狱，宾客星散，独明臣持所作诔词遍为讼冤。其行谊为世所重。诗则才气坌涌，得之太易。此集乃万历己卯明臣适盐官时所作，留其稿于钱氏者。盐官地近御儿，故越境也，因以'越草'为名。《元日》以下数首，乃其家居所作。以同为是年之诗，故并附录焉。"

**潘季驯辑撰《河防一览》。金瑶《周礼述注》成书。据四库提要。**

**冯梦祯（1548—1605）以庶吉士告病归，以免结怨于张居正。**李维桢《冯祭酒家传》：丁丑（1577）"为会试第一人，廷试二甲第三人，选为庶吉士。而江陵以不奔父丧，为贤者所刺讥。其人多公意气交，下诏狱，窜荒憬，无适救援，惟仰屋笑，或题咏寄慨。江陵故已旁猜，而公亦咯血病，乞长休告。罗近溪先生倡道盱江，亦江陵所衔也。公舍之屋中一岁，考德问业，义在师友间。"钱谦益《南京国子监祭酒冯公墓志铭》："万历丁丑，举会试第一，选翰林院庶吉士。海内传写其文，果以为唐、瞿再出也。与同年生宣城沈君典、鄞屠长卿以文章意气相豪，纵酒悲歌，跌宕俯仰，声华籍盛，亦以此负狂简声。邹忠介公抗论江陵，拜杖远戍，公独送郊外，执手慷慨。归仰屋直视，面气坟赤，太公流涕曰：'盍从我而归乎？吾不忍见壮子流血死墀下也。'公填咽不能答，濡血数升，请急从太公南归。"张居正夺情事在1577年。今年十二月，屠隆由颍上知县调任青浦知县。

**林春泽（1480—1583）百岁华诞，有司为建人瑞坊。**林春泽字德敷，侯官人。正德甲戌进士，授户部主事。迁员外，谪宁州同知。历吉安通判、肇庆同知，迁南刑部郎中，出为平番知府。《四库全书总目》卷一七六集部别集类存目三著录其《人瑞翁集》一卷，提要曰："有司为建人瑞坊，故以人瑞翁名其集。原本十二卷。今未见传本。此本其曾孙慎所重编也。春泽少与郑善夫游，互相切磋。故其诗颇有体裁，但乏深思厚力耳。"《明诗纪事》戊签卷十二引《坚瓠集》曰："侯官林德敷生于成化庚子，至万历乙卯一百岁。刘中丞、商御史为建人瑞坊。德敷谢诗云：'翠旗谷口万松风，喘息犹存一老翁。讵意夔龙黄阁上，尚怜园绮白云中。擎天华表三山壮，醉日桑榆百岁红。愿借末光乘晚照，康衢朝暮颂华封。'又四年卒。子应亮，嘉靖乙未进士，以户部侍郎侍养，年亦八十六卒。孙如楚，嘉靖乙丑进士，工部侍郎，卒年八十二。"《明诗纪事》录林春泽诗一首。

**萧崇业、谢杰撰《使琉球录》，记琉球国行事仪节及山川风俗。**《四库全书总目》卷五三史部杂史类存目二著录《使琉球录》二卷，提要曰："明萧崇业、谢杰同撰。崇业云南临安卫人。隆庆辛未进士，官至右佥都御史，提督操江。杰，长乐人。万历甲戌进士，官至户部尚书，总督仓场。万历七年，崇业为户科给事中，杰为行人司行人，奉使往封琉球国世子尚永为中山王。是年六月，渡海抵其国。十月还闽。因记其行事仪节，及琉球山川风俗为此书。大抵本嘉靖十三年陈侃、四十年郭世霖二《录》，而稍润益之。《明史·艺文志》载谢杰《使琉球录》六卷。此本止分上下二卷，检勘并无阙佚。殆六字为传写之误欤？"

**黎民表（1522—1582）乞归岭南。欧大任等饯之于许氏园。**欧大任《黎惟敬两诗卷跋》："惟敬书法自褚河南、欧率更来，结体则兰亭圣教也。是卷为余太史伯祥所藏，尤风骨遒劲。诗皆嘉靖己未（1559）后典秘时所作，回首已二纪余。青简尚新，而黄发不待。太史出以相示，因摩挲三叹题之。隆庆己巳（1569），惟敬自岭外入都，以司徒尚书郎使云中，再被命扈阁。辛未春为伯祥书此卷，皆北游诸诗也。忆己卯（1579）

岁惟敬乞归，出次许氏园，日引觞握管，写卷轴数十。余犹及与伯祥于晋阳庵酌之，酒醉，又斗大隶书数十纸乃别。别三载，惟敬修文去矣，余尚留滞旧京。伯祥开箧霑臆，能无尺波电谢之感也夫！"

**黎民表诗集**由镇江钟太守刊行，陈文烛作序。钟太守刊本今已不存。陈文烛《瑶石山人稿序》："惟敬请老以归，话别三山，余曾序其诗，镇江钟太守刻焉。大都谓惟敬与诸君子章昭代风雅之盛。惟敬览之，报书曰：'往文徵仲以集相托也，今尚负之。异时全集序在吾子乎！'惟敬下世，长公君华以吏部郎出参江藩，梓《瑶石先生集》，复属以序，且曰：'先大夫之意也。'余卒业焉。"钟太守刊本今已不存。此序署"万历戊子（1588）秋日"，乃重刊本序。《明诗综》卷五二："李时远云：瑶石早受学于黄泰泉。其诗自建安下逮齐梁，靡所不合。和平典雅，沨沨乎盛唐遗响。"

**欧大任**（1516—1595）由国子监助教破格升迁大理寺左评事。廷平任内所作诗，集为《西署集》。王世懋《欧桢伯西署集序》："欧先生桢伯岭南人也。岭南故多娴于文辞，而欧先生为最，尤好为古今诗歌。当其有名诸生间，气盖岭南，俯一第不足拾取，然数上有司辄不利，几以常调为文学掌故。故事：掌故历郡国学即止，不复迁。欧先生所历皆上考，遂破选人格，为国学掌故。居久之，将选入中秘弗果。已遂迁为廷尉平。廷尉平皆以进士秩居，海内谈艺者欣欣然思破藩篱，冀上征用，皆口实欧先生矣。先生无他嗜好，所居不携家，尝以一二奚奴自从，时拥被吟，而从者化之，亦以能诗闻。所与交海内贤豪长者，一倾盖语，或偕赏眺，必贻有诗歌，而人亦争愿得先生言以自愉快，故所在成帙，若《浮淮》诸集弦诵海内，而及是则称《西署》云。廷尉署与比部鳞比而西，故皆得称西署。比部事简而徒众，诸郎多肆力于文章，若李、徐辈及余兄元美，先后声施矣。廷尉属不称剧于比部，而寡德鲜唱，弘正间仅得一徐迪功，无几何下迁博士去，所称翩翩年少以廷尉属名者，常评事伦一人而已。今其诗具在，以当欧先生，孰多且旨，亡待其所私故能辩也。上下百年内，徐迪功由廷尉平左迁博士，欧先生由博士右迁廷尉平，相望两人耳。……吴郡友人王世懋撰。"徐祯卿有《迪功集》。所云"以能诗闻"之"奚奴"，即欧大任之仆李英。见1595年。《西署集》另有刘绍恤序。序云："欧桢伯起岭南，业既成，挟策出游，海内缙绅先生翕然亟称桢伯诗。先是有《浮淮》、《轺中》、《南辕》、《北騕》诸集，各志所寓，皆盛行于世，语具诸君子序述中。乃今所云《西署集》，则桢伯廷平时所为诗也。……万历癸未（1583）仲春月安陆友弟刘绍恤撰。"

**徐学谟**任刑部右侍郎。据王世贞《弇山堂别集》。

**何心隐**（1517—1579）死于黄安狱中。原姓梁，名汝元，字夫山，永丰人。曾举江西乡试第一。颜钧（山农）弟子。相继为严嵩、张居正所恶，终至被杀。著有《爨桐集》。袁宗道《杂说》："李宏甫叙《龙溪语录》曰：'阳明之时，得道者如林，吾不能悉数之。独淮南一派，其传为波石、山农等。波石之后，为赵大洲。大洲之后，为豁渠和尚。山农之后，为罗近溪，为何心隐。心隐之后，为钱怀苏，为程后台。'余客岁见宏甫，问曰：'王心斋之学何如？'先生曰：'此公是一侠客，所以相传一派，为波石、山农、心隐，负万死不回之气。波石为左辖时，事不甚相干，挺然而出，为象蹶死，骨肉糜烂。山农缘坐船事，为人痛恨，非罗近溪救之，危矣。心隐直言忤人，竟捶死武昌。盖由心斋骨刚气雄，奋不顾身，故其儿孙如此。又王心斋一日与徐波石同行，至一沟，沟殊阔，强波石超。波石不得已，奋力跳过。心斋大呼曰：'即此便是！'"袁中道《柞林纪谭》："问何心隐何如人。叟张目曰：'这样人，什么人？好轻易！'予方吐痰，叟笑曰：'渠吐一口痰，也是自家的。'予问夏侯太初临刑神色不变，于此道有不少分否？曰：'不相干。只是一个有力量的人。我昔于法场见有四人同斩，有两人恬然不以为意也。只是聪明伶俐人，见得决定是死，啼哭无益。凡聪明伶俐有力量的人，遇事都能一眼见到底，也有趣。'""伯修问作大事业的人，须要杀身而不悔否？曰：'古今大豪杰作事，都有个着数，不是泛然的。'曰：'直如何心隐如何？'曰：'也死得脱轻易，安有大丈夫为人所弄，如杀一鸡然。可恨！若王伯安则不然，你看是何等作用？'予问：'吾人作用，须是极细极周，乃可言作用否？'叟笑曰：'又有个什么作用！只如何心隐死，也不容怪他作用不妙。就如王伯安，刘瑾时几死，龙场古庙几死，逃入渔舟几死。功成，群奸诬以反，几死。假如不幸而死，亦将咎作用之不妙乎！'"潘永因《续书堂明稗类抄》卷十六录佚名《朝野异闻录》："嘉、隆之际，讲学者盛行于海内，其弊有窃讲学而为豪侠之具，复借豪侠而恣贪横之私。其术本不足动人，而失志不逞之徒，相与鼓吹羽翼，聚散闪倏，几令人有黄巾、五斗之忧。盖自东越（王阳明）之变为泰州（王艮），犹未至大坏，而泰州之变为颜山农，则鱼馁肉烂，不可复支。何心隐者，其才高于山农而狠幻尤胜之。少尝师事山农，山农有例，师事之者，必先殴三拳而后受拜。心隐既事山农，察其所行，意甚悔。一日，值山农之淫于村妇也，匿隐处，俟其出而扼之，亦殴三拳，使拜，出弟子籍。因纵游江湖。心隐每言，天地一杀机而已。尧不能杀舜，舜不能杀禹，故以天下让。汤武能杀桀纣，故得天下。善御史耿定向，至京师与处，适翰林张居正来访，望见便走匿。耿问何以不见江陵之故，何曰：'此人吾甚畏之。'耿曰：'何故？'何曰：'此人能操天下大柄。'耿不以为然。何曰：'分宜欲灭道学而不能，华亭欲兴道学亦不能，能兴灭者此子也。子识之。此人当杀我。'久之，益纵游江湖间，放浪大言，以为不久可以得志于世。而所至聚徒，若乡贡太学诸生以至恶少年无不心服。吕光午又多游蛮中，以兵法教其酋长。事稍稍闻，江陵属楚抚按察捕之，后得之于岭北。见抚臣王之垣，坐不能跪，曰：'若安敢杀我？亦安能杀我？杀我者，张某也。'选健卒痛笞之百余，干笑而已。遂死。其死非枉也。而李温陵犹以不能容何心隐为江陵罪，岂定论乎？大抵当盛明之世，如李卓吾、何心隐、颜山农之类，皆所谓跃冶之民也。"

## 公元 1580 年（神宗万历八年　庚辰）

### 三月

**张懋修等进士及第。张懋修为张居正之子。**《弇山堂别集》卷八十三《科试考三》："八年庚辰，命礼部尚书文渊阁大学士申时行、礼部左侍郎兼翰林院侍读学士余有丁主会试，取中萧良有等三百人。时懋修与其兄敬修、次辅张四维子嘉徵复俱中式。敬修即嗣文更名者。""廷试，少师兼太子太师吏部尚书中极殿大学士张居正、少保太子太保礼部尚书武英殿大学士张四维俱以子入试请回避，不许。赐张懋修、萧良有、王廷撰及第。懋修兄敬修、良有弟良誉、廷撰弟廷谕同榜进士，或云首辅戏之也。"又卷二《皇明盛事述二》："万历庚辰，第一甲第一人江陵张懋修，兄敬修；第二人汉阳萧良有，弟良誉；第三人华州王庭撰，弟庭谕。皆同科进士，又同胞也，古今所稀。"

同榜进士有余寅（1519—1593）、叶初春、车大任、袁年、臧懋循（1550—1620）、张恒、顾宪成（1550—1612）、魏允中（1546—1585）、龙膺（1560—1617 后）等。张居正三子懋修以一甲一名赐进士及第，长子敬修列二甲第十三名。《万历野获编》卷十四《关节状元》云："今上庚辰科状元张懋修，为首揆江陵公子。人谓乃父手撰策问，因以进呈。后被劾削籍，人皆云然。"《寄园寄所寄》卷六引《抡元小录》云："万历丁丑，张太岳子嗣修榜眼及第，庚辰懋修复登鼎元。有无名子揭口占于朝门曰：状元榜眼姓俱张，未必文星照楚邦。若是相公坚不去，六郎还作探花郎。后俱削籍。故当时语曰：丁丑无眼，庚辰无头。"

魏允中与其同年进士顾宪成、刘庭兰皆乡试第一，号庚辰三解元。《列朝诗集小传》丁集上："允中字懋权，南乐人。万历庚辰进士，除太常博士。……懋权与其兄允贞、弟允孚，皆举进士，称三魏。与其同年顾宪成、刘庭兰皆乡试第一，号庚辰三解元，咸相与镞砺志节，以名世相期许。江陵专政，懋权与顾、刘皆不肯阿附，江陵败，允贞为御史，弹射新执政，时人侧目，以懋权为党魁。懋权卒，允孚与庭兰继之，而宪成与允贞，皆为万历中名臣。"

汤显祖应进士试落第，或与其不受张居正笼络有关。邹迪光《临川汤先生传》："庚辰，江陵子懋修与其乡之人王篆来结纳，复啖以巍甲而亦不应。曰：吾不敢从处女子失身也。公虽一老孝廉乎，而名益鹊起，海内之人益以得望见汤先生为幸。"按，王篆时为都察院左副都御史。

## 春

梅鼎祚增订《予宁草》。《予宁草》收戊寅（1578）以来之作。其自序云："昔所谓学诗之士，逸在布衣，而贤人失志之赋作矣。居三载为庚辰春而服禫，因出戊寅（1578）以来所论著，略次之，名《予宁草》。予宁者，盖汉法，亦今制云。"梅守箕《校次予宁草题辞》作于今年三月。欧大任《予宁草序》署"万历癸未（1583）秋八月朔"。

梁辰鱼访高濂于杭州。据徐朔方所撰年谱。

沈璟为今年会试授卷官。与大理左评事欧大任交好。据徐朔方所撰年谱。欧大任自去年任大理左评事，万历九年升南京工部屯田司主事。

王世贞称病退居弇园。世贞之逃世，意在避张居正之忌。《弇州续稿》卷一八三致吴汝震书云："庚辰岁首，仆以倦一切称病弇园。至孟冬朔，复弃弇园，携瓢笠及佛道书数卷入白莲精舍。"《王文肃公文草》卷六《太子少保刑部尚书凤洲王公神道碑》云："公尝屈指前后所忤三相国：分宜（严嵩）睚眦杀人，入其网，无能脱者；新郑（高拱）褊而敖于言，尝力持其讼冤、请急二疏不肯下，既而悔之，知其无他肠也；江陵（张居正）则且忤且合，以飞箝钓饵杂出中人，手书不时至，皆款款输心道旧语，计未有以绝之。会予化女以守节感冥契，立恬澹教门。公有当于心，辄焚笔砚，谢宾客，与余结庐城南，戒食、梵诵甚苦。间相对谈平生所经啼笑险夷之境，如梦如醒，且沾沾喜也。盖自是江陵始息意予两人，不深忌。予亦不复以官爵饵公。予两人亦相得也。曰：此度世不足，逃世不有余乎？嗟乎，岂图末路更以此被物色，而公亦寻为余膻所累也。"

### 五月

凌濛初（1580—1644）生。据嘉庆十年刊《凌氏宗谱》卷六，凌氏"生于万历庚辰五月初七日未时"。

屠隆《由拳集》成书，沈明臣作叙。序署"明万历八年岁庚辰五月，甬句东沈明臣嘉则父撰"。《由拳集》另有彭汝让、徐益孙序。徐序云："先生之言曰：'近世之士，蝉蜕诸生而影响古人，务为壮语以自标表。'达哉斯言，实获我心。大抵列锦绣缋者辞绮必靡，矫舌抗喉者调激必诡，捆句束字者气溺必沉，刻肺镂肝者意幽必琐，徒摹拟之为工，忘优笑之至耻，虽令执木铎以自鸣，人犹将弃而勿省也。唯先生以古铸今，以己铸古，识足以纬其词，才足以彪其旨，象之所会，境之所迎，机骚弩流，云兴泉逝，虽枚叔之敏思，孔璋之骏发，子建之茂材，正平之迅捷，方之蔑如矣。"

### 夏

王世贞、胡应麟小祇园论文。偶及李攀龙古文，世贞评以"多缴绕纡曲"。《少室山房类稿》卷一〇六《书二王评李于鳞文语》云："庚辰夏，过小祇园。长公谭艺次，偶及李于鳞文。长公曰：余初年亦步骤其作，后周览战国、西京诸家，乃翻然改辙。于鳞初极不喜，久之，余持论益坚，李遂止，弗复更言……是冬，次公访余溪上，夜评骘当代诸名家。至历下，曰：李文辞多缴绕纡曲。固其体欲艰深，亦由才短，故不能词达其意……两王公笔札间推毂济南不容口，其面论不同乃尔。盖两公于李交厚，董狐之评，不无少曲，而其指往往寄寓他文中。初学不尽参其集，未易悟也。"

### 七月

屠隆等结青溪诗社。时屠隆任青浦知县。参与社集者有沈明臣、冯梦祯等。《由拳集》卷十二《青溪集序》："余乡沈嘉则先生、就李冯开之吉士以七夕至，至即相与操方舟出郭行……嘉则得诗如干首，余诗与之略相等。……于是谋刻先生诗，余与开之附焉，用'青溪'命集。"去年十二月，屠隆调任青浦知县。《列朝诗集小传》丁集上《屠仪部隆》："长卿令青浦，延接吴越间名士沈嘉则、冯开之之流，泛舟置酒，青帘白舫，纵浪泖浦间，以仙令自许。"

### 九月

王衡姊焘贞（1558—1580）"得道化去"，王世贞为作《昙阳大师传》。焘贞号昙阳子。王衡（字辰玉）此后以缑山子自号。娄坚《学古绪言》卷四《缑山子传》："缑山子者，王太史辰玉之别号也。君天资警敏，又少而勤学，甫习经义，即已趋高朗骏发，度越寻常矣。未几，试于有司，三冠其侪，而意乃夷然。凡所目击耳闻，莫不叹羡以为远器。娶于嘉定金氏，文肃公乡荐之同年友也。妇兄兆登字子鱼，自是数求友于邑，始与张君定安同砚席，仲慧其字也。又因张而交唐时升字叔达，及予娄坚子柔。既而读书支硎山房，则与华亭陈仲醇俱，皆其弱龄也。君于受经之暇，出入内阁，见其女兄（即昙阳子）独居小楼，修默存之道，往往群仙宵降，天乐空来，甘露飘洒，盖屡睹光景而不觉心动焉。久之道成，请于父母，同往徐氏墓田，以白昼化去，远近来观。耆年宿德，咸共咨嗟瞻仰。若君之目睹而神往，积以岁月，又何如也？第方诵法周孔，覃思经史，未遑耳。君之别自为号，聊以志也。当是时，文肃公、琅琊弇州公相与叹日月之如流，而贵盛难久居也，遂筑观于城西南，中堂以供龛，东西二个各处一焉，而署之曰恬澹，殆欲蹑扬许之踪，窥性命之奥。而未几文肃公迫于内召，弇州亦起赞留枢，虽裴哀萧远之运命，已企羡渊明之归来矣。"昙阳子即王衡女兄，名焘贞（1558—1580），以昙阳子为号。王锡爵（文肃）女。王世贞《金母纪》云："我师昙阳子之谒金母而归也，谓不佞贞与元驭，盍治一室而奉我观世音大士，以母配乎？请母号，则手书一赫蹄曰：西池元始玄真女真教主太阴金母。"（《弇州续稿》卷六十六）世贞另有《昙鸾大师纪》、《昙阳大师传》。《万历邸抄》九年载户科给事中牛惟炳、云南道御史孙承南各上封事，劾王世贞作《昙阳大师传》，与王锡爵溺于神怪，"男妇呼号罗拜者约十万人，其民间相率而进香龛下者尚中夜不绝。"乞将该传毁板，龛中尸骸勒限迁葬。王世贞《亡弟中顺大夫太常寺少卿敬美行状》："前是，大相（指张居正）不欲持父丧，而鱼肉抗议者，元驭（王锡爵）争之力，不应，遂请告归省。大相心愧之，时时露辞色。而昙阳子既以化，元驭具其事属世贞传，而弟手书授之梓。给事某、御史某乃极论元驭与不谷诪张为怪幻，而留省应之，至波及弟与故沈太史懋学，业已报闻，弗竟矣。"《万历野获编》卷二十三《假昙阳》云："王太仓以侍郎忤江陵予告归，其仲女昙阳子得道化去。一时名士如弇州兄弟、沈太史懋学、屠青浦隆、冯太史梦祯、瞿胃君汝稷辈，无虑数百人，皆顶礼称弟子。先已预示化期，至日并集于其亡夫徐氏墓次，送者倾东南。说者疑其为蛇所祟。盖初遇仙真，即有蜿蜒相随，直至遗蜕入龛，亦相依同掩，则此说亦理所有。然和同三教，力摈旁门，语俱具弇州传中，初非诬饰也。事传南中，给事牛惟炳者遂赍以献江陵。疏称太仓以父师女，以女师人，妖诞不经，并弇州辈皆当置重典。时徐太室学谟为大宗伯，太仓同里人也，力主毁庐焚骨以绝异端。慈圣太后闻之，亟呼冯珰传谕政府。江陵惊惧，始寝其事。昙阳之为仙为魔皆不可知。乃其灵异既彰灼，辞世又明白，则断无可疑。既而太仓入相后，渐有议昙阳尚在人间者，初皆不甚信。忽有鄞人娄姓者，自云曾试童生，以风水来吴越间。挈一妻二子，居处无定。其妻慧美多艺能，且吴音。蓄赀甚富。缉盗者疑之，踪迹之甚急。度不可脱，则云我太仓人，王姓，汝勿得无礼。于是哗然以为昙阳矣。传闻入娄江，时相公在朝，乃子辰玉亦随侍，仅一从叔诸生梦周者代司家事。急捕此夫妇以归。讯之，则曰：吾真昙阳也。当时实不死，从龛后穴而逸耳。梦周亦不能辨。因自称相公女愈坚。吴中鼎沸，传为怪事。王氏之老仆乡居者，及宗党之耄而晓事者，独心疑之。谛视诘辨良久，忽曰：汝非二爷房中某娘耶？始色变吐实，盖相公乃弟学宪鼎爵爱妾也。学宪殁，窃重赀宵遁。不知于何地遇娄，遂嫁之。二子其所育，去凡四年矣。……梦周付干仆严系之，以待京师返命处分。此妇复诱干仆私通，乘其醉懈，携二稚并娄夜窜。后竟杳无消息。余尝叩辰玉：令姊升举后，曾有肦蟙相示，以践生前诸约否？辰玉云，绝无之。"又《娄江四王》："初昙阳化去，弇州与相公俱入道，退居昙阳观中，屏荤血，断笔砚，与家庭绝。其弟麟洲、和石两学宪，亦在其家薰修焚炼，谓骖鸾跨鹤特剩事耳。如是数年，而麟洲起视闽学，未几相公麻命下，亦应诏北上。弇州孑然苦寂，遂返里第。寻和石不起，弇州亦以南副枢出山。不三年，观中遂无四王之迹。昙阳高足僧名道印者，以传灯第一人守观，旋殁。麟洲从太常予告，亦继之。弇州从南大司寇得请归，追痛道心不坚，再婴世网，未几下世。后来惟相公身正首揆，子登鼎甲，但于学道本来面目远矣。所以古来神仙必居穷山绝境。石初于昙阳事，与弇州俱不甚信。后屡著灵异，弇州遂北面，而和石亦息喙矣。时言官劾之者，遂云和石大怒有违言，其实不然。著故甚其辞，以间其伯仲也。"

**王世懋移视陕西学政。**王世贞《亡弟中顺大夫太常少卿敬美行状》："甫百日而移视陕西学政。道故里，而昙阳子已立化，自恨弗及，徘徊之，欲勿上。不谷谓曰：'吾既已失先君子意，汝勿为尔也。'盖先君虽在厄，未尝不戚戚以己故锢二子为恨。至是弟始束装就道。"

秋

**张凤翼作《文选纂注》自序。**《文选》系南朝梁萧统（昭明太子）所编诗文总集。序云："丁丑之役，则摈于礼闱者四矣。此而不止，人寿几何。于是慕潘岳闲居奉母之乐，修虞卿穷愁著书之业，闭门却扫，凝神纂辑。"末署："万历庚辰秋日，长洲张凤翼伯起书。"又见本集卷六。《雪涛谈丛·文选纂注》："吴中张伯起刻有《文选纂注》，持送一士夫，士夫览其题目，乃曰：'既云《文选》，何故有诗？'伯起曰：'这是昭明太子做的，不干我事。'士夫曰：'昭明太子安在？'伯起曰：'已死了。'士夫曰：'既死，不必究他。'伯起曰：'便不死，也难究他。'士夫曰：'何故？'伯起答曰：'他读得书多。'士夫默然。"

十月

**徐阶为赵时春《浚谷赵先生集》作序，时赵去世已十五年。**序署"万历庚辰仲冬望日，赐进士及第、特进光禄大夫、柱国少师、兼太子太师、吏部尚书、建极殿大学士、知制诰、知经筵事、国史总裁致仕，华亭徐阶序"。

十二月

**李元阳（1497—1581）卒。**（卒年据公历标注）李选《侍御中溪李元阳行状》："万历八年，中溪李先生年八十有四，十二月二十日卒于家。""先生讳元阳，字仁甫，世居点苍山十八溪之中，因号中溪。其先浙江钱塘人，祖讳顺者，仕元为大理路主事，爱恋山水，遂家焉。……嘉靖壬午（1522）中云贵乡试第二，丙戌（1526）成进士，初授翰林院庶吉士，寻以议礼忤权臣，出补分宜，分江西秋闱。事竣，丁内艰归，服阕，补江阴。……迁户部主事，时选宫僚，大学士夏公招之，不赴。少宰霍韬门无私谒，知先生贤，改监察御史，……巡按八闽，大学士钱之，手出官名纳公袖，谓：宜荐剡也。比至，廉知贪黩状，疏劾之，所至风靡，一省廓清。监临丁酉（1537）场屋，得人最盛，试录尽出其手，识者评为天下第一。……议先生外补，会荆州知府缺……遂授之。……尝试诸生，得太岳张居正卷，大器之，拔为六百人之冠。时太岳年方十三，后果然，皆以先生为知人。""中年著《心性图说》，为罗洪先所许，修撰杨慎尝与坐终日，每出谓人曰：'见中溪神貌，如临水月，鄙吝自消，聆其语，如闻洪钟，令人顿醒。'先生既倡明性学，亦时与诸生讲文艺。凡从游者，类皆敦世善俗。先生作诗文，初不经意，援笔辄就，世以白香山、苏东坡拟之。嘉靖间编郡志，后二十年，复作续志，未几，《云南通志》又出。先生手书成，示弟子曰：'往见志书，皆载山用、物产、人名而已，不及兵食口法度之所急，是何异千金之子，籍其珠宝狗马而缓其衣食产业之数乎？'凡先生著作，非性命极理之谈，必济世安民之法。"《明文授读》卷十二："百家私记：李元阳字仁甫，号中溪，大理人，嘉靖间庶常。初以议礼忤旨，出令分宜、江阴，多善绩。为部曹，与唐荆川、屠应埈等称十才子，为御史，有直谏声，出为荆州守，更多惠政。"《明诗纪事》戊签卷十六录李元阳诗三首，陈田按："仁甫为'杨门六子'之一，诗品在弘山、愈光之次。"《明史·艺文志》著录其《云南通志》十八卷、《大理府志》十卷。

## 本年

张凤翼自今年始张榜鬻文，历三十年。时张凤翼五十四岁。凤翼以艺谋生，或有与"相门山人"立异之意。沈瓒《近事丛残·张灵墟》："张孝廉伯起，文学品格，独迈时流，而耻以诗文字翰接交贵人，乃榜其门曰：'本宅缺乏纸笔，凡有以扇求楷书者，银一钱，行书八句者，三分，特撰寿诗寿文，每轴各若干。'人争求之。自庚辰至今，三十年不改。有不喜其字者，撰一说曰：张灵墟送客出门，见一人跪于门，袖中皆扇，扶之起曰：'莫非要我写乎？'其人跪告曰：'只怕你写，只得下礼告饶。'人传以为笑。"胡应麟《跋张伯起诗卷》："癸未（1583）过吴门，访伯起曲水园，出素卷索书得此，乃洞山十绝句。书端缜温厚，锋颖内藏，诗亦稳妥清适，雅与书称，当是伯起合作。此君四十即辍试礼闱，凿坏蓬荜，真古之遗隐。无奈翰墨为累。又传奇数本，俊语灼灼人口耳，视龚家老友，不觉输一筹耳。漫书卷末，伯起当一笑喟然也。"足见凤翼书法声价之高。张凤翼号灵墟，对"相门山人"颇为不满，亦一时风气也。《万历野获编》卷二十三《山人歌》："张伯起孝廉凤翼长王百谷八岁，亦痛恶王为人，因作《山人歌》骂之。其描写丑态，可谓曲尽。初直书王姓名，友人规之，改作沈嘉则明臣，复有谏止者，并沈去之。张以母老，至庚辰科即绝意公车，足迹不入公府，与王行径迥别，故有此歌，然亦襦矣。"又《恩诏逐山人》："恩诏内又一款，尽逐在京山人，尤为快事。年来此辈作奸，妖讹百出，如《逐客鸣冤录》，仅其小者耳。昔年吴中有《山人歌》，描写最巧，今阅之未能得其十一。然以清朝大庆，溥海沾浩荡之恩，而独求多于鼠辈，谓之失体则可，若云已甚，恐未必然。〇按相门山人，分宜有吴扩，华亭有沈明臣，袁文荣有王稚登，申吴门有陆应阳，诸人俱降礼为布衣交，惟江陵、太仓无之。今则执厮隶役，作倡优态，又非诸君比矣。"又《山人名号》："山人之名本重，如李邺侯仅得此称。不意数十年来出游无籍辈，以诗卷遍赞达官，亦谓之山人。始于嘉靖之初年，盛于今上之近岁。吴中友人遂有作山人歌曲者，而情状著矣。抚按藩臬大吏，有事地方，作檄文以关防诈伪，动称山人星相，而品第定矣。"

**王世贞作《书归熙甫文集后》，于归有光颇为推重。**归熙甫，归有光也。书后云："又数年而熙甫始第，又数年而卒。客有梓其集贻余者，卒卒未及展，为人持去。旋徙处昼靖，复得而读之，故是近代名手。若论议书疏之类，滔滔横流不竭，而发源则泓淳朗著。志传碑表，昌黎十四，永叔十六，又最得昌黎割爱脱赚法。唯铭辞小不及耳。昌黎于碑志极有力，是兼东西京而时出之。永叔虽佳，故一家言耳。而茅坤氏乃颇右永叔而左昌黎，故当不识耳。他序记，熙甫亦甚快，所不足者，起伏须婉而劲，结构须味而裁，要必有千钧之力而后可。至于照应点缀，绝不可少，又贵琢之无痕。此毋但熙甫，当时极推重于鳞，于鳞亦似有可憾者。"（《读书后》卷四）

**龚仲庆等在公安结阳春社。**袁宗道《送夹山母舅之任太原序》："驾部公（龚仲庆）得隽后，先生诛茆城南，号曰阳春社。一时后进入社讲业者如林，不肖兄弟亦其人也。自有此社，人始知程墨之外，大有书帙，科名之外，大有学问。而先生又能操品藻权，鼓舞诸士。诸士穷日夜力，勾搜博览，以收名定价于先生。以故数年之间，雅道大振，家操灵蛇，人握夜光。"（《袁宗道集笺校》卷十）龚仲庆为三袁舅父。三袁，袁宗道、袁宏道、袁中道三兄弟，公安人。

**龙膺授徽州推官，至万历十四年罢，先后凡六年。在郡与汪道昆、屠隆、吕玉绳、沈明臣等结白榆社。**龙膺《沦溟文集》卷八《汪伯玉先生传》云："予小子释褐徽理为万历庚辰。下车首式先生之庐。先生年五十六矣，见先生虎头熊背，项有异骨贯于顶，目眈眈视。"汪道昆《送龙相君考绩序》云："结发理郡，郡中称平。圄土虚无人。日挟策攻古昔。乃构白榆社，据北斗城。入社七人，谬长不佞，君御为宰，丁元甫奉楚前茅，郭次甫隐焦山，岁一至，居守则吾家二仲洎潘景升诸宾客自四方来，择可者延之入。君御身下不佞，左二甫，右二生。旬月有程，岁时有会。"又云："会故太史李本宁（维桢）至自郢中，入社。"君御名膺，今年进士，授徽州推官，十四年得替。据康熙《徽州府志》卷二，白榆山在郡城东南郊。

**汤显祖游南太学，为祭酒戴洵所赏识。**汤显祖《青雪楼赋》序云："四明戴公，是万历庚辰岁予游太学时师儒祭酒也。公容情俊远，谈韵高奇。于诸生中最受风赏。徂春涉秋，究日余夜，公私之致兼穷，礼乐之欢无吝矣。"赋忆南太学云："虽纷吾之寡韵，获胜引于成均。坐东堂而赋竹，过西池而采蘋。图史之观入夜，琴歌之醉兼旬。人逗机而无旧，物赏气而有新。素风期于道业，过洗激于清尘。"（《汤显祖诗文集》卷二十三）据《实录》，二月升右春坊右谕德掌南京翰林院印信戴洵为南京国子监祭酒。明年四月以失张居正意致仕归。汤显祖诗《戴师席上送王子厚北上。子厚名浑然，司徒北海王公子也。有物表之姿，昔人之度。瀦雨来辞。戴公平生不饮，此日连举兕爵数度。公笑曰：吾之邴原也。周原宇赠诗，命仆就和》或作于今年。

徐渭在南京读汤显祖《问棘邮草》，作诗以道向慕之情。徐渭《与汤义仍》云："某于客所读《问棘堂集》，自谓平生所未尝见，便作诗一首以道此怀，藏此久矣。倾值客有道出尊乡者，遂托以尘。兼呈鄙刻二种，用替倾盖之谈。《问棘》之外，别构必多。遇便倘能寄教耶？湘管四枝，将需洒藻。"（《徐文长三集》卷十六）徐渭有《读问棘堂集拟寄汤君》诗。诗云："兰苕翡翠逐时鸣，谁解钧天响洞庭？鼓瑟定应遭客骂，执鞭今始慰生平。即收《吕览》千金市，直换咸阳许座城。无限龙门蚕室泪，难偕书札报任卿。"（《徐文长三集》卷七）沈德符《万历野获编》卷二十三《徐文长》云："文长自负高一世，少所许可。独注意汤义仍，寄诗与订交。推重甚至。汤时犹在公车也。余后遇汤，问文长文价何似，汤亦称赏，而口多微辞。盖义仍方欲扫空王李，又何有于文长。"按，徐渭年长于汤显祖 29 岁。

郭应聘《西南纪事》刊行。徐栻为张内蕴等《水利图说》作序。据四库提要。

唐时升年二十九，辍去举子业，一意读书汲古。王衡《三易集序》："嘉定唐叔达，少以异才名，未三十辍去举子业。人问子今何好，曰：'好读书。'读书何事，曰：'无所事也。'浮沉里閈中，舌不能战，笔不能耕，人多以为迂。惟同里二三博雅君子，盛相推服，以为叔达当今无辈。余时颇有亦党之疑。"《列朝诗集小传》丁集下："时升，字叔达，嘉定人。少有异才，未三十谢去举子业，读书汲古。通达世务，居恒笑张空拳、开横口者，如木骊泥龙，不适于用。酒酣耳热，往往将须大言曰：'当世有用我者，决胜千里之外，吾其为李文饶乎！'"

徐学谟任礼部尚书。潘季驯任南京兵部尚书。余有丁任吏部侍郎。据王世贞《弇山堂别集》。

林廷机（1492—1580）卒。叶向高《大宗伯肖泉林先生传》："公讳廷机，字利仁，别号肖泉，闽之濂江人，文安公第九子，而康懿公季弟也。……十四持父丧，下帷发愤，十七补郡弟子，二十举于乡，三十成进士。"选庶吉士，除检讨，迁国子司业，进南祭酒，就迁太常卿，擢工部侍郎，改礼部，进工部尚书，复改礼部。"岁庚辰，伯子暴疽卒，公始忽忽不乐。仲子解广右观察，归侍数月，公竟以悲怆逝。天子赐祭葬如仪。"谥文僖。有《世翰堂稿》十卷。《明史》有传。《明诗纪事》戊签卷十九录其诗三首。

徐师曾（1517—1580）卒。《静志居诗话》卷十三《徐师曾》："徐师曾，字伯鲁，吴江人。嘉靖癸丑进士，选庶吉士，授兵科给事中，历刑科左给事。有《湖上集》。伯鲁说经铿铿，又辑《文体明辨》，以迪后学。一官清要，五疏乞归。其《述志赋》云：'相先民之不朽兮，托三事而流传。吾何有一于兹兮，死速朽而犹僵。惜青春之不我与兮，忽已至乎衰年。胡不及时以精进兮，择可修而勉旃。'昔贤有言：'耄未至昏，衰不及顿，尚可厉志于所期。'又言：'进不及达，退无所矫。'伯鲁之谓矣。诗亦清婉，盖斤斤学唐者。"《四库全书总目》著录徐师曾《今文周易演义》十二卷、《礼记集注》三十卷、《文体明辨》八十四卷。

冯惟敏（1511—约1580）约卒于今年。《艺苑卮言》卷五："冯汝行，如幽州马行客，虽见伉俍，殊乏都雅。"王骥德《曲律》卷三："冯海浮《咏鞋杯》诸曲，亦多巧句。海浮'月儿弯环在腮上，笋尖儿穿破了鼻梁'，及'环儿脚一弯，花儿瓣两边'，又'心坎儿里踢蹬，肚囊儿里款行，肠襟儿里穿芳径'等，尤称妙绝。亦未免间以粗豪语，不无遗恨耳。"《远山堂剧品·雅品·玉殿传胪》（即《不伏老》北五折）："偶阅俗演《梁太素》曲，神为之昏。得此剧，大为击节。近有《题塔记》，能畅写其坎坷之状，而曲之精工，远不及此。"又《逸品·僧尼共犯》（北四折）："本俗境而以雅调写之，字句皆独创者，故刻画之极，渐近自然。此与《风情》二剧，并可作词人谐谑之资。"《列朝诗集小传》丁集上："惟敏，字汝行，惟健之弟也。领山东乡荐，知涞水县，改教润州，迁保定府通判。汝行善度近体乐府，盛传于东郡。王元美谓李尚宝先芳、张职方重、刘侍御时达，此调皆可观，而惟敏独为杰出。其板眼务头，撙抢紧缓，无不曲尽，而才气亦足以发之。余所见《梁状元不伏老》杂剧，当在王渼陂（王九思）《杜甫游春》之上，诗虽未工，亦齐鲁间一才人也。"康熙《青州府志》卷十五："钟羽正曰：'吾乡作词曲者李开先、谷继宗与海浮，皆著名一时，而论者以冯为胜，观其才情、腔调，卓有独得，所谓别学、别才，非可效而及也。承蜩弄丸，即圣人不能与争，况歌词乎？是足以名家矣。'"康熙《益都县志》九："诗文雅丽，尤善为乐府，以俊语度新声，传之远迩，闻者解颐。王元美称其北调独为杰出，拍凑务头无不曲尽，而才气亦足发之。"《明诗纪事》戊签卷八引《海岳灵秀集》："海浮词虽逸而气弱，律虽协而调卑。"又陈田按："临朐四冯，朱中立首推汝强诗。王秋史谓汝威为四集之冠。朱竹垞谓汝言诗华整可观，其贾氏之伟节乎！余谓终不若汝行之才气纵横也。"《明诗纪事》录冯惟敏诗七首。

**吕天成**（1580—1618）生。吕天成，字勤之，别号棘津、郁蓝生，余姚人。诸生。有戏曲论著《曲品》和《神镜记》等传奇作品。相传《绣榻野史》亦为他所作。

# 公元 1581 年（神宗万历九年 辛巳）

## 五月

王世贞为胡应麟《少室山房类稿》作序。序署"万历辛巳仲夏朔日，弇山人吴郡王世贞撰"。《类稿》另有卢化鳌序，署"万历戊午冬朔旦，清漳卢化鳌书于乐胥堂中"。《四库全书总目》集部别集类著录《少室山房类稿》一百三十卷，提要曰："应麟藉王世贞以得名，与李维桢、屠隆、魏允中、赵用贤称'末五子'。所作《诗薮》，类皆附合世贞《艺苑卮言》。后之诋七子者，遂并应麟而斥之。……应麟虽仰承余派，沿袭颓波，而记诵淹通，实在隆、万诸家上，故所作芜杂之内，尚具菁华。录此一家，亦足以为读书者劝也。是编前有王世贞所撰《石羊生传》，称应麟有《寓燕》、《还越》、《计偕》、《岩栖》、《卧游》、《抱膝》、《三洞》、《两都》、《兰阴》、《畸园》诸集，凡二十余卷。朱彝尊《明诗综》所载，另有《邯郸》、《华阳》、《养疴》、《娄江》、《白榆》、《湖上》、《青霞》等集，而无《三洞》、《畸园》之名。盖应麟在日，诸集皆随作随刻，别本单行。世贞、彝尊各据所见，故名有异同。此集为万历戊午金华通判歙县江湛然所刊，乃其合编之本也。"

### 八月

陕西提学副使王世懋以疾乞休，筑澹圃别业于城西南隅。著《关洛记游稿》二卷。王世懋于今年正月抵任。《四库全书总目》集部别集类存目五著录《关洛记游稿》二卷，提要曰："是集乃万历辛巳世懋官陕西提学副使，旋以昙阳子事为台谏所弹，乃移疾自洛阳东归时作。上卷游记三篇，下卷诗七十七首。屠隆为之序，亦全作二氏支离语。盖一时士大夫习气如斯也。"

### 十二月

沈懋学为梅鼎祚《庚辛草》作序。序署"万历辛巳腊月望日，友弟沈懋学君典撰并书"。《庚辛草》收梅鼎祚庚辰（1580）、辛巳（1581）两年诗。另有梅守箕《校次庚辛草题词》，署"万历癸未（1583）中秋月哉生明，从叔守箕季豹父撰"。欧大任《予宁草序》署"万历癸未秋八月朔"。

### 冬

屠隆《由拳集》刊行。由拳，青浦也。时屠隆任青浦知县。据徐朔方《晚明曲家年谱》。王瑛《屠大尹小传》："侯名隆，字长卿，赤水其别号也，浙之鄞人。成万历丁丑进士，释褐颍上令，以才能调青浦。侯善属文，下车之日，诸父老喜为邑得神君，诸文学喜为文得骚客，一时词赋之士，争造侯堂上，武可接也。侯亦倾心下之，至结为布衣交，人人意自得，以青浦为临邛矣。侯闻之，亦沾沾喜，移文监司，手自削牍，牍多古人词语，监司咄咄，以为汉长卿复生邪？水旱疾疫，辄以文祷，祷亡不应。古人有愈疾之檄，侯则有御灾之文云。邑事旁午，不废咏歌，而事又办。尝创二陆先生祠，祠二陆，非第为邑之人，亦以翰藻与侯异代足相友耳。政成，入给事大宗伯，属有言者，遂免归乡里。"《诗源辩体》后集纂要卷二："《由拳》歌行，出初唐者最工。《明月篇》，初读仲默，觉甚工丽，及读长卿，觉仲默稍为杂乱，而工丽亦有弗如，盖长卿才力实胜仲默耳。《栖真》恣意倾倒，略无含蓄。《赠宋伯灵》、《赠卢子明》、《孙公子席上放歌》亦皆杰作。《赠宋伯灵》'囊无'二句虽佳，但前后相接，调实不稳，宜删。又'孙生有言：天许作闲人，佛容为弟子'，颇类任华，删去四字无害。《赠卢子明》长句太多，删去数字。《孙公子席上歌》前段有似乐天，易之为妙。《白榆》豪迈悉似青莲，极才人之致。中如《蓟门行》、《太白酒楼》、《听武生歌》、《画洞庭》、《画钱塘》颇称奇伟。然《太白酒楼》宜删二句，《听武生歌》宜删四句。不录者不论。"《霞外捃屑·屠赤水文》："赤水纂《玉茗堂集序》云：'诗大难言矣。思通淹纬者，多乏天才。才气俊迈者，或疏冥讨。气韵高胜，惧少体裁。法律森严，时减风致。雄浑悲壮，求之流利则穷。清蒨萧疏，责以沉著多窘。率意师心，托之自然，乃如嚼蔗，都无回味。腐毫断髭，命曰精思，恒苦棘涩，不中宫商。平澹和雅，类有道之言，或太呴缓而无度。急节哀响，有快士之烈，或伤凄切而不和。豪宕激人，或骤惊四筵，无当独赏。幽冷自喜，或止宜野唱，不协雅音。夫诗乌有兼长哉！曹、刘、颜、谢、沈、宋、李、杜八子者，皆不能两相为也。夫诗乌有兼长哉！庶其兼之，今天壤之间，乃有义仍。义仍意始不可一世，历下、琅琊而下，多所睥睨。余颇不谓然。乃近者义仍《玉茗堂》出，余一见心折。世果无若人无若诗，多所睥睨，非过也。'（庸）按，赤水文沿王、李派，颇嫌破碎。此序前半层层排偶，层层对勘，抉摘尽致。而句调变换，不嫌排，亦不觉堆垛，其笔胜也。《梨州文案序》下云：鄞人君房、纬真，皆学四子之学者也。君房之学成，其文遂无一首可观。纬真自歉无深湛之思，学之未成，而纬真之文，反以清真见长。纬真，隆字也。赤水文未除词藻，而梨州以为清真，亦犹《离骚》富艳，昭明以为清绝滔滔，真知言哉！清真在意不在词，否则村学究模仿欧、曾一二转折，自以为古文，又艾千子之罪人也。"

## 本年

神宗御文华殿，宣召王家屏、沈懋孝、张元忭、刘元震、邓以赞进见，示以景陵《玄兔图》，谕诸臣题诗于轴。《静志居诗话》卷十五《王家屏》："王家屏，字忠伯，大同山阴人。隆庆戊辰进士，历官礼部尚书，文渊阁大学士。赠少保，谥文端。有《复宿山房集》。宋制，祖宗翰墨，储蓄于玉堂之署。观陈骙《中兴馆阁前后录》，道君墨迹俱存。此康誉之得题'年年花鸟无穷恨，尽在苍梧夕照中'之句也。迨元，而奎章宣文之阁，旧典不改。明则藏之大内，词臣末由睹矣。万历九年，帝御文华殿，宣召入直史臣五人，文端居首，其余，修撰则沈公懋孝，张公元忭，编修则刘公元震，邓公以赞也。既进见，示以景陵御笔《玄兔图》，圈以淡墨，作满月胎，上有桂子垂枝，下藉软草，兔居其中，并臻妙境。谕诸臣题诗于轴，并得用私印识之。阅三日诗成进御，自首辅张文忠外，凡三十有五人。当时讽咏优游，不事促迫，彩花银叶，赐予便蕃。自永宣以来，词林盛事，遇此罕矣。长陵《四马》诗，世传为江陵作，今从馆课集本正之。文端立朝，侃侃不阿，因一谏官，力争去位，风节固不可及。诗亦雍容和雅，不失正始之音。"

高濂作《雅尚斋诗草》二集自序。《四库全书总目》集部别集类存目七著录《雅尚斋诗草》二集二卷，提要曰："明高濂撰。濂字深甫，号瑞南，仁和人。其诗先有初集，今未之见。此其二集也。前有万历辛巳自序，大旨主于得乎自然以悦性情，故往往称心而出，无复锻炼之功。其时山人墨客多此派也。"

郑若庸《玉玦记》刊行。据徐朔方所撰年谱。

凌稚隆编刊《汉书评林》，茅坤作《刻汉书评林序》。据茅序。

吕时《甬东山人稿》七卷刊行。《四库全书总目》卷一八〇集部别集类存目七著录《甬东山人稿》七卷，提要曰："明吕时撰。时一名时臣，字仲父，鄞县人。游衡王、沈王诸邸，亦当时所谓山人者也。时年六十，即治生圹于勾章之夕阳里。自撰墓铭，述所著诗文集及乐府等稿。此集刻于万历辛巳，皆诗无文。陈子龙《明诗选》称其颇有高、岑遗调。盖万历以后，公安、竟陵交煽伪体，幺弦侧调，无复正声。时诗在淫哇嘈囋之秋，尚为不坠风格。故子龙见近似者而喜也。"

茅坤为唐顺之《稗编》作序。《庄子》有"道在稊稗"之言，据以名书。序云：

"荆川中丞公没，予过吊其家，访其遗文，间得公所为《左右编》与《文编》、《稗编》者之序。已而督府胡公宗宪则梓《左编》，予覆之，盖按春秋战国以来传记而纂之者。已而，公门人祭酒姜公宝则梓《文编》，予覆之，亦按春秋战国以来荐绅学士所著之书，及其碑、铭、序、记、书、疏、赋、颂、笺、檄、谏、册诸文，上下千六七百年间，可谓勤矣。顷之，予偁一相得公所梓《稗编》者，仅十之三；复群诸兄弟及他友人，合校而终始之。刻既成，予覆之跃然。盖公生平所最镵刻者，六经；所欲以经世自表见者，六官；故其参互考次为独详。……《稗编》云者，盖按庄生所谓'道在稊稗'而言之，而不敢自谓识其大者，有以也。"（《茅鹿门先生文集》卷十四《荆川先生稗编序》）

李贽自今年起寓居黄安，持续多年。李贽于去年自请解官，获准。据《李贽研究资料》。

王衡与陈继儒同学于里。王衡于笺注不轻放一字，陈继儒则略观大意，不求甚解。继儒《王太史辰玉集叙》："往余与辰玉并砚席，时弇州公与文肃公皆居南城靖庐。两家子弟更相社。文成，奏两公。两公又转委之曰：且以际两学使者。盖麟洲（世懋）先生归自秦，和石（鼎爵）先生归自洛。一时四王震海内。然皆操制举义相券责，而辰玉与余独好为古文诗歌，文肃公闻之，弗诃诘也。辰玉每读书，自首逮尾，矻矻丹铅。虽数百卷中，苟细笺注不轻放一字。余曰：孔明略观大意，渊明不求甚解，而子何自苦为？辰玉笑曰：卿用卿法，我用我法。"

袁宗道得奇病，有道人教以数息静坐之法有效，愈后颇信神仙冲举之事。袁中道《石浦先生传》："逾年抱奇病，病几死。有道人教以数息静坐之法有效，始闭门鼻观，弃去文字障，遍阅养生家言。是时海内有谭神仙冲举之事者，先生欣然信之，谓神仙可坐而得也。移家长安里中，栽花薙药，不问世事。"

徐渭狂病复发，十年不食五谷杂粮。徐渭《畸谱》自记云：是年"诸祟兆复纷。复病易，不谷食"。张汝霖《刻徐文长佚书序》云："间尝入长安，苦不耐礼法，遂去走塞上，与射雕者竞逐于虏骑烟尘所出没处，纵观以归。归则楗户不肯见一人。绝粒者十年许，挟一犬与居。人谓偃蹇玩世，狂奴故态如此。而不知其自别有得，难以世谛测也。其注《参同契》，逗露意旨而终不谈，若此中有深入焉。不然槖囊锥耳宁不死，而十年绝粒，且伟硕如常哉！"

林从吾为孙高亮《旌功萃忠全传》作叙。小说叙于谦事。于谦谥肃愍，万历间改谥忠肃。叙曰："予族世居吴山下，与忠肃公同里。先府丞公为公姊婿，得公居乡立朝事甚核。居恒窃念公勋著天壤，忠塞宇宙，今勿论海内学士大夫，瞻斗杓而仰河岳；即田夫墅叟，粉黛笄袆，三尺童竖，语公事业则颜开，谈公冤愤则色变。百世之后，过公之里，谒公之像，有不且悲且泣，歔欷感动，想见其人者乎！独公生平事迹繁夥，未有完书。四方吊者，往往遗恨。里友孙怀石君，其先为公石交，传其事，与予所闻悬合。因衰采演辑，凡七历寒暑，为《旌功萃忠录》。夫萃者，聚也。聚公之精神德业，种种丛备，与夫国事及它人之交涉于公者，首尾纪之，而后公之事迹无弗完也。其为演义，盖雅俗兼焉，庶田夫墅叟，粉黛笄袆，三尺童竖，一览了了。悲泣感动，行且遍四方矣。初，孙君之将演是传也，患疽病亟。有子继高默祷于公，刲股进汤，始睡。睡中公见梦焉。峨冠盛服，如所像者。抚之曰：'吾与若祖故人，且念汝子虔孝，来祐汝。'君疴遂愈。傥公之精爽，预知孙君之意勤，而假灵以显其事耶？四方噩梦，一徵之公若左券，不偶然也。夫史失之朝求之野，金匮石室之彦将有徵焉。孙君附公而名著，其子侄辈藉公之灵，为诸生而翩翩艺文。孙君子获报，宁有既乎？予嘉而叙诸首简，为翼忠致孝者劝。赐进士第中宪大夫云南按察司副使奉敕整饬金腾等处兵备予告致仕进阶赞治尹钱塘后学林梓书。（林君嘉靖四十一年进士。）"该书道光十五年刊本有于忠肃十一世孙于世燦跋、十三世外孙朱增惠跋。孙楷第《中国通俗小说书目》卷二著录。

金瑶《六爻原意》成书。据四库提要。

许国、陈经邦任礼部右侍郎。张佳胤任兵部右侍郎。据王世贞《弇山堂别集》。

一条鞭法自今年始在全国推行。《明史》卷七八《食货志》二《赋役》："一条鞭法者，总括一州县之赋役，量地计丁，丁粮毕输于官。一岁之役，官为金募。力差，则计其工食之费，量为增减；银差，则计其交纳之费，加以增耗。凡额办、派办、京库岁需与存留、供亿诸费，以及土贡方物，悉并为一条，皆计亩征银，折办于官，故谓之一条鞭。立法颇为简便。嘉靖间，数行数止，至万历九年乃尽行之。"

施绍莘（1581—约1640）生。生平简介见下卷。

# 公元1582年（神宗万历十年 壬午）

## 正月

梅鼎祚作《庚辛草自序》。《庚辛草》收梅鼎祚庚辰、辛巳间所为诗。序云："《庚辛草》者，余庚辰、辛巳所为诗也。""岁壬午端月，梅鼎祚书于秋水斋中。"端月，正月也。

洪朝选（1516—1582）为巡抚劳堪诬构，死于狱中。林士章《通议大夫刑部左侍郎静庵先生洪公朝选诔铭》："余辛巳（1581）岁解组南归，谒公里舍，夜坐聆公议论，侃侃甚。……无何公为巡抚劳堪诬构，逮至皋狱，不二日，公毙于狱。""公讳朝选，字汝尹，别号芳洲，更号静庵。先世为光州固始人，宋建炎间，祖十九郎尹南安县，因卜居同安。……嘉靖丁酉（1537）举于乡，辛丑成进士，授南京户曹，出榷钞关。……上疏引疾，因客毗陵僧舍，与荆川考德问业一年而归。复与遵岩王公（王慎中）讲学论文，自是闻见益博，凡国家典章经史精义，莫不充然有得。嘉靖己酉（1549）以病诠，例赴部，补南稽勋司考功司，与白野殷公、吉阳何公、初泉刘公交相砥砺，时有南都四君子之称。吏部因以公督学西蜀，参藩广右……调改山西。……召入冏少，复进金都御史，秉节江防，已又加副都御史，巡抚山东。……嘉靖戊辰（1568）入贰司寇。时毛公恺方被命未至，公总握狱情，内无私徇，外绝干请。会辽藩狱起，诏属公问狱。辽藩本以淫酗肆虐，夙憾于江陵，其言悖逆不轨，则罗织之过，江陵（张居正）指授也。江陵屡以讽公，公言古人有焚梁狱词者，今且欲加非其罪，得无伤国家亲亲意乎？竟以皋宪施笃臣□□□□相左，自是为言者所斥，而公挂冠行矣。……其所致怨谤或由于此。""公有《有文集》、《摘稿》、《归田稿》、《续归田稿》

若干篇，皆未就而迕于祸。生正德丙子八月二十九日，卒万历壬午正月二十四日，寿六十七。"洪朝选字舜臣，一字汝尹，别号芳洲，更号静庵，同安人。嘉靖二十年进士，官至刑部侍郎。《明史·艺文志》著录洪朝选《静庵稿》十五卷、《江防信地》二卷。《明诗纪事》戊签卷二十一录洪朝选诗一首。

## 春

**王世贞为张凤翼《处实堂集》作序。**此序收入《弇州续稿》卷四十五，题为《张伯起集序》。另有徐显卿序，未详作序年月。《四库全书总目》集部别集类存目五著录《处实堂集》八卷，提要曰："是编诗四卷，文三卷。末一卷曰《谈辂》，则其笔记也。凤翼才气亚于其弟献翼，故不似献翼之狂诞，而词采亦复小逊。生平好填词，集中多论传奇之语。《千顷堂书目》载凤翼《处实堂前集》十二卷，后集六卷，与此本皆不符。未喻其故。"

**程善定作《刻俞仲蔚先生集后序》。**序署"万历壬午春，友人程善定书"。俞允文（1513—1579）字仲蔚。所云"王先生复序于首"，指王世贞以前曾有《俞仲蔚集序》，此次复作《俞仲蔚先生集序》。《俞仲蔚先生集》另有顾绍芳序，作于"万历癸未（1583）夏六月丙辰"。

## 六月

**授庶吉士冯梦祯（1548—1605）为翰林院编修。**冯梦祯于万历七年以庶吉士告病归，今年还朝。李维桢《冯祭酒家传》："三年还朝，除编修。"钱谦益《南京国子监祭酒冯公墓志铭》："公讳梦祯，字开之，姓冯氏，其先高邮人也。国初徙嘉兴之秀水，以沤麻起富至钜万。祖、父皆不知书，怜公少惠，试遣就塾，暮归吟讽不辍，王母惜膏火，呵止之，引被障窗疏，帷灯至旦，其专勤如此。隆庆庚午（1570）举于乡，再试不第。王父母及母相继卒，家渐坏。再丧妇，脱身游外家。其为文穿穴解故，摆落畦径，含咀菁华，匠心独妙。尝自诡规摹唐、瞿二家，得其衣钵。万历丁丑（1577），举会试第一，选翰林院庶吉士。海内传写其文，果以为唐、瞿再出也。与同年生宣城沈君典、鄞屠长卿以文章意气相豪，纵酒悲歌，跌宕俯仰，声华籍甚，亦以此负狂简声。邹忠介公抗论江陵，拜杖远戍，公独送之郊外，执手慷慨。归仰屋直视，面气坟赤，太公流涕曰：'盍从我而归乎？吾不忍见壮子流血死墀下也。'公填咽不能答，噀血数升，请急从太公南归。三年赴阙，除翰林院编修。"《涌幢小品》卷十《留馆职》："万历丁丑（1577）会元冯具区梦祯，以庶吉士告归。既满，入京。时浙中庶常凡四人，沈自邠、陆可教、杨德冬，皆已留馆。故事，一省未有尽留者，冯当补别署。其座师蒲州张阁学凤磐忧之。盖张方恣睢，其子居二甲，冯遇之初无加礼。张怒言于父曰：'彼恃会元，决留馆故尔。'因尽留三人，将以抑冯，并示诸词臣意旨也。蒲州无所出，命冯且驻郊外，俟江陵有家庆，过拜，恭甚，而微作邑邑状。江陵欢，问故，且曰：'有心事所不足耶？'蒲州蹙额曰：'为冯子馆事。'江陵怜之曰：'是会元，还他编修。'蒲州悦，饮尽欢方出。次日，入朝补馆职。此与于文定公《笔麈》所述，陆平泉先生留馆，亦藉座主张龙湖之力，颇相似。要之，分宜虽贪，江陵虽愎，决不令会元既入馆，复为它官。彼视一编修，只是本等官。"

**张居正**（1525—1582）**卒。张四维继任首相。**据《明史》张居正传、《神宗实录》卷三七五，张居正卒于六月二十日。《万历野获编》卷二十一《士人无赖》："今上辛巳（1581）壬午（1582）间，江陵公卧病邸第，大小臣工莫不公醮私醮，竭诚祈祷。御史朱琏暑月马上首顶香炉，暴赤日中，行部畿内，以祷祝奉斋，笞部吏误进荤酒。及张殁而事势渐变。有一御史入王篆幕者，心悸甚，乞哀于冯珰，长跪涕泣，其后亦不免褫斥。此皆市驵庭隶所为，且亦有不屑为者，缙绅辈反恬然不以为耻，真可骇也。近日此风似少衰止。"邹维琏《明荣禄大夫太子太保吏部尚书谥忠毅高邑侪鹤赵公传》："公讳南星，字梦白，因乡试举主得公卷，夜梦大鹤翼蔽天，因号侪鹤。……万历甲戌成进士，司理汝宁，廉明有声，升户部主事。时贵强相江陵病，朝士争为祷祀，公与顾公宪成、姜公士昌独不往，且为诗以志叹曰：'二竖能忧国，千官为祝年。'海内传诵。江陵没，改调吏部考功主事。"《静志居诗话》卷十三《张居正》："张居正，字叔大，江陵人。嘉靖丁未进士，改庶吉士，升编修，历春坊学士，以礼部侍郎，入内阁，官至太师，吏部尚书，中极殿大学士。卒谥文忠，有《太岳集》。江陵以夺情，为清议所不容。然能自任天下之重，定陵冲年，请大阅京营之士，时掌中枢者，山阴吴尚书兑也。尚书绘图藏之家，予曩从尚书孙锦衣使国辅处见之。及戚武毅镇蓟，大臣行边，简阅士马，随上功状，疏恩晋秩，烽火不彻于甘泉者，一十五年。江陵之秉国成，可谓安不忘危，得制治保邦之要矣。近灵寿傅尚书维霖撰《明史记》，乃与分宜合传，毋乃过与？于文定与邱尚书书云：'江陵以盖世之功自豪，固不肯甘为污鄙，而以传世之业期其子，又不使滥有交游。其平生显为名高而阴为厚实，以法绳天下而间结以恩。其深交密戚则有赂，路人不敢也。债帅巨卿则有赂，小吏不敢也。当其柄政，举朝争颂其功，而不敢言其过。及其既败，举朝争索其罪，而不敢言其功。皆非其实情矣。'此足以当爱书。闻有题诗于故宅者云：'恩怨尽时方论定，封疆危日见才难。'二语足称诗史矣。"《四库全书总目》著录张居正《书经直解》十三卷、《帝鉴图说》（无卷数）、《太岳杂著》一卷、《太岳集》四十六卷。《太岳集》提要曰："神宗初年，居正独持国柄。后毁誉不一，迄无定评。要其振作有为之功，与威福自擅之罪，俱不能相掩。至文章本非所长。集中奏疏、启札最多，皆在庙堂时论事之作。往往纵笔而成，未尝有所锻炼也。"《太岳杂著》一卷，系从《太岳集》中析出单行。参见赵翼《廿二史札记》卷三十五《张居正久病百官斋祷之多》。《明诗别裁集》卷七录张居正诗一首。

## 八月

**朱赓、沈鲤任乡试主考。**《弇山堂别集》卷八十三《科试考三》："壬午，命右春坊右庶子兼翰林院侍读朱赓、翰林院侍讲韩世能主顺天试。命右春坊右赞善沈鲤、翰林院修撰沈懋孝主应天试。鲤于庭陛辞日，擢侍读学士掌院矣。""是岁，新首辅少师张四维子甲徵中山西乡试第二名，大宰王国光子□□亦与选，次辅太子太保申时行子用懋中顺天试第六名，次子用嘉复中浙江试。初，外议籍籍，皆谓楚解元必前首辅太师张居正少子，会居正卒，不果，而复中少宰王篆子之衡，南京亦中篆子之鼎。篆，居正所幸也，于是南京给事中疏论居正前私其子嗣修、懋修、敬修登第，而并及篆二子，又及监试主考等官。有旨，以居正、篆权奸，诸子俱勒为民，而不究试事。"王世贞长子王士骐举应天乡试第一。高攀龙（1562—1626）等中举。

**陈邦瞻（？—1623）以《礼经》魁乡试。**邹维琏《明兵部左侍郎赠兵部尚书高安陈公匡左传》："公讳邦瞻，字德远，号匡左，高安人。生而颖异，十岁能文，常随父学博觉山先生训虞城，有司以修志属觉山，公手裁定之，志成有小苏之称。万历壬午以《礼经》魁乡试，戊戌（1598）以《尚书》成进士。"除南评事，转兵、吏二部，历浙江、福建、河南参政、按布两使，以右副都御史巡抚广西，以兵部右侍郎总督两广，入为工部、兵部侍郎，改吏部左侍郎。所著有《荷华山房稿》、《皇王大纪》。撰《宋元史纪事本末》，为史家所称。

### 秋

**杨慎《升庵先生文集》由蔡汝贤等刊行，陈文烛作序。**序署"万历壬午秋日，沔阳后学陈文烛玉叔撰"。另有宋仕订刻序，作于"万历十年岁次壬午仲夏望日"；张仕佩订刻序，作于"万历十年岁次壬午"；郑旻订刻跋作于"万历十年孟冬吉日"；蔡汝贤跋，作于万历十年重阳日。宋仕订刻序云："自一卷至四十卷，为赋、序、记、论、书、志、铭、祭文、跋、赞、词、传与各体诗，皆取之文集，而以类编纂者。自四十一卷至八十一卷，皆训释整齐百家杂语，取诸《丹铅辑录》、《谭苑醍醐》、《卮言》等书，而以类编纂者，总名之曰《太史升庵文集》。"蔡汝贤跋云："万历乙亥，余之出守西川也，时与沔阳陈玉叔谋刻升庵杨太史公集，已而弗果。岁辛巳，余再入蜀，承抚台濂滨张公、侍御可泉宋公，檄购先生从子益所公，得家本数种，与未梓者若干篇。不揣寡昧，删重复，萃菁英，稍加品列。肇壬午之春，历三时而竣于仲秋。卷分八十一，取阳数也；部总二十八，象列宿也；首凤赋而迄太平，非所以纪文明之盛事乎？"

**梅守箕至青溪（在南京）访欧大任，贻以所著《梅季豹集》二卷。**梅守箕字季豹。欧大任《梅季豹集序》："宣城梅氏文献家也，族且贵盛，独季豹厌薄经生语，去而工古文词，郁然名起大江之南。壬午秋访余青溪，见其集二卷。诸赋善为左徒语，而得两司马之致，视班氏父子，欲凌其上。乐府比于音律，若合若离，曼调繁声，皆莽苍古色矣。古诗命格最高，取材亦博。歌行则极闳丽之观。五七言律绝则词苑之鸿钜。"梅守箕生平略见《列朝诗集小传》丁集上："守箕，字季豹，宣城人。禹金之叔也。秀才不第，潦倒自放，与歌姬昵好，伺其登场，傍徨侍立，移日分夜，必尾其后而归。流寓十年，贫不能糊口，死白下。诗不为今体。"《静志居诗话》卷十《梅守箕》："梅氏一门群从，禹金最负时名，尝后先过王元美，元美赠之诗云：'从夸荆地人人玉，不及梅家树树花。'季豹为禹金从父，誉虽稍逊禹金，然《咏怀》诸作，恐小阮亦当避席也。"《明诗纪事》庚签卷二九录梅守箕诗五首，陈田按："季豹古诗气骏而声亮，视赝古者有上下床之别。"梅鼎祚字禹金。王世贞有《梅季豹居诸集序》，撰序时间未详。

## 十一月

屠隆以青浦令晋京上计。途经吴中，与王世贞细论文事。据徐朔方《晚明曲家年谱》。

## 十二月

陈与郊劾罢礼部左侍郎陈思育。据《神宗实录》。

谪太监冯保为奉御，籍其家。复建言诸臣官职。据《明史》神宗本纪。

## 本年

袁宏道（1568—1610）年十五，结社于公安城南，自为社长。袁中道《吏部验封司郎中中郎先生行状》："总角，工为时义，塾师大奇之。入乡校，年方十五六，即结文社于城南，自为社长。社友年三十以下者，皆师之，奉其约束，不敢犯。时于举业外，为声歌古文词，已有集成帙矣。"

鄞县知县杨芳为李生寅《李山人诗》作序。《四库全书总目》卷一八〇集部别集类存目七著录《李山人诗》二卷，提要曰："明李生寅撰。生寅字宾父，鄞县人。是集为其邑人杨承鲲所选。诗皆短章，音节颇谐，而乏深警之思，亦颇窘于边幅。盖思清而才弱者也。前有万历壬午鄞县知县杨芳序，称其名可得而闻，人不可得而见。则其品在当时山人之上，宜其诗之不俗矣。"

梅守箕与潘之恒定交，时相与说诗。梅守箕《东游诗序》："盖壬午之岁，余得交于景升，遂为莫逆，相与说诗，心醉焉。"潘之恒，字景升，《东游诗》即潘所作。序署"乙酉（1585）冬十月朔日"。"万历辛丑（1591）十二月朔"，梅守箕又为《潘景升诗集》作序；"万历庚子（1600）中秋日"，梅守箕又为潘之恒《涉江诗》作序。

茅坤移家练溪，建白华楼，筑玉芝山房。朱福增《练溪文献》卷三《园第》："白华楼在花林清广基，茅观察坤著书之所，即以名其集。"茅坤《刻玉芝山房稿引》："玉芝山房者，予以万历壬午移家练溪所卜筑读书处。且芝秀于其庭而因以名之者也。"

朱孟震撰《汾上续谈》一卷。时朱孟震任山西巡抚，故以"汾上"为名。本书系《河上楮谈》续编。《四库全书总目》卷一二八子部杂家类存目五著录《河上楮谈》三卷、《汾上续谈》一卷。《河上楮谈》提要曰："明朱孟震撰。孟震字秉器，新淦人。隆庆戊辰进士。官至右副都御史，巡抚山西。是书多述旧闻轶事，间或评论诗文，考证典籍，亦颇喜谈神怪。其《停云小志》一卷，记当时文士颇详。所载诗篇，多可采录。其论文宗王世贞，推为明代第一，则当时耳目所染，无足深怪。其辨王祎、吴云事甚有典据。而逊国一事全沿史彬《致身录》之讹。引证愈多，舛谬愈甚。与所论元顺帝宋后事，同一误信之失。其论《史记》讹字最确。而'前辈博雅'一条，不知《清江集》之现存。又误以《孔传六帖》为三孔所作。疏驳亦甚矣。"《汾上续谈》提要曰："明朱孟震撰。其体例与《河上楮谈》同，而所记多琐事。惟'安南国试录'一条，叙述颇详，足资考证。"朱孟震另有《游宦余谈》一卷，所录亦多琐事。

程文潞编定《顺则集》八卷。据四库提要。

梅鼎祚作书介梅守箕于欧大任，称其"赋笔不凡，五言古亦似铮铮"。梅守箕《答欧桢伯》云："（所称知己）其一叔氏箕，则今来南游者。虽少，颇赡博。赋笔不凡，五言古亦似铮铮……不孝属为役于左右，辟犹通齐鲁者，不左登莱，右涉海，直汗漫耳。"梅守箕为鼎祚从叔。欧大任为广五子之一，时官南京工部郎中。

杨巍任工部尚书。陈经邦任吏部左侍郎。据王世贞《弇山堂别集》。

皇甫汸（1498—1582）卒。王世贞《吴中往哲像赞》："云南按察佥事皇甫先生汸，字子循，百泉其别号也。父曰重庆守录，先生兄弟四人，皆有文采。冲不得志于公车以死。涍、濂与先生虽得第，然其官不大显，而先生自工部郎外补，不能其职，改国子博士，旋起为南京吏部，谪同知某州，为御史王言所捕，亡命得解，补开州，超同知处州，寻迁云南按察佥事，大计中白简，归处乡，复为陈御史所窘，家几破。先生性和易，不设城府，为诗文沾沾自喜。好声色，工狎游，而不能通知户外事，以故数困。然信心而行，以文自娱，于诸兄弟中独寿老，年八十（余）乃卒。其诗五言律最工，七言次之，有钱、刘风调。文慕称六朝，然时时失步。"《雨航杂录》卷下："皇甫汸《牛首山》诗'斋关闭秋雨，寒磬落江潮'，《虎丘》诗'草绿知春半，花飞觉雨深'，《蔡馆》诗'户下鸣螀频带雨，湖边落木似催年'，《钱塘江》诗'半帆布影悬初月，几处渔灯点落潮'，在唐盛中间。公以早废，所咏诗甚富，其诗名与王元美相埒。吴下能诗者朝子循而夕元美。或问其优劣，周道甫曰：'子循如齐鲁，变可至道，元美若秦楚，强遂称王。'"《诗源辩体》卷三五："皇甫子循《解颐新语》，疏浅浮漫，且务以俪语为工，殊无省发，较之《谈艺录》，不逮远甚。中载：杜子美'夜阑更秉烛'，诵者瘅已；郭元振'久戍人偏老'，书之妖灭；及刘希夷'年年岁岁'句，宋之问欲夺为己作，以土囊压杀之，直齐东野语耳。"《列朝诗集小传》丁集上："子循少与伯仲氏及中表二黄称诗，掉鞅词苑五十余年。其在燕中，则有高叔嗣、王慎中、唐顺之、陈束。在留署，则有蔡汝楠、许谷、王廷干、施峻、侯一元、中山徐京。再赴阙下，则有谢榛、李攀龙、王世贞。而谪楚，则交王廷陈。迁滇，则交杨慎。咸相与上下其议论，疏通其声律。其自叙以为本之二京，参之列国，江左、关洛、燕齐楚蜀之音，无所不备，变亦尽矣，心良苦矣。"《静志居诗话》卷十三《皇甫汸》："百泉清音藻思，五言整于小谢，五律隽于中唐，惟七言葸弱。《兄弟攸均集》六十卷，自言：始为关、洛之音，变而为楚，再变而为江左，三变而为燕、赵，四变而为蜀。既返初服，取箧中稿检阅，凡兴寄未深，格调不古，语非绝俗，句非神采者，删之。且曰：有志慕古，而力不逮，心耻时尚，而薄不为。又言：关中之诗粗，燕、赵之诗厉，齐、鲁之诗侈，河内之诗矫，楚之诗荡，蜀之诗涩，晋之诗鄙，江西之诗质，浙之诗啴，吴下之诗靡。有高视一世之概焉。要其五言清真朗润，妙绝时人，匪徒火攻伯仁而已。《奉答子安兄》云：'江郭改故阴，家园蔼新霁。柔条始发林，芳草渐纤砌。潘居信为闲，杨亭况重闭。曰予忝明时，与子承嘉惠。分省各有訾，佐郡惭所莅。暂就北山招，转惬东田税。情忘桃李言，迹岂匏瓜系。感遇兴长谣，来章缅幽契。'《寄怀王道思》云：'本乏希世姿，翻为逢时误。良友岂不怀，遄征讵遑顾。日暮劳所思，凌风未成晤。将从梦寐求，缅邈山川路。'《答徐绍卿见怀》云：'停云遥引望，良晤近何疏？以我邱中想，开君湖上书。花飞人别后，木落雁来初。只为怀徐孺，长令夜榻虚。'"《明诗别裁集》卷七录皇甫汸诗十首，评曰："子循古体出入二谢，五言律亦在钱、刘之间，与兄子安可云敌手。"《四库全书总目》卷一七二集部别集类二五著录皇甫汸《皇甫司勋集》六十卷，提要曰："《集原》自述其诗：始为关、洛之音。一变为楚音。又一变为江左之音。又一变为燕、赵之音。又一变为蜀音。缕举其师友渊源甚详。今统观所作，古体源出三谢，近体源出中唐。虽乏深湛之思，而雅饬雍容，风标自异，在明中叶不失为第二流人。冯时可《雨航杂录》云：'皇甫百泉与王弇州名相埒。时人谓百泉如齐、鲁，变可至道；弇州如秦、楚，强遂称王。'王士禛《香祖笔记》以时可所评为确论云。"又诗文评类存目著录皇甫汸《解颐新语》八卷，提要曰："是编乃其说诗之语，分八门。曰叙论，曰述事，曰考证，曰诠藻，曰矜赏，曰遗误，曰讥评，曰杂记。自称'匡鼎说诗，人为解颐。陆贾造语，帝每称善。故窃比于二子。'然汸诗有名于当时，而此书乃多谬陋。大抵皆袭旧文，了无精识。好大言而实皆肤词。如云《诗》首《关雎》，《易》始龙德，《逍遥》大鹏，其意一也。此十六字为一条，竟不知作何语。又引证不确，摇笔即舛。如钟嵘《诗品》，家弦户诵。乃云钟品已湮，仅存严氏。李商隐等三十六体，《唐书》本传明云以表启而名。乃指为诗派。杜甫已有七言长律。乃云元白余思不尽，加为六韵，此七言排之始。选杨徽之诗十联写御屏，本宋太宗事，见《渑水燕谈》。张为《主客图》作于唐时，其书虽佚，尚散见计有功《唐诗纪事》。乃云唐太宗闻杨徽之诗名，尽索所著，选十联写御屏，遂有对句图及主客图。他如'黄金费尽教歌舞，留与他人乐少年。'司空图诗也。而云顾况。'王莽弄来曾半破，曹公将去便平沉。'李山甫诗也。而云李商隐。又所称商隐'棹里自成歌，歌竟乘流去'之句，今《义山集》中亦无之，不知所据为何本。如此之类，指不胜屈。世以汸名重传之耳。"《明诗纪事》戊签卷五录皇甫汸诗三十五首，陈田按："子循五律清裁雅调，自是一时之俊，五古亦是当家；至模范魏、晋，镕铸齐、梁，于子安稍逊一筹。"

**潘恩**（1496—1582）卒。《静志居诗话》卷十一《潘恩》："潘恩字子仁，上海人。嘉靖癸未进士，累官南京工部尚书，改都察院左都御史。卒，赠太子太保，谥恭定。有《笠江集》。先大母徐安人，为恭定公女孙所出。予七龄时，塾师课以属对，不协。安人述旧事，谓：'公六岁能调四声。'因以公所订《诗韵辑略》授予，自是知别四声矣。公诗，凡风雅什乐府五言杂体，靡不拟。又与高子业、田叔禾相酬和，知其用力深，而取友之善也。"《四库全书总目》卷一七七集部别集类存目四著录潘恩《笠江集》十二卷，提要曰：潘恩"事迹附见《明史》周延传。是集为诸生聂叔颐所编。凡赋诗五卷，策、表、笺、序、碑、记四卷，说、对、赞、志、铭、祭文及杂述三卷。前有陆树声序，称恩所著有《笠江集》、《笠江近稿》，皆已梓行。既没而其子允哲、允端合前后刻汇为《恭定全集》。今此本仍题曰《笠江集》，殆当时编集未成，故以新序冠于旧本欤？"《明诗纪事》戊签卷十五录潘恩诗二首，陈田按语云："尚书诗有陈色，录其少新颖者。"

**黎民表**（1522—1582）卒。黎民表与王道行、石星、朱多煃、赵用贤并称续五子。欧大任《黎惟敬两诗卷跋》："忆己卯（1579）惟敬乞归，出次许氏园，日引觞握管，写卷轴数十。……别三载，惟敬修文去矣，余尚留滞旧京。"《静志居诗话》卷十四：

"黎民表字维（惟）敬，从化人。民衷弟。嘉靖甲午（1534）举人，选授内阁中书舍人，出为南京兵部员外，终布政司参议。有《瑶石稿》。瑶石诗，读之似质闷，而实沉着坚韧。元美所取'续五子'，无愧大小雅材者，仅此一人而已。其在都下偕龙游童佩子鸣、永嘉康从理裕卿、江阴邓钦文征甫、武陵陈思育仁甫、新城沈渊子静、南昌杨汝允懋功、靖江朱正初在明、麻城邱齐云汝谦、盱眙李言恭惟寅、无锡安绍芳茂卿、兰溪胡应麟元瑞、寿州朱宗吉汝修，凡一十三人，为西山之游。缙绅韦布，各参其半，匪徒好事，洵胜引也。"《四库全书总目》卷一七二集部别集类二五著录《瑶石山人稿》十六卷，提要曰："明黎民表撰。……《明史·文苑传》附见黄佐传中。史称佐弟子多以行业自饬，而梁有誉、欧大任及民表诗名最著。朱彝尊《静志居诗话》谓民表诗读之似质闷，而实沉着坚韧。王世贞所取'续五子'，无愧大小雅材者，仅此一人。是集前有万历戊子（1588）陈文烛序，称民表请老以归，话别三山，曾序其诗，镇江钟太守刻焉。又称民表已下世，其子吏部郎君华衷刻此集，复属以序。盖民表诗凡再刻也。其初刻今未见。此刻冠以赋三首，余皆古近体诗。虽错采镂金，而风骨典重，无绮靡涂饰之习。盖与太仓、历下同源而派稍异。故虽与王道行、石星、朱多煃、赵用贤同列为续五子，而终非四人所可及也。"《明诗别裁集》卷七录黎民表诗三首。《明诗纪事》己签卷五录黎民表诗三十五首，陈田按："竹垞评瑶石诗似质闷而实沉着坚韧，此第论五古一体耳。集中五律精深华妙，七律风调流美，五绝清微澹远。岭南当时诗家，梁、欧、黎当时工力悉敌。公实质地较优，而中道夭折，桢伯、瑶石享中寿，故成就有不同耳。"

吴承恩（？—1582）卒。陈文烛《吴射阳先生存稿叙》："吴汝忠卒几十年矣，友人陆子遥收其遗文，而表孙进士丘子度梓焉。问叙于陈子。往陈子守淮安时，长兴徐子与过淮。汝忠往丞长兴，与子与善。三人者呼酒韩侯祠内，酒酣，论文论诗不倦也。汝忠谓：文自《六经》后，惟汉、魏为近古；诗自《三百篇》后，惟唐人为近古。近时学者，徒谢朝华而不知畜多识，去陈言而不知漱芳润，即欲敷文陈诗，溢缥囊于无穷也，难矣。徐先生与余深韪其言。今观汝忠之作，缘情而绮丽，体物而浏亮，其词微而显，其旨博而深。《明堂》一赋，铿然金石。至于书、记、碑、叙之文，虽不拟古何人，班孟坚、柳子厚之遗也。诗虽不拟古何人，李太白、辛幼安之遗也。盖淮自陆贾、枚乘、匡衡、陈琳、鲍照、赵壹诸人，咸有声艺苑，至宋张耒而盛；乃汝忠崛起国朝，改百代之阙文，采千载之遗韵，沉辞渊深，浮藻云峻，文潜以后，一人而已，真大河、韩山之所钟哉！汝忠与宝应朱子价，自少友善，其文名与之颉颃；乃子价为太守，而汝忠沉于下寮。兹稿出，当与《山带阁集》并传，射阳、射陂之上，有两明珠也。因缀数语冠于简端。万历庚寅夏日五岳山人沔阳陈文烛撰。"李维桢《吴射阳先生选集序》："嘉隆之间，雅道大兴，七子力驱而返之古，海内翕然向风。其气不得靡，故拟者失而粗厉；其格不得逾，故拟者失而拘挛；其蓄不得俭，故拟者失而糅杂；其语不得凡，故拟者失而诡僻。至于今而失弥滋甚，而世遂以罪七子，谓李斯之祸秦，实始荀卿。而独山阳吴汝忠不然。汝忠于七子中所谓徐子与者最善，还往倡和最稔。而按其集，独不类七子友，率自胸臆出之，而不染于色泽，舒徐不迫，而亦不至促弦而窘幅。人情物理，即之在耳目之前，而不必尽究其变。盖诗在唐与钱、刘、元、白相上下，而文在宋与庐陵、南丰相出入。至于扭织四六若苏端明，小令新声若《花间》、《草堂》，调宫徵而理经纬，可讽可歌，是偏至之长技也。大要汝忠师心匠意，不傍人门户篱落，以钓一时声誉，故所就如此。"《静志居诗话》卷十四《吴承恩》："吴承恩字汝忠，淮安山阳人，长兴县丞，有《射阳先生存稿》。汝忠论诗，谓：'近时学者，徒欲谢朝华之已披，而不知漱六艺之芳润，纵诗溢缥囊，难矣。'故其所作，习气悉除，一时殆鲜其匹。《杨柳青》云：'村旗夸酒莲花白，津鼓开帆杨柳青。壮岁惊心频客路，故乡回首几长亭。春深水涨嘉鱼味，海近风多健鹤翎。谁向高楼横玉笛？《落梅》愁绝醉中听。'"《灵芬馆诗话》续卷三："吴汝忠名承恩，有《射阳先生存稿》、《续稿》。诗笔清而不薄，澹而能隽。《对酒》云：'客心似空山，闲愁象云集。前云乍飞去，后已连翩入。'《斋居》云：'窗午花气扬，林阴鸟声乐。'《冬日送人》云：'马蹄鸣冻雪，鸦腹射斜阳。'《任长兴尉作》云：'只用文章供一笑，不知山水是何曹。'《秋兴》云：'河汉白榆秋历历，江湖玄鸟晚飞飞'数联，皆能脱去尘滓，翛然自远。"天启《淮安府志·艺文志一·淮贤文目》："吴承恩《射阳集》四册□卷，《春秋列传序》，《西游记》。"有关长篇小说《西游记》之评论，详见1592年。或以为吴承恩之《西游记》乃地理著作，非长篇小说《西游记》，有关讨论，此处从略。

**钱谦益**（1582—1664）**生。周永年**（1582—1647）**生。**生平简介见下卷。

## 公元1583年（神宗万历十一年　癸未）

### 正月

诏录因论张居正夺情谪戍为民诸臣，如赵用贤、余懋学、赵应元等。据《实录》，是月"诏录用建言谪戍为民诸臣编修吴中行、简讨赵用贤、给事中余懋学、御史赵应元、傅应祯、南京御史朱鸿谟、孟一脉、员外郎王用汲、艾穆、主事沈思孝，俱补原官"。赵用贤于万历丁丑（1577）年因疏论张居正夺情事，杖六十，削籍归。去年六月，张居正去世。今年三月，追夺张居正官阶。

### 二月

戚继光调广东镇守，都督南粤诸军事。据《戚少保年谱耆编》。《静志居诗话》卷十四《陈第》："陈第（1541—1617），字季立，号一斋，连江人。初为学官弟子，俞都督大猷召至幕下，教以兵法。起家京营，出守古北，历游击、将军。有《寄心集》、《五岳两粤游草》。一斋投笔从军，受知于谭襄毅、俞武襄、戚武毅三公。江陵既没，论者谓武毅不宜于北，徙之岭南。一斋作《塞外烧荒行》有云：'年年至后罢防贼，出塞烧荒滦水北。枯根朽草纵火焚，来春突骑饥无食。'又云：'隆庆二载谭戚来，文武调和费心力。从前弊政顿扫除，台城兵器重修饬。迄今一十五年间，闾阎鸡犬获宁息。谭今已死戚复南，边境危疑虑叵测。患难易共安乐难，念之壮士摧颜色。论者不引今昔观，纷纷搜摘臣滋惑。'又《送戚都护》绝句云：'辕门遗爱满幽燕，不见烽烟十六年。谁把旌麾移岭表，黄童白叟哭天边。'诵其诗，扼腕于封疆之事深矣。一斋储书最富，余尝游闽，临发，林秀才侗持其后人所辑《世善堂书目》求售，灯下阅之，见唐、五代遗书，琳琅满目，如披灵威、唐述之藏，多平生所未见，不觉狂喜。秀才许至连江代购，逾年得报，书则已散佚，徒有惋惜而已。"

**刘绍恤为欧大任《西署集》作序**。序署"万历癸未仲春月"。

## 闰二月

**徐阶（1503—1583）卒**。王世贞《明特进光禄大夫柱国少师兼太子太师吏部尚书建极殿大学士赠太师谥文贞存斋徐公行状》："公姓徐氏，讳阶，字子升，淞江之华亭人也。……公年二十，而督学萧君鸣凤负人伦鉴，试公第一，食于庠。再试应天，学士董公玘得公文于黜而异之，取以冠诸试者。会有所龃龉，不果，然犹为第七人，梓其文。会试（1523）复在高等。既廷对，大司寇林贞肃公俊得公所射策，谓当第一，以属内阁。时少师杨文忠公廷和居首揆，用子嫌不预读卷，诸阁臣持故事，谓林公所取，抑居第三人，赐进士及第。当入谒，杨公独目属之，曰：'此少年名位不在我辈下。'已而顾少保费文宪公宏：'公奈何不以衣钵属此少年？'费公盖第一人也。其后公官与二公埒，又与杨公俱宣力鼎革间，而名寿终始则过之。寻授翰林院编修，予告归，娶沈夫人。明年（1524）八月北上。当是时，言事者以不当上尊亲意，逮讯戍谪累累，公行而遇故谏官安磐、翰林杨慎、王元凯，皆狼藉血肉中。公出橐装遗之。……"官至吏部尚书建极殿大学士。"公生以弘治癸亥九月二十日，卒以万历癸未闰二月二十六日，距其成进士及第周一甲子。""公所著有《世经堂集》若干卷，《续集》若干卷，诸诏诰典册涣汗之号密勿之对，皆在焉。《学则》若干卷，《家训》若干卷，《年谱》五卷。爱程纯公先生言，谓其能得圣人蕴，手录之若干卷；爱白香山诗，又爱苏长公诗若文，谓其能畅情事，节之若干卷。""今夫馆阁之为文也，人例而狃得之文，而所谓敏学好问也，亦人例而狃就之。至公乃以道德博闻举也，则骎骎乎洙闽遗哉！"（《弇州续稿》卷一百三十六至一百三十八）《列朝诗集小传》丁集中："少师负物望，膺主眷，当分宜骄汰之日，以精敏自持，阳柔附分宜，而阴倾之。分宜败后，尽反其秕政，卒为名相，事在国史，不具录。嘉靖中，阁臣如华亭、新郑之流，皆以文翰起家，而志在经世，不求工于声律。若初年张、桂诸公，以议礼登庸者，本非词臣，又勿论也。"《四库全书总目》著录徐阶《世经堂集》二十六卷、《少湖文集》七卷。《世经堂集》提要曰："是集文二十四卷，赋、颂、诗、词二卷。其中敷陈治体之文，皆能不诡于正。余则未见所长。"《明诗纪事》戊签卷十五录徐阶诗六首，陈田按语云："文贞相业，以威福还主上，以政务还诸司，以用舍刑赏还公论，虽不尽副，自是名语。永陵修玄，非青词不能结主知。又与相嵩共事，权谲获济。史称任智，不其然欤？《世经堂集》为所手定，一切青词、致语删削殆尽。虽不以诗名，而入格之篇，弥复俊爽。"

## 三月

**朱国祚等进士及第**。《弇山堂别集》卷八十三《科试考三》："十一年癸未，命太子太保礼部尚书文渊阁大学士余有丁、掌詹事吏部左侍郎翰林学士许国主会试，取中举人李廷机等。廷机，福建解元也。""廷试，少师兼太子太师吏部尚书中极殿大学士张四维、少保兼太子太保户部尚书武英殿大学士申时行以子甲徵、用懋中式，引嫌辞读卷，不许。赐朱国祚、李廷机、刘应秋及第。""时御史魏允贞条呈行事中一款，论二相子不当中第。二相臣俱有疏辩，辞甚峻。允贞坐外谪。""改进士季道统、史孟麟、周应宾、胡时麟、方从哲、叶向高（1559—1627）、邹德溥、姜应麟、邵庶、葛仪、舒弘绪、徐应聘、吴龙徵、王萱、刘大武、杨元祥、杨凤、梅鹢祚、梅国楼、徐大化、杨绍程、王之栋、郭正域、范醇敬、沈权、陈良轴、邓宗龄、宁中立为庶吉士，命吏部左侍郎兼翰林院学士陈经邦、礼部左侍郎兼翰林院侍读学士周子义教习。"

同榜进士有岳元声、于若瀛、徐学聚、朱长春、姚思仁、盛万年、殷都、茅国缙（茅坤第四子）、孙如法、吕胤昌、顾允成、潘士藻等。《万历野获编》卷十六《癸未丙戌会元》："李晋江取元时，各房俱无异议，惟《书》一房，为吾邑冯具区太史，独以邹安福卷为当第一，即两领房亦不能决。时大主考以询先人，先人为《书》二房，谓李卷为胜，众始和之，榜遂定。其后李闻之，甚不乐冯。至甲午（1594）应天乡试，李晋江为主考，出管仲之器首题，冯为南掌院，作拟程一首，为一时脍炙，及录出，则晋江程大逊之，心衔遂深。遇李来谒，冯迎谓之曰：公所取士，不但文嘉，即擎榜徐生亦名实俱称，果擎得榜起。李惊愕别去。细询于人，盖末名为徐学易，滁州人，素以力闻，能于监中手扶堂柱，离地数寸，直贲育之流亚。而时艺不甚佳。冯先为司业时所试士也。故有是言。李益愤愤。后冯为祭酒，被言听勘，则郭江夏代之，赖其力得昭雪。使晋江在事，冯其殆矣。"李晋江，指会元李廷机。冯具区，指冯梦祯。

汤显祖进士及第。沈自邠为其房师，以"骨相凉薄"评之，盖谓其不善逢世也。邹迪光《临川汤先生传》云："至癸未举进士，而江陵物故矣，诸所为席宠灵、附薰炙者，骎且澌没矣。公乃自叹曰：假令予以依附起，不以依附败乎？而时相蒲州（张四维）、苏州（申时行）两公，其子（甲征、用懋）皆中进士，皆公同门友也。意欲要之入幕，酬以馆选，而公卒不应，亦如其所以拒江陵时者。"汤显祖《酬心赋》序云："癸未春，予举进士。经房秀水几轩沈师（自邠），年少于予，心神迫清。而予方木强，故无柔曼之骨。五月馆试，房举各得上其门士。时冯君梦祯谓沈师曰：子门中，固无愈汤生者耶？师曰：固也，恨生骨相凉薄，不如徐闻邓生。生甫终贾之年，而负河岳之相。必大拜者，其人也。予闻斯言，服师人鉴。分以一县自隐，得少进为郎便足，无敢更攀师门，重累知己。偶晡宴侍，师喟然曰：以子之才，齿至而获一第，何也？凡人有心进退而已。然观吾子之色，若进若退，当何处心耶？予卒卒谢起，作《酬心赋》答之。"（《汤显祖诗文集》卷二十六）据《实录》，五月戊申，命大学士申时行等及吏、礼二部堂上官考选进士，得季道统等二十八人改庶吉士。同一甲进士朱国祚、李廷机、刘应秋送翰林院读书。观此赋所云，知邹迪光传"意欲要之入幕"之说不虚。沈自邠时为翰林院检讨。梁章钜《制义丛话》卷五："俞桐川曰：余选万历癸未文，邹泗山以冲夷，万二愚以简古，汤义仍以名隽，至于理解精醇，机法绵密，则叶永溪修为最。当时称江西四隽，缺一不可。至言哉！胜朝三百年，江右文风极盛。翰林多吉水，朝右满江西。明初已诵之。及其季也，罗、陈、章、艾，树帜豫章，震动海内。然世知读四家之文，未知读四隽之文，四家人各为科，四隽一榜并列，且面目各殊，有家无派，故明文莫盛于江西，而江西莫盛于癸未，亦制义中葵邱之会也。"

汤显祖观政礼部，有《第后寄玉云生有怀帅思南》等诗。帅机（1537—1595），字惟审，临川人。隆庆戊辰进士。万历九年秋，升任思南知府。

## 四月

茅坤作《刻白华楼吟稿题辞》。《白华楼吟稿》，茅坤所著诗集。序署"时万历癸未夏四月望日，鹿门山人茅坤书"。《涌幢小品·俚诗有本》："茅鹿门先生文章擅海内，尤工叙事志铭，国朝诸大家皆不及也。晚喜作诗，自称半路修行，语多率易。次子国缙登第，喜而口占曰：'堂前正索千金赏，门外高悬五丈旗。'闻者皆笑。然黄滔已先之矣，滔《放榜》诗曰：'白马嘶风三十辔，朱门秉烛一千家。'《御试》曰：'九华灯作三条烛，万乘君悬四首题。'以古准今，如出一手，然则先生未可笑也。"

## 六月

王畿（1498—1583）卒。王畿为阳明弟子，《明史·儒林》有传。《静志居诗话》卷十二："王畿字汝中，绍兴山阴人。嘉靖壬辰进士，官南京武选主事。有《龙溪集》。龙溪学术不纯，诗亦驳杂。《登西天目》云：'早起登山去，芒鞋结束牢。但令双足健，不怕万峰高。'"《四库全书总目》卷一七七集部别集类存目四著录王畿《龙溪全集》二十卷、《龙溪语录》八卷。

赵用贤升右春坊右赞善，顷进经筵讲官，分校会典。瞿汝稷《嘉议大夫吏部左侍郎定宇赵公行状》："癸未夏六月，升右春坊右赞善。时凡江陵所排陷诸君子，备征列文石，诸君子锐意反江陵故政，毕期一旦而湔涤之为快。乃在上者雅尚优容，宁务为长厚，不事峻绝，积见崖异，虽宿号同志，且日携二。夫人各有志，父子兄弟有所不能夺，公直诸君子之一人耳。诸君子之议宁悬公，而盈庭之清议亦宁悬诸君子，乃群翁訕务人之徒，望风承响，呼羽吸徵以推移之，指似眡影以投抵之，于是且多口而朋，以朋党攻公。于是上疏乞归，且极言：朋党之祸，乃汉宋之季小人借以去君子而空人国者，非盛世所宜有，虑开谗邪之端，遏仁贤之路，助阴邪之势，消正大之气。引去甚决，不允。顷进经筵讲官，分校会典。"赵用贤与王道行、石星、黎民表、朱多煃并称续五子，又与李维桢、屠隆、魏允中、胡应麟并称末五子。

## 八月

汪道昆、戚继光等十九人有西湖社集之举。《太函集》卷三十六《卓征甫传》："昔在西湖，戚元敬为秋社宰，不佞为客。四座皆名家，征甫与焉。闻者以为高会。"同集卷七十六《南屏社记》："往余由武林而趋吴会，即次西湖。四方之隽不期而集者十九人，于是乎有中秋之会。"

欧大任为梅鼎祚《予宁草》作序。序署"万历癸未秋八月朔，友人岭南欧大任撰"。

## 九月

**沈自晋（1583—1665）生。**据王永宽、王钢《中国戏曲史编年》（元明卷）引《吴江沈氏家谱》，沈自晋生于今年九月十八日。

**胡应麟与汪道昆定交。**胡应麟《少室山房集》卷十二《入新都访汪司马伯玉》序云："余以癸未之秋识司马汪公于武林，片语定交。"同书卷五十二有诗《司马汪公伯玉拉余海上访两王先生。适司马张公肖父同日至，留集弇园者三宿，澹圃者再。实一时之盛事，因成七言四律纪之》。澹圃，王世懋园名。《少室山房类稿》卷首王世贞《石羊生传》曰："元瑞乃强为钱塘谒张公（佳胤），果以上客客之。会伯玉（汪道昆）来湖上，大将军戚元敬系（继）至。伯玉数与元瑞相闻问，把臂剧饮。出元敬七绝句诧之曰：大将军，健儿也，乃能作文语，不下沈太尉（庆之）、曹竟陵（景宗），生亦能赋赠我乎？元瑞援笔千余言立就，奇思滚滚，既大将军集，相向叹赏不置。伯玉曰：我欲之海上访王元美兄弟，生复能从我乎？元瑞曰：吾心也。遂同过弇州园……有莫生者，躁而贪，以品不登上中，侧目元瑞甚。属伯玉、元敬游西湖，故遍晋坐客为哄端。元瑞夷然弗屑也。及在弇，仲淹被酒狎元瑞，元瑞拒弗就。客谓元瑞，曩湖上之役胡以异兹？元瑞徐曰：莫生者，庸讵足校也。仲淹，司马公介弟，吾侪当爱之以德，独奈何成人过耶？"

**利玛窦等人抵达广东肇庆，建教堂传教。此后耶稣会教士来华者日多。**［意］利玛窦、［比］金尼阁《利玛窦中国札记》第二卷第四章《传教士被邀赴肇庆，他们在这里修建房屋并开辟一个中心》："我们现在谈到的入境者一行于 1583 年 9 月初离开澳门的神学院，就在那个送来受欢迎的许可证的士兵护送之下，于同月 10 号到达肇庆。他们在长官衙门中受到礼遇，长官（即肇庆知府王泮）坐在他的官位上，当他们按习惯向他下跪时，他询问他们是谁，来自何方，来此何事。他们通过他们的译员大致回答如下：'我们是一个宗教团体的成员，崇奉天主为唯一的真神。我们来自那西方世界的尽头，走了三四年才抵达中国，我们为它的盛名和光辉所吸引。'然后他们解释，他们请求允许他们修建一栋小屋作为住所以及一所敬神的小教堂，多少远离他们在澳门感到恼人的尘嚣以及商人的喧哗买卖。他们想建立一个住所并在那里度过余年。他们极谦卑地恳求他不要拒绝他们的祈祷，并说明这样的一项施舍会使他们永远对他感恩不尽的。再者，他们答应他们遵守法纪，不打扰他人。那位长官看来是个天性乐善好施的人，带着点殷勤的态度，他一开始就对神父表现友好，情况许可时还支持他们。在最后一次晤谈中，他的答复大致如下：他完全不怀疑他们的诚实，并且愿意把他们置于他的保护之下。不错，他们可以进城看看所有可利用的地皮并随意挑选一块。他也努力使总督批准所请。"利玛窦为意大利人。赵翼《廿二史札记》卷三十四《天主教》："意大理亚国在大西洋中。万历中，其国人利玛窦至京师，为《万国全图》，言天下有大洲五，第一曰亚细亚洲，凡百余国，而中国居其一；第二曰欧罗巴洲，凡七十余国，而意大理亚居其一；第三曰利未亚洲，亦百余国；第四曰亚墨利加洲；第五曰墨瓦蜡泥加洲，而域中大地尽矣。大抵欧罗巴诸国悉奉天主教。天主耶稣生于如德亚，即古大秦国也，其国在亚细亚洲之中，西行教于欧罗巴。其始生在汉哀元寿二年庚申，阅一千五百八十一年，至万历九年，利玛窦始泛海九万里，抵广州之香山澳，其教渐行。二十九年，入京师，以方物献，并贡天主及天主母图。礼部以《会典》不载大西洋名目，驳之。帝嘉其远来，假馆授餐。公卿以下重其人，咸与交接。利玛窦安之，遂留居不去。三十八年，卒。其年以历官推算日食多谬，五官正周子愚言，大西洋人庞迪我、熊三拔等，深明历法，其书有中国所不及者，当令采择，遂令迪我等同测验。自利玛窦来后，其徒来者益众，有王丰肃、阳玛诺等，居南京，以其教倡行，官民多从之。礼部侍郎徐如珂恶之，奏请逐回。四十六年，迪我等奏：'臣与利玛窦等泛海九万里，观光上国。臣等焚修行道，尊奉天主，岂有邪谋，敢堕恶业；乞赐宽假。'帝亦不报，而其居中国如故。崇祯时，历法益舛，礼部尚书徐光启请令其徒罗雅谷、汤若望等，以其国新法相参较。书成，即以崇祯元年戊辰为历元，其法视《大统历》为密焉。其人东来者，大都聪明特达之士，意专行教，不求禄利，所著书多华人所未道，故一时好异者咸尚之。其徒又有龙华民、毕方济、艾如略、邓玉函诸人，皆欧罗巴国之人也。"

　　**张凤翼作《祝发记》，以贺其母八十寿辰。** 蒋子征《祝发记序》："予卯岁交伯起，丁丑之役下第春官，以太夫人春秋高，不复赴公车。予辈惜其才，强之不获。癸未秋，予读《礼》之暇，时过伯起园居，见几间《梁书》有徐孝克事，相与叹赏久之。予谓伯起：'乐府新声，驾高轶王，当因此作一传奇，有裨风化者不浅。'伯起笑而颔之。浃旬再过，则稿半具，越月而告成。且云：'以太夫人生辰将及，用以娱宾。'夫以孝义人吐孝义语，宜其根情苗言，华声实义，语近理胜，不务强涩，词逸调谐，贤庸并通，虽诗人之感发惩创，史氏之是非劝沮，无以逾此。读此记而不潸然泣下者，非孝子也；不慨然割情者，非烈士也；不毅然轻生者，非贞女也。且壮征讨则推勤王，述逃禅则重名教，岂曰乐府而已哉？昔白乐天《长恨歌》诸作，为时所重，上达禁中，下至为娼妓所自夸大。然其自叙，乃以为时之所重，仆之所轻。伯起少尝作《红拂记》，为尊君称寿，海内多以此艳慕伯起，不知伯起意之所托，更有《灌园》，复有《二符》，后有此记，赏音者诚能以引商刻羽视之，则不必优孟登场，秦青出口，而自当有击节不暇者，此可与知者道也。"沈德符《万历野获编》卷二十五《张伯起传奇》："伯起少年作《红拂记》，演习之者遍国中。后以丙戌上太夫人寿作《祝发记》，则母已八旬，而身亦耳顺矣。其继之者则有《窃符》、《灌园》、《㑇㑇》、《虎符》，共刻函为《阳春六集》，盛传于世，可以止矣。暮年值播事奏功，大将楚人李应祥者求作传奇，以侈其勋，润笔稍溢，不免过于张大，似多此一段蛇足。其曲今亦不行。同时沈宁庵璟吏部，自号词隐生，亦酷爱填词，至今三十余种。其盛行者惟《义侠》、《桃符》、《红蕖》之属。沈工歌谱，每制曲必遵《中原音韵》、《太和正音》诸书，欲与金元名家争长，则以意用韵便俗唱而已。予每问之，答云：'子见高则诚《琵琶记》否？予用此例，奈何讶之？'"丙戌为 1586 年。当以蒋子征序为准。今年，胡应麟过吴门，访张凤翼于曲水园。具体月份不详。

### 十月

张鸣凤为吴国伦《吴明卿先生诗集》作叙。据叙末题署。王世贞亦有《吴明卿先生集序》，作于明年。

刘绍恤为梅鼎祚《梅禹金诗草》作序。据序末题署。序云："今之以诸生称诗最著者，实惟宣城梅禹金云。"

### 十一月

吴孟白、陆无从汇次欧大任（1516—1595）在金陵诸诗为《秣陵集》，余孟麟撰序。欧大任于万历壬午（1582）迁南工部屯田司主事，旋改虞衡司郎中。序署"万历癸未仲冬朔日秣陵余孟麟撰"。

### 冬

王畿（1498—1583）之讣至黄安，李贽作告文祭之。王畿即王龙溪，《明史·儒林》有传。据《李贽研究资料》。

### 本年

王世贞作《四十咏》。（系年据徐朔方年谱）见《弇州续稿》卷三。序云："诸贤操觚而与余交，远者垂三纪，迩者将十年。不必一一同调，而臭味则略等矣。屈指得四十人。人各数语以志区区，大约德均以年，才均以行，非有所轩轾也。"曰：皇甫金事汸、莫方伯如忠、许长史邦才、周山人天球、沈山人明臣、王太史祖嫡、刘金事凤、张先辈凤翼、朱王孙多煃、顾山人孟林、殷进士都、穆考功文熙、刘先辈黄裳、张太学献翼、王太学稚登、王山人叔承、周选部弘禴、沈尚玺思孝、魏考功允贞、喻杭州均、邹黄州迪光、佘明府翔、张将军元凯、张京兆鸣凤、邢侍御侗、邹吏部观光、曹山人昌先、徐太学益孙、瞿太学汝稷、顾太史绍芳、朱王孙器封、黄先辈廷绶、徐司理桂、王山人伯稠、王茂才衡、汪太学道贯、华太学善继、张府幕九二、梅秀才鼎祚、吴文学稼镫。"

王世贞作《末五子篇》，列赵用贤、李维桢、屠隆、魏允中、胡应麟为末五子。见《弇州续稿》卷三。序云："余老矣，蜗处一穴，不能复出友天下士，而乃有五子者，俨然而以文事交于我，则余有深寄焉。自此余不复操觚管矣。夫汝师者，向固及之，然而未竟厥诣也，是以不妨重出云。"末五子为赵太史用贤（汝师）、李参政维桢、屠仪部隆、魏博士允中、胡先辈应麟。

汤显祖造访胡应麟。时二人同在北京应试。《少室山房集》卷五十三有《汤义仍过余，适余命工栉发。欲起，义仍亟止余，对谈竟栉，因相顾大笑曰：竹林风致，何必晋人。俄余鼓枻南归，兴会相思，辄有此寄》诗。诗云："散发逢君易水头，红尘紫陌并追游。狂呼楚客青丝骑，醉拥胡姬白玉楼。三馆地堪容执戟，五湖天欲问归舟。江声月色能相望，九月鸿书到敝裘。"同书卷五十一《汤义少过访赋赠》云："看花吾汝又蓬莱，彩笔翩翩气不回。二酉再夸藏穴富，五丁重起伐山才。辉腾白璧过秦殿，色借黄金上蓟台。早晚河东题赋就，春明门外共徘徊。"汤显祖字义仍，又字义少。万历五年、十一年胡与汤同在北京应试。

屠隆《题红记序》或作于今年。《题红记》，王骥德所作传奇剧本。据徐朔方《晚明曲家年谱》。王骥德《曲律》卷四《杂论》第三十九下云："余大父炉峰公博学高才，著述甚富，有集数十卷。往与王方湖、王真翁两先生齐名，乡人士称为於越三王。少时曾草《红叶》一记，都雅婉逸，翩翩有风人之致。遗命秘不令传。今藏家塾。余弱岁卧病，先君子命稍更其语，别为一传，易名《题红》。为屠纬真仪部强序入梓。然其时所窥浅近，遣声署韵，间有出入。今辄大悔，惧人齿及。顾传播已多，不可禁止。昨入都，一中贵为余言：顷业曾经御。可发一大笑也。"屠隆今年自青浦令人为礼部主事，明年罢官。松萝道人跋吕天成《曲品》云："予见郁蓝生《曲品》，贻书询之曰：'方诸生《题红记》流播海内，清新俊逸，大雅不群，何独遗之耶？'郁蓝生答书曰：'方诸生新撰《曲律》，以前记犹有轶格处，未及详订，恐天下绳其短，姑缓诸，故品中不载。'"冯梦祯《快雪堂集》卷六十万历三十一年七月十七日日记云："演《红叶》传奇。"

方承训作《复初集》自序。据四库提要。

邓球《闲适剧谈》成书。据四库提要。

周天球（1514—1595）年满七十，王世贞撰《周公瑕先生七十寿叙》。周天球字公瑕。叙云："先生少而负经术，为诸生已攻古文辞，善大小篆隶行草法。当是时，文徵仲先生前辈卓荦名家，最老寿，其所取友祝希哲、都玄敬、唐伯虎辈为一曹，钱孔周、汤子重、陈道复辈为一曹，彭孔嘉、王履吉辈为一曹，王禄之、陆子传辈为一曹，先后凡十余曹皆尽，而最后乃得先生，而又甚爱异先生。文先生以大耋归，而先生继之，既谢去诸生，益自力为古文辞，号大国之赋。诸少年见推，以渐主词坛而握牛耳。顾其于书法尤能擅古所以作者意，先生之文与书成，即郡国守相之干旄，与学士吏氓贾人之綦履，麇至于委巷之绾而不可辨，大者七尺之碑，小至七寸之薄蹄，计必获其片语只字，被之而后为愉。"

癸未大察，尚宝寺少卿李先芳（1511—1594）左迁亳州同知。于慎行《明故奉直大夫尚宝司少卿北山先生李公墓志铭》："顷之改尚宝司丞。一奉使册封德藩，再供殿试，两考升少卿，浮湛避世，不干进取，有以自适也。而尝以赋诗调谑得过两吏部，又尝以受印讪两御史，御史内惭。癸未大察，其人皆在事，共欲伤之。少宰淮南李公、江右朱公交为力解，弗能得也。左迁亳州同知。"邢侗《奉训大夫尚宝司少卿北山先生濮阳李公先芳行状》："居顷之，改尚宝司丞。……己未（1559）充殿试受卷官，已奉节册临德藩。……使事告竣，升本司少卿。壬戌（1562）再充殿试受卷官。……会岁大计，因中诸螫者，左其籍，得亳州同知。"

陈经邦以礼部尚书兼任翰林学士。杨巍任吏部尚书。张佳胤总督蓟辽。沈鲤、陆光祖任吏部右侍郎。罗万化任国子监祭酒。王弘诲任南京国子监祭酒。据王世贞《弇山堂别集》。

艾南英（1583—1646）生。生平简介见下卷。

傅汝舟（1583—1627 后）生。此万历时之傅汝舟，非正德时之傅汝舟。茅元仪《傅远度诗选序》："傅子汝舟年二十九，交茅子元仪。次年有《七幅庵集》，未几有《步天》，有《英雄失路》，有《拔剑》，有《箜篌》，有《藏楼》，有《鸳鸯迴文》，是为傅子八集，而是时傅子已年三十八矣。又六年，天启丙寅（1626）火，火其箧中之诗，而板行八集则自行于世。又次年，乃属茅子选而传焉。"其生卒年据以推定。《列朝诗集小传》丁集下："汝舟，字远度，江宁人。家世颍国之后，隶籍京卫。幼孤，负至性，奇崛好古，读书能知大意，矢口辨驳，多有别解。好谭经济大略，矫尾厉角，人无以难也。天启三年，河西之役，守将罗一桂、监军高廷佐暨高之仆夫永皆死之。生与平湖马文治、武康茅元仪，为位于清溪黄侍中祠内，各为祭文，奠而哭之，酹酒哀恸，感动路人。其忠义抑塞如此。为诗皆牛鬼蛇神，旁见侧出，有《唾心集》若干卷。余惜其倔背大雅，未可以传后也，姑从文寺所论次，录其三首。"正德时另有一傅汝舟，字木虚，一名丹，号丁戊山人，一号磊老、太梦山人。侯官人。《明诗纪事》混二人为一，误。

## 公元 1584 年（神宗万历十二年　甲申）

### 正月

余曰德（1514—1583）卒。余曰德与魏裳、汪道昆、张佳胤、张九一并称后五子。王世贞《祭余曰德宪副文》："万历癸未之冬十一月，而乡人姚匡叔自南昌来，言德甫宪副余丈七十矣。余恍然而悟曰：'几忘之。'为排律一章及录所撰《再补五子篇》一章，侑以不腆之币，寓匡叔寿之。未报而为今年甲申之春三月上巳。吴明卿自武昌过，酒甫洽，而曰：'德甫以人日化矣！'不觉黯然低徊，泪涔涔下也。居一月而始能为文。"正月初七为人日。《静志居诗话》卷十三："德甫于诗，尚未窥见门户，元美冠诸'后五子'之首，未免阿其所好矣。然其仿敦陶孙作诗评，未之及焉。岂阳许之，而阴抑之与？"《西江诗话》卷八：余曰德，"字德甫，南昌人。嘉靖进士，官福建副使。工诗，王元美、李于鳞咸奉盘匜焉。晚结东湖草堂，啸傲其中，吟讽无虚日。宗伯李春芳曰：'大江以西，诗派远且广矣，而历下、琅琊独推毂德甫先生为雄长，隐然若一敌国云。'《题苏公祠》云：'云卿管乐流，世运屯不返。托志远行迈，结庐东湖苑。蓁圃日芟艺，业屡继宵捆。拮据良苦辛，心迹栖自稳。故人据高位，书辞诚款恳。置之了不问，咎叹声隐隐。灭迹不终日，无亦凿坏遁。黄鹄摩苍穹，罗者空悲惋。'"《四库全书总目》卷一七八集部别集类存目五著录《余德甫集》十四卷，提要曰："明余曰德撰。曰德初名应举，字德甫，南昌人。嘉靖庚戌进士。官至福建按察司副使。《明史》文苑传附见王世贞传中。与魏裳、汪道昆、张佳胤、张九一所谓嘉靖后五子也。世贞称其诗古近体无所不佳，近体独超，近体五七言无所不超，七言独妙。《静志居诗话》则谓其诗尚未见门户，元美冠诸后五子之首，未免阿其所好。今观是集，彝尊所论公矣。"《明诗纪事》己签卷三录余曰德诗一首，陈田按，"德甫诗不过七子派中下乘。李于鳞称：'德甫将为大江以西一人。'王元美序《德甫集》云：'明兴，江右之诗，大绅、子启狂奔无论。弘、正之间，一二操觚，筚路蓝缕，勤而未辟。其于西江前辈，若刘子高、刘子绍辈若未寓目，且举半山、双井而噱为穿凿僻涩，而改社改木，惟德甫是尸。'斯所谓狂易之言，不顾千古齿冷者也。"

## 二月

王世贞由应天府尹推升南京刑部右侍郎，以病辞，得旨准在籍调理。据徐朔方《晚明曲家年谱》。《明史》王世贞传："张居正枋国，以世贞同年生，有意引之，世贞不甚亲附。所部荆州地震，引京房占，谓臣道太盛，坤维不宁，用以讽居正。居正妇弟辱江陵令，世贞论奏不少贷。居正积不能堪，会迁南京大理卿，为给事中杨节所劾，即取旨罢之。后起应天府尹，复被劾罢。居正殁，起南京刑部右侍郎，辞疾不赴。"

## 三月

吴国伦访王世贞于弇园。《弇州续稿》卷十七《吴明卿大参挟方山人仲美、王太学行父，以三月三日访我弇园，与家弟敬美、曹子念、骐儿小集，分韵得林字》、《明卿与诸君过澹圃，分韵得穷字》、《明卿诸君再过弇园，分韵得园字》、《明卿走酹先司马墓，贞以病不克从，仅家弟侍行，志痛志感》、《方仲美博学有文，而时时使酒，依吴明卿居武昌，从访弇州有赠》，卷二四《送明卿夜宿玉龙桥》同时作。自注："时明卿携歌吹，弄之。"《弇州续稿》卷十一《醉歌行赠别吴明卿，记与明卿别二十五年矣。舟行二千里而访我，作十日平原饮。于其别也，情见乎辞》云："即令醉死亦不辞，人间此人宁再见。"《挥麈诗话·吴明卿赠诗》："甲申夏余至姑苏时，明卿先生已从弇山园返棹泊金阊门外矣。一见握手甚欢，及睹余所撰《先大夫行状》，又奖诩不容口，且曰：'尊公人品，无论其大者，即微处亦不苟。如为武库散俸时，较前人所散者辄溢其数。初得之以为偶然耳，屡试之皆如初。即此一事，其人品可知已。'与余谈诗谈文甚相洽，缱绻数旬不忍别去。赠余诗云：'怪尔交游广，由来著作工。论诗原郢上，佳丽且江东。贳酒欢相藉，归舟怅未同。兰蘅满湘泽，慎勿委秋风。'余诗尚多在《甀甄洞稿》中，不悉录。"

## 四月

籍没张居正家，饿死十余人。申时行疏救，酌留田宅以养张母，子女戍边。汤显祖《即事》诗云："汉家七叶珥金貂，不见松阴叹绿苗。却叹江陵浪花蕊，一时开放等闲消。"江陵指张居正。时汤显祖观政礼部。

左谕德于慎行（1545—1607）致函司寇，言张居正有劳于国家，是非功过当区别看待。叶向高《太子太保礼部尚书兼东阁大学士赠太子太保谥文定于公墓志铭》：己卯（1579）引疾归。"里居且四年，召入日讲如故。同讲六人，多公同年，官高者至贰卿，下亦银绯，而公犹守旧秩。久之乃晋左谕德。时江陵已谢世，言者振暴其罪，上震怒，命司寇丘公同内珰，往籍其家。当江陵柄国日，既大失士大夫心，及其败也，咸推波助澜，欲甚之以为快。公独贻书丘公，言：'江陵尝有劳于国家，是非功过当为别白。

即间有所受取，亦可指数，家之所藏，远较分宜，近视冯珰，皆万分不及。而必欲捕空捉虚，广为搜括，以称上命，窃恐株连蔓引，全楚公私皆受其累，是江右之已事也。又江陵老母在堂，诸孤少不更事，覆巢之下，颠沛可伤，宜谋于有司，请于明主，乞以聚庐之居、立锥之地，以合于古人帷盖之义。'缅缅千余言，极其切至。"

## 五月

许国为吴国伦《吴明卿集》作序，称嘉靖七子（后七子）"雄视往古，目无当代，时谓高雅"。序云："嘉靖中作者七人，齐李攀龙于鳞、谢榛茂秦，吴王世贞元美，楚吴国伦明卿，越宗臣子相、徐中行子与，南越梁有誉公实。七人者并集都下，以著述自喜，藉甚缙绅间。茂秦布衣之侠，为于鳞嚆矢。于鳞独建旗鼓，元美副之，明卿、子相属鞭弭中原，不相避舍，而子与、公实为之雁行。盖于鳞法，元美隽，子相豪，子与、公实淳，而明卿雅矣。明兴，人文于斯为盛。……国初刘宋辈出，洽览群书，仍元旧贯，时谓博雅。弘、正之际，李何挺生，徐、薛嗣起，追汉袭晋，规魏纂唐，时谓古雅。爰及嘉靖，作者七人，呕心抉肝，穷工极变，思务出奇，语又惊众，雄视往古，目无当代，时谓高雅。而明卿诗，循循兮有玄晖、摩诘之风焉，其文称是，谓之尔雅，非邪？余于七人识其二焉，元美、明卿。今五人往矣，独二人者存。盖元美晚而逃禅，乃明卿既谢方岳，角巾私第，尚为有司所严重。由此言之，重明卿者不独以其诗。……万历甲申五月新安许国序。"《弇山堂别集》卷四十五《内阁辅臣年表》："许国字维祯，直隶歙县人。由嘉靖乙丑进士，万历十一年以礼书、东阁学入，今为少傅，建极殿学。"

## 六月

方沆作《刻欧虞部文集序》。欧虞部，欧大任也。序署"万历甲申夏六月朔，莆中友弟方沆子及甫撰"。

## 夏

吴国伦尽出其诗文，请王世贞作序。返棹途中与王兆云相见。王世贞《吴明卿先生集序》："吴明卿，二十六而经术成，先御史大夫识之为其省之第一人。二十七（1550）而登进士第……入参制掖，为中书舍人。居二年，（1553 年）拜兵科给事中。已而古文辞成。已而中娼者，得藩幕之下僚。自是再补郡司理，一同守郡，再真为守，一视学政为皋副，一参省政，复再中娼者。……五十二（1575 年）而归卧下雉之数者垂十年，而买舟下大江入吴，哭先大夫之墓于东海，还憩余弇园，则貌益腴，神益王，且尽出其生平诗文，合若干卷，余得而尽读之。"王兆云《挥麈诗话·吴明卿赠诗》："甲申夏余至姑苏时，明卿先生已从弇园返棹泊金阊门外矣。一见握手甚欢，及睹余所撰《先大夫行状》，又奖诩不容口，且曰：'尊公人品，无论其大者，即微处亦不苟。如为武库散俸时，较前人所散者辄溢其数。初得之，以为偶然耳，屡试之皆如初。即此一事，其人品可知已。'与余谈诗谈文甚相洽，缱绻数句不忍别去。赠余诗云：'怪尔交游广，由来著作工。论诗原郢上，佳丽且江东。贳酒欢相藉，归舟怅未同。兰蘅满湘泽，慎勿委秋风。'余诗尚多，在《甀甄洞稿》中，不悉录。"

## 七月

二十三日，耿定理（1534—1584）卒于黄安，李贽作《哭耿子庸四首》悼之。其二曰："我是君之友，君是我之师。我年长于君，视君是先知。君言吾少也，如梦亦如痴。去去学神仙，中道复弃之。归来山中坐，静极心自怡。大事苟未明，兀坐空尔为。行行还出门，逝者在于斯。反照未生前，我心不动移。仰天一长啸，兹事何太奇！从此一声雷，平地任所施。开口问人难，谁是心相知？"

## 八月

汤显祖就任南京太常博士，读书每至丙夜。邹迪光《临川汤先生传》云："以乐留都山川，乞得南太常博士。至则闭门距跃，绝不怀半刺津上。摊书万卷，作蠹鱼其中。每至丙夜，声琅琅不辍。家人笑之，老博士何以书为？曰：吾读吾书，不问博士与不博士也。间策蹇驴，探雨花木末，乌榜燕矶，莫愁秦淮，平陂长干之胜，而舒之毫楮。都人士展相传诵，至令纸贵。时典选某者，起家临川令。公其所取士也。以书相贻曰：'第一通政府，而吾为之怂恿，则北铨省可望。'而公亦不应，亦如其所以拒馆选时者。"

李维桢（1547—1626）访王世贞于弇园。《弇州续稿》卷十七《甲申中秋夕，成伯、寅叔、孟嘉复携酒弇园。楚人李维桢来，不疑辈在焉。颇具歌吹之乐，得一首》。时王世贞赋闲家居。年内起为应天府尹，未任。本月，王世贞为李维桢《四游集》作序。

## 九月

欧大任（1516—1595）自南工部虞衡司郎中致仕归粤，顺访王世贞于弇园。王世贞《欧虞部桢伯归岭南诗卷序》："南海欧桢伯守虞部郎中于留都之三年，上书致其仕归，天子为之下太宰，太宰惜其才，嚘喼者久之而俾予告。以行命既下，而燕中之士大夫高桢伯之归者，争为诗以赠之，凡若而人。留都之士大夫率醵以饯桢伯于龙江之浒，而赠诗者若而人。既由京口入晋陵，遂抵吾吴郡，操觚而和之者又若而人。桢伯间道访余于东海，尽出箧中所有，则为诗几五百篇，文亦称是。自此而南，径钱唐，入豫章，泛彭蠡，度岭而后叩五羊之城，其操觚之士响应而为诗者，当又不知其几也。"《欧虞部集·诏归集》卷一有诗《九月七日同管臬使曾谢俞三山人集王元美弇山园》、《八月同冯元敏谢少廉俞公临曹子念饮王敬美澹圃》。前一首有句云："早得皈依亲受记。"欧大任于万历壬午（1582）由大理寺左评事转任南工部。

欧大任居金陵，参与青溪社集。每夕宴集，达旦不倦。欧必元《家虞部公传》：

"甲申秋，年仅七十，即上书乞骸骨，得允便单车就道。已居金陵，结有青溪社，与临淮李侯惟寅、西宁宋侯忠甫、诚意刘伯国祯、顾司勋道行、李司封于田、刘大理长钦、许奉常仲贻、余太史孟祥、郭水部相金、臧博士晋叔、佘明府宗汉及孙齐之、张幼于、王伯谷、殷无美、金在衡、汪仲淹、俞仲蔚、曹子念、汪仲嘉、梅禹金、梅季豹、黄白仲、陆伯生、周公瑕、吴公择、沈士范、李季宣、钱功父、汪象初、俞羡长、胡茂承、盛仲交、汪禹乂、管稚圭诸先生为诗酒会。公饮不能杯勺，然每夕宴集，即达旦不倦。"

## 十月

屠隆署礼部主事，不久被刑部主事俞显卿指为"淫纵"，中白简罢官。《万历野获编》卷二十五《昙花记》云："今上甲申岁，刑部主事俞识轩显卿论劾礼部主事屠长卿隆。得旨，两人俱革职为民。俞，松江之上海人。为孝廉时，适屠令松之青浦。以事干谒之，屠不听，且加侮慢。俞心恨甚。至是具疏指屠淫纵，并及屠帷薄。至云日中为市，交易而退。又有'翠馆侯门，青楼郎署'诸媒语。上览之大怒，遂并斥之。屠自邑令内召甫年余，俞第后授官只数月耳。睚眦之忿，两人俱败，终身不复振。人亦惜屠之才，然终不以登启事也。西宁夫人有才色，工音律。屠亦能为新声，颇以自炫。每剧场辄阑入群优中作技。夫人从帘箔中见之，或劳以香茗，因以外传。至于通家往还亦有之。何至如俞疏云云也。近年屠作《昙花记》，忽以木清泰为主，尝怪其无谓。一日遇屠于武林，命其家僮演此曲，挥策四顾，如辛幼安之歌'千古江山'，自鸣得意。余于席间私问冯开之祭酒云：'屠年伯此记，出何典故？'冯笑曰：'子不知耶？木字增一，盖成宋字，清字与西为对，泰即宁之义也。屠晚年自恨往时孟浪，致累宋夫人被丑声；侯方向用，亦因以坐废。此忏悔文也。'时虞德园吏部在坐，亦闻之笑曰：'故不如余所作《昙花记》序，云"此乃大雅《目连传》，免涉闺阁葛藤"语，差为得之。'余应曰：'此乃著色《西游记》，何必诘其真伪？'今冯年伯殁矣。其言必有所本，恨不细叩之。"《列朝诗集小传》丁集中《屠仪部隆》云："在郎署，益放诗酒。西宁宋小侯少年好声诗，相得欢甚。两家肆筵曲宴，男女杂坐，绝缨灭烛之语，喧传都下，中白简罢官。"《明史·文苑传》："西宁侯宋世恩兄事隆，宴游甚欢。刑部主事俞显卿者，险人也，尝为隆所诋，心恨之。讦隆与世恩淫纵，词连礼部尚书陈经邦。隆等上疏自理，并列显卿挟仇诬陷状。所司乃两黜之，而停世恩俸半岁。隆归，道青浦，父老为敛田千亩，请徙居。隆不许，欢饮三日谢去。"去年秋，屠隆自青浦知县升礼部主事。

王世懋为王稚登《荆溪疏》作序。序署"万历甲申孟冬十月澹圃主人王世懋撰"。本月，王世懋由浙江提学副使改福建提学副使。

## 十一月

徐中行（1517—1578）遗著《天目先生集》由张佳胤刊行，王世贞作序。序云："徐天目先生者，故江西左使中行也。家居天目山之阳，因自号天目山人云。先生卒豫章时，其遗稿多散佚，而吾弟敬美走治丧事，鸠之，仅得十之六，以属其门人郭造卿。盖三载而始至自造卿所。张司马肖甫时镇浙，为梓行之。""先生于文章，有实胜而无名高。今其集具在，诸诗咸发情止性，喻象比意，或清而和，或沉而雄，缓态促节，变化种种，然以引于左准右绳，无弗合也。持论之文，辨而不激。叙事之文，峭而能洁。发意之文，畅而归典。不知于西京何如，东京而下，当无复有贤于先生者。"《天目先生集》另有黎芳《后语》。

## 十二月

**屠隆为张佳胤（1527—1588）《居来先生集》作序。**《居来先生集》收张佳胤所作诗、赋、杂文。序云："先生西蜀异人，起家滑令，以神明闻，入佐秩宗，浔登大僚，扬历中外余三十年。大都庙堂开云台建鸿礼，则置先生交戟下，而朝夕咨其大猷；疆圉有非常缓急，则出先生风烟马箠间，而仓卒倚其石画。……而先生所至，则又主持风雅，弘奖人伦，推毂名士，暇日或引元戎小队，觞咏山间水涯，流连日夕，憺矣忘归。盖结交尽天下之贤豪，而登览尽天下之灵壤，即簿牒填委，高韵萧然，羽书交驰，意气整暇，门列戎士，座盈词人，出按营垒，入谭羽衲，口不绝于军政，而手不辍乎篇翰，虽孟德邺都之风，庾公武昌之雅，方斯蔑如。以故发为诗文，往往天藻飚激，玄思神来，气必摧坚，才必破的，束发与琅玡、历下诸君子对垒，若晋楚治兵中原，卒难主客，凭轼而观者每走下风。"《张居来先生集》另有车大任序，作于"万历甲午（1594）冬月"；李维桢叙，作于"万历丁酉（1597）仲夏吉日"。《列朝诗集小传》丁集上："佳胤，字肖甫，铜梁人。嘉靖庚戌进士，除滑县知县，擢户部主事，改兵部职方，累迁至右金都御史，巡抚应天，再起巡抚宣府，召为兵部右侍郎，出抚浙江，徵拜兵部尚书，协理戎政，寻总蓟辽三边，加太子少保，召入为兵部尚书，乞致仕。肖甫为诸生，光州刘绘为太守，奇其才，召致门下，语其子黄裳曰：'今之乖崖也。'为滑令，禽治近畿剧盗伪为缇骑劫县帑者，以此知名。在宣府，伏兵禽房酋赖五，缚之市而纵之，虏遂慴伏求款。浙有骄卒之变，江陵曰：'安得用张滑县禽盗手，薙此小丑乎！'吏部闻之，乃推肖甫。肖甫往，则纵间谋设方略，用骄卒以讨乱民，乱民歼焉，又计杀骄卒之首乱者，而解散其余党，浙用底定，世以此服江陵知人，一言而戢江浙之变，真救时宰相也。肖甫为郎时，与王元美诸人相酬和，七子中三甫之一也。七子仕宦皆不达，助甫一开府辄踬，元美平进至六卿，而肖甫镇雄边，定大变，入正枢席，以功名始终。节镇之暇，轻裘缓带，宾礼寒素，鼓吹风雅，文士之坎壈失职者，皆援以为重。高才贵仕，兼而得之，近代所罕见也。肖甫诗三十余卷，才气纵横，而乏深雅之致，其视助甫，亦鲁卫之政也。"《四库全书总目》集部别类集存目五著录《居来山房集》六十五卷（赋一卷、诗二十八卷、杂文三十五卷、末一卷附录行状墓志），提要曰："佳胤为郎时，与王世贞诸人相酬和。七子仕宦多不达，而佳胤镇雄边，定大变，以功名始终。论者谓其诗文才气纵横，而颇乏深致。盖雄心大略，不耐研思于字句间也。"本年张佳胤在兵部尚书任。《弇山堂别集》卷五十《兵部尚书表》："张佳胤，四川铜梁人。嘉靖癸丑进士。万历十四年任，十五年致仕。"（《明史》卷一一二

《七卿年表》二、《国榷》卷首之三均作万历十三年任，十四年致仕。）又卷六十三《总督蓟辽保定都御史年表》："张佳胤，四川铜梁人。嘉靖庚戌进士，万历十三年以兵部尚书（任），累加太子太保。"

### 冬

梅鼎祚访王世贞于弇园。梅鼎祚《鹿裘石室集》卷十一有诗《娄上访王长公，留宿靖中三首》、《赵汝师洗马过王长公再同宿》、《冬日弇园》、《甲申除夕寓吴遣怀》、《王敬美松陵舟中同周公瑕王承甫毛豹孙汪子建曹子念武君扬言别》均作于今年冬。

### 本年

诏以王守仁、陈献章、胡居仁同祀孔庙。孟森《明史讲义》第二编第四章："当嘉靖间，守仁之学已为廷臣所指斥，桂萼于守仁既卒，议言：'守仁事不师古，言不称师，欲立异以为名，则非朱熹格物致知之论。知众论之不予，则为《朱熹晚年定论》之书，号召门徒，互相唱和。才美乐其任意，或流于清谈；庸鄙借其虚声，遂至于纵肆；传习转讹，背谬日甚。讨捕叅贼，擒获叛藩，据事论功，诚有足录。陛下御极之初，即拜伯爵，宜免追夺以彰大信，禁邪说以正人心。'帝乃下诏停世袭恤典俱不行。给事中周延先争之，被黜。隆庆初，廷臣多颂其功，诏赠新建侯，谥文成。万历十二年，乃从祀文庙。明世从祀者四人，薛瑄已从祀于隆庆间，守仁与陈献章、胡居仁同从祀。盖守仁之事功莫能訾议，而学术则为守洛、闽者所诋毁云。"

王锡爵以礼部尚书兼文渊阁大学士。沈一贯任吏部右侍郎。王弘诲任南京吏部侍郎。据王世贞《弇山堂别集》。

胡应麟《少室山房笔丛》各部分自本年始陆续定稿。是书凡四十八卷，含十二部分。胡应麟在各部分杀青定稿时分别作有小引，《经籍会通引》署"万历己丑（1589年）孟秋朔应麟识"，《丹铅新录引》署"庚寅（1590）人日识"，《史书占毕引》署"秋望，应麟识"（引有"己丑北还"语，知为1589年秋），《艺林学山引》署"庚寅（1590）七夕麟识"，《九流绪论引》署"清和既望识"（引有"己丑北还"语，知为1589年），《四部正讹引》署"丙戌（1586年）春仲月晦识"，《三坟补逸引》署"甲申（1584）夏五识"，《华阳博议引》署"己丑（1589）仲冬麟识"，《庄岳委谈引》署"己丑（1589年）阳月朔日识"，《玉壶遐览引》署"壬辰（1592年）仲冬芙蓉峰客题"，《双树幻钞引》署"壬辰（1592年）腊壁观之题"，《二酉缀遗引》未署时间。其中《经籍会通》论古来藏书存亡聚散之迹，《丹铅新录》专驳杨慎考据之误，《史书占毕》评论史书、史事，《艺林学山》品评文学遗产，《九流绪论》论诸子百家，《四部正讹》考证古籍伪书，《三坟补逸》论汲冢遗书，《二酉缀遗》采撷古籍中奇闻怪事，《华阳博议》杂述古人博闻强志之事，《庄岳委谈》泛论戏曲、小说等，《玉壶遐览》和《双树幻钞》分论道、佛二教。全书在胡应麟生前未结集刊行。

卓明卿《卓澄甫诗续集》刊行。卓明卿字澄甫，钱塘人。万历中由国子监生官光禄寺署正。《四库全书总目》著录卓明卿《卓氏藻林》八卷、《卓光禄集》三卷、《卓澄甫诗续集》三卷。《卓光禄集》提要曰："其诗颇囿于风气，未能自出新裁。"《卓澄甫诗续集》提要曰："明卓明卿撰。是集为明卿所自编，刻于万历甲申。李维桢序，称元美兄弟左提右挈，足使澄甫不朽。深有不满之词焉。"

刘兑编定《频阳四先生集》四卷。《四库全书总目》卷一九三集部总集类存目三著录《频阳四先生集》四卷，提要曰："明刘兑编。兑始末未详。其编此书，则官富平县知县时也。所录为张纮、李宗枢、杨爵、孙丕扬四人诗文。纮有《云南机务抄》，黄爵有《周易辨录》，丕扬有《论学篇》，均已著录。宗枢字子西，号石叠。嘉靖癸未（1523）进士。官至右佥都御史，巡抚河南。四人皆富平人。富平古频阳地，故称频阳四先生。是集之编在万历甲申，于时丕扬方以右副都御史家居。兑以丕扬所作为四家之一，殊乖古人盖棺论定之义。明季标榜之习，大率如斯矣。"

刘如宠为周祁《名义考》作序。王学谟《续朝邑县志》成书。纪廷相《友于小传》成书。王樵作《书帷别记》自序。据四库提要。

宋懋澄（1572—1622）年十三，能文章，不喜经生家言。陈子龙《宋幼清先生传》："先生幼孤，年十三而能文章，喜交游，稍习经生家言，即弃去，顾为侠，慕战国烈士之风，祠赵相虞卿于家，所以见志也。私习古兵法，散家结客，欲以建不世功；而会是时海内承平，无所自见，则于酒人任诞，尝与客饮中野，取髑髅行酒，已则相与刺臂血，沥而埋之，对泣也，复歌呼而还，礼俗之士，疾之如仇，欲中以危法，适有天幸，又多用智数自卫，莫能害；然亦益自远引，不轻入城市。"

罗万化升任南京礼部侍郎。耿定向任刑部侍郎。姜宝任南京刑部侍郎。范应期、张位、徐显卿任国子祭酒。据王世贞《弇山堂别集》。

周顺昌（1584—1626）生。生平简介见下卷。

# 公元 1585 年（神宗万历十三年　乙酉）

## 正月

焦竑作《焦氏类林题识》。焦竑《类林》凡八卷五十九类，由李登辑成。题识云："余少嗜书，家贫不能多致，时从人借本讽之。顾性颛愚，随讽随忘。有未尽忘者，往来胸臆，又不能举其全为恨。……庚辰读书，有感葛稚川语，遇会心处，辄以片纸记之。甫二岁，计偕北上，因罢去。残稿委于箧笥，尘埃漫灭，不复省视久矣。李君士龙见之，谓其可资文字之引用，备遗忘之万一也，乃手自整理，取《世说》篇目括之，其不尽者，括以他目。譬之沟中之断，文以青黄，则士龙之为也。……万历乙酉孟春，建业焦竑弱侯题。"李登字士龙，焦竑《类林》即由李登辑成。凡八卷，分五十九类。《四库全书总目》卷一三二子部杂家类存目九著录。

## 二月

礼部疏议复科场事宜祛积弊以光盛典事。详见《弇山堂别集》卷八十三《科试考三》。

梁辰鱼、梅鼎祚会于虎丘。梅鼎祚《鹿裘石室集》卷十一有诗《饮虎丘，梁伯龙

481

携吹管唐叟见就》。

## 三月

朝廷罢内操，汤显祖作《闻罢内操喜而敬赋》诗。《实录》云：练兵内廷，始于去年。据户部尚书王遴去年十二月奏，耗银九万两。宦官掌兵，宫掖易生不测。群臣屡谏不纳，且多获谴。至是始以兵科都给事中王致祥疏罢。汤诗中有句云："貂珰自古说刑余，可使操兵向玉除？""北斗三垣忽夜明，西园八校从今罢。自此龙阿不倒持，长无兵气入宫墀。小臣拜舞高陵下，愿寿吾君亿万斯。"时汤在南京太常博士任。

臧懋循自南京国子监博士谪归。时南京户部署郎中事唐伯元以丑诋阳明遭贬，同日出关。《汤显祖诗文集》卷七有诗《送臧晋叔谪归湖上，时唐仁卿以谈道贬，同日出关，并寄屠长卿江外》。《神宗实录》云：三月"谪南京户部署郎中事唐伯元三级调外。伯元上疏丑诋新建伯不宜从祀。且谓六经无心学之说，孔门无心学之教。守仁言良知，又邪说诬民。又进石经《大学》，云得之安福举人邹德溥。已为置序。南兵科给事中钟宇淳纠之。后降海州判官。"伯元字仁卿，广东澄海人。见《明儒学案》卷四十二。臧懋循字晋叔，长兴人。万历十一年官南国子博士。《万历野获编》卷二十六《项四郎》云："今上乙酉岁，有浙东人项四郎名一元者，挟赀游太学，年少美丰标。时吴兴臧顾渚懋循为南监博士，与之狎。同里兵部郎吴涌澜仕诠亦朝夕过从，欢谑无间。臧早登第，负隽声。每入成均署，至悬球子于舆后，或时潜入曲中宴饮。时黄仪庭凤翔为祭酒，闻其事大怒，露章弹之，并及吴兵部。得旨俱外贬。又一年丁亥内计，俱坐不谨罢斥。南中人为之语曰：诱童亦不妨，但莫近项郎。一坏兵部吴，再废国博臧。"《列朝诗集小传》丁集上云：南国子博士臧晋叔，"每出必以棋局、蹴球系于车后。又与所欢小史衣红衣，并马出凤台门，中白简罢官。"臧懋循于1583年由荆州府学教授调任南京国子监博士。

## 六月

魏允中（1546—1585）卒。顾允成《小辨斋偶存·哭魏懋权》："万历十三年六月十有八日，年家弟顾允成移书于已故天官懋权魏先生，曰：……"魏允中，字懋权，南乐人。万历庚辰进士，除太常博士，迁吏部稽勋主事，寻移考功，病卒。王世贞《魏仲子集序》："仲子于诗无所不工，五、七言律尤其至者，大较情真而语遒，意高而调协，即其才何所不有，而实不欲以江左之浮藻，掩河朔之风骨，盖得少陵氏之髓，而略其肤者也。文尤典雅简劲，直写胸臆，譬之赤骥盗骊，以千里追风之势，而就衔勒，毛嫱丽姬，汰人间之粉泽，而以其质显。……仲子于家，与伯子、叔子以三才子称，其在朝，与同年顾宪成氏、刘庭兰氏亦以三才子称。伯子名允贞，今为光禄少卿，叔子名允孚，今为刑部郎中，刘生盖先仲子夭云。"《明史·艺文志》著录《魏允中文集》八卷。《明诗纪事》己签六录魏允中诗六首，陈田按："懋权五律疏爽，七律调高，尚多浮响。"

## 七月

邹元标由南京兵部主事迁吏部验封司主事。以母老不拜，求改南京不许。汤显祖有《送邹尔瞻吏部》诗。邹元标字尔瞻，吉水人。万历五年进士。以论张居正夺情事，廷杖，谪戍都匀。今年三月，邹元标补南京兵部主事。邹后来成为东林党领袖人物。《明史》有传。

## 八月

张一桂、于慎行等任乡试主考。《弇山堂别集》卷八十四《科试考四》："乙酉，命左春坊左谕德兼翰林院侍读张一桂、司经局洗马兼修撰陈于陛主顺天试。命右春坊右谕德兼翰林院侍读于慎行、右春坊右中允翰林院修撰李长春主应天试。分命翰林院修撰孙继皋主浙江、翰林院编修黄洪宪主福建、翰林院编修史珂主湖广、翰林院编修余孟麟主江西试。余用六科给事中各部员外郎主事有差。珂辞，改命编修张应元。""是岁科场甫毕，上命顺天府官以中式举子卷入内，将加检勘，已而发还，无所问。先是，浙人胡正道等以二月入都，冒通州籍入学，遂得中式者八人，为冯诗、章维宁、史记纯、陈邦训、杨日章、董邵、孙啥。都下人士哄然不平，投匿名文书，诉中式不应皆外郡，及各州县进学之弊。给事中钟羽正劾奏，请清冒籍生儒，上下其章于法司。而顺天府生员张元吉者，父故富商，交通宦幸，遂益鼓煽，其诡言考官有私，并及提学。飞语乃闻内，上愈疑，法司勘上。有旨，六人者发原籍为民，史记纯系编修史珂子，以珂从子冒籍，亦褫职，而并疑冯诗、章维宁曾馆主考张一桂家，复下法司，再从公审究，意在必坐考官。于是尚书舒化、左都御史赵锦、礼刑二科给事王三余、顾问，会多官廷鞫诗、维宁有无关节，各加刑，考具。复言诗、维宁馆张不过数月，家贫，而其试卷取中又非独出张手，委无隐情。疏上，上终以扶同回护为疑，诏张一桂改南京别衙门用，诗、维宁各枷示众，发为民，并谪提学御史董裕于外。仍谕天下巡按御史，各核诸新举子，复原籍为诸生及削籍者凡十余人。是举，上虽有意严察科场弊习，然京师颇传其潜出于宫闱。及讯狱具，都御史锦欲勿用，'一桂系讲官，非臣等所敢擅拟向'。尚书化执不肯，盖示隙端，听上自处，议者薄之。而给事中史孟麟、御史蔡时鼎疏言：'冒籍之当宽，采访之当慎。'切责时鼎，降马邑典史。孟麟疏取出，不果上。""前甲申，御史丁此吕追论礼部左侍郎兼翰林侍读学士高启愚主试应天时命题'舜亦以命禹'为阿附故太师张居正，有劝进受禅之意，为大不敬。得旨免究矣，吏部参论，此吕调外，遂夺启愚官，削籍还里，并收其三代诰命。诸大臣与言路相持者久之乃定。山东则吏部尚书杨巍子中式，山西东阁大学士王家屏子浚初中解元。湖广巡按御史论推官李㮚用强侵各试官权，多取中诸生，礼部员外郎李同芳故庇之，不行裁沮。得旨，降级调用，同芳罚俸三月。"邓原岳（1555—1604）、江盈科（1553—1605）中举。

## 九月

王圻作《刻靳两城先生集序》。靳学颜（？—1571），字子愚，号两城，济宁州人。嘉靖乙未进士。著有《两城集》。序云："东国自边、李以著述起家，厥后操觚之士云蒸雾涌，莫可籍纪，乃其中亦有不可知者，而犹然以名家自命，不识其文视公何如也。后之品藻者，亦或左券于斯云。万历岁次乙酉秋九月朔旦，赐进士、奉政大夫、湖广提督学校佥事，旧治上海王圻顿首识。"

## 闰九月

**王世贞招陈继儒饮于弇园。**陈继儒《晚香堂小品》卷二十四《重阳缥缈楼》云："往乙酉闰九月，招余饮弇园缥缈楼。酒间，座客有以东坡推先生者。先生曰：吾尝叙《东坡外纪》，谓公文虽不能为我用，而时为我用。意尝不肯下之。余时微醉矣，笑曰：先生有不及东坡者一事。先生曰：何事？余曰：东坡生平不喜作墓志铭，而先生所撰志，不下四五百篇，较似输老苏一着。先生大笑。"王世贞晚好子瞻，此一事实备受关注。王锡爵《弇州山人续稿序》云："当公少时，一二隽士句钉字饾，度不有所震发，欲藉大力者为帜，而以虚声感公，公稍矜踔应之，不免微露有余之势，而瓶建云委，要归于雄浑。迨其晚年，阅尽天地间祸福盛衰之倚伏、江河陵谷之迁流，与夫国是政体之真是非、才品文章之真脉络，而慨然悟霜降水涸之旨于纷秾繁盛之时，故其诗若文尽脱去角牙绳缚，而以恬澹自然为宗，即屠妇小竖，纤善薄长，有叩必得，有唱必和，类广而托微，志苦而节甘，采流而神结，泱泱虡球钟畅、鸟兽舞、宫商鸣、草木动，因应变化而不知其所以然，譬之于海，唯是汪洋浩渺之德，以吐纳王百川，而岂必待夫怒涛颠波，流风蒸雷，阴火夜然，蜃市晓结，骇然见所未见，乃称大哉！世人耳论，每叹古今人不相及。……盖公晚而始好子瞻也。夫子瞻之才也，世之既降，已不免驰骋议论，执道之勤，反以见奇，吾元美独能离今之献酬赓唱，而自为元美哉！夫今世固貌尊元美矣，辄曰此迁、此固、此汉魏、此盛唐，夫必迁、必固、必汉魏、必盛唐，句字而仪之，则当公之时，盖亦有优于饰画者矣，传未数十年，而新陈相变，已索然不见其所有，夫惟作者心之灵气，恍惚自来，臭腐神奇，与时相为无穷，如槐柳榆柞皆凡火也，而可以变万物。故嘉、隆之间，与公结轸而起者皆以公重，非能重公者也，吾知吾元美而已。"

## 秋

**戚继光访王世贞于娄上。**《弇州续稿》卷二十七《戚公元敬解岭南将印还莱海，访余娄上言别，得二七言近体》。据《神宗实录》，万历十一年二月蓟镇总兵戚继光调广东，去年十一月罢官归里。

**秋榜后，冯诗等浙籍考生因冒籍与试受惩处。**《万历野获编》卷十六《乙酉京试冒籍》："乙酉秋榜后，有顺天诸生张元吉者，投谒长安，谓浙人冒籍得隽，致妨畿士进取。科臣钟羽正，露章言之。浙士冯诗等八人，斥为民，诗与章维宁，罪至荷校，史鹤亭太史钶，以纵子冒籍，革职闲住。主考张玉阳一桂调南京，董督学调别衙门。御史蔡时鼎，以救正外谪。说者谓张元吉以资冠京师，与郑贵妃家至戚，又贵妃弟入闱不得荐，故以此修隙。一时当事者，未免迎合内旨，处分遂尔过酷。是冬凛冽倍常，冯、章二生，被三木于京兆门前，僵冻几死。府尹沈继山思孝，浙人也，以乡曲怜之，倍予衣食，得不毙。事闻于宫掖，亦调南京太仆卿。初得旨，止降俸二级。沈请于政府，尚得乘轿腰钑花否？政府云：降俸不降级，何为不可？沈遂仍服不疑。给事中唐尧钦，遂劾以抗违明旨，沈因得调。时皆憎唐之承望风旨。盖沈曾左祖吴、赵、江、李诸人，久忤揆地也。夫外省冒籍诚宜禁，若辇毂之下，则四海一家，且祖制，土著百名之外，中三十五名，其三十名胄监，而五名则流寓，及各衙门书算杂流。旧录历历可考，何冒之足云。况前一科会试，鼎甲一人，庶常二人，皆浙人也，何以置不问，而独严于乡试，株连波累至此耶？亡命巨奸，借通州籍，纳吏拜官者，充塞海内，孰从而正之耶？此后亦累有以冒籍受攻者，皆不能胜，而顺天评告诸生，或有反坐被褫者矣。独张元吉者，后改名，以岁贡得县令，晋知州。"

**徐复祚秋试不捷，太仓叶某指其贿买科场。**《花当阁丛谈》卷二《萧尉》云："孙（萧）腾凤解元举进士，万历甲申、乙酉间为吾郡同知，曾摄吾邑篆。"跋云："萧公署印在乙酉年。余应京兆试，有太仓叶棍乘机讦余贿买科场。屡问不能结。时五月也。事属萧公。公首问曰：试官为谁，今贿谁？棍噤不能对。事遂白。阖邑诵神明。"（《笔记小说大观》十六编，第二册）

**本年中式举人周继昌偶衷朱衣拜客，遭无锡人嘲谑。**《万历野获编》卷二十六《无锡谑语》："今上乙酉科，锡山周莲峰，以南书领解南畿。比抵家，偶衷朱衣拜客。其邑中下第少年浮薄者，恶语诮之曰：'周继昌，汝何故穿红衣裳？要学华鸿山无他的门墙，要学尤回溪无他的后场，要学吴震华无他的资囊，要学顾泾阳无他的文章。汝何故穿红衣裳？'一时传诵之。以上诸公皆无锡发解前辈。华学士名察，世登甲榜。尤吏部名瑛，策论表成峡，为时所式。吴给事名汝伦，富冠一邑。顾吏部名宪成，以时艺噪海内，又皆起家壁经，故同里合举以诮之。"

**本年中式举人拜谒嘉靖乙酉科举人许谷，即所谓"前乙酉举人见后乙酉"。**《客座赘语》卷十《前乙酉举人见后乙酉》："石城先生，年二十举嘉靖乙酉乡试，三十举乙未会试第一人，官吏部奉常少卿，止于尚宝卿致政。时年不满五十岁，居林下逾三十年，福禄寿考，子孙之盛，为留都冠。生平无霜露之恙，体中小极，但呕令家人治米粉丸，进二盏即瘥。万历乙酉，中式举人谒先生，时方矍铄，无老态。年八十余，予尝见先生道貌，碧眼、长头、白须飘然，真神仙中人也。"

## 十一月

**屠隆赴汪道昆白榆社之邀。**据屠隆《白榆集》卷十二《报汪伯玉司马》。白榆社创于万历十年，至万历十八年犹存，先后入社者有章嘉祯、周天球、徐桂、胡应麟、吴稼竳、吕胤昌等。据康熙《徽州府志》卷二，歙县有白榆山，因以名社。屠隆复以社名为文集名。

## 本年

李贽《复邓石阳书》或作于今年。书中有"年逼耳顺"之语。李贽今年59岁。

王世懋督学闽中，谢肇淛以第一补侯官弟子员。徐燉《中奉大夫广西左布政使武林谢公行状》："肇淛，字在杭，别号武林云。……万历乙酉，太仓王世懋来督闽学，品其文曰：'将来必为名士。'拔置第一，补侯官弟子员，入试。阅岁，吴江顾公大典试士，君仍首列，廪于学官。"

王世懋寄赠张凤翼《艺圃撷余》一部。《艺圃撷余》，王世懋（1536—1588）所撰诗话，一卷。世懋系世贞弟，于李梦阳、王世贞、李攀龙等人极为推重，以为真能追配古人；但不满于"格调派"末流之失，主张"今之作者，但须真才实学，本性求情，且莫理论格调"。对具体作诗方法亦有讨论。《四库全书总目》卷一九六集部诗文评类二著录《艺圃撷余》，提要云："是编杂论诗格，大旨宗其兄世贞之说，而成书在《艺苑卮言》之后，已稍觉摹古之流弊，故虽盛推何、李，而一则曰：我朝越宋继唐，正以豪杰数辈得使事三昧。第恐数十年后必有厌而扫除者，则其滥觞末弩为之也。一则曰：尝谓作诗初命一题，神情不属，便有一种供给应付之语。畏难怯思，即以充数。能破此一关，沉思忽至，种种真相见矣。一则曰：徐昌谷、高子业皆巧于用短。徐能以高韵胜，高能以深情胜。更千百年，李、何尚有兴废，二君必无绝响。皆能不为党同伐异之言。其论郑继之亦平允，未可与七子夸谈同类而观也。"

王世贞作《潘景升诗稿序》，谓潘景升诗"所未备者体，所小不竟者变"。序中有"子年今何许？曰：'三十矣。'"之语。潘之恒（1556—1621），字景升。

王世贞《觚不觚录》一卷或成于今年。《觚不觚录》专记明代典章制度，尤详于今昔沿革。《四库全书总目》子部小说家类二著录，提要曰："是书专记明代典章制度，于今昔沿革尤详。自序谓伤觚之不复旧觚。盖感一代风气之升降也。虽多纪世故，颇涉琐屑，而朝野轶闻，往往可资考据。若徐学谟《博物典汇》载高拱考察科道，被劾者二十七人，并载名氏，说者谓其谐于故事。而是书并详及诸人所以被劾之故，为学谟所不及载。于情事首尾，尤为完具。盖世贞弱冠入仕，晚成是书，阅历既深，见闻皆确，非他人之稗贩耳食者可比，故所叙录，有足备史家甄择者焉。"

朱孟震撰笔记《浣水续谈》。时孟震在四川按察使任，故以浣水为名。《四库全书总目》卷一二八子部杂家类存目五著录《浣水续谈》一卷，提要曰："明朱孟震撰。是编乃万历十三年孟震官四川按察使时所作，故以浣水为名。浣水者，浣花溪也。其书杂撮而成，往往不著时代，亦不著出典。如并州士族好为可笑诗赋一条，盖《颜氏家训》之原文，而孟震笔之于己书，俨如新事。然则所谓诮謷邢、魏诸公者，不几乎明代之邢、魏乎？惟松柏滩观音寺一条，考询遗老，绘画地图，核其坟塔名氏，师弟世系，知所谓雪庵和尚者在有无疑似之间，特为明确。"朱孟震字秉器，新淦人。隆庆戊辰进士。官至右副都御史，巡抚山西。另有《河上楮谈》三卷、《汾上续谈》一卷、《游宦余谈》一卷等。

伍让《万历衡州府志》成书。张三锡《医学六要》成书。据四库提要。

宁夏巡抚张九一以三月俸馈赠王世贞。张九一字助甫，王世贞所云"三甫"之一（余曰德字德甫，张佳胤字肖甫）。《弇州续稿》卷七有诗《张助甫中丞自夏州遣信问存，侑以三月俸，曰为米汁费，报谢一章》。据《明督抚年表》，张九一前年闰二月由山西右布政使改右佥都御史巡抚宁夏，明年二月为南科道纠拾调外。过庭训《张九一传》："张九一字助甫，新蔡人，嘉靖癸丑进士，授黄梅令，以治最擢吏部验封司主事。是时李于鳞、王元美、吴明卿诸君方结社谈艺，九一游处其间，睥睨一世。会元美父中丞公失分宜相欢，构下诏狱，九一数过存问，坐是出为南尚宝卿，再谪广平丞，寻迁湖广佥事，驻节岳阳。景王归葬，所过巨珰要挟以千万计，九一绐曰：'第行，后当自办。'延至蕲黄，将出境，维舟以待，九一故令数百人举火远噪，珰骇惧，以为盗也，夜解缆去。迁布政司参议，以忧归，于淇河之滨构绿波楼，积书万卷，讽诵其中。凡十年，起补凉州，升副使兵备甘州。适外王西牧，驻兵青海，谋且叵测，乃用奇计制外使北归，视陈户牖解白登□如出一辙。以功历都察院右佥都御史，巡抚宁夏。宁夏孤悬河外，与外为邻，军中数惊，乃斩贺兰山赤木口诸隘，修兴武营清水堡诸□，击刁斗自卫，外不敢犯。数受白金文绮之赉。会言者治江陵事讹误，坐调归。归而开大吕社，与群少谈诗，或呼朋啸侣，泛舟南塘，雄饮豪吟，轩轩霞举。盖吞云梦者八九。王元美以为吾党有三甫，公其一也。卒年六十有六，上遣藩臣谕祭。所著有《绿波楼集》、《朔方奏议》若干卷。子体震，领万历戊子乡荐，能以文学世其家。"传所云"三甫"，即余曰德字德甫、张佳胤字肖甫、张九一字助甫。按，王世贞数度因接受朋友馈赠而赋诗，如《弇州续稿》卷十四《贞吉（朱多炡）宗侯远致新诗古窑杯盎赋此致谢》、《戚都督（继光）以一壶双斝为寿走笔志谢》、《殷无美（都）余故人也，东归之后赘而强纳拜焉辄成以赠》，卷十七《渔阳塞中丞（达）走使惠饷谢之》、《李维桢使君自金华修讯且惠山资有赠》。

**海瑞任南京吏部侍郎。王弘诲任礼部侍郎。**据王世贞《弇山堂别集》。

## 公元 1586 年（神宗万历十四年　丙戌）

### 二月

**王世贞为戚继光诗文集《止止堂集》作序。**继光为一代良将，诗亦伉健近燕赵之音。序云："《止止堂集》者，少保左都督戚公元敬之所著也。集之部二：曰诗文，则《横槊》一编既之矣；曰著述，则《愚愚》一编既之矣。不佞获卒业焉，作而叹曰：'吾今而后，乃知文武之道也。'……元敬自束发而从军者逾三十年，南靖海，北备边，横草之功勒于五熟之釜，遂至师保，极人臣。三十年之间，未尝一日不被坚执锐，与士卒共命于矢石之下，何暇握管谈艺哉？以今睹其所著，存而彬彬者，师旅之什发扬蹈厉，燕闲之章清婉调畅，纪事之辞委曲摹写，誓师之语立发剽腑，然此犹其副墨耳。"《四库全书总目》集部别集类存目五著录戚继光《止止堂集》五卷，提要曰："《千顷堂书目》载继光《止止堂集》，无卷数。又《横槊稿》三卷，《愚愚稿》一卷。今此本《横槊稿》亦三卷，《愚愚稿》则多一卷，编首总题《止止堂集》。前有万历二年工部尚书郭朝宾序，而集中有万历庚辰纪年，在朝宾作序之后。盖又尝续有增益。知虞稷所见《愚愚稿》一卷，乃初刻之本，非著录之误也。继光有平倭功，当时推为良将。诗亦伉健近燕赵之音。而杂说中乃多及阴骘果报神怪之事，不免偏驳。考继光有登盘山绝顶七律一首，格律颇壮。今石刻尚存，而两集中皆不收。殆作于刻集之后钦?"

沈璟疏请立储，忤旨，由吏部验封司员外郎降行人司司正。姜士昌《明故光禄寺丞沈公伯英传》："丙戌春，上方以风霆求直言。户科给事中姜应麟，言恭妃诞育元子，独不得拜皇贵妃封，非制也；且言储事。奉旨降边方杂职，得山西广昌县典史。公与刑部主事孙如法各疏争之力。于是奉旨降行人司正，孙降广东潮阳县典史。吏部，雄司也，公所忧者国本至计，又谓言官不当以言被谴，不惜一官争之，盖一日名重天下矣。"去年秋，沈璟服除，起补验封司员外郎。今年正月，皇第三子生。二月，进其母郑氏为贵妃。中外谓帝将废长而立爱。给事中姜应麟请立元嗣为东宫，帝怒，谪应麟广昌典史。沈璟以请立储谪。大学士申时行率同列再请建储，不听。详见孟森《明史讲义》第二编第五章。

## 三月

唐文献等进士及第。《弇山堂别集》卷八十四："十四年丙戌，命礼部尚书文渊阁大学士王锡爵、掌詹事府吏部左侍郎兼翰林院侍读学士周子义充考试官，取中袁宗道（1560—1600）等。是岁以言官请，取三百五十人，著为令。廷试，赐唐文献、杨道宾、舒弘志及第。先是，内阁大臣申时行等拟袁宗道第二人，道宾第三人，而宗道卷属大学士许国读，音楚，上意不怿，置之二甲第一，而拔进呈最末卷弘志第三。弘志，巡抚广西右副都御史应龙子，年十九，策奇丽甚，而语多刺讥时政，且侵言官之横者，大臣惜而不敢显置之前，上忽拔之，中外惊异称服，以上神明且得人也。"同榜进士有丁元荐（1563—1628）、王嘉谟、沈瓒、袁黄、顾允成（1554—1607）、王一鸣（1563—？）、何乔远、陈于王、周如纶等。

袁宗道举会试第一，殿试二甲第一。选庶吉士。袁宗道与弟宏道、中道，世称公安三袁。《万历野获编》卷十六《癸未丙戌会元》："丙戌，王太仓主试，立意以简劲风世，故首袁公安。榜初出，人望不甚归。太仓公岸然不屑，急以试录魁卷寄辰玉。是年录文大半出王手笔，其父子最相知信，自谓此录冠绝前后，乃子必惊赏无疑。及报书至，更无他言，但云此录此卷行世之后，吾父勿复谈文可也。太仓得书大怒。次科戊子（1588）辰玉举京兆第一，其卷乃翁亦不甚惬意。及辛丑（1601）举第二，太仓公批卷云：此子久困场屋，作此以逢世眼，即此一念，便不可与入尧舜之道矣。文字一道，家庭间意见迥别若此，况朋友乎？……辰玉辛丑授官后，即奉差归里，日惟课子。每命一题，辄自作一首。乃孙晚谒大父，必问云：今日何题？乃父文云何？其孙出以呈览，辄云不佳。即呼纸走笔，不构一思，顷刻而成。今所刻《课孙草》是也。友人沈湛源应奎时为彼中广文，亲见，每为余言，叹服以为天人。然辰玉高才，正如大令之于右军，所谓外人那得知者。是父是子，断不可再得也。"王太仓，指王锡爵。其子王衡，字辰玉。袁公安，袁宗道，字伯修，公安人。袁宏道之兄。《明诗纪事》庚签卷五录袁宗道诗二首，陈田按："伯修深入禅理，兴趣萧远，诗特寄耳。其《同人读唐诗有感》云：'数卷陈言逐字新，眼前君是赏音人。家家椟玉谁知赝，处处描龙总忌真。再舍肉黬居易句，重捐金铸浪仙身。一从马粪《卮言》出，难洗诗家入骨尘。'意在翻王李窠曰，中郎、小修从而煽之，遂令天下靡然从风，亦伯修所不及料。"

**刘黄裳（1529—1595）今年始中进士。**李维桢《兵部郎中刘公墓志铭》："隆庆丁卯（1567），余从先大夫游梁，则闻光州刘嵩阳先生，宏览博物君子也。是年，先生仲子举于乡，先大夫美其父风。或云：恨不见伯子，殆难为弟矣。伯子者名黄裳，字玄子，人称为太景公者也。因急索公论著观之，奥衍弘深，震骇耳目。先大夫诟曰：'吾儿不堪作刘君衙官，乃亦同上公车耶？'明年（1568）余幸登第而公不偶。又二十年为丙戌（1586），公始与余季弟成进士。又三年（1586）为司寇尚书郎。余幸入芝兰之室，缔缟苧之交。又六年（1595）归，寻卒。"《池北偶谈》卷六："光州刘玄子黄裳，嵩阳先生绘之子也，好谈兵，倜傥负奇。嵩阳守重庆，铜梁大司马张襄宪公（佳胤）以童子见知，爱如己子，致署中，与玄子兄弟读书。时玄子十许岁，妒襄宪之才，夜与弟黄鼎潜往缢之，赖太夫人走救得免。后襄宪开府，玄子尚在公车，过襄宪公，酒酣耳热，辄谩骂，襄宪逊谢而已。玄子后以兵部郎参谋征倭军事。"李维桢（1547—1626）字本宁，京山人。隆庆戊辰进士，选庶吉士，授编修。官至南京礼部尚书。有《大泌山房集》。张佳胤（1527—1588）字肖甫，号居来，铜梁人。嘉靖庚戌（1550）进士，授户部主事。官至兵部尚书。谥襄敏。有《居来山房集》。

**丙戌在八股文演变史上被视为风会转移之关键。**梁章钜《制义丛话》卷五："盛集近王，中集近霸。王之道，正大和平，霸之道，幽深奇诡。隆、万中集也。然癸未以前，王之余气，己丑以后，霸之司权。盖自太仓先生主试，力求峭刻之文，石簣因之，遂变风气。是故丙戌者王霸升降之会也。丙戌鲜有名家，独钱季梁士鳌精实简贵，有承先启后之功焉。"

**丙戌以后，馆阁文章风气渐变。**《列朝诗集小传》丁集中《冯尚书琦》："隆、万之间，东阿于文定公博通端雅，表仪词垣，临朐于文定为年家子，继入史馆，声实相望。临朐早世，未及爱立。殁后五年，而东阿始大拜，一登政事堂，未遑秉笔，奄忽不起，人之云亡，君子于二公，有深恫焉。于有《谷城集》，冯有《北海集》，并行于世。当时士大夫入史馆者，服习旧学，犹以读书汲古为能事，学有根柢，词知典要，二公其卓然者也。丙戌己丑，馆选最盛，公安、南充、会稽，标新竖义，一扫烦芜之习，而风气则已变矣。自是厥后，词林之学，日就舛驳，修饰枝叶者，以肥皮厚肉相夸；剥换面目者，以牛鬼蛇神自喜。东里西涯，前辈台阁之体，于是乎澌灭殆尽，而气运亦滔滔不可复反矣。吾于近代馆阁之文，有名章彻者，皆抑置而不录，录于、冯两公集，为之三叹，聊引其端如此。"

**丙戌大廷对策，顾允成（1554—1607）指切时事不少讳。允成癸未（1583）举会试，今年始与廷试。**高攀龙《顾季时行状》："万历己卯（1579）举乡试，癸未举会试，丙戌大廷对策，指切时事不少讳。其略曰：'陛下所以策臣者，无虑数十百言，究其指归，赏罚二科而已。夫赏者劝天下之法，然有不倚于赏者，所以劝天下之意也；罚者惩天下之法，然有不倚于罚者，所以惩天下之意也。今赏罚之法甚具，然而德泽不究，法令不行，此无异故，则圣制言之矣，所以风厉之者非其本，督率之者非其实也。本也实也，即臣愚所谓意也。窃观当今之势，而根极其体要，所以累皇上之意者，大凡有二：明以好示天下而此二者恒阴移其所好，明以恶示天下而此二者恒阴移其所恶。二者何也？曰内宠之将盛也，曰群小之将逞也。夫人主崇高富有，无一不足以厌其欲，昏其志，而惟色为甚，圣王之所驱远也。昨者皇上以郑妃奉侍勤劳，特册封为皇贵妃，大小臣工不胜其私忧过计，因而请册立皇太子，因而请加封王恭妃，皇上不温旨报罢，则峻旨遣逐矣。夫皇太子国之本也，忠言嘉谟国之辅也，两者天下之公也。郑贵妃即奉侍勤劳，以视天下犹为皇上一己之私也。以私而掩公，以一己而掩天下，亦已偏矣。偏则皇贵妃或得以爱憎弄威福于内，其戚属或得以爱憎弄威福于外，阉人侍妾又或将乘其偏而得以爱憎弄威福于内外之间。若然，则赏罚云者，将不为皇上之好恶用，而为内宠之好恶用，欲其信且必，未可也。人主虽甚神圣，其聪明不足以遍天下，将必有所寄之。寄之得其人则安，不得其人则危，非细故也。迩年以来，皇上明习政务，听览若神，盖辨及左高，察及渊鱼，几于遍矣。窃闻之道路，往往二三群小伺察而得之，此可谓寄得其人耶？皇上非不知，不得其人而姑寄之者，其亦有不得已也。盖曰朕向以天下事付张居正，而居正罔上行私，一时公卿台省从风而靡，外廷之不足信明甚，故寄耳目于此辈，示天下莫能欺也。臣以为不然。善为治者以全而收其偏，不闻以偏而益其偏。皇上惩居正之专，散而公之于九卿可也，若聚而寄之于此辈，则居正之专尚与皇上为二，此辈之专且与皇上为一，救之难为力也，不更倍乎？且此辈之始用事，适皇上锐精求治之初，彼方见小信以自结，其所指陈类依公义，犹若未害。久则阳公而阴私矣，又久则纯出于私矣。若然，则赏罚云者，将不为皇上之好恶用，而为群小之好恶用，欲其信且必，未可也。德泽之壅，法令之尼，有由也。臣愚以为，欲效忠于皇上，当自今日始，欲效忠于今日，当自两者始。'时读卷官大理何心泉者，诮于众曰：'此生作何语耶？真堪锁榜矣。'大学士娄江王公取阅之，稍易置二百十三名。季时退自伤，以为不幸不达皇上，即达，死不恨矣。适南京都御史刚峰海公屡为房御史所诋，季时愤曰：'臣下皆自处于私，奈何望皇上无私也。'于是与彭公旦阳、诸公景阳合疏言之，数其欺安之罪凡七，且曰：……疏奏，得削籍归。"顾允成，字季时，别号泾凡。顾宪成之弟。

### 春

　　江盈科在京华书肆中购得屠隆《由拳集》。《由拳集》成书于万历八年（1580）。时屠隆方知青浦县，故以由拳为名。江盈科《雪涛阁集》卷十二《与屠赤水》："丙戌之春，旅食京华，从书肆中得购《由拳集》，归而就旅邸展读，津津乎有味其言哉！《东门堤》、《鲍叔祠》诸记，高古斩截，即与龙门氏并驱中原，未知鹿死谁手？诸尺牍多而千言，约而数语，如石家珊瑚，十尺固自连城，径寸亦自珍玩，无不令人解颐醉心也者。诗七言绝、七言古，娟秀美好，丰度嫣然，翩翩青莲之致；其他五七言律，大抵不事椎凿，天趣自流，方之古人，直是神情默合，与字袭句剿者不啻径庭。嗟嗟，此长卿先生所为独步一时，而不佞江生越数千里艳慕欣羡其人，思一得当无恨者也。"《四库全书总目》集部别集类存目六著录屠隆《由拳集》二十三卷，提要曰："是集凡赋一卷，古今体诗十卷，杂文十二卷。时隆方知青浦县，故以由拳为名。"

## 四月

**选袁宗道等十八人为庶吉士。**《弇山堂别集》卷八十四《科试考四》："四月，命内阁吏礼二部翰林院堂上官会选进士袁宗道、刘弘宝、王孟煦、吴应宾、薛三才、王图、萧云举、全天叙、王道正、李沂、彭烊、林祖述、黄汝良、赵标、林承芳、曾砺、胡克俭、刘为楫十八人为庶吉士，改礼部左侍郎兼侍读学士朱赓为吏部左侍郎、少詹事兼侍讲学士张位为礼部右侍郎兼侍读学士，俱如故教习。前是，言官请每岁考庶吉士，其选数与留数俱不必多，得旨如请，故止十八，盖少三之一也。"

**汪道昆访王世贞于太仓。**《弇州续稿》卷六二《东海游记》："岁丙戌之孟夏，汪司马伯玉挟其二仲，与客龙、徐两司理栖我弇中"。

## 五月

**魏允贞为冯惟讷《冯光禄诗集》作跋。**末署"万历丙戌仲夏廿日，门人魏允贞顿首谨跋"。另有于慎行序，作于十月。时于慎行在礼部侍郎任。

**汪道昆为吴琯校刊《唐诗纪》作序。**《唐诗纪》宗旨，略同于高棅《唐诗品汇》。序云："北海冯汝言既集历代诗纪，版之关中，坐踔远而购之难，且病校者疏而梓者拙也。吴琯自新都起拓什二，以张东秦偕吴俞策、歙谢陛、江都陆弼分校之，召吴工敦剞劂，既告藏事，莫不精良，则王元美序之矣。顾贞观而下未及也，誓将求全，属黄德水首事而溢亡，仅得十有六卷，琯手自为集，属二三子校刻如初，论其世以为差，悉如高棅所品，初则正始，盛则正宗，大家名家羽翼为中，接武以下为晚。于时李本宁、方子及为之序，是则《唐诗纪》云。"

**方沆为潘之恒《白榆社诗》作序。**白榆社由汪道昆主盟。序云："始不佞入周南，则丰干社程子虚、吴虎臣、汪仲淹、仲嘉、谢少廉后先过予谭诗，甚适也。最后潘景升至，出其所为诗，调雅驯而风气自上，譬如渥洼之驹，业已识其一息千里。比不佞谪居，再至周南，景升再出其所为诗，曰《兼葭馆草》，曰《白榆社草》，曰《东游草》，抑何其愈出而愈工耶！盖白榆社诗则汪司马为政，龙司理君善泪二三子执鞭弭以从，选胜挥毫，左提右挈，景升益以发舒其深沉之思，而取裁于情景之变，故即之若披绮绣，而叩之往往中宫商。无论二三子若不佞辟易下风，司马故时为景升击节称善也。乃王司寇序之曰：所未尽备者体，所小不竟者变。其大致在于充实而光辉、大而化之而已矣，又何以称焉。"

## 夏

**罗汝芳至南京讲学。**其讲学之语后由门人编为《会语续录》，杨起元加以评语，赵志皋为之付梓。杨起元作罗汝芳墓志铭云："麻城周柳塘（思久）公来访（罗汝芳）。同舟下南昌，游两浙，至留都。日与朱子廷益、焦子竑、李子登、陈子履祥、汤子显祖等谈学城西小寺。未几同志咸集，会凭虚阁，会兴善寺。门人集《会语续录》，赵濲阳公刻于太学。别后大会芜湖，大会水西，大会宁国。从祁门入饶州而还。"焦竑《澹园集》卷三《中宪大夫直隶大名府知府凤麓姚公墓表》："公以盛年谢事岩居，留意问学。往丙戌罗近溪先生至金陵，余与公诣之，先生论'明明德'之学，公曰：'德犹鉴也，匪翳弗昏，匪磨弗明。'先生笑曰：'明德无体，非喻所及。且公一人耳，为鉴为翳，复为磨者，可乎？'公闻之有省，自是浸浸悟入矣。一日过余，遭妄庸子以文成公为诟病，公愕曰：'何病？'曰：'恶其良知之说也。'公曰：'世以圣人为天授，不可学久矣。自"良知"之说出，乃知人人固有之。即庸夫小童，皆可反求以入道，此万世功也，子何病？'余绝叹，以为笃论。"文成公指王阳明。罗汝芳号近溪。《四库全书总目》卷一二四子部杂家类存目一著录《会语续录》二卷，提要曰："明罗汝芳撰。是编乃万历丙戌汝芳游南京时讲学之语。其门人杨起元加以评语，国子监祭酒赵志皋为之付梓。以先有《会语》，故名《续录》。前有自题，称与年友周君到白下，声闻大老，络绎往来。时周君以小恙先归，余未得去。时诸大老于兴善方丈，鸡鸣凭虚，久亦联有讲会，拉余偕往。乃哀成此帙，既而大司成灊阳赵老先生贻音促付梓氏。且云诸老先生意固均此云云。盖以夸讲席之盛。其开章第一条云：今日吾侪聚讲凭虚，是天下文明一大机会。大宗师诸僚友及诸俊彦不下千人，皆应期而集，以昌明昭代圣化。于道脉固当光显，即文字精英亦于此须发露妙义云云。其词气亦似禅僧登座语也。"罗汝芳字维德，南城人。嘉靖癸丑进士。官至布政司参政。《明史·儒林传》附见王畿传中。

## 八月

**梅鼎祚访汤显祖于南京，请序其《玉合记》传奇。时汤显祖在南京太常博士任。**《汤显祖诗文集》卷三十三《玉合记题词》云："余往春客宛陵……去今十年矣。八月，太常斋出，宛然梅生造焉……因出其所为《章台柳记》若干章示余。曰：人生若朝暮，聚散喧悲，常杂其半。奈何忘鼓缶之欢，阙遇旬之宴乎？予观其词，视予所为《霍小玉传》（指《紫箫记》），并其沉丽之思，减其秾长之累。且予曲中乃有讥托，为部长吏抑止不行。多半韩蕲王传中矣。梅生传事而止，足传于时。"《玉合记》取材于唐许尧佐《柳氏传》之章台柳故事，问世后备受时人瞩目。《顾曲杂言·填词名手》："梅禹金《玉合记》最为时所尚，然宾白尽用骈语，饾饤太繁，其曲半使故事及成语，正如设色骷髅、粉捏化生，欲博人宠爱，难矣！"徐复祚《曲论》："梅禹金，宣城人，作为《玉合记》，士林争购之，纸为之贵。曾寄余，余读之，不解也。传奇之体，要在使田畯红女闻之而趯然喜，悚然惧；若徒逞其博洽，使闻者不解为何语，何异对驴而弹琴乎？昔翟资政巽喜作才语，虽对使令亦然。有庖者艺颇精，翟每向同官称之。后稍懈，众以嘲翟，翟呼使数之曰：'汝以刀匕微能，数见称赏，而敢疏嫚若此，使众人以责膳夫之罪，还责汝主，于汝安乎？'左右皆匿笑，而庖者竟不解作何语。余谓：若歌《玉合》于筵前台畔，无论田畯红女，即学士大夫，能解作何语者几人哉！……文章且不可涩，况乐府出于优伶之口，入于当筵之耳，不遑使反，何暇思维，而可涩乎哉！滥觞于虚舟，决堤于禹金，至近日之《箜篌》而滔滔极矣。禹金旋亦自悔，作《长命缕》，自谓：'调归宫矣，韵谐意矣，意不必使老妪都解，而亦不必傲士大夫以所不知。'余尤以为未尽然也。《玉合记·榴花泣》第二阕内有句云：'离肠桄触断无些。'自音云：'桄，音橙。'不知所出，亦不能解。一日观山谷诗云：'莫若嚣号惊四邻，推床破面抶触人。'然后知桄当作'抶'，从手，不从木，音撑。抶触，见《涅盘经》，山谷用之诗，已自僻涩，禹金乃用之作曲。然则三藐、三菩提，尽曲料耶？此体最易惊俗眼，亦最坏曲体，必不可学。"《静志居诗话》卷十七："禹金周见洽闻，著书甚富，《诗乘》、《文纪》之外，旁及书记小说，兼精传奇，所填《韩君平玉合记》为词家所赏，有云：'风中絮，陌上尘，叹韶光，何曾恋人。'亡友王介人，极称之。"

　　**汪道昆、屠隆等会于西湖，为西泠社集。**屠隆《栖真馆集》卷十《西泠社集叙》云："丙戌八月望后，新都汪伯玉司马至自京口，不佞至自四明，四方贤豪不期而集者如云。而虎林人卓光禄澄父、徐司理茂吴者，盖其境内之名贤也……治酒征歌，大会诸公于湖上之净慈寺。"冯梦祯、王世贞未赴会而有诗。

## 九月

　　**冯大受刊行莫如忠（1509—1589）《中江先生文集》并作叙。**叙署"万历丙戌季秋日"。《中江先生文集》，另有茅坤、冯时可、唐文献诸序，未详作序年月。莫如忠生平，参 1589 年。

## 秋

　　**王世懋（1536—1588）所撰风土笔记《闽部疏》成书，王稚登作序。**世懋曾官福建提学副使，其书即取材于阅历见闻。序云："琅琊次公，以督学之暇，疏闽部成书一编，寄仆吴门曰：'往余不尝序足下《荆溪疏》乎？盖无言不酬，请受报于子。'……丙戌秋日王稚登序。"王世懋于甲申（1584）冬起福建提学。丙戌晋左参政分守兴泉。其秋改南京太常寺少卿。《四库全书总目》史部地理类存目六著录王世懋《闽部疏》（无卷数），提要曰："是书记闽中诸郡风土、岁时及山川、鸟兽、草木之属，亦地志之支流。盖世懋曾官福建提学副使，记其身所阅历者也。"

## 十一月

　　**许谷（1504—1586）卒。其诗格颇为爽俊，而失于芟择。**姜宝《前中顺大夫南太常少卿石城许公墓志铭》："万历十四年十一月十一日，前南太常少卿石城许公卒。……卒之年，距其生弘治某年月日，得寿八十有三。""公讳谷，字仲贻，石城其号也。先世闽之侯官人，洪武二十一年徙富户京师，遂占籍上元。……乙未（1535）上春官……果为南宫第一人，廷试二甲第几，授官得户部某司主事，管通仓。居三月，改礼部。丙申（1536）七月闻居士讣，奔还守制于家。己亥（1539）服阕，补吏部之考功。……历司封文选正郎，分考甲辰（1544）会试，任满升南京太常卿之少，大察，坐不及调外任。乙巳（1545）秋，补两浙盐运司运副。丁未（1547）转江西提学佥事。己酉（1549）升南尚宝卿。辛亥（1551）又以大察补论而致仕。……公挂冠来归，杜门谢事者三十有余年如一日，时引亲朋相契厚，岩居而川观，时奉太安人徜徉台榭间，率子姓称觞上寿。时又或著述吟哦自娱，中间惟太安人捐养三年，忧与丧居士同，余并游闲安适也。""所著有《省中稿》及《武林》、《外台》、《二台》、《归田》诸稿，已刻行。他文集未刻者若干卷，藏于家。"《四库全书总目》集部别集类存目四著录《省中稿》二卷、《二台稿》二卷、《归田稿》十卷，提要曰："《二台稿》、《归田稿》皆诗集，惟《省中稿》兼有杂文。……《千顷堂书目》载所作尚有《武林稿》一卷。此本不载，或装缉者偶佚欤？"《明诗纪事》戊签卷十九录许谷诗四首，陈田按："仲贻律尚华整，兹录其有清思者。"

## 十二月

**董斯张（1587—1628）生。（生年据公历标注）** 董樵等《逷周先生言行略》："先生晚病足，杜门著述，体清羸，自为《瘦居士传》行世。有《广博物志》、《静啸斋存草》、《吹景集》、《吴兴艺文补》诸书。辑《吴兴备志》未竟。崇祯戊辰八月廿四日卒。卒前一日，犹兀兀点笔也。先生生于万历丙戌十二月廿七日，年仅四十有三。"董斯张，字遷周，乌程人。故宗伯董份之孙。少负隽才，为同里吴允兆所许。与吴门王留颇多唱和。

## 本年

**汤显祖不满于王世贞以"汉史唐诗"号召文坛，身为王世懋下属而不与王世贞、王世懋往还。**《汤显祖诗文集》卷四十六《复费文孙》云："仆少于文章之道，颇亦耳剽前识，为时文字所廮。弱冠乃倖一举，闭户阅经史几遍，急未能有所就。倖成进士，不能绝去杂情，理成前绪。亦以既不获在著作之庭，小文不足为也。因遂拓落为诗歌酬接，或以自娱，亦无取世修名之意。故王元美、陈玉叔同仕南都，身为敬美（世懋）太常官属，不与往还。敬美唱为公宴诗，未能仰答，虽坐才短，亦以意不在是也。"据《神宗实录》，今年六月福建布政司左参政王世懋升任南京太常寺少卿，明年辞病归。王世贞于十二年二月升南京刑部侍郎。旋以病辞，在籍调理。十五年十月起为兵部侍郎，十七年六月升南京刑部尚书，十八年三月乞休。又汤显祖诗文集卷四十四《答王澹生》云："弟少年无识，尝与友人论文，以为汉宋文章，各极其趣者，非可易而学也。学宋文不成，不失类鹜；学汉文不成，不止不成虎也。因于敝乡帅膳郎舍论李献吉，于历城赵仪郎舍论李于鳞，于金坛邓孺孝馆中论元美，各标其文赋中用事出处，及增减汉史唐诗字面处，见此道神情声色已尽于昔人，今人更无可雄，妙者称能而已。然此其大致，未能深论文心之一二。而已有传于司寇公之座者。公微笑曰：随之。汤生标涂吾文，他日有涂汤生文者。弟闻之，怃然曰：王公达人，吾愧之矣。而当其时，门下与弟则有所谓心与而目成者。人谁无情，而忍不报施乎？客曰：吴士文而吾乡质。文常有余，质常不足。以不足交有余，辩给固不能相当，精微亦不能相敌。无所相益，有以相损。因自引避，不敢再谒尚书之门，一参公子之席，其风性然也。"澹生名士骐，王世贞长子。

王世贞作《重纪五子篇》。所纪后五子为余曰德、汪道昆、魏裳、张佳胤、张九一。胡应麟《少室山房集》卷十八《五君咏序》云："丙戌岁，王长公作《重纪五子篇》。"据此系年。《重纪五子篇》序云："余昔为《五子篇》，则济南李攀龙、吴兴徐中行、南海梁有誉、武昌吴国伦、广陵宗臣其人也。已而其友稍益，则为《后五子篇》：豫章余曰德、歙汪道昆、蒲圻魏裳、铜梁张佳胤、汝宁张九一其人也。盖三十年而同夔圃之观，去已半矣。今其存者位虽有显塞，而名业俱畅，志行无变。盖慢然欣然之感一时集焉。故为五章，以追志之。"《弇州续稿》卷三重纪者为汪司马道昆、吴参政国伦、余宪副曰德、张御史大夫佳胤、张中丞九一。

邹迪光撰《玄岳游稿》，王世贞作序。玄岳，即武当山。序云："余昔癸酉（1573）之夏，由京口抵武昌臬，以一青雀受江山之胜，颇寓之诗，且有纪行一序。又二载为乙亥（1575）春，叩郧襄节，用间涉玄岳，礼北门贵神，则有一赋四记，它古近体若而篇。余赋颇时时落人口，余蔑称也。窃意自有宇宙来，操觚之士，江行者当以亿计，陟玄岳者以万计，宁无有二三臭味之同，收之奚囊，以泄其奇而托不朽？乃远则独一宋陆太中务观，有《江行杂录》，则自武昌而上走江陵道，入峡而后止，其述视余更详。而玄岳之游，近则有汪司马伯玉、徐宗伯子言，然皆有记而无赋，是三君子之诗，余未能尽睹之，当亦称是。盖癸酉（1586）之去丙戌，改岁者十有三矣，而余之戚执邹学宪彦吉继焉。彦吉江行有记，玄岳有赋，又俱有诗，约略视余等。而其宏丽轶荡，备良史之规，兼风雅之致，非余所敢望也。"

杨束删补严光钓台诗文成《钓台集》二卷。《钓台集》之编，先后经五人之手，体例颇不画一。《四库全书总目》卷一九三集部总集类存目三著录《钓台集》二卷，提要曰："明杨束编。束，建安人。官桐庐知县。严光钓台诗文，弘治中严州府推官龚宏始辑录而未成，同知邝才乃续成十卷刊之。后新安程敏政为增补记文铭赞等六十余篇。至万历四年，知府陈文焕又属教谕刘伯潮重编。万历十四年，束复删补以成此本。始末凡经五人，故体例颇不画一。所载碑记等既不尽存其年月，所载诸诗亦不尽著其原题。且其目则列卷一至卷四，而其书止有上下二卷。是篇第尚不能厘正，无论其他矣。"

蔡汝贤《东夷图说》成书。据四库提要。

《焦氏笔乘》由李登刊行。《四库全书总目》卷一二八子部杂家类存目五著录焦竑《焦氏笔乘》八卷，提要曰："是书多考证旧闻，亦兼涉名理。然多勦袭说部，没其所出。……其讲学解经，尤喜引异说，参合附会。如以孔子所云空空及颜子之屡空为虚无寂灭之类。皆乖迕正经，有伤圣教。盖竑生平喜与李贽游，故耳濡目染，流弊至于如此也。"

陈继儒（1558—1639）年二十九，即取儒衣冠焚弃之，隐于小昆山。《列朝诗集小传》丁集下《陈徵士继儒》："继儒，字仲醇，华亭人。少为高才生，与董玄宰、王辰玉齐名。年未三十，取儒衣冠焚弃之，与徐生益孙，结隐于小昆山。"《明季北略》卷十五《陈继儒卒》："弱冠补诸生。年二十八（当作二十九），裂其冠，投呈郡长，有云：'住世出世，喧静各别；禄养色养，潜见则同。揣摩一世，直如对镜空花；收拾半生，皆作出山小草。'一郡惊其言。当事勉留，卒不听。退而躬奉菽水，结茅小昆山之阳，修竹白云，焚香宴坐，豁如也。"《明史》陈继儒传："陈继儒，字仲醇，松江华亭人。幼颖异，能文章，同郡徐阶特器重之。长为诸生，与董其昌齐名。太仓王锡爵招与子衡读书支硎山。王世贞亦雅重继儒，三吴名下士争欲得为师友。继儒通明高迈，年甫二十九，取儒衣冠焚弃之。隐居昆山之阳，构庙祀二陆，草堂数椽，焚香宴坐，意豁如也。时锡山顾宪成讲学东林，招之，谢弗往。亲亡，葬神山麓，遂筑室东佘山，杜门著述，有终焉之志。"《柳南随笔》卷三《陈眉公告衣巾》："陈眉公自少系籍学宫，年二十九即志在山林，欲弃儒服。其《告衣巾呈》云：'例请衣巾，以安愚分事：窃惟住世出世，喧寂各别；禄养志养，潜见则同。老亲年望七旬，能甘晚节；而某齿将三十，已厌尘氛。生序如流，功名何物？揣摩一世，真拈对镜之空花；收拾半生，肯作出山之小草。乃禀命于父母，敢告言于师尊，长笑鸡群，永抛蜗角，读书谈道，愿附古人。复命归根，请从今日。形骸既在，天地犹宽。偕我良朋，言迈初服。所虑雄心壮志，或有未堕之时，故于广众大庭，预绝进取之路。伏乞转申'云云。"

**潘之恒寓居南京，流连歌场，与诸名伶熟稔。**据潘之恒《鸾啸小品》卷二。

**宁国府同知李先芳（1511—1594）坐台抨回籍当在今年。**于慎行《明故奉直大夫尚宝司少卿北山先生李公墓志铭》：癸未（1583）左迁亳州同知。亳士故习惰慢，先生绳之以礼，师生滋不自安。又尝至广陵，坐淮阳别驾上，别驾恨之。适以公事至亳，师生为飞语入别驾。会先生擢宁国府同知，入贺过家，而江北使者犹用亳师生语，传成白简，先生因卧不出矣。……归而坐卧一阁，尽发藏书，日夜伏读，经史百家之言，钩玄抉精，毋不有所论著，而于有韵之文，自汉魏初唐，下及近代，握枢综要，如衡万宝而锱铢焉。雅精计然策，废著饶足，而不啬于用，时时为具飨客，抚竿捭瑟，二八迭侍，仰天呜呜，乐而相忘也。"邢侗《奉训大夫尚宝司少卿北山先生濮阳李公先芳行状》："会岁大计，因中诸螫者，左其籍，得亳州同知。先生自负迁人，一意断击无少避回。又州孙守即墨产，用井里故庄先生，以亳士属之。先生为立程课督，其援上居间辈滋不自安，遂讽校官刘某罗他事挤先生，复私淮安刘通判与谋，通判，即恚先生以州同据其上座者也。先生未几擢丞宁国，见谢朓青山而乐之，闻鹊镇钟声而泠泠然善也。至持絜令，不诡随人，视亳无异宁，二千石以下惮之。用前校官通判中伤，坐台抨竟回籍。"

**高攀龙（1562—1626）从顾宪成（1550—1612）讲学，以程朱为的。**吴中行《资德大夫正治上卿都察院左都御史赠太子少保兵部尚书谥忠宪高公神道碑铭》："先生讳攀龙，字存之，别号景逸……二十有五，从顾泾阳先生讲学，读《大学或问》，知入道之要莫如敬，遂以肃恭为主，持心方寸间。久之，悟所谓腔子者，觉心不专在方寸，浑身是心。盖志学时即以程朱为的矣。"

**穆希文《说原》成书。其体例在类书说部之间。**《四库全书总目》卷一二八子部杂家类存目五著录《说原》十六卷，提要曰："明穆希文撰。希文字纯文，嘉兴人。是编成于万历丙戌。分原天、原地、原人、原物、原道术五部。杂采事迹，间亦论断，其体例在类书说部之间。大抵剽剟之谈，非根柢之学。又不著其所出，更茫无依据。"

**沈懋孝降调两淮盐运判官，不赴。**《弇山堂别集》卷八十四《科试考四》："是岁，南京礼部给事朱维藩极论新升南京国子监司业沈懋孝前以翰林院修撰主壬午应天试时，得安福刘士理、丹阳贺学礼、上海王尚行、嘉兴包文熠用银各千余两取中乡试，及阿附故权臣王篆子之鼎俱滥中乡举。诏勒懋孝解官回籍，听候发落。而命各巡按御史遣官押解诸举人赴京复试，凡再阅月俱抵京，于午门前试三日，礼部尚书、侍郎、给事中、御史、锦衣卫堂上官督核。文成，内阁尚书会阅卷，士理等四名皆文理平通，准应会试，贺学礼发为民，学礼实房考教官所鬻也，懋孝降一级调外任，补两淮盐运判官，不赴。”

海瑞任南京都察院右都御史。吴时来任吏部右侍郎。姜宝任南京吏部右侍郎。赵志皋、赵用贤任南京国子监祭酒。据王世贞《弇山堂别集》。

万士和（1516—1586）卒。万士和出唐顺之之门，其诗亦为《击壤》一派。《玉堂丛语》卷五：“万公士和介然绝不为诡随，故尝忤分宜去皋，已又忤新郑去卿贰，已又忤江陵去卿。即华亭，称与公最契者，华亭请老，诸大臣各疏留，公独否。若公者，所谓贞而孤非耶？”《静志居诗话》卷十二《万士和》：“万士和，字思节，宜兴人。嘉靖辛丑进士，历官礼部左侍郎。卒，谥文恭。有《万文恭公摘稿》。履庵出荆川之门，诗派从其师指授。然《荆川集》中罕存酬和之作，故履庵有‘姓名不挂更何论’之句。及督学贵阳以后，诗另入一格。荆川乃许之曰：‘让汝出头。’盖荆川初入馆局，诗学初唐，晚年效邵尧夫，谓其天机自动，未免颓然自放矣。履庵虽宗《击壤》，而习染未深。观其黔南诸作，颇有似柳柳州者。《乌撒道中》云：‘地当高处峰随转，云到穷时路更赊。夏半火刀方布种，晚来牛马不归家。瘴烟寒锁蛮村树，岚雾晴迷客子槎。干羽未能驯鬼国，只贪关市中盐茶。’”《四库全书总目》集部别集类存目四著录万士和《履庵集》十二卷，提要曰：“是集凡诗词三卷，杂文九卷。其官江西、贵州、湖广、山东以至为宗伯时事迹，颇散见于其中。然过任自然，罕铸词之功。盖士和受业唐顺之，能不染七子雕绘之习。而殚心吏事，又未能竟其业也。”《明诗纪事》戊签卷二一录万士和诗四首，陈田按：“履庵督黔学，以爱士名。黔士苦贫，削竹为箸，屑木为香，绩丝为网，多自食其力，遇荒旱，则菽水不足。履庵仿晦翁社仓遗意，以赎金籴粟数十石积贮于官，视诸生贫乏之差，而多寡其数以散之，不责其息；丰年取其耗二十之一，凶岁则缓其期，士赖以济。又聘马心庵为诸生师。其《聘启》云：‘先生颜似冰壶，形如野鹤。弃荣名而修性命，脱凡近以游高明。寒潭见底，占断渔矶一湾，明月当空，坐破蒲团几个，遂觉江山有主，时将诗句传神。共扶名教，愿借高贤。暂出精庐，增光书院。’心庵为阳明再传门人，时称善教。履庵论诗云：‘乏探索之功，尚饾饤之体。摘章摘句，割截破碎。比如越罗蜀锦，寸寸而裂之，又寸寸而缝之，尚可以为衣乎？’盖为当时摹拟者发也。”

徐弘祖（1586—1641）生。陈函辉《徐霞客墓志铭》：“先生名弘祖，字振之，霞客其别号也。石斋师为更号霞逸，而薄海内外，以眉公所号之霞客行。……霞客生于万历丙戌，卒于崇祯己巳，年五十有六。”江阴人。有《徐霞客游记》。

谭元春（1586—1637）生。生平简介见下卷。

# 公元 1587 年（神宗万历十五年　丁亥）

二月

礼部尚书兼翰林院学士沈鲤等题奏"为士风随文体一坏恳乞圣明严禁约以正人心事"。《弇山堂别集》卷八十四《科试考四》："十六年，礼部参浙江提学佥事苏浚、江西提学副使沈九畴取优等卷怪诡，浚等各罚俸两月，诸生发充社。题'为士风随文体一坏恳乞圣明严禁约以正人心事：仪制清吏司案呈，照得近年以来，科场文字渐趋奇诡，而坊间所刻及各处士子之所肄习者，更益怪异不经，致误初学，转相视效，及今不为严禁，恐益灌渍人心，浸寻世道，其害甚于洪水，甚于异端。盖人惟一心，方其科举之时，既可用之以诡遇获禽，逮其机括已熟，服役在官，苟可得志，何所不为？是其所坏者不止文体一节，而亦于世道人心大有关系。相应提请申饬以遏狂澜等因。案呈到部，臣等所得，言者心之声，而文者言之华也。其心坦夷者，其文必平正曲（典）实，其心光明者，其文必通达爽畅，其不然者反是，是文章之有验于性术也如此。唐初尚靡丽，而士趋浮薄，宋初尚钩棘，而人习险谲，是文章之有关于世教也又如此。洪武三年诏颁取士条格，《五经》义限五百字以上，《四书》义限三百字以上，论亦如之。策限一千字以上，惟务直述，不尚文藻。仁宗朝俞廷辅奏准，科目取士，务求文辞典雅议论切实者进之。宪宗谕詹事黎淳曰：'出题刊文，务依经按传，文理纯正者为式。'故今乡会试进呈录，文必曰中式，则典雅切实文理纯正者，祖宗之式也。今士之为文，式乎不式乎？自臣等初习举业，见有用六经语者，其后以六经为滥套，而引用《左传》、《国语》矣，又数年以《左》、《国》为常谈，而引用《史记》、《汉书》矣，《史》、《汉》穷而用六子，六子穷而用百家，甚至取佛经道藏，摘其句法口语而用之。凿朴散淳，离经叛道，文章之流弊，至是极矣。乃文体则耻循矩矱，喜创新格，以清虚不实讲为妙，以艰涩不可读为工，用眼底不常见之字谓为博闻，道人间不必有之言谓为玄解。苟奇矣，理不必通，苟新矣，题不必合，断圣贤语脉以就己之铺叙，出自己意见以乱道之经常，及一一细与解明，则语语都无深识。白日青天之下，为杳冥魍魉之谈，此世间一怪异事也。夫出险僻奇怪之言，而谓其为正大光明之士，作玄虚浮蔓之语，而谓其为典雅笃实之人也，可乎？如谓人自人而言自言也，则以文取士者，独以其文而已乎？抑孟子之所谓'生于其心，害于其政'者，岂无稽之言乎？臣等不以文为重，而为世道人心计，心窃忧之。尝谓古今书籍有益于身心治道，如《四书》、《五经》、性理、司马光《通鉴》、真德秀《大学衍义》、丘浚《衍义补》、《大明律》、《会典》、《文献通考》诸书，已经颁行学宫及著在令甲，皆诸生所宜讲诵。其间寒素之士不能遍读者，臣等不能强，博雅之士涉猎群书者，臣等不敢禁，但使官师所训迪，提学所课试，乡会试所举进士，非是不得旁及焉。仍乞容臣等会同翰林院掌院官，将弘治、正德及嘉靖初年一二三场中式文字取其纯正典雅者，或百余篇，或十数篇，刊布学宫，以为准则，使官师所训迪，提学所课试，乡会试所举进者，非是不得滥取焉。除乡会试已经臣等题奉钦依，遇场屋揭晓后，各该提调官即将中式硃卷尽数解部，逐一参阅，有犯前项禁约者，随时指名参阅外，其各省直提学官，各持一方文衡，手所高下，人皆向风，转移士习，尤为紧切。如使胶庠之所作养者，皆务为险僻奇怪之文，而开科举士之时，欲合乎平正通达之式，臣等窃知其无是理也。乃往时止于科举年分稍一申饬，其各省直小考，则任其变化程式，置之不问，是谓浊以源而求其流之清也，不可得已。合无恭候命下，容臣等咨都察院行两直隶提学御史及各省巡按御史，转行各该提学宪臣，务仰体朝廷德意，相率以正文体、端士习、转移世道为己任，而不以厌常喜新标奇揽异取快于口耳声名为诸士倡始。平时训谕师生，惟将前项经书史籍随其所习，考核讲究，务令贯通，至于临场校阅，品题高下，则一以见今颁行文体为式。如复有前项险僻奇怪决裂绳尺，及于经义之中引用《庄》、《列》、《释》、《老》等书句语者，即使文采可观，亦不得甄录，且摘其甚者，痛加惩抑，以示法程。仍将考过所属府州县卫运司儒学生员，原取优卷前五名或三名以上者，岁终解部，科举年场屋毕解部，臣等逐一考验，不许另有誊改，如有故违明旨沿袭前弊坏乱文体者，定将提学官分别卷数多寡题请罚治，本生行提学道黜退除名。仍乞敕下吏部，今后考课，提调学校官员，一视其能正文体与否，以为殿最，其解部考卷，容臣等阅毕，咨送吏部，一体考验施行。伏乞圣裁等因。万历十五年二月初六日，本部尚书兼翰林院学士沈鲤等具题。'初九日奉圣旨：'是。近来文体轻浮险怪，大坏士习，依拟著各该提学官痛革前弊，仍将考取优卷送部稽查，如有故违的，你部里摘出，开送内阁，从重参治。科场后参阅硃墨卷，节年题有定例，今后也要著实举行，毋事空言，钦此。'"

吴自新为许谷（1504—1586）《归田稿》作序。序署"时万历丁亥仲春吉旦，同郡后学吴自新伯恒甫书"。

## 三月

**吏部稽勋司主事顾宪成以言事降三级，谪桂阳州判官。**《明史》卷二三一顾宪成传云："十五年大计京朝官，都御史辛自修掌计事。工部尚书何起鸣在拾遗中。自修坐是失执政意。给事中陈与郊承风旨，并论起鸣、自修，实以攻自修而庇起鸣，于是二人并罢，并责御史纠起鸣者四人。宪成不平，上疏，语侵执政，被旨切责，谪桂阳州判官。"执政指申时行、许国、王锡爵。申、王皆陈与郊座师。

## 夏

**谢友可作《刻公余胜览国色天香序》。**《国色天香》，明末通俗读物，吴敬所编纂。序云："今夫辞写幽思寄离情，毋论江湖散逸，需之笑谭；即缙绅家辄藉为悦耳目具。阙氏揭其本，悬诸五都之市，日不给应，用是作者咸臻云集，雕本可屈指计哉！养纯吴子恶其杂且乱，乃大搜词苑，得当意次列如左者，仅仅若干篇，盖甚寡也。彼见遗者，岂必皆蠹鱼，亡得当养纯者何哉？夫采珠者贵在明月，而群玑非宝耳；伐南山者贵在豫章，而尺箭非材耳。是集也，夫亦群玑、尺箭之不顾而有所未暇与！且也悟真者，间举一二示之，将神游牝牡骊黄之外，集固已饶之矣。匪悟真者，即累牍连篇，浩翰充栋，渠方却臭寻声，不能一一领略，虽多奚补！是以付之剞劂，名曰《国色天香》，盖珍之也。吾知悦耳目者，舍兹其奚辞！时万历丁亥夏九紫山人谢友可撰于万卷楼。"《国色天香》分上下两层，下层收《龙会兰池录》、《刘生觅莲记》、《寻芳雅集》、《双卿笔记》、《花神三妙传》、《天缘奇遇》与《钟情丽集》等七种中篇传奇小说，上层收文言小说多种，兼收诗话、琐记、笑林、书翰之类，抄撮旧文，多所删略。孙楷第《日本东京所见小说书目》卷六《明清部五》著录，提要曰："《（京台新锲公余胜览）国色天香》十卷，万历刊本。大型，绵纸。上层半叶十六行，行十四字，下层半叶十三行，行十六字。卷第下署'抚金养纯子吴敬所编辑。书林万卷楼周对峰绣锲'。首谢友可序。有'作者咸臻，养纯吴子乃大搜词苑'之语。后署'时万历丁亥（十五年）九紫山人谢友可撰于万卷楼'。与《万锦情林》、《燕居笔记》等为一类之书。此等读物，在明时盖极普通。诸体小说之外，间以书翰，诗话，琐记，笑林，用意在雅俗共赏。因在当时为通俗类书，不受重视，故今所存者至少。唯《国色天香》，则坊间翻刻本殊多，此内阁所庋，即是原本。初以为此书明本早已无存，今乃于日本睹之，亦异事矣。"

## 七月

陈奎为归有光《归先生文集》作序。序署"万历丁亥孟秋朔又四日，赐进士第、通议大夫、广东提刑按察司按察使、前奉敕整饬徐州兵备、巡视广东海道、总理海防、兼分巡岭东道、广东副使、山东参政、闽人陈奎谨撰"。

## 八月

焦竑请姚汝绍序其《焦氏类林》。序署"万历丁亥中秋，友人姚汝绍书"。《焦氏类林》另有李登《刻焦氏类林引》，署"万历丁亥冬孟"；王元贞序，署"万历丁亥岁孟冬日"。《四库全书总目》子部杂家类存目九著录焦竑《焦氏类林》八卷，提要曰："是编前有自序，谓'庚辰读书，有感葛稚川语，遇会心处辄以片纸记之。残稿委于篋笥，李君士龙见之，乃手自整理，取《世说》篇目括之。其不尽者括以他目，譬之沟中之断文以青黄，则士龙之为也。'士龙为上元李登字。然则竑特偶为标出，而成此书者则登也。凡分五十有九类，皆非奇秘之文。"

十八日，卓发之（1587—1638）生。其生卒年据潘承玉《〈全清词·顺康卷〉指瑕》所引《卓氏遗书》卷二《家传》。卓发之，字左车，号莲旬。本浙江瑞安人，寄籍仁和。卓人月之父。崇祯六年以乡荐为副贡。有《漉篱集》等。

## 九月

何白请王士性序其《汲古堂集》。何白系明代布衣诗人。其诗以七古见长。王序云："山人以丁亥岁九日过予于溪头问序焉。王生则为序曰：古称诗理性情，谓缘殖其灵根，而色声香味所自流也，故韵生于格，格定于品，乃晚近世所称山人之什，予得而言其概矣。初未能以子大夫取显融，而无以游扬于公卿间，则山人。搦三寸管为糜雒而阴取偿其直，阳浮慕为名高也，则山人。甚者以揣摩捭阖之术糊其口，而无以自试，不托迹于章缝则不售也，则亦山人。故晚近所称山人者，多大贾之余也。语称'大隐则朝市，小隐则山林'。今山人不山居，而借朝市以藉口焉，朝鬼冠而博绅，暮习呫吾以备顾问，取人已吐之核，而饬以为己能，此何为者也？明兴，谢榛、卢柟之后为盛，栴犹悲歌骹髅以没，榛绝交于历下，耻矣，即有一二自颖脱者，然其格终卑卑不振，品固然也。予起搢绅，阅海内士，惟松陵王叔承称神交，能自成一家言；永嘉何白最后起，其才情不减王生，少年厌举子业不事，而一意为古诗歌，非不能以一第显也。故此二山人者，乃世之介士也，莅其地者以客卿卿之，二山人以布衣据上坐祭酒，弗让也，张口哦诗外，一无所事事以自滋润。故其作总归之尔雅，谓性情之道不藉之二山人以起耶？故受诗于山人者，当自其品始。何君谢不敏；予曰：人情靡不有初，能使海内诵君诗者，终不疑于予言，则予与君俱厚幸也。君倘负笈游吴中，遇王生于虎丘洞庭之侧，其亦以予言语之。"据光绪《永嘉县志》，何白（1548—1628），字无咎，永嘉（温州）人。隐居梅屿山。崇祯初以老寿终。有《汲古堂集》。《汲古堂集》另有陈继儒、李维桢二序，未详作序年月。约在万历四十四年（1616），何白曾寄赠许学夷《汲古堂集》一套。许学夷《诗源辩体》后集纂要卷二评曰："何无咎（名白）寄予《汲古堂集》，时年六十有九。云'十五年前因拙草散逸过多，遂尔灾木'，盖五十五已前作也。李本宁序谓'兼吴人王承父、叶茂长、曹子念、方仲美、俞羡长五子所长'，信然。然析而论之：古、律则古为胜；古则七言为胜；五、七言古中多元和、宋人体，殊不为工。""无咎五言古入录者，汉、魏以下与灵运为胜，惟唐古为劣。但平韵者上句第五字多用仄，即沈休文'上尾'之说；仄韵者上句第五字多用平，出于萨天锡诸公。用修熟于齐、梁，故有此病，无咎不宜踵此。""无咎七言歌行，才情小让长卿，而完善多。予尝评其歌行在献吉之下、季迪之上，然皆极意驰骋。其所以不及献吉者，正在驰骋也。但仄韵上句第七字多用平，自是大病。""无咎五言律入录者，气格不薄，如'飞鸟动晓光'，'盈盈曲房下'，'春风动帘额'，虽出齐、梁，而纯美胜之。其他多初唐句，盖其气淳厚，出语自类，非有意为之也。七言律入录者，气格亦类初、盛，但化机不足耳。"《明文授读》卷二十引黄宗羲语："何白，字无咎，温州人。其《汲古堂集》，文甚灵秀，山人中绝少。"《静志居诗话》卷十八："《汲古堂集》原亦出于七子，颇与俞羡长根近。"《明诗纪事》庚签卷六录何白诗三首。

## 十月

**十一日，王襞**（1511—1587）**卒**。焦竑《澹园集》卷三十一《王东崖先生墓志铭》："先生讳璧（襞），字宗顺，学者称东崖先生。上世家姑苏，讳伯寿者徙泰州安丰场家焉。五传曰国祥，曰仲云，曰文贵，曰公美，曰纪芳。纪芳生艮，字汝止，号心斋，先生父也。""先生没于万历丁亥十月十有一日，……距生正德辛巳十一月二十六日，年七十有七。""阳明卒于师，心斋始授徒淮南，先生相之，覃思悠然，讲论铿然，不啻阳明之存也。心斋殁，先生望日隆，四方聘以主教者沓至。罗近溪守宛则迎之，蔡春台守苏则迎之，李文定迎之兴化，宋中丞迎之吉安，李计部迎之真州，董郡丞迎之建宁，余殆难悉数。归则随村落小大，扁舟往来，歌声与林樾相激发，闻者以为舞雩咏归之风复出，至是风教彬彬盈宇内矣。""正德辛巳"或为"正德辛未"之误，盖"辛未"为1511年，正合"年七十有七"之寿。

**十四日，海瑞**（1514—1587）**卒**。梁云龙《海忠介公行状》：公"以丁亥冬之十月有四日，卒于留都。……公生于正德八年癸酉（一作甲戌），享年七十有四。"《四库全书总目》著录海瑞《元祐党人碑考》一卷、《备忘集》十卷。《备忘集》提要曰："按《明史·艺文志》载《海瑞文集》七卷。国朝广东盐运使故城贾棠与邱浚集合刊者，止六卷。是编载瑞所行条式、申参之文，较为全备，乃康熙中瑞六代孙廷芳重编。原跋云，共一十二卷，分为十册。今考此本册数与跋相合。然每册止一卷，实止十卷。较原跋尚缺二卷，未喻其故也。瑞生平学问，以刚为主，故自号刚峰。其入都会试时，即上平黎疏。为户部主事时，上治安疏。戆直无隐，触世宗怒，下诏狱。然世宗复阅其疏，亦感动太息，至拟之于比干。后巡抚应天，锐意兴革，裁抑豪强，惟以利民除害为事。而矫枉过直，或不免一偏。如集中《毕战问井地论》，力以井田为可行。谓天下治安，必由于此。盖但睹明代隐匿兼并之弊，激为此说，而不自知其不可通。然其孤忠介节，实人所难能。故平日虽不以文名，而所作劲气直达，侃侃而谈，有凛然不可犯之概。当嘉、隆间士风颓茶之际，切墨引绳，振顽醒聩，诚亦救时之药石。涤秽解结，非大黄芒硝不能取效，未可以其峻利疑也。"

屠隆作客宣城，为梅鼎祚传奇《玉合记》作序。据徐朔方《晚明曲家年谱》。

王世贞起南京兵部右侍郎，未赴。请致仕，不允。明年二月赴任。据徐朔方《晚明曲家年谱》。《明史》王世贞传："久之，所善王锡爵秉政，起南京兵部右侍郎。"

## 十二月

戚继光（1528—1588）卒。（卒年据公历标注）据《戚少保年谱耆编》。《列朝诗集小传》丁集中："继光，字元敬，登州人。世袭登州卫千户，以参将备倭浙东，练处绍义乌兵制鸳鸯阵，大破倭于台州，以副总兵镇福建，大破倭于平海卫，复兴化、鏖同安、歼漳浦，闽寇悉平，以都督同知，召理戎政，出为蓟镇总兵，筑墙堡，立车营，增募南兵，东西虏不敢入犯。江陵当国，遣右司马行边，大阅蓟门，上功状，进左都督，加秩少保。江陵殁，人言波及，移镇南粤，逾二年，得请还登州，卒于家。万历末，赐谥武毅。少保少折节为儒，通晓经术，军中篝灯读书，每至夜分。戎事少闲，登山临海，缓带赋诗。罢镇归，过吴门，角巾布袍，偕二三文士，携手徒步，人莫知为故将军也。王夫人悍而无子，养子于别室，长子殇，夫人括其所畜，挈而归诸王氏。少保病至不能庀医药，顾颔而卒。结发从戎，间关百战，绥靖闽浙，功在东南。掌京营日，建议更制练兵，长驱出塞，踵文皇三犁之绩，收百世挞伐之利。出镇之后，当事者掣其肘，不得行。在蓟修筑之功甫就，中道龃龉，卒以罪废。生平方略，欲自见于西北者，十未展其一二，故其诗多感激用壮、抑塞偾张之词。君子读而悲其志焉。少保诗文，有《止止堂集》，其在浙则有《纪效新书》，在蓟则有《练兵实纪》，兵家奉为金科玉条，可以垂之百世者也。连江陈第者，少保之部将也，少保既殁，扼腕疆事，作《塞外烧荒行》，其序曰：'蓟自嘉靖庚戌（1550），虏大举入犯，至隆庆丁卯（1567），一十八年，岁苦蹂躏，总兵凡十五易。自隆庆戊辰（1568），南塘戚公实来镇蓟，时总督者二华谭公也。至万历壬午，一十五年，胡尘不耸，民享生全极矣。乃论戚者，谓不宜于北，竟徙岭南。嗟夫！宜与不宜，岂难辨哉！作《烧荒行》以寄於恒。'诗多不具载。呜呼！江陵柄国，谭戚在边，边防修举，北虏帖服，此何时也？江陵殁，谭、戚败，边防隳废，日甚一日，而国势亦从之鱼烂瓦解，驯致今日，继江陵而为政者，岂能不任其责乎？第诗有云：'谭今已死戚复南，边境危疑虑叵测。论者不引今昔观，纷纷搜摘臣滋惑。'第徒忾叹于搜摘之多口，而未及循本于政地，殆亦知之而不敢也。呜呼悕矣！"《明诗纪事》已签卷十八录戚继光诗三首，陈田按："少保坐镇蓟门，边陲晏然者十六年。虽训练有方，而辅臣倚任拥护之力为多。讫江陵既殁，当国者用给事中张鼎思言，谓不宜于北，遽改广东，悒悒不得志以卒，而长城坐坏矣。部将连江陈第《送戚都护归田》诗云：'辕门遗爱满幽燕，不见胡尘十六年。谁把旌麾移岭表，黄童白叟哭天边。'"

## 本年

礼部取中式文字一百余篇，奏请刊布，以为准则。时举业文字方崇尚新奇。《明史·选举一》："诸生应试之文，通谓之举业。《四书》义一道，二百字以上。经义一道，三百字以上。取书旨明晰而已，不尚华采也。其后标新领异，益漓厥初。万历十五年，礼部言：唐文初尚靡丽而士趋浮薄，宋文初尚钩棘而人尚阴诡。国初举业有用六经语者，其后引《左传》、《国语》矣，又引《史记》、《汉书》矣。《史记》穷而用六子，六子穷而用百家，甚至佛经、道藏摘而用之，流弊安穷。弘治、正德、嘉靖初年，中式文字纯正典雅。宜选其尤者，刊布学宫，俾知趋向。因取中式文字一百十余篇，奏请刊布，以为准则。时方崇尚新奇，厌薄先民矩矱，以士子所好为趋，不遵上指也。启、祯之间，文体益变，以出入经史百氏为高，而恣轶者亦多矣。虽数申诡异险僻之禁，势重难返，卒不能从。论者以明举业文字比唐人之诗，国初比初唐，成、弘、正、嘉比盛唐，隆、万比中唐，启、祯比晚唐云。"

汤显祖传奇《紫钗记》或作于今年。《紫钗记》系《紫箫记》重写本。据徐朔方《晚明曲家年谱》。帅机《紫钗记题词》："此案头之书，非台上之曲也。"袁宏道《评〈玉茗堂传奇〉》："词家最忌弋阳诸本，俗所谓过江曲子是也。《紫钗》虽有文采，其骨格却染过江曲子风味，此临川不生吴中之故耳。"《远山堂曲品·艳品》："(《紫箫》)工藻鲜美，不让《三都》、《两京》。写儿女幽欢，刻入骨髓。字字有轻红嫩绿。阅之不动情者，必世间痴男子。先生称禹金《玉合》，并其沉丽之思，减其秾长之累。然则此曲有曼衍处，先生亦自知之矣。向传先生作酒、色、财、气四剧，有所讥刺。是非顿起，作此以掩之。又为部长吏抑止，仅成半帙而罢。然已得四十三出。十郎塞上初归，会于牛女之夕，亦可作结体。正不忍见小玉憔悴一段耳。愿知音者亟附红牙。(《紫钗》)先生手笔超异。即元人后尘，亦不屑步。会景切事之词，往往悠然独至。然传情处太觉刻露，终是文字脱落不尽耳。故题之以艳字。"沈际飞《题〈紫钗记〉》："《紫钗》之能，在笔不在舌，在实不在虚，在浑成不在变化。以笔为舌，以实为虚，以浑成为变化，非临川之不欲与于斯也，而《紫钗》则否。小玉愚，李郎怯，薛家姬勤，黄衫人敢，卢太尉莽，崔、韦二子忠，笔笔实，笔笔浑成，难言其乖于大雅也。惟咏物评花，伤景誉色，秾缛曼衍，皆《花间》、《兰畹》之余，碧箫红牙之拍。自古阅今，不必痴于小玉，才于李郎，婉于薛姬，而皆可有其端委，有其托喻。此《紫钗记》所以止有笔有实有浑成耳也。临川自题曰：'案头之书，非台上之曲。'案头书与台上曲果二（以下缺半页）。"臧懋循《元曲选序》："汤义仍《紫钗》四记，中间北曲，骎骎乎涉其藩矣，独音韵少谐，不无铁绰板唱大江东去之病，南曲绝无才情，若出两手，何也。"又《紫钗记》总批："自吴中张伯起《红拂记》等作，只用三十折，优人皆喜为之，遂日趋日短，有至二十余折者矣。况中间情节，非迫促而乏悠长之思，即牵率而多迂缓之事，殊可厌人。予故取玉茗堂本细加删订，在竭俳优之力，以悦当筵之耳。"梁廷枏《曲话》卷三："《紫钗记》最得手处，在观灯时即出黄衫客。下文《剑合》自不觉唐突。而中《借马》折避却不出，便有草蛇灰线之妙。稍可讥者，有《门楣絮别》矣，接下《折柳阳关》，便多重叠，且堕恶套。而《款檄》折两使臣皆不上场，亦属草率。"《紫钗记》取材于唐人蒋防《霍小玉传》。系《紫箫记》重写本。为"临川四梦"（或"玉茗堂四梦"）之一。

**黄洪宪为曾维纶《来复堂集》作序。**曾维纶学出姚江，喜谈理学，亦喜作理学诗。《四库全书总目》卷一七九集部别集类存目六著录《来复堂集》二十五卷，提要曰："明曾维纶撰。维纶字惇吾，江西乐安人。万历庚辰进士。官至嘉兴府同知。是集前有万历丁亥黄洪宪序，称维纶出诗古文一编，则是集原本为所自定。然未及授梓，岁久渐佚。乾隆壬戌，其六世孙廷乃裒辑佚稿刊版，即此本也。维纶学出姚江，与焦竑、李材、罗汝芳等共阐良知之旨。故文集十九卷，以理学见解三卷为冠；诗集六卷，以理学诗六十一首为冠云。"

**张献翼请王世贞作生志，自以为旷达。时张 54 岁。**徐复祚《花当阁丛谈》卷四《三张》载："（献翼）晚节益吊诡自放。榜其门曰：仙人容易见，逸士最难寻。邵直指梅墩（名升）行部至，赠以一匾。后以攘曲水园故，几至追夺。浼某某居间免。未六十，介弇州作生志，自以为旷达。冠赤色帻，服方袖袍，腰有大经。复取门联'仙人'二语书两垂带，而题其后经曰宽博。家有苍头曰阿玩，年四十余矣。虬髯蝟磔，忽令改装，岐其髻而曲盘之，作两丫。出则令持一锸随后，学伯伦死便埋我。又一老丑妇年六十余，亦以自随，谒客投刺则用之。语人曰：此吾家媪童也。或时凭其肩，或挽其颈，连袂蹋歌于五父之衢。故每出则观者如堵，亦有随其所至而踔之者。拍手笑噱，填街塞巷，了无怍色。尝作一面具，狰狞若鬼。客有谒之者，语稍不当意，寒暄未竟，辄入内，着面具，手两木斧，跳舞而出，取胡床对客坐。须臾脱去，复与理前说，笑谈自若。又不当意，复起入内，如前装出，俟其去乃已。里有医张濂水、马天池（名应龙），亦玩世不恭士也，与幼于竞为迂诞。一日，幼于造张，携牲醴庶羞而往。张曰：乌用此为？幼于曰：奠若耳。与其死而奠若，吾与若俱不知为何人，不如生而奠若，犹得具宾主也。于是延张南向坐，而己北向立，拈香拜起毕，奠酒三，读祭文，号哭我老友三，涕泗被面，又拜起，焚帛毕，大声挽歌《薤露》而出。主宾不交一言。明日，张奠幼于亦如之。张又作一棺，置书室中。夜则卧其内。语家人曰：瞑则加以灰钉。马尤诞妄。一日，巾衫仆从肩舆，赴病者之请。比归至中途，见有群丐方聚元（玄）妙观山门饮。马遽下舆，攫其食食之，掇其酒饮之。群丐以马相公也，欲起避。马曰：勿败吾兴。挽留之。拇拳欢呼。从者曰：相公不雅。马曰：有是乎？

乃脱去巾衫，曼声长引。看核既尽，始散去。观者千万人，恬不为怪。幼于后竟不良死。"

顾大典谪禹州知州，自免归，筑谐赏园以自适。妙解音律，自按红牙度曲。《列朝诗集小传》丁集中："大典，字道行，吴江人。隆庆戊辰进士，授会稽教谕，迁处州推官，当内迁，乞为南稽勋郎中，佥事山东，以副使提学福建，坐吏议罢归。家有谐赏园、清音阁，亭池佳胜。妙解音律，自按红牙度曲，今松陵多畜声伎，其遗风也。"康熙《吴江县志》三五《顾大典》："字道行。祖昺，字仲光，正德丁丑进士，授将乐知县，入为刑部主事。时朝廷议大礼，昺持论与杨（张）孚敬不合，疏上，夺俸归。后官至汝宁知府。大典少孤，依母家周氏读书，过目成诵，善古文词。隆庆丁卯举人，戊辰进士。年未及壮，丰神秀美，望之若仙。授绍兴府教授，迁处州府推官。万历二年，擢刑部主事，改南京兵部。久之，转吏部郎。在金陵，暇即呼同曹郎，载酒游赏吟咏。工书，善绘事，遇佳山水辄图之。或晨夕忘返，而曹事亦无废。十二年，升山东按察副使，改福建提学副使，请托一无所徇，忌者追论其为郎时放于诗酒，遂自免归。再起开州，不就。家有谐赏园、清音阁，池台清旷，宾从觞咏不辍。又妙解音律，颇畜歌妓，自为度曲，不入公府，曰：'吾性本疏懒，非恶见贵人也。'归后七八年卒。所著有《清音阁集》、《海岱吟》、《闽游草》、《园居稿》行世。"

周梦旸《水部备考》成书。王三极《性理备要》成书。据四库提要。

丁亥京察，翰林院编修冯梦祯（1548—1605）以浮躁谪官。李维桢《冯祭酒传》："三年还朝，除编修。明年（1583）分校礼闱，得二十有四人，率名士。而有父丧，哀几毁：奈何以一官失一日养？持其所选《得士录》荐之几筵，惟此差不负君亲耳。以是蔬素奉西方之教，自号真实居士。闲居研讲，希心理味，每举麈尾，清言如屑，老宿结舌注甲。盖公为史官仅逾年，而修隙者目为浮躁，中以考功令，众骇然莫知所坐，公顾自谢：'此两言极中吾所受病，请事斯语以终身。'客从北来，云公分校时，当路私有所属，不从故及。公艴然：'官家惟科举一端为最公，某虽不敏，何敢首为乱阶？即以此得谪，荣于九迁矣。'"钱谦益《南京国子监祭酒冯公墓志铭》："三年赴阙，除翰林院编修。癸未（1583）分考会试，丁父忧。又四年丁亥京察，以浮躁谪官。公在史馆，人或戒之曰：'翰林官婉娈靓闲，如好弱女子，眉下颐，尻高于顶，至公卿如传遽耳。'公曰：'我则不能，如赤脚婢，弓足蹒跚，行数步便思解去。亦欲耐事，口噤生瘿，肺腑槎牙，迸出齿颊，我亦无如也。'江陵（张居正）殁，执政精求史馆中觚角峷出，能龁牙异同者，及其未翼也而翦之。公坐是谪，终以不振。公庶常假归，师事盱江罗近溪，讲性命之学。居丧蔬素，专精竺坟，参求生死大事。紫柏可公以宗乘唱于东南，奉手抠衣，称幅巾弟子，钳锤评唱，不舍昼夜。里居十年，蒲团接席，漉囊倚户，如道人老衲。流连山水，品香斗茗，如游闲退士。四方学者日进身执经卷，朱黄甲乙，如《兔园》老塾师。萧闲淡漠，身心安隐，超然无意于荣进矣。"冯梦祯寓书屠隆，约中秋西湖之会，不果。

吴时来任左都御史。徐显卿任礼部右侍郎。据王世贞《弇山堂别集》。

李贽在黄安，与耿定向之间多有论争。其辩论之语即为《焚书》主体。袁中道《珂雪斋近集·李温陵传》："公素不爱著书。初与耿公辩论之语，多为掌记者所录，遂哀之为《焚书》。"

**阮大铖**（1587—1646）生。**范景文**（1587—1644）生。生平简介见下卷。

## 公元1588年（神宗万历十六年　戊子）

### 二月

**冯梦祯作《题门人稿》。**《门人稿》收其门生李日华、戴灏等人之作。题序云："真实居士之门人曰李日华者，奇才也，从游五年矣。其文每变每奇，近则粹然一出于正，所谓望之似木鸡者，德全而神藏矣，不可识矣。其次曰戴灏，其人短小若不胜衣，而其文则奔流悬瀑，不可挽截，未识面者，岂不谓魁梧奇伟人哉！然蹇于遇，犹难一青衿也。余士楚楚，只羽片鳞，往往不乏。今岁复得三衢诸生六七辈，俱异品也。乃括其文若干首，题曰《冯开之门人稿》，以附《听雨草》之后。盖余不欲掩诸生之美，而非诸生自暴。于是乎书。戊子二月晦夜，真实居士题。"（《快雪堂集》卷三）真实居士，冯梦祯自号。

### 四月

**茅坤作《刻玉芝山房稿引》。**玉芝山房系茅坤读书处，因以名集。引云："玉芝山房者，予以万历壬午（1582）移家练溪所卜筑读书处，且芝秀于其庭，而因以名之者也。嘉靖年间，长儿积尝刻《白华楼藏稿》若干卷，属大中丞王敬所公序之矣。后二十年，仲儿缙举进士，以行役来归，复倒故箧，得《续稿》若干卷，已而又得《吟稿》若干卷，惧渐或散失，并序而刻之。甲申（1584）以来四五年间，又时时不能尽谢客所请，或及移书而过者，亦时稍稍随手报复，且老而从客饮辄醉，醉则狂歌不自持，起而濡墨以题，投之废篓中。近发之，又共得诗文若干卷。贡儿复请刻之。予笑顾谓曰：文不能本之道，以求六籍者之至，而诗非古所称言志，大较特于杯酒间，宴酬淋漓，相为色泽，譬之虫鸟之鸣春与秋焉而已耳，恶用是覆瓿为也？曩已误矣，其可再乎？或曰：古人以著簪敝屣不忍遗，姑听其刻而副之家乘，以遗子若孙者之览睹云。时万历戊子夏四月朔日，鹿门山人茅坤书。"

### 六月

**礼部复礼科都给事中苗朝阳疏，论科场事宜。**《弇山堂别集》卷八十四《科试考四》："（十六年）六月内，礼部复礼科都给事中苗朝阳疏：'查得各省直同考，先该南京礼部尚书姜宝议欲尽用有司，已经本部题奉钦依酌量兼用。今该科犹恐试卷数多，各经同考仅有数员，穷日校阅，易得潦草，欲以本省甲科有司，选其学行俱优者，《易》、《书》各增二员，《春秋》、《礼记》各增一员，使得从容校阅，相应依议。但计各省应试人数多寡不等，又或偶有一经，于彼独多，于此独少，亦难局定员数，惟应总计场中五经试卷，酌量增添增取，其适用而止。如或偏远省分，偶乏科甲有司，即于乡试中出身者一体选用，但不可逐次增加，启滥觞之端。阅卷完日，主考二员即将各房落卷尽数取出，会同各经房考互相搜检，拔其所遗，呈之主考，当面裁定。定已毕，通将取中试卷，均分各经房考加以印记，互相评品。先是，同考官员虽有去取，止用浮帖开具批语，不可直书卷上，令人先有成心也。前次题差，京考之时，亦令酌量道理远近，稍加余日，以备阴雨计。今各赴凶荒，道路梗塞，似应更早数日，以宽靡及之怀。冒籍生儒，先年累奉明旨，发行禁革，今该大比之年，本部已曾通行申饬去后，兹籍来历不明之人，一概不准送考，已在取中者，即据实申报，不准入试。如有疏略容隐，或被人报讦，或中后事发，本生照例黜退，教官并保勘生员邻里人等坐赃究问如律，有司及提调官参奏罚治。各该监临御史先曾题奉钦依科场已毕，即查中式人等中间有无冒籍人等，具奏一次。今宜限定本年十二月以前通行奏到，如有场屋前后交代接管者，俱宜一体遵行。本部于次年正月内通行各省巡按已未奏到缘由类题一次。两畿额设三十名，以待国学四方之士。今该科欲照会试事例分南北卷，兼收人才，不欲有所偏重，其意甚善。但既分南北，必有中卷，分析太多，恐属烦琐。且岁贡入监者少，而北方纳粟人等多有意外于科名，万一填榜之时，不能取盈额数，反为难处，不如仍旧为便。京考，外官相见礼节，本部前次已会题准，考官一至地方，止许监临御史一与相见，以避嫌疑，此于初到礼仪，已无可议矣。鹿鸣盛典，礼让相先，益无可议。从此以后，馆寓隔别，不但六科吏部原有相见陈规，即在翰林各部，平日亦有使于外者矣。今既同奉差遣，共事一方，为地主者，不欲过有分别，以伤雅道，亦以尊君命而重朝廷也。及查会试入帘出帘二次宴，主考官员虽有秩在尚书之下者，坐次亦居其上所据，鹿鸣等宴，亦宜正考居中、副考居左、监临居右，乃见巡按御史为其地方题聘主考初意。伏乞圣明裁定，敕下臣等遵奉施行。'奉圣旨，依拟行。"

礼部题 "为科场伊迩乞饬典试诸臣严斥违式试卷以正文体以罗真才事"。《弇山堂别集》卷八十四《科试考四》："（十六年六月内）礼部题'为科场伊迩乞饬典试诸臣严斥违式试卷以正文体以罗真才事：先该臣等见得近年举业崇尚奇诡，大坏士风，已经题奉钦依严行禁约，仍颁举业正式，以示标准，俱通钦遵去后。今访得远近士子，犹多胶守固习，崇尚浮诡，殊未舍旧图新朗然一变者，盖缘此项禁约，先年每遇大比，亦曾预行申饬，及至临场校阅，则近入彀中式者，未必皆属平正，所以士心狎玩至于今日，虽奉明旨，犹复徘徊观望，未有转移，盖亦主司之过也。适今典试诸臣，亲奉临遣，纶音有严，如揭日月，孰敢不遵？且硃卷解部之日，臣该会同本科，逐一复校，果有故违明禁侥幸中式者，将本生参斥，考试等官亦分别卷数多寡题请降罚，孰敢曲庇？所虑应试诸生习见往年事，或仍有不信之心，而首鼠两端，不尽所长，坚守迷途，自甘沦落，中有高才，不无可惜。用是不避烦渎，再请申饬。合候命下，移咨都察院转行两京监试及各省监察御史，除通行禁约外，仍于考试官入帘之日，大书简明告示，张挂贡院左右人烟凑集之处，使各应试生儒，的知上意所向，坚如金石。典试诸臣，共承休德，必不取违式试卷苟且完责自取不遵之罚，即诸生有怀奇韫异欲见所长者，第能于理致之中发挥旨趣，如先年进士王鏊、近日唐顺之、瞿景淳等，尽可驰声艺苑，擅长一代，何必凑泊难字，如番文鸟篆，译而后知，恆钉浮词，如步虚传偈，迥然戾俗而后快哉？且近日小考，优卷间有一二浮词，已经臣等参斥，然尤俱存其一线之路者，则以法禁初行，情在可原也。今明旨已不啻三令五申，而士方被褐挟策之日，乃辄忍距违君命，诡遇获禽，若以服役在官，亦何所望，国家亦何取于此人而进用之耶？倘侥幸中式，虽欲原之，不可得矣。臣等叨掌风教，自知庸菲，无可效其转移之力，独仰藉纶音，申告多士及诸有校士之责者，共遵轨辙，以襄盛典。伏候圣明裁定，敕下臣等遵奉施行。'奉圣旨：'是。该考试官务遵屡旨取士，其违式卷，你部里及该科着实参治，亦不许姑息。'"

## 闰六月

**王世懋**（1536—1588）**卒**。王世贞《亡弟中顺大夫太常寺少卿敬美行状》："亡弟讳世懋，字敬美。……（戊子）季夏闰望，前一日晨兴，命移席中堂，强起坐饮少水，亭午呼楮墨，手书一纸与余诀，……翛然遂逝。……弟以嘉靖丙申生，殁于万历之戊子，春秋仅五十三耳。""顾弟不讳言二氏学，恒谓吾：于两庑飨亡所贪，苟阴用其实，而阳诋其名，或假窃其似，而自文其陋者，俱耻之。以故躬书昙阳师传，而所撰著《望崖编》等书，亦皆其中精至语，识者谓不下白香山、晁文元。于诗虽自济南始，其所涵咏多汉魏晋宋以至盛唐诸大家，然不肯从门入，亦不规规名某氏业，而神诣之境为胜，七言律尤其踔绝者。文出入西京韩欧诸大家，间采刘义庆《世说》，自以为得彼三昧，而于游名山记，尤详婉有力。善持论，往往以识胜。少即工临池，行草萧散，小隶疏行，得晋人遗意，晚而弥好之。病甚，已绝意吟咏，然犹为陆司寇阴司马作行楷，盖绝笔也。""所著诗文，不谷为哀而梓之，得五十五卷，余所著《闽部疏》、《三郡图说》、《窥天外乘》、《二酉委谈》、《学圃杂疏》，前已行人间。"赵用贤《太常王敬美传》："奉常公讳世懋，字敬美，别号麟洲。其先出始兴文献公导，更乱累迁，著籍于吴太仓州，世为士林盛族。""二十三举戊午（1558）乡试，明年（1559）成进士。未几而尚书公（指其父王忬）难起，公哀号毁墨，终丧未尝一见齿。既除犹籍稿纯素，不听音乐者几十年。丁卯（1567），庄皇帝登极，诏得雪先臣幽枉，""戊辰（1568）遂起公南京礼部仪制司主事……岁余擢比部仪制员外郎，会郁太恭人疾，请急归……癸酉再起，补祠祭司，逾年迁尚宝丞。……顷之公奉诏往祭秦藩，廷尉先引去，亦擢公江西参议治九江道。又明年即其省为驿传道副使。己卯（1579）监其乡秋试。……俄改视陕西学政。数月给事中某御史某以昙仙立化事，言公不应附合惊愚俗，事虽幸寝，公遽移文台使者，乞骸骨遂行。壬午（1582）江陵相死，诏公以原官仍浙江提学，辞疾不赴。甲申（1584）冬再起福建提学。……已晋左参政分守兴泉。其秋入贺万寿，还次里中，改南京太常寺少卿，犹以参政毕贺。丁亥（1587）抵太常任，都人士款门投谒，殆无虚晷。又四方以词翰造请者，趾背相错，公一一应之不废，疾遂大作。其秋疏请得暂予告归，八月而卒。卒年仅五十三。"《明史·艺文志》著录王世懋《易解》一卷，《经子臆解》一卷，《饶南九三郡舆地图说》一卷，《闽部疏》一卷，《学圃杂疏》三卷，《奉常集》五十四卷、诗十五卷，《艺圃撷余》一卷。《四库全书总目》史部传记类存目六著录王世懋《却金传》一卷，史部地理类存目三著录王世懋《三郡图说》一卷，史部地理类存目七著录王世懋《名山游记》一卷，子部谱录类存目著录王世懋《学圃杂疏》一卷，子部杂家类存目二著录王世懋《经子臆解》一卷、《望崖录》二卷、《澹思子》一卷，子部杂家类存目三著录王世懋《读史订疑》一卷，子部杂家类存目四著录王世懋《窥天外乘》一卷，子部类书类存目一著录吴一鹏序云王麟洲所撰《古今类腴》十八卷（王世懋别号麟洲），子部小说家类存目二著录王世懋《二酉委谈》一卷，集部别集类存目五著录王世懋《王奉常集》六十九卷，集部诗文评类二著录王世懋《艺圃撷余》一卷。诸家评语甚多，兹选录若干则附后。《诗薮》续编卷二国朝下："弘、正之后，继以嘉、隆，风雅大备，殆于无可着手。而敬美王公，特拔新标异于四家七子之外。古诗歌行，劲逸遒爽，宗、吴、李、谢，方之蔑如，以配哲昆，诚无愧色。五言律，气骨虽自老杜，旨趣时属右丞。至七言律，即右丞不能脱秾丽，而独以清空简远出之，词直而意婉，语淡而致浓，此格古未睹也。唐人称乐天广大教化主，李益清奇雅正主，二子不足当，谓两琅邪可耳。"《雨航杂录》卷下："王次公之诗胜长公，而《关中集》尤佳。'稻花香里流温玉，水月空中出圣灯'，盛唐语也；'云屯远山白，气入高原疏'，'关山挂新月，枕簟如秋天'，初唐语也；'腰间有组休论贵，马首无山未是游'，似晚唐而有致；'中原草根尽，少妇木衣穿，有女偿官粮，无家问子钱'，近于风矣。"《诗源辩体》卷三五："王敬美《艺圃撷余》，首论《十九首》及曹子建，次论孟浩然及国朝徐昌谷、高子业，俱有独得之见。至论七言绝，言言中窾。其他多与乃昆相契。"《列朝诗集小传》丁集上："敬美弱冠称诗，李于鳞呼之曰'小美'，贻书元美：'小美思火攻伯仁，奈何不善备之也？'敬美之诗名，自于鳞起。又尝献评于大美，以为诗家集大成者，昔惟子美，今则吾兄。然其论诗，不规规名某氏，以不从门入者为佳，论本朝之诗，独推徐昌谷、高子业二家，以为更千百年，李、何尚有废兴，徐、高必无绝响。其微词讽寄，雅不欲奉历下坛坫，则于其大美，亦可知也。敬美有孙曰瑞国，笃学好古，闻余弇州晚年之论，翻阅家集，扣击源委，深以吾言为然。"《静志居诗话》卷十四："敬美才虽不逮哲兄，习气犹未陷溺。"《明诗别裁集》卷九录王世懋诗二首。《明诗纪事》己签卷七录王世懋诗十二首，陈田按："敬美早年呈于鳞诗云：'王生落落天地间，自言得御李君还。从他百道吴门色，我自衔杯望泰山。'又读元美、于鳞诗云：'余朝夕珠玉，左太白右仲宣，把卷沉玩，浸入心脾。'故其所作不离二君窠臼。晚作《艺圃撷余》，始云：'海内为诗者，争事剽窃于鳞，纷纷刻鹜，至使人厌。'又有'李、何尚有废兴，徐、高必无绝响'之论，可谓妙悟。惜其才非殊绝，不足以副其言耳。"

## 夏

**徐渭《四声猿》杂剧付刻。**据徐朔方《晚明曲家年谱》。天放道人《〈四声猿〉序》："夫文长，旷世逸才也。其所著《四声猿》，若《狂鼓史》之恢豪，《玉禅师》之玄幻，《黄崇嘏》、《花木兰》之雄才、侠节，畴不异其笔传而墨肖者。嗟嗟！《渔阳》意气，泉路难灰，世人假慈悲学大菩萨，而勤王断国之徒，多在涂脂调粉之辈。此文长所为额蹙心痛者乎？是以淋漓腐纸间，如长吉囊中，郤侯架上，古而瓦棺篆鼎，奇而海市闳婆，勇而风樯阵马，贵而赤球碧璚，感而寒烟荒树，幽而深岩曲涧，清素而落梅飞雪，悲凄而啸鬼啼神，恨怨而颓垣陊殿、梗莽邱陇，怪诞而龙光蛇化、鲸呿鳌掷，盖诚得乎君臣父子夫妇之正大快言之。而《玉通》一剧，尤其宗风之衍矣。宗子相曰：朝廷可使无文章之士，则凤鸟不必鸣岐山，而麒麟为梼杌。想徐氏以文章持世，甚赫矣，而传奇虽海错一脔，安在非圣世鼓吹名教云。"澂道人《〈四声猿〉跋》："评《四声猿》竟，投笔隐几，惝恍间有若朗吟杜陵'听猿实下三声泪'句者，惊跃狂叫曰：异哉！此余所未及评者也，其殆天池生之灵欤？然听猿泪下，非独杜陵云然，《宜都山水记》有云：'巴东三峡猿声悲，猿鸣三声泪沾衣。'《荆州记》渔者歌曰：'巴东三峡巫峡长，猿鸣三声泪沾裳。'则猿啸之哀，即三声已足堕泪，而况益以四声耶！其托意可知已。每值深秋岑寂，百虑填膺，试挟是编，睹其悲凉愤惋之词，想其坎壈无聊之况，骨竦神凄，泪浃巫峡，可待猿啼，诚有如天池生之命名者。若夫花月闲宵，琴尊自适，展读是编，爽气谲音，幽异之致，横翔轶出，令我心旷神怡，不禁起舞，则又如闻天池生中夜啸呼，群鹤相应也。至其抑奸即以扬善，戒淫即以启悟，奖勇即以振懦，怜才即以厉顽，为劝为惩，似有过二十一史。故将拟为晴空之霆击，清夜之钟鸣，岂仅为猿啸之哀而已哉！读《四声猿》者，不特宜玩其词，更当辨其声耳。"又《〈四声猿〉引》："至于《四声猿》之作，俄而鬼判，俄而僧妓，俄而雌丈夫，俄而女文士，借彼异迹，吐我奇气，豪俊处、沉雄处、幽丽处、险奥处、激宕处，青莲、杜陵之古体耶？长吉、庭筠之新声耶？腐迁之史耶？三闾大夫之《骚》耶？蒙庄之《南华》、金仙氏之《楞岩》耶？宁特与实父、汉卿辈争雄长，为明曲之第一，即以为有明绝奇文字之第一，亦无不可。"王思任《批点玉茗堂牡丹亭叙》："往见吾乡文长批其卷首曰：'此牛有万夫之禀。'虽为妒语，大觉俯心。而若士曾语卢氏李恒峤云：'《四声猿》乃词场飞将，辄为之唱演数通。安得生致文长，自拔其舌！'其相引重如此。"《酹江集·狂鼓史渔阳三弄》眉批引孟称舜语："文长《四声猿》于词曲家为创词，固当别存此一种。然最妙者，《祢衡》、《木兰》两剧耳。《翠乡梦》系早年笔，微有嫩处。而《女状元》晚成，又多率句。曾见其改本，多有所更定。至《女状元》，云当悉改，近无心绪，故止。是知作者亦未尽慊，与予所见，殆略同也。"

## 七月

**陈文烛为茅坤《白华楼稿》作序。**序云："《白华楼藏稿》、《续稿》、《吟稿》，鹿门茅先生所著也。先生文章尔雅，雄视宇内，谓余可闻斯旨，曾序其文。先生以全集寄豫章，属余序焉。……万历戊子秋七月，五岳山人沔阳陈文烛玉叔撰。"

## 八月

**尹立甫、赵仁甫二人诗酒唱和，所作后结集为《尹赵同声录》。有王世贞序。**序云："万历戊子年秋八月，宁国尹同守立甫、池州赵司理仁甫同有事于棘闱，属所治经数足，其职在帘之外，二公素性深于诗，居闲无事，相与酬倡五七言诗歌凡百六十篇。溧阳潘令徵复得而梓之，问序于余。二君子素与余善，既彻棘，各以其诗来赍，咏之飒飒然音也。余偶与潘令谈，忆在宋庆历丁酉，欧阳文忠公永州知贡举，而梅圣俞都官分校，二人故石交，欢甚，相与酬倡，多亦至百余篇，而一时名士如王禹玉、范景仁诸贤，亦有和者，至今以为雅谈。然当时诸贤在帘之内，故人得议其后，谓以吟咏而夺其校阅之力。今者二君子帘之外，无害也。诸诗歌才情，多疏畅而俊丽，不知于梅欧何如，格似差胜之。吾又闻，欧阳公于其年锐欲变其轻靡之习，而归之大雅，故刘几黜而曾子固、苏子瞻兄弟进。又有程伯淳者，为理学百世宗。今岁大宗伯呕上书，亦欲变奇诡而为雅驯，不知所登斥视庆历何如，其人士之称否何如，吾不敢论，论二君子之诗而已。抑又闻之，潘令之与休宁丁令元甫皆有诗，诗皆佳，不下禹玉、景仁，能用庆历例附于后否。今之天下，名治平逾于庆历，而庙廊诸公，能修韩、范、文、富之业而振之，其于文复又当返淳趣正之会，而二君子又能以雍熙尔雅之音，继美欧、梅之后，余恶可无述也。序以归潘令。"

**刘元震、黄洪宪等任乡试主考。**《弇山堂别集》卷八十四《科试考四》："七月，命左春坊左庶子兼翰林院侍读刘元震、司经局洗马兼修撰刘楚先主应天试。""八月，命右春坊右庶子兼翰林院侍读黄洪宪、盛讷主顺天试。同试有中书舍人文运熙、行人司正沈璟及各部办事进士。第一名王衡，大学士锡爵子也。五魁皆出太学，而第二人张文柱，第三人董其昌，第四人郑国望，皆一时同会名士。""浙江用翰林院修撰萧良有，江西用侍读陆可教，湖广用侍讲冯琦，福建用修撰杨起元。""右庶子黄洪宪等疏，'为文衡重任简名惕衷恳乞圣明申饬责成以重大典事：臣等行能浅薄，学术迂疏，蒙皇上过听，命主顺天乡试，臣等兢兢业业，惟不称任使是惧。且今士风薄恶，人心险危，或未事而惮主司之严明，先为浮言而计阻，或既事而愤主司之摈斥，肆为诬揭，以中伤考官。临期题请，甲乙未定也，而即为如鬼如蜮之计，场中糊名易书，鬼神莫测也，而先有避亲避仇之疑。簸弄百端，险炽万状。故今以文场为惧府，而谓主试为厉阶。臣等闻命惊危，誓天相戒，所凭者试卷，所取者文章，固不敢营私而罔上，亦不敢引嫌而弃才，此则所自盟于心，以图报称者也。然语有之，前车覆，后车诫，臣等深惩往事，重虑后艰者，方受命而饮冰，敢先期而吐露？臣等所受命者主考也，主考之嫌疑有二：一则先期撰文，恐防漏泄。今程文既用士卷，已无所疑先泄之嫌，且临时揭书，出题必由同考官拟定，然后臣等错综，缘手探策而决之，自谓可以无私，一也；一则文字之中，疑有关节。今阅卷去取，先由同考，同考所取，臣等乃得寓目焉，同考所弃，臣等无由见之，近经部议，搜求落卷，然亦俟同考官互相检阅，反复详校，而后臣等因而裁决，自谓可以无私，二也。顾其间有臣等所不能知者，请言其略：如往年冒籍之禁未伸，普天之下，莫非王土，容有冒昧而进者，不足怪也。今三令五申，搜伏已甚，万一犹有漏网，混荐乡书，后或发觉，臣所不能知也。或游冶之子，平生不习本业，临期贿属同号，袭取他长，希图侥幸，一时失察，致有后言，臣等所不能知也。内帘止阅硃卷，其墨卷在外，当誊录对读时，若有夤缘改窜，朦胧眷入，幸而得隽，不协舆情，臣等所不能知也。或彼此相仇而互揭，或才名相忌而谤生，臣等所不能知也。诸如此类，各有攸司。今监试臣风裁素著，防范加严，已经告示晓谕，谅无他虞。但臣等惩前虑后，过议搜伏，不得不预鸣于皇上之前耳。今且陛辞入院，约同考诸臣，申明约束，懋饬从事，校阅务使其细，批评宁过于详，有如目力不竭、品骘不审，臣等之罪也，或明珠暗弃，鱼目滥收，臣等之罪也。至于所不能知者，则有司存，非臣所能与也。请申饬各衙门执事官员，遵照节奉明旨，愈加严密，无一渗漏，则不惟弊窦可塞，真才可得，而足以明主司之心，亦重宾兴之大典。至于揭晓之后，中式文卷，如例送科校勘，仍乞命顺天府官将落卷送国子监及提学御史，分散下第诸生，使各阅批抹，以服其心，归与父兄师友无后言，且示之向往，以图后进。如是，则虽诸生之好事者，亦无容其喙，而阅卷诸臣，将益矢公矢明，不敢潦草塞责，于盛典有光，于风俗人心亦有裨矣。臣等不胜战慄恳款之至。'奉圣旨：'科场事宜，该部已题明申饬，考试官只秉公阅卷，遵照行事，监试提调官还用心关防。如有匿名投揭挟私害人的，厂卫及五城御史严拿究治。礼部知道。'"

**王衡举顺天乡试第一名。时王衡才名甚著。**《万历野获编》卷十六《国师阅文偶误》："犹忆戊子春，娄上王辰玉、松江董元（玄）宰入都，名噪一时。士人皆以前茅让元，无一异词也。"娄坚《猴山子传》："居久之，为岁戊子，君之秋试程文极为主司所赏，擢为第一，众皆叹服。顾以文肃公之在事也，清介已绝人，而刚方又忤俗，如君之才敏文赡，犹未免于复试。迨乎忌才者无瑕可蹈，傍观者公论益彰，然君且因是更澹于世味矣。遂留侍公，朝夕图史之暇，偕其友策蹇入山，每慨焉兴叹，思浮游尘埃之外，蝉蜕汗浊之中，而未能也。"《列朝诗集小传》丁集下："万历戊子，举顺天乡试第一。少傅方执政，言者攻之急，少傅陈辩亦甚厉，而天下不以讥少傅者，以辰玉真才子，不愧举首，都人士皆耳而目之也。"《明诗纪事》庚签卷二○录王衡诗七首，陈田按："江陵以鼎甲私其子，辰玉自有才，非懋修等伦也。辰玉万历戊子领顺天乡试解，出黄葵阳之门。时太仓居政府，言者攻之，亦牵连以走。太仓与赵汝师龃龉，汝师气节盖世，佇登揆席，太仓尼之，葵阳附和太仓，几幸以进，两败俱伤，可叹也。辰玉越十年始登第，有诗云：'彩云重拥玉阶前，朱茧双悬御墨鲜。偶尔功名三语合，如闻姓字六宫传。价从骏骨枯中贵，色借娥眉怨里妍。颠倒十年京国梦，一时回首杏花鞯。'未能忘情于十年不字也。辰玉才品在当时可与屠长卿伯仲。"文肃公、少傅均指王衡之父王锡爵。

**袁宏道中举。**袁中道《吏部验封司郎中中郎先生行状》："戊子，举于乡，主试者为山东冯卓庵太史，见其后场，出入周、秦间，急拔之。"袁宏道与其兄宗道、其弟中道合称公安三袁。

**谢肇淛中举。**徐𤊽《中奉大夫广西左布政使武林谢公行状》："戊子以《诗经》举于乡，实岭南太史杨公起元所取士也。"

## 九月

**礼部尚书沈鲤致仕。**《明史》卷二一七本传云："帝以四方灾，敕廷臣修省。鲤因请大损供亿营建，振救小民。帝每嘉纳。初，藩府有所奏请，贿中贵居间，礼臣不敢违，辄如志。至鲤，一切格之。中贵皆大怨，数以事间于帝，帝渐不能无疑，累加诘责，且夺其俸。鲤自是有去志。而（申）时行衔鲤不附己，亦忌之。一日鲤请告，遂拟旨放归。帝曰：沈尚书好官，奈何使去？传旨谕留。时行益忌。其私人给事中陈与郊为人求考官不得，怨鲤，属其同官陈尚象劾之。与郊复危言撼鲤，鲤求去益力。"

**罗汝芳（1515—1588）卒。罗汝芳为颜钧弟子，其门人有杨起元、周汝登、蔡悉。**

李贽《罗近溪先生告文》："戊子冬月二十四日，南城罗先生之讣至矣。而先生之没，实九月二日也。夫南城，一水间耳，往往至者不能十日余，而先生之讣直至八十余日而后得闻，何其缓也。"焦竑《澹园集》卷二十《罗杨二先生祠堂记》："古之以道鸣者，率师弟同心协力，相倡和于一时，而其教始行。自孔孟周程以来，未之易也。国朝之学，至阳明先生深切著明，为一时之盛。是时法席大行，海内莫逾于心斋先生。传心斋之学者，几与其师中分鲁国。而维德罗先生衍其余绪，则可谓横发直指，无复余蕴矣。先生尝屡至留都，最后岭南杨贞复从禀学焉。两先生珠联璧合，相讲于一堂，以为金陵倡。盖当支离困敝之余，直指本心以示之，学者霍然如梏得脱，客得归，始信圣人之必可为，而阳明非欺我。所谓功施于人者非欤？岁戊子，罗先生没于盱江。丙申，贞复先生为少宗伯，来金陵，始为祠以祀之。"《明史·儒林传》：王畿"善谈说，能动人，所至听者云集。每讲，杂以禅机，亦不自讳也。学者称龙溪先生。其后，士之浮诞不逞者，率自名龙溪弟子。而泰州王艮亦受业守仁，门徒之盛，与畿相埒，学者称心斋先生。阳明学派，以龙溪、心斋为得其宗。""艮传林春、徐樾传颜钧，钧传罗汝芳、梁汝元，汝芳传杨起元、周汝登、蔡悉。""汝芳，字维德，南城人。嘉靖三十二年进士。除太湖知县。召诸生论学，公事多决于讲座。迁刑部主事，历宁国知府。民兄弟争产，汝芳对之泣，民亦泣，讼乃已。创开元会，罪囚亦令听讲。入觐，劝徐阶聚四方计吏讲学。阶遂大会于灵济宫，听者数千人。父艰，服阕，起补东昌，移云南屯田副使，进参政，分守永昌，坐事为言官论罢。初，汝芳从永新颜钧讲学，后钧系南京狱当死，汝芳供养狱中，鬻产救之，得减戍。汝芳既罢官，钧亦赦归。汝芳事之，饮食必躬进，人以为难。钧诡怪猖狂，其学归释氏，故汝芳之学亦近释。"汝芳号近溪。

## 秋

**李贽迁居麻城龙潭，日以读书讲学为事。**袁中道《李温陵传》云："李温陵者，名载贽。……初与楚黄安耿子庸善。罢郡，遂不归，曰：'我老矣，得一二胜友，终日晤言，以遗（遣）余日，即为至快，何必故乡也！'遂携妻女客黄安。中年得数男，皆不育。体素羸，澹于声色；又癖洁，恶近妇人。故虽无子，不置妾婢。后妻女欲归，趣归之。自称'流寓客子'。既无家累，又断俗缘，参求乘理，极其超悟。剔肤见骨，迥绝理路。出为议论，皆为剑刀上事。狮子进乳，香象绝流，发咏孤高，少有酬其机者。子庸死，子庸之兄天台公，惜其超脱，恐子侄效之，有遗弃之病，数致箴切。公遂至麻城龙潭湖上，与僧无念、周友山、丘坦之、杨定见聚。闭门下揵（楗），日以读书为事。性爱扫地，数人缚帚不给。衿裙浣洗，极其鲜洁。拭面拂身，有同水淫。不喜俗客，客不获辞而至，但一交手，即令之远坐，嫌其臭味。其忻赏者，镇日言笑；意所不契，寂无一语。滑稽排调，冲口而发；既能解颐，亦可刺骨。所读书，皆抄写为善本。东国之秘语，西方之灵文，《离骚》、马、班之篇，陶、谢、柳、杜之诗，下至稗官小说之奇，宋元名人之曲，雪籁丹笔，逐字雠校。肌擘理分，时出新意。其为文不阡不陌，抒其胸中之独见，精光凛凛，不可追视。诗不多作，大有神境。亦喜作书，每研墨伸纸，则解衣大叫，作兔起鹘落之状。其得意者，亦甚可爱，瘦劲险绝，铁腕万钧，骨棱棱纸上。一日，恶头痒，倦于梳栉，遂去其发，独存髭须。公气既激昂，行复诡异。斥异端者，日益侧目。与耿公往复辨论，每一札累累万言，发道学之隐情，风雨江波，读之者高其识，钦其才，畏其笔。始有以幻语闻当事，当事者逐之。于时左辖刘公东星，迎公武昌，舍盖公之堂。自后屡归屡游。刘公迎之沁水，梅中丞迎之云中，而焦公弱侯迎之秣陵。无何，复归麻城。"（《珂雪斋近集》卷三文钞）《焦氏笔乘》卷二："宏甫为人，一钱之入不妄，而或以千金与人，如弃草芥。一饭之恩亦报，而或与人千金，言谢则耻之。见一切可喜人，无有不当其心者，而不必合于己。己不能酒，而喜酒人；己不能诗，而喜诗人；己不能文，而喜文人；己不捷捷能言，而喜能言之人；己不便鞍马，而喜驰骋；己不好弄，而喜敌道；己不好斗，而喜徘徊古战场；己不好杀，而喜商君、吴起、韩非之书；己不爱纷华，而喜郭汾阳穷奢极欲，以身系国家之安危；己不欲以溪刻自处，而喜于陵仲子辞三公为人灌园。独不喜逊床循墙，终日百拜伛偻以为恭者，以故常不悦于世俗之人。俗之所爱，因而丑之；俗之所憎，因而求之；俗之所憎，因而亲之；俗之所亲，因而疏之。有时长贫，虽必不得已，已也；故终身不肯假借于人。有时暂富，虽必可已，不已也，故终其身无一钱之积。平生未尝召客，人召之酒则赴；平生不礼贵人，贵人馈之则受。以故虽不悦于人，而终不见害于人，以宏甫与世无争故也。独设三科度世，最得祖意。见上士则夸而肆之，冀其或我知也；见中士则楼而藏之，以待其自知也；见下士则时发而后谨闭之，恐其不知而恣疑谤无益也。以此终其身，交游遍天下，无知宏甫者。知宏甫者，疑莫如侍御，故宏甫与我言，并出此相示云。噫嘻！若侍御知宏甫，则可以传矣。"《竹窗三笔·李卓吾》："或曰：李卓吾弃荣削发，著述传海内，子以为何如人？答曰：卓吾超越之才，豪雄之气，吾重之，然可重在此，可惜亦在此。夫人具如是才气，而不以圣言为量，常道为凭，镇之以厚德，持之以小心，则必好为惊世矫俗之论以自愉快。试举一二。卓吾以世界物俱肇始于阳阴，而以太极生阴阳为妄语。盖据《易传》，有天地然后有万物，而以天阳地阴，男阳女阴为最省之元本，更无先之者。不思《易》有太极，是生两仪，同出夫子传《易》之言，而一为至论，一为妄语，何也？乃至以秦皇之暴虐为第一君，以冯道之失节为大豪杰，以荆轲、聂政之杀身为最得死所。而古称贤人君子者，往往摘其瑕颣，甚而排场戏剧之说，亦复以《琵琶》、《荆钗》守义持节为勉强，而《西厢》、《拜月》为顺天性之常。噫！《大学》言好人所恶，恶人所好，灾必逮夫身，卓吾之谓也。惜哉！"

**李一鹗、王国昌等乡试考生受惩处。**《弇山堂别集》卷八十四《科试考四》："九月，监临北城御史毛在疏，谓中式举人李鼎踪迹可疑，核之，则国子监生李一鹗，按察副使逊子也。初嚷哅南场，考官问斥，改名入试，斥为民。""南京兵科给事中杜蘩参中式应天一百三名王国昌系徽州监生。该前科余姚县生员胡正道冒籍通州，中顺天乡试，已经黜革。奉旨，着巡按衙门查明问革。"

**陈文烛为归有光**（1506—1571）**《归先生文集》作序。**序署"万历戊子秋日、赐进士第、通奉大夫、江西等处承宣布政使司左布政使、前奉敕督理庐凤淮扬粮储、四川按察司提学副使、同年友人沔阳陈文烛撰"。

**王世贞为魏允中《魏仲子集》作序。**魏允中在兄弟三人中排行第二，故称仲子。序曰："《魏仲子集》者，故司封郎魏懋权所著也。其称仲子者何？懋权兄弟凡三人，其仲懋权也。三人者次第仕于朝，以文学气谊称，懋权最有名，两举皆高第，而官又最显，一旦以病夭，故伯子悲之，而为行其集也。序之者谁？吴郡王世贞也。……万历戊子秋日，吴郡友人王世贞撰。"时王世贞在南京刑部右侍郎任。

　　**会稽诸生王骥德拜冯梦祯为师。**《快雪堂集》卷四十八今年八月二十六日日记云："会稽诸生王骥德因季大观执贽。能诗，以其业献，亦清美可取。"时王骥德四十七岁，冯氏四十一岁。梦祯，嘉兴人。万历五年会试第一名。选庶吉士，除翰林院编修，时家居。

　　**潘之恒至南京拜访王世贞，出其诗求教。**王世贞《潘景升东游诗小序》："潘景升从余游，每见必出其所业，余因得以窥其进。而至岁之戊子秋，谒余于金陵右司马邸。"万历十五年十月，王世贞起南京兵部右侍郎，未赴。万历十六年二月，王世贞就任南京兵部右侍郎。六月，王世贞请致仕，不允。

## 十月

　　**当涂知县章嘉祯、左庶子刘元震等以填榜失误受罚俸处分。**《弇山堂别集》卷八十四《科试考四》："十月，应天府尹张槚等题：'万历十六年九月初三日揭晓，将中式举人周应秋等一百三十五名姓名榜示外，随将中式举人文案，依式刊刻试录进呈随准。考试官当涂知县章嘉祯呈称查得四十九名硃卷，原系《诗经》荒字十号，职寻墨卷，误将《春秋》荒字十号拆名曹祖正填榜，缘对卷之时，灯下慌忙，止见号数相同，失于查对经书，以致错误，本职罪不容辞，合应呈请。臣等照得，榜出四十九名系填写姓名错误，未经题请奉旨改正，不敢擅刊成录，恭候命下之日，方敢刊刻进呈。诚恐时日稽延，臣等不胜罪惧等因。又该左庶子刘元震等检举事，又该南京、四川等道御史孙鸣治等题为科举失错事，又该南京科臣朱维藩奏为科场巨典将成，经房对号差误，恳乞圣明俯赐查处，以全盛举事等因。俱奉圣旨，礼部知道。该部看得，科场巨典，法至详密，所取硃卷必查墨卷比对，相同方可拆名填榜，此定制也。今当涂知县章嘉祯始而不辨经书，遝查字号，已失之周章，既而不加磨勘，辄行拆卷，又失之怠忽，虽心本无他，而责实难逭。考试官刘元震等，提调官张槚等，惟据本房之呈送，不问经义之异同，固属仓忙，亦欠精密。合候命下，将章嘉祯重加罚治，以为科场不恪之戒，其考试提调等官刘元震等，职在统理，似与专司其事者不同，既行检举，相应量加罚治。惟复别赐定夺。再照填榜刊录，原属一事，今榜出已久而录尚迁延未呈御览，甚非慎重大典之意。合无行令各该府官，将原试录星夜进呈，其误中四十九名曹祖正相应查革，复学肄业，仍将本生并原取《诗经》荒字十号硃墨二卷解部复阅，以凭上裁。'请奉圣旨：'是章嘉祯着罚俸五个月，刘元震等二个月。'"

## 十一月

　　**刑部署员外郎马贯上疏，议革南宋张浚祀，**以为张浚在南渡之初丧师数十万，好恶不公，不配与于圣贤之列。《万历野获编》补遗卷二《议革张浚祀》："南宋宰相张浚，万口吠声，以为圣贤。朱晦翁晚年深自悔咎，轻信其子张拭家稿，遽草行状，以此天下不信。本朝安阳崔铣极憎之，语见《洹词》中。又长洲祝允明《罪知录》，深讥其失。近日娄中王衡力诋其人。俱千古快论。然俱未及闻之朝。至万历十六年十一月，始有马比部一疏。今载其略，仅十之二云。""按高宗崩时将祔庙，史官杨万里、宰相周必大辈，凡号理学大儒，俱欲以张浚配。独翰林学士洪迈，谓宜以赵鼎、吕颐浩陪祀，廷臣右浚者纷起争之。孝宗卒用洪迈议，祀赵、吕二臣，浚终不得侑食，则浚在当时已有定论矣。岂有见摈于本国，而崇祀于异代者？马比部之论，百世不易也。马号具泉，吴郡人，与祝枝山、王辰玉俱同里。三君子不谋而合，真卓见哉！"按，晚明江盈科（字进之）亦深非张浚之为人。《静志居诗话》卷十六《江盈科》载："徐秀才善敬可一日语予曰：'周公瑾小人哉！张魏公朱子所父事，何可毁也？'予曰：公瑾三代直道之遗也。宋之南渡，将帅有人，可以战，可以守。自寄阃外之权于浚，丧师动数十万，元气重伤，譬诸屠夫，不能复起矣。浚于李纲、赵鼎辈，则劾之。于汪伯彦、秦桧等，则荐之。尚得云好恶之公乎？至曲端之诛，与桧之杀岳飞何以异。而读史者，务曲笔以文致端有可死之罪。不过因浚有子讲学，浚死，徽国公为之作状，天下后世，遂信而不疑尔。中郎朱仙镇诗，已极悲惋，不若进之《读张魏公传有感曲壮愍事》云：'子圣焉能盖父凶，曲端冤与岳飞同。何人为立将军庙，也把乌金铸魏公。'露胆张目，洵诗家之南董也已。"

## 冬

　　徐熥（1562—1600）途经杭州，与武林名妓月仙定情。《闽小记》卷四："月仙者，武林名妓也。戊子冬，闽县徐惟和北上，过而眷之。越数夕余至，妓询徐孝廉不去□。翌岁下第复过，竟谐缱绻。徐作诗云：'匆匆相见未分明，别后逢人便寄声。万里归期看乳燕，一春心事付流莺。柳枝犹记当年曲，荳蔻难消此夜情。捣尽玄霜三万杵，梦中还见旧云英。'越三年上计，复过其地，询之则月仙死矣。（谢在杭记）"徐熥，字惟和，闽县人。

　　谢肇淛、徐熥途经苏州，结识前辈诗人王稚登。谢肇淛《题王百谷尺牍跋》："百谷先生，诗文偈跋种种擅长，而于尺牍遂几绝代。学既宏肆，才复敏健，信手拈来，如天花散落，色色殊妙。忆余从戊子冬与惟和计偕过吴门，初识先生，以后二十余年，音书杂沓，未尝断绝。余观此卷札子中，阑及不肖者十七，即先生亦自信与徐、谢二君有宿世缘。信然哉！"

　　胡应麟病，积久不愈，自以为将不久于人世，乃请王世贞作石羊生（即胡应麟）传。王世贞《石羊生传》："戊子冬，（石羊生）复以按察公命赴公车，至瓜洲而病，病积久不愈，慨然曰：'吾其殆乎！'谓余：'知应麟者唯子，幸及吾之生而传我，使我有后世，后世有我也。'"胡应麟之疾久而得愈。查继佐《罪惟录》列传卷十八云："戊子，应公车至瓜州，病不起，年三十有八。"误。据《石羊生传》，胡应麟此时已著述甚丰。"元瑞所著：诗有《寓燕》、《还越》、《计偕》、《岩栖》、《卧游》、《抱膝》、

《三洞》、《两都》、《兰阴》、《畸园》等集二十余卷，《诗薮》内编、外编十二卷；他撰述未行世者，有《六经疑义》二卷，《诸子折衷》四卷，《史蒉》十卷，《笔丛》十卷，《皇明诗统》三十卷，《皇明律范》十二卷，《古乐府》二卷，《古韵考》一卷，《二酉山房书目》六卷，《交游纪略》二卷，《兜玄国志》十卷，《酉阳续俎》十卷，《隆万新闻》二卷，《隆万杂闻》四卷，《骆侍御忠孝辨》一卷，《补刘氏山栖志》十二卷；蒐辑诸书，有《群祖心印》十卷，《方外遐音》十卷，《考槃集》十卷，《谈剑编》二卷，《采真游》二卷，《会心语》二卷；类萃诸书，有《经籍会通》四十卷，《图书博考》十二卷，《诸子汇编》六十卷，《虞初统集》五百卷。盖生平于笔砚，未尝斯须废去。""元瑞于他文无所不工，绩学称是，顾不以自多，而所沾沾独诗，彼固有所深造也。元瑞才高而气雄，其诗鸿邑瑰丽，迥绝无前，稍假以年，将与日而化矣。至勒成一家之言，若所谓《诗薮》者，则不啻迁史之上下千载，而周密无漏胜之。其刻精则董狐氏、韩非子。吾长于元瑞二纪余，姑为传以慰之，且谓元瑞：子后当竟传我。"

## 本年

**焦竑《庄子翼》成书。**《四库全书总目》子部道家类著录焦竑《庄子翼》八卷《庄子阙误》一卷附录一卷，提要曰："是编成于万历戊子，体例与《老子翼》同。前列所载书目，自郭象《注》以下凡二十三家。旁引他说互相发明者，自支遁以下凡十六家。又章句音义，自郭象以下凡十一家。今核其所引，惟郭象、吕惠卿、褚伯秀、罗勉学、陆西星五家之说为多，其余特间出数条，略备家数而已。又称'褚氏《义海》引王雱注内篇，刘概注外篇，《道藏》更有雱《新传》十四卷。岂其先后所注不同，故竑列之欤？今采其合者著于编，仍以《新传》别之'云云。今考书中所引，自雱《新传》以外，别无所谓雱注。而《养生主》注引刘概一条，则概注亦有内篇，其说殆不可解。盖明人著书，好夸博奥，一核其实，多属子虚。万历以后，风气类然，固不足深诘也。至于支遁注《庄》，前史未载。其《逍遥游》义，本载刘孝标《世说新语注》中，乃没其所出，竟标支道林注，亦明人改头换面之伎俩，不足为凭。然明代自杨慎以后，博洽者无过于竑。其所引据，究多古书，固较流俗注本为有根柢矣。末附《庄子阙误》一卷，乃全录宋陈景元《南华经解》之文，亦足以资考证。又附刻一卷，列《史记·庄子列传》，阮籍、王安石《庄子论》，苏轼《庄子祠堂记》，潘佑《赠别》，王雱《杂说》，李士表《庄子九论》。考南唐潘佑以直谏见杀，而此列苏轼、王雱之间，未审即其人否？李士表自陈振孙《书录解题》已不知为何许人，《宋史·艺文志》载其《庄子十论》一卷，此惟存其九，亦未喻何故。又此《九论》，书中已采其《解牛》、《壶子》、《濠梁》三篇，而仍全录之于末，亦为例不纯。殆随手编纂，未及删并之故欤？"

**王世贞为陈文烛《二酉园集》作序。**《四库全书总目》集部别集类存目五著录《二酉园诗集》十二卷、《文集》十四卷、《续集》二十三卷，提要曰："明陈文烛撰。文烛（1535—？）字玉叔，沔阳人。嘉靖乙丑（1565）进士。官至南京大理寺卿。其诗分八集，曰《汉阴诗》，曰《廷中诗》，曰《淮上诗》，曰《嵩和诗》，曰《西蜀诗》，曰《东岱诗》，曰《金焦诗》，曰《黄蓬诗》。陈思育、王乔桂、皇甫汸、袁福征、黄贯征、沈明臣、李先芳、孙斯亿、任瀚、高启愚、熊敦朴、陈宗虞、曾可耕、吴国伦、方沆、黄一正、李维桢、屠隆、周光镐十九人序之。文曰《五岳山人前集》、《五岳山人后集》。王世贞、归有光、汪道昆、茅坤序之。后总编为《二酉园文集》，道昆、世贞又序之。《续集》则文烛身后，其孙之蓬所辑。皆文无诗，亦无当时名士序。惟之蓬自序之，又与文烛之婿龙膺各为一跋而已。斯亦生死之际，交游盛衰之验。而文坛标榜，其不足尽据可知矣。"

**阮自华请王世贞序其诗集。** 王世贞《阮生诗集序》曰："余晚之金陵，金陵故贤荐绅游客布衣之数，而至戊子，属大比，士诸能操觚为古文辞者亦集，而以余之猥先之也。车门辟则椎襮蚁附，挥汗而出袖中诗卷，至不能遍读。而忽有少年子，白皙丰下，礼恭而宇温，已见其刺，则乡进士阮子自华也。已叩其家世，则嘉靖间函峰中丞子也。已发其箧，则为诗若干卷，曰：'公幸一抨骂我，使我受而考焉。'"阮自华（约1553—1631）生平，略见乾隆《江南通志》卷一六七《人物志·文苑》："阮自华字坚之，怀宁籍桐城人。万历戊戌（1598）进士。力学嗜古，主盟骚雅，东海屠隆，录四君子诗，冯梦祯、朱长春、虞淳熙，其一则自华也。官庆阳守，告休归。日与海门诸子觞咏，以娱晚节。著《雾灵诗集》，尤善草书。"《静志居诗话》卷十六《阮自华》曰："诗不求工，君子诵诗论世，宁舍《咏怀堂》，而取《雾灵集》也。"

**屠隆致书邢侗，索买山资，其愿颇奢。**《白榆集》卷十四《再与子愿》云："独苦老母妻孥无可托者。辱仁兄见念深累，许捐赀为弟买山，业有成约，遣使相存。逡巡岁余，未遣何也……敬遣家诸孙震奉诣仁兄，幸无为德不卒。"书云母年九十，当作于今年。《列朝诗集小传》丁集下："侗，字子愿，临邑人。万历二年（1574）进士，除南宫知县，历御史参议，终陕西行太仆寺少卿。子愿生七岁，能作擘窠书，十余岁，楷法王雅宜。二十四岁登第，殿试策，书法擅场，主者惊异，卒置榜尾。罢官时，年才三十余。先世席资钜万，美田宅，甲沛水上。子愿筑来禽馆，在古犁丘上，读书识字，焚香扫地，不问家人生产。四方宾客造门，户屦恒满。减产奉客，酒鎗簪珥，时时在质库中。"

**王衡从友人处得悉屠隆近况，寓书慰之。** 王衡《屠赤水仪部》："不肖自入长安，闭置一室中，邑邑气尽，实未曾识门外人，顾何自问越以东事？戊子岁晚故友杨伯翼者，先生里人也，相扼腕谈先生甚剧，颇耳先生近状：时提三尺筇，挈五色古锦囊，徘徊山阴道上及新安山水间，倦则枕书而睡，据梧而吟，草耕木茹，无惭儿女子。甚则囊无底，灶不黔，亦熙熙然自适也。不知官衙车马尘中有此乐否？又不知彼青蝇吊客，肠枯翼单，抑亦自遣如先生否？谛思之，真可发一笑。古来历落之士，无论抚树神伤、书空计拙者不足言，即白眼一世，等造化于小儿，抑何其不耐穷达也？先生坐清狂废，其实尚不直阮步兵、李青莲之万分，而遽已为人揶揄。要之万世所笑在彼不在此。若不肖则被以至丑之名，至辱之行，彼潜人者咄咄渐逼。虽然，吾道是也。至闻浮游不根之口群飞刺天，甚而欲秽我净土，则劫风轮，薄世界，且不知所终，吾乃始怒然惧矣。"（《缑山先生集》卷二十二）

**潘之恒客寓南京王世贞处。** 时王世贞在南京兵部右侍郎任。潘之恒《鸾啸小品》

卷四《扯三张》："余戊子岁从弇州公在留都右司马邸，无日不与文酒会。酒行数巡，即令取牌扯三张。每一人为主，众环而放之。或全胜，或全负，或胜负相参，负者取大斗饮之。"

《京本通俗演义按鉴全汉志传》十二卷（西汉六卷、东汉六卷）刊行。孙楷第《中国通俗小说书目》卷二著录："存。明万历十六年刊本。黑口。四周双线。上图下文。半叶十四行，行二十二字。《东汉》末有木记云'清白堂杨氏梓行'。［日本蓬左文库］明熊大木撰。题'鳌峰后人熊钟谷编次'，'书林文台余世腾梓。'《西汉》卷首有序。大木一作大本，字钟谷，福建建宁府建阳县人，嘉靖时书林。"孙楷第《日本东京所见小说书目》卷二著录更为详备。

陈文烛为谢廷谅诗文集《清晖馆集》作序。谢廷谅字友可，金溪人。万历己未（1595）进士。官至顺庆府知府。事迹附见《明史》谢廷赞传。《四库全书总目》著录谢廷谅《千金堤志》八卷（与周孔教、姜宏范同撰）、《清晖馆集》二卷、《薄游草》十五卷。《清晖馆集》提要曰："是集上卷为诗，下卷为文。前有万历戊子陈文烛序，称其学问日富，变化无穷，与胡应麟并称。今观其所作，亦颇工丽自喜。而边幅太狭，犹在《少室山房集》下也。"

郑太原据刘思温《少林古今录》增补为《嵩少集》四卷。《四库全书总目》卷一九二集部总集类存目三著录《嵩少集》四卷，提要曰："明郑太原编。太原，潞安人。官登封县知县。初，嘉靖中浑源刘思温尝辑少林题咏碑刻为《少林古今录》。万历戊子，太原因其旧本增入嵩岳、嵩麓诸寺诗文，故名之曰《嵩少集》。"

《廉平录》由谭耀刊行。此书乃书帕本。据四库提要。

王道显为杨道会《性理抄》作序。此书乃书帕本。据四库提要。

耿定向任南京都察院右都御史。徐显卿任吏部右侍郎。赵志皋任南京吏部侍郎。据王世贞《弇山堂别集》。

张佳胤（1527—1588）卒。王世贞《光禄大夫太子太保兵部尚书赠少保居来张公墓志铭》："明年戊子，公卒得风痹不起"；"公讳佳胤，字肖甫，初自号岠山，以其家在居来两山间，更之曰居来山人。"嘉靖庚戌（1550）进士，除滑县知县。擢户部主事，改兵部，迁礼部郎中。谪陈州同知，迁蒲州知府。历河南、云南佥事、广西参议、大名兵备副使、陕西参政、山西按察使，超迁右佥都御史，巡抚应天。调南鸿胪卿，就迁光禄卿，进右副都御史，巡抚保定。改陕西，未赴，改宣府，召拜兵部侍郎，寻兼佥都御史，巡抚浙江。加右都御史，拜兵部尚书，寻兼右副都御史，总督蓟辽保定，加太子少保、太子太保。赠少保，谥襄敏。"於乎，明兴以来，称文武才者独王文成、杨文襄、王肃敏而已。肃敏小孙于武，而文襄疏于文，非公比也。公之就大矣，不当以一雕虫小技与不佞还往之私潙公志，然公之精神实注焉，寻曹子桓所云云，可以已哉！公集若干卷行于世。"《明史·艺文志》著录张佳胤奏议七卷、《居来文集》六十五卷。《四库全书总目》集部别集类著录《居来山房集》六十五卷，提要曰："明张佳胤撰。……是集赋一卷，诗二十八卷，杂文三十五卷。末一卷附录行状墓志，后又载同时诸人所作序记等文十一篇。"《静志居诗话》卷十三："肖甫以功业显，其诗亦多慨忼奋厉之气，与仰屋梁著书者不同。人皆称其近体，不若五古，较胜十筹。《咏怀》

云：'毒暑不辞锻，严冬尚为渔。裘葛有本性，生事因其居。伊予触世网，转与青云疏。一谪孟诸野，再迁首阳且，素位守明诫，穷途岂歆歟。贵者日以贵，宁得辞劳劬。贱者日以贱，庶几远祸枢。'"《明诗别裁集》卷九录张佳胤诗四首，评曰："少保诗时露警拔，陈卧子重其庄雅，称为李、王后劲。"《明诗纪事》己签卷三录张佳胤诗七首，陈田按："居来入后五子，诗品在助甫之次。"

马之骏（1588—1625）生。施绍莘（1588—约1640）生（或云1581年生）。生平简介见下卷。

## 公元 1589 年（神宗万历十七年　己丑）

### 正月

初一，神宗因日食免朝贺，嗣后数年元日皆不视朝。江盈科《元旦早朝上不临御》诗云："九衢车马沸香尘，万国朝天共此辰。温室烟浮唐苑树，上林鸠泄汉宫春。群臣虎拜循丹阙，圣主龙颜隔紫宸。三十余年民望渴，凭轩何日沛丝纶？"光绪《桃源县志》卷十六于诗末引《仙人邑里集》曰："《明史》万历十七年正月朔日食，帝以是免朝贺，自后每元旦皆不视朝，末句直言庄论，不为末减，可作当时奏议读。"

陈勋（1560—1617）丧偶，不再娶，亦不置媵。叶向高《明绍兴府知府景云陈公偕配詹安人合葬墓志铭》："娶赠安人詹氏，为余同年孝廉洪相女，甚婉嫕有操行，能成君志。以嘉靖壬戌年（1562）八月初九日生，万历己丑年正月二十二日没，年仅二十八。"陈勋"年未三十丧偶，矢不再娶，亦不置媵。或问其故，但微笑而已。在广陵日，有欲饰一姝以进，君峻拒之"。

### 二月

王衡等七人因被指乡试作弊而参加复试。"王衡等七人平通，屠大壮一人亦通"，俱准会试。《弇山堂别集》卷八十四《科试考四》："正月，礼部郎中高桂奏，谓'我朝二百余年公道，赖有科场一事，自权相作俑，公道悉坏，势之所极，不能亟反。旧例，凡士子草稿不完者，先行帖出，不准进场。今第四名郑国望稿止五篇，执事官若罔闻知，乃巍然掇高科矣，纵才迈董、贾，以典制则悖矣。第十一名李鸿《论语》篇，腹中有一囡字，考之《海篇》直音，囡音匦，谓私取貌，询之吴人，土音以生女为囡，此其为关节明甚矣。《孟》义大结尾云，呼伪而可以为囡，吾未知新莽之果不可为周公也。经书二篇结云，傅岩之遇，方自以为不世之遭，即有贤者，岂能尽出其右，而曰吾姑待之，岂理也哉！文义难通又若此。第三十二名屠大壮，首篇云，以后来之识见，合诸前此之图谋，以新生之意见，合诸初时之谋议，有以一夫奏言彻行者。《中庸》篇云，道之端由此造，其知乎？道之端由此造，其能乎？《孟》义大结云，之呛者流，与唐虞争烈。至后场，以创作瓶，以辟作壁，以蜉蝣为浮游等字。大率不通类此。即置之于小试，当在斥降之列，况可以点贤书乎？他若二十一、二名茅一桂、潘之惺，二十八名任家相，三十二名李鼎，七十名张毓塘，即数字数句之疵谬，不堪过求，然亦啧有烦言矣。夫士在明经适用，而不经之字，岂宜妄书？顺理成章为文，而不通之文，岂容收录？且文卷遗匿，真伪难凭，公据混淆，辨验无自，不审本房作何评骘，主考曾否参订？向来硃墨卷类为一处，何独至硃卷而遗之？昔人场中有用三十字作冒，今奈何互相牢笼，恬不为怪耶？大抵今之科举，坏乱极矣，士子以侥幸为能，主司以文场为市，利在则从利，势在则从势，录其子以及人之子，因其亲以及人之亲，遂至上下相同，名义扫地。洪武三十年，学士刘三吾、纪善白思蹈等主试，至有物议，高皇帝震怒，一遣于边，一弃于市，圣祖岂无意而重处之哉！正谓开科取士，国家大典，此而作奸，则无奸不作矣，此而营私，则无私不营矣。臣备员清署，非不知包容之为得，顾义气所激，不能自已，乃敢披沥血诚，上干天听。伏乞敕下九卿，会同科道官，将顺天中试卷，逐一检阅，要见原卷，见在多少，有无积弊，逐一查明，据实上请，以俟处分。其余迹涉可疑，及文理疵谬者，通行议处，以严将来之防。即将臣重加妄言之罚，以谢当事，庶公论可明，倖门可塞，众愤可泄，数十年之锢弊为之一清矣。臣又有说焉，天下之公与私不并立，而人心之疑与信不两蒙，自我朝设科以来，岂无公卿之子以才见收者乎？而人不之疑。故相张居正诸子后先并进，而一时大臣之子遂无有见信于天下者。今辅臣王锡爵子衡，素号多才，岂不能致身于青云之上？而人之疑信且半也。臣亦乞将榜首王衡与茅一桂等，一同复试，庶大臣之心益明，可以信今而传后矣。'奉圣旨：'这草稿不完，事在帘外，硃卷混失，事在场后，字句讹疵，或出一时造次，有无弊端，着礼部一并查明来说，不必复试。自后科场只照旧规，严加防范，毋滋纷纷议论，有伤国体。该部知道。'"大学士申时行等疏，恳恩复试以昭公道事，奏举人李鸿等应行复试。奉圣旨：'卿等恳请复核，具见公慎，高桂本内有名举人，着礼部会同都察院及该科道官当堂复试，看阅具奏，锦衣卫还差官与高桂一同巡视。'"《神宗实录》云："大学士申时行、王锡爵以高桂论科场事，词连锡爵子衡、时行婿李鸿，各上疏自明，且求放归。上俱慰留之。"刑部云南司主事饶伸上诉罢斥申、王。二月，复试"王衡等七人平通，屠大壮一人亦通"，都准会试。高桂夺俸两月。其后饶伸革职为民，高桂降二级调边方用。焦竑《澹园集》续集卷十七《王辰玉太史哀辞序》云："太史字辰玉，吾师荆石先生冢嗣。……戊子秋，首举京师，其制义传播海内，如凤采星辉，人人快睹。皆曰：'我师之能成其子如此也。'又曰：'君之克肖如此也。'无何，言者讦君以元老之子登上第，可借以立声名，攫贵富，遂出力攻之。君置不与辨，逡巡引退者数年。"《明诗纪事》庚签卷十录黄洪宪诗《上疏后长安友人相讯赋谢》，陈田按语云："碧山学士万历戊子主顺天试，取王文肃子衡为榜首，李鸿又申文定婿也。为言者攻讦，朝命复试，文皆如格。学士疏十上，乃得归。后言者犹以为口实，在籍听勘。学士工于制举文，诗非所长。"碧山学士指黄洪宪。洪宪字懋忠，嘉兴人。隆庆辛未进士，选庶吉士，授编修。奉使朝鲜还，进侍读。历右庶子，选少詹事，掌翰林院事。有《碧山学士集》二十一卷、《别集》四卷。

**潘之恒**（1556—1621）刊行其诗集《东游篇》，"中多情语"。王世贞《潘景升东游诗小序》："潘景升从余游，每见必出其所业，余因得以窥其进。而至岁之戊子秋，谒余于金陵右司马邸。是时，景升方与其侪偶相逐而角鸿都门之业，寻久不利，亟去。余时卒卒未暇叩。景升今年二月复游金陵，则益梓其近诗若干首，曰《东游篇》。盖景升家黄山白岳间，而又好游，若金陵、胥台、虎林，山水固其比席间物。至是遂渡钱塘，栖四明。四明襟海而孕山，东湖，其中古刹名迹处处皆是。景升与二三君子穷舟车杖履之胜，发而歌诗，往往清远蕴藉，如《金闻》、《銮江》诸曲，能以宋齐乐府之调而出入建安之门，近体要亦不下大历。虽山水之胜有以启景升，而景升之深会独诣，其灵承者自不浅浅也。间与其乡衮方司徒及之，方公欣然意合，独谓景升恂恂太学诸生，步武尺寸不失，而诗多燕姬越女谑浪挑寄之辞，是不累异日缙绅间声耶？余报公，将以景升真有之乎？古之才人墨士，志有所不遂，则必借以发舒其抑郁，才有所不尽，则复借以骋骛其藻丽，此齐梁之所以辉映一时，而青莲、少陵氏之所不能废也。令景升而改玉甚易，虽然，何以称哉？司徒无以难也。因志于简端。"序署"万历己丑谷雨日"。谢陞《续东游诗序》作于今年上巳，亦言潘之恒诗"中多情语"。序云："景升东游续草成，手以观予，首《銮江曲》，卒以《禽言》，中多情语。适二客在坐，一谓景升青衿之士，乃作微辞，儿女情多，名教何有？客先予答：'若何浅之乎知景升也！千金之子，几道一言，才著进贤，风流顿尽。景升名士，上未入官，下不谐俗，故其称诗，缘情而靡，夫亦宜然。'予曰：'否否。前者之言是耳论也，后者之言是目论也，非唯不知景升，且不知诗！夫诗本性情，风在里巷，男女之情最俚而近，兴观群怨，此为最先。由是而事父事君，雅颂备矣，故诗先风，以近情也。士必才也，则有情。古今才士如白太傅、元微之、杜樊川、李供奉，以至六朝诸子，与生家安仁，姑且勿论，独不观诸国风乎？采葛、褰裳、投桃、赠芍之篇，岂尽出妇人之手？无亦才士代而为之，或藉以咏朋友之交、君臣之际，未可知也。在仲尼不删。其后变而之《离骚》，又变而之乐府，以逮近体、绝句，文虽变而情一也。海内之称诗者众矣，各著一编以为交游藉手，甫一展卷，其所赠答多显贵人，上自宰执，下逮尹牧，若除书然，以动观者，类都献佞，大是不情。雅不在朝廷，颂不在宗庙，而多在章缝，风斯下矣。景升此集则不。文生于情，亦才士事，寄也而非溺也，否则其托耳，夫亦国风之鼓吹也欤哉！清音亮节，似浅而深，似近而远，似淡而腴，似不尽态而有余妍，才既具矣。朝廷燕飨，宗庙登歌，以雅以颂，盖优为之。当世搢绅先生之诗，吾不敢言，其在吾党，则如吴兴吴翁晋、宣城梅季豹、姑苏陆成叔，皆翩翩富有才情，景升流也。故其称诗，率多同调。独不佞才在下中，未能忘情，聊复云尔。'景升起而揖曰：'先生知言哉！'谨谢客。万历己丑上巳，丰干友人谢陞撰。"

**陶望龄**（1562—1609）以文章"奇矫"举会试第一人。许国、王弘诲任会试主考。《列朝诗集小传》丁集上："望龄字周望，会稽人。礼部尚书承学之子。万历己丑会试第一人，廷试第三人，授翰林院编修，历中允谕德，起国子祭酒。以母老乞终养，母丧，遘疾而卒。谥文简。周望年九岁，即匡坐，终日与其兄问答，皆世外语。在词垣，与同官焦竑、袁宗道、黄辉，讲性命之学，精研内典。悦慈湖、阳明、龙溪、近溪之书，曰：'慈湖师陆，文成之所自出，余子文成之裔也。'阅历清华，多引身家食，游览吴越名胜，一登洞庭，两游白岳。楚人袁宏道谢吴令，偕游东中，陟天目，穷五泄，诗记为时所传。周望于诗，好其乡人徐渭。作《洞庭山游记》，规摹柳州，近效蔡羽。万历中年，汰除王、李结习，以清新自持者，馆阁中平倩、周望为眉目云。有《歇庵集》行世。"《制义丛话》卷六："梁省吾（葆庆）曰：陶石篑评汤霍林文云：'世之评文者，类言好丑而莫言内外，予独以内外分好丑。'可谓发千古未发之秘。盖外膏内枯，文之下也，外枯内膏，文之上也。昔坡老好渊明之诗，以为质而实绮，臞而实腴，且曰佛言食蜜中边皆甜。人能分别其中边者，百无一也，文之内外，其能辨之者寡矣。汤君之文，所谓外枯而内膏，似淡而实美者。呜呼，此不但评霍林文，直石篑先生自述其文矣。王已山曰：自万历己丑，石篑以奇矫得元，而壬辰（1592）踵之，遂以凌驾之习，首咎因之。其实文章之变，随人心而日开，于顺题成局，相沿已久之后，变而低昂其势，疾徐其节，亦何不可。"

　　吴国荣、丘汝洪等校刻吴承恩《射阳先生存稿》，吴国荣作跋。跋署"万历己丑仲春七日通家晚生吴国荣顿首书"。

## 三月

　　**焦竑等进士及第。会元陶望龄为廷试第三人。**《弇山堂别集》卷八十四《科试考四》："二月，命少傅兼太子太傅礼部尚书建极殿大学士许国、詹事府掌府事太子宾客吏部左侍郎兼侍读学士王弘诲主会试，取中举人陶望龄等。廷试，赐焦竑、吴道南、陶望龄（1562—1609）及第。五月，改进士王肯堂、刘曰宁、顾际明、庄天合、董其昌（1555—1636）、蒋孟育、区大相、黄辉、冯有经（1566—1615）、傅新德、周如砥、朱国桢、乔彻、唐效纯、林尧俞、孙羽侯、徐彦登、包见捷、罗拣、吴鸿功、冯从吾、郭士吉（为庶吉士），命吏部左侍郎太子宾客兼侍读学士沈一贯、礼部左侍兼侍读学士田一俊教习。"《涌幢小品》卷十《己丑馆选》："是科，三鼎甲外选者二十二人，中间才士甚多，留者十二人。惟余最薄劣，俯仰三十年间，初十年聚京师，济济皆有公辅之望。自己亥年（1599）一散，便分陵谷，刘云居曰宁，得少宰，已不及见。蒋恬庵孟育殁南少宰，庄冲虚天合，黄慎轩辉，得少詹，傅商盘新德得太常卿，署国子监，周砺斋如砥得祭酒，冯源明有经得庶子，区海目大相，以中允改南，王损之肯堂，检讨考察，今皆作古人。董思白其昌，外转，浮沉闽楚藩臬。余与林兼字尧俞，皆祭酒被废，三人仅得不死。授科道者，惟包大瀛见捷至少宰，冯少墟从吾、顾海阳际明，家居无恙，而鼎甲焦弱侯竑，一摈不复收，陶石篑望龄，亦止祭酒。吴曙谷道南虽大拜，有所阨，旋以忧去。从来馆中之否，未有甚于此者。而先一科为丙戌（1586），合鼎甲无大拜，有五亚卿，皆在事久。又皆典会试，差以此胜。焦弱侯，率直认真。元子初出阁，定讲官六人，癸未（1583）则郭明龙，丙戌（1586）唐抑所、袁玉蟠、萧玄圃、全玄洲，己丑（1589）则弱侯。太仓相公迎谓曰：'此重任。我辈先年少着精神，故到今扞格乃尔。诸公看元子资向如何，择其近而易晓者，勒一书进览方佳。'无何，相公去国，诸公不复措意。惟弱侯三上、三多、三不惑，纂《养正图说》一册，郭闻之，不平曰：'当众为之，奈何独出一手，真谓我辈不学耶？且此书进后，傥发讲，将遂与古书并讲。抑出汝之手，令我辈代讲，谁则甘之。'其说甚正，弱侯亦寝不复理。后其子携归，刻于南中。送之寓所，正在案而珰陈矩适至，取去数部，达御览。诸老大患，谓由它途进，图大拜，事不可解矣。吕新吾司寇廉察山西，纂《闺范》一书。弱侯以使事至，吕索序刊行，弱侯亦取数部入京。皇贵妃郑之侄曰国泰者，见之，乞取添入'后妃'一门，而贵妃与焉。众大哗，谓郑氏著书，弱侯交结为序，将有他志。疑忌者又借此下手，至今其说尚盛，不独败官，将欲啖肉，文之不可轻如此。弱侯以此谪官，绝无几微怨色，对客亦不复谭及。惟与余善，细问之，乃述此，且戒余曰：'惟认真故及，切无然。'余曰：'不认真，乃认假耶？'然《养正图》一人独纂，不商之众，毕竟自家有不是处。"《明史·文苑传》："黄辉，字平倩，一字昭素，南充人。竑同年进士。幼颖异，父子元，官湖广，御史属讯疑狱，辉检律如老吏。御史闻而异之，命负以至，授钱谷集，一览辄记。稍长，博极群书。年十五举乡试第一。久之，成进士，改庶吉士。馆课文字多沿袭熟烂，目为翰林体，及李攀龙、王世贞之学行，则又改而从之。辉刻意学古，一以韩、欧为师，馆阁文稍变。时同馆中，诗文推陶望龄，书画推董其昌，辉诗及书与齐名。至征事，辉十得八九，竑以闳雅名，亦自逊不如也。"同榜进士有吴道南、高攀龙（1562—1626）、方大镇、郝敬（1558—1639）、郑明选、李先芳、王士骐、马经纶等。

**冯梦祯作《皇明四书文纪序》。《四书文纪》，项庭坚选，录正德以前试文窗课千余篇。**序云："我国家以经义取士，士非此，虽才擅八斗，学穷五车，未免有操瑟齐门之叹。故雄俊之士，不惮降格为之，而委琐虚庸之辈，亦嚣嚣然饰薄伎以托一时之幸，才而得者什五，不才而得者什一。语云：窗下休言命，场中莫论文。又云：不愿文章中天下，只愿文章中试官。快哉斯论！岂祖宗睿算，将假此以磨砻豪杰，销其骯脏不平之气而用之乎？而为士者，亦遂比之为敲门砖，门一辟即弃不用，故其视举业也甚轻，而其与世推移也甚速。余自燥发习举业，迨成名，至今不及三十年，而天下之文凡几变矣。一变而为嘉靖晚年之华靡，再变而为隆万间之刻画，三变而为今日之吊诡缪悠。岁化月迁，一唱百和，东下之流，既倒之澜，虽诏旨日下而不能禁也。吾友项庭坚氏忧之，搜罗正德以前先辈试文窗课若干，加选焉，得千余首，名之曰《皇明四书文纪》，而示余曰：'士熟此，庶几可以挽颓风乎？子盍序而传诸？'廷坚与余素以笔研相磨切，至彼此遇合，各修其业不衰，课子授徒，与经生无异，不以敲门砖弃之。而当其执管时，呕心凝神，务求作者之意，以适于甘苦疾徐之节，神情宁厚，声态宁薄，要以不愧先辈典刑而止。吾两人之文，其不与世推移，亦略相似也。余闇且劣，不敢雁行事廷坚。廷坚之才名方奔走天下，此编一出，家传人诵，险棘者平夷，浅陋者精深，一洗近代之习而登之成弘已前，此可以旋至而立有效者。廷坚之嘉惠后学，其无穷也哉！虽然，此可为智者道耳。听古乐惟恐卧，听郑卫之音则不知倦，大声不入于里耳，折杨皇华则哑然而笑，世故如此，岂敢谓斯编之必有合也？然廷坚之用心则已勤矣。万历己丑上巳日序。"（《快雪堂集》卷三）

**袁宏道（1568—1610）应进士试不第，始究心于性命之学。**据袁中道《吏部验封司郎中中郎先生行状》。

## 春

**胡应麟访张凤翼于吴下。时胡应麟病愈不久。**胡应麟《周公瑕书王司寇石羊生传跋》云："戊子冬，余卧疴京口，不食者载阅月。长公（王世贞）屡使过存。余因丐作小传……己丑春还溪上，舟过吴门。"张凤翼《胡元瑞见过，走笔奉赠》云："传闻卧病维扬者……不意生还过吴下。"

## 四月

谢肇淛便道谒顾大典于吴江。时顾大典赋闲家居。谢肇淛《小草斋集·游燕记》云："（四月）十六日，宿吴江顾先生家。先生角巾出迎曰：贤得无劳乎？姑置丘壑中，风波逼人，无早自苦也。余唯唯退，则世卿（其子庆恩字）搦椠以待，曰：虎头（指顾）为幼舆（指谢）临池，请观。有徐元之者，亦善画，以绯梅索余诗。余出扇索作小景。是日欢谑。翌日登舟。"肇淛去年中举，万历二十年进士。见《题名碑录》。

## 五月

董其昌（1555—1636）选翰林院庶吉士，日与陶望龄、袁宗道游戏禅悦。陈继儒《董宗伯容台集序》："《容台集》者，思白董公之所撰也。大宗伯典三礼，敕九卿，观礼乐之容，故称容台。……往王长公（指王世贞）主盟艺坛，李本宁与之气谊声调甚合，董公方诸生，岳岳不肯下，曰：'神仙自能拔宅，何事傍人门户间。'独好参曹洞禅，批阅《永明宗镜录》一百卷，大有奇悟。己丑读中秘书，日与陶周望、袁伯修游戏禅悦，视一切功名文字，直黄鹤之笑壤虫而已，时贵侧目。"陶望龄字周望，袁宗道字伯修。

## 六月

予胡宗宪祭葬。沈明臣《丰对楼诗选》卷四十有诗《万历十七年六月九日圣恩许复胡少保大司马梅林公官爵，复与祭葬，门生沈嘉则闻之，不胜舞抃欣跃，吟诗三章，以志我公泉下之喜》。

## 夏

谢肇淛以《游燕集》请陈宏己作序。《游燕集》，收万历十六、十七两年间诗。陈序云："己丑夏，陈子结轫将入燕，马首几北矣。会友人谢在杭氏自燕山下第，落落策一驷，挟一苍头奴，手一囊过陈子江壖，投之曰：'走之游燕久，上书不报，囊中金尽矣，所余物止此。顾自谓游不薄，视陆生装腆甚，今享于吾子，吾子其千金之。'陈子受唯唯。时方疥足，枕一琴，从花阴中读之，便脱然若噉痂，又飘飘然若已过剑津，佩水中苍龙，度霞关，弃纚去，射钱塘潮头，看姑苏台上麋鹿游状。由齐经鲁，徘徊阙里，饭钜鹿，登太行，直抵蓟门，酹酒燕昭王台下，以马箠掀蓬中骏骨而俎之。日撘颐西山，爽气在眉睫间也。盖在杭年少矣，顾才甚雄，所为诗鉥然古色，遇境即际，即被放犹然神王若此。假后计而对公车，策数万言，后天子命给兰台札，应制赋《帝京》、《上林》、《塞上》诸篇，其描写壮游气象，又当何如？故不以不文让。遂倚马首题之，内箧中。期至燕与酒人游，日令荆、高辈击筑出歌，当必有倚而和之者。"谢肇淛字在杭。

谢肇淛（1567—1624）、徐爌欲题诗杭州六和塔，为寺僧所阻，不果。《闽小记》卷四《谢在杭》："万历己丑，谢在杭与徐惟和下第，过杭州六和塔，爱其幽静，各赋一诗，欲题壁间。而寺僧号呼：'奈何浪矜吾壁？吾且取水涤之。'在杭笑不复题。越三载，在杭拜吴兴司理，行部至杭，询之，则寺僧惧罪逸去久矣。在杭大笑，因复题云：'双旌五马绕江城，惊起山僧合掌迎。三载重来浑似梦，终军原是弃繻生。'"

## 八月

莫如忠（1509—1589）卒。林景旸《明故通奉大夫浙江布政使司右布政使中江莫公行状》："公讳如忠，字子良，别号中江，系出宋内翰寿朋后。"华亭人。嘉靖戊戌（1538）进士，授南工部主事，改礼部，擢贵州提学副使，投劾归。改湖广副使，历河南参政、陕西按察使，官至浙江布政使。"公生于正德己巳四月七日，卒于万历己丑八月五日，享年八十有一。""每当撰著，布格征词，会意融境，镂肝雕肠，岁锻月炼，单词只字，未概玄心，不草草淄其素毫。大都出入《左》《国》秦汉，混然成一家言。其古诗抗步建安，近体长揖岑孟，歌行藻饰隽永，风骨遒劲，便当鼓吹青莲。著有《程宋绎旨》六卷，《尚书大旨》八卷，《崇兰馆集》二十二卷，《古文原》一百卷，《吴淞诗委》十二卷，《先正粹言》四卷，《质疑录》一卷，《格致臆见》一卷，行于世。至其书法种种，如龙蟠虎卧。公尝自言，初从紫阳，入颍后摹右军、怀素，凡三变，故能称纤合度，永为世宝。"《列朝诗集小传》丁集上："善草书，为诗尤工近体。有《崇兰馆集》。王元美初登第时，子良为前辈称诗，元美因仲山人往交，称其诗清令，蔚有唐风。晚年为之诗曰：'子良岂不文？宛若田父社。饥来玩清泌，衡门亦潇洒。'"《明史·艺文志》著录莫如忠《崇兰馆集》二十卷。《四库全书总目》集部别集类存目四著录《崇兰馆集》二十卷，提要曰："《明史·文苑传》附载董其昌传中。其诗颇具唐音，五言近体尤多佳句。文则应俗之作居多，惟题跋十余则，颇为雅令。案，如忠精于赏鉴，流传墨迹，题识最多。此所收犹未尽也。"《明诗纪事》戊签卷二十录莫如忠诗二首。

## 十月

天都外臣作《水浒传叙》。天都外臣，或以为即汪道昆。沈德符《万历野获编》卷五《武定侯进公》载："今新安所刻《水浒传》善本，即其家所传，前有汪太函序，托名天都外臣者。"叙云："小说之兴，始于宋仁宗。于时天下小康，边衅未动。人主垂衣之暇，命教坊乐部，纂取野记，按以歌词，与秘戏优工，相杂而奏。是后盛行，遍于朝野。盖虽不经，亦太平乐事，含哺击壤之遗也。其书无虑数百十家，而《水浒》称为行中第一。故老传闻：洪武初，越人罗氏，诙诡多智，为此书，共一百回，各以妖异之语引于其首，以为之艳。嘉靖时，郭武定重刻其书，削去致语，独存本传。余犹及见《灯花婆婆》数种，极其蒜酪。余皆散佚，既已可恨。自此版者渐多，复为村学究所损益。盖损其科诨形容之妙，而益以淮西、河北二事。赭豹之文，而画蛇之足，岂非此书之再厄乎！"所叙当为百回繁本，尚无征田虎、王庆二事。

王世贞诠次王世懋遗稿成《王奉常集》，吴国伦作序。奉常，世贞弟世懋官至南京太常寺少卿。序云：世懋卒，"逾岁，元美诠次其遗稿，合古近体诗及序志传记赞颂诸文得五十余卷，录而传之。走使溯大江入楚，嘱余序。而其子太学生士骈辈又申之曰：此先君子治命也。"序署万历己丑孟冬。此序系应王世贞之请而作。《弇州续稿》卷一九八《答吴明卿》云："（家弟）所心仪虽于鳞，然与之同调而异裁。若小事写致，似小胜之。盖七言近体为最矣。古文辞尤长于记，记尤长于游，诔赞则彬彬焉。临终治命……集叙则奉恳足下。"《四库全书总目》集部别集类存目五著录王世懋《王奉常集》六十九卷，提要曰："是集赋、诗、词十五卷，文五十四卷。第五十二卷曰《澹思子》，第五十三卷曰《艺圃撷余》，第五十四卷曰《经子臆解》、《易爻解》，皆所作杂说、笔记，附编集内者也。世懋名亚于其兄世贞，而澹于声气，持论较世贞为谨严。厥后《艺苑卮言》为世口实，而《艺圃撷余》论者乃无异议，高明、沉潜之别也。但天姿学力皆不及世贞，故所作未能相抗耳。朱彝尊《静志居诗话》云：'敬美才虽不逮哲昆，习气犹未陷溺。'斯持平之论也。"今年六月，王世贞由南京兵部侍郎升南京刑部尚书，八月到任。九月，以"违例考满"为御史黄仁荣所劾，得旨照旧供职。冬，乞休，不允。

冬

大理评事雒于仁上酒色财气四箴，直攻万历之失。疏入，帝震怒。详见孟森《明史讲义》第二编第五章。

陈文烛为王世懋《王奉常集》作序。陈文烛（1535—?）字玉叔，沔阳州人，副使陈柏子。嘉靖乙丑进士，除大理评事。历寺副、寺正，出为淮安知府。迁四川副使，历漕储参政、福建按察使，进布政使。改江西。迁应天府尹，进南大理卿。有《二酉园诗集》十二卷、《文集》十四卷、《续集》二十三卷。《诗薮》续编卷二《国朝下》："陈京兆玉叔，温良乐易，海内称其长者。尤善汲引后学，即闾巷岩穴，有片善必孜孜称述不容口，所至户屦恒满。诗文清婉典饬，居然汉、唐间名家。所著《二酉园集》，制作甚富，两司马咸有序，盛行于时。"《四库全书总目》卷一七八集部别集类存目五著录陈文烛《二酉园诗集》十二卷、《文集》十四卷、《续集》二十三卷。《明诗纪事》己签卷十五录陈文烛诗二首。

本年

沈璟以顺天科场舞弊案辞官归里，开始戏曲创作。据徐朔方《晚明曲家年谱》。

于慎行任礼部尚书兼翰林学士。据王世贞《弇山堂别集》。

袁宗道就焦竑、瞿汝稷问学，共引以顿悟之旨。袁中道《石浦先生传》："己丑，焦公竑首制科，瞿公汝稷官京师，先生就之问学，共引以顿悟之旨。而僧深有为龙潭高足，数以见性之说启先生，乃遍阅大慧、中峰诸录，得参求之诀。久之，稍有所豁。先生于是研精性命，不复谈长生事矣。"袁宗道号石浦，今年升翰林院编修。龙潭指李贽。

谢肇淛为周如埙诗作序。周如埙，字所谐，其诗山中什九，应酬什一，绰有林壑之致。谢肇淛《周所谐诗序》："己丑岁，余得周所谐诗读之，业为之序。已余北征释褐，司李吴兴，不相闻者二载。无何，其子千秋泥首持一缄来谒，曰：'先人名未成而委沟壑。惟是遗文没而不称，孤之罪也。子辱与千秋先人游，又辱赏其诗，敢以请。'余跪而卒业焉，失声曰：'噫，所谐知余，余不可负所谐。'因命锓而载序之。……其前后所为诗，大率山中什九，应酬什一，词典则而意和平，调玄著而声洪邑，九漈斗奇，荔支双美，盖得情性之趣于语言之外者。天假之年，其不攀郑提李，拍七子之肩者，几希矣！"周如埙（1542—1592）生平，略见《闽小记》卷四《周所谐》："周所谐，名如埙，莆处士也。足迹不出户庭，苦吟弗辍，未尝妄与显者游。里中乡绅学士，罕识其面，故其为诗，绰有林壑之致。自作田家吟云：'不识市朝车马喧，残蓑弱笠老田园。柴门去郭无多路，野竹临流自一村。春雨桑麻终岁足，清时鸡犬数家存。儿孙牧畜南山下，为道须防猛虎繁。'可以见其逸韵矣。他如'风生极浦潮常白，霜冷空林草变衰。''万里寒山横积雪，半汀衰草隐斜阳。''百花潭上渔竿在，五柳门前鹤径荒。''因嫌城市非吾土，却傍渔家作比邻。''墙压花枝妨客过，泥深苔径唤人扶。'等句，全无烟火食气。"《列朝诗集小传》丁集有传。

汪可受初见李贽于龙潭（龙湖）。汪可受为李贽门人之一。汪可受《卓吾老子墓碑》："岁己丑，余初见老子于龙湖，时麻城二三友人俱在。老子秃头带须而出，一举手便就席。余曰：'今士习多任放，先生将广教化于此，何不以戒律倡之？'老子曰：'何誉诸君之过也。放之一字，恐诸君子承当不得。'复以手籇形曰：'总跳不出。'余曰：'如先生者发去须存，犹是剥落不尽。'老子曰：'吾宁有意剃落耶！去夏头热，吾手搔白发，中蒸蒸出死人气，秽不可当。偶见侍者方剃落，使试除之，除而快焉，遂以为常。'复以手拂须曰：'此物不碍，故得存耳。'众皆大笑而别。"（《畿辅通志》卷一六六《李温陵外纪》）汪可受，字静峰，湖北黄梅人。

邹迪光（1550—1626）罢归，自此优游林下近三十年。《诗源辩体》卷三五："邹彦吉惠山园初成，予因游二泉，观之，见其墙屋栏楯，事事皆异，正犹谢灵运衣物多改旧形制也。予《诗源》稍成，顾南宇欲为乞彦吉序，予心知不合，但言予《诗源》未成，成时当藉君乞序。南宇竟乞序归，果不合予意。后见彦吉作《沈渊渊诗序》及《蕉雪林诗序》，持论又正，推其意以为'六朝、晚唐咸出古人，无一语可贬损，而灵运尤不宜贬也'，宜其与《诗源》不合耳。"《四库全书总目》集部别集类存目六著录邹迪光《郁仪楼集》五十四卷，提要曰："迪光字彦吉，无锡人，万历甲戌进士，官至湖广提学副使。年四十，即罢归。筑室惠山，多与文士觞咏，优游林下者几三十年。时王世贞已没，迪光欲代领其坛坫，然竟不能也。是集凡赋一卷、诗二十九卷、杂文二十四卷。其诗文皆欲矫雕镂，翻成浅易。故朱彝尊《静志居诗话》深不满焉，特略取其绝句而已。"按，四库提要所云罢归时间与钟惺《邹彦吉先生七十序》所述略有出入。序云："岁辛卯，惺年十八，出就郡国童子试。吾师无锡邹彦吉先生，督学楚中，时年四十三，玉貌铁骨，渊镜肃然。其于士之文之人，当于意与不当于意者，一裁于胸中、眼中、手中，临期使士自得之，无后言而已，初无几微见于词色之间，威仪齐整，器钵无声。惺何知，敢定先生之人？然私计古之所谓静者，意即其人也。明年先生遂中忌者归，归而楚士之先后起家中外为名硕者，十九出先生之门。"据此，则邹彦吉乃于 1592 年（壬辰）罢归。

**王樵《周易私录》完成初稿。马文炜《安邱县志》成书。** 提四库提要。

**王弘诲任南京礼部尚书。赵用贤由南京国子监祭酒升南京礼部侍郎。** 据王世贞《弇山堂别集》。

**刘效祖（1522—1589）卒。** 刘效祖为明代散曲名家之一。《静志居诗话》卷十三《刘效祖》："刘效祖字仲修，滨州人。嘉靖庚戌进士，除卫辉推官，征授户部主事，历员外、郎中，出为陕西按察副使。有《云林稿》。副使负经世略，坐计吏罢官，晚寄情词曲，所填小令，可入元人之室。如《沉醉东风》云：'东北路，尘沙滚滚，玉河桥，车马纷纷。官高休羡荣，命蹇须安分。靠青山，紧闭柴门，闲把英雄细讨论，能几个，到头安稳？'又一阕云：'门巷外，旋栽杨柳，池塘中，新浴沙鸥。半湾水绕村，几朵云生岫。爱村居，景致风流，闲啜卢仝茗一瓯，醉翁意，何须在酒。'《朝天子》云：'喜碧山日亲，把银鱼早焚。销缴了、功名分。辎车鸠杖鹿皮巾，也不让，黄金印。晚景无多，前程休问。趁明时，自在隐。寻几个故人，团坐在荜门。尝则把，阴晴论。'杂之小山乐府中，不能辨也。昭陵尝遣中使，索其题册，呼曰'念庵'。念庵，副使别字也。因赋诗云：'更生双鬓已萧骚，敢谓文章擅彩毫。过误偶承明主问，因缘不是《郁轮袍》。'都人传其事，以为列朝所未有。诗亦爽豁，惜集不传。"《明诗纪事》己签卷十录其诗二首，陈田按语云："副使七绝，风调俊爽。王阮亭《香祖笔记》欲辑其乡邦前辈明人有集者五十家，而遗副使名，则《云林稿》流传之鲜可知矣。"

**华淑（1589—1643）生。叶绍袁（1589—1648）生。** 生平简介见下卷。

## 公元 1590 年（神宗万历十八年　庚寅）

### 正月

**王锡爵、申时行等营救大理评事雒于仁，并请册立太子。** 时雒于仁因上"酒色才气"四箴招致万历震怒，拟予严谴。焦竑《澹园集》续集卷十一《特进光禄大夫左柱国少师兼太子太师吏部尚书中极殿大学士赠太师谥文定申公神道碑》："庚寅元旦，上御毓德宫，召四辅入。上手示评事雒于仁疏，怒其语戆，欲重有所行遣。公力为解释，天颜顿和，即以册立、豫教请。上曰：'皇长子伦序自定，须其稍壮行之。'因命皇长子出见。公贺曰：'皇长子龙姿凤目，岐嶷不凡，此国家无疆之福也。'""明日，公遂上疏曰：'皇长子伦序已定，今皇上内断于心，外廷未知也。臣等虽承面命，海内未知也，惟亟下明诏，使天下知皇上笃于爱子，不出臣下之仰赞，而出于渊衷。皇上重于升储，不由外廷之陈请，而由于特诏，何盛如之！'上未即允。嗣后公或合疏，或特揭，皆未报。公又特疏曰：'当今国家第一大事，无如册立元子，而臣等第一职业，无如建储一事。祖宗家法，储位未有不归元子者。祖法不可违悖，册立不可迟疑，一也。臣等先年奉旨云：'立储以长幼为序。'上后屡屡言之。今年元旦，上手挈元子令臣等谛视，亲谕臣等长幼之序。言犹在耳，皇上岂得失信于天下，失信于臣等？二也。道路讹传，谓皇贵妃独蒙眷注，属意所生，中外臣民颇多后议。独臣等不信，以为元旦亲奉玉旨，谓皇妃每劝册立，安得此不根之言！乃今国泰之疏既上而不报，已票而不行。外间疑议，以为皇贵妃姑令国泰塞责，皇上姑为皇贵妃解纷，使疑在宫闱，忧在社稷，何以杜百万军民之口，副四海九州之心？三也。臣等谓祖宗一定之家法，决不可不遵；皇上已出之纶音，决不可不信。皇贵妃未白之心事，决不可不明。惟立决大计，早释群疑，幸甚。'上览奏，报可。仍令内侍传示阁臣候旨行。"又续集卷十六《光禄大夫少保兼太子太保吏部尚书建极殿大学士赠太保谥文肃荆石王先生行状》："庚寅元日，召四辅臣入，上手拥皇长子，令就视，辅臣趋拜，已命皇三子继出，辅臣拟拜如前，上力止之曰：'不可。'旋出雒评事于仁疏，欲置之法，而独瞩先生，曰：'卿意云何？'先生进曰：'于仁诚有罪。第当以重法，则于仁之罪，人不知为讪上，而以为纳忠；皇上之法，人不知为治狂，而以为拒谏。'上意顿释。因以升储视朝请，上首肯之。明日，忽奉御札，以册立、豫教分为二事，一可一否，甚而疑群臣之请为离间。先生疏云：'凡称离间者，本贵而间使贱之，本亲而间使疏之。皇上手拥皇长子明示臣等以长幼之序，臣等因而早劝册立，以成皇上之所欲贵，又因而进爱劳之说、豫教之方，以成皇上之所欲亲，何名为间也？'具道册立与豫教，一无可缓者。自后或公疏，或独请，后先六上，亹亹万余言。……既而连接御札：'册立元子，伦序以定，朕岂有溺爱偏执之意？待过十岁大典，一并举行。'先生因谓同官曰：'圣意无他，止以册立大事，不宜自臣下发之。吾辈但当拱默以俟耳。'"

## 二月

罢日讲。万历每遇讲期，多传免，申时行请免讲日仍进讲章，以备观览。自后讲筵遂永罢。详见孟森《明史讲义》第二编第五章。

陈与郊作《黄门集》自序。《黄门集》收与郊在给事中任所为奏疏。《四库全书总目》卷五六史部诏令奏议类存目著录陈与郊《黄门集》三卷，提要曰："是编为其《奉常佚稿》之第二种，皆其为给事中时奏疏。与郊党附大学士申时行、王锡爵。其论大峪寿宫事，诋李植、江东之。其疏今载集中。《明史》万国钦传又载，给事中李春开劾赵南星、张士昌，与郊助之。亦以二人纠政府私人也。"

汪道昆为胡应麟《诗薮》作序。序署"万历庚寅春二月朔，新都汪道昆序"。后世论《诗薮》者，以许学夷用功最深。其《诗源辩体》卷三十五曰："胡元瑞《诗薮》，自《三百篇》、骚赋、汉、魏、六朝以至唐、宋、昭代之诗，靡不详论，最为宏博，然冗杂寡绪。《内编》，十得其七，《外编》、《杂编》，夸多衒博，可存其半。其论汉、魏、六朝五言，得其盛衰；论唐人歌行、绝句，言言破的，惟于唐律化境，往往失之。至盛誉诸先达，则有私意存耳。大抵晚唐、宋、元诸人论诗，多失之不及，而国朝昌谷、元美，时失之过，惟元瑞庶为得中。"又《后集纂要》卷一："胡元瑞云：'诗之勍骨，犹木之根干也。肌肉，犹枝叶也。色泽、神韵，犹花蕊也。勍骨立于中，肌肉、色泽荣于外，神韵充溢其间，而后诗之美善备。犹木之根干苍然，枝叶蔚然，花蕊烂然，而后木之生意完。斯义也，盛唐诸子庶几近之。宋人专用意而废词，若枯梓槁梧，虽根干屈盘，而绝无畅茂之象。元人专务华而离实，若落花坠蕊，虽红紫嫣燰，而大都衰谢之风。'又云：'宋人调甚驳，而才具纵横浩瀚，过于元；元人调颇纯，而才具局促卑陬，劣于宋。然宋之远于诗者材累之，元之近于诗亦材使之也。故蹈元之辙，不失为小乘；入宋之门，多流于外道矣。'愚按：元瑞此论妙甚，但言宋人'用意'，当言宋人尚格为妥。宋人虽用意，而意不可言勋骨也。又元人律诗，亦多出于中、晚正派，今言'元人专务华而离实'云云，或未见诸家全集，姑以理势断之耳。俟诸公全集出，更为定论。""胡元瑞云：'宋人近体胜歌行，歌行胜古诗，至风、雅、乐、谣，几于中绝。'又云：'律诗犹有如杜。'愚按：谓'风、雅、乐谣，几于中绝'，甚当。谓'近体胜歌行，歌行胜古诗'，则谬甚矣！宋人古诗、歌行，多出于退之、乐天，体虽大变，而功力恒有过之。律诗虽多出子美，然得其粗而遗其精，明于变而昧于正，故非枯槁拙涩，则鄙朴浅稚，如杜之沉雄含蓄、浑厚悲壮者，有一语乎？徒原其所自出，而不究其所从归，则岑楼寸木矣。张文石云：'衰周无颂，汉无雅，晋无四言，唐无选，宋无律。'斯并得之。""胡元瑞云：'宋黄、陈首倡杜学，然黄律诗徒得杜声调之偏者，至古选、歌行，绝与杜不类，晦涩枯槁，刻意为奇而不能奇，而一代尊之无上。'又云：'宋诸子以险瘦生涩为杜，此一代认题差处。'予欲改'险瘦'二字为'艰深'，更为妥帖。"又卷二："胡元瑞云：'高太史，昭代初雅堪褅祢，而弘、正诸贤，扬榷殊不及之，至两琅琊（元美、敬美），咸极表章，众论遂定。愚按：弘、正诸贤，扬榷不及，则以元习未去故，乐府、律诗是也；两琅琊咸极表章，则以才具澜翻故，五、七言古是也。"《四库全书总目》集部诗文评类存目著录胡应麟《诗薮》十八卷，提要曰："是书凡内编六卷，分古、今体各三卷。外编六卷，自周至元，以时代为次。杂编六卷，分遗逸、闰余各三卷。皆其评论之语。《明史·文苑传》曰：'胡应麟幼能诗，万历四年举于乡，久不第，筑室山中。购书四万余卷，手自编次，多所撰著。携诗谒王世贞，世贞喜而激赏之，归益自负。所著《诗薮》十八卷，大抵奉世贞《卮言》为律令，而敷衍其说。谓诗家之有世贞，集大成之尼父也。其贡谀如此'云云。是应麟著此书时，世贞固尚在。乃内编又自纪其作《哭王长公诗二百四十韵》事，岂应麟又续有所增益欤？"

## 春

**李贽至武昌。时黄郡太守及兵宪王君榜逐李贽甚急。**沈铁《李卓吾传》："定向有《四求未能论》，载贽驳之曰：'子臣弟友，吾人分内物也，何待于求？添一求便著一色相，非道本体矣。'士之好奇者，翕然以为真的，且简易可从也。定向忧之，每于议论中明经旨以端士心，于行事间加检束以挽士习。两家门徒，标榜角立，而耿、李分敌国。此曰：'吾师圣人也。'彼亦曰：'吾师圣人也。'载贽曰：'彼以耿为南方圣人乎？吾将为西方圣人矣！'于是，辞妻别女归泉，削发为方外士。角巾凫首，日携同志遨游巷陌。缙绅衿珮骤睹，骇异之，谤声四起。黄郡太守及兵宪王君，亟榜逐之。谓黄有左道，诬民惑世。捕曹吏持载贽急，载贽入衡州，过武昌。其入衡州，予方为衡丞，来过之。至武昌，则访公安袁六休、袁小休二兄弟。"（《闽书》卷一五二）

**王世贞编成《弇山堂别集》一百卷。是书载录明朝典故，颇为详洽。**有陈文烛序，序署万历庚寅冬日。《四库全书总目》卷五一史部杂史类著录王世贞《弇山堂别集》一百卷，提要曰："是书载明代典故。凡《盛事述》五卷，《异典述》十卷，《奇事述》四卷，《史乘考误》十一卷。表三十四卷，分六十七目。考三十六卷，分十六目。世贞自序云：'是书出，异日有裨于国史者，十不能二。耆儒掌故取以考证，十不能三。宾幕酒筵，以资谈谑，参之十，或可得四。其用如是而已。'然其间如《史乘考误》及《诸侯王百官表》，亲征、命将、谥法、兵制、市马、中官诸考，皆能辨析精核，有裨考证。盖明自永乐间改修《太祖实录》，诬妄尤甚。其后累朝所修实录，类皆阙漏疏芜。而民间野史竞出，又多凭私心好恶，诞妄失伦。史愈繁而是非同异之迹愈颠倒而失其实。世贞承世家文献，熟悉朝章，复能博览群书，多识于前言往行。故其所述，颇为详洽。虽征事既多，不无小误。又所为各表，多不依旁行斜上之体，所失正与雷礼相同。其《盛事》、《奇事》诸述，颇涉谈谐，亦非史体。然其大端可信，此固不足以为病矣。"今年三月，王世贞自南京刑部尚书休官。

### 夏

欧大任（1516—1595）集归田以后之作为《蘧园集》，寄陈文烛作序。序署"万历庚寅夏日，五岳山人沔阳友弟陈文烛玉叔撰"。欧于万历甲申（1584）秋致仕。

陈文烛为吴承恩《吴射阳先生存稿》作序。序署"万历庚寅夏日五岳山人沔阳陈文烛撰"。

### 八月

冯梦祯为何世选辑《皇明文宪》作序。《皇明文宪》收嘉靖间举业文字一千余篇。序曰："我世宗肃皇帝寿考作人，其一时人文之盛，可谓斌斌矣。而回视弘正以前，不无朱弦疏越之叹，况近世乎！何子所辑公车义，自袁胥台先生而下，凡四十七人，俱嘉靖作者，得文千余首，题曰《皇明文宪》，而梓以广之。上略成弘之朴，下抑隆万之华，而悬斌斌者以示公车法，倘亦有荀卿子法后王之意乎？读是集者，以嘉靖追成弘，以成弘追六经，挽衰靡而登雅道，岂非今日之幸哉？何子名世选，字用夫，方以是业张赤帜于东越云。庚寅秋八月二十一日。"

### 十一月

王世贞（1526—1590）卒。李攀龙、王世贞、谢榛、宗臣、梁有誉、徐中行、吴国伦并称后七子。王世贞于今年三月自南京刑部尚书乞休。据《琅琊凤麟二公年谱》，王世贞卒于今年十一月二十七日。胡应麟《少室山房集》卷四十八《挽王元美二百四十韵》序云："庚寅秋，闻先生病，则驰小艇过娄江。比至，先生病已革。起榻上，执余手曰：吾日望子来而瞑。吾续集甫成编，子为我校而序之，吾即瞑弗憾矣。余唏嘘唯命，留来玉阁六旬，雪涕与先生别。卒岁抵家，则报先生逝矣。"王稚登《南有堂诗》卷六有诗《长至后三日访王元美，元美先一日化去矣，伤恸赋此》。世贞为一代宗师，其功其过，不仅关乎本人，亦关乎明代文坛。兹择要排比若干评论资料，以供参考。王世懋《艺圃撷余》："家兄谳狱三辅时，五言诗刻意老杜，深情老句，便自旗鼓中原。所未满者，意多于景耳。青州而后，情景杂出，似不必尽宗矣。"焦竑《弇州山人续稿选叙》："我朝何、李兴而秦汉之气张，晋江、毗陵作而唐宋之帜立，互相离合，迭有胜衰，强弩之末，岂无间然，而济南数君子者，睹征贵征贱之机，独遏方张之势而折其角，天下茅靡而波从。吁！其盛矣！济南年寿荣位，不竟其志，元美长公独以一人尾其后，宾客名誉倾动一时，令修词者膏肓秦汉，吐弃唐宋，有不修于鳞之业者，多口群哗而力攻之，岂非盛之盛者哉！及其晚也，皈心子瞻之学，而辑《外纪》以自忏，故其为文靡微不探，与其少作若出两〔手，盖集十代之成，而总四子之萃者，非公其谁，离合胜衰之数，乌足以难公哉！余独怪今之学者溺于瞍闻，以公晚年进德之言为英雄欺人之语，浸淫剽窃，令有识者欲扫秦汉之灰，而立唐宋之帜，使毗陵、晋江者复提征贵之势，岂非公之罪人也哉！昔子云晚作《太玄》，悔其少作曰'雕虫篆刻，壮夫不为'，而子瞻犹讥其托之艰深，以文浅易。公之不为子云也，是离而合者也，今\之为公也，是胜而衰者也，是余所以刻公续集之意也。北海焦竑撰。"《诗薮》续编卷二《国朝下》："七言律大篇，于鳞《华山》四首，元美《咏物》六十首，皆古今绝唱。然于鳞四首之内，轨辙已窘；元美百篇之外，变幻未穷。"《诗源辩体》后集纂要卷二："元美识超一代，力敌万人，有兼功而无专力。总诸体而论，乐府变数篇，可称诣极；五言古，选体最劣，唐体稍胜，变体及学东坡者多有可观；歌行，六朝、唐、宋靡所不有，而入录者不能什一，中虽有奇伟之作，而纯全者少，变体始多全作；五言律，仅得百中之一，而实非本相；七言律，意在宗杜，又欲兼总诸家，然臃肿支离，复多深晦，晚唐奇丑者亦往往见之，此英雄欺人耳。""元美五七言古，变体常胜。盖元美为诗多得于仓卒，寡训练之功，故正体每多累字、累句，变体则乘兴而就，反多完美耳。""元美七言律凡一千五百五十八首，可采者仅百中一二，而字句尚或有累。元美谓'于鳞七言律，三首而外不耐雷同'，又谓'谢茂秦兴寄小薄，变化差少'，岂自谓其独能变化耶？甚矣，责己太恕，责人太严也！""元美稿，凡片纸只字不弃，盖欲以多为胜。或以为言，公云：'秀美者固吾子，秃发癣疥者亦吾子也。'终不复删。其诗'野夫兴就不复删，大海回风生紫澜'，盖其意本如是耳。"王士祯《带经堂诗话》卷二十九："问：明人诗可比何代？弇州可比东坡否？明诗胜金元，才识学三者皆不逮宋，而弘正四杰在宋诗亦罕其匹，至嘉隆七子则有古今之分矣。弇州如何比得东坡，东坡千古一人而已，唯律诗不可学。"《明史·文苑传》："王世贞，字元美，太仓人，右都御史忬子也。生有异禀，书过目，终身不忘。年十九，举嘉靖二十六年进士。授刑部主事。世贞好为诗古文，官京师，入王宗沐、李先芳、吴维岳等诗社，又与李攀龙、宗臣、梁有誉、徐中行、吴国伦辈相倡和，绍述何、李，名日益盛。……世贞始与李攀龙狎主文盟，攀龙殁，独操柄二十年。才最高，地望最显，声华意气笼盖海内。一时士大夫及山人、词客、衲子、羽流，莫不奔走门下。片言褒赏，声价骤起。其持论，文必西汉，诗必盛唐，大历以后书勿读，而藻饰太甚。晚年，攻者渐起，世贞顾渐造平淡。病呕时，刘凤往视，见其手苏子瞻集，讽玩不置也。世贞自号凤洲，又号弇州山人。其所与游者，大抵见其集中，各为标目。曰前五子者，攀龙、中行、

**533**

有誉、国伦、臣也。后五子则南昌余曰德、蒲圻魏裳、歙汪道昆、铜梁张佳胤、新蔡张九一也。广五子则昆山俞允文、浚卢柟、濮州李先芳、孝丰吴维岳、顺德欧大任也。续五子则阳曲王道行、东明石星、从化黎民表、南昌朱多煃、常熟赵用贤也。末五子则京山李维桢、鄞屠隆、南乐魏允中、兰溪胡应麟，而用贤复与焉。其所去取，颇以好恶为高下。"沈德潜《说诗晬语》卷下："王元美天分既高，学殖亦富，自珊瑚木难及牛溲马勃，无所不有。乐府古体，卓尔成家，七言近体，亦规大方；而锻炼未纯，且多酬应牵率之态。"《明诗别裁集》卷八录王世贞诗四十首。平步青《霞外捃屑》卷七《王弇州文》："有明一代，称文章大家者，不过数人。王弇州司寇，于后七子中，学殖之博，著述之富，最为渠帅。又以高位享耆年。先秦、西汉之文，虎视六合，珠盘玉敦，麇赴娄江。独震川归氏以妄庸巨子诃之。赵忠毅得《四部稿》，一览即散之村妪。玉茗亦涂抹无完肤。洎虞山、东乡出，益相抨射，弇山之光焰几熄。易代而后，坛坫门户俱空，遂无人问津矣。平心论之，文之模拟龙门，似有套括填写者，使人厌弃。至匠心独运之作，色韵古雅，掌故淹通，实足与荆川方驾。其真实本领具在，不能以毁誉掩也。沈一贯有《弇州稿选》十六卷，《四库全书》别集类提要云：世贞才大学博，自谓靡所不有，方成大家。故其正续四部，颇伤芜杂。晚年悔其少作，未及手自删定。一贯是编，别裁澄汰，意在撷其菁华。而宗旨所归，仍尊秦、汉而薄唐、宋，终未能弃短取长也。其书存目而未著录，今鲜传本。总集存者，如《明文征》、《明文案》、《明文授读》、《明文在》、《山晓阁明文选》、《文致》诸书，所收多寡互见。予比而录之，都五十九篇为一卷。芳荪既翦，嘉颖铺芬，后之论次明文者，不得不推为一大家。若沧溟孤峭，乃孙樵、刘蜕一流。南溟《副墨》《太函》，文涉应付，未足称鼎足焉。辛酉四月三日。"《明诗纪事》己签卷一录王世贞诗十首，陈田按："弇州天才雄放，虽宗李、何成派，自有轶足迅发，不受羁勒之气。古乐府变尤得变《风》、变《雅》遗意。观其自述云：'拟乐府者，或舍调而取本意，或舍意而取本调，甚或舍意调而俱离之，姑仍旧题而创出。吾见六朝浸淫以至四杰、青莲，俱所不免，少陵杜氏乃能即事而命题，此千古卓识也。'又云：'偶有所纪，被之古声，以附于寺人、漆妇之末。'可谓好学深思，心知其意者矣。自来著述，倚古必昧于辙，践迹鲜通于方，惟多历情变，抒我郁陶，以新事附古调，以雅词纬精思，纵使有辙可循，决非无为而作。七子论诗，断自大历以上，故弇州于张文昌、白乐天乐府，曾不齿及。暨晚年论定，于茶陵乐府，且津津不置。此中甘苦，非济南以得知矣。"

## 十二月

　　**汤显祖会达观禅师于邹元标处。**汤显祖《莲池坠簪题壁》二首序云："予庚午（1570）秋举，赴谢总裁参知余姚张公岳。晚过池上，照影搔首，坠一莲簪，题壁而去。庚寅，达观禅师过予于南比部邹南皋郎舍中，曰：吾望子久矣。因诵前诗，三十年事也。师为作《馆壁君记》，甚奇。"（《汤显祖诗文集》卷十四）去年年初，汤显祖由南京詹事府主簿迁南京礼部祠祭司主事。正六品。

### 本年

袁宗道著《海蠡编》。其书大旨以儒、释二家同源异派，或援释疏孔，或证孔于释。袁中道《石浦先生传》："是年（己丑），先生以册封归里，仲兄与予皆知向学，先生语以心性之说，亦各有省，互相商证。先生精勤之甚，或终夕不寐。逾年，偶于张子韶与大慧论格物处有所入，急呼中郎与语。甫拟开口，中郎即跃然曰：'不必言！'相与大笑而罢。至是始复读孔孟诸书。乃知至宝原在家内，何必向外寻求，吾试以禅诠儒，使知两家合一之旨，遂著《海蠡编》。"《四库全书总目》卷一二五子部杂家类存目二著录《海蠡编》二卷，提要曰："其书大旨以儒、释二家同源异派，或援释疏孔，或证孔于释。谓濂洛诸儒于圣人书诠释妙畅，如樽注海。是编如蠡注海，故名《海蠡编》。开卷释明德，谓明德即是良知，德即是明，不可以明更求于明。朱子注为虚灵不昧最妙。又谓善何以曰至，住于恶固非至善，住于善亦非至善。善恶两边俱不倚，是何境界，所谓至善也。但起心动念，便不是止。起心动念，不属善边，便属恶边，便不是至善。息机忘见，便是止于至善。皆本释氏之虚寂与无善无恶之说而曼衍之。盖沿姚江末流而变本加厉者耳。"提要谓《海蠡编》作者为宗道、宏道、中道之父袁士瑜，与中道记载不合。按，现存袁宗道作品无《海蠡编》。《袁宗道集笺校》卷十九之《读孟子》与提要所云《海蠡编》宗旨相合，或即此篇。

申时行撰《召对录》。此书记万历十三年五月至十八年七月间召对之语。时行时为首辅。《四库全书总目》卷五三史部杂史类存目二著录《召对录》一卷，提要曰："明申时行撰。时行有《书经讲义会编》，已著录。此书乃记万历十三年五月迄十八年七月召对之语。时行时为首辅，六年中凡召对九次。当神宗怠政之际，君臣否隔，万事丛脞。时行不能匡救，乃反谓孝宗后此典久废不举，至是复行。沾沾夸为盛事，过矣。"

黄秩等刊行陆树声《平泉题跋》。陆树声别号平泉。此编皆其题跋书画之文。《四库全书总目》卷一一四子部艺术类存目著录《平泉题跋》二卷，提要曰："明陆树声撰。树声字与吉，平泉其别号也，南直隶华亭人。嘉靖辛丑进士。官至礼部尚书。事迹具《明史》本传。此编皆其题跋书画之文。万历庚寅，其门人黄秩、包林芳等别辑刊行。后附以杂著四则。"

张凤翼作《灌园记》传奇。据徐朔方《晚明曲家年谱》。《灌园记》取材于《史记·田敬仲完世家》。《曲品·新传奇品》："《灌园》，有风致而不蔓，节侠具在。上虞赵氏作《溉园》，远不逮矣。"

王衡《郁轮袍》杂剧或作于今年。据徐朔方《晚明曲家年谱》。《郁轮袍》取材于唐薛用弱《集异记·王维》。《远山堂剧品·妙品》："《郁轮袍》。或云：'王辰玉既夺解，忌之者议论纷起。此眉山人作之以解嘲者。'骂得痛快处，第恐又增一翻感慨。急须文殊大士当头棒喝，方证无字禅。"

熊龙峰忠正堂约在今年或稍后刊行《冯伯玉风月相思小说》、《孔淑芳双鱼扇坠传》、《苏长公章台柳传》、《张生彩鸾灯传》。据孙楷第《日本东京所见小说书目》卷二。

孙丕扬任南京都察院右都御史。赵志皋任吏部右侍郎。罗万化任南京吏部侍郎。

顾养谦任南京户部侍郎。据王世贞《弇山堂别集》。

**范钦**（1508—1590）**卒。其天一阁购藏海内异本颇多，为世嘱目。**沈一贯《天一阁集序》："乡先生范司马公卒之明年，其所为《天一阁集》者出，一贯受而读之，悲典刑之既寥，怃然有遐思焉。"序署"万历辛卯（1591）春日"。卒年据此确定。乾隆《鄞县志·人物》谓其"卒年八十三"，生年据此推定。范钦字尧卿，一字安卿，号东明，鄞县（今属浙江）人。嘉靖十一年（1532）进士，官至兵部右侍郎。《千顷堂书目》著录范钦《古今谚》一卷、《天一阁藏书》二十卷、《天一阁集》十九卷。《明史·艺文志》著录《天一阁集》十九卷（同治《鄞县志·艺文五》作三十二卷）。《静志居诗话》卷十二："尧卿格律自矜，第取材太近。时倡和者，沈嘉则、吕中甫诸人，未免声调似之。其藏书最富，今浙中旧族，若山阴钮氏、祁氏，吴兴潘氏、沈氏，槜李项氏、郁氏、高氏、胡氏，遗书尽散，惟范氏签帙尚存。惜未能泝江就阅也。"乾隆《鄞县志·人物》："范钦字尧卿，嘉靖十一年进士，知随州，有治行。迁工部员外郎。时大工频起，武定侯郭勋为督，势张甚，钦以事忤之。勋谮于帝，下狱廷杖。出知袁州。大学士严嵩，其郡人也。嵩子世蕃，欲取宣化公宇，钦不可，世蕃怒，欲斥之。嵩曰：'是抗郭武定者，暗之适高其名。'遂得寝。稍迁按察副使，备兵九江，历迁副都御史，巡抚南赣。擒剧贼李文彪，平其穴，疏请筑城程乡之濠，居村设一通判，以清豫章闽粤之奸。复攻大盗冯天爵，斩之，迁兵部右侍郎。解组归。张时彻、屠大山亦里居，人称为东海三司马。钦筑居在月湖深处，林木翳然。性喜藏书，起天一阁，购海内异本，列为四部，尤善收说经诸书，及先辈诗文集未传世者。浙东藏书家，以天一阁为第一。卒年八十三。从子大彻，字子宣，年二十余，至长安，题诗双塔寺壁，袁炜见而奇之。以太学生补鸿胪寺序班，使琉球、辽东、朝鲜、车里木邦、缅甸、大甸、安南，七奉玺书，进秩二品。所过题咏，传于一时。性嗜钞书，尤爱法书名画，家藏搨本甚多。尝从天一阁借书，不时应，因遍搜海内异书秘本，不惜重购之。凡得一种，知为天一阁所未有，辄具酒茗佳设，迎钦至其家，以所得置几上。钦取阅之，默然去。其嗜奇相尚若此。年八十七卒。（《甬上耆旧传》）"

**瞿式耜**（1590—1650）**生。**生平简介见下卷。

**范文若**（1590—1537）**生。**据邓长风《明清戏曲家考略·七位明清上海戏曲作家生平钩沉》。

## 公元 1591 年（神宗万历十九年　辛卯）

闰三月

　　**南京礼部祠祭司主事汤显祖上《论辅臣科臣疏》，严厉指斥张居正、申时行二大臣。**据《明实录》。《明史》汤显祖传："汤显祖字若士，临川人。少善属文，有时名。张居正欲其子及第，罗海内名士以张之。闻显祖及沈懋学名，命诸子延致。显祖谢弗往，懋学遂与居正子嗣修偕及第。显祖至万历十一年始成进士。授南京太常博士，就迁礼部主事。十八年，帝以星变严责言官欺蔽，并停俸一年。显祖上言曰：'言官岂尽不肖，盖陛下威福之柄潜为辅臣所窃，故言官向背之情亦为默移。御史丁此吕首发科场欺蔽，申时行属杨巍劾去之。御史万国钦极论封疆欺蔽，时行讽同官许国远谪之。一言相侵，无不出之于外。于是无耻之徒，但知自结于执政，所得爵禄，直以为执政与之。纵他日不保身名，而今日固已富贵矣。给事中杨文举奉诏理荒政，征贿钜万。抵杭，日宴西湖，鬻狱市荐以渔厚利。辅臣乃及其报命，擢首谏垣。给事中胡汝宁攻击饶伸，不过权门鹰犬，以其私人，猥见任用。夫陛下方责言官欺蔽，而辅臣欺蔽自如。失今不治，臣谓陛下可惜者四。朝廷以爵禄植善类，今直为私门蔓桃李，是爵禄可惜也。群臣风靡，罔识廉耻，是人才可惜也。辅臣不越例予人富贵不见为恩，是成宪可惜也。陛下御天下二十年，前十年之政，张居正刚而多欲，以群私人嚣然坏之。后十年之政，时行柔而多欲，以群私人靡然坏之。此圣政可惜也。乞立斥文举、汝宁，诚谕辅臣，省愆悔过。'帝怒，谪徐闻典史。"《汤显祖诗文集》卷四十三有《论辅臣科臣疏》全文。显祖于 1589 年由南京詹事府主簿迁南京礼部祠祭司主事。

## 春

袁宏道问学于李贽，大相契合。时宏道 24 岁。自此境界为之一新，"能为心师，不师于心，能转古人，不为古转"。袁中道《吏部验封司郎中中郎先生行状》："明年（1589），上春官。时伯修方为太史，初与闻性命之学，以启先生。先生深信之。下第归，伯修亦以使事返里，相与朝夕商榷。索之华、梵诸典，转觉茫然。后乃于文字中言意识不行处，极力参究，时有所解，终不欲自安歧路，恃爝火微明，以为究竟。如此者屡年，亡食亡寝，如醉如痴。一日见张子韶论格物处，忽然大豁，以证之伯修。伯修喜曰：'弟见出盖缠，非吾所及也。'然后以质之古人微言，无不妙合，且洞见前辈机用。白雪田中，能分鹭乌；红罗扇外，瞥见仙人。一一提唱，聊示鞭影，命名曰《金屑》。时闻龙湖李子冥会教外之旨，走西陵质之。李子大相契合，赠以诗，中有云：'诵君《金屑》句，执鞭亦忻慕。早得从君言，不当有《老苦》。'盖龙湖以老年无朋，作书曰《老苦》故也。仍为之序以传。留三月余，殷殷不舍，送之武昌而别。先生既见龙湖，始知一向掇拾陈言，株守俗见，死于古人语下，一段精光不得披露。至是浩浩焉如鸿毛之遇顺风，巨鱼之纵大壑。能为心师，不师于心，能转古人，不为古转。发为语言，一一从胸襟流出，盖天盖地，如象截急流，雷开蛰户，浸浸乎其未有涯也。"李贽《焚书》于去年秋初刻于麻城。

陈文烛为薛蕙《薛考功集》作序。序署"万历辛卯春日，赐进士第、通议大夫、南京大理寺卿、前应天府尹、奉敕专管漕务、督理庐凤淮扬粮储、提督四川学校，沔阳陈文烛撰"。

## 四月

屠隆为高濂《雅尚斋遵生八笺》作序。《遵生八笺》为小品类著述，书中所载，专以供闲适消遣之用。序署"万历辛卯孟夏之吉弢光居士屠隆纬真父撰"。《四库全书总目》子部杂家类七著录高濂《遵生八笺》十九卷，提要曰："濂字深父，钱塘人，其书分为八目：卷一、卷二曰清修妙论笺，皆养身格言，其宗旨多出于二氏。卷三至卷六

537

曰四时调摄笺，皆按时修养之诀。卷七、卷八曰起居安乐笺，皆宝物器用可资颐养者。卷九、卷十曰延年却病笺，皆服气导引诸术。卷十一至十三曰饮馔服食笺，皆食品名目，附以服饵诸物。卷十四至十六曰燕闲清赏笺，皆论赏鉴清玩之事，附以种花卉法。卷十七、十八曰灵秘丹药笺，皆经验方药。卷十九曰尘外遐举笺，则历代隐逸一百人事迹也。书中所载，专以供闲适消遣之用。标目编类，亦多涉纤仄，不出明季小品积习，遂为陈继儒、李渔等滥觞。又如张即之，宋书家，而以为元人。范式官庐江太守，而以为隐逸。其讹误亦复不少。特钞撮既富，亦时有助于检核。其详论古器，汇集单方，亦时有可采。以视剿袭清言，强作雅态者，固较胜焉。"《雅尚斋遵生八笺》另有李时英序，作于下月。序署"万历辛卯岁仲夏之辛卯日贞阳道人仁和李时英"。

## 五月

**汤显祖因上《论辅臣科臣疏》贬徐闻县典史。**邹元标《邹忠介公全集·存真集》卷四《汤义谪朝阳尉序》云："义故一代才士，陆沉孝廉。癸未始登进士。余在掖垣，欲识其人。会潜义者曰：是狂奴，不可近。余心疑而过之。义从榻上起，摄敝衣冠礼我，立谈间抉肝洞肠。余心喜。余未几调南，义选太常博士。义日无事，独垂帘探古图书，谢绝宾客。间启扃与余往来。余日夕与之探奇订讹，似不可以一时士方之。方陟验封，旋请告归。义留南数载，当得推择给事御史。又选郎故义知己，欲引义为重，而义以长书谢，不欲给事御史，欲得南郎署。于是徙仪制（当作祠祭）郎。余起家之任，义以只鸡斗酒，迓我燕矶。班荆联榻，视昔益愍饰，似有竟于无生之旨也者。余心益敬之。明年（十八年十二月）余复谪南，义见余喜不自禁。越两月，义发愤上书言国事，触忤权要人。上是其言而中格，竟谪义为粤典史……余独喜者，义志性命之学，兹固坚志熟仁之一机也哉……若夫跳叫际咤，登高赋诗，自写其抑郁无聊之气，非余所知也。"《汤显祖诗文集》卷十一有《谪尉过钱塘，得姜守冲宴方太守诗，凄然成韵》等诗。

## 秋

**余象斗弃儒业，专事书坊经营。**今年所刻《新锓朱状元芸窗汇辑百大家评注史记品粹》之"书目"云："辛卯之秋，不佞斗始辍儒家业。家世书坊，锓笈为事。"余象斗，字仰止，一字文台，号三台山人，福建建阳书坊主，编、刊多种通俗小说。

## 十月

**沈自征（1591—1641）生。**据赵景深《明清曲谈·跋'沈自征的生平'》。

## 十一月

**冯梦祯看《玉簪记》演出。**《玉簪记》为高濂所作传奇剧本，叙陈妙常事。《快雪堂集》卷五十一今年二月十八日日记："许氏设酒相款，作戏。《玉簪》陈妙常甚佳。"

时冯梦祯在苏州洞庭东山。《玉簪记》，传奇剧本，高濂作。《新传奇品》："《玉簪》：词多清俊。第以女贞观而扮尼讲经，纰缪甚矣。"《远山堂曲品·能品》："《玉簪》：幽欢在女观中，境无足取。惟着意填词，摘其字句，可以唾玉生香；而意不能贯词，便如徐文长所云'锦湖灯笼，玉镶刀口'，讨一毫明快不得矣。"

## 十二月

茅坤作《七戒斋记》。七戒谓：一不食专杀牲，二不赴宴，三不吊丧及会葬宴饮，四不御姬妾，五不入城郭，六不问家产事，七不闻姻族乡党事。（《茅鹿门先生文集》卷二十）序云今年八十，署"嘉平五日"。嘉平，腊月也。七戒斋建于去年。

## 冬

**刑科给事中王建中，特疏纠山人乐新炉。新炉下诏狱，具伏诸罪状。**《万历野获编》补遗卷三《山人蜇语》："山人乐新炉者，江西临川人，本监生也。来京师以捭阖游公卿间，多造口语，人多畏恶之。然颇有才智，故士大夫亦有与之暱者。时为今上之辛卯冬，刑科给事中王建中，特疏纠之。内云新炉捏造飞语，以邹元标、雒于仁、李沂、梁子琦、吴中行、沈思孝、饶伸、卢洪春、李植、江东之为十君子，以赵卿、洪声远、张程、蔡系周、胡汝宁、陈与郊、张鼎思、李春开为八狗，以杨四知、杨文焕、杨文举为三羊。又为谣曰：若要世道昌，去了八狗与三羊。又与听补金事李瑄改作参申阁下本稿，并与原任给事中罗大纮为同乡交好，讲究禅学，及他诸不法事。上命逮新炉于诏狱鞫之，具伏诸罪状。上命荷立枷戌之，立死。""新炉事先为东厂所发，已得旨讯鞫，王给事参疏继之，非王始祸也。新炉先年曾入大珰张宏幕下称契厚，冯保之得罪，宏授意新炉以转授言官论之。原任顺天通判周宏禴建言疏中曾发其事。盖新炉之倾险有素矣。"

## 本年

**梁辰鱼**（1519—1591）**卒。**梁辰鱼《鹿城集》卷二十有诗《丁卯冬日过周荡村别业，与玉堂弟夜坐作》，诗云："先人别业沧江畔，四十年余一度来。……自笑明春同半百，梅花残腊莫相催。"丁卯为隆庆元年，梁辰鱼时年49岁，可知他生于正德十四年（1519）。又据张大复《皇明昆山人物传》卷八，梁得岁七十有三，知其卒于1591年。张大复《皇明昆山人物传》卷八："（梁氏）当除夕遇大雪，既寝不寐。忽令侍者遍邀诸年少，载酒放歌，绕城一匝而后就睡。曰：天为我辈雨玉，可令俗人蹴踏之耶？时年已七十矣。亡何，中恶，语不甚了。有老奴李用者，颇省其说。尚有注记。得岁七十有三。"（据徐朔方《梁辰鱼年谱》转引，标点有所改动。）《顾曲杂言·南北散套》："此外吴中词人，如唐伯虎、祝枝山，后为梁伯龙、张伯起辈，纵有才情，俱非本色矣。"又《填词名手》："近年则梁伯龙、张伯起，俱吴人，所作盛行于世，若以《中原音韵》律之，俱门外汉也。"又《梁伯龙传奇》："同时昆山梁伯龙辰鱼，亦称词家，有盛名，所作《浣纱记》，至传海外，然止此，不复续笔。其大套、小令，则有《江东白苎》之刻，尚有传之者。"《谭曲杂札》："自梁伯龙出，而始为工丽之滥觞，一时词名赫然。盖其生嘉、隆间，正七子雄长之会，崇尚华靡。弇州公以维桑之谊，盛为吹嘘，其实于此道不深，以为词如是，观止矣，而不知其非当行也。以故吴音一派，竞为剿袭。"又："张伯起小有俊才，而无长料。其不用意修词处，不甚为词掩，颇有一二真语、土语，气亦疏通；毋奈为习俗流弊所沿，一嵌故实，便堆砌靳辕，亦是仿伯龙使然耳。今试取伯龙之长调靡词行时者读之，曾有一意直下而数语连贯成文者否？多是逐句补缀。若使歌者于长段之中，偶忘一句，竟不知从何处作想以续。总之，与上下文不相蒙也。"《衡曲麈谭·作家偶评》："张伯起素喜梁伯龙博雅擅场，《吴越春秋》善述史学而不平实，且宾白工致，具见名笔，第其失在冗长；若《江东白苎》一辞，读之有学士风，张伯起评以'掷地金声'，殆非虚语。"

公鼐作《辛卯纪事》诗。公鼐字敬与，蒙阴人。万历丁酉举人，官工部主事。著有《小东园诗集》。《明诗纪事》庚签卷八录其诗六首，陈田按语云："敬与诗，长于近体，与乃兄风格略似。""乃兄"指公鼒。《辛卯纪事》诗云："庙议安邦略，犹闻马市先。岂能容再误，何必待来年。狼子戎心炽，狐疑汉策偏。帝阍真虎豹，无路说忧天。"按，今年二月，诏停扯力克贡市。

汪道昆为梅鼎祚辑《古乐苑》作序。《古乐苑》收先秦至南北朝间古乐府诗。《四库全书总目》集部总集类四著录梅鼎祚《古乐苑》五十三卷，提要曰："是编因郭茂倩《乐府诗集》而增辑之，郭本止于唐末，此本止于南北朝，则用左克明《古乐府》例也。……然其捃拾遗佚，颇足补郭氏之阙，其解题亦颇有所增益。虽有丝麻，无弃菅蒯，存之亦可资考证也。其《衍录》四卷，记作者爵里及诸家评论，盖剽剟冯惟讷《诗纪别集》而稍为附益，多采杨慎等之说，今亦并录之，备参订焉。"

汪道昆《太函集》刊行，李维桢作序。《四库全书总目》集部别集类存目四著录汪道昆《太函集》一百二十卷，提要曰："是编刻于万历辛卯。凡文一百六卷，诗十四卷。卷首有自序及目录六卷。"汪道昆自序亦作于今年。评议部分见本卷1573年。

谢肇淛集万历十七年夏以来所作诗文为《小草斋稿》。谢肇淛《小草斋稿序》："己丑之夏，余放还山矣。家居无诸城南九仙山下，四壁立，久之，不自得，□罗山卒业焉。一切谢人间事，杜门却扫……无何，探锦囊中，渐累累满也。凡为日七百六十有奇，文一帙，诗赋如干首，皆以'小草'名，从其名斋者也。"

王禹声为陆延枝《说听》作跋。陆延枝字胥屏，长洲人。陆粲之子。《说听》四卷，《千顷堂书目》卷十二小说类著录。有《烟霞小说》本。又有《说库》本，仅二卷，不足。王禹声系陆延枝外甥。

王骥德以其剧作《题红记》寄赠梅鼎祚。据徐朔方《晚明曲家年谱》。梅鼎祚《鹿裘石室集》尺牍卷十二《与尹且孺》云："往岁王君伯良者，曾以尺牍及《题红》诸刻自辇下见贻，时方在平津邸，无从裁复，今东归否？便乞示告。"此信作于十年后。王骥德《题红记》有屠隆叙。

书林杨明峰刊行长篇小说《英烈传》。叙朱元璋开国故事。《英烈传》，孙楷第《中国通俗小说书目》卷二《明清讲史部》、《日本东京所见小说书目》卷三《明清部二》著录。

孙楗编明初迄嘉靖中其先世诗文为《世玉集选》二卷。黄一正《事物绀珠》成书。甘雨撰《白鹭洲书院志》。甘雨，字子开，永新人。万历丁丑进士。由翰林院检讨谪德安府推官，迁南京刑部郎中。据四库提要。

王元贞、詹景凤刊行《书苑补益》。此书收录前代书法论著。《四库全书总目》卷一一四子部艺术类存目著录《王氏书苑》十卷、《书苑补益》八卷，提要曰："是书亦明王世贞编、詹景凤续编。初，世贞纂古书家言多至八十余卷。抚郧阳时，择取十数种付梓，版藏襄阳郡斋。因水涨漂失，寻复以刻本五种畀王元贞，翻刻于金陵，题曰《王氏书苑》。万历辛卯，元贞与詹景凤续刻八种，题曰《书苑补益》。世贞《书苑》五种，曰张彦远《法书要录》十卷、米芾《海岳书史》一卷、苏霖《书法钩玄》四卷、黄伯思《东观余论》二卷、黄訜《东观余论附录》一卷。景凤《补益》八种，曰孙过庭《书谱》一卷、姜夔《续书谱》一卷、吾丘衍《学古编》二卷、刘惟志《字学新书摘抄》一卷。诸书皆有别本单行，世贞特衰合刻版，遂自立名目。是则明人锢习，虽贤者不免矣。朱国桢《涌幢小品》曰：王弇州不善书，好谈书法。其言曰：吾腕有鬼，吾眼有神。此说一倡，于是不善画者好谈画，不善诗文者好谈诗文，极于禅玄，莫不皆然。古语云：知者不言，言者不知。吾友董思白，于书画一时独步，然对人绝不齿及。其诋諆世贞至矣。然世贞品题书画，赏鉴家实不以为谬。殆以好谈致谤欤？如此书及《画苑》，皆其好谈之一征也。"詹景凤字东图，休宁人。由举人官至平乐府知府。

冯梦祯谒吴国伦于吴门舟次。时吴国伦已预感存日无多。冯梦祯《吴明卿先生传》："余知楚有吴明卿先生凡三十年，近岁辛卯，始得谒先生于吴门舟次。是夜维舟寒山寺傍，欢饮几彻曙，临别，先生顾余语甚悲，曰：'吾七十老翁，难再涉此，恐无相见期。'鹢首再拜珍重而别。又一年，先生讣至矣。"

## 公元 1592 年（神宗万历二十年　壬辰）

### 正月

陈与郊被免职。自此赋闲家居。李维桢《墓志铭》述其退居生活云："构别业城隅，终老……建宗祠，置祭田，三党有缓急，脱朱孺人簪珥以助……性不饮酒博弈，不握算，不出游，惟以临佳帖、种名花为适。作传奇小令，令童子歌之，以起倦色。自六籍外，刿心太玄潜虚，好屈宋扬马张左诸家赋，考订音韵，所为文上下两京六朝，独不作诗赋，曰不能及古人，无以效颦。"《古名家杂剧》或即辑于今年。

礼科给事中李献可偕六科诸臣疏请豫教元子，帝大怒，摘疏中误字，责以违旨侮君，贬官夺俸有差。科道诸臣各具疏救，俱谴责。时郑贵妃有宠，既生常洵，众臣疑其有夺嫡之意，故争言立储事。详见孟森《明史讲义》第二编第五章。

### 三月

翁正春等进士及第。据《明清进士题名碑录》。同榜进士有朱燮元、吴士奇、李日华（1565—1635）、谢肇淛（1567—1624）、袁宏道（1568—1610）、江盈科（1553—1605）、邓原岳（1555—1604）、曹于汴、毕自严、董复亨、李滕芳、唐之屏、陈懿典等。今年会试主考为陈于陛，焦竑为房考。

**袁宏道举进士，不仕，偕兄宗道还公安，居石浦之上。**据袁中道所撰行状。

**唐之屏除常山知县，乡党赠以仆马，力却之。**《静志居诗话》卷十六："唐之屏，字君公，松江华亭人。万历壬辰进士，除常山知县。君公之官常山，乡党赠以仆马，力却之曰：'常山斗大县官，便自装饰，苟至三槐九棘，更难踵事增华。'既而中谗罢归，养亲不复出。《登金山》一律云：'一柱东南表地灵，芙蓉万古插清泠。江淮潮色无边白，楚属山光不断青。鲸吸风雷波自撼，龙过楼殿雨犹腥。枕流无限沧洲意，极目何妨我独醒。'"

## 四月

**倭侵朝鲜。**《明史稿·神宗纪》："二十年夏四月壬寅，倭侵朝鲜。五月，倭入朝鲜王京。朝鲜王李昖奔义州。七月甲戌，副总兵祖义训率师援朝鲜，与倭战平壤，败绩。十月壬寅，李如松提督蓟辽保定山东军务，充防海御倭总兵官，以救朝鲜。"

## 夏

**李贽批点《水浒传》。此为文人批点长篇小说之始。**袁中道《游居柿录》卷九："袁无涯来，以新刻卓吾批点《水浒传》见遗。予病中草草视之。记万历壬辰夏中，李龙湖（李贽号龙湖）方居武昌朱邸，予往访之，正命僧常志抄写此书，逐字批点。常志者，乃赵瀫阳门下一书史，后出家，礼无念为师。龙湖悦其善书，以为侍者，常称其有志，数加赞叹鼓舞之，使抄《水浒传》。每见龙湖称说《水浒传》诸人为豪杰，且以鲁智深为真修行，而笑不吃狗肉诸长老为迂腐，一一作实法会。初尚恂恂不觉，久之，与其侪伍有小忿，遂欲放火烧屋。龙湖闻之大骇，微数之，即叹曰：'李老子不如五台山智真长老远矣。智真长老能容鲁智深，老子独不能容我乎？'时时欲学智深行径。龙湖性褊多嗔，见其如此，恨甚，乃令人往麻城招杨凤里至右辖处，乞一邮符，押送之湖上。道中见邮卒牵马少迟，怒目大骂曰：'汝有几颗头。'其可笑如此。后龙湖恶之甚，遂不能安于湖上，北走长安，竟流落不振以死。痴人前不得说梦，此其一征也。今偶见此书，诸处与昔无大异，稍有增加耳。大都此等书，是天地间一种闲花野草，即不可无，然过为尊荣，可以不必。往晤董太史思白，其说诸小说之佳者，思白曰：'近有一小说，名《金瓶梅》，极佳。'予私识之。……《水浒》崇之则海盗，此书海淫，有名教之思者，何必务为新奇以惊愚而蠹俗乎！"李贽《续焚书》卷一《与焦弱侯》亦云："《水浒传》批点得甚快活人。"李贽另有《忠义水浒传叙》。叙云："太史公曰：'《说难》、《孤愤》，贤圣发愤之所作也。'由此观之，古之贤圣，不愤则不作矣。不愤而作，譬如不寒而颤，不病而呻吟也，虽作何观乎？《水浒传》者，发愤之所作也。盖自宋室不竞，冠屦倒施，大贤处下，不肖处上。驯致夷狄处上，中原处下，一时君相犹然处堂燕鹊，纳币称臣，甘心屈膝于犬羊已矣。施、罗二公身在元，心在宋；虽生元日，实愤宋事。是故愤二帝之北狩，则称大破辽以泄其愤；愤南渡之苟安，则称灭方腊以泄其愤。敢问泄愤者谁乎？则前日啸聚水浒之强人也，欲不谓之忠义不可也。是故施、罗二公传《水浒》而复以忠义名其传焉。夫忠义何以归于水浒也？其故可知也。夫水浒之众何以一一皆忠义也？所以致之者可知也。今夫小德役大德，小贤役大贤，理也。若以小贤役人，而使大力缚于人，其肯束手就缚而不耻乎？是犹以小力缚人，而使大力缚于人，其肯束手就缚而不辞乎？其势必至驱天下大力大贤而尽纳之水浒矣。则谓水浒之众，皆大力大贤有忠有义之人可也，然未有忠义如宋公明者。今观一百单八人者，同功同过，同死同生，其忠义之心，犹之乎宋公明也。独宋公明者，身居水浒之中，心在朝廷之上，一意招安，专图报国，卒至于犯大难，成大功，服毒自缢，同死而不辞，则忠义之烈也！真足以服一百单八人者之心，故能结义梁山，为一百单八人之主。最后南征方腊，一百单八人者阵亡已过半矣，又智深坐化于六和，燕青涕泣而辞主，二童就计于混江。宋公明非不知也，以为见几明哲，不过小丈夫自完之计，决非忠于君义于友者所忍屑矣。是之谓宋公明也，是以谓之忠义也。传其可无作欤！传其可不读欤！故有国者不可以不读，一读此传，则忠义不在水浒，而皆在于朝廷矣。兵部掌军国之枢，督府专阃外之寄，是又不可以不读也，苟一日而读此传，则忠义不在水浒，而皆为干城心腹之选矣。否则，不在朝廷，不在君侧，不在干城心腹，乌乎在？在水浒。此传之所为发愤矣。若夫好事者资其谈柄，用兵者藉其谋画，要以各见所长，乌睹所谓忠义者哉！"

金陵世德堂刊行《西游记》二十卷一百回。此为现存《西游记》最早刊本。《西游记》之作者，或以为即吴承恩，尚无定论。孙楷第《中国通俗小说书目·明清小说部乙·灵怪第二》和《日本东京所见小说书目·明清部三》著录。首有秣陵陈元之序。序云："太史公曰：'天道恢恢，岂不大哉！谭言微中，亦可以解纷。'庄子曰：'道在屎溺。'善乎立言！是故'道恶乎往而不存，言恶乎存而不可'，若必以庄雅之言求之，则几乎遗《西游》（按当重西游二字。）一书，不知其何人所为。或曰：'出天潢何侯王之国'；或曰：'出八公之徒'；或曰：'出王自制'。余览其意近跅弛滑稽之雄，厄言漫衍之为也。旧有叙，余读一过。亦不著其姓氏作者之名。岂嫌其丘里之言与？其叙以为孙，狲也；以为心之神。马，马也；以为意之驰。八戒，其所戒八也；以为肝气之木。沙，流沙；以为肾气之水。三藏，藏神藏声藏气之藏；以为郛郭之主。魔，魔；以为口耳鼻舌身意恐怖颠倒幻想之障。故魔以心生，亦以心摄。是故摄心以摄魔，摄魔以还理。还理以归之太初，即心无可摄。……唐光禄既购是书，奇之，益俾好事者为之订校，秩其卷目梓之，凡二十卷数千万言有余，而充叙于余。余维太史漆园之意，道之所存，不欲尽废，况中虑者哉？故聊为缀其轶叙叙之。不欲其志之尽埋，而使后之人有览，得其意忘其言也。或曰：'此齐东野语，非君子所志。以为史则非信；以为子则非伦；以言道则近诬。吾为吾子之辱。'余曰：'否！否！不然！子以为子之史皆信邪？子之子皆伦邪？子之子史皆中道邪？一有非信非伦，则子史之诬均。诬均则去此书则远。余何从而定之？故以大道观，皆非所宜有矣。以天地之大观，何所不有哉？故以彼见非者，非也；以我见非者，非也。人非人之非者，非非人之非；人之非者，又与非者也。是故必兼存之后可。于是兼存焉。'而或者乃亦以为信。属梓成，

遂书冠之。时壬辰夏念一日也。"

## 九月

**官军平哮拜之乱。**督臣叶梦熊以杀降为监军御史梅国桢所不满。《万历野获编》卷十七《杀降》："近年壬辰，宁夏之事亦然。初承恩受围既久，乃请降于监军御史梅衡湘国桢，亦许贷其命，且授以官。承恩欣然，斩刘东阳诸叛贼以献。既而督臣叶龙潭梦熊，愧功非己出，决策诛之，遂俘之朝，寸磔于市。梅恨甚，有诗曰：弃甲抛戈满路旁，家家门外跪焚香。军门忽下坑降令，关市翻为劫夺场。计就平吴王濬老，谋成返晋介推藏。山中黄石休相问，已乞仙人辟谷方。其怨悱可知矣。"今年三月，宁夏致仕副总兵哮拜起兵叛乱，杀巡抚党馨，总兵官李如松讨之，至本月始平。

## 秋

**郭子章为吕坤《呻吟语摘》作序。**序署"万历二十年壬辰秋"。《四库全书总目》卷九三子部儒家类三著录吕坤撰《呻吟语摘》二卷，提要曰："《明史·艺文志》载《呻吟语》凡四卷，此止二卷。考卷末万历丙辰（1616）其子知畏跋，则此乃坤从四卷中手自删削，并取知畏所续入者若干条，存十之二三。距万历壬辰郭子章作序之时，又二十四年。盖坤晚年之定本也。其内篇分七门，曰性命，曰存心，曰伦理，曰谈道，曰修身，曰问学，曰应务。外篇分九门，曰世运，曰圣贤，曰品藻，曰人情，曰物理，曰广喻，曰词章。大抵不侈语精微，而笃实以为本。不虚谈高远，而践履以为程。在明代讲学诸家，似乎粗浅。然尺尺寸寸，务求规矩，而又不违戾于情理。视陆学末派之猖狂，朱学末派之迂僻，其得失则有间矣。"按，吕坤《呻吟语》本年亦有刊本。《四库全书总目》卷九六子部儒家类存目二著录吕坤《呻吟语》六卷，提要曰："此编上三卷为内篇，下三卷为外篇，盖万历壬辰刊本也。晚年又手自删补为《呻吟语摘》三卷，弥为简要。故此本附存其目焉。"

**徐𤊹借居张献翼曲水园，与张凤翼交往。**徐𤊹《红雨楼题跋》卷一《阳春堂五传》云："壬辰秋，余有姑苏之役，借居张幼于曲水园，而长公伯起先生常避客，不乐应酬。余以幼于故，始得见伯起者再，而所著作时时窥一斑。会吴友刘仲卿出此五传见赠，一《红拂》，一《窃符》，一《灌园》，一《虎符》，一《祝发》，藏之斋头六年。忽一披览，伯起风流宛然在目也。丁酉初春二十四日兴公识。"𤊹以诗名，顾大典入闽时所取士。所云"五传"，乃张凤翼所作五部传奇剧本。张献翼字幼于，张凤翼字伯起。

## 冬

**谢肇淛除湖州司理。**徐𤊹《中奉大夫广西左布政使武林谢公行状》："己丑（1589）上春官不第，归读书罗山，呫哔之暇，喜为声诗，结社赋咏无虚日，而诗名从此大噪矣。壬辰再上南宫，成进士，出粤西太史萧公云举之门。是冬拜湖州司理。"

谢肇淛集其近作为《游燕二集》。王稚登《游燕二集序》："谢君在杭，年少有异质……乍举于乡，偕计吏而北上，第公车不雠。又三年，再上乃雠。于是有《游燕二集》也。始释褐拜吴兴司理。""诗凡若干首，并前集共二卷。"《四库全书总目》卷一七九集部别集类存目六著录《游燕集》二卷，提要曰：集"为万历己丑（1589）肇淛公车北上时所作"。按，1589 年所作，仅前集一卷。后集一卷乃己丑还山后至辛卯（1591）夏上公车时所作。

## 本年

巡按御史甘严禁迎神赛会搬演杂剧故事，以为皆"地方恶少喜事之人"所为。范濂《云间据目抄》卷二《记风俗》："倭乱后，每年乡镇二三月间迎神赛会，地方恶少喜事之人，先期聚众搬演杂剧故事，如《曹大本收租》、《小秦王跳涧》之类，皆野史所载，俚鄙可笑者。然初犹仅学戏子装束，且以丰年举之，亦不甚害。至万历庚寅（1590），各镇赁马二三百匹，演剧者皆穿鲜明蟒衣靴革。而幞头纱帽满缀金珠翠花，如扮状元游街，用珠鞭三条，价值百金有余；又增妓女三四十人，扮为《寡妇征西》、《昭君出塞》色名，华丽尤甚。其他彩亭旗鼓兵器，种种精奇，不能悉述。街道桥梁，偕用布幔，以防阴雨。郡中士庶，争挈家往观，游船马船，拥塞河道，正所谓举国若狂也。每镇或四日或五日乃止，日费千金。且当历年饥馑而争举，孟浪不经，皆予所不解也。壬辰按院甘公严革，识者快之。"（《笔记小说大观》22 编，第 5 册）

冯琦作《壬辰书事赠别钟淑濂张伯任》。时钟羽正、张栋以疏救请预教元子之李献可被谴。《明诗纪事》庚签卷十二录冯琦诗十四首，其一为《壬辰书事赠别钟淑濂张伯任》，陈田按语云："万历二十年，礼科给事中李献可，疏请豫教元子。帝大怒，摘疏中误书弘治年号，贬一秩调外。六科给事中钟羽正、张栋等各具疏救。大学士王家屏封还御批力谏，帝愈怒，家屏引疾乞罢，诏驰传归。羽正、栋均被谴。此诗'矫矫山阴公，尺牍还内降。省垣及选部，一时尽屏放'，纪其事也。是时帝宠郑贵妃，子福王几幸逾次立，赖诸臣先后力争，越二年，元子始出阁讲学，如东宫仪。"冯琦字用韫，一字琢庵，临朐人。万历丁丑进士。官至礼部尚书。谥文敏。事迹具《明史》本传。有《宗伯集》八十一卷、《经济类编》一百卷。

姚希孟初读赵南星（1550—1627）文章，至夜深不辍。姚希孟《响音玉集》卷十《赵侪鹤先生稿序》："当壬辰（1592）、癸巳（1593）间，余不肖，年方舞勺，有传示赵先生文者，读之喜极而狂，窃残脂爇火，丙夜吾吾不休，至弃其故武而步趋之，虽长老纠督弗听也。琅琊王逸季氏知余得秘稿，亟从枕中搜去，刻入《小题宦稿》诸集中，而先生之文衣被天下，然大江以南读先生文者，自余昉也。是时余俯首章句，应童子科，不知吏部是何官，所主持何事，但闻里中褫一大墨，皆抃手称快。又一时平津客如赵师毕、梁成大之徒，镌削行尽。长老又教余曰：'是赵先生为政，若喜读其文者也。'余以是心仪先生，不独文矣。"《列朝诗集小传》丁集中：高邑赵忠毅公，讳南星，字梦白。"梦白抗议竖节，身为部党之魁，人以为门庭高峻，不可梯接，不知其通轻侠，纵诗酒，居然才人侠士，文章意气之儁也。为诗厌薄七子，刻意濯磨，而步趋北地（李梦阳），不能出其窠臼。为文滔滔莽莽，输写块磊，而起伏顿挫，不能禀合于古法，要其雄健磊落，奔轶绝尘，北方之学者，未能或之先也。"《明文授读》卷十一："先夫子曰：公字梦白，号侪鹤，高邑人。……其为文是是非非，无所隐避，虽不事华采，而部伍整肃。"

**徐渭就梅鼎祚《昆仑奴》杂剧加以修订，于其"秀才家文字语"多有修改。** 徐渭《徐文长佚草》卷四《与钟天毓》第五通云："闻锦帆夜发矣。倘未果，有改宁国梅君《红绡》剧欲呈览，偶无人抄出。倘稽一宿，明午当盱目也。"第六通又云："昨所云改者，乃宁国梅君名禹金字九鼎所作《昆仑奴》杂剧。十有五七可取，而少瑕三四耳。"梅鼎祚字禹金。《徐文长佚草》卷二《题昆仑奴杂剧》云："此本于词家可占立一脚矣，殊为难得。但散白太整，未免秀才家文字语，及引传中语，都觉未入家常自然。至于曲中引用成句，白中集古句，俱切当，可谓擎风抢雨手段。"又云："梅叔《昆仑剧》已到鹊竿尖头，直是弄把喜戏一好汉。尚可撺掇者，直撒手一着耳。语入要紧处，不可着一毫脂粉，越俗越家常，越警醒，此才是好水碓，不杂一毫糠衣，真本色。若于此一恶缩打扮，便涉分该婆婆，犹作新妇少年哄趋，所在正不入老眼也。至散白与整白不同，尤宜俗宜真，不可着一文字，与扭捏一典故事，及截多补少，促作整句。锦糊灯笼，玉镶刀口，非不好看，讨一毫明快，不知落在何处矣！此皆本色不足，仗此小做作以媚人，而不知误入野狐，作娇冶也。"又云："凡语入紧要处，略着文采，自谓动人，不知减却多少悲欢，此是本色不足者，乃有此病，乃如梅叔造诣，不宜随众趋逐也。点铁成金者，越俗越雅，越淡薄越滋味，越不扭捏动人越自动人。务浓郁者如脔杂牲而炙以蔗浆，非不甘旨，却头头不切当，不痛快，便须报一食单。"又云："牛僧孺《幽怪录》有《张老传》，张老，仙人也，有仆曰昆仑奴。梅君述昆仑奴为仙矣，何不用此以证，云在张老时已为仆几时矣，今复谪此，则益为有据。虽皆是说谎，中都有来历，况张老说是梁天监中人。"

**高攀龙识瞿汝稷于南京。时瞿汝稷方浮沉闲局。** 高攀龙《瞿冏卿集序》："往岁壬辰，吾识先生于留京，当是时，先生方浮沉闲局，间尝抵掌时事，屈指才品，若别黑白，吾于是窥先生之学。及其守黄州、守邵武、守辰州、使鹾司，遂卓卓炳烺宇内，吾又益信向所窥于先生者之不虚。至于诗文乃其余绪，然亦见其圆神妙运，本深末茂矣。故曰先生之学，经世之学也。"瞿汝稷（1548—1610），字元立，别号洞观。常熟人。有《冏卿集》十四卷。

**高攀龙谒选，授行人，随上崇正学辟异说疏，以斥疏诋程朱之张世则。** 吴中行《资德大夫正治上卿都察院左都御史赠太子少保兵部尚书谥忠宪高公神道碑铭》："己丑（1589）成进士，随丁静逸公艰，庐中读《礼》读《易》。壬辰谒选，授行人。适金事张世则疏诋程朱，请改易传注，颁行所自为书于天下。先生奋然曰：'小人而无忌惮至此哉！'遂上崇正学辟异说一疏，娓娓数千言。"

**邵景詹作《觅灯因话小引》。据小引，时《觅灯因话》已成书。** 小引云："万历壬辰，自好子读书遥青阁，案有《剪灯新话》一编，客过见之，不忍释手，阅至夜分始罢。已抵足矣，客因为道耳闻目睹古今奇秘，累累数千言，非幽冥果报之事，则至道名理之谈；怪而不欺，正而不腐；妍足以感，丑可以思；视他逸史述遇合之奇而无补于正，逞文字之藻而不免于诬，抑亦远矣。自好子深有动于其衷，呼童举火，与客择而录之，凡二卷。客曰：'是编可续《新话》矣。'命之曰《觅灯因话》。盖灯已灭而复举，阅《新话》而因及，皆一时之高兴，志其实也，而何嫌乎不文。观者幸无以不文病之。自好子景詹邵氏识。"《觅灯因话》凡二卷八篇，邵景詹著。传奇小说集。《千顷堂书目》卷十二著录。

潘士藻撰《闇然堂类纂》六卷。是书分类纂叙所闻见杂事，大抵皆警世之意。《四库全书总目》卷一四三子部小说家类存目一著录潘士藻《闇然堂类纂》六卷，提要曰："是书以所闻见杂事分类纂叙，大抵皆警世之意。一训惇，二嘉话，三谈箴，四警喻，五溢损，六征异。成于万历壬辰。时当明季，正风俗凋弊之时。故士藻所录，于骄奢横溢，备征果报，垂戒尤切，盖所以针砭流俗也。"潘士藻，字去华，号雪松，婺源人。万历癸未进士，官至尚宝司少卿。事迹附见《明史》李沂传。

顾大典作《青衫记》传奇。据徐朔方《晚明曲家年谱》。其本事见白居易《琵琶行》。高奕《新传奇品》附《古人传奇总目》著录："《青衫》，顾道行作，元稹、白居易事。"《曲海总目提要》卷十三："白居易，字乐天，下邽人，贞元中擢进士，拔萃皆中，补校书郎，历迁左赞善大夫，盗杀武元衡，居易请急捕贼，刷朝廷耻，宰相嫌其出位，出为州刺史，追贬江州司马，后累官刑部尚书，致仕卒。居易自号醉吟先生，又称香山居士，尝与胡杲等宴集，皆高年不事者，人慕之，绘为《九老图》。初与元稹酬咏，故号元白。稹卒，又与刘禹锡齐名，号刘白。《居易集·琵琶行序》，……结语云：'就中泣下谁最多，江州司马青衫湿。'此《青衫》所由名。"

于慎行《题忠顺夫人画像四首》作于今年或稍后。忠顺夫人，即所谓"三娘子"，俺答长女哑不害所生女。于慎行（1545—1607）字可远，更字无垢，东阿人。隆庆戊辰进士。官至礼部尚书。事迹具《明史》本传。《明诗纪事》庚签卷八录其《题忠顺夫人画像四首》，诗后引诸葛元声《两朝平攘录》云："三娘子，俺答长女哑不害所生女也。生而骨貌清丽，资性颖异，善书番文，通达事务，盖房中女品之绝代者。笄时，已受袄儿都司聘，俺答先通焉。未几生子，遂夺取之。俺答宠甚，事无巨细，咸听取裁。隆庆五年初，封忠顺夫人。万历壬午，俺答殂，长子兴克都隆合黄台吉袭封顺义王，复欲蒸三娘子而配之。三娘子嫌其貌陋，拒之，率众远遁。黄酋引部落追之。此时正当互市，逾期虏使不至，镇巡疑有背盟。后半月，三娘子已就黄酋，夷使忽来完市事，镇巡宰牲谢天焉。黄酋袭封仅四年，三娘子佐之，贡市惟谨。万历十四年，黄酋殂，长子扯力克袭封，复蒸三娘子而配之。其宠幸无异二酋。十五年六月，扯力克同三娘子拥众十余万骑入边，云有马八千匹，要朝廷用价买之即退。时值浃旬雨不止，边墙多圮，巡抚郑洛甚以为忧，惟好言谕虏使，且令人传语三娘子，无忘香火旧情。七月，虏卒听平，三娘子之力也。万历二十年，宣镇史、车二酋叛盟入犯。时边久无警，闻变错愕。抚台以中领军常鹤貌伟才雄，举之使虏觇动静。常挺身入虏营，让虏王扯力克与三娘子，极言中国嘉虏三世向化，岁颁丰赏，今二酋阻坏世好，大不利，今非俘二酋献阙下，必不能复徼太师恩矣。虏伟中军状貌，闻其言心动，即擒二酋，仍召熟夷以安独石。中军素善绘，因密图三娘子及受封三王各像，为图说以献于朝，故备得其详如此。"陈田按语云："冯北海琦亦有《题三娘子画像》诗云：'甎甀春暖琐芙蓉，争羡胡姬拜汉封。绕膝锦裯珠勒马，当胸宝袜绣盘龙。''塞北佳人亦自饶，白题胡舞为谁娇？青霜已尽边城草，一片梨花冷不销。''红妆一队阴山下，乱点驼酥醉朔野。塞外争传娘子军，边头不牧乌孙马。'又徐文长《边词》云：'女郎那复取枭英，此是胡王女外甥。帐底琵琶推第一，更谁红颊倚芦笙？''老胡宠向一人多，窄袖银貂茜叵罗。递与辽东黄鹄子，侧将云鬟打天鹅。''汗血生驹撒手驰，况能妆态学南闺。袜将皂帕穿风去，爱缀银花绰雪飞。''姑姑花帽细银披，两靥腮梨洒练椎。个个菱花不离手，时时站马上胭脂。'"

**唐时升游京师，与王锡爵之子王衡共论古今之学。**唐时升《翰林院编修王君行状》："壬辰之岁，文肃公被命还朝，邀余游京师，相与为讨论古今之学。于邸后僦屋为学舍，未尝有轩冕客至门。寝食被服，一如寒士，唯不问米盐薪刍耳。余泛滥群籍，莫适为业，而君独好论累朝大政沿革损益得失之故，凡郊庙礼仪，宫禁舆服，甲兵屯戍，钱谷挽输，盐茶马政与近世贡市之利害，无不毕究。又谓安危在边，六诏以南，三韩以北，百年间叛服之故，如指诸掌。以为古之君子，所谓学者正如是而已。盖以君之材，自知不抹杀于世，一旦有用我者，当不临斗而铸兵也。"（《三易集》卷一五）王衡《唐叔达诗序》："嘉定唐叔达，少以异才名，未三十辍去举子业。人问子今何好，曰：'好读书。'读书何事？曰：'无所事也。'浮沉里闬中，舌不能战，笔不能耕，人多以为迂。惟同里二三博雅君子，盛相推服，以为叔达当今无辈，余时颇有亦党之疑。癸巳余从家君至京邸，叔达偕焉。尔时士气犹发舒，投匦言利病者纷然，叔达为私议某得某失，具言其始终沿革之故，胸中若有成案者。时东西构兵，万里外羽书，情形不可测，叔达独逆断：'此当是某喜事，某害成，或兵失将意，或两将不相得。'已而果然。余怪问：'子何以知之？'叔达曰：'吾观古人某时某事类此，吾窃意之耳。'居常笑张空拳、开横口者如木骝泥龙，不适于川，酒酣气振，往往捋须大言曰：'使吾而得志，其为李文饶乎？'余默不应，他人则哑然笑而已。其与人交，未再面辄欲吐肝胆与之，倘遇纷难，阴为控解甚力，而面揭其短，使痛自惩，人多不堪，至有复见怨者。"

**吴国伦（1524—1593）自作生穴，为祠于其旁。**时吴国伦年六十九。《涌幢小品》卷六："吴明卿自作生穴，旁为祠，题其柱曰：陶元亮属自祭之文，知生知死；刘伯伦荷随行之锸，且醉且醒。明年登七十，四方贺者履不绝于户，时语二子：事小定，且自为志。无何遂卒。"（文化艺术出版社1998年版，标点有所改动。）

**余氏双峰堂刊行《新刻按鉴全像批评三国志传》二十卷二百四十则。**据孙楷第《中国通俗小说书目》卷二。

**徐熥《徐惟和诗卷》问世。虽仅十余首，而才情宛至，已可见一斑。**谢肇淛《徐惟和诗卷跋》："吾友中工七言律者，推惟和为白眉。今观此卷所书，虽仅仅十余首，而才情婉至，风骨遒整，绝世之技，亦已见一斑矣。忆自壬戌迄今二十有五载，生前风流文采，邈若山河，而遗墨残编，宛然如昨，则故人死友，宝持爱护之力也。惟和于是为不亡矣。"壬戌即今年。徐熥字惟和，有《幔亭诗集》十五卷，未知成书时间。张献翼序云："由乐府而逮五、七言古，由近体而至五、七言绝，调非偏长，体必兼善，力追古则，尽涤时趋，可谓头头是道，重重发光矣。"

郝敬作《知言》自序。《知言》后更名为《时习新知》。《四库全书总目》卷一二五子部杂家类存目二著录《时习新知》六卷，提要曰："明郝敬撰。敬有《周易正解》，已著录。是书旧名《知言》，敬于万历壬辰官永嘉时自为之序。后改今名，复于万历己未及崇祯戊辰为自序二首。凡初篇三卷，中篇二卷，后篇一卷，阅三十年而成。自序谓早岁出入佛老，中年依傍理学，垂老途穷，乃输心大道。书中于周子《太极图说》，张子《正蒙》，邵子《皇极经世》及二程子、朱子无不肆言诋斥。谓宋儒设许多教门，主静持敬，操存省察，致知穷理，专内疏外，举体遗用，为浮屠之学。又谓世儒先知后行，以格物为穷理，以闻见为致知，皆非。是即王守仁知行合一，致知格物之说。然既借姚江之学以攻宋儒，而又斥良知为空虚，以攻姚江。亦可谓工于变幻者矣。"郝敬字仲舆，京山人。万历己丑进士。历官缙云、永嘉二县知县，擢礼科给事中，迁户科。寻谪宜兴县丞，终于江阴县知县。《明史·文苑传》附见李维桢传末。

　　吕坤编《明职》以申饬属吏。萧彦等辑《掖垣人鉴》。方有执《伤寒论条辨》刊行。据四库提要。

　　游朴刊行欧大任《百越先贤志》。《四库全书总目》卷五八史部传记类二著录《百越先贤志》四卷，提要曰："明欧大任撰。大任字桢伯，广东顺德人。嘉靖壬戌以岁贡除江都训导，迁光州学正，又迁国子监博士。官至南京户部郎中。《明史·文苑》附见黄佐传中。盖大任，佐之门人也。南方之国越为大。自勾践六世孙无疆为楚所败，诸子散处海上。其著者东越无诸，都东冶至漳泉，故闽越也。东海王摇都于永嘉，故瓯越也。自湘、漓而南，故西越也。牂柯西下邕、雍、绥、建，故骆越也。统而名之，谓之百越。大任家于南越，因搜集百越先贤，断自东汉，得一百二十人，各为之传。所收兼及会稽，以勾践旧疆，自南越北尽会稽故也。惟秦会稽郡跨有吴地者不载，以非越之旧也。书中所载，如赵煜以著述见收，而作《越纽录》之袁康、吴平，事出王充《论衡》，而不见载。方技收徐登、赵炳、董奉、介象，而作《参同契》之魏伯阳亦上虞人，名见葛洪《神仙传》，复不见载。盖大任多凭史传，而不甚采录杂书，其间有遗漏在此。其体例谨严，胜于地志之冗蔓，亦即在此。至于引用史文，刊除不尽，如梅福传称语见《成纪》，此自《汉书》之文，此书无成帝本纪，何得有此语？亦未免失之因仍。而每传之末必注所据某书，又据其书参修，一句一字，必有所本，尤胜于他家之杜撰。均未可以一眚议之。黄佐修《广东新志》，汉以前之人物小传，皆采是书，盖亦深知纂述之不苟矣。万历壬辰，其乡人游朴尝为锓版，岁久散佚，仅存抄本。第二卷中养奋传、傅蠡地传、邓盛传、綦毋俊传、李进传皆残缺，陈某一传残缺尤甚，仅存姓而佚其名。今亦各仍原本，从阙疑之义焉。"

　　吴瑞登《绳武编》成书。张世则进呈《貂珰史鉴》。邓锺辑《筹海重编》。据四库提要。

　　袁晋（1592—1674）生。生平简介见下卷。

# 公元 1593 年（神宗万历二十一年　癸巳）

三月

汤显祖赴遂昌知县任。汤显祖于去年量移遂昌知县。《汤显祖诗文集》卷十二有《初至平昌与苏生说耕读事》等诗。平昌即遂昌。

## 四月

汪道昆（1525—1593）卒。焦竑《澹园集》卷三十四《兵部左侍郎南明汪公诔》："万历二十有一年四月十九日，兵部左侍郎汪公卒于新安之里第。"《诗薮》续编卷二国朝下："汪司马伯玉以文章名天下，中岁尤刻意诗歌。五七言近体，尽刷铅华，独存天骨，雄深浑朴，壁立嘉、隆诸子间，自为一家，非俗眼所易识也。其格调精严，句律整峭，斫削锻炼之工，几毫发亡遗恨，深于少陵者当自得之。"《静志居诗话》卷十三："王元美论诗文，大指具于《卮言》，七卷有云：'文繁而法，且有委，吾得其人，曰李于鳞。简而法，且有致，吾得其人，曰汪伯玉。'又云：'历下极深，新安见裁。'是心折李、汪，靡有间矣。窃怪其效敖陶孙作诗文评，苟有寸长，必加品骘，顾于鳞两见，而伯玉不及焉，何与？观《四部稿》中赠汪序，如云上本羲妠，下则姬孔，俯跋二京，跨千载而上，皎然若日中天。其言太浮而夸，似非出于中心之诚者。闻伯玉晚年林居，乞诗文者填户，编号松牌，以次给发，享名之盛，既过于元美。盖元美所推奖二人，于鳞道峻，仕又不达。伯玉道广，位历崇阶。人情望炎而趋，不虑其相埒也。钱氏诋諆伯玉，未免太甚。"《明诗纪事》己签卷三录汪道昆诗一首，陈田按："伯玉在闽，颇立功名，史仅及其文章，亦憾事。元美称'伯玉文，犹可说也'，胡元瑞《诗薮》称'伯玉诗格调精严，句律整峭，斫削锻炼之工，几于毫发无憾'。评诗如此，何以信后。又云：'新都德望位遇，震曜一时，下士急才，后生一善，必奖披陶镕，当代知名之士，靡不出其门者。余以通家子辱国士之遇。'此则其感恩之私言，不应评诗亦假借如是也。"《曲律》卷四："曲与诗原是两肠，故近时才士辈出，而一搦管作曲，便非当家。汪司马曲，是下胶漆词耳。"《曲品》卷上："汪道昆南溟，歙县人。上品：汪司马一代钜公，千秋文侣。所著《大雅乐府》，清新俊逸之音，调笑诙谐之致。余虽染指于斯道，未肯争雄于个中，然片裔味长，一斑各见。允为上品。"

## 五月

公安三袁（袁宗道、袁宏道、袁中道）再至麻城问学于李贽。李贽谓宗道稳实，宏道英特，其识力胆力，皆迥绝于世。袁中道《吏部验封司郎中中郎先生行状》："壬辰，举进士，不仕，复与伯修还故里，家居石浦之上。偕外祖春所龚公，及舅惟学、惟长辈，终日以论学为乐。当是时，伯修与先生虽于千古不传之秘，符同水乳，而于应世之迹，微有不同。伯修则谓居人间，当敛其锋锷，与世抑扬，万石周慎，为安亲保身之道。而先生则谓凤凰不与凡鸟共巢，麒麟不共凡马同枥，大丈夫当独往独来，自舒其逸耳，岂可逐世啼笑，听人穿鼻络首！意见各不同如此。已复同伯修与中道游楚中诸胜。再至龙湖，晤李子。李子语人，谓伯也稳实，仲也英特，皆天下名士也。然至于入微一路，则谆谆望之先生，盖谓其识力胆力，皆迥绝于世，真英灵男子，可以担荷此一事耳。"袁中道《石浦先生传》："癸巳，走黄州龙潭问学。"袁宗道《龙湖记》："龙湖，一云龙潭。去麻城三十里，万山瀑流，雷奔而下，与溪中石骨相触，水力不胜石，激而为潭。潭深十余丈，望之溪清，如有龙眼。而土之附石者，因而夤缘得存。突兀一拳，中央峙立。青树红阁，隐见其上，亦奇观也。潭右为李宏甫精舍，佛殿始落成，倚山临水，每一纵目，则光、黄诸山，森然屏列，不知几万重。余本问法而来，初非有意山水，且谓麻城僻邑，当屠陵、石首伯仲，不意其泉石幽奇至此也。癸巳五月五日记。"

《南北两宋志传》金陵刊本问世。《南宋》序后署"时癸巳长至泛雪斋叙"，《北宋》序署"时癸巳长至日叙"。长至为农历五月（或十一月）。据孙楷第《中国通俗小说书目》卷二。

## 九月

大学士陈于陛请修国史，焦竑条上七议，为粗具凡例事迹，名《献征录》。《罪惟录》列传卷十八《焦竑》："焦竑，字弱侯，南直江宁旗手衔人，以贤书讲学崇正书院。万历己丑（1589），廷对第一，授修撰。二十一年，大学士陈于陛请修国史，意属竑，竑辞不可。因条七议，略曰：'建文、景泰二朝，向无专纪，即景帝位号已经题复，而实录犹然附载，孙蒙祖号，弟袭兄年，名实相违，传信何据？此专纪之当议一也。睿宗献皇帝位终北面，犹人臣之称，事属追王，无编年之体，宜如德、懿、熙、仁四祖列载本纪之前，此附纪之当议二也。旧例，大臣三品以上乃得立传，是高门在跖、蹻亦书，而寒族虽夷、鲀不录，何以阐明公道，昭示来兹？则贵贱并列之当议三也。《吾学编》、《名臣录》之类，多载懿行，而巨憝宵人幸逃斧钺。史称梼杌，义不甚然，则善恶并存之当议四也。累朝实录，禀于总裁，苟非其人，牵于爱憎，如谓方正学之乞哀，于肃愍为迎立，以至野史小说，尤多不根，则记载失实之当议五也。凡系史材，必由阁请，而星历乐律，河渠盐铁等，若非专门，难于透晓，则采择预员之当议六也。国初北平甫下，属大将军收秘书监图书典籍，太常法服祭器仪卫，及天文仪象地里户口版籍。寻从解缙之请，复购民间遗书。今中秘所藏，存者无几，宜责成提学官，岁购故家轶本，一贮翰林院，一贮国子监，以备纂修之用，则考据必周之当议七也。'为粗具凡例事迹，名《献征录》。"《四库全书总目》卷六二史部传记类存目四著录焦竑《献征录》一百二十卷，提要曰："是书采明一代名人事迹。其体例以宗室、戚畹、勋爵、内阁、六卿以下各官分类标目。其无官者则以孝子、义人、儒林、艺苑等目分载之。自洪武迄于嘉靖，搜采极博。然文颇泛滥，不皆可据。又于引据之书，或注或不注，亦不免疏略。考竑在万历中，尝应陈于陛聘，同修国史，既而罢去。此书殆即当时所辑录欤？"

王彦泓（1593—1642）生。据耿传友博士学位论文《一个被文学史遗忘的重要作家——王次回及其诗歌研究》引金坛王氏族谱。王氏族谱云："元五讳彦泓，字次回，任九次子。以岁贡为松江训导，卒于官。博雅有俊才。诗工艳体，格调逼真韩致光。所著有《泥莲》、《疑雨》等稿。尝手录成帙，笔墨精妙，人称双绝；所评阅子史唐宋诗集十余种，并为好事者珍藏。而竟以湎于酒色，甫艾而逝。……生万历癸巳年九月

十五日，卒崇祯壬午年六月十八日。"

## 秋

**冯琦（1558—1603）由左庶子晋少詹事，掌翰林院事，疏请归省。** 余继登《送冯用韫学士奉诏归省序》："万历癸巳秋，冯君用韫晋宫詹学士，视翰篆，寝寝向用矣。会其尊人仰芹先生以河南大参入贺万寿还，移疾乞致仕，用韫闻之，即具疏请归省视。天子嘉其意，予五月休沐，加赐金币，俾乘传以归。"

**京官考察，吏部郎中赵南星激浊扬清，凛不可犯，谪平定州判，寻斥为民。** 邹维琏《明荣禄大夫太子太保吏部尚书谥忠毅高邑侪鹤赵公传》："平湖陆公光祖为冢宰，起公为考功郎，招以手书，公入朝。……明年癸巳当内计，冢宰孙公鑨与公同道，公锐意担当，而值同事台省不足谋，公多不以闻。是时政府各有所庇，太仓则庇馆职王肯堂，兰溪则庇御史黄卷，新建则庇御史樊玉衡，公皆不从，而兰溪介弟赵志淑且以不谨黜。公虚心参酌，每遇权势，奋笔删除，而于冢宰亲甥吏部主事吕胤昌、公儿女姻家吏科给事中王三余，亦挂察中，故榜出长安惊服，不敢出一词，人心太快。然阁铨从此水火，台省亦耻不与闻，裂眦视侧，相与谋辱吏部以挫公。遂借拾遗首纠稽勋员外虞淳熙，次及职方郎中杨于庭、赞画主事袁黄公。以淳熙介士，于庭有兵功，黄虽众论不甚同，时赞画朝鲜军，请自上裁，政府故拟留用。而嗾言官刘道隆疏公曲庇，上怒，诏责冢宰专权结党，罚俸三月，公外调。总宪李世达、金院王汝训疏救，上愈怒公，与淳熙俱削籍。于是汝训复与通政魏允贞、大理少卿曾乾亨、吏部主事顾宪成、李复初、礼部郎中于孔兼、员外陈泰来、主事顾允成、张纳陛、户部主事贾严、国子监助教薛敷教、行人高攀龙交章救公而击太仓、新建甚急，独金院吏部疏留中，余皆镌级。礼部郎中何乔远、洪启睿复疏争之。时史孟麟已推吏垣长，杜门不出，疏称：'臣出则必首言考功事。臣乃考功党，岂得独留？'有旨皆谪。冢宰疏辩权党之说，因乞骸骨，亦罢，善类一空矣。然国朝考功，公为第一。盖公以除奸为主，贪次之，宽散秩，严要津，凛乎仲山甫不畏强御，范文正一笔勾却风裁也。公自是里居。"姚希孟《荣禄大夫太子太保吏部尚书赵忠毅公墓志铭》："癸巳放归，辟数弓为芳茹园，有石有沼有兰有杂花莳竹，独多以素节冷韵相友也。"

**礼部仪制司主事顾允成（1554—1607）与张文石等合疏论并封三王事，又抗疏言赵南星被贬事，谪光州判官。** 高攀龙《顾季时行状》："戊子（1588）奉旨起江西南康府教授。季时念其母钱太安人老，又善病，不忍去左右，遂致仕。无何，丁太安人忧，服阕再起保定府教授，累迁礼部仪制司主事。有诏并封三王，于是又与张公文石等合疏言之，已而考功郎赵公侪鹤司内计，尽公不挠，尽黜当路私人，当路衔而计去之，于是又抗疏言之，谪光州判官。"顾允成字季时。《四库全书总目》卷一七二集部别集类二五著录顾允成《小辨斋偶存》八卷，提要曰："允成于癸未（1583）举会试，丙戌（1586）始殿试，以对策攻嬖倖，抑置末第。今集中以是篇为冠。次为救海瑞疏。次为争三王并封疏。次为代翟从先论救李材及拟上惟此四字编二疏。沈思孝作允成墓志，称其以论救赵南星谪官，而集无此疏。疑传写佚也。"

### 十月

陈继儒为金陵世德堂所刊《唐书志传通俗演义》作序。此序或定为无名氏作。序云："往自前后汉、魏、吴、蜀、唐、宋咸有正史，其事文载之不啻详矣，后世则有演义。演义，以通俗为义也者。故今流俗节目不挂司马、班、陈一字，然皆能道赤帝，诧铜马，悲伏龙，凭曹瞒者，则演义之为耳。演义固喻俗书哉，义意远矣！唐创业高祖，然唐祖正自木强，是固太宗之发踪。化家为国，则封秦时居多，故俗言小秦王为太宗也。嗟嗟，唐去今几时，然扼腕向慕即秦，裂眦指发即齐，即太子建成，况当时乎？而欲与秦争，此真无异奋其螳臂以当若爵啄，往成啜耳。嗟嗟，太宗用兵，即当时李、魏诸臣不过；论治，即当时房、杜诸臣不过；赋诗染翰，即古之帝王未有，布衣操觚之士不能。往固尝喷喷叹之。《新旧书》备尔矣。载揽演义，亦颇能得意。独其文词时传正史，于流俗或不尽通；其事实时采谲狂，于正史或不尽合。"序署"岁癸巳阳月，书之尺蠖斋中"。阳月即农历十月。《唐书志传通俗演义》凡八卷八十九节，明熊钟谷（约1501—？）撰。钟谷名大木。《唐书志传通俗演义》编撰于1553年，今存1553年（嘉靖三十二年）杨氏清江堂刊本。世德堂刊本为翻刻本。

### 冬

归子慕（1563—1606）暂寓西湖。子慕有《癸巳冬寓杭州西湖寄世周》诗。

### 本年

张瀚（1511—1593）作《松窗梦语引》。《松窗梦语》，张瀚所撰笔记。引署"万历癸巳"。引云："或静思往昔，即四五年前事，恍惚如梦，忆记纷纭，百感皆为陈迹，谓既往为梦幻，而此时为暂寤矣。自今以后，安知他日之忆今，不犹今日之忆昔乎！梦喜则喜，梦忧则忧，既觉而遇忧喜，亦复忧喜。安知梦时非觉，觉时非梦乎！松窗长昼，随笔述事，既以自省，且以贻吾后人。"张瀚（1513—1595），字子文，号元洲，仁和（今浙江杭州）人，嘉靖十四年（1535）进士，累官至吏部尚书，因忤张居正被免职。《松窗梦语》即归休期间所作。《四库全书总目》著录张瀚《台省疏稿》八卷、《明疏议辑略》三十七卷、《奚囊蠹余》十八卷。《奚囊蠹余》提要曰："是集赋一卷，诗九卷，记一卷，杂著一卷，墓志二卷，行状行略一卷，祭文一卷，书二卷。瀚于万历中以忤张居正罢归，颇著风节。《浙江通志》称其善书法，工点染。诗文庄严典则，归之尔雅。然集中酬赠牵率，什居六七。虽平正无瑕，而殊少酝酿。其自序谓奔走四方二十余年，每以一囊自随。凡所得简札诗帖，俱纳其中。积久蠹蚀，因取其字画稍全、章句可读者，录出成帙，故名曰《奚囊蠹余》云。"张瀚于今年去世。其生卒年之推定据冯梦祯《张太宰恭懿公传》。

吴瑞登《两朝宪章录》成书。田琯《南康志》成书。《顺天府志》成书。吴炯《丛语》成书。据四库提要。

王稚登（1535—1612）自营葬地于支遁涧之西，自为铭。谢肇淛《王百谷传》：

"先生姓王名稚登，百谷其字也。其先为乌氏，居毘陵，徙金闾，始姓王。""先生未六十，自营葬地于支遁洞之西，自为铭。""明兴，自北地信阳以风骨相尚，近于无病呻吟，而诗一变。迨历下为政，专为雄声，务气格，而寡性情，而诗一变。比者江左诸君，远学六朝，模拟鲍谢靡靡之音，不复凌竞，而诗又一变。先生挺然独立于三者之中，而默契正宗，不逐颓靡，以梁陈之绮艳出汉魏之清苍，以中晚之才情合初盛之轨度，揆之古人，则神采似青莲，秀色似辋川，高爽俊逸似刘随州、钱吴兴，即其酬答不经意语，亦不失似长庆。至于鸿裁巨笔，短疏寸笺，纵横错落，无不如意，嬉笑怒骂，皆成文章，则又得法于龙门，得神于眉山者也。先生一措大耳，而名逾卿相。环堵之室，户外杖屦如云，研田笔耕，润及九族。自王公贵人，章甫逢掖，以至于缁衣黄冠，倡优僮隶，无不愿识其面。自粉榆里闬，州邑郡国，以至于畿甸山海，蛮夷荒服，无不愿购其词。自国家制作，艺林著述，以至于稗官小说，里语家乘，无不愿得其片言品题，以为定论。盖明二百年来，以布衣操衮钺之权，以管城司文章之命，以山泽癯然之身为函夏盟主，未有加于先生者也。"

**沈璟中察典罢官。四年前沈氏即已告病家居。**《家传》云："（十七年）以疾乞归。疾愈，而林泉之兴甚浓。虽无癸巳之察，固亦不出矣。"据《明史·职官志》，京官六年一察，察以己亥。不称者，其目有八，曰：贪、酷、浮躁、不及、老、病、罢、不谨。处分则有革职、闲住、致仕、降调之分。据此，则四年前沈氏系以病假告归，今年始被免职。今年掌察典者为考功郎中赵南星。

**冯梦龙从狎邪游，得所转赠诗帨甚多。**《挂枝儿》卷五隙部《扯汗巾》冯梦龙评云："每见青楼中，凡受人私饷，皆以为固然。或酷用，或转赠，若不甚惜。至自己偶以一扇一帨赠人，故作珍秘。岁月之余，犹询存否。而痴儿亦遂珍之秘之，什袭藏之。甚则人已去而物存，犹恋恋似有余香者。真可笑已。余少时从狎邪游，得所转赠诗帨甚多。夫赠诗以帨，本冀留诸箧中，永以为好也，而岂意其旋作长条赠人乎？然则汗巾套子耳，虽扯破可矣。"

**吴国伦**（1524—1593）**卒。吴国伦为后七子之一。**冯梦祯《吴明卿先生传》："先生姓吴氏，讳国伦，明卿其字。先世籍嘉兴，为余同里。其始迁楚而家兴国，自贤忠公，五传至先生。"嘉靖庚戌进士，授中书舍人，迁兵科给事中，左迁南康府推官，调归德，即家起知建宁、邵武二府，又调高州三载，擢贵州提学副使，河南参政。大计，以台参罢官。"王元美先生卒，先生自楚入吴哭之，尽哀归楚，无何亦卒，年七十。海内文章，连失两先生，岁在龙蛇，亦厄运使然哉！先生所著有《甔甀洞稿》、《续稿》，凡五十四卷，行世，其黄袄之符耶？史臣曰：自屈宋下，楚才何其侈耶？明卿先生起嘉、隆间，嗣响李何，齐鸣五子，甚且超乘而上，岂不戛戛乎难哉！至其缘儒饬吏，宽猛适宜，牧守监司，悉善其职，尤足为文士吐气。惜其不大用，令以甔甀终也。然其著书表见，遂与弇州伯仲，采诗国朝者，吴楚其大风也哉！"《四库全书总目》集部别集类存目五著录吴国伦《甔甀洞稿》五十四卷、《续稿》二十七卷，史部载记类存目著录吴国伦《陈张本末略》一卷，附《方国珍本末略》一卷。兹选录诸家评语附后。王世懋《艺圃撷余》："余尝服明卿五七言律，谓他人诗多于高处失稳，明卿诗多于稳处藏高，与于鳞作身后战场，未知鹿死谁手。"《诗源辩体》后集纂要卷二："吴明卿名国伦。七言律，多冠冕雄丽，足继于鳞。如'赤县五云开北极，黄河万里划中州。''胡箫暮咽三城戍，汉节秋清九塞尘。''七泽春深飞彩鹢，百蛮天尽跃青骢。''横戈已壮吞胡气，按辔新成出塞词。''吴云昼拥黄金甲，汉日秋悬白马盟。''万马忽乘青海戍，六师翻困白登围。''霜下蓟门天黯澹，虹垂碣石昼阴森。''乡心苦被蛮云结，客泪遥含海色来。''浪拥帆樯天际乱，星蟠吴楚镜中分。''江合百川争赴海，山蟠一柱上撑天。''湖吞九水浮天阔，地拥三巴入镜来。''千帆雨色当窗过，万里江声动地来。''明月万家机杼恨，黄云四塞鼓鼙哀。''风吹华发乾坤短，天坼黄河日夜流。''桥石似从洹水驾，林烟欲扑太行飞。''天寒雾白蛮王垒，日落江清帝子楼。''双流夹郡风雷走，万岭蟠空日月垂。''十年瘴海波初定，八月星槎使正还'等句，皆冠冕雄壮。然以全集观，声调较诸子稍婉。至如'仙梵杳从空翠落，乱帆纷挂野云飘。''风生锦障吹阴雪，花簇琼筵驻夕晖。''一自风尘捐骏骨，翻从湖海问龙颜。''寓直桐阴清左掖，退朝香雾郁西山。''山气作云蒸宿暑，溪声带雨咽新秋。''溪声暗咽秦时雨，村落仍遗晋代风。''酒船歌舞纵横入，沙碛凫鸥断续逢。''新营石室藏金粟，小引溪流灌白莲'等句，则声调和平者也。""明卿七言律，全集实多未稳，亦有生涩如茂秦者。元美称其'首尾匀称，宫商律谐，情景相配'，敬美亦言'他人多于高处失稳，明卿多于稳处藏高'，盖指其入选者言之。"《列朝诗集小传》丁集上："明卿才气横放，跅弛自负，好客轻财，归田之后，声名籍甚。海内啖名之士，不东走弇山，则西走下雉。晚年入吴访王元美，入茗吊徐子与，及元美卒，而明卿尤健饭，在七子、五子之中最为老寿。"《静志居诗话》卷十三《吴国伦》："明卿在七子列，最为眉寿，元美即世之后，与汪伯玉、李本宁狎主齐盟。三君皆不知诗，王、李即没，海内不敢违言。刘子威、冯元成、屠纬真辈，相与附和之。《甀甀》、《太函》、《大泌》等集，几与《四部》争富。而《由拳》、《白榆》等集尤而效之，海内之为真诗者寡矣。"《明诗别裁集》卷九录吴国伦诗六首。《明诗纪事》己签卷二录吴国伦诗十五首，陈田按："《甀甀洞稿》存诗太多，如太仓陈粟，武库钝兵，虽多亦奚以为。惟与李、王结社，虽沿习气，颇讲格律，撷其菁华，不失为于鳞派中佳境也。"

　　**徐学谟**（1522—1593）卒。《静志居诗话》卷十三："徐学谟，初名学诗，字子言，更字叔明，苏州嘉定人。嘉靖庚戌（1550）进士，授礼部主事，历郎中，出知荆州府，迁副使，擢金都御史，抚郧阳。召拜礼部尚书，加太子太保。有《海隅》、《春明》二稿。宗伯本名学诗，以与劾分宜者同姓名，遂更为谟。昔杜钦损目，人斥为盲，郉恶其同字，遽自称疾，犹见诋于当时。若宗伯更名，乃属患失。百世而下，知有直臣陈孟公之名遵，何必惊坐讳哉！宗伯雅负诗名，然多懦响，殆肖其人。"《四库全书总目》著录徐学谟《春秋亿》六卷、《世庙识余录》二十六卷、《万历湖广总志》九十八卷、《春明稿》十四卷、《徐氏海隅集》四十卷、《归有园稿》二十九卷，《春明稿》提要曰："是编皆其以尚书召起再入都时所作，故以春明为名。凡文编十卷，诗编三卷，续编一卷。文编末四卷为《齐语》，皆所著《杂说》。《千顷堂书目》作八卷，盖除《齐语》计之也。其《论诗》一条云：'近来作者，缀成数十艳语，如黄金、白雪、紫气、中原、居庸、碣石之类，不顾本题应否，强以窜入，专愚聋瞽，自以为前无古人。小儿效颦，引为同调，南北传染，终作疠疯。诗道几绝。'其语盖为王、李而发。学谟与王世贞里閈相近，而立论如此，颇不为习俗所染。然诗多懦响，终不能副所言也。"《明诗纪事》己签卷十录徐学谟诗十六首。

**姜宝**（1514—1593）**卒**。姜宝字廷善，号凤阿，丹阳人。嘉靖癸丑（1553）进士。官至南京礼部尚书。《四库全书总目》著录姜宝《周易传义补疑》十二卷、《春秋事义全考》十六卷、《姜凤阿文集》三十八卷。《姜凤阿文集》提要曰："是集分十稿，初稿一卷，中秘稿一卷，读礼稿一卷，史馆稿三卷，西川稿二卷，周南稿二卷，八闽稿二卷，银台稿二卷，南雍稿二卷，家居稿十一卷，留部稿十一卷。宝少从学于唐顺之，其行文步骤开阖，颇得力于师说。而学力根柢不及顺之之深厚，故论明代之文者不及焉。王世贞序谓弘、正而后，士大夫祢《檀》、《左》而日晷先秦，及其流弊而为似龙，出之无所自，施之无所当。六季之习，巧者猴棘端，侈者绣土木。而极推宝之学，为能深造自得。盖世贞晚年亦深厌字剽句窃之病，而折服归有光诸人，故其说如此也。"

**徐渭**（1521—1593）**卒**。陶望龄《徐文长传》："徐渭字文长，山阴人。幼孤，性绝警敏，九岁能属文。年十余，仿扬雄《解嘲》作《释毁》。二十为邑诸生，试屡隽。胡少保宗宪总督浙江，或荐渭善古文词者，招致幕府，管书记。……及宗宪被逮，渭虑祸及，遂发狂。……年七十三卒。""渭于行草书尤精奇伟杰，尝言吾书第一，诗二，文三，画四，识者许之。其论书主于运笔，大概仿诸米氏云。所著《文长集》、《阙篇》、《樱桃馆集》各若干卷，今合刻之。注《庄子》内篇、《参同契》、黄帝《素问》、郭璞《葬书》各若干卷，《四书解》、《首楞严经解》各数篇，皆有新意。"另有《四声猿》杂剧。澄道人《四声猿引》："袁石公令钱塘，于蠹简中得天池生文集二种，诧为奇珍。因目本朝诗文，文长第一。文长名从此大著。余谓文长之视七子，犹於越诸峰非不幽折森秀，以较云端庐阜，天半峨眉，尚觉瞠乎其后。"（《徐渭集》卷四）王夫之《姜斋诗话》卷下："咏物诗，齐、梁始多有之。其标格高下，犹画之有匠作、有士气。征故实，写色泽，广比譬，虽极镂绘之工，皆匠气也。又其卑者，饾凑成篇，谜也，非诗也。……高季迪《梅花》，非无雅韵，世所传诵者，偏在'雪满山中'、'月明林下'之句。徐文长、袁中郎皆以此炫巧。"（《清诗话》）《明史·文苑传》："渭天才超轶，诗文绝出伦辈。善草书，工写花草竹石。尝自言：'吾书第一，诗次之，文次之，画又次之。'当嘉靖时，王、李倡七子社，谢榛以布衣被摈。渭愤其以轩冕压韦布，誓不入二人党。后二十年，公安袁宏道游越中，得渭残帙以示祭酒陶望龄，相与激赏，刻其集行世。"《静志居诗话》卷十四："文长诗原本长吉，间杂宋元流派，所谓斐然成章，不知所以裁之者。其自评云：'吾书第一，诗二，文三，画四。'然诗文未免繁芜，不若画品，小涂大抹，俱高古也。"《茧斋诗谈》卷六："文长五绝，脆甜爽口，但不如唐人味长。皆题画诗也，须求其意于笔墨外。""文长七绝居胜，有炼语，有豪语，有风流蕴藉语，有颓唐自放语，有黯然情至语，可分别领其趣。文长五七言绝句令人快，要是晚唐高手。"《四库全书总目》集部别集类存目五著录徐渭《徐文长集》三十卷，提要曰："其诗欲出入李白、李贺之间，而才高识僻，流为魔趣。选言失雅，纤佻居多。譬之急管幺弦，凄清幽渺，足以感荡心灵。而揆以中声，终为别调。观袁宏道之激赏，知其臭味所近矣。其文则源出苏轼，颇胜其诗。故唐顺之、茅坤诸人皆相推挹。中多代胡宗宪之作，进白鹿前后二表，尤世所艳称。其代宗宪谢严嵩启云，'凡人有疾痛疴痒，必求免于天地父母。然天地能覆载之，而不能起于颠挤。父母能保全之，而未必如斯委曲。伏惟兼德，无可并名。名且不能，报何为计'云云。虽身居幕府，指纵惟人。然使申谢朝廷，更作何语。录之于集，岂止白圭之玷乎？盖渭本俊才，又受业于季本，传姚江纵恣之派。（案：渭师季本，见《明史·文苑传》）不幸而学问未充，声名太早。一为权贵所知，遂侈然不复检束。及乎时移事易，侘傺穷愁，自知决不见用于时，益愤激无聊，放言高论，不复问古人法度为何物。故其诗遂为公安一派之先鞭。而其文亦为金人瑞等滥觞之始。苏轼曰：'非才之难，处才之难。'谅矣。……宏道以为一扫近代芜秽之习，其言太过。望龄以为文长负才性，惟不能谨防节目。迹其初终，盖有处士之气，其诗与文亦然。虽未免瑕颣，咸成其为文长而已。是则平心之论也。"《明诗别裁集》卷九录徐渭诗一首。《制义丛话》卷五："《四勿斋随笔》云：言者心之声，古今诗文，往往能自肖其人，制义则言之尤畅。如前明山阴徐文长（渭），狂士也，其作《今之矜也忿戾》文云：其视己也常过高，而身心性情之际，每怀不平，其视人也常过卑，而亲疏远近之间，鲜能当意。义利之辨未尝不明，但其所见者，自以为义而谓天下则皆利也，是非之故，亦未尝不悉，但其所执者，自以为是而谓天下则皆非也。此非直浑厚悼大之体无所望也，好胜不已，而其势必至于争矣。按此文直是文长自作小传，可见狂士并不讳疾，特自知其疾而不能自医耳。"《曲品》："天池湖海豪才，烟霞仙品，壮托元龙之傲，老同正平之狂。著书而问字旗亭，度曲而振声林木。""徐渭天池。山阴人。上品：徐山人玩世诗仙，惊群酒侠。所著《四声猿》，佳境自足擅长，妙词每令击节。"《曲律》卷四："徐天池先生所为《四声猿》，而高华爽俊，秾丽奇伟，无所不有，称词人极则，追蹑元人。""客问今日词人之冠，余曰：于南词得二人：曰吾师山阴徐天池先生，瑰玮浓郁，超迈绝尘。《木兰》、《崇嘏》二剧，刳肠呕心，可泣神鬼。惜不多作。"《顾曲杂言》："惟徐文长渭《四声猿》盛行，然以词家三尺律之，犹河汉也。"《明诗纪事》己签卷十七录徐渭诗十三首，陈田按："文长诗如秋高木落、山骨棱棱，又如潦尽潭清、荇藻毕露。惟恃才放逸，涉怪涉俳，又为袁中郎所赏识，致来诋諆。余特为洗眉刷目，去其怪者俳者，而文长之真诗出矣。文长之言曰：'人有学为鸟言者，其音则鸟也，而性则人也。鸟有学为人言者，其音则人也，而性则鸟也。此可以定人与鸟之衡哉？今之为诗者，何以异是？不出于己之所自得，而窃于人之所尝言，曰：某篇是某体，某句似某人。此虽极工逼肖，而已不免于鸟之为人言矣。'可谓快论。"

**倪元璐**（1593—1644）**生。刘侗**（约 1593—1637）**约生于今年。**生平简介见下卷。

## 公元 1594 年（神宗万历二十二年　甲午）

### 二月

**皇长子常洛出阁讲学，时年十三。出阁用东宫仪，中外欣慰。**焦竑、董其昌等为讲官。《明史》神宗本纪："二十二年……二月癸丑，皇长子常洛出阁讲学"。又《文苑传》："焦竑，字弱侯，江宁人。……皇长子出阁，竑为讲官。故事，讲官进讲罕有问者。竑讲毕，徐曰：'博学审问，功用维均，敷陈或未尽，惟殿下赐明问。'皇长子称善，然无所质难也。一日，竑复进曰：'殿下言不易发，得毋讳其误耶？解则有误，问复何误？古人不耻下问，愿以为法。'皇长子复称善，亦竟无所问。竑乃与同列谋先启其端，适讲《舜典》，竑举'稽于众，舍己从人'为问。皇长子曰：'稽者，考也。考集众思，然后舍己之短，从人之长。'又一日，举'上帝降衷，若有恒性'。皇长子曰：'此无他，即天命之谓性也。'时方十三龄，答问无滞，竑亦谒诚启迪。尝讲次，群鸟飞鸣，皇长子仰视，竑辍讲肃立。皇长子敛容听，乃复讲如初。竑尝采古储君事可为法戒者为《养正图说》，拟进之。同官郭正域辈恶其不相闻，目为贾誉，竑遂止。""皇长子出阁，（董其昌）充讲官。"

## 三月

明廷开国史馆，纂修本朝正史。以王锡爵为总裁，陈于陛、沈一贯、刘虞夔、冯琦、余继登（1544—1600）等为副总裁，焦竑等十九人为纂修官。《明诗纪事》庚签卷十二录余继登诗二首，陈田按语云："万历二十二年，帝从礼部尚书陈于陛言，敕修本朝正史，遂命于陛及尚书沈一贯、少詹事冯琦及世用为副总裁，而阁臣总裁之。世用疏言：'纂修帝纪有不可不自为一纪者，建文君是已，有可不必为一纪者，恭穆献皇帝是已。'世韪其论。惜于陛寻卒，史亦竟罢。世用文章朴直，切于时用，奏疏尤其所长。世用《淡然轩集》，冯用韫序而刻之，称其文如'孤峰断崖，居然千仞'，又如'玄珠璞玉，不假雕饰，而磊落遒上之气，时溢毫楮'。诗亦时有合作。"余继登字世用，交河人。万历丁丑进士，改庶吉士，授检讨。进修撰，历中允、少詹事，掌翰林院事，进礼部侍郎，擢本部尚书。赠太子少保，谥文恪。有《淡然轩集》八卷，《典故纪闻》十八卷。

## 五月

吏部郎中顾宪成以廷推忤帝意削籍归。月份据《实录》。《明史》顾宪成传云："二十一年京察，吏部尚书孙鑨、考功郎中赵南星尽黜执政私人，宪成实左右之。及南星被斥，宪成疏请同罢，不报。寻迁文选郎中，所推举率与执政抵牾。先是吏部缺尚书，锡爵欲用罗万化，宪成不可。乃用陈有年。后廷推阁臣，万化复不与。锡爵等皆恚，万化乃获推，会帝报罢而止。及是锡爵将谢政，廷推代者。宪成举故大学士王家屏，忤帝意，削籍归。"《明史纪事本末》卷六十六云："锡爵尝语宪成曰：当今所最怪者，庙堂之是非，天下必欲反之。宪成曰：吾见天下之是非，庙堂必欲反之耳。遂不合。"

## 六月

楚王府教坊司名妓范月卿卒于狱，潘之恒为作挽词。详见《亘史》内纪卷十一。
李先芳（1511—1594）卒。于慎行《明故奉直大夫尚宝司少卿北山先生李公墓志铭》："北山先生姓李氏，讳先芳，字伯承，其先湖广监利人也。国初以士伍北徙，因籍濮州。"嘉靖丁未（1547）进士，除新喻知县。征授户部主事，改刑部，历郎中，改尚宝司丞，进少卿，谪亳州同知。"先生生正德六年六月二十三日，卒万历二十二年六月十五日，得寿八十有四。""论曰：国朝之称诗赋，盛于嘉隆之际。吾里有两李先生。两李先生者同时同官，名相比也。其致有不同者：历下以气骨合神，湛涵万有，而发以雄迅，意常超于象之表。濮阳以才情赴调，融洽众采，而出以和平，力常蓄于法之中。此其趣操也。比以五音，历下则轩辕之鼓素女之弦，高张急节，铿鍧骀荡，洞心骇耳，而世不能究其变。濮阳则昭华之管，嬴台之箫，肃雍和鸣，龙吟凤下，而世不能写其真。盖所谓异曲同工者与？"邢侗《奉训大夫尚宝司少卿北山先生濮阳李公先芳行状》："当世作者，率推历下李先生，是谓于鳞。不知更一李先生出濮上，其齿同，其居朝之日同，其谈艺同。其所不同，历下简贵，不昵近人，而濮上伉爽敢决，任侠自豪。两人者论难过从，瑕瑜不相贷也。迨后历下名愈高，濮上若为所掩，乃先生修戈偫糈，未尝一日忘于鳞云。濮上名先芳，字伯承，初号东岱，后更北山先生。""肺附而友朱学博、周太守、苏鸿胪、苏孝廉、苏右史。艺文而友李于鳞、王元美、殷正甫、宗子相、徐子与、谢茂秦、黎惟敬、欧桢伯、张助甫、王师古、魏懋忠、傅伯俊、董元仲、宋登春、吾师东阿、不佞侗。相吏而友两御史大夫南充王公、黄安耿公，两大司马铜梁张公、登州陈公，一督府重庆蹇公。于喁鼓吹，视柳宗元所称先友不翅遇焉。先生家蓄声伎，倍蛮素。园胜履道，文柜副名山，谙晓琵琶理。……所著《东岱山房稿》三十卷，已行世。外为《大学古文》、《四书解》、《毛诗考正》、《春秋辨疑》、《汉注疏臆》、《老子本义》、《□阴符经》、《心经解》、《五岳志略》、《拾翠轩杂纂》、《十三省歌》、《本朝安攘新编》、《古交编》、《阐微录》、《明诗纂》、《医家须知》、《壶天玉镜》、《蓬玄杂录》凡五十万言，藏于家。"《明史·艺文志》著录李先芳《东岱山房稿》三十卷、《安攘新编》三十卷、《杂纂》四十卷、《阴符经解》一卷、《蓬玄杂录》十卷。《四库全书总目》集部别集类存目四著录李先芳《江右诗稿》二卷、《李氏山房诗选》六卷，均非《东岱山房稿》原书。后世评论，多涉及先芳与攀龙之纠葛。《静志居诗话》卷十三《李先芳》："伯承与元美、于鳞同舍，皆故等夷。既而七子盛名，狎主坛坫，元美收之广五子之列，意浸不平，晚逃于词曲。观其《诗隽》一书，详于淮北，远及巴蜀，而独黜大江以南。盖以吴、楚、扬、粤之间，七子实居其五，其微意可窥也。《鄱阳湖》云：'吴人临古渡，湖水接天开。一夜南风起，扁舟万里回。波漂星子县，云没大孤台。却望苍茫里，匡庐秋色来。'《再过玉河堤》云：'马蹄日日逐红尘，白发青山应笑人。昨日玉河堤上过，杏花开尽不知春。'"《明诗纪事》己签卷四录李先芳诗五首，陈田按："伯承博雅，饶著述，所著有《折衷录》、《蓬玄杂录》、《五岳志略》、《阐微录》、《安攘新编》、《拾翠轩杂纂》、《医家须知》、《一壶千金》、《老子本义》、《阴符经解》、《壶天玉镜》、《濮州志》等书。其论古诗，断自魏、晋以上为上乘，近体十二子，李、杜以上为大家，此与王、李结社持论合辙者也。王、李抹杀宋、元诸家，伯承选录宋、元诗。于鳞谓：'伯承贻我新刻，并多出入，畔我族类。'当为此而发。《东岱山房集》近体差有合作，较其才力，安能与数子争雄？于鳞所云读伯承新刻，推意就辞，未合而战遂劣，非苟论也。然伯承《五哀诗》怀沧溟云：

'鲍山宿草几经秋，历下犹传白雪楼。《白雪》调高人寡和，鲍山云尽水空流。断肠魂梦通今夕，握手交情忆昔游。晓倚东门占紫气，真人傥许驾青牛。'心折于鳞如此。牧斋乃欲次伯承诗于于鳞之上，伯承有知，当亦不敢自居矣。"

## 七月

王稚登六十大寿，江盈科作《王百谷六十》、《寿王百谷》。《寿王百谷》有"即今行年已六十"之句。

## 八月

阮尚宾作《刻海忠介公文集序》。海忠介，海瑞也。序署"万历甲午孟秋谷旦长芦都转运盐使司运使晚生阮尚宾顿首拜书"。

## 九月

潘之恒游武昌，与袁中道等结五咏楼诗社。九月九日，大会词客酒人于洪山。潘之恒《涉江诗选》有诗《今夕行同吴皋倩、王任仲、丘长孺、袁小修饮五咏楼赋》。《珂雪斋近集》卷三《寿南华居士序》："予少时游武昌，与西陵丘长孺、大鄗潘庚生等结文酒之欢。记九月九日，大会词客酒人于洪山。方分韵赋诗，忽有客长身修髯，骑红叱拨鸣鞭而过，绝影奔尘，忽已不见。群少年皆骑骏马尾之。已忽还下马，入酒筵不问主客礼，径就座，食啖兼人，议论风生，诸词客少年，皆属目卑下之，惟恐不得当客。予谓长孺曰：客何为者也。长孺曰：此吾友新安夏南华也。"丘坦，字长孺，麻城人，公安派诗人之一。吴皋倩，吴国伦子，李维桢为作《吴皋倩诗序》，见《大泌山房集》卷二十四。王伊辅，字任仲，生平见《珂雪斋集》卷二十一《书王伊辅事》。

## 秋

陈荐夫中举。陈荐夫名藻，以字行，改字幼孺，价夫弟。闽县人，万历甲午举人。有《水明楼集》十四卷。曹学佺《水明楼集序》："水明楼者，取杜少陵'四更山吐月，残夜水明楼'之句也。……予友陈幼孺，少孤而贫，三十始为诸生，领乡书，应试南宫，不第而归，贫益甚，至丧厥明，末年病呕而死。其所为养生之资，饮食男女之欲，约而且废矣。独于诗之道，负俊才而专一志，质癯而腹腴，语险而法中，虽目不涉诗书，迹不交山水者十有余载，然下帷之夫骇其博雅，好游之士推其韵致矣，倘所谓闭门造车、出门合辙者耶？……万历乙卯（1615）夏月，友人曹学佺能始撰。"《四库全书总目》卷一七九集部别集类存目六著录陈荐夫《水明楼集》十四卷，提要曰："是集诗九卷，诗余一卷，赋及杂文四卷。考徐熥《晋安风雅》，自荐夫之曾祖煃、祖达、父辅之与其兄价夫，皆以诗名。其家学渊源，固有所自。曹学佺为之序，称其'质癯而腹腴，语险而法中。虽目不涉诗书，迹不交山水，能使下帷之夫骇其博雅，好游之士推其韵致'，则过其实矣。"《明诗纪事》庚签卷四录陈荐夫诗一首，陈田按：

"伯孺、幼孺兄弟称诗，品略相似。徐惟和《晋安风雅》有幼孺序云：'非性灵不谈，脱钉饺如屣。'知其风旨所在矣。"叶宪祖、韩上桂亦于本年中举。

## 十二月

宏道谒选，为吴县令。宏道在京与陶望龄、黄辉结识。据袁中道所撰行状。

徐𤊻（1562—1600）赴京应进士试，途次山东汶上，作《甲午汶上除夕》诗。诗云："旅馆逢除夕，空怀故国情。荒村三户寂，土屋一灯明。腊逐鸡声去，春随马足生。客中非守岁，自是梦难成。"徐𤊻字惟和，闽县人。万历十六年（1588）举人。有《幔亭集》。曾三次赴京应进士试，皆下第。其《出都门答别邓汝高员外》云："十年三上长安道，阙下献书俱不报。"《题诸友送行卷后》云："七年三上春官日，各赋诗篇送我行。今日蠹鱼生满纸，主人依旧一儒生。"邓原岳（1555—1604）字汝高，闽人，万历十三年（1585）举人，万历壬辰（1592）进士。有《西楼集》十八卷。徐𤊻曾与邓原岳、谢肇淛等结社，故徐𤊻另有五律题为《甲午赴京留别社中诸子》。

## 冬

车大任为张佳胤《张居来先生集》作叙。今年春该集重刊本问世。叙曰："先生幼负大志，慨然慕赵武、周亚夫之为人，识者占其社稷器云。自释褐迄归田，所著诗文四十余卷，一梓于蜀，传弗广，今年春厥嗣垾信参军留都，再梓以传，谬属余叙。"叙署"万历甲午冬月"。

## 本年

袁宏道作《答李子髯》诗，倡论"闾巷有真诗"，对民歌小曲极示青睐。其二云："草昧推何李，闻知与见知。机轴虽不异，尔雅良足师。后来富文藻，诎理竟修辞。挥斤薄大匠，裹足戒旁歧。模拟成俭狭，莽荡取世讥。直欲凌苏柳，斯言无乃欺。当代无文字，闾巷有真诗。却沾一壶酒，携君听竹枝。"（《袁宏道集笺校》卷二）时宏道在公安。

公安三袁与其外祖父龚大器及两舅在公安结南平社。龚大器任社长。《珂雪斋集》卷十六《龚春所公（大器）传》："公能诗，与诸子诸孙唱和，推为南平社长。"《白苏斋类集》卷三有诗《南平社六人各一首》：《外大父方伯公》、《孝廉舅惟学》、《侍御舅惟长》、《中郎弟进士》、《小修弟文学》。外大父，即外祖父，三袁外祖父龚大器。龚字容卿，号春所，公安人。嘉靖三十五年进士。授刑部主事，历任广西、江西、浙江、南直隶等佥事，官至河南左布政使。年七十余，致仕归，为南平社长。

陆弼、龙膺等在真州结横山社。其诗后结集为《横山社集》。陆弼《銮江集序》："往甲午，武陵龙君御赴倅临洮，暂息真州结社。余以犬马齿推为祭酒，得次其诗曰《横山社集》。是时君御有客，欲附其诗与姓名，余不敢假借，遂未竟杀青。"龙膺字君御。

邹迪光《郁仪楼集》所收文始于今年。邹迪光《郁仪楼集自叙》："此集诗若文计五十四卷。诗二十八卷，自癸巳至壬寅十年内者。文二十六卷，自甲午至辛丑九年内者。总之归田以来所作也。"自叙作于"万历癸卯（1603）五月"。

朱氏与耕堂刊行《包龙图判百家公案》十卷一百回。朱氏与耕堂刊本为现存最早版本，《包龙图判百家公案》实际成书时间要早一些。据石昌渝主编《中国古代小说总目》。此书为《包公案》系列小说之始，稍后之《龙图公案》（听五斋评）一百则，有四十八则抄自本书。清道光年间之《龙图耳录》，引侠义入公案，为《包公案》系列小说之集大成。

陈与郊作《文选章句》二十八卷。《文选》，梁昭明太子萧统所编诗文总集。《四库全书总目》集部总集类存目一著录，提要曰："此书以坊刻《文选》颠倒棼乱，每以李善所注窜入五臣注中，因重为厘正，汰其重复，斥五臣而独存善注。凡善所录旧注，如《楚辞》之王逸，《两京赋》之薛综，《咏怀诗》之颜延之、沈约，皆仍存之，亦时时正其舛误。较闵齐华、张凤翼诸本差为胜之。然点窜古人，增附己说，究不出明人积习，不如存其原本之愈也。"

董逢元编定《唐词纪》十六卷。虽以唐词为名，而五代十国之作居十之七。《四库全书总目》卷二○○集部词曲类存目著录《唐词纪》十六卷，提要曰："明董逢元撰。逢元字善长，常州人。是编成于万历甲午。虽以唐词为名，而五季十国之作居十之七。盖时代既近，末派相沿，往往皆唐之旧人，不能截分畛域。犹之录唐诗者载及王周、徐铉，犹有说可通。至于隋炀帝《望江南》词，无论证以段安节《乐府杂录》，知《海山记》确为依托，即绳以断限之义，亦名实相乖，漫无体例矣。且不以人序，不以调分，而区为景色、吊古、感慨、宫掖、行乐、别离、征旅、边戍、佳丽、悲愁、忆念、怨思、女冠、渔父、仙逸、登第十六门，已为割裂无绪。又或以词语而分，或以词名而分，忽此忽彼，茫无定律，尤为治丝而棼。卷首列词名征一卷，略作解题，罕所考证。至以郭茂倩为元人，则他可概见矣。"

华善继《折腰漫草》刊行。华善继为王世贞所定四十子之一。《四库全书总目》卷一七九集部别集类存目六著录《折腰漫草》八卷，提要曰："明华善继撰。善继字孟达，无锡人。官至永昌府通判。善继与弟善述，并有才名。朱彝尊谓其诗不及善述。然王世贞序列四十子诗，顾取善继而善述不与焉。殆以善述诗体格不纯，操纵任意，不若善继之惬适欤？是集刻于万历甲午，盖善继所自编也。"

许孚远《敬和堂集》八卷刊行。时孚远在福建巡抚任。《四库全书总目》卷一七八集部别集类存目五著录《敬和堂集》八卷，提要曰："明许孚远撰。孚远字孟中，德清人。嘉靖壬戌（1562）进士。官至兵部左侍郎。事迹具《明史》儒林传。孚远之学虽出于唐枢，然史称其笃信良知，而恶夫援良知以入佛者，故与罗汝芳、杨起元、周汝登断断相争，在姚江末派之中，最为笃实。冯从吾、刘宗周、丁元荐传其所学，皆能有所树立。是集前有叶向高序，盖万历甲午孚远为福建巡抚时所刊。每卷之首尚空其次第，末镌以版心号数。计之凡序一卷，记一卷，杂著一卷，书一卷，疏二卷，公移二卷云。"

杜泾《对制谈经》成书。朱仲福《折衷历法》成书。据四库提要。

姚士粦游京师，撰《日畿访胜录》二卷。所载古迹，多抄撮自孙国敉《燕都游览志》、蒋一葵《长安客话》诸书。《四库全书总目》卷七八史部地理类存目七著录《日畿访胜录》二卷，提要曰："明姚士粦撰。士粦所辑《陆氏易解》，已著录。此录乃万历甲午士粦游京师时，寻访都城内外诸胜，因汇辑成编。然所载古迹，实皆抄撮孙国敉《燕都游览志》、蒋一葵《长安客话》诸书，别无异闻，不足资证据也。"姚士粦字叔祥，海盐人。十三而孤，年二十犹目不识丁，寓居德清姜氏家，姜始授以句读，晚乃卓然自立，盖亦奇士云。

鲁王朱寿鏳作《鲁府秘方序》。据四库提要。

高攀龙（1562—1626）以抗疏语侵时相，由行人谪揭阳典史。吴中行《资德大夫正治上卿都察院左都御史赠太子太保兵部尚书谥忠宪高公神道碑铭》："壬辰（1592）谒选，授行人。……已奉使归。时太仓（王锡爵）当国，阁铨相抵捂，小人有附阁攻部者。先生复命入都，甫三日，上君相同心惜才远佞一疏，语侵阁臣，下部院会议，条旨上，而先生降杂职矣。甲午赴揭阳尉，自省身心，总无受用，遂大发愤，于舟中严立规程，取先儒静坐法门一一参求，觉心气澄清，时有塞乎天地气象。过汀州，憩旅舍小楼，悟明道先生万变在人，实无一事之语，一念缠绵，瞥焉斩绝。自谓出门至此，学力凡三转手势，详《三时记》中。"

程嘉燧（1565—1643）年三十，诗大就。钱谦益《程嘉燧传》："程嘉燧字孟阳，歙县人，侨居嘉定。少学制科不成，去学击剑，又不成。乃折节读书，刻意为歌诗，三十而诗大就。"

汪本钶初见李贽于龙湖，日课举子业，夜谈《易》一卦。汪本钶《卓吾先师告文》："忆钶甲午始见师于龙湖。钶少慕仙术，意师为神仙中人，及见师，乃知师非养生者。厥后师语钶曰：'丈夫生于天地间，太上出世为真佛，其次不失为功名之士。若令当世无功，万世无名，养此狗命在世何益？不如死矣。'留钶读书龙湖三月，日课举子业，夜谈《易》一卦，此时钶尚懵懵也。"

何白（1548—1628）造访陈继儒，"终日娓娓，皆吉德长者之言"。何白《汲古堂集》附录陈继儒语："往甲午过访，终日娓娓，皆吉德长者之言。诗文固蒂深根，又具有力大人之相，不必问姑布子卿，望而知其身名俱泰，非浮游獧薄儿所能梦见也。"

长洲知县江盈科寓书屠隆订交，欲聘屠隆开局纂辑群书。江氏《雪涛阁集》卷十二《与屠赤水》云："丙戌（万历十四年）之春，旅食京华，从书肆中得购《由拳集》……第今庙堂之上，开局纂修清朝巨典，名山鸿业，必需一代大笔握管秉裁。博硕如先生，岂得袖手旁观，任斫者之血指汗颜，而不为一出耶？窃恐晓猿夜鹤，不久送主人出林壑矣。某也鄙，待罪长洲，会瞻紫气东来，索先生著五千言去耳。偶缘敝治儒生许某来甬东，敬附短笺奉候，并将不腆，惟先生鉴存。"同书卷五《寄屠长卿四首》同时作。第四首云："石渠开局辑群书，握管焚藜属大儒。旦暮除书到林壑，枕高未许向菰蒲。"长卿接此函，即赴杭转苏州。

吴应箕（1594—1645）生。生平简介见下卷。

## 公元 1595 年（神宗万历二十三年　乙未）

正月

诏宗室得就试。复建文年号。据《明实录》。

陈继儒以《香案牍》一书寄赠王衡。是书述神仙故事，凡七十二人。《四库全书总目》卷一四七子部道家类存目著录《香案牍》一卷，提要曰："明陈继儒撰。继儒有《邵康节外纪》，已著录。是书述神仙故事，自轩辕以下凡七十二人，皆自《列仙传》、《集仙传》诸书中抄撮成编，了无义例。末有王衡跋，称乙未正月继儒以此书寄衡云云。盖衡尝以书抵继儒，约为杨许碧落之游，故继儒以此相报也。然继儒声气通天下，与栖神山泽、吐纳清虚者，其趣固不同矣。"

刘黄裳（1529—1595）卒。李维桢《兵部郎中刘公墓志铭》："隆庆丁卯（1567），余从先大夫游梁，则闻光州刘嵩阳先生，闳览博物君子也。是年，先生仲子举于乡，先大夫美其有父风。或云：恨不见伯子，殆难为弟矣。伯子者名黄裳，字玄子，人称为太景公者也。因急索公论著观之，奥衍弘深，震骇耳目。先大夫诉曰：'吾儿不堪作刘君衙官，乃亦同上公车耶？'明年（1568）余幸登第而公不偶。又二十年为丙戌（1586），公始与余季弟成进士。又三年（1586）为司寇尚书郎。余幸入芝兰之室，缔缟苎之交。又六年（1595）公归，寻卒。又六年，余谪寿春，行部至颍，见公之子于其妇翁所，以志墓请。""遗书如《元图符》、《藏征馆》、《司马》诸集，多见道之言，经世之略，匪直文章小技而已。汝颍多名士，待公而兴。给事汪若霖、治中贺世晏、咸宁令刘文焕，其翘然者也。公生嘉靖己丑十有二月二十有七日，卒万历乙未正月二十有八日，年六十有七。"其生平略见《列朝诗集小传》丁集下："黄裳，字玄子，光州人。万历丙戌进士，授刑部主事，改兵部员外郎。倭犯朝鲜，有兴复属国之师，以知兵见推择，赞画宋司马军事，迁郎中。兵罢，请告归里而卒。玄子之父，重庆守绘也。玄子七岁能操觚，摹右军书。十岁，寓长安，赋《京都》诸篇。父之友陈约之、唐应德皆摩其顶，以为奇童子。重庆公守郡时，奇铜梁张肖甫（张佳胤）之才，召致门下，令与玄子同学，谓：'肖甫他日当建牙授钺，以功名为天子驰驱，吾儿庶几可挟毂乎？'嘉靖乙卯（1555），魁两河士，十上春官，始得第，年已六十矣。少从其父受天官军旅之学，谙晓诸边形势，为举子淹久，公车往来燕赵吴越，交通轻侠，结纳其豪杰，所至走马击剑，酾酒悲歌，以古豪杰竖立自负。肖甫起家县令，再定兵乱，开府渔阳，以大司马归老；而玄子为老书生自如，衰晚登第，东征之役，击倭平壤城下，追奔贯阵，引大黄射金甲酋，逾釜山岛而还。自谓可以建封侯之业，铜梁不足道也。会封贡议起，制府更易，中朝方内计，中考功法，虽有诏留用，卒无所成而罢。里居无聊，赋诗纵酒。一夕饮友人家，丙夜中寒而卒。玄子博学多闻，其为诗才气横溢，苦无裁制，亦重庆之余波也。有《藏征馆集》行世。"张佳胤字肖甫，铜梁人。《千顷堂书目》著录刘黄裳《藏征馆集》十五卷，《明史·艺文志》著录刘黄裳《元图符藏》二卷。《明诗纪事》庚签卷十五录刘黄裳诗九首，陈田按："玄子诗，奇古伟岸，但多郁轖未宣。七律特有俊调。玄子赠弇州诗称：'太仓王夫子，历下李先生。'备极推挹，故元美引之四十子之列。"

## 二月

**汤显祖上计至京，与袁氏三兄弟等聚首都门。** 袁中道《答王天根》："记乙未春，义仍与王子声及不肖兄弟三人聚首都门，无夜不共宴笑。""不肖兄弟三人"，指袁宗道、袁宏道、袁中道。

**袁宏道自北京起程赴吴县知县任，作《出燕别大哥、三哥》等诗。** 汤显祖有诗《乙未计逸，二月六日同吴令袁中郎出关，怀王衷白石浦董思白》。宏道壬辰（1592）举进士，乙未（1595）始谒选赴官。清褚人获《坚瓠壬集》卷二《雷震谯楼》："万历乙未三月廿九日，雷震阊门谯楼西南螭首，劈碎柱石。适是日，吴邑侯袁中郎宏道上任。先是，民间谣曰：'吴县知县到，霹雳震得暴。分付阊门人，家家有响报。'岂郎官上应列宿，天戒以示警与？然在任二年，寄情诗酒，吴中名胜题咏殆遍。改任顺天府学教授，升吏部郎中。"

## 三月

**朱之蕃等进士及第。**《万历野获编》卷十五《读卷官取状元》："自嘉、隆以来，春榜会元，大都出词臣之门。盖馆阁本文章之府，而大主考又词林起家，亦理势使然。惟今上癸未（1583）会元为李九我，则工部郎苏紫溪濬首卷，苏、李同邑，又自幼同笔砚，李举解元，久在公车，名噪海内。两主考既欣得人，并天下亦无议苏之私者。此数十年奇事也。若状元卷，则必出揆地所读，方得居首。间有出上意更置前后者，十不一二也。惟今上乙未状元朱之蕃，则工部右侍郎沈继山思孝所读。沈居六曹贰卿之末，而以人望新起。时政府四人，为赵兰溪、张新建、陈南充、沈四明，俱与沈同年，凤称气类。孙富平虽为太宰，与沈隙未开，亦相厚善。故沈所取，竟得大魁，莫敢与争，亦累朝以来仅见事也。"《静志居诗话》卷十六："朱之蕃字元介（价），南京锦衣卫籍，茌平人。万历乙未赐进士第一，授翰林院修撰，以右春坊、右谕德，掌院印。以右春坊、右庶子，掌坊印。升少詹事，进礼部右侍郎，改吏部右侍郎。卒，赠礼部尚书。有《使朝鲜稿》、《南还》、《纪胜》诸集。元介文翰兼工，张旆东国，与馆伴周旋，有倡必和，微嫌诗材软熟，语不惊人。《和周吉甫春日移居》云：'墙短山斋出，庭空月易留。泉香浮茗盌，渔唱起蘋洲。终岁一无事，平生百不忧。奔忙浑未解，酒伴且相求。"同榜进士有汤宾尹、孙慎行（1565—1636）、陈于廷、王维（惟）俭、范允临、王象斗、曹学佺（1574—1646）、袁时选、薛近兖、蔡复一、高承祚、贺灿然、米万钟、范允临、陆锡恩等。

**王思任（1574—1646）举进士，其举业文字颇负盛名。** 张岱《王谑庵先生传》："山阴王谑庵先生，名思任，字季重。年十三，即从衡岳先生馆于携李黄葵阳宫庶家。先生落笔灵异，葵阳公喜而斧藻之，学业日进。万历甲午（1594），以弱冠举于乡，乙未成进士。房书出，一时纸贵洛阳。士林学究，以至村塾顽童，无不出口诵先生之文及幼小题，直与钱鹤滩、汤海若争座焉。"钱福有《鹤滩集》，汤显祖号海若。

**乙未科翰林馆课曾汇集刊行，名为《乙未科翰林馆课东观弘文》，凡十卷。** 原题："馆师复斋刘元震，衡野刘楚先同选。"按《明史·选举志》二云："弘治四年，给事中涂旦，以累科不选庶吉士，请循祖制行之。大学士徐溥言：'……请自今以后，立为定制，一次开科，一次选用。令新进士录平日所作论策、诗赋、序记等文字，限十五篇以上，呈之礼部，送翰林考订。少年有新作五篇，亦许投试。翰林院择其词藻文理可取者，按号行取；礼部以糊名试卷，偕阁臣出题考试于东阁，试卷与所投之文相称，即收预选。每科所选不过二十人，每选所留不过三五辈，将来成就，必有足赖者。'孝宗从其请，命内阁同史、礼二部考选以为常。自嘉靖癸未至万历庚辰，中间有九科不选。神宗常命间科一选。礼部侍郎吴道南持不可。崇祯甲戌、丁丑复不选，余悉遵例。其与选者谓之馆选，以翰詹官高资深者一人课之，谓之教习。三年学成，优者留翰林为编修、检讨，次者出为给事、御史，谓之散馆。与常调官待选者，体格殊异。"此本为万历乙未科〔二十三年〕馆课，二十五年散馆，馆课由书坊刊行。所选凡刘一燝、邓士龙、刘纲 、朱之蕃、孙慎行、何宗彦、白瑜、南师仲、陈之龙、林秉汉、汤宾尹、黄志清、倪祺、顾秉谦、赵用光、郭淳、朱延禧、孙如游十八人，则是科所选，不足二十人。卷内有："安乐堂藏书记"、"明善堂览书画印记"、"东郡杨绍和彦合珍藏"、"日讲官起居注"等印记。据《中国善本书提要》。

董份卒。据茅坤《明故资善大夫礼部尚书兼翰林院学士浔阳董公行状》，董份卒于今年三月初。按，董份之子道醇娶茅坤次女，生嗣成、嗣昭；董份之孙嗣昕，娶茅坤次子国缙之女。

## 四月

吴炳（1595—1648）生。据王永宽、王钢《中国戏曲史编年》（元明卷）引《宜荆吴氏宗谱》，吴炳"生于万历二十三年乙未四月初七日"。生平简介见下卷。

胡应麟应进士试不第。场后拟试内阁司诰敕中书官，因病未果。或云胡乃托辞不试。《万历野获编》卷二十三《金华二名士》："（兰溪）胡元瑞应麟以丙子（1576）举孝廉。乃翁与先大父己未同籍，因得与称通门。其名噪一时，王弇州至欲以衣钵传之。才情赡洽，多所凌忽。乙未赴南宫，与同里赵常吉士桢酒间嘲谑，戏呼赵为家丁，赵拔刃刺之，几为所中，逾墙得免。自是稍戢。是年场后，试内阁司诰敕中书官，例取乙榜二人。胡与首揆赵兰溪密戚深交，面许必得，时论亦服胡声华，咸无异议。既题请钦定试日，胡忽大病不能入，而粤东张孟奇萱得之。张盖纳赂于首揆纪纲祝六者，先为道地矣。或云张豫声言，胡倘见收，当首言官并首揆弹治之，故胡托辞不试。未知然否。胡性亦高亢，不屑随时俯仰，既失意归，旋发病卒。张入中秘，出为户部郎榷税于吴，橐金巨万，今以养母予告，自奉王公不能过也。张亦以辞赋自命，人伟岸有福相，不似胡之槁瘠云。"

汤显祖作《紫钗记题词》。《紫钗记》，汤显祖所作传奇剧本。臧晋叔改本《紫钗记题词》署"乙未春清远道人题"。题词云："往余所游谢九紫、吴拾芝、曾粤祥诸君，度新词与戏，未成，而是非蜂起，讹言四方。诸君子有危心，略取所草具词梓之，明无所与于时也。《记》初名《紫箫》，实未成。亦不意其行如是。帅惟审云：'此案头之书，非台上之曲也。'姜耀先云：'不若遂成之。'南都多暇，更为删润，讫，名《紫钗》。中有紫玉钗也。霍小玉能作有情痴，黄衣客能作无名豪。余人微各有致。第如李生者，何足道哉！曲成，恨帅郎多病，九紫、粤祥各仕去，耀先、拾芝局为诸生倅，无能歌乐之者。人生荣困生死何常，为欢苦不足，当奈何。"《汤显祖诗文集》卷三十三收入该题词，不署作序年月。

**袁宏道到吴县知县任，与长洲知县江盈科往还密切，友情甚笃。**袁中道《江进之传》："是时予中兄中郎，为吴县令。中郎治吴严明，令行禁止，摘发如神，狱讼到手即判，吴中呼为'升米公事'，县前酒家皆他徙，征租不督而至。亦不自发封，私牍没尘土内数寸不启。无事闭门读书，往来无翕翕热。公直以纯真为治，积蠹亦不尽除，租讼或少需，黎明而起，以火从事。然两县皆大治。公与中郎游，若兄弟。行则并舆，食则比豆。迎谒行役，以清言消之，都忘其惫，若江文通、袁淑明云。上官至，有小酬应，不必中郎知，公皆代为之。即具狱当事者，当事者付吴令平反；即吴令有所平反，公不为嫌，曰：'吾向者讯果误。'或当事者向公才吴令，公闻之，若甘露洒而清风拂也。公好作诗，政事之暇，与中郎大有唱和。中郎所作《锦帆》、《解脱》诸集，皆公为叙，文如披锦，为一时名人所叹。"江盈科字进之，桃源人。

## 七月

**帅机**（1537—1595）**卒**。帅先慎《惟审先生履历》："先生讳机，字惟审，谦斋其别号也。父讳时中，廪庠，母何氏。先生居次，兄讳枢，弟讳相，俱邑庠。先生以大明嘉靖丁酉岁五月戊寅巳时生于柘溪游鹤巘之里，生而颖异，过目不再。九龄，石城许先生谷督学江右，奇之，即以神童入弟子员，未几食饩。十二岁，丁父艰，服阕，领嘉靖壬子乡荐，甫成童耳。公车五上，始登隆庆戊辰进士第，不拜县长，除河南汝宁府教授，开大梁书院，抡秀讲艺，文风斐然，作有《大梁书院序齿序》，迁太学正，主虞部事。庚午，钦差典福建乡试，作《乡试录前序》复命。爰南部闲散，乞南膳部郎，满岁，出守思南，升河南全省学政，谪分醝於越，量移彰德府同知。时宁夏枭张，命将征讨，献馘班师，上《平西夏颂》，诏送史馆，旌额曰葩词献荩，擢南比部郎。皇太子出阁，又献《出阁讲学颂》。既而引病自免归，时万历甲午秋季也。家居又缮南、北《二京赋》以上，俱蒙纶褒焉。是年十二月，母何氏卒，年九十三，而先生亦乙未七月二十三日登遐矣，享年五十有九。"《千顷堂书目》卷四著录帅机《阳秋馆集》四十卷、《阳秋馆集选》十七卷；卷三二著录帅机《南京赋》一卷、《北京赋》一卷及《平西夏颂》、《皇太子出阁讲学颂》。《阳秋馆集》有费元禄、刘胤昌、李绂三序，未详作序年月。另附录《名公评品帅临川诗》。《明诗纪事》庚签卷九录帅机诗二首，陈田按："惟审守思南，奖拔士类，多所成就。五言研练，不为义仍之涩体，惜不得其全集录之。"

## 九月

**茅坤为桑贞白《香奁诗草》作序**。序署"万历乙未秋九月二十六日吴兴八十四翁鹿门茅坤撰"。桑氏为周履靖妻。号月窗。

周天球（1514—1595）卒。《涌幢小品》卷三："吴中周天球，字公瑕，善大书。少为文徵仲奖赏，感之甚，设像中堂，岁时祀如祀先。与王百谷稚登相左，见即避去。万历乙未九月卒，年八十二。"于慎行《周幼海先生小传》："吴楚名能诗，故多靡丽，而先生所为雄劲悲惋，自近世所不多见。"王世贞有《周公瑕先生七十寿叙》。《明诗纪事》己签卷十七录周天球诗一首。

### 秋

屠隆至遂昌访汤显祖。时汤显祖在遂昌知县任。据徐朔方《晚明曲家年谱》。

茅坤作《耄年录序》。序署"乙未秋日，鹿门茅坤书"。《四库全书总目》集部别集类存目四著录茅坤《耄年录》七卷，提要曰："《耄年录》则诗文杂编，不复分类。"

### 十月

应冯梦祯之请，董其昌为王维《江山雪霁图》作跋，以为画家用笔落墨实如佛家，有门庭宗派之别。据任道斌编著《董其昌系年》。

### 十二月

虞淳熙为朱长春《朱太复文集》作序。据序末题署。《明文授读》卷三十六引黄宗羲语曰："朱长春，字太复，湖州人。万历癸未进士。饶有深湛之思，微染习气，不堪为害，亦一作家。"

### 冬

科道官三十余人以军政失察罪被贬谪远方，余寅因撰《乙未秘志》。《四库全书总目》卷五四史部杂史类存目三著录《乙未私志》一卷，提要曰："明余寅撰。按明有两余寅。其一字仲房，歙县人，与徐渭、沈明臣俱入胡宗宪幕中。《明史》附见徐渭传中。此余寅鄞县人。本字君房，晚年改字僧杲。万历庚辰进士，官至太常寺少卿。万历二十三年乙未冬，帝以军政失察，贬科道官三十余人，九卿力谏不纳。既而恶大学士陈于陛论救，复命改谪远方。吏部尚书孙丕扬等再抗疏谏，帝益怒，尽除其名。寅因作此书纪其本末，及贬削诸臣姓名。按《明史》陈于陛传，载此事作'两都言官'，而孙丕扬传则作'南京言官'，微有不同。据寅所纪，乃北京科道耿随龙等，南京科道伍文焕等，与于陛传相合。知丕扬传中'南'字，以与'两'字形似而讹也。"

康彦登（1567—1602）自边塞南归，访谢肇淛（1567—1624）于苕水之浒，抵掌谈九边要害，虏情军需，历历在目。谢肇淛《康元龙诗序》：元龙"数奇，困公车且十载，家四壁立。甲午（1594）之秋，复为祝融所侵，其所庇风雨与糊饘粥，且悉为乌有。于是益发愤仗剑出游，走齐鲁燕赵之墟，鸣鸡函谷，秣马榆林，凡崇岭幽谷，古迹灵境，足以寄目赏心者，足迹殆遍，而其囊中草亦累累满矣。已抵宁夏谒中丞周先生。先生雅知元龙，倒屣宾之。……乙未冬过余苕水之浒，抵掌谈九边要害，虏情军需，历历在目，令人闻之壮，发上指，有封狼居胥之想也。已又出所为诗读之，则又浑雄悲壮，杰态横逸，如越石清啸，朝云吹篪，令人变容回遑，泪沾沾下也。" 陈勋《送康元龙南归序》："其游尝出豫章，浮湘汉，幽探遐历，而塞上为独雄。游所至皆有歌咏，错落可喜，而塞上诗尤悲慨用壮。"康彦登字元龙，生平略见《列朝诗集小传》丁集下。

薛朝选《外史志异》八卷完稿。《外史志异》为志怪小说集，今存光绪二十六年德记书局石印本。德江主人《外史志异叙》："余友思贞子，幼聪慧，弱冠，日记数千言，尤爱读稗官小说，前十五载，作《多识录》，鸟兽草木，几百二十卷。甲午（1594）冬，挟过胶州，问序于松圣匡君，舟泛宝应，西风大作，急登岸，而露腹之舟遂纳于湖中。比夜，思贞子梦湖神谓曰：'子不宜说龙宫值事，兹已为余所收，后勿复为也。'思贞子觉而悟，归遂尽其遗稿。及明冬，携余南郊寻梅，因登燃藜庵语异，思贞子曰：'惜余有《多识录》，为宝应所收。余近有《外史》八卷，虽潇然为者，亦足异也。'翌日，余过思贞子斋头索览，信感思贞子之识之异也。……余乃袖归而付书林梓之。……时万历癸卯（1603）仲秋吉旦，八十七髦翁德江主人书。"薛朝选号思贞子。

## 本年

袁宏道寓书董其昌，以为《金瓶梅》胜于枚乘《七发》。据钱伯城袁宏道集笺校。袁宏道《董思白》："《金瓶梅》从何得来？伏枕略观，云霞满纸，胜于枚生《七发》多矣。后段在何处？抄竟当于何处倒换？幸一的示。"董其昌，字玄宰，号思白，华亭人。《万历野获编》卷二五《金瓶梅》："中郎又云：尚有名《玉娇李》者，亦出此名士手，与前书各设报应因果。武大后世化为淫夫，上丞下报；潘金莲亦作河间妇，终以极刑；西门庆则一骏憨男子，坐视妻妾外遇，以见轮回不爽。中郎亦耳剽，未之见也。去年抵辇下，从邱工部六区（志充）得寓目焉，仅首卷耳，而秽黩百端，背伦灭理，几不忍读。其帝则称完颜大定，而贵溪、分宜相构亦暗寓焉。至嘉靖辛丑庶常诸公，则直书姓名，尤可骇怪，因弃置不复再展。然笔锋恣横酣畅，似尤胜《金瓶梅》。邱旋出守去，此书不知落何所。"

彭大翼《山堂肆考》成书。姚应仁《大学中庸读》成书。陈师《禅寄笔谈》成书。据四库提要。陈师字思贞，钱塘人。而自署曰钱唐，云考之《汉书》，不当从土旁也。嘉靖壬戌会试副榜。授华亭县教谕。官至永昌府知府。著有《览古评语》等。

归子慕（1563—1606）与吴志远、高攀龙定交，三人时相过从，闲谭啜茗，以观云物。高攀龙《陶庵先生传》："陶庵先生者，归子季思也，苏之昆山人。名子慕，字季思。其父故太仆震川先生，讳有光。归子儿时即有至趣，尝挂酒衣带间，见一卉一石佳者，辄引酒自赏，其余童孺所弄，一切睨视，无所屑。及长，苦心为文词，有境必诣其奥，有致必极其微，酿味沉情，而出之以轻声远度，飘飘乎如被濯于醴泉甘露，而荡以清风、被以鲜霞者。辛卯（1591）举南畿。乙未从京邸交于嘉善吴子志远。过锡山，交于高子攀龙。三人相得欢甚。时高子筑室于蠡湖之上，曰水居。吴子筑室于祥荡之上，曰荻秋。归子既三对公车不第，又两丧妇，得羸疾，筑室于昆之西村，曰陶庵。三子者，递相过从，几席湖山，衣被风月，饮食图史，见者以三人相对一室，终日默然自怡，而不知其所事也。"《静志居诗话》卷十六："季思善病，再试南宫，归而屏迹田里。所居陶庵，插槿为墙，缚茅为屋，小如蜗壳瓠子，养疴其中。迭相往还讲学者，无锡高攀龙存之、嘉善吴志远子往，主客从容，晏坐默识，凝然不语。一有所得，辄怡悦相告。存之称其'有绝人之慧，绝人之识，绝人之趣'。又言：'季思去诸口者，不漫作无味语，笔诸书者，不漫作无味辞，措诸躬者，不漫作无味事。即其眉宇颦笑，足以洗濯一世尘垢。'倾倒可云至矣。季思虽病，犹授生徒。友人劝其辍讲，报之书云：'生徒固无累于我。岂惟无累，且以为乐。清昼饭余，沧江日落，或童或冠，油油与偕，共坐槐阴，闲谭啜茗，临江藉草，以观云物，风帆往来于目，农歌不辍于耳，亦可谓至乐矣。'君子谓其乐天知命焉。"

**朱维藩编《谐史集》成书。**是书所录皆游戏之文。《四库全书总目》卷一四四子部小说家类存目二著录《谐史集》四卷，提要曰："明朱维藩撰。维藩，淮安人。是书成于万历乙未。取徐常吉《谐史》、贾三近《滑稽耀编》删削补缀，共为一集。凡明以前游戏之文，悉见采录。而所录明人诸作，尤为猥杂。据其体例，当入总集。然非文章正轨，今退之小说类中，俾无溷大雅。据其自序，称题于豫章官署，则非游食山人流也。读圣贤之书，受民社之寄，而敝精神于此种。明末官方士习，均可以睹矣。"

**陈继儒作《太平清话》自序。**书成于今年或稍前。《四库全书总目》卷一四三子部小说家类存目一著录《太平清话》四卷，提要曰："明陈继儒撰。是书杂记古今琐事，征引舛错，不可枚举。当时称继儒能识古今书画。然如所载耐辱居士墨竹笔铭，证以《唐书》司空图传，乖舛显然。殊不能知其伪也。"

**朱鹭撰《建文书法拟》。史起钦《太姥志》成书。朱载堉进《圣寿万年历》。**据四库提要。朱载堉字伯勤，郑恭王原懦世子。

**欧大任（1519—1595）卒。**欧大任为广五子之一。欧必元《家虞部公传》："公讳大任，字桢伯，广州顺德人。以岁荐起家，历仕至南京工部虞衡司郎中，故又称虞部公。宋右文殿学士公十五世孙也。公曰赠奉政公世元，配孔太宜人，于正德丙子（1516）孟冬二十五日实生公……致政后得优游林泉间十余年，年八十，乃终于正寝。"以明经授江都训导、光州学正，历国博、虞衡郎中。"所著有《百越先贤志》四卷、《家乘》二十卷、《广陵十先生传》一卷、《思玄堂集》八卷、《旅燕集》四卷、《铕中集》一卷、《浮淮集》七卷、《浮梁集》七卷、《南矞集》一卷、《北辕草》一卷、《雍馆集》四卷、《西署集》八卷、《秫陵集》八卷、《诏归集》一卷、《蘧园集》十卷、《虞部文集》七十卷，行于世。"《广州乡贤传》："其仆李英亦能诗。王世贞辈每过大任，必问曰：'君家青衣安否？'一日偶报边警，馆阁巨公集赋纪事诗，英亦呈一绝云：'萧关风急马频嘶，四塞河山动鼓鼙。独立高台望烽火，□笳多在蓟门西。'客大嘉叹异。诗竟成帙，徐中行为之序。钱谦益刻入《列朝诗选》。"《千顷堂书目》卷十著录欧大任《广陵十先生传》一卷、《虞部集》二十二卷（《思玄堂》、《旅燕》、《浮淮》、《秫陵》、《北辕》、《南肃》、《游梁》、《西署》、《铕中》、《诏归》、《蘧园》诸集），《选集》十四卷。《明史·艺文志》著录欧大任《百粤先贤志》四卷、《虞部集》二十二卷。兹选录后世评语四则。《列朝诗集小传》丁集上《欧郎中大任》："大任，字桢伯，顺德人。嘉靖壬戌，以岁贡试大廷，除江都训导，迁光州学正，以母病弃官归。服除，迁国子博士，官止南京户部郎中。嘉靖中，王、李唱五子之社，岭南则梁公实与焉。已而元美主五子之盟，多所登进，桢伯则广五子之一人也，黎惟敬则后五子之一人也。梁与欧、黎，皆出黄才伯之门，读书缵言，并有原本，虽驰骛五子之列，而词气温厚，颇脱蹙张叫嚣之习，识者犹有取焉。"《静志居诗话》卷十四："桢伯吟稿过多，先后发雕，年分地别，不尽流传岭外。岁丁酉，吾乡曹侍郎洁躬出领粤东左辖，思辑《岭南诗选》，属予甄录。予从桢伯孙博士正式借足本，正式请予持择稍宽，予束版载归，点以朱墨，后数载，不知何人窃去，深以为憾。迩年复理明人诗，念之不能释怀。忽从戴生锜书屋见之，言获诸质库中，不禁狂喜，因载为施铅，录古今诗三十首，吟诵数过，似不为滥，正式虽墓有宿草，亦足慰于地下矣。《短歌行》云：'乐乐自生，人穷反本。生世几何，倏忽已晚。去者日疏，来者日亲。水流同源，木生同根。父母兄弟，岂伊异人？况有旨酒，云胡弗欢？白日冉冉，明膏继夕。调轸鼓丝，乐我亲戚。春有催耕，秋有促织。岁事方勤，及此游息。今日同堂，明日异乡。听我短歌，心如之何？'"《明诗别裁集》卷九录欧大任诗四首。《明人诗钞正集》卷十："按岭南诗在嘉靖间，皆出自香山黄才伯之门。其弟子梁公实入王李社，在七子之列。已而欧桢伯进之广五子，黎维敬进之续五子，虽皆与王李通邮，而师友渊源实有所自，非驰骛声气比也。钞桢伯、维敬诗附正集。"《明诗纪事》己签卷四录欧大任诗二十二首，陈田按："桢伯诗，才笔纵横，并长诸体。七言古弇州独擅胜场，自于鳞以下已不能工。桢伯早岁结社南园，有乡先生孙西庵、黄雪蓬之遗风，此体尤为到格，余子不及也。五七言近体，用字太密，征典太多，虽饶镂金错采之观，却少弹丸脱手之妙。余录其清俊流丽者，为此君洗眉刷目。"

**沈明臣**（1518—1595）卒。沈明臣字嘉则，鄞县人。有《丰对楼集》。黄昌衢《沈嘉则诗小序》："嘉则与文长同产越东，同游胡少保幕府，文长固高岸自异，而嘉则亦岩岩郁岳，不肯少自阿曲。两人才具为少保所爱敬，其礼遇更同。至读其诗，徐多幽险，沈多雄快，独若有不尽同者，然一种牢骚郁勃之概，往往若在伯仲间。后少保陷身请室以死，文长竟发狂病，操斧击折头骨，且为捶囊，或利锥锥两耳，狂病终其身，似欲以死殉少保者。乃嘉则则走哭少保墓下，持所为谏遍告士大夫，代少保诵冤状，而不必为文长之所为。呜呼！少保知人能得士，可以无遗憾矣。"《明诗别裁集》卷九录沈明臣诗二首。《四库全书总目》著录沈明臣《通州志》八卷、《越草》一卷、《丰对楼诗选》四十三卷、《吴越游稿》一卷。《明诗纪事》己签卷十六录沈明臣诗十九首，陈田按："嘉则渡江见王弇州，持所为诗求序，曰：'吾先后诗为篇者七千，而今仅四百，不欲以碔砆累玉也。'可谓有自知之明。厥后陈大科尽刻七千余首，非其意也。嘉则诗五七言近体、七绝，多有合作，古体长篇间伤庞杂，非出之太易之为累乎？"

嘉、隆间布衣诗人，沈明臣、王稚登、王叔承三人齐名，咸以多胜人。王叔承生卒年不详，姑系于此。《静志居诗话》卷十四："王叔承，初名光彻（四库提要作光允），以字行，更字承父，晚更字子幻，吴江人。有《吴越游》、《闽游》、《楚游》、《岳游》诸集。承父才情奔逸，下笔不能自休。其论诗不甚倾心王、李，大指谓：'事与景者，天地所自有之物，偶遇而收之。情与意者，吾所本有之物，偶触而发之。彼吾役也，吾不彼役也。'斯言良是。惜其所作，牵率者什九。王元美序之，称其'句就而色自傅，篇就而用恒有余。骤读之恍然若新，既讽之而又恍然若故'。王敬美序之，称其'能以牛溲马渤为药饵，嘻笑怒骂为文章'。盖皆寓贬于褒之辞。而承父自负其才，受二美之笼络不觉也。平情而论，承父亦安能敌元美。即就宫词百首而观，已远出元美之下。特其卷帙繁富，不减弇州诗部尔。当嘉隆间，布衣称诗，若沈嘉则、王伯谷（稚登）及承父三人，咸以多胜人。今历年未久，全集流传日寡，后世谁相知为重刊其诗者？岂惟重刊，觉其全集而不欠伸思卧者，亦稀矣。奚以多为？《金陵艳曲》云：'绿江天作堑，翠岭石为城。柳暗黄金坞，花明白玉京。春风十万户，户户有啼莺。'《扬州歌》云：'二十四桥边，当垆最可怜。妆成窥客坐，不耐数青钱。''东家女十三，西家女十五。夜半赛娘啼，嫁与并州估。'《西湖杂兴》云：'看花须近寒食，看潮待过中秋。二月十五花信，八月十八潮头。'《荆溪杂曲》云：'卖残竹菌笋还来，收罢兰花蕙又开。但焙茶芽先谷雨，不愁虎迹遍莓苔。''蜀山山下火开窑，青竹生烟翠石销。笑问山娃烧酒杓，砂坯可得似椰瓢。'《竹枝词》云：'白盐出井火烧畲，女子行商男作家。橦布红衫来换米，满头都插杜鹃花。'"《四库全书总目》卷一七八集部别集类存目五著录王叔承《壮游编》三卷、《吴越游》八卷，《壮游编》提要曰："明王叔承撰。叔承初名光允（《静志居诗话》作光彻），以字行，更字承父，晚更字子幻，自号昆仑山人，吴江人。《明史·文苑传》附载王稚登传中。叔承早弃举子业，纵游齐、鲁、燕、赵，又入闽，入楚。其在邺下，郑若庸荐之赵康王，叔承以王无下士实意，赋诗以行，有'壮心欲别逢知己，羞向侯门待晚餐'之句。又客大学士李春芳家，亦以使酒偃蹇谢去。史称其与王锡爵为布衣交。锡爵再召时，有建三王并封议者，叔承遗书数千言，谓当引大义以去就争，不当依违两端负主恩，辜物望。盖其气节怀抱，亦非当时山人墨客以诗句为市者比。最后从顾养谦于塞上，无所成就而归，乃不复出。此集即其初入都时作也。"《明诗纪事》己签卷十六录王叔承诗十一首，陈田按："承父才情在沈嘉则之上。弇州为作《昆仑山人传》，又为序《荔子编》，序《后吴越游编》，情颇不薄。而承父持论时有异同。与谢茂秦不和。弇州五子诗，均足为布衣吐气。"王叔承为王世贞所定四十子之一。

**潘季驯**（1521—1595）卒。《静志居诗话》卷十三有小传。

**茅元仪**（1595—1635后）生。生平简介见下卷。

## 公元 1596 年（神宗万历二十四年 丙申）

<u>二月</u>

**屠本畯《闽中海错疏》刊行，周裔先作序。**是书详记闽海水族鳞、介之属近二百六十种。序署"万历丙申仲春朔，南海周裔先书于三山之正谊堂"。《四库全书总目》史部地理类三著录《闽中海错疏》三卷，提要曰："是书详志闽海水族，凡鳞部二卷，共一百六十七种，介部一卷，共九十种，又附非闽产而闽所常有者海粉、燕窝二种。后有自跋，称'将入闽时，太常少卿余公君房曰："状海错来。"吾征闽、越而通之，

因疏以复’云云。君房者，余寅之字，与本畯同里，为前辈。书中本畯所附案语，多引四明土产以为证，盖即‘征闽、越而通之’之意。中间又有注‘补疏’二字者，则徐燉所续也。其书颇与黄衷《海语》相近，而叙述较备，文亦简核。惟其词过略，故征引不能博赡，舛漏亦所未免。如‘鲨鱼’一条，《海语》谓鲨有二种，而此书列至十二种，固可称赅具。然《海语》所谓海鲨、虎头鲨，常以春晦陟于海山，旬日化而为虎者，此书反遗之。又‘海鳅’一条，《海语》谓其鱼长百里，牡蛎聚族其背，旷岁之积，崇十许丈，鳅负以游，峄屼水面如山。其形容最为曲尽，而此但以‘移若山岳’一语概之，殊未明晰。然其辨别名类，一览了然，颇有益于多识，要亦考地产者所不废也。”屠本畯生平，略见《静志居诗话》卷十七《屠本畯》：“屠本畯，字田叔，鄞人，尚书大山子，承荫，官太常寺典簿，历南礼部郎中，出为两淮运司同知，移福建运使。有《屠田叔诗草》。田叔好诙谐，诗多不拘格律，晚节归田，爱客益甚，盐豉蒜果，饷客必尽欢。守辰州日，禁民杀牛，有唐生牒言：‘家贫，畜一牛，不幸死，请鬻其肉。’田叔度其伪也，判以俸钱买牛葬之，牵至，乃生牛，因命小吏饭之。及解官，衣深衣骑马出门，州父老泣相送，牵牛随其后。时人为作《辰阳留犊图》。年既老，好学不倦。或曰：‘先生老矣，奚自苦为？’答曰：‘吾于书，饥以当食，渴以当饮，欠伸以当枕席，愁寂以当鼓吹，未尝苦也。’因自称‘憨先生’，亦曰‘豳叟’。起生圹于甬上，撰状及表，年八十余乃卒。至今甬东，言风流儒雅，辄首及之。”《明史·艺文志》著录屠本畯《尚书别录》六卷、《太常典录》六卷、《山林经济籍》二十四卷、《屠本畯诗草》六卷。《四库全书总目》史部地理类三著录屠本畯《闽中海错疏》三卷，子部谱录类存目著录屠本畯《茗笈》二卷，子部杂家类存目二著录屠本畯《韦弦佩》四篇，集部楚辞类存目著录屠本畯《离骚草木疏补》四卷，集部总集类存目三著录屠本畯《情采编》三十六卷。《明诗纪事》庚签卷二十八录屠本畯诗一首。

## 三月

赵用贤（1535—1596）卒。赵用贤在续五子、末五子中均居一席。瞿汝稷《嘉议大夫吏部左侍郎定宇赵公行状》：“公讳某，字汝师，别号定宇。”常熟人。“公生于嘉靖乙未四月二十日，卒于万历丙申三月十五日。”隆庆辛未（1571）进士，选庶吉士，除检讨，以建言杖为民。起春坊赞善，历南国子监祭酒，就进礼部侍郎，改北，再改吏部。卒赠礼部尚书，谥文毅。有《松石斋文集》三十卷、《诗集》六卷。《明史·艺文志》著录赵用贤奏议一卷，文集三十卷，诗六卷。邹元标《松石斋集序》：“公所为诗与文，有排山倒海之势，有吞天浴日之象，丁丑（1577）后年在牢骚悒郁中度日，故多商音。然公传者非文也，文者人之神情寄焉。人履幽忧愁苦中，则其神阂而不扬，不阂则不光，此公文所以传也。……时万历戊午（1618）春月通家友弟吉水邹元标尔瞻父顿首拜撰。”《列朝诗集小传》丁集上：“公负气节，饶经济，海内以罗彝正目之。公亦激昂慷慨，不恤身为党魁。继江陵执政者，畏而忌之，以故回翔南北，卒遭弹射，不得柄用，卒赠礼部尚书，谥文毅。公强学好问，老而弥笃，午夜摊书夹巨烛，窗户洞然，每至达旦。为文章博达详赡，少年颇訾謷弇州，晚而北面称弟子，弇州亦盛相

推挹，作续五子诗及之，而末五子居首焉。其四人则云杜李维桢、南乐魏允中、四明屠隆、金华胡应麟也。"《明诗纪事》己签卷五录赵用贤诗一首。

## 五月

　　**朱常清作《续刻四溟山人全集序》。**序署"时在万历丙申夏五月之吉，赵王恒易道人撰"。四溟山人，谢榛（1495—1575）也。朱常清号恒易道人。

## 六月

　　**二十一日，耿定向（1524—1596）卒。**焦竑《澹园集》卷三十三《资德大夫正治上卿总督仓场户部尚书赠太子太保谥恭简天台耿先生行状》："先生姓耿氏，讳定向，字在伦，楚黄州麻城县人。"壬子举于乡，丙辰以《春秋》魁南宫，授行人司行人。己未秋授云南道御史。历任大理右寺丞、大理左寺丞、工部屯田主事、刑部左侍郎、南京都察院右都御史，官至户部总督仓场尚书。"如假寐者而逝，盖丙申六月二十一日也。距生嘉靖甲申十月十日，享年七十有三。""先生所著有《纶简类编》、《奏疏牍草》、《应迹硕辅宝鉴》、《耿子庸言》、《先进遗风》、《斅学商求》、《小学新编》、《闺训礼纂》、《牧要编》、《译异编》、《儒宗传》、《大事译》、《学象》、《黄安初乘》、《耿氏家谱》、《观生纪》、诗文集，总若干卷。"《四库全书总目》著录耿定向《硕辅宝鉴要览》四卷、《耿子庸言》二卷、《先进遗风》二卷、《耿天台文集》二十卷。《耿子庸言》提要曰："是编为所著语录。凡七篇，首绎经，次冲言，次辑闻，次比弦，次学筌，次牧要，次切偲。定向之学出于泰州王艮，本近于禅。然有鉴于末流之狂纵，不甚敢放言高论。故初请李贽至黄安，既而恶之，而贽亦屡短定向。然议论多而操履少，遂不免有迎合张居正事，为清议所排。讲学之家，往往言不顾行，是亦一证矣。"《耿天台文集》提要曰："是集为其门人刘元卿所编。凡诗赋一卷，杂文十九卷。末一卷为时艺，盖用《宋文鉴》收张才叔经义例也。定向之学，归宿在王守仁。故集中第十三卷以薛瑄诸人为列传，而以守仁为世家。此盖阴用《史记·孔子世家》之例，不但以守仁封新建伯也。黄宗羲《明儒学案》列之泰州王艮派下。摘其与张居正论赵用贤、吴中行等书，以为虽欲少杀其祸，亦近于诵六艺以文奸言。又摘其劾御史王藩臣书，以为钳制言官。考与居正书在第六卷中，核其词意，盖求宽言者之罚，不得不先解居正之怒。求解其怒，不得不先顺其意而使之喜。于是借伊尹之任以献谀颂，遂为天下口实。（按《明史》定向本传称居正夺情，定向贻书友人誉为伊尹而贬言者，时议訾之。盖偶未检此集，误以与居正为与友人。谨附识于此。）纠王藩臣书，今在第二卷中，大旨愠藩臣劾巡抚周继，未以揭贴送都御史。使藩臣所劾不实，定向纠其妄奏可也。乃因遗误送揭，阅一月之后，始纠其不实。此争私愤，非争公论矣。顾允成作《客问》以诘定向，定向不能答，厥有由欤？大抵定向之学，兼讲作用。观其全集，大略可知。宗羲所论，虽责备贤者之言，要不可谓之无因。"

## 七月

万帝派宦官赴各地充矿使税使，直接搜括民财。万历间矿税之害始于本年。详见孟森《明史讲义》第二编第五章。赵翼《廿二史札记》卷三十五《万历中矿税之害》："万历中，有房山民史锦、易州民周言等言，阜平、房山各有矿砂，请遣官开采，以大学士申时行言而止。后言矿者争走阙下，帝即命中官与其人偕往，盖自二十四年始。其后又于通都大邑增设税监。故矿、税两监遍天下。两淮又有盐监，广东又有珠监。或专或监，大珰小监。纵横绎骚，吸髓饮血，天下咸被害矣。其最横者，有陈增、马堂、陈奉、高淮、梁永、杨荣等。……是时廷臣章疏悉不省，而诸税监有所奏，朝上夕报可，所劾无不曲护之，以故诸税监益骄，所至肆虐，民不聊生，随地激变。迨帝崩，始用遗诏罢之，而痛已遍天下矣。论者谓明之亡不亡于崇祯，而亡于万历云。"区大相组诗《南行感怀四十首》即因矿税之害而作。《明诗纪事》庚签卷一选录四首，陈田按语云："万历时，矿税中使四出，民不聊生。海目又有《田家吟》云：'莫笑田家欢乐少，汉家天子尚忧贫。'《过皇店》云：'皇家新店跨神州，泉府虽盈万姓愁。今日何人忧国计，独劳天子自持筹。'衰周季汉事，同兹一慨。"区大相字用孺，高明人。万历己丑（1589）进士，选庶吉士，授检讨。历赞善、中允，改南太仆丞。有《太史集》二十七卷。

　　吏部尚书孙丕扬言缺官事，乞"明示别推酌补"。疏入不报。时万历不视朝，不御讲筵，不亲郊庙，不批答章疏，中外缺官亦不补，惜俸给故也。详见孟森《明史讲义》第二编第五章。

## 八月

　　钱希言、屠隆等聚于甬江，旋即道别。钱希言《松枢十九山》之《樟亭集自序》："（丙申秋八月）仆与君房（余寅）、纬真、叔向诸公握手江上而去。"江上，甬江也。

## 秋

　　屠隆等造访谢肇淛于吴山署中。时屠隆正奉佛持斋。谢肇淛《下菰集》卷五有诗《秋日屠纬真、黄白仲、郑翰卿、震卿见过吴山署中，时屠黄二君持斋》。此诗编于今年。

## 冬

　　邹观光为孙宜《洞庭渔人续集》作序。序署"万历丙申冬日，年家子九畹居士邹观光撰"。

## 本年

　　李维桢五十寿辰，谢兆申等作寿序。《谢耳伯先生初集》卷六《李本宁先生五十序》云："先大夫有言：天下有至贵而非势位，有至富而非金玉，有至寿而非岁年，知其所至，而超焉于其所非，是至人也。其谓太史氏者乎？"太史氏，指李维桢（字本宁）。

李贽应刘东星之邀赴山西，历秋至春，著《明灯道古录》。刘东星《书道古录首》："比者读礼山中，草木余息，惧有颠坠，特遣儿相（用相）就龙湖问业。先生欣然不远千里，与儿偕来。从此山中，历秋至春，夜夜相对。犹子用健复夜夜入室，质问《学》、《庸》大义。……相与健等，既获录其所闻之百二，予遂亟令梓行。"刘东星，字子明，沁水人。隆庆二年进士。历任吏部右侍郎、工部左侍郎兼右佥都御史。官至兵部尚书。"先生"指李贽。汪可受《卓吾老子墓碑》："丙申岁，老子以刘司空之约至上党，余亦以校士至，约相见于上党之精舍。老子问余曰：'试士何题?'余曰：'诚意章。'老子曰：'毋欺之义，只不作小人掩着便是。近得周少司农书，自谓以言事触众，惧且见逐，得圣旨优容，喜之不胜，此可与语不欺矣。若使他人道之，便费多少话说，遮掩多少宦情。'余曰：'周公幸素闻道。'老子曰：'虽然，恩爱太重，终当作儿孙之儿孙耳。夜深余请宗门下事，老子曰：'尚有数年不死，可再晤谈。'余曰：'老子末后一着何如?'老子曰：'吾当蒙利益于不知我者，得荣死诏狱，可以成就此生。'余意厌之。老子复大鼓掌曰：'那时名满天下，快活快活。'余止勿寱语，夫安知其为真实语也。"

袁宏道为其弟中道诗集作序，题为《叙小修诗》。据钱伯城为袁宏道集所作笺校。宏道同时所作之《诸大家时文序》，亦倡论文随时变，为明代八股文争地位。

袁宏道以诗赠张凤翼。据钱伯城为袁宏道集所作笺校。诗云："两年稀面见，一字到官疏。白石连云煮，青苓带雨锄。尊前红拂传，花下古钗书。兄弟多名理，何山故不如。"（《袁宏道集笺校》卷三《张伯起》）《红拂记》，张凤翼所作戏曲作品。

汤显祖、袁宗道互致信函。显祖有《寄袁石浦太史》函，袁宗道复书（《汤义仍》）云："足下久淹墨绶，又奚怿也。以弟观足下，如《世说》所刊文学、豪爽、言语，盖总具之。所取亦已太过，宦路升沉，自不必论。不然，是世间真有扬州鹤也。"去年汤显祖上计，得与袁氏兄弟游处。

支大纶《世穆两朝编年史》成书。王士骐《驭倭录》采明一代倭寇事迹，始于洪武元年，讫于今年。据四库提要。

陈光请茅坤为其父之诗文集作序。茅坤《按察使司副使陈梅山公文集序》："嘉靖戊戌，予同莆田陈梅山公举进士，并出自宫允李芳泉先生之门。予叨冠本房，而以年少卓荦不群者属之公。……公既殁，而门弟姚弘谟、孙应鳌辈并由史官志且表其墓矣。公之子光，高才生，万历丙申，囊公平生所著诗文之什若干卷属予序。"

蔡逢时撰《温处海防图略》。胡文焕《文会堂琴谱》刊行。据四库提要。

顾大典（1541—1596）卒。王骥德《曲律》杂论第三十九下云："沈璟与同里顾学宪道行先生并蓄声妓，为香山、洛社之游。""顾道行先生亦美风仪，登第甚少。曾一就教吾越。以闽中督学使者弃官归田。工书画，侈姬侍，兼有顾曲之嗜。所畜家乐，皆自教之。所著有《青衫》、《葛衣》、《义乳》三记，略尚标韵，第伤文弱。余尝一访先生园亭。先生论词，亦倾倒不辍。晚年无疾，为人作一书与郡公，投笔而逝。亦一奇也。"著作除戏曲外，《苏州府志》卷七十五列《海岱吟》、《闽游草》、《园居稿》、《清音阁集》。《松陵文集》三编卷三十二顾氏小传谓《清音阁集》有二卷本、六卷本两种，另有《稽山集》、《三山稿》、《括苍稿》、《北征稿》、《南署稿》，可补《苏州府志》不足。

张采（1596—1648）生。生平简介见下卷。

## 公元 1597 年（神宗万历二十五年　丁酉）

### 正月

袁宏道去官，寄居无锡。自二月始，历游吴越诸名胜。据钱伯城为袁宏道集所作笺校。

### 三月

徐𤊹辑福州一府之诗为《晋安风雅》十二卷并作序。序署"万历丁酉暮春六日，书于风雅堂，郡人徐𤊹惟和撰"。《四库全书总目》卷一九三集部总集类存目三著录徐𤊹编《晋安风雅》十二卷，提要曰："是编辑福州一府之诗。其曰晋安者，福州在晋时为晋安郡也。所录起洪武迄万历，得二百六十四人。诗以体分，姓氏下各载其里居出处所著作，并以右某朝若干人列数于左。其例多仿高棅《品汇》。惟闺秀一类，另立妓女别薰莸，为小异云。"

袁宏道在陶望龄处见徐渭集，大奇之。据钱伯城为袁宏道集所作笺校。宏道有《徐文长传》。传云："余一夕坐陶太史楼，随意抽架上书，得《阙编》诗一帙。恶楮毛书，烟煤败黑，微有字形，稍就灯间读之。读未数首，不觉惊跃，急呼周望：'《阙编》何人作者？今耶古耶？'周望曰：'此余乡徐文长先生书也。'两人跃起，灯影下读复叫，叫复读，僮仆睡者皆惊起。盖不佞生三十年，而始知海内有文长先生。噫，是何相识之晚也！因以所闻于越人士者，略为次第，为《徐文长传》。""石公曰：先生数奇不已，遂为狂疾；狂疾不已，遂为圄圉。古今文人牢骚困苦，未有若先生者也。虽然，胡公间世豪杰，永陵英主，幕中礼数异等，是胡公知有先生矣；表上，人主悦，是人主知有先生矣，独身未贵耳。先生诗文崛起，一扫近代芜秽之习，百世而下，自有定论，胡为不遇哉？梅客生尝寄余书曰：'文长吾老友，病奇于人，人奇于诗。'余谓文长无之而不奇者也。无之而不奇，斯无之而不奇也，悲夫！"（《袁宏道集笺校》卷十九）陶太史，谓陶望龄。袁宏道号石公。梅国桢字克生，一字客生，麻城人。江盈科《雪涛阁集》卷四有《徐文长诸体诗当为北地敌手乃其名没不著吾友袁中郎得君诗亟为推毂余赋此章盖庆文长之遭》，诗云："文长残帙委魖魖，乱裹虫丝似茧紫。白骨偶然逢座主，黄泉应否认门生？杜诗不长身前价，班史偏高死后名。方信马迁非左计，藏书石室俟河清。"

林时对为吴梦旸《射堂诗选》题词。吴梦旸为明代布衣诗人。题词曰："苕水吴处士允兆蕴藉玄远，与臧晋叔、曹能始、邓远游诸先辈于喁唱和，佶然以生，瘟然以清，盖深得风人性情之正，而不徒攀志牵因，夸声理之窜勃也。……诗凡十四卷，伯玑为选其移情者若干首付之梓，洇烦器中希声逸响云。丁酉暮春，四明山樵林时对殿扬父题。"《钦定续文献通考·经籍考》著录吴梦旸《射堂诗钞》十四卷。梦旸生平，略见

《列朝诗集小传》丁集下："梦旸，字允兆，归安人。生短小，禀性强直，乡里有不平事，奋袂剖陈，不避权贵。苦上人畏而远之。薄游长安，与宋西宁、张圣标为文酒之交。西宁殁，策蹇三千里，经纪其丧。诸公皆多之。好吟诗，诗不就，竟夜不交睫，苦思刻镂，必得当而后已。知音律，善度曲，晚游金陵，征歌顾曲，齿龋牙落，犹呜呜按拍。好事者至今传之。允兆严于论诗，雌黄不少借。尝集汪景纯家听歌，与程孟阳限韵为数绝句，互相叹赏。又即席送潘景升，约为短歌。孟阳诗先就，允兆击节，自取其草碎而啮之。其通怀乐善如此。"《静志居诗话》卷十八："虞山钱氏，谥嘉定程孟阳曰'松圆诗老'，谓'能照见古人心髓，若亲炙古人，而得其指授'，叹为古未有。新安闵景贤辑明布衣诗，推归安吴允兆为中兴布衣之冠。是皆阿其所好，不顾千秋之公是公非。以余观二子之作，以政则鲁、卫，以风则曹、桧，陈诗者不废，斯幸矣。"《四库全书总目》卷一八〇集部别集类存目七著录《射堂诗钞》十四卷，提要曰："明吴梦旸撰。梦旸字允兆，归安布衣，射堂其所居室也。是集乃其曾孙自岩所编。末附朱大复等挽诗。大复自注，称梦旸年老气衰，颇有文通之尽，没后友人检其遗稿，大半散失云云。则知梦旸之诗尽在此编，虽曰诗钞，实即其全集矣。胡应麟《甲乙剩言》极称其《春草诗》十首。闵景贤辑明布衣诗，称梦旸为明季布衣之冠。未免阿其所好。朱彝尊《静志居诗话》谓与程嘉燧政则鲁、卫，风同曹、桧。真二家之定论矣。"《明诗纪事》庚签卷二六录吴梦旸诗一首，陈田按："允兆诗诚如竹垞所讥。孟阳清俊之作，集中不知凡几，竹垞与允兆同讥，斯所谓良骥与驽骀同皁，公是公非安在也？"

## 春

**茅维游焦山，有诗。** 陈仪《茅孝若焦山稿序》："予素稔孝若，翩翩裘马，出语横绝。丁酉春探奇焦山，有《焦山行卷》，江山映发，坐使笔端增胜矣。……孝若故工诗，开元、大历，辘轳舌根，有《菰园初集》。"序中另有"孝若遂弃诸生游成均"语。《列朝诗集小传》丁集下："维字孝若，归安人。父坤，字顺甫，世所称鹿门先生者也。万历间，苦之称诗者，臧懋循晋叔、吴稼蹬翁晋、吴梦旸允兆，而孝若之与抗行为四子。不得志于科举，以经世自负，诣阙上书，几得召见，如陈同甫所谓'天子使召问，何处下手'者。为乡人所构，几陷大僇。"有《十赉堂集》、《嘉靖大政记》。

## 四月

**汤显祖作《明德罗先生诗集序》。** 明刊《罗近溪先生诗集》所载序，署万历丁酉夏四月望。罗汝芳（1515—1588），号近溪。

## 五月

**刘凤为梅鼎祚编《书记洞诠》作序。** 序署"万历岁丁酉日长至"，长至为农历五月或十一月。《四库全书总目》集部总集类存目三著录《书记洞诠》一百十六卷，提要曰："明梅鼎祚编。先是，杨慎编《赤牍清裁》一书，自左氏至六朝，仅八卷。王世贞益之，讫于明代，为六十卷。是书仍杨慎之旧，起周、秦，迄陈、隋，凡长篇短幅，采录靡遗，卷帙几十倍于杨，而真赝并收，殊少甄别。"

**李维桢为张佳胤《张居来先生集》作叙。**叙署"万历丁酉仲夏吉旦"。

## 八月

**陈与郊作《许相卿黄门集序》。**据序末题署。许相卿（1479—1557）曾任兵科给事中，故以黄门名集。陈与郊七年前结其在给事中任所为奏疏成集，亦以黄门为名。

**汪廷讷参加乡试，未终场而归。**顾起元《坐隐先生传》："先生姓汪，名廷讷，字昌朝，别号无如，休宁之汪村里人也。……少宗伯复所杨先生讲德南都，先生复执贽而禀学焉，间以所得质先生，大器重之，因授号无无居士，且为之解。……先生事父母孝，其精感神明，丁酉试棘闱，忽忽心动，亟投牒归，父果病。"《静志居诗话》卷十八："汪廷讷，字无如，休宁人。有《环翠堂集》。无如耽情诗赋，兼爱填词，结环翠亭，酒宴琴歌，与汤义仍、王伯谷诸人游。兴酣联句，尝集唐人诗云：'狎鸟无机任往来，一川晴色镜中开。竹间驻马题诗去，松下残棋送客回。绿树碧檐相掩映，落花飞蝶共徘徊。物情多与闲相称，莫惜芳时醉酒杯。'制百家衣，可云无缝者已。"《四库全书总目》集部总集类存目三著录《文坛列祖》十卷，提要曰："明汪廷讷编。廷讷字昌朝，号无我，新都人。其书分十类：一曰经翼，二曰治资，三曰鉴林，四曰史摘，五曰清尚，六曰掇藻，七曰博趣，八曰别教，九曰赋则，十曰诗概。所录上及周秦，下迄明代。如无名氏之《雕传》，佛家之《心经》，俱载入之，特为冗杂。其《诗概部》序曰：'六朝以上去四言，无四言也；于唐去五言古，无五言古也。'知为依附太仓、历下者矣。"又集部别集类存目七著录汪廷讷撰《环翠堂坐隐集选》四卷，提要曰："是集古今体诗一卷，词一卷，南北曲一卷，随录一卷。萧和中序称廷讷本有《环翠堂集》三十卷，与此本多重见。盖坐隐乃其园名，故别自摘选为此集，而仍以环翠堂冠之。集中酬唱，皆陈继儒、方于鲁之流。又与李贽赠答，至称其'著书皆了义，评古善诛心'。旨趣如此，其渐于当时气习者深矣。"另有传奇作品《种玉记》、《狮吼记》、《天书记》、《长生记》、《同升记》、《三祝记》、《高士记》、《二阁记》、《投桃记》等。

## 九月

**"二南里人"罗懋登作《西洋记通俗演义》自叙。**该书全称《三宝太监西洋记通俗演义》，简称《西洋记》，又名《三宝开港西洋记》。凡二十卷一百回。作者罗懋登，字登之，号二南里人，明万历间人。其著述除小说《西洋记》外，另有《香山记》传奇。清黄文旸《曲海总目提要》称罗懋登为陕西人，但书中俗语多流行于南京一带，则罗懋登必长期生活于江南。叙中有云："今日东事倥偬，何如西戎即序，不得比西戎即序，何可令王、郑二公见，当事者尚兴抚髀之思乎？"叙署"万历丁酉岁菊秋之吉"。《春在堂随笔》卷七："世间有《牙牌数》一书，言近而指远，占之亦时有巧合处。余闻许子社言：杭人有为之笺注者，惟其中有'五鬼闹判'一语，不知所出。以问余，亦无以应也。今乃知出于《西洋记》。第九十回云：'灵曜府五鬼闹判'，即其事也。开卷有益，信夫！'"《明史·宦官传》：郑和，支南人，世所谓三保太监者也。永乐三年，命和及其侪王景宏等，通使西洋。将士卒二万七千八百余人，多赍金币，造大舶，修四十四丈，广十八丈者，六十二。自苏州刘家河，泛海至福建，复自福建五虎门扬帆，首达占城，以次遍历诸番国，宣天子诏，因给赐其君长。不服，则以武慑之。先后七奉使，所历凡三十余国，所取无名宝物，不可胜计，而中国耗费亦不赀。自和后，凡将命海表者，莫不盛称和，以夸外藩，故俗传三保太监下西洋，为明盛事云。是郑和之事，在明代固赫然在人耳目间。光绪辛巳岁，老友吴平斋假余《西洋记》书，即敷衍此事。作者为罗懋登，乃万历间人。其书视太公封神、玄奘取经，尤为荒诞。而笔意恣肆，则似过之。乃彼皆盛行，而此顾不甚著，何也？文章之传不传，若有数存，虽平话亦然欤？平斋曰，此必明季人所为，以媚权奄者。余谓不然。读其序云：今者东事倥偬，何如西戎即叙，当事者尚兴抚髀之思乎？然则此书之作，盖以嘉靖以后，倭患方殷，故作此书，寓思古伤今之意，抒忧时感事之忱，三复其文，可为长太息矣。书中却有一二异闻，如术家有金水木火土五行遁法。见于诸书者，字皆作遁，此独作囤，未详其义。又世俗所传八仙，此书则无张果、何仙姑，而别有风僧寿、元壶子，不知何许人，岂明代有此异说欤？《图画见闻录》：孟蜀张素卿，画八仙真形，有曰长寿仙者，或即此风僧寿乎？书虽浅陋，而历年数百，便有可备考证者，未可草草读过也。"《茶香室丛钞》卷十四："明人有《西洋记》一书，载三保太监下西洋事。中有八仙：一汉钟离，二吕洞宾，三李铁拐，四风僧寿，五蓝采和，六元壶子，七曹国舅，八韩湘子，无张果、何仙姑，而别有风僧寿、元壶子，亦异闻也。"《茶香室续钞》卷十七《金碧峰》："明郎瑛《七修类稿》云：太祖建都南京，和尚金碧峰启之，见《客座新闻》。按明代坊间有《西洋记》一书，叙三保太监事，书中有金碧和尚。"该书现存最早刊本为万历二十五年序刻本。有上海古籍出版社《古本小说集成》影印本。

## 十月

董其昌访陈继儒于昆山。《西清札记》卷一《董其昌婉娈草堂图轴》："自题：婉娈草堂图。丁酉十月，余自江右还，访仲醇于昆山读书台，写此为别。董其昌。"转引自任道斌编著《董其昌系年》。

## 十一月

焦竑坐所取举人"文体险诞"被贬为行人，旋改迁福建福州同知。《明名臣言行录》卷七四《修撰焦文端公竑》："丁酉，顺天乡试，忌者取士子牍中二三奇险语，以为坏文体，调外任。"《列朝诗集小传》丁集《焦修撰竑》："丁酉北试，上度原推两宫坊，别用弱侯，原推者愧恨，媾新建合谋倾弱侯。言官遂用科场事抉摘诋毁，弱侯陈辩甚力，新建从中主之，以文体调外任。"文秉《定陵注略》卷一《科场贪缘》："二十五年十月，礼科给事中项应祥、曹大元各疏纠发科场大弊事。应祥疏：'顺天撤闱之日，物议沸腾，雌黄蜂起。如第四名曹蕃、第十三名吴应鸿、第二十六名张蔚然、第三十二名郑茱等，既多骇目惊心之句，复有贪缘干进之迹。'大咸疏：'自昔年黄洪宪弊孔决裂，论者至今切齿，不谓今又有修撰焦竑其人者。吴应鸿，竑同里也；汪泗论，竑塾师也；曹蕃，莫逆交也；郑茱，门下士也。又如张蔚然、丘梦周、赵士麒，语语荒谬，赵名言、郑宏才洗改硃卷，皆礼部复阅最详最确者。'有旨：'该部看议具奏。'修撰焦竑疏：'项应祥言涉风闻，尚无意必；曹大咸随声丑诋，意必逐臣，以快忌者之心……'已而礼部复题，吴应鸿、郑茱黜革，丘梦周、张蔚然终身不许对制。赵士麒、曹蕃等四名候三年部考定夺。汪泗论，查旧例塾师无回避禁。但万历十三年冯诗被革，一以塾师，一以冒籍，今泗论止系塾师，与冯诗不同，其应革与否，请自上裁。焦竑等应候部院看议。请旨定夺。后部院看上，有旨：焦竑、何崇业俱调外任用。……丁酉北试，上越原推两宫坊，别点用竑。原推者愧恨，媾南昌合谋以倾焦。言官遂用科场事纠谪。南昌从中主之，乃坐以文体之罪，外调福宁州同知。"参见焦竑《顺天府乡试录后序》。

## 冬

屠隆作《谢在杭诗序》。一题《下菇集序》。谢肇淛字在杭。序云："黄白仲与余抵掌海内词人，遂及闽士，而指屈在杭谢君：'才横绝一世，早岁登坛，所称诗峭倩秀伟，卓然名家。为人轩轩霞举，亭亭物表，趾高视卑，冲襟可挹，且薄收效于三事，而厚殚力于千秋。异日者与子东面而争牛耳之盟，必夫夫也。'不佞逡巡避席曰：'主臣余雅知在杭。夫闽山水秀甲齐州，灵爽之气，蜿蟺磅魄，尽发此时。方来之俊，云蒸泉涌，先后通名字不佞者，无虑数十家，削牍有至万余言者，洞目骇心，观听于是为巨。要以闽中白眉，则首推在杭，亦犹海错之推西施乳，荔支之推陈紫、江绿，而山川之推武夷、九漈也。不佞向慕谢君，往年尝赋诗四章，将讯之吴兴，寻如金闾，稿为云间人篡去，不得达。又一岁，而晤在杭虎林，酒铛茶鼎，不律如意，相得甚欢。不佞酒中戏语在杭：五霸桓、文为盛，降而秦穆、楚庄，渐以萎薾，再降而卑之乎吴子，欲承一时之乏，妄规此物，踉跄黄池之上，卒为天下笑。不佞与弇州、新都交臂接轸，则亦惟是邾莒滕薛之奉齐楚秦晋尔。自两公即世，此物漫无所属，而海内操瓠者如云，亡弗张目扼擘，起而争之。世有虞于不佞者，极口而訾，极力而挤，若惟恐不佞之一旦旌弧以登，如目之有翳，必去而后快。不佞轩渠：我其鹓雏耶？腐鼠此物久，而鸱尚吓我。且桓文既没，余岂不度而为吴子哉？余且跳（逃）而托于团焦净业矣。以故遇世之嗜古而操深心者，急名而鼓盛气者，才望既久而势可几者，人地未至而力可副者，余必长跽奉此物进之。力副而势几，则在杭其人，所为峭倩秀伟，轩轩亭亭，斯登坛之器，白仲之人伦鉴不爽也。在杭别后，使使以诗序见属，余业撰一首诒之，使者乃为殷豫章，浮沉又不达，而故草又寻逸去。在杭数以诗责通，会余奉大讳毁甚，不能搦管。居一岁而始为勾当，则不能举旧作一语，遂更著成篇，工拙不可知，大都视旧作加详焉。两纂著而两不达，岂亦有数耶？不佞近论诗，如琅琊、历下，有才力而寡性情，务声调而乏自得，由两公为政，士争趋之成风，风人之旨殆尽。必也取三谢之清苍，救六朝之浮靡，采王孟之简澹，济李杜之沉雄，令天真与奇藻并灿，名言与劲气相宣，斯其极则妙境哉？在杭辨此审矣。不佞性疏而轻名根，应世诗文，无论多至洋洋缅缅千万言，寡至寂寥数语，往往援笔矢口，布之通都，工拙惟命。近以学道戒绮妄，疏笔研，人购之，未尝不应，应愈援笔矢口，了不经意，其以夫夫才尽而舍旃，幸甚！盖不能峻龙门拒人，又不能苦心竭力，而与海内争此物，则亦惟名根轻故，为语操瓢诸君子，无复以腐鼠吓我哉！余之衔璧舆榇，久矣。万历丁酉冬月，东海友人屠隆纬真父撰。"（《小草斋集·杂序》）

**袁中道游历北京，时与良朋胜友相聚赋诗。**据袁中道《游居柿录》卷三。

## 本年

**袁宏道作《叙陈正甫会心集》。**据钱伯城为袁宏道集所作笺校。陈所学字正甫，一字志寰，竟陵人。万历十一年进士，官至户部尚书。善谈性理之学。有《松竹园集》等。

**袁宗道作《论文》上、下。**据孟祥荣为《白苏斋类集》所作笺校。

**李贽今年一度停留北京。**汪本钶《卓吾先师告文》："丁酉又寻师于北京极乐寺。师问钶曰：'子不远数千里而来，欲求何事？若只教尔举子业，则我非举业师也。'钶茫然无以应。此时出世之志，默自凛凛振起一番。"汪本钶甲午（1594）曾随李贽读书三月，"日课举子业，夜谈《易》一卦"。（《李温陵外纪》）

**屠隆、姚士粦编释斯学遗稿为《幻华集》二卷。**《四库全书总目》卷一八○集部别集类存目七著录《幻华集》二卷，提要曰："明释斯学撰。斯学字悦支，号瘦山，海盐慈会寺僧。是集为万历丁酉斯学殁后屠隆哀其遗稿，与姚士粦同编。斯学天分绝高，故吐词多自然秀拔。五言古体多用排偶，欲摹三谢而力所不逮，遂落中唐。《燕山述怀》其最也。七言古体如《赠钱参军诗》，落落有气。《敬亭山歌》，即散漫颓唐。乐府如《任侠行》一篇，几成笑具，更非所长。五言律诗篇什颇多。中间如'空林人打栗，深树鸟惊蝉'，'客来黄叶雨，鬼啸白杨风'，'山光诗句得，湖色酒杯开'之类，则多近四灵。如'薄衾寒如梦，深雨远沉钟'，'一别春山渌，几经秋叶黄'，'海门生片月，江寺入残阳'，'一片孤峰影，青浮水面来'，'风雨山中榻，兵戈海外村'，'檐花飞片雨，庭草带微霜'，'碧云深夕院，黄叶隐寒灯'，'入门寒月出，扫石暝云开'，'扫榻分寒雨，然灯破暝烟'之类，则颇近九僧。其七言律诗及绝句皆不能及，盖所长在此体。然首首格意略同，又多沾染公安、竟陵习气，故时有可采之句，而终不能自成一家也。"

**周履靖辑刻《夷门广牍》。**今存万历二十五年金陵荆山书林刻本。有周氏四月十六日自序和明年七月何三畏序。《四库全书总目》卷一三四子部杂家类存目十一著录《夷门广牍》一百二十六卷，提要曰："明周履靖编。履靖字逸之，嘉兴人。是编广辑历代以来小种之书，并及其所自著，盖亦陈继儒《秘籍》之类。夷门者，自寓隐居之意。书凡八十六种，分门有十。曰艺苑，曰博雅，曰食品，曰娱志，曰杂占，曰禽兽，曰草木，曰招隐，曰闲适，曰觞咏。观其自序，艺苑、博雅之下有尊生、书法、画薮三牍，而皆未刊入。所收各书，真伪杂出，漫无区别。如《郭橐驼种树书》之类，殆于戏剧。其中间有一二古书，又删削不完。如《释名》唯存《书契》一篇，而乃题曰《释名全帙》，尤为乖舛。其所自著，亦皆明季山人之窠臼。卷帙虽富，实无可采录也。"

**郑之文作《白练裙》传奇，讥调屠隆、王稚登（百谷）、马湘兰等。吴兆亦为作者之一。**据徐朔方《晚明曲家年谱》。《万历野获编》卷二十六《白练裙》云："顷岁丁酉，冯开之（梦祯）年伯为南祭酒，东南名士云集金陵。时屠长卿年伯久废，新奉恩诏复冠带，亦作寓公。慕狭邪寇四儿名文华者，先以缠头往。至日具袍服头踏呵殿而至，踞厅事南面，呼姁出拜，令寇姬旁侍行酒，更作才语相向。次日六院喧传，以为谈柄。有江右孝廉郑豹先名之文者，素以才自命，遂作一传奇，名曰《白练裙》。摹写屠憨状曲尽。时吴下王百谷亦在留都，其少时曾眷名妓马湘兰名守真者。马年已将耳顺，王则望七矣。两人尚讲衾裯之好。郑亦串入其中，备列丑态。一时为之纸贵。次年李九我（廷机）为南少宰署礼部，追书肆刻本毁其板，然传播远近无算矣。予后于都下遇郑君，誉其填词之妙。郑面发赤，嘱予勿再告人。"据《神宗实录》，南京国子监祭酒冯梦祯明年罢官归田。李廷机时任南京吏部侍郎。祁彪佳《曲品》列《白练裙》入逸品，云："豹先为孝廉时，游秦淮曲中，遂构此记。备写当时诸名妓，而己仍作生，且以刺马姬湘兰，并讽及王山人百谷。俄为大司成所呵，仅半本而止。"《列朝诗集小传》丁集上郑之文传云："（应尼）公车下第，薄游长干。曲中马湘兰负盛名，与王百谷诸公为文字饮，颇不礼应尼。应尼与吴非熊（兆）辈作《白练裙》杂剧，极为讥调。聚子弟演唱，召湘兰观之，湘兰为之微笑。定襄傅司业（新德）清严训士，一旦召应尼跪东厢下。出衔袖一编掷地，数之曰：举子故当为轻蛱蝶耶？收以夏楚，久之乃遣去。"同书吴兆传又云："兆字非熊，休宁人。少警敏，喜为传奇词曲，游少年场，推为渠帅。万历中游金陵，留连曲中，与新城郑应尼作《白练裙》杂剧，讥嘲马湘兰。青楼人皆指目，有樊川轻薄之名。已而自悔，改弦为歌诗，模仿初唐，作《秦淮斗草篇》，新安诗派尸祝太函（汪道昆），肥酽相尚，不解为何语。臧晋叔、曹能始见而击节，遂流传都下。"郑之文，字应尼，江西南城人。万历十九年（1591）举人。万历三十八年进士，授南工部主事，升真定知府，被劾罢官。有《白练裙》、《旗亭记》等戏曲作品。

**袁中道在真州袁宏道处读《金瓶梅》。**袁中道《游居柿录》卷九追记云："往晤董太史思白，共说诸小说之佳者。思白曰：'近有一小说，名《金瓶梅》，极佳。'余私识之。后从中郎真州，见此书之半，大约模写儿女情态俱备，乃从《水浒传》潘金莲演出一支。所云'金'者，即金莲也；'瓶'者，李瓶儿也；'梅'者，春梅婢也。旧时京师，有一西门千户，延一绍兴老儒于家。老儒无事，逐日记其家淫荡风月之事，以西门庆影其主人，以余影其诸姬。琐碎中有无限烟波，亦非慧人不能。追忆思白言及此书曰：'决当焚之。'以今思之，不必焚，不必崇，听之而已。焚之亦自有存之者，非人力所能消除。但《水浒》崇之则诲盗，此书诲淫，有名教之思者，何必务为新奇以惊愚而蠹俗乎？"袁宏道今年一度停留真州。

**万卷楼刊行《新镌全像包孝肃百家公案演义》六卷百回。**自序署"饶安完熙生"，记年曰丁酉岁，当即今年。

金陵书林周氏万卷楼重刊《国色天香》十卷。此为现存最早《国色天香》刊本。日本内阁文库有藏本。首有万历丁亥（1587）九紫山人谢友可序。

《绣谷春容》十二卷由金陵世德堂刊行。北京图书馆和美国国会图书馆有藏本。凡十二卷。全名《绣谷春容骚坛撷粹嚼麝谭苑》，简称《绣谷春容》。题"平洛敕里起北赤心子汇辑，建业大中世德堂主人校锲"。书分上下两栏，上栏题"芸窗清玩"，下栏题"选锲骚坛撷粹嚼麝谭苑"。上栏收《吴生寻芳雅集》、《龙会兰池》、《联芳楼记》、《刘熙寰觅莲记》、《柳耆卿玩红（江）楼记》、《申厚卿娇红记》、《白潢源三妙传》、《李生六一天缘》、《祁生天缘奇遇》、《古杭红梅记》、《辜生钟情丽集》、《东坡佛印二世相会》等传奇小说，所收多与《风流十传》、《国色天香》、《万锦情林》、《燕居笔记》等相同；下栏收妇女诗文、嘲谑小品，兼及《夷坚志》一类小说。

李诩《戒庵老人漫笔》八卷初刻本问世，有王稚登序。盛宣怀《戒庵漫笔跋》："万历丁酉，其孙如一为之刊行。附《藏说小萃》之后，王百谷序之。"《四库全书总目》卷一二八子部杂家类存目五著录《戒庵漫笔》八卷，提要曰："明李诩撰。诩字厚德，江阴人。少为诸生。坎坷不第，年八十余而卒。所作《世德堂吟稿》、《名山大川记》诸书，皆已亡佚。惟是编为其孙如一刊行，皆所记闻见杂说。诩自号戒庵老人，因以为名。书中称世宗为今上，而又载有万历初事。盖随时缀录，积久成编，非一时所撰集，故前后不免于驳文也。其间多志朝野典故及诗文琐语。而叙次繁猥，短于持择。于凡谐谑、鄙俗之事，兼收并载，乃流于小说家言。惟记苏轼、黄庭坚真迹诗句，可补本集之亡佚。记刘基画蜀川图，可证《图绘宝鉴》之阙漏。又如论《孟子》古本同异，则较王士禛《池北偶谈》所摘为详。又据《三水小牍》以证洪迈《夷坚志》之蹈袭，辨《两山墨谈》所称苏轼有妹嫁秦观之诞妄诸条，为沙中金屑耳。"李诩（1505—1593），《道光江阴县志》卷十七有传。其《戒庵老人漫笔》初刻本附于《藏说小萃》中。通行的《常州先哲遗书》本由盛宣怀刊于光绪二十二年。

茅元仪《嘉靖大政类编》脱稿。据四库提要。

王同轨撰《耳谈》或成于今年。《列朝诗集小传》丁集中："同轨，字行父，黄冈人。稚钦之从孙也。以贡生为江宁令。尝从吴明卿出游，与王弇州、李云杜善。作诗不多，自有风格，不欲寄诸公篱下。撰前后《耳谈》，纂集异闻，亦洪氏《夷坚》之流也。"《四库全书总目》子部小说家类存目二著录《耳谈》十五卷，提要曰："同轨字行父，黄冈人，由贡生官江宁县知县。其书皆纂集异闻，亦洪迈《夷坚志》之流。每条必详所说之人，以示征信，则用苏鹗《杜阳杂编》之例。前有陶冶序，称其事不必尽核，理不必尽合，文不必尽讳，亦小说家之定评也。然其中推重方士陶仲文，称漫加削夺，时论大乖，则其它曲笔谅多矣。"《耳谈》除陶冶序外，另有李维桢序。《耳谈》一名《赏心粹语》，十五卷。刻于今年。另有五卷本。后增益为《耳谈类增》五十四卷，有万历三十一年自序及张文光等人序，存金陵唐氏世德堂刊本。

沈璟二子受学于璟弟沈瓒。据徐朔方所撰年谱。《静志居诗话》卷十六《沈瓒》："沈瓒字孝通，一字子勺，吴江人。万历丙戌进士，除南京刑部主事，历郎中，出为江西按察佥事，告归，起补广东佥事。有《静晖堂集》。子勺兄璟，妙解音律，撰《南曲谱》，乡里目为词隐先生。居家未尝废丝竹，有子恒失学。子勺去官，身为塾师，教其兄子。一门之内，一选伎征声，一寻章索句，论者比之顾东桥兄弟云。"顾璘号东桥。

　　**张岱**（1597—1684）**生**。生平简介见下卷。

## 公元 1598 年（神宗万历二十六年　戊戌）

### 正月

　　**董其昌、李贽晤于北京**。李贽视董其昌为莫逆之交。董其昌《画禅室随笔》卷四："李卓吾与余以戊戌春初一见于都门外兰若中，略披数语，即评可莫逆，以为眼前诸子唯君具正知见，某某皆不尔也。余至今愧其意云。"时董其昌任翰林院编修，充皇子讲官。

　　**袁宏道为潘之恒《涉江集》作序**。时袁宏道暂停真州。序曰："潘景升与汪司马同里同社，又曾游元美先生门，而所为诗，顾独清新超脱，不入近代蹊径，可谓奇极。往予与东南士谈诗，高者骇，下者笑，惟景升一闻，以为决不可易。计交游中与余论合者，寥寥数人而已矣，听者且难，况能为诗者哉！《涉江诗》旧二十卷，予精选得十之四。倘有刻意为诗，无湔旧习者，请以《涉江》为篙橹焉。戊戌元夕，石公袁宏道叙。"《涉江集》另有屠隆、王稚登、江盈科、梅守箕诸序，有虞淳熙、张敉诸跋。《四库全书总目》集部别集类存目五著录《涉江诗选》七卷，提要曰："之恒初以文词受知于汪道昆、王世贞。既而赴公车，不得志，渡江历浔阳、武昌，从公安袁宏道兄弟游。宏道称其出汪、王门而能不入其蹊径。然当时论者又谓之恒依傍汪、王，终不能有所解驳，宏道徒以其论与己合而收之。迹其生平，盖始终随人作计者也。"今年四月，袁宏道赴顺天府教授任。

　　**陈荐夫为徐㞳编《晋安风雅》作叙**。序署"万历戊戌五日，郡后学陈荐夫题"。《晋安风雅》为福州诗总集。

　　**谢肇淛以不曲事长官，拂郡守意，由湖州司理调东昌司理**。徐㞳《中奉大夫广西左布政使武林谢公行状》：壬辰（1592）"冬拜湖州司理。吴兴剧郡也，刑狱孔繁，多所平反。时值大宗伯董公份、大司成范公应期皆拥雄资，家僮千指，齮龁乡里，因而聚讼。巡按御史彭公某欲甘心于司成，谕意于君，谓司理可持三尺无挠也。君抗声辞不任责，御史怒，转谕意于乌程令张君应望。张承风旨穷治之，司成惧，雉经死。范夫人吴氏诣阙击登闻讼冤，神宗皇帝念司成曾为讲官，震怒，逮御史，褫其职，而下乌程令狱，竟戍边。吴兴缙绅士庶，莫不相与啧啧：'君中流砥柱，不杀人以媚人也。'……以不曲事长官，拂郡守意，戊戌大计吏，遂为所中，调东昌司理。"

　　**谢肇淛需次真州，与袁宏道、江盈科诸人游，甚欢，有《銮江集》**。据徐㞳所撰谢肇淛行状。

### 三月

　　**赵秉忠等进士及第**。据《明清进士题名碑录》。同榜进士有徐良彦、邓渼（1569—?）、范凤翼、吴文企、高出、阮自华（约 1553—1631）、周祚、陈邦瞻（? —1623）、顾起元（1565—1628）、谢廷赞、王畿、董应举（1557—1639 后）、张凤翔、尹伊等。

**潘之恒自维扬（扬州）赴苏州（吴门），客居三月。**王稚登《涉江篇序》："今岁戊戌暮春，景升自维扬来，客吴门凡三月，将归新都，余亦有明州之役。盖余不见景升几十五寒暑。"潘之恒字景升。《涉江诗》由袁宏道选定，江盈科刊行。

## 春

**汤显祖自遂昌知县弃官归。**今年汤显祖以遂昌知县上计至京，返即弃官归里。《汤显祖诗文集》卷十四有《初归》等诗。又诗文集卷四十七《与冯文所大参》："戊戌之计，明公大为仆不平，言于使者，枳其谈。而明公乃复不免。"冯文所名时可，历任处州同知、浙江按察使。七月移家沙井，居玉茗堂、清远堂。

## 五月

**李贽应焦竑之邀，在南京讲学。**汪本钶《卓吾先师告文》："明年（1598）春，弱侯焦先生迎师抵白下，为精舍以居师。时方伯雨师挈家往就学焉。师因与方师日夜读《易》不倦。白下马伯时先生日往请正，听至夜分始散，钶不过从旁作记载人，而《易因》梓矣。"余永宁辑《永庆答问》："万历戊戌仲夏，古歙余永宁、吴世征同游白下，问学于杨复所先生。先生谓曰：'温陵李卓老，今之善知识也，现寓永庆寺中，曾相见否？'对曰：'久从书册想见，却未请见。'曰：'何不亟请见？'一友从傍曰：'闻其不肯与人说话。'先生曰：'就是不说话，见见也好。'又一友曰：'闻其常要骂人。'先生曰：'他岂轻易骂人？受得他骂的方好。'征因问师见卓老有何印证。先生曰：'有什么印证？'征又问师学与卓老同异。先生曰：'有什么同异？就是有不同处，也莫管他。'"杨复所即杨起元。顾宪成《顾文端公遗书》卷十四《当下绎》："李卓吾讲心学于白门，全以当下、自然指点后学，说人都是见见成成的圣人，才学便多了。闻有忠孝节义之人，却云都是做出来的，大体原无此忠孝节义。学人喜其便利，趋之若狂，不知误了多少人！后至春明门外，被人论了，才去拿他，便手忙脚乱，没奈何却一刀自刎。此是杀身成仁否？此是舍生取义否？此是甚的'自然'？甚的'当下'？甚的'见见成成圣人'？自家是如此，何况学人？故当下半是学人下手亲切功夫，差认了却是陷入深坑，不可不猛省也。"

## 六月

**魏祯作《海岱会集序》。**据序末题署。《海岱会集》，冯裕曾孙冯琦（1558—1603）所编。详本编1536年。

## 夏

**王稚登、虞淳熙分别为潘之恒《涉江诗》作序跋。**据序跋题署。江盈科序作于今年五月。

## 八月

汤显祖《牡丹亭》传奇竣稿。《牡丹亭》为"临川四梦"之一，是汤显祖戏曲的作表作。明刊《牡丹亭还魂记》题词署"万历戊戌秋清远道人题"。清远道人即汤显祖。其题词云："天下女子有情宁有如杜丽娘者乎？梦其人即病，病即弥连，至手画形容传于世而后死。死三年矣，复能溟莫中求得其所梦者而生。如丽娘者，乃可谓之有情人耳。情不知所起。一往而深，生者可以死，死可以生。生而不可与死，死而不可复生者，皆非情之至也。梦中之情，何必非真。天下岂少梦中之人耶？必因荐枕而成亲，待挂冠而为密者，皆形骸之论也。传杜太守事者，仿佛晋武都守李仲文、广州守冯孝将儿女事。予稍为更而演之。至于杜守收考柳生，亦如汉睢阳王收考谈生也。嗟夫，人世之事，非人世所可尽。自非通人，恒以理相格耳。第云理之所必无，安知情之所必有邪？"题词见《汤显祖诗文集》卷三十三。李仲文事见《搜神后记》卷四，冯孝将事见《异苑》卷八，睢阳王事见《搜神记》卷十六。按，《牡丹亭》传奇本事出自话本《杜丽娘记》。《牡丹亭》序跋评语极多，不胜采录。兹选四则，以见一斑。《衡曲麈谭》："临川学士，旗鼓词坛。今玉茗堂诸曲，争脍人口。其最者，《杜丽娘》一剧，上薄《风》《骚》，下夺屈宋，可与实甫《西厢》交胜。独其宫商半拗，得再调协一番。辞调两到，讵非盛事欤？惜乎，其难之也。"《嫏嬛文集·答袁箨庵》："汤海若初作《紫钗》，尚多痕迹。及作《还魂》，灵奇高妙，已到极处。《蚁梦》、《邯郸》，比之前剧，更能蜕化一番，学问较更近，而词学反为较前削色。盖《紫钗》则不及，而'二梦'则太过；过犹不及，故总于《还魂》逊美也。"《静志居诗话》卷十五《汤显祖》："义仍填词，妙绝一时。语虽斩新，源实出于关、马、郑、白。其《牡丹亭》曲本尤极情挚。人或劝之讲学，笑答曰：'诸公所讲者性，仆所言者情也。'世或相传云刺昙阳子而作。然太仓相君实先令家乐演之。且云：'吾老年人，近颇为此曲惆怅。'假令人言可信，相君虽盛德有容，必不反演之于家也。当日娄江女子俞二娘酷嗜其词，断肠而死。故义仍作诗哀之云：'画烛摇金阁，真珠泣绣窗。如何伤此曲，偏只在娄江。'又《七夕答友》诗云：'玉茗堂开春翠屏，新词传唱《牡丹亭》。伤心拍遍无人会，自掐檀痕教小伶。'其后又续成《紫箫》残本，身后为仲子开远焚弃。诗终牵率，非其所长。"《诗辩坻》卷四："曲至临川，临川曲至《牡丹亭》，惊奇瑰壮，幽艳淡沲，古法新制，机杼递见，谓之集成，谓之诣极。音节失谱，百之一二，而风调流逸，读之甘口，稍加转换，便已爽然。雪中芭蕉，政自不容割缀耳。'不妨拗折天下人嗓子'，直为抑臧作过矫语。今唱临川诸剧，岂皆嗓折耶！而世之短汤者，遂谓其不解音律。又有劣手，铺词全乖谱法，借汤自解，拟托后尘。覼里之形，政资一噱。又如使事造语，不求尽解，托寄谐诨，故作迂痴，皆神化所至，匪夷之思。乃有苦驳开棺，谓是明制律例，入宋不合者。此类颇多。抑又从呆人谈梦，不足道矣。"按，汤显祖《牡丹亭》等是供宜黄演员演唱的脚本。范文若《梦花酣传奇序》："且临川多宜黄土音，腔、板绝不分辨，衬字、衬句凑插乖舛，未免拗折人嗓子。"又汤显祖《唱二梦》："半学侬歌小梵天，宜伶相伴酒中禅。缠头不用通明锦，一夜红氍四百钱。"叶德均

《戏曲小说丛考·明代南戏五大腔调及其支流》据以推论说："汤氏《牡丹亭》等'四梦'是供宜黄演员演唱的脚本，也是按照他们唱南曲具体情况作曲、度曲的，这自然和昆腔的唱法不同。《牡丹亭》经过吕玉绳、沈璟、钮少雅几次改订，才能供昆腔演唱，它在演出方面的推广，主要还是靠着昆腔。"

于慎行为冯琦（1558—1603）《冯宗伯诗》作叙。据叙末题署叙曰："吾大夫瀛海张君出公门下，以诗豪燕赵间，日求海内名家而位置之，如恐或失。偶出公草一帙视之，大夫捧而醉心曰：'吾师乎！吾师乎！一代作者，其在兹与？小子何莫学焉。'呕付梓刻，将与同志共之，而使余题其端。余惟自古儒林、文苑皆有世家，经术之效，莫盛于韦氏之祖孙，著作之业，莫雄于班氏之父子，而公实兼之。"《明人诗钞续集》卷九："神宗朝惑于郑贵妃，储位久不定，宗伯能制变仓卒，可谓社稷臣矣。不以诗名于时，而选词按部，当诗道纷杂之时，犹见典刑。故余钞神宗朝诗托始于此。青州城南花林啼泉石清幽，有尘外之趣，山泉翁题诗云：'山藏柳中无车马，地隔桃源有子孙。'宗伯爱其语，与韩司空约卜邻其地，事见《池北偶谈》。山泉翁姓刘氏，名澄甫，正德戊辰进士，官御史，选明诗者都不及甄录，欲购其全诗不可得，附疏于此。"冯琦字琢庵，临朐人，万历丁丑进士，官至礼部尚书，谥文敏。事迹具《明史》本传。《四库全书总目》卷一三六子部类书类二著录冯琦编《经济类编》一百卷。

## 九月

屠隆作《昙花记》传奇自序。序署"万历二十六年九月一衲道人"。《万历野获编》卷二十五《昙花记》云："近年屠作《昙花记》，忽以木清泰为主，尝怪其无谓。一日，遇屠于武林，命其家僮演此曲，挥策四顾，如辛幼安之歌'千古江山'，自鸣得意。余于席间私问冯开之祭酒云：屠年伯此记出何典故？冯笑曰：子不知耶？木字增一盖成宋字，清字与西为对，泰即宁之义也。屠晚年自恨往时孟浪，致累宋夫人被丑声，侯方向用，亦因以坐废。此忏悔文也。时虞德园吏部在座，亦闻之，笑曰：故不如余所作《昙花》序，云此乃大雅目连传，免涉闺阁葛藤语，差为得之。余应曰：此乃着色《西游记》，何必诘其真伪。今冯年伯殁矣，其言必有所本，恨不细叩之。"参见1584年相关部分。

## 秋

袁宗道、袁宏道、陶望龄等在京结蒲桃社。二袁之学，由偏重悟理转向主张修持。袁中道《石浦先生传》："戊戌，再入燕。先生（袁宗道）官京师，仲兄（袁宏道）亦改官至，予入太学，乃于城西崇国寺蒲桃林结社论学。往来者为潘尚宝士藻、刘尚宝日升、黄太史辉、陶太史望龄、顾太史天埈、李太史腾芳、吴仪部用先、苏中舍惟霖诸公。先生见地愈明，大有开发。当是时，海内谈妙悟之学者日众，多不修行。先生深恶圆顿之学为无忌惮之所托宿，益泯解为修。同学者矫枉之过，至食素持珠，先生以为不可。曰：'三教圣人，根本虽同。至于名相设施，决不可相滥。'于是益悟阳明先生不肯径漏之旨。"袁中道《吏部验封司郎中中郎先生行状》："戊戌，伯修以字趣先生入都，始复就选，得京兆校官。时伯修官春坊，中道亦入太学，复相聚论学，结社城西之崇国寺，名曰蒲桃社。逾年，先生之学复稍稍变，觉龙湖等所见，尚欠稳实。以为悟修犹两毂也，向者所见，偏重悟理，而尽废修持，遗弃伦物，偭背绳墨，纵放习气，亦是膏肓之病。夫智尊则法天，礼卑而象地，有足无眼，与有眼无足者等。遂一矫而主修，自律甚严，自检甚密，以澹守之，以静凝之。"

有匿名者撰《闺范图说跋》，名曰"忧危竑议"，指郑贵妃企图夺嫡。详见孟森《明史讲义》第二编第五章。

## 冬

书林双峰堂文台余氏刊行《万锦情林》六卷。孙楷第《日本东京所见小说书目》卷六著录，提要曰："书为万历刻本。极不多见。……署'三台馆山人仰止余象斗纂，书林双峰堂文台余氏梓。'上层选《太平广记》及元以来之文言传奇。下层则为明人诗词散文相间之通行小说。其上层之《秀娘游湖》一篇为平话；铺陈艳冶，结构亦平平；而属辞比事，雅近宋元，似其时代甚早，至少亦从宋元本出。存此一篇，亦弥足珍贵矣。"所列篇目中，《钟情丽集》、《白生三妙传》、《觅莲传记》、《天缘奇遇》、《传奇雅集》等属于中篇传奇小说。

## 本年

阮汉闻过泾阳驿，见王一鸣（1563—?）题壁诗一章，中有"孤臣长粪土，万事隔云霄"二句。《列朝诗集小传》丁集下："一鸣字子声，一字伯固，黄冈人。万历丙戌（1586）进士，授太湖知县，调临漳。负才自放，不为吏道所拘。左官，不得志，饮酒近妇人而死。伯固为稚钦（王廷陈）之从孙，其族有同轨者，继稚钦称诗，识伯固于儿童，时以稚钦衣钵期之。伯固之得名，自此始。尉氏阮汉闻叙其诗曰：'伯固再令临漳之岁，淹长安邸三月。酒酣大叫，黄金白雪，流毒千载。授予自订稿一帙，为人携去。无何殁于官。戊戌过泾阳驿，见题薛壁一章，今但记"孤臣长粪土，万事隔云霄"两句耳。伯固师法少陵，每一读，辄批评而封识之，其专勤如此。所与称诗者阮及、秦京，其同调也。'"《明诗纪事》庚签卷十五录王一鸣诗二首，陈田按："子声稚钦从孙。汤义仍赠诗云：'为忆先朝王梦泽，乌衣殊不羡江东。'子声负才，不得志卒。义仍有《先寒食一日同张了心哭王太湖》诗云：'张衡愁处起离情，不见黄州王子声。絮酒只鸡千载事，楚天明日是清明。'"

来知德《周易集注》成书。谭希思《四川土夷考》刊行。据四库提要。谭希思，茶陵人。万历甲戌进士。官至四川巡抚。

汪廷讷入资为盐课副提举。以坐隐为号。据徐朔方所撰年谱。

冯梦祯辞官归，筑蒲园于西湖之上，日与友人啸咏于其中。李维桢《冯祭酒家传》：里居"凡十年，除判广德州，展采错事，不作迁客态。寻擢行人司副、尚宝司丞，逡巡不赴。已擢南雍少司成……擢右谕德，署南京翰林院篆。……已擢左庶子、副正史总裁。取道还家。无何拜南京国子监祭酒。……谢病不允。而比部郎欧阳君弹劾一督府，以公为偶，公喜：'是善成吾志。'引咎请勘。……不待命而归。"钱谦益《南京国子监祭酒冯公墓志铭》："癸巳（1593），补广德州判官，量移行人司副、尚宝司丞，升南京国子监司业，迁右谕德，署南京翰林院，再迁右庶子，拜南京国子监祭酒。……后先四年，文体士气，歘然一变。端居造士，阔略酬对。南曹郎疾其慢己，飞章劾公。公笑曰：'此代西湖移文趣我也。'遂移病去官。太学生张榜举幡小教场，诸生千余人会幡下，奔走讼诉。榜独上疏，愿冠铁冠，挟镆斧，杀身以直公。有诏许留用，榜由是显名天下，而公遂不复出矣。筑庵于孤山之麓，名其堂曰快雪，山云团户，湖水浮阶。禅灯丈室，清歌洞房。海内望之以为仙真洞府。"顾起元《快雪堂集序》："吾师具区先生以万历戊戌解大司成印靮归，筑蒲园于西湖之上，日与友人啸咏于其中，间命轻舸，载歌儿，吹箫度曲，荡漾六桥三竺间，人望之飘飘然若神仙也。如是者九年，而先生海山之馆就矣。"序作于万历丙辰（1616）夏。屠隆《冯先生行》写冯梦祯退居西湖时期生活颇真切。

**张九一**（1533—1598）卒。张九一字助甫，余曰德字德甫，张佳胤字肖甫，并称**三甫**。过庭训《张九一传》："张九一字助甫，新蔡人，嘉靖癸丑（1553）进士，授黄梅令，以治最擢吏部验封司主事。是时李于鳞、王元美、吴明卿诸君方结社谈艺，九一游处其间，睥睨一世。会元美父中丞公失分宜相欢，构下诏狱，九一数过存问，坐是出为南尚宝卿，再谪广平丞，寻迁湖广佥事，驻节岳阳。……迁布政司参议，以忧归，于淇河之滨构绿波楼，积书万卷，讽诵其中。凡十年，起补凉州，升副使兵备甘州。……以功历都察院右佥都御史，巡抚宁夏。……会言者治江陵事诖误，坐调归。归而开大昌社，与群少谈诗，或呼朋啸侣，泛舟南塘，雄饮豪吟，轩轩霞举。盖吞云梦者八九。王元美以为吾党有三甫，公其一也。卒年六十有六。上遣藩臣谕祭。所著有《绿波楼集》、《朔方奏议》若干卷。子体震，领万历戊子乡荐，能以文学世其家。"李维桢《张中丞集序》："先生于七子中，所推尊惟王元美先生一人，余不多让。若梁公实、宗子相，厄于短算，谢茂秦堕于末路，不足数也。"《明史·文苑传》附见王世贞传中。《静志居诗话》卷十三："金谷之筵，不遗麦韭，瑶池之骏，图及盗骊，物之所以贵善用生也。七子齐盟，一时风气雷同，助甫稍能用生，政尔拔俗。《寄见甫弟》云：'历尽巴山白发新，西风何处不伤神。马曹蹭蹬官难起，鸟道艰危老更贫。九派长江春后雁，一年芳草梦中人。相思况是无消息，徒倚天涯涕泪频。'"《四库全书总目》卷一七八集部别集类存目五著录张九一《绿波楼诗集》十四卷，提要曰："世贞诗亦谓吾党有三甫。盖余曰德字德甫，张佳胤字肖甫，与九一字助甫为三甫。（案此与四甫之说不同，盖作诗之时，魏裳犹未入社也。）论者谓其诗高华雄爽，振宕不羁。于七子齐盟，风气雷同之时，自称拔俗。然今观其集，实未能于七子之外别开门径。盖九一服膺王世贞，曾因世贞父忤故，触忤严嵩，遭迁谪而不悔。即其生平规模可知矣。九一官湖广参议时，尝构绿波楼，后遂以名其集。旧版已毁，此本国朝康熙中新蔡知县吕民服所重锓也。"《明诗别裁集》卷九录张九一诗一首。《明诗纪事》己签卷三录张九一诗十八首。

**王猷定**（1598—1662）生。生平简介见下卷。

## 公元 1599 年（神宗万历二十七年　己亥）

### 正月

**屠隆为潘之恒《涉江诗》作序。** 序署"万历己亥春正月人日，东海友人屠隆纬真甫撰"。

**毛晋（1599—1659）生。** 据王永宽、王钢《中国戏曲史编年》（元明卷）引《毛氏家谱》，毛晋生于今年正月初五。生平简介见下卷。

### 二月

**张京元为王稚登《延令纂》作序。** 序曰："《延令纂》者，百谷王先生客延令所纂也。延令无可纂，王先生纂所为诗歌文词，以延令成帙也。……万历己亥春仲，延令张京元撰。"

**归子慕（1563—1606）访高攀龙于漆湖精舍。** 归有诗《己亥二月过高存之漆湖精舍》。高攀龙（1562—1626）字存之。

**汤显祖自此以若士为号。** 一作海若士。据徐朔方所撰年谱。"海若"本于《庄子·秋水》，若，海神。"若士"本于《淮南子》卷十二《道应训》"卢敖游乎北海"。

**努尔哈赤主持创制满洲文字。**《清太祖武皇帝实录》卷二："己亥年……时满洲未有文字，文移往来，必须习蒙古书，译蒙古语通之。二月，太祖欲以蒙古字编成国语，榜识厄尔得溺、刚盖对曰：'我等习蒙古字，始知蒙古语，若以我国语编创译书，我等实不能。'太祖曰：'汉人念字，学与不学者皆知。蒙古之人念蒙古字，学与不学者亦皆知。我国之言写蒙古之字，则不习蒙古语者，不能知矣。何汝等以本国言语编字为难，以习他国之言为易耶？'刚盖、厄儿得溺对曰：'以我国之言编成文字最善，但因翻编成句，吾等不能，故难耳。'太祖曰：'写阿字下合一妈字，此非阿妈乎？（阿妈父也）厄字下合一脉字，此非厄脉乎？（厄脉母也）吾意决矣，尔等试写可也！于是自将蒙古字编成国语颁行。创制满洲文字，自太祖始。"

### 春

**今年大计，焦竑以浮躁降调，遂辞官归。**《万历野获编》卷二五《吕焦二书》："乙未（1595）丙申（1596）间，焦弱侯（竑）为皇长子讲官，撰《养正图说》进之东朝，而同事者不及闻。时郭明龙为讲官之首，已不悦之极。既而徽州人所刻，梨枣既精工，其画像又出新安名士丁南羽之手，更飞动如生，京师珍为奇货。大珰陈矩购得数部以呈上览，于是物议哄然，而张新建相公与郭江夏尤怒甚，谓焦且将由他途大用。丁酉（1597），焦又不幸承乏典试，遂借闱事摭拾之，调外去。己亥（1599），复中之，大计浮躁降调。后虽屡登荐章，再膺启事，而议者终求多，至今未起也。"《养正图说》，《四库未收书目》著录，作《养正图解》，提要曰："明焦竑撰。……是编见黄虞稷《千顷堂书目》。万历间，竑以修撰为皇子讲官，编此进之。书中备采前言往行可为则效者，绘之于图，而详为之说。卷首有竑自序及祝世录序，称此书绘图为丁云

591

鹏，书解为吴继序，并一时知名之士也。"

今年大计，汤显祖被夺官。自是家居二十年，日以文墨自娱。《明史》汤显祖传："二十六年上计京师，投劾自归。又明年上计，主者议黜之。李维桢为监司，力争不得，竟夺官。家居二十年卒。"汤秀琦《玉茗堂全集序》："公少时学道于旴江罗明德先生，有得于性命之旨。壮年成进士，锐然有志当世。为南祠部郎，抗疏论列时相，谪尉海南。既而量移平昌，即自投劾而归。时年仅四十有七（九）。少宰李本宁暨郭希老南弦浦数公，于吏部堂上，争临川为有关系人。且言其高尚已久，争之愈力。主者援笔落其籍云：'竟成此君之高。'邹南皋闻而叹曰：'茫茫海宇，遂不能容一若士耶？'自是家居二十年，杜门清啸，日以文墨自娱。达官贵人，辄干之不置，公亦不以屑意也。然佳篇韵语，流布人间，固已动中外而满江湖矣。李邻初谓其'簪笏名除大雅留'，岂虚语哉！"李本宁即李维桢。邹南皋即邹元标。

## 秋

李贽回麻城，与耿定向和解。沈鈇《李卓吾传》："刘公入掌内台，而载贽归麻城。鈇招耿公曰：'李先生信禅，稍戾圣祖，顾天地间自有一种学问，逃墨归杨，归斯受焉，此圣贤作用焉。'于是耿、李再晤黄安，相抱大哭，各叩首百拜，叙旧雅，欢洽数日而别。"

焦竑为李贽《李氏藏书》作序，断言此书必传。序云："先生程量今古，独出胸臆，无所规放。闻者或河汉其言，无足多怪。……总之，众人之疑不胜贤豪者之信，疑者之恍忽不胜信者之坚决，余知先生之书当必传。……书三种，一《藏书》，一《焚书》，一《说书》。《焚书》、《说书》刻于亭州，今为《藏书》刻于金陵，凡六十八卷。万历己亥秋日，琅玡焦竑书。"袁中道《珂雪斋集》卷十七《石浦先生传》："先生平粹慎密，而遇事烛照。……李卓吾刻《藏书》成，先生曰：'祸在是矣。'已而皆然。"袁宗道，字伯修，号石浦。《四库全书总目》卷五〇史部别史类存目著录李贽《藏书》六十八卷。提要曰："是编上起战国，下迄于元，各采摭事迹，编为纪传，纪传之中又各立名目。前有自序曰：前三代吾无论矣，后三代汉、唐、宋是也，中间千百余年，而独无是非者，岂其人无是非哉？咸以孔子之是非为是非，固未尝有是非耳。然则予之是非人也，又安能已？又曰：'藏书'者何？言此书但可自怡，不可示人，故名曰《藏书》也。而无奈一二好事朋友，索览不已，予又安能以已耶！但戒曰：览则一任诸君览，但无以孔夫子之定本行赏罚也则善矣云云。贽书皆狂悖乖谬，非圣无法，惟此书排击孔子，别立褒贬，凡千古相传之善恶，无不颠倒易位，尤为罪不容诛。其书可毁，其名亦不足以污简牍，特以贽大言欺世，同时若焦竑诸人，几推之以为圣人。至今乡曲陋儒，震其虚名，犹有尊信不疑者，如置之不论，恐好异者转矜创获，贻害人心，故特存其目，以深暴其罪焉。"

## 本年

王稚登应聘修《泰兴县志》。据嘉庆《泰兴县志》五。

利玛窦游南昌，以《交友论》献建安王。《四库全书总目》卷一二五子部杂家类存目二著录《交友论》一卷，提要曰："明利玛窦撰。万历己亥利玛窦游南昌，与建安王论友道，因著是编以献。其言不甚荒悖，然多为利害而言，醇驳参半。如云友者过誉之害，大于仇者过訾之害。此中理者也。又云多有密友，便无密友。此洞悉物情者也。至云视其人之友如林，则知其德之盛。视其人之友落落如晨星，则知其德之薄。是导天下以滥交矣。又云二人为友，不应一富一贫。是止知有通财之义，而不知古礼惟小功同财，不概诸朋友。一相友而即同财，是使富者爱无差等，而贫者且以利合，又岂中庸之道乎？王肯堂《郁冈斋笔麈》曰：利君遗余《交友论》一编，有味哉其言之也。使其素熟于中土语言文字，当不止是。乃稍删润著于篇。则此篇为肯堂所点窜矣。"利玛窦，西洋人。万历中航海至广东，是为西法入中国之始。利玛窦兼通中西之文，故凡所著书，皆华字华语，不烦译释。著有《乾坤体义》、《二十五言》、《天主实义》、《畸人十篇》等书。

利玛窦从南昌返回南京。《客座赘语》卷六《利玛窦》："利玛窦，西洋欧罗巴国人也。面晳，虬须，深目而睛黄如猫，通中国语，来南京居正阳门西营中。自言其国以崇奉天主为道，天主者，制匠天地万物者也。所画天主，乃一小儿，一妇人抱之，曰'天母'。画以铜板为幛，而涂五采于上，其貌如生，身与臂手俨然隐起幛上，脸之凹凸处，正视与生人不殊，人问画何以致此，答曰：'中国画但画阳，不画阴，故看之人面躯正平，无凹凸相。吾国画兼阴与阳写之，故面有高下，而手臂皆轮圆耳。凡人之面，正迎阳，则皆明而白，若侧立，则向明一边者白，其不向明一边者，眼耳鼻口凹处皆有暗相。吾国之写像者解此法，用之，故能使画像与生人无异也。'推其国所印书册甚多，皆以白纸一面反复印之，字皆旁行，纸如今云南绵纸，厚而坚韧，板墨精甚。间有图画人物屋宇，细若丝发，其书装钉如中国宋摺式，外以漆革周护之，而其际相函，用金银或铜为屈戍钩络之，书上下涂以泥金，开之则叶叶如新，合之俨然一金涂版耳。""所制器有自鸣钟，以铁为之，丝绳交络，悬于簴，轮转上下，戛戛不停，应时击钟有声。器亦工甚，它具多此类。利玛窦后入京，进所制钟及摩尼宝石于朝。上命官给官舍而禄之。其人所著有《天主实义》及《十论》，多新警，而独于天文、算法为尤精。郑夹漈《艺文略》载有婆罗门算法者，疑是此术。士大夫颇有传而习之者。后其徒罗儒望者来南都，其人慧黠不如利玛窦，而所挟器画之类亦相埒，常留客饭，出蜜食数种，所供饭类沙谷米，洁白逾珂雪，中国之粳糯所不如也。"按，1595 年，利玛窦一度在南京作短暂停留，不久即赴南昌。利玛窦于 1900 年赴北京。据［意］利玛窦、［比］金尼阁著《利玛窦中国札记》。

李贽与利玛窦初次交往，认为利玛窦"中极玲珑，外极朴实"，"是一极标致人也"。李贽《续焚书》卷一《与友人书》："承公问及利西泰，西泰大西域人也。到中国十万余里，初航海至南天竺，始知有佛，已走四万余里矣。及抵广州南海，然后知我大明国土先有尧、舜，后有周、孔。住南海肇庆几二十载，凡我国书籍无不读，请先辈与订音释，请明于《四书》性理者解其大义，又请明于《六经》疏义者通其解说，今尽能言我此间之言，作此间之文字，行此间之仪礼，是一极标致人也。中极玲珑，外极朴实，数十人群聚喧杂，雠对各得，傍不得以其间斗之使乱。我所见人未有其比，非过亢则过诒，非露聪明则太闷闷聩聩者，皆让之矣。但不知到此何为？我已经三度相会，毕竟不知到此何干也。意其欲以所学易吾周、孔之学，则又太愚，恐非是尔。"李贽《焚书》卷六有《赠利西泰》诗。

**吕天成**作《神女记》、《戒珠记》、《金合记》等传奇。据徐朔方《晚明曲家年谱》。沈璟《致郁蓝生书》云："《神女记》：东邻客舍，曲有情境，而音律尚堕时趋。《戒珠记》：王谢风流，足供挥洒，而词白工整，局势未圆。《金合记》：载张无颇事，兼及卢杞，富贵神仙，醒世之颠倒，而犹觉未罄。此皆世丈弱冠时笔也。"今年吕天成二十岁。吕天成《曲品》自序云："余舞象时即嗜曲，弱冠好填词。每入市见传奇，必挟之归。笥渐满。初欲建一曲藏。上自前辈才人之结撰，下至腐儒教习之攒簇，悉搜共贮，作山海大观。既而谓多不胜收，彼攒簇者，收之污吾箧，稍稍丧失矣。"

**吕天成**（1580—1618）《绣榻野史》或作于今年。《绣榻野史》又名《警世奇言》，白话色情小说。王骥德《曲律》卷四《杂论》第三十九下云："郁蓝生，吕姓，讳天成，字勤之，别号棘津，亦余姚人。……勤之童年，便有声律之嗜。既为诸生，兼工古文辞。……勤之制作甚富。至摹写丽情亵语，尤称绝技。世所传《绣榻野史》、《闲情别传》，皆其少年游戏之笔。"卷首有憨憨子《绣榻野史序》。序云："余自少读书成癖，余非书若无以消永日，而书非予无以得知己。尝于家乘野史尤注意焉。盖以正史所载，或以避权贵，当时不敢刺讥；孰知草莽不识忌讳，得抒实录，斯余尚友意也。奚僮不知，偶市《绣榻野史》进余。始谓当出古之脱簪珥永巷、有禅声教者类，可以娱目，不意其为谬戾。亦既屏置之矣。逾年，间过书肆中，见冠冕人物与夫学士少年行，往往诹咨不绝。余慨然归，取而评品批抹之，间亦断其略。客有过我者曰：'先生不几诲淫乎？'余曰：'非也，余为世虑深远也。'曰：'云何？'曰：'余将止天下之淫，而天下已趋矣，人必不受。余以诲之者止之，因其势而利导焉，人不必不变也。孔子删诗，不必皆《关雎》、《鹊巢》、《小星》、《樛木》也，虽'鹑奔''鹊彊'、郑风、《株林》，靡不胪列。大抵《三百篇》皆为思无邪而作，俾学士大夫王公巨卿（下阙）'"有醉眠阁刊本、种德堂本等。《日本东京所见小说书目》卷四著录《绣榻野史》四卷，提要曰："卷首叙末有缺文，当即憨憨子所叙者。虽不免玩物丧志之讥，而颇有警语，在小说序跋中固亦不多得。按此书在明朝为有名秽书，张无咎《平妖传序》，清刘廷玑《在园杂志》二均引。马隅卿先生据《曲律》四，考为吕天成作，则出名士之手，而文殊不称。虽有意铺张秽亵事，而文甚短浅，勉分节段。以视《金瓶梅》之汪洋恣肆，实乃天壤之别。此等书籍，最易散亡，而原本今犹存于天壤间，殊为异数。抑自小说版刻上言之，亦可谓异书矣。"

**林章**（1553—1599）抗章请止矿税，下狱死。钟惺《拜林初文先生墓》："先生讳章，闽之福清人。诗文有异骨，不为嘉、隆人声习，读之知为豪杰。亦耻作文士，好倜傥之画策，竟以奇为异己者所中，赍愤而没，葬金陵牛首山之高村。有子二人：曰槑、曰古度，皆以诗世其业。槑即子丘，古度即茂之。盖先生没十年，而惺获交其子。又十年，为万历戊午（1618）三月十一日，乃拜其墓，赠以诗。今墓道称林初文孝廉者，以先生曾举万历癸酉（1573）乡试也。"《列朝诗集小传》丁集中："戊戌（1598）、己亥（1599）间，矿税四出，逮系相望，初文谓大工军兴，县官仰屋，不当以空言聒噪，徒激明主之祸，抗疏请止矿税，兼陈立兵行盐之策。上感动，下内阁票拟举行，四明相承中人指阁其事，密揭请逮治，望阙长叹，愤懑抚膺，即日下狱，暴病而死，天下惜之。"其集有李维桢、曹学佺序。曹学佺《林孝廉集序》云："他所作多且奇，君（指林章）之子哀辑藏之，梁溪尤君时纯选一帙，以序问予。予复拈其数语，如'客情似春草，无处不堪生。''春风与柳树，年年是故人。''无家逢寺好，多病见僧亲。''晓烟常带雨，夜月忽啼禽。''春好年年晚，月寒夜夜秋。''行人遥指点，道是古幽州。''野水上道路，凉风吹衣裳。''独怜山寺月，相送海门秋。''千山风雨里，一任子规啼。'皆绝酸楚寥落，可咏可传，益想象其有才不偶之状，而汲汲知己于世也。"《列朝诗集小传》丁集中："吾谓闽中诗派，宗子羽而祢善夫，以模仿蹈袭为能事。初文才情跌宕，于唐人格律，时欲跳而去之。要能不为闽派所羁绁，可谓杰出者也。其诗《蛾眉篇》最著，在《晋安风雅》中，不具录。"《闽小记》卷三《林初文》："福唐林春元，七岁能诗，师召试之。适有牧羊者，指为题，即应声曰：'三百群中步独先，有时高叫白云天。曾从北海风霜里，伴过苏卿十九年。'又试以对，曰：'风翻白浪舟难进。'即答曰：'雪拥蓝关马不前。'后举于乡，更名章，字初文，有集行世。子古度，有诗名。……林初文尝在扬子江中青山口覆舟，坐皮箱上，见有持红灯二从前过，随木商救之。又尝梦人赠之以扇，上题'茂陵风雨'四字，自以为不佳。后以上书得祸，作《蛾眉篇》，因有'茂陵风雨千秋梦，扬子波涛一夜悲'之句。林初文才情凄婉，其诗如'客情如春草，无处不堪生。春风与杨柳，年年是故人。''无家逢寺好，多病见僧亲。''春好年年晚，月寒夜夜秋。''野水上道路，凉风吹衣裳。''独怜山寺月，相送海门秋。'曹能始云：'初文之诗，酸楚寥落，可咏可传。'林初文《渡江词》云：'不趁东风不待潮，渡江十里九停桡。不知今夜秦淮水，送到扬州第几桥？'《别妓诗》云：'画桨彝犹锦缆迴，美人东上凤凰台。朝朝梳洗临秋水，一路芙蓉不敢开。'《春日诗》云：'春城柳色入东华，莫惜骅骝过酒家。记得去年江上别，风吹二十四桥花。'才情楚楚，信自可人。"《渔洋诗话》卷上："闽清林初文（章）孝廉，古度之父也。尝有送人诗云：'不待东风不待潮，渡江十里九停桡。不知今夜秦淮水，送到扬州第几桥？'以示梅禹金（鼎祚），禹金激赏之。宣城有老儒丘华林，尝以诗质禹金，但为分句读而已。见之大恚曰：'林诗二十八字，正得二十八圈；吾诗字数不啻倍之，乃不得一圈耶？'闻者笑之。"《四库全书总目》卷一七九集部别集类存目六著录林章《林初文诗选》一卷，提要曰："章本名春元，字初文，福清人。万历癸酉举人。坐事除名。后上书言兵事，瘐死于狱。是集前有曹学佺序曰：初文才士，为嫉者所中。所作多散佚，其子哀辑为一帙，梁溪尤时纯付梓。则是集本有刊版，而此乃写本，盖传录于版佚之后也。凡赋二首，诗八十二首。学佺序称其《海月赋》，而此本无之，盖钞胥又有所漏矣。"《明诗纪事》庚签卷十录林章诗七首，陈田按："初文诗才情俊爽，声调凄凉，有贾生年少之风，受正平伤生之累，可惜也。"按，近年民变迭起。临清民变，焚税使马堂官署；武昌民变，石击税使陈奉。

**孟称舜**（1599—1684 后）生。据徐朔方《晚明曲家年谱》。

**丁耀亢**（1599—1669）生。生平简介见下卷。

## 公元 1600 年（神宗万历二十八年　庚子）

### 正月

程涓为屠隆《白榆集》作序。序署"万历庚子春正月吉，新都程涓巨源著"。丁应泰序作于今年十二月。《四库全书总目》卷一七九集部别集类存目六著录屠隆《白榆集》二十卷，提要曰："是集诗八卷，文十二卷。隆为人放诞风流，文章亦才士之绮语。陈子龙《明诗选》谓其诗如冲繁驿舍，陈列壶觞，顷刻办就，而少堪下箸。文尤语多藻绘，而漫无持择。盖沿王、李之涂饰，而又兼涉三袁之纤佻也。"

### 二月

陶望龄作《刻徐文长三集序》。序署"万历庚子春仲吉，翰林院编修同郡陶望龄撰"。徐渭《徐文长三集》于今年刊行。

### 四月

江盈科作《雪涛阁集自叙》。据自叙题署。《雪涛阁集》凡十四卷，有万历二十八年刊本。

袁宏道为江盈科《雪涛阁集》作序。据钱伯城为袁宏道集所作笺校。去年三月，袁宏道升国子监助教。今年三月，升礼部仪制司主事。《静志居诗话》卷十六《江盈科》："进之与袁中郎同官吴下，其诗颇近公安派，持论亦以七子为非，特变而不成方者。中郎谓其矫枉之过，所谓笑他人之未工，忘己事之已拙，文人通病，大抵然矣。"

### 五月

汤显祖作《南柯梦记题词》。明刊臧晋叔本题词署万历庚子夏至，时汤显祖弃官家居。题词云："嗟夫，人之视蚁，细碎营营，去不知所为，行不知所往，意之皆为居食事耳。见其怒而酣斗，岂不映然而笑曰：'何为者耶！'天上有人焉，其视下而笑也，亦若是而已矣。"《南柯梦》，汤显祖所作传奇剧本。取材于唐李公佐《南柯太守传》。

### 六月

茅坤生祠动工修建，越月建成。孙有敩撰《府江兵宪茅公生祠记》，唐世尧撰《新建茅公生祠碑记》。

播州杨应龙叛乱历时十一年，至今年六月方告平定。置遵义、平越二府，分属川贵。《明诗纪事》庚签卷十一录李化龙诗三首，陈田按语云："于田播州之功，以一百四十余日之期，拓千余里之地，改土设流，建府二、州县十，可谓伟矣。海龙囤《铜标铭》云：'皇帝二十有八年。播人不轨，天王赫怒。爰整六师，以诛不供。粤有四月，尽俘其丑，遂潴其宫。方三千里，始入皇封。载勒铜标，永镇西南，臣李化龙。'又收军前铜锅，铸鼎三等，颁发土司，永为鉴戒。其铭云：'惟星拱北，惟水朝东。天王御极，八方会同。惟西南夷，各世其封。惟敬天念祖，庶不坠其宗。顺天者吉，逆天者凶。以为不信，视杨应龙。'标今不存，鼎土司中犹有存者。于田诗颇有豪气。"李化龙字于田，长垣人。万历甲戌进士，除嵩县知县。迁南工部主事，历郎中，改吏部，出为河南佥事，迁参议。历山东副使、河南参政，入为太仆少卿。迁右通政使，以右佥都御史巡抚辽东，进兵部侍郎，乞归。起故官，总督湖广、川贵军务，兼巡抚四川，再乞归。起工部侍郎，总理河道，叙平播功，晋兵部尚书，加少保，再加柱国、少傅，兼太子太保。谥襄毅，赠少师，加赠太师。有《襄毅诗文集》。《四库全书总目》卷五四史部杂史类存目三著录李化龙《平播全书》十五卷，提要曰："播州杨氏，自唐乾符中据有其地，历二十九世，八百余年。万历初，杨应龙为宣慰使，恃险作乱。诏起化龙巡抚四川，寻进总督四川、湖广、贵州军务，进讨平之。以其地置遵义、平越二府。因哀军中前后文牒，编为是书。前五卷为进军时奏疏，六卷为善后事宜奏疏，七卷为咨文，八卷至十一卷为牌票，十二卷至十四卷为书札，十五卷为评批，为祭文。明代用兵，大抵十出而九败。不过苟且以求息事，而粉饰以奏功。惟平播一役，自出师至灭贼，凡百有四十日，成功颇速。史称化龙是役，可与韩雍、项宗垲。其出师次第，虽载其大纲，而情形曲折，则不及此书之详具。录存其目，亦足资参考也。末有万历辛丑四川布政使参议王嘉谟后序，称身在军中，备见行事。盖所言犹为实录云。"《总目》卷五四又著录郭子章《平播始末》二卷，提要曰："万历间，播州宣慰使杨应龙叛。子章方巡抚贵州，被命与李化龙同讨平之。化龙有《平播全书》，备录前后进剿机宜。子章亦尝有《黔记》，颇载其事。晚年退休家居，闻一二武弁造作平话，左袒化龙，饰张功绩，多乖事实。乃仿纪事本末之例，以诸奏疏稍加诠次，复为此书，以辨其诬。" 提要所云"武弁造作"之"平话"，即明栖真斋名衢逸狂撰之《征播奏捷传》，刊于万历癸卯三十一年（1603）。书凡六集、六卷。以礼、乐、射、御、书、数名集，每集一卷。目录列有一百回，回目单句。正文无回数，计四十九则，每则双句标题，即两回的回目。第九十九回《逸狂赞颂平播诗》，第一百回《翰林川贵用兵议》，无故事情节，仅录"玄真子《赞平播功臣诗集》、《玄真子自叙》和翰林李胤昌撰《川贵用兵议》。作者"栖真斋名衢逸狂"，又号"玄真子"，真实姓名不详。小说系据《平播事略》等敷衍而成，且当时同题材之杂史稗说甚多。张凤翼所撰戏曲作品《平播记》亦演此事。

平播之役，杨寅秋为左监军，劳绩颇著。《四库全书总目》卷一七二集部别集类二五著录《临皋文集》四卷，提要曰："明杨寅秋撰。寅秋字义叔，号临皋，庐陵人。万历甲戌进士。官至广西按察司副使、左江兵备道。其为贵州参议，平答干苗之乱；迁云南副使，平土夷普应春斩之；为广西副使，克五山，绥安南定、府江；并赐金加秩。及征杨应龙，命为左监军，离安、杨之党，卒平播乱。其经济有足取者。其文章在当时不著名，是集《千顷堂书目》亦不著录，则明末传本已稀，故谈艺家罕所称述。然寅秋为杨士奇裔孙，故家典型，流风余韵，犹有存者。故所作大抵和平典雅，有明初前辈之风。奏议尤委曲尽致。其《五山纪略》、《平播条议》等篇，于边略亦多裨益，非徒托之空言者也。"

## 七月

袁宏道奉使河南周藩瑞金王府掌行丧礼，旋返公安，自此告病家居。明制，部曹奉使藩府，例得给假归里。据钱伯城为袁宏道集所作笺校。

汤显祖长子士遽病卒，时年二十三岁。《汤显祖诗文集》卷十四有《庚子八月五日得南京七月十六日亡遽信十首》等诗。

## 八月

梅鼎祚作《青泥莲花记序》。《青泥莲花记》，梅鼎祚撰，今年刊行。序云："谈言可以解纷，无关庄论；神道由之设教，旁赞圣谟。观者毋董以录烟花于南部，志狎游于北里而已。"末署："万历庚子白露之候，江东梅鼎祚禹金撰。"《四库全书总目》卷一四四子部小说家类存目二著录梅鼎祚撰《青泥莲花记》十三卷，提要曰："是编记倡女之可取者，分七门：一曰记禅，二曰记玄，三曰记忠，四曰记义，五曰记孝，六曰记节，七曰记从。又附外编五门：一曰记藻，二曰记用，三曰记豪，四曰记遇，五曰记戒。自谓寓维风于谐末，奏大雅于曲终。然狭斜之游，人情易溺，惩戒尚不可挽回，鼎祚乃捃摭琐闻，谓冶荡之中亦有节行，使倚门者得以借口，狎邪者弥为倾心。虽意主善善从长，实则劝百而讽一矣。"

屠隆读帅机（1537—1595）《两都赋》，作《两都赋序》。序云："帅贡士廷谟以其父比部郎机《两都赋》见示，隆伏读之，巨丽哉！"署"万历庚子秋八月"。

俞安期、徐桂等结社西湖，分金各一钱五分。冯梦祯《快雪堂集》卷五十八庚子八月初四日日记："俞羡长（安期）约诸公结社西湖，各持分金一钱五分赴之。钱塘门登舟。徐茂吴（桂）、臧晋叔、吴元瑞、虞长孺（淳熙）及孝廉、布衣在坐者十五人。"

梅守箕为潘之恒《涉江诗》作序。序署"万历庚子中秋日"。

## 九月

南康知府吴宝秀因抗税监李道于年初逮系诏狱，至本月始释为民。《明诗纪事》戊签卷二十六录何白（1548—1628）诗《哀江头》，陈田按语引横云山人《史稿》："吴宝秀字汝珍，浙江平阳人。万历十七年进士。二十六年为南康知府。湖口税监李道横甚，宝秀不与通，会漕舟南还，乘北风扬帆直入湖口。道欲榷其货，遣卒急追之，舟覆，有死者。道即遣爪牙吏持牒捕漕卒，宝秀拒不发。道大怒。明年正月，飞章劾宝秀及星子知县吴一元、青山巡检程资阻挠税务，诏俱逮治。给事中杨应文等，请下抚、按公勘。大学士沈一贯、吏部尚书李戴、国子监祭酒方从哲等交章为言，俱不报。宝秀妻陈氏，恸哭偕行，宝秀不可。乃括余资及簪环得银三两许，付其妾曰：'夫子行，以为路费。'夜自经死。宝秀至京，下诏狱。大学士赵志皋上言：'臣困卧床褥间，闻中外人情汹汹，皆为矿税一事。闻宝秀逮系时，其妻投环自尽，阖郡号呼，几成变乱。事关民生向背，宗社安危，臣不敢以将去之身，隐默而不言。'星子民陈英者，方庐墓，约儒士熊应凤等走京师伏阙讼冤，乞以身代。于是抚、按及南北诸臣论救者疏十余上，帝皆不省。一日司礼田义汇诸疏进御前，帝怒掷之地，义从容拾起，复进之，叩首曰：'阁臣跪候朝门外，不奉处分不敢退。'帝怒稍平，取阅阁臣疏，命移狱刑部。皇太后亦闻陈氏之死，从容为帝言。至九月，与一元等并释为民，归家逾年卒。初，南康士民建祠特祀陈氏，后改建，合宝秀祀之。天启初，赠太仆少卿，赐祭，录其一子。"

## 十月

**二十九日，潘士藻**（1537—1600）**卒。**焦竑《澹园集》卷三十《奉直大夫协正庶尹尚宝司少卿雪松潘君墓志铭》："去华讳士藻，学者称为雪松先生，世居婺源之桃溪，家为仕族。……举万历癸未进士。"戊子征授御史，辛卯改南刑部照磨，壬辰晋南吏部主事，改尚宝丞，癸巳晋司少卿，庚子夏得疾，"至十月二十有九日，竟以疾逝。""生嘉靖丁酉八月廿五日，距其卒得年六十有四。""自吾师天台先生倡道东南，海内士云附景从，其最知名者有芜阴之王德孺，芝城之祝无功与新安之二潘。潘之字朝言者，既以绝□（世）之姿不究其用以死，而与吾辈游，独去华氏为最久。当是时，自天台教外旁出一枝，则有温陵李宏甫，去华并师而严事之，吁，其盛已。""初，两先生之学，人疑其异指，君独取会心者剂而用之，以自名一家，升、歙间多盛传之者。雅嗜读书，闻贤人君子之言行与时事之大者，动有纪述。尝见其数巨册于几间，君辄自掩避，不欲遽传也。今行世者有《闇然堂杂集》、《诗文集》、《周易述》若干卷，亦足见君之大都矣。"《四库全书总目》著录其《洗心斋读易述》、《闇然堂类纂》。

**给事中王德完复以请立储廷杖除名。**据孟森《明史讲义》第二编第五章。

## 十一月

**袁宗道**（1560—1600）**卒。**（据黄辉《圹志》。）黄辉《明右春坊右庶子兼翰林院侍读袁公圹志》："石浦先生族袁氏，名宗道，字伯修，一字无修，以嘉靖庚申之二月十六日生。……庚子，升右春坊右庶子，兼官同。以是年九月入直遇寒，遂病泻，庚子十一月初四日卒于邸，享年四十一岁。"《明实录》"神宗实录"三五五："（万历二十九年正月）辛酉，阁臣以掌右春坊右庶子袁宗道病卒。宗道，湖广公安人。万历丙戌进士，改庶吉士，至今官。修洁有文行。时东宫未立，讲官不补，仅得三人。宗道力疾日讲，不忍言去，竟以愆卒。天启初年赠少詹事，赐祭荫如例。"袁中道《石浦先生传》："自丁酉充东宫讲官，鸡鸣而入，寒暑不辍。庚子秋，偶有微恙，强起入直，风色甚厉，归而病始甚。明日，复力疾入讲，竟以愆极而卒。""先生平粹慎密，而遇事烛照。万历丁酉、戊戌间，有东倭关白之警，时议封贡。先生叹曰：'石尚书其不免乎！'李卓吾刻《藏书》成，先生曰：'祸在是矣！'已而皆然。如此者不可枚举，大都量与识皆全者也。天不假以年，未得尽抒其用世之略，惜哉！先生书法遒媚，画山水人物有远致；作小词乐府，依稀辛稼轩、柳七郎风味。旧有传奇二种，置之笥中，为鼠子嚼坏，凤毛龙甲，竟不存于世，可为永叹！""先生为人平恕，亦不以此望人，且自多也。兴致甚高，慕白乐天、苏子瞻为人，所之以'白苏'名斋。居官省交游，简酬应，萧然栽种花竹、扫地焚香而已。每有见，则邀同学诸公步至射堂看月，率以为常。耽嗜山水，燕中山刹及城内外精蓝无不到。远至上方小西天之属，皆穷其胜。诗清润和雅，文尤婉妙。然性懒不多作。著有《白苏斋集》若干卷。"《明史·艺文志》著录袁宗道《尚书纂注》四卷、《白苏斋类稿》二十四卷。其生平略见《列朝诗集小传》丁集中："宗道，字伯修，公安人。万历丙戌会元，选庶吉士，授编修，历官春坊中允，至右庶子。年四十有二，以光庙东宫旧学，赠礼部侍郎。有二弟，曰稽勋宏道、仪部中道。所谓公安三袁者也。……伯修论本朝诗云：'弇州才却大，第不奈头领牵掣，不容不入他行市，然自家本色时时露出，毕竟非历下一流人。晚年全效坡公，然亦终不似也。'余近来拈出弇州晚年定论，恰是如此，伯修可谓具眼矣。"今年四月，袁宗道升右庶子。

## 十二月

**凌濛初之父凌迪知（1529—1600）卒，是年濛初二十一岁。**嘉庆十年刊《凌氏宗谱》卷六："卒于万历庚子十二月初五日巳时，寿七十二。"

## 冬

**宋懋澄作传奇小说《负情侬传》前半。**《负情侬传》文末云："宋幼清曰：余自庚子秋闻其事于友人。岁暮多暇，援笔叙事。至'妆毕而天已就曙矣'，时夜将分，困惫就寝。梦被发而其音妇人者谓余曰：妾自恨不识人，羞令人间知有此事。近幸冥司见怜，令妾稍司风波，间豫人间祸福。若郎君为妾传奇，妾将使君病作。明日，果然。几十日而间。因弃置箧中。"《负情侬传》见《九籥别集》卷四，《警世通言》卷三十二《杜十娘怒沉百宝箱》即据以创作。

**李贽读《易》黄柏山中，改定《易因》一书。**汪本钶《卓吾先师告文》："庚子冬，师又读《易》于黄柏山中，改正《易因》。适马诚所先生自北通州来访山中，越春二月，师与马先生同至通州。"

## 本年

**赵志皋编定《内阁奏题稿》。黄时燿《知非录》成书。李鹗翀编成《洹词记事抄》前抄。**据四库提要。

**利玛窦至北京，"发愿""以本教诱化华人"。**《万历野获编》卷三十《大西洋》："利玛窦字西泰，以入贡至，因留不去。近以病终于邸，上赐赙葬甚厚。今其墓在西山。往时予游京师，曾与卜邻，果异人也。初来即寓香山澳，学华言读华书者凡二十年。比至京，已斑白矣。入都时在今上庚子年。途经天津，为税监马堂所谁何，尽留其未名之宝，仅以天主像及天主母像为献。礼部以所称大西洋，为会典所不载，难比客部久贡诸夷，姑量赏遣还。上不听，俾从便僦居。玛窦自云：其国名欧逻巴，去中国不知几千万里。今琐里诸国，亦称西洋，与中国附近，列于职贡，而实非也。今中土士人授其学者遍宇内，而金陵尤甚。盖天主之教，自是西方一种。释氏所云旁门外道，亦自奇快动人。若以为窥伺中华，以待风尘之警，失之远矣。"又《利西泰》："利西泰发愿，力以本教诱化华人。最诽释氏，曾谓余曰：'君国有仲尼，震旦圣人也。然西狩获麟时已死矣。释迦亦葱岭圣人也，然双树背痛时亦死矣，安得尚有佛？'余不谓然，亦不以为忤。性好施，能缓急人，人亦感其诚厚，无敢负者。饮啖甚健。所造皆精好，不权子母术，而日用优渥无窘状，因疑其工炉火之术，似未必然。其徒有庞顺阳名迪义，亦同行其教。居南中，不如此君远矣。渠病时搽擦苏合油等物遍体，云其国疗病之法如是。余因悟佛经所禁香油涂身者，即此是也。彼法既以辟佛为主，何风俗又与暗合耶？利甫逾知命而卒。"

**湖广佥事冯应京毁龙湖寺。时李贽卜居龙湖寺读书谈道。**沈铁《李卓吾传》："载贽抵麻城，卜居龙湖寺中。鸠率好义者，大修佛殿，饰如来诸祖像。日著书谈道，听说者日益伙。间有室门女流，持斋念佛，亦受业焉。虽不躬往，订于某日某时受戒，先致筐帛；甫反，候宦女在家合掌拜，载贽在寺亦答受之。坐是喧阗郡邑。符卿周公弘禴曰：'李先生学已入禅，行多诞，祸不旋踵矣。'会冯应京来为楚佥宪，毁龙湖寺，置诸从游者法。"据《闽书》卷一五二，冯应京于今年擢为湖广佥事。分巡武昌、汉阳、黄州三府。

**徐熥**（1562—1600）**卒。**谢肇淛《题王百谷尺牍跋》："惟和地下修文，已将十载，余及兴公亦发皆种种矣。先生今年七十有四，神犹王甚，作蝇头细书，逾少年时。"王稚登（百谷）七十四岁为 1608 年，此时徐熥去世"已将十载"。其卒年据此推定。徐熥字惟和，闽县人。万历戊子（1588）举人。《静志居诗话》卷十六："惟和力以唐人为圭臬，七绝原本王江宁，声谐调畅，情至之语，诵之荡气回肠。《送友人游吴楚》云：'津亭烟柳绿垂丝，万里关山匹马迟。去国正当春尽后，登楼多在日斜时。楚江草长悲鹦鹉，吴苑花深走鹿麋。话别何须共惆怅，秋风摇落是归期。'"《明诗别裁集》卷九录徐熥诗十五首，评曰："惟和近体宗法唐人，在诗道冗杂时遇之，如沙砾中得简珠也。七言绝尤能作情至语，在李庶子、郑都官之间。"《四库全书总目》卷一七一集部别集类二五著录徐熥《幔亭诗集》十五卷，提要曰：徐熥"负才淹蹇，肆力诗歌。大抵圭臬唐人，而不为割裂饾饤之学。卷首有张献翼序，称其调非偏长，体必兼擅。力追古则，尽涤时趋。又谢肇淛《五杂俎》谓其才情声调，足以伯仲高季迪，微憾古体不及。朱彝尊《静志居诗话》亦谓其七言绝原本王江宁，多情至语。审阅是集，固非尽出标榜。当明季诗道冗杂，如熥者亦可谓蝉蜕秽浊矣。王世懋《艺圃撷余》论闽中诗人，推郑善夫为冠。熥生平喜称善夫，而卒年仅三十九，与善夫正同，亦颇可异。《明史·文苑传》称闽中诗文自林鸿、高棅后，阅百余年，郑善夫继之。迨万历中年，曹学佺、徐𤊹辈继起，谢肇淛、邓原岳和之，风雅复振。不及于熥。惟𤊹传中附见其名。然𤊹以博学称，亦复工文；熥以词采著，亦未尝无学。二人固未易优劣也。"《明诗纪事》庚签卷三录徐熥诗二十首，陈田按："惟和才思婉丽，五言近体取法唐人。工于发端，婉转关生，有一气不断之妙。惟和《自题小像》诗云：'五字吟成心独苦，不知身后得传无！'可谓甘苦自得之言。《诗综》未录五言律一篇，岂未见《幔亭》全集耶？"徐熥除著有《幔亭集》外，另编有福州诗总集《晋安风雅》。

# 参考书目和引用书目

高儒著：《百川书志》，古典文学出版社，1957 年版。

袁宗道著：《白苏斋类稿》，台北伟文出版有限公司，1976 年版。

晁瑮著：《晁氏宝文堂书目》，古典文学出版社，1957 年版。

李攀龙著：《沧溟先生集》，上海古籍出版社，1992 年版。

李贽著：《藏书》，中华书局，1959 年版。

李贽著：《续藏书》，中华书局，1959 年版。

朱彝尊、汪森编：《词综》，上海古籍出版社，1978 年版。

张宗橚辑：《词林纪事》，成都古籍书店，1982 年版。

唐圭璋编：《词话丛编》，中华书局，1986 年版。

王士禛编：《池北偶谈》，中华书局，1982 年版。

阮葵生著：《茶余客话》，商务印书馆，1936 年版。

俞樾著：《茶香室丛钞》，中华书局，1995 年版。

刘声木著：《苌楚斋随笔·续笔·三笔·四笔·五笔》，中华书局，1998 年版。

王士禛著：《带经堂诗话》，人民文学出版社，1982 年版。

戴震著：《戴震集》，上海古籍出版社，1980 年版。

戴名世著：《戴名世集》，中华书局，1986 年版。

任道斌编著：《董其昌系年》，文物出版社，1988 年版。

王士禛著：《分甘余话》，中华书局，1982 年版。

李贽著：《焚书》《续焚书》，中华书局，1974 年版。

方苞著：《方苞集》，上海古籍出版社，1983 年版。

焦竑著：《国史经籍志》，商务印书馆，1959 年版。

宋定国、谢星缠编：《国史经籍志补》，商务印书馆，1959 年版。

《国立中央图书馆善本序跋集录》，台湾图书馆，1994 年编印。

王士禛著：《古夫于亭杂录》，中华书局，1988 年版。

归庄著：《归庄集》，上海古籍出版社，1984 年版。

《古今图书集成》，中华书局、巴蜀书社，1986年影印清刊本。

陈子龙、李雯、宋征舆选：《皇明诗选》，华东师范大学出版社，1991年影印明崇祯刊本。

黄宗羲著：《黄梨洲文集》，中华书局，1959年版。

况周颐著：《蕙风词话》，人民文学出版社，1960年版。

江盈科著：《江盈科集》，岳麓书社，1997年版。

李诩著：《戒庵老人漫笔》，中华书局，1982年版。

王夫之著、戴鸿森笺注：《姜斋诗话笺注》，人民文学出版社，1981年版。

朱彝尊著：《静志居诗话》，人民文学出版社，1990年版。

褚人获著：《坚瓠集》，浙江人民出版社，1986年影印民国十五年柏香书屋校印本。

纪昀著：《纪晓岚文集》，河北教育出版社，1995年版。

周济著：《介存斋论词杂著》，人民文学出版社，1959年版。

缪荃孙、吴昌绶、董康著：《嘉业堂藏书志》，复旦大学出版社，1997年版。

袁中道著：《珂雪斋集》，上海古籍出版社，1989年版。

李开先著：《李开先集》，中华书局，1959年版。

许建昆著：《李攀龙文学研究》，文史哲出版社，1987年版。

帅机著：《临川帅谦斋先生阳秋馆集》，乾隆三年重镌本。

张岱著：《琅嬛文集》，岳麓书社，1985年版。

钱谦益著：《列朝诗集小传》，上海古籍出版社，1983年版。

刘大櫆著：《刘大櫆集》，上海古籍出版社，1990年版。

刘大櫆著：《论文偶记》，人民文学出版社，1959年版。

王应奎著：《柳南随笔·续笔》，中华书局，1983年版。

梁绍壬著：《两般秋雨庵随笔》，上海古籍出版社，1982年版。

钱泳著：《履园丛话》，中华书局，1979年版。

陆以湉著：《冷庐杂识》，中华书局，1984年版。

何文焕辑：《历代诗话》，中华书局，1981年版。

丁福保辑：《历代诗话续编》，中华书局，1983年版。

茅坤著：《茅坤集》，浙江古籍出版社，1993年版。

傅惜华编：《明代传奇全目》，人民文学出版社，1959年版。

王世贞著：《明诗评》，商务印书馆，1936年版。

黄宗羲编：《明文海》，中华书局，1997年版。

黄宗羲编：《明儒学案》，中华书局，1985年版。

朱彝尊编撰：《明诗综》，上海古籍出版社，1993年影印本计六奇著：《明季南略》，中华书局，1984年版。

计六奇著：《明季北略》，中华书局，1984年版。

张廷玉等撰：《明史》，中华书局，1974年版。

谷应泰著：《明史纪事本末》，中华书局，1977年版。

沈德潜、周准编：《明诗别裁集》，上海古籍出版社，1979 年版。

陈田辑撰：《明诗纪事》，上海古籍出版社，1993 年版。

王昶编撰：《明词综》，上海古籍出版社，1992 年版。

孟森著：《明史讲义》，上海古籍出版社，2002 年版。

郑元勋辑：《媚幽阁文娱初集·二集》，中国文学珍本丛书本，1935 年版。

钱谦益著：《牧斋初学集》，上海古籍出版社，1985 年版。

吴文治主编：《明诗话全编》，江苏古籍出版社，1997 年版。

郎瑛著：《七修类稿》，上海书店出版社，2001 年版。

黄虞稷著：《千顷堂书目》，1913 年吴兴张氏汇刊《适园丛书》本。

《钦定续文献通考》，商务印书馆，1936 年万有文库本。

沈德潜编：《清诗别裁集》，中华书局，1975 年版。

丁福保辑：《清诗话》，上海古籍出版社，1999 年版。

郭绍虞编选：《清诗话续编》，上海古籍出版社，1983 年版。

王国维著：《人间词话》，人民文学出版社，1960 年版。

孙楷第著：《日本东京所见小说书目》，人民文学出版社，1958 年版。

顾炎武著、黄汝成辑释：《日知录集释》，四部备要本。

何良俊著：《四友斋丛说》，中华书局，1959 年版。

陆容著：《菽园杂记》，中华书局，1985 年版。

胡应麟著：《少室山房笔丛》，上海古籍出版社，1958 年版。

胡应麟著：《诗薮》，上海古籍出版社，1958 年版。

程嘉燧著：《松圆浪淘集》，民国风雨楼校镌本张岱著：《石匮书后集》，中华书局，1959 年版。

许学夷著：《诗源辩体》，人民文学出版社，1987 年版。

翁方学纲著：《石洲诗话》，人民文学出版社，1981 年版。

永瑢等撰：《四库全书总目》，中华书局，1965 年版。

沈德潜撰：《说诗晬语》，人民文学出版社，1979 年版。

袁枚著：《随园诗话》，人民文学出版社，1982 年版。

谭元春著：《谭友夏合集》，中国文学珍本丛书本，1935 年版。

谭元春著：《谭元春集》，上海古籍出版社，1998 年版。

汤显祖著：《汤显祖诗文集》，上海古籍出版社，1982 年版。

童承叙著：《童内方先生集》，道光沔阳卢氏基斋刊本。

艾南英著：《天佣子集》，旧学山房藏本　道光丙申重刻本。

王廷相著：《王氏家藏集》，台北伟文图书出版公司，1976 年版。

王守仁著：《王阳明全集》，上海古籍出版社，1992 年版。

沈德符著：《万历野获编》，中华书局，1959 年版。

王夫之著：《王船山诗文集》，中华书局，1983 年版。

吴伟业著：《吴梅村全集》，上海古籍出版社，1990 年版。

徐渭著：《徐渭集》，中华书局，1983 年版。

徐㶿著：《徐氏红雨楼书目》，古典文学出版社，1957 年版。

王圻著：《续文献通考》，明万历三十一年曹时聘等刻本谢榛著、李庆立校笺：《谢榛全集校笺》，江苏古籍出版社，2003 年版。

陶望龄著：《歇庵集》，台北伟文图书出版公司，1976 年版。

姚鼐著：《惜抱轩全集》，香港广智书局，1959 年版。

徐朔方著：《徐朔方集》，浙江古籍出版社，1993 年版。

袁宗道著、孟祥荣笺校：《袁宗道集笺校》，湖北人民出版社，2003 年版。

袁枚著：《袁枚全集》，江苏古籍出版社，1993 年版。

王利器辑：《元明清三代禁毁小说戏曲史料》，上海古籍出版社，1981 年版。

叶燮著：《原诗》，人民文学出版社，1979 年版。

钟惺著：《隐秀轩集》，上海古籍出版社，1992 年版。

周亮工著：《因树屋书影》，上海古籍出版社，1981 年版。

梁启超著：《饮冰室合集》，中华书局，1989 年版。

孙楷第著：《中国通俗小说书目》，人民文学出版社，1982 年版。

石昌渝主编：《中国古代小说总目》，山西教育出版社，2004 年版。

钱仲联等主编：《中国文学家大辞典》，上海辞书出版社，1997 年版。

吴文治著：《中国文学史大事年表》，黄山书社，1993 年版。

王永宽、王钢著：《中国戏曲史编年》（元明卷），中州古籍出版社，1994 年版。

丁锡根编著：《中国历代小说序跋集》，人民文学出版社，1996 年版。

中国艺术研究院编：《中国古典戏曲论著集成》，中国戏剧出版社，1959 年版。

归有光著：《震川先生文集》，上海古籍出版社，1981 年版。

陈洪谟著：《治世余闻》，中华书局，1985 年版。

郑板桥著：《郑板桥集》，上海古籍出版社，1979 年版。

章学诚著：《章氏遗书》，北京文物出版社，1982 年覆嘉业堂本。

（《四库全书》、《四库全书存目丛书》、《四库禁毁书丛刊》、台湾新兴书局《笔记小说大观》等所收著述，本编参考和引用甚多，限于篇幅，恕不列入。）

# 人名索引

**图书在版编目（CIP）数据**

中国文学编年史. 明中期卷 / 陈文新主编；陈文新分册主编. —长沙：
湖南人民出版社，2006.9
ISBN 7-5438-4534-2

Ⅰ.中... Ⅱ.①陈...②陈... Ⅲ.①文学史—编年史—中国—明代 Ⅳ.I209

中国版本图书馆 CIP 数据核字（2006）第 117663 号

## 中国文学编年史·明中期卷

| | |
|---|---|
| **责任编辑**： | 李建国　胡如虹　曹有鹏 |
| | 杨　纯　邓胜文　张志红　聂双武 |
| **主　　编**： | 陈文新 |
| **书名题字**： | 卢中南 |
| **装帧设计**： | 陈　新 |
| **出　　版**： | 湖南人民出版社 |
| **地　　址**： | 长沙市营盘东路 3 号 |
| **市场营销**： | 0731-2226732 |
| **网　　址**： | http://www.hnppp.com |
| **邮　　编**： | 410005 |
| **制　　作**： | 湖南潇湘出版文化传播有限公司 |
| **电　　话**： | 0731-2229693　2229692 |
| **印　　刷**： | 中华商务联合印刷（广东）有限公司 |
| **经　　销**： | 湖南省新华书店 |
| **版　　次**： | 2006 年 9 月第 1 版第 1 次印刷 |
| **开　　本**： | 787×1094　1/16 |
| **印　　张**： | 40 |
| **字　　数**： | 883,000 |
| **书　　号**： | ISBN 7-5438-4534-2/I·451 |
| **定　　价**： | 296.00 元 |